LA POLITIQUE QUÉBÉCOISE ET CANADIENNE

Directeur de collection
Alain G. Gagnon

Les recherches portant sur le Québec et le Canada ont pris un nouvel élan ces dernières années grâce au gain en popularité des études comparées et au rayonnement qu'elles ont connu sur la scène internationale. Le Québec est devenu une véritable inspiration pour les nations en quête de reconnaissance alors que, de son côté, le Canada est fréquemment présenté comme un modèle pour les sociétés traversées par la diversité nationale et le pluralisme identitaire.

La collection *Politeia* se concentre sur l'analyse des phénomènes politiques et sociaux, et cherche plus particulièrement à mieux comprendre les transformations de la vie politique au Québec et au Canada. Ses auteurs jettent un regard affûté sur l'évolution du régime politique, des systèmes partisans et de l'économie politique au pays, en plus de s'intéresser aux mutations économiques, idéologiques et politiques ayant marqué le Québec et le Canada.

La collection *Politeia* accueille les travaux de pointe portant sur les nations sans État et celles en voie d'habilation, dans la mesure où ils feront avancer la réflexion sur le fédéralisme et le phénomène national et permettront de mettre en valeur la production scientifique des québécistes et des canadianistes.

Comité scientifique

Membre de
L'ASSOCIATION
NATIONALE
DES ÉDITEURS
DE LIVRES

Presses de l'Université du Québec

Le Delta I, 2875, boulevard Laurier, bureau 450, Québec (Québec) G1V 2M2
Téléphone : 418 657-4399   *Télécopieur* : 418 657-2096
Courriel : puq@puq.ca   *Internet* : www.puq.ca

Diffusion / Distribution :

CANADA Prologue inc., 1650, boulevard Lionel-Bertrand, Boisbriand (Québec) J7H 1N7
Tél. : 450 434-0306 / 1 800 363-2864

FRANCE Sofédis, 11, rue Soufflot, 75005 Paris, France – Tél. : 01 53 10 25 25
Sodis, 128, avenue du Maréchal de Lattre de Tassigny, 77 403 Lagny, France – Tél. : 01 60 07 82 99

BELGIQUE Patrimoine SPRL, avenue Milcamps 119, 1030 Bruxelles, Belgique – Tél. : 02 7366847

SUISSE Servidis SA, Chemin des Chalets 7, 1279 Chavannes-de-Bogis, Suisse – Tél. : 022 960.95.32

Diffusion / Distribution (ouvrages anglophones) :

Independent Publishers Group, 814 N. Franklin Street, Chicago, IL 60610 – Tel. : (800) 888-4741

LA POLITIQUE QUÉBÉCOISE ET CANADIENNE

ACTEURS, INSTITUTIONS, SOCIÉTÉS

2e édition

Sous la direction de
Alain-G. Gagnon et **David Sanschagrin**

 Presses de l'Université du Québec

Catalogage avant publication de Bibliothèque et Archives nationales
du Québec et Bibliothèque et Archives Canada

Vedette principale au titre :

La politique québécoise et canadienne : acteurs, institutions, sociétés.

2e édition.

(Politeia ; 5)
Édition originale : 2014.
Comprend des références bibliographiques.
Pour les étudiants du niveau universitaires.

Publié en formats imprimé(s) et électronique(s).

ISBN 978-2-7605-4799-5
ISBN 978-2-7605-4800-8 (PDF)
ISBN 978-2-7605-4801-5 (EPUB)

1. Québec (Province) – Politique et gouvernement – Manuels d'enseignement
supérieur. 2. Canada – Politique et gouvernement – Manuels d'enseignement
supérieur. 3. Relations fédérales-provinciales (Canada) – Québec (Province) –
Manuels d'enseignement supérieur. I. Gagnon, Alain-G. (Alain-Gustave),
1954-   . II. Sanschagrin, David. III. Collection : Collection Politeia ; 5.

JL250.P63 2017   320.9714   C2017-941013-X
                                          C2017-941014-8

Financé par le gouvernement du Canada   Funded by the Government of Canada   Canada

Conseil des arts du Canada   Canada Council for the Arts

SODEC
Québec

Révision
Mélissa Guay

Correction
Céline Bouchard

Conception graphique
Vincent Hanrion

Mise en page
Interscript

Dépôt légal : 3e trimestre 2017
› Bibliothèque et Archives nationales du Québec
› Bibliothèque et Archives Canada

Imprimé au Canada
D4799-2 [02]

TABLE DES MATIÈRES

Chapitre 8 – Le pouvoir au sommet : la domination de l'exécutif 179
Donald J. Savoie

Chapitre 9 – L'administration publique québécoise et canadienne 197
Maude Benoit

Chapitre 10 – Les institutions judiciaires et le phénomène de la judiciarisation du politique au Québec et au Canada 217
Louis-Philippe Lampron

LISTE DES FIGURES

LISTE DES TABLEAUX

INTRODUCTION

La deuxième édition de *La politique québécoise et canadienne* fait peau neuve en se penchant de façon plus marquée sur les acteurs, les institutions et les collectivités qui font du Québec et du Canada des communautés politiques qui suscitent l'envie de nombreuses sociétés. La présente édition souscrit à la démarche pluraliste adoptée dès sa première publication en 2014. Pour ne pas être en reste avec les transformations rapides qui touchent le Québec et le Canada, les chapitres ont été actualisés ou revus de façon importante. De même, plusieurs nouveaux auteurs font leur entrée : Maude Benoit, Hubert Cauchon, Pascale Dufour, Philippe Duguay, Allison Harell, Guy Laforest, Xavier Lafrance, Alain Noël, Donald J. Savoie, Mireille Paquet et Benjamin Pillet. Aussi, cette nouvelle édition propose pas moins d'une dizaine de nouveaux chapitres. Ces nouvelles études viennent ainsi enrichir les chapitres pérennes de la première édition que nous devons à Marc Chevrier, Yves Couture, Alain Dieckhoff, Xavier Dionne, Alain-G. Gagnon, Peter Graefe, Nicolas Houde, Justin Massie, Louis-Philippe Lampron, Geneviève Pagé, Stéphane Roussel, David Sanschagrin et Jean-Charles St-Louis.

Ce livre ambitionne de répondre à des lacunes importantes dans le champ de la politique québécoise et canadienne qui, trop longtemps, semble s'être cantonnée à une vision institutionnelle et constitutionnelle des problèmes politiques dans la fédération. Or, s'il ne rejette pas son passé, ce champ d'études a changé et continue de se transformer en s'ouvrant à de nouveaux objets d'étude. Les spécialistes mobilisés pour la réalisation de ce livre ont donc été choisis pour mieux refléter le pluralisme des études canadiennes et québécoises. Cet ouvrage cherche d'abord à répondre aux besoins de la formation des chercheurs aux trois cycles universitaires, mais il est aussi destiné à un public de citoyens désireux d'approfondir leur compréhension des dynamiques sociopolitiques au Québec et au Canada.

La démarche scientifique proposée se veut pluraliste et fait montre d'une grande sensibilité à l'égard des études comparées comme façon de mettre en valeur les travaux réalisés en politique québécoise et canadienne. Les lecteurs sont invités à se familiariser avec les principales approches utilisées en science politique, dont celles de l'économie politique, de la pensée politique, de la sociologie électorale, de la sociologie politique, des théories de l'État et de la démocratie, de la sociologie du droit, de la politique comparée et de l'analyse des politiques publiques.

Ce manuel est construit autour de quatre piliers principaux : a) les traditions démocratiques et la culture ; b) les institutions politiques (l'État, le pouvoir exécutif, le pouvoir législatif, l'administration publique, les institutions judiciaires, le fédéralisme) ; c) les partis politiques, les groupes de pression et les mouvements sociaux ; et d) les politiques publiques (les politiques migratoires, les politiques de redistribution, les politiques linguistiques et la politique étrangère).

Les auteurs innovent de plusieurs façons par rapport aux ouvrages utilisés en vue de préparer les étudiants à ce champ d'études en discutant concurremment des questions autochtones, identitaires, sociales, politiques et nationales au pays. L'étude des diverses formes de mouvements politiques et sociaux (le syndicalisme, le féminisme, le mouvement étudiant, les mobilisations autochtones, etc.) constitue un autre angle d'approche important de cet ouvrage. Au cœur de la présente réflexion se trouvent nécessairement les tensions caractérisant les rapports Québec-Canada. Ces tensions sont prises en compte sous divers angles couvrant, entre autres, les dynamiques partisanes, le comportement électoral, les politiques linguistiques, le choc entre les projets politiques relevant du multiculturalisme et ceux associés à l'interculturalisme, de même que les politiques en matière de relations internationales et de paradiplomatie. Les auteurs discutent des principales approches du fédéralisme (territorial, multinational ou mixte) et prennent la mesure à la fois du nationalisme minoritaire et du nationalisme majoritaire prévalant au Canada tout en explorant ces formes de mobilisation politique sous divers angles (civique, culturel, économique, ethnoculturel). Enfin, le croisement des problèmes de la reconnaissance de la diversité, des inégalités (sociales, politiques, etc.) et de la domination structurelle traversent l'ensemble de cet ouvrage. Donc, la question en filigrane posée par cet ouvrage, et à laquelle le lectorat est appelé à répondre, est celle de la distance qui nous sépare de la réalisation de trois des grands objectifs souhaités par les sociétés libérales avancées : la quête de reconnaissance et l'habilitation, la poursuite de l'égalité et l'approfondissement de la démocratie.

Pour chaque chapitre, les auteurs présentent un aperçu synthétique de leur sujet, la genèse et l'évolution de leur objet d'étude, les principaux débats l'entourant et les approches théoriques pour l'étudier. Le lecteur acquiert ainsi rapidement une idée générale de chacun des sujets, et donc peut se faire plus aisément une idée d'ensemble de la dynamique sociopolitique. Les tableaux de synthèse ainsi que la mise en exergue des points clés dans chaque chapitre contribuent aussi à l'intégration de la matière. Puisque chaque chapitre pousse à continuer la réflexion par une série de questions ainsi que des lectures suggérées, le lecteur est ainsi invité à poursuivre l'approfondissement de ses connaissances. La source de notre démarche pédagogique première trouve son inspiration dans le manuel de Daniele Caramani *Comparative Politics* (Oxford University Press), auquel a contribué Alain-G. Gagnon.

Nous souhaitons ainsi poursuivre et approfondir les travaux menés à diverses périodes par des chercheurs érudits de la politique québécoise et canadienne. Viennent naturellement à l'esprit les recherches d'André J. Bélanger, Gérard Bergeron, André Bernard, Robert Boily, Léon Dion, Hubert Guindon, Jane Jenson, Diane Lamoureux, Daniel Latouche, Kenneth McRoberts, Réjean Pelletier, Évelyne Tardif, Charles Taylor et plusieurs autres.

La préparation d'un manuel de cette envergure fait appel à la contribution de plusieurs personnes. Nous tenons à remercier chaleureusement tous les auteurs qui ont rédigé des textes de qualité dans le but de donner aux étudiants et aux citoyens le meilleur outil possible en études québécoises et canadiennes. L'appui d'Olivier De Champlain et du personnel à la

Chaire de recherche du Canada en études québécoises et canadiennes (CREQC), établie à l'Université du Québec à Montréal, doit être souligné. Notre gratitude va enfin à tous les membres de l'équipe des Presses de l'Université du Québec, et particulièrement à Martine Des Rochers, pour leur soutien constant.

PARTIE I

TRADITIONS DÉMOCRATIQUES ET CULTURES

La première partie de ce manuel en études québécoises et canadiennes brosse le tableau des grands courants de la pensée et des idéologies politiques au Canada. Elle explore aussi le processus de démocratisation du régime politique fédéral tout en cherchant à cerner la place du Québec et des Autochtones en tant que nations en quête de reconnaissance et d'habilitation. Enfin, les auteurs étudient la question identitaire au Québec en passant en revue les débats publics. Force est de constater qu'il s'agit ici d'un effort concerté en vue d'offrir aux lecteurs une analyse pluraliste des enjeux politiques et communautaires actuels tout en s'appuyant sur les idées politiques qui ont traversé avec des succès variables les diverses époques.

Dans le premier chapitre de ce livre, **Guy Laforest** et **Alain-G. Gagnon** présentent plusieurs des principaux éléments qui structurent la vie politique au Canada et au Québec, qu'il s'agisse du fédéralisme, du régime d'héritage britannique, du constitutionnalisme, de la démocratie, des relations entre nations ou de la reconnaissance de la diversité. Selon eux, bien qu'il soit issu de la diversité nationale, l'État central est néanmoins tenté par le nationalisme unitaire et la centralisation des pouvoirs pour développer une union sociale et économique fonctionnelle. Il vit donc une sorte d'ambivalence avec sa propre réalité sociologique pluraliste et avec les principes fédéraux qui ont présidé à sa fondation. Si l'État central met en avant symboliquement la diversité canadienne (multiculturalisme, bilinguisme, etc.), il peine toutefois à l'inscrire dans les pratiques politiques, notamment en refusant de reconnaître constitutionnellement la nation québécoise, ce qui la pousse à considérer l'option sécessionniste et accentue ses angoisses identitaires.

Dans le chapitre 2, **Yves Couture** cherche à approfondir les débats et les principaux courants dans le champ de la pensée politique au Québec et au Canada anglais. Pour ce faire, l'auteur convie les lecteurs à une analyse qui s'inscrit dans la longue durée. Le fait dominant de l'histoire canadienne, nous rappelle Couture, est l'intégration dans une même réalité politique d'une pluralité de sociétés et de communautés distinctes par l'expérience politique, par la langue ou par la culture. La différence canadienne-française, puis québécoise, a joué un rôle central dans l'implantation de cette pluralité. La diversité canadienne a longtemps été aménagée dans un cadre impérial et hiérarchique. À partir des années 1960 s'accélère la remise en question, parfois radicale, de l'ancienne hiérarchie impériale canadienne, notamment sous l'effet d'une contestation modernisatrice venue du Québec. L'enjeu principal est alors de penser dans un horizon pleinement démocratique une nouvelle articulation de la pluralité, de la dualité et de l'unité. Le pluralisme est cependant une réalité complexe et même paradoxale, ne serait-ce que parce que chaque forme de reconnaissance de la pluralité suppose elle-même un horizon unificateur.

Le troisième chapitre est une étude de **Nicolas Houde** et de **Benjamin Pillet** portant sur la place des Autochtones dans l'espace politique canadien. On y retrouve une analyse des processus ayant contribué à garder les Autochtones à la marge de l'espace politique canadien, au travers d'un retour sur l'histoire canadienne passée au prisme de ses institutions coloniales. S'y ajoute un portrait actualisé des différentes lectures qui peuvent être faites du colonialisme de peuplement et des stratégies pouvant être mises en place pour sortir du cadre colonial au Canada. Houde et Pillet font aussi état des débats actuels entourant différentes solutions politiques visant à revoir la relation entre l'État et les peuples autochtones en vue de mettre un terme à la marginalisation politique vécue par ces derniers. Ils abordent la politique d'ententes globales menée par le gouvernement fédéral (et ses conséquences en termes de droits), notamment pour critiquer la notion selon laquelle le Canada serait entré dans une ère de relations véritablement ré-envisagées entre l'État canadien et les Premières Nations. S'ajoutent à cela d'importantes réflexions sur les débats actuels entourant la notion de décolonisation.

Au chapitre 4, **Jean-Charles St-Louis** discute de la place de l'« identité » dans les sciences sociales et dans les débats universitaires. À partir de l'exemple québécois, il étudie quelques-uns des principaux enjeux qui s'articulent autour de la question des identités collectives. La première section du chapitre vise à cerner l'importance du concept d'identité dans les sciences sociales et dans le monde politique contemporain. Il y discute plus précisément des apports des approches narratives et relationnelles, puis de l'imbrication du concept d'identité dans les principaux discours sur la légitimité politique et la citoyenneté. Dans la deuxième section, l'auteur propose un aperçu de divers débats interprétatifs et de nombreux récits identitaires qui ont été proposés au Québec depuis 1960. Enfin, dans la troisième section, l'auteur aborde la question du pluralisme, notamment en ce qu'elle implique la remise en question des conceptions traditionnelles de l'appartenance et de la citoyenneté, puis traite des limites des principaux discours portant sur l'« identité québécoise » à la lumière de voix critiques et dissidentes.

Dans le chapitre 5, **Alain-G. Gagnon** identifie les principaux visages du Québec et les récits politiques qui sont apparus et qui ont refait surface depuis le début de la Révolution tranquille. Il propose de comprendre le Québec à partir de cinq visages politiques, soit comme partenaire clé d'une nouvelle nationalité politique, comme nation fondatrice dans un Canada dualiste, comme Province-État, comme société distincte et comme société multinationale. Chacun de ces visages prévaudra à des périodes différentes de son histoire et avalisera une conception du Québec comme communauté politique, conception qui influencera à son tour les priorités politiques du moment ainsi que le type de relations qu'il entretiendra avec l'ensemble des partenaires au sein de la fédération canadienne.

CHAPITRE 1

COMPRENDRE LA VIE POLITIQUE AU QUÉBEC ET AU CANADA[1]

Guy Laforest et Alain-G. Gagnon

À l'échelle internationale, davantage d'acteurs s'intéressent aux systèmes politiques du Canada et du Québec à cause de leur pertinence dans un monde où les enjeux reliés à la diversité des populations deviennent de plus en plus importants, mais aussi à cause du coefficient élevé de stabilité et de bonne gestion des institutions canadiennes, sans négliger le contraste avec les États-Unis de l'ère Trump. À l'ère du numérique, des nouveaux médias sociaux et de la politique-spectacle, l'intérêt envers la politique canadienne s'est accru vers la fin de l'année 2015 avec l'arrivée au pouvoir de Justin Trudeau, lequel a séduit beaucoup de gens au Canada et dans le monde aussi bien par sa maîtrise des nouveaux médias que par son discours d'ouverture à la diversité (Trudeau, 2015). L'originalité des expériences canadienne et québécoise vient du fait que l'histoire les a amenés à transformer leurs régimes politiques pour intégrer simultanément plusieurs couches de diversité profonde : des nations minoritaires territorialement concentrées (par exemple le Québec et l'Acadie dans le Canada) et une minorité ethnoculturelle (minorité anglo-québécoise) ; des populations immigrantes cherchant un élargissement de la citoyenneté dans le multiculturalisme (à la canadienne) ou dans l'interculturalisme (à la québécoise) ; des peuples autochtones résolument engagés dans des dynamiques de reconstruction identitaire et de quête de leur autonomie gouvernementale. En sociologie politique comme en philosophie, les travaux les plus actuels sur les identités plurielles, sur le fédéralisme et sur la citoyenneté dans nos sociétés démocratiques, scrutent attentivement les développements dans le laboratoire politique canado-québécois (Gagnon, 2011, p. 129 ; Gagnon et Keating, 2012).

1. Ce chapitre est une version enrichie d'un texte paru dans *Le parlementarisme canadien*. Il est publié ici avec la permission des Presses de l'Université Laval. Nous en remercions d'ailleurs vivement le directeur, monsieur Denis Dion.

Dans ce chapitre d'introduction, nous commencerons par offrir plusieurs réponses aux interrogations visant à cerner la nature et les principaux éléments de l'identité politique du Canada. Certes, nous fournirons notre propre réponse, mais nous considérerons aussi les perspectives de quelques acteurs importants de notre vie politique et intellectuelle. Nous effectuerons par la suite un survol des dates et des événements marquants de l'histoire (voir l'annexe en fin de chapitre) en insistant sur la thématique de la fondation. Puis nous proposerons une interprétation du conflit entre les projets nationaux canadien et québécois, principale ligne de clivage de la politique au pays depuis la Deuxième Guerre mondiale.

1. L'IDENTITÉ POLITIQUE CANADIENNE

Le Canada est, avec 10 millions de kilomètres carrés, un pays à la géographie imposante. Toutefois, pour la majorité de sa population anglophone (77 % sur un total de 35 millions) et pour l'*establishment* politico-intellectuel concentré dans le corridor Toronto-Ottawa-Montréal, c'est une créature vulnérable, obnubilée par sa précarité face aux États-Unis d'Amérique, la plus grande puissance de l'histoire de l'humanité. Le voisinage états-unien, c'est le péril externe pour la promotion d'une identité canadienne distincte. Les réflexions de George Grant dans *Lament for a Nation : The Defeat of Canadian Nationalism* sont évocatrices de l'inquiétude viscérale du pays face à son voisin. Par ailleurs, à l'interne, c'est la menace souverainiste du Québec qui a représenté, au cours des quarante dernières années, le seul vrai péril pour la préservation de l'intégrité territoriale. À deux reprises, d'abord en mai 1980 puis de façon encore plus accentuée en octobre 1995, des référendums sur la souveraineté organisés par le gouvernement du Québec ont ébranlé le pays dans son existence même. Déjà, sous le gouvernement majoritaire de Stephen Harper (2011-2015), et peut-être encore davantage depuis

l'arrivée au pouvoir de Justin Trudeau, la menace sécessionniste québécoise s'est estompée comme priorité de la politique et de la symbolique canadiennes pour laisser place à la problématique plus englobante de la diversité (toutefois généralement insensible à celle du Québec au sein du Canada), et comme le soulignait le discours du Trône du 4 décembre 2015, à l'établissement d'un partenariat de nation à nation avec les peuples autochtones.

Pour offrir un premier aperçu de l'identité politique canadienne, nous donnerons d'abord la parole à la Cour suprême du Canada. En 1998, dans le *Renvoi relatif à la sécession du Québec*, le plus haut tribunal du pays a établi quatre principes qui constituent les fondements politico-normatifs de l'édifice constitutionnel canadien : le fédéralisme ; la démocratie ; le **constitutionnalisme**[2] et la **primauté du droit** ; le respect des droits des minorités.

En mettant le fédéralisme au premier rang dans son énumération, la Cour suprême lui a clairement attribué la toute première place dans l'architecture politico-constitutionnelle du pays. Nous pensons qu'il s'agissait davantage d'un vœu pieux pour l'avenir que d'une description adéquate du passé. L'avis de la Cour fait à présent autorité, mais il est encore possible de le critiquer dans une société libre et démocratique, expression que l'on trouve aussi, depuis 1982, dans le premier article de la *Charte canadienne des droits et libertés*.

Certes, le Canada est depuis 1867 un régime fédéral où les pouvoirs et les compétences, enchâssés dans un texte constitutionnel, sont partagés entre le gouvernement central et les États membres de la fédération. C'est aussi un régime démocratique où les citoyens jouissent d'une série de droits politiques, dont ceux qui exigent la tenue régulière d'élections dans un régime représentatif ainsi que le principe

....

2. Les concepts en caractères gras sont définis dans le glossaire à la fin du chapitre.

d'égalité inscrit dans le droit de vote. Toutefois, le peuple n'y est pas souverain, le Canada étant une **monarchie constitutionnelle** où la souveraineté est partagée entre le Parlement et le texte constitutionnel, tel qu'interprété par les juges et les prérogatives résiduelles de la monarchie, dont a hérité le premier ministre fédéral. Cette caractéristique se trouve dans le troisième principe énoncé par la Cour suprême en 1998, à savoir le constitutionnalisme et la primauté du droit. Monarchie limitée, dans la tradition britannique, depuis l'instauration du principe de la suprématie parlementaire en Angleterre à la fin du XVIIᵉ siècle, le Canada se définit aussi par son respect du principe de la primauté du droit. Ce principe le range dans la catégorie des États adhérant à la philosophie politique du libéralisme, l'empire du droit servant à encadrer et à limiter l'autorité des gouvernements pour mieux préserver les droits individuels et l'égalité entre les citoyens. Dans sa compréhension de l'identité politique du Canada, la Cour suprême a incontestablement contribué à accroître la réputation du pays comme champion de la diversité dans le monde en élevant le principe du respect des droits des minorités au rang des éléments qui définissent le pays. Justin Trudeau a approfondi cette réputation à Londres, le 26 novembre 2015, dans un discours où il déclara que la diversité fait justement la force du Canada.

Quand les diplomates canadiens partent à l'étranger, ils emmènent avec eux le portrait officiel du pays, assez semblable à celui tracé par la Cour suprême en 1998 : monarchie constitutionnelle, démocratie libérale représentative, régime parlementaire et fédéral, État-nation indépendant, bilingue et multiculturel. Que dire du Québec dans ce premier regard portant sur l'identité politique canadienne ? Seule province majoritairement francophone (plus de 80 % des Québécois sont d'héritage francophone ou canadien-français et 96 % des 8,4 millions d'habitants parlent le français), le Québec a

historiquement contribué substantiellement à la configuration originale de l'État canadien. Si le Canada est souvent considéré comme l'avant-garde d'une nouvelle civilisation de la différence ouverte à la diversité et à la multiplicité des identités, il le doit, pour une bonne part, au Québec (Kymlicka, 1998 et 2001). Le Canada est devenu, en 1971, le premier pays de la planète à adopter une politique officielle de multiculturalisme inscrite dans l'élargissement de son bilinguisme institutionnel (officialisé par une loi en 1969 et actualisé en 1988) et dans l'aménagement des règles du vivre-ensemble entre deux communautés, anglophone et francophone, territorialement concentrées et imbriquées l'une dans l'autre.

Il y a une quinzaine d'années, Michael Ignatieff, l'ancien chef du Parti libéral fédéral, avait essayé de cerner en quoi la panoplie des droits que l'on trouve au Canada faisait du pays un espace juridique original dans la famille des États libéraux et démocratiques. Il a établi que cela était dû à une combinaison de quatre types de droits : des droits libéraux assez avant-gardistes sur des questions morales complexes comme celle de l'avortement ; une conception sociale-démocrate généreuse visible dans des programmes de redistribution de la richesse pour les communautés et les individus défavorisés ; des droits collectifs pour les groupes ; et enfin la possibilité pour un État membre de quitter la fédération en toute légalité (Ignatieff, 2001, p. 25-26). Des pressions politiques exercées par le seul État fédéré majoritairement francophone au pays, la nature des valeurs sociales partagées et la culture publique commune au Québec, ainsi que le rôle clé joué par des acteurs politiques issus de cette province, sont à compter parmi les facteurs ayant contribué à façonner ce régime des droits, qui participe, pour une bonne part, à faire l'originalité politico-juridique du pays. Pourtant, et cela est d'une certaine manière la face sombre de la politique canadienne, le pays n'est pas encore parvenu à exprimer clairement et fortement, dans un texte constitutionnel, le fait que le Québec – comme peuple, nation, société distincte, nation minoritaire, communauté politique autonome (les mots pour le dire n'ont pas manqué au cours de l'histoire) – est une entité différente du reste du pays et que cette différence entraîne des conséquences politiques et juridiques importantes. La reconnaissance, en novembre 2006, par la Chambre des communes, du fait que les Québécoises et les Québécois forment une nation au sein d'un Canada uni n'a pas beaucoup de poids politique et juridique. Pour comprendre le Canada et son identité politique, on ne peut passer toutefois à côté de l'expérience historico-politique québécoise.

Si le Canada est obnubilé par le voisinage des États-Unis, le Québec paraît traversé par une obsession démographique et une angoisse identitaire qui se manifestent par la crainte de disparaître dans l'uniformité anglophone du continent, mais aussi par un nationalisme parfois mélancolique qui s'explique mal que ce Québec est le seul rejeton colonial européen d'importance à ne pas avoir fait son indépendance dans l'histoire des Amériques depuis deux siècles (Bouchard, 2000). Le Québec, c'est d'abord un miracle de la démographie. De l'époque napoléonienne à aujourd'hui, la population de la France est passée de 25 millions à 67 millions d'habitants. Pendant ce temps, l'ex-Nouvelle-France fraîchement conquise, qui s'est métamorphosée en Québec moderne en 1960, a vu sa population croître de 70 mille à 8,4 millions d'habitants. C'est le phénomène de la survivance du Québec. Société massivement catholique, conservatrice, rurale et aux familles démesurément nombreuses encore en 1920, le Québec n'a eu besoin que de deux générations pour vivre une modernisation brusque et tardive qui en a fait un peuple qui s'est massivement détourné de l'Église catholique, urbanisé, ouvert à toutes les tendances et innovations sociétales et transformé en champion toutes catégories de la dénatalité en Amérique du Nord (Grégoire, Montigny et Rivest, 2016). Et dire que les sociologues ont considéré qu'il s'agissait là

d'une révolution tranquille ! L'expression désigne plus correctement le rattrapage institutionnel étatique et la reconfiguration du nationalisme qui se sont produits entre 1960 et 1970. Parce que cet État provincial poussé par la mobilisation nationaliste s'est rapidement emparé des champs de l'éducation, de la santé et de pans substantiels de l'économie (notamment avec la création d'Hydro-Québec et la nationalisation de l'électricité), l'expression *Nation sans État*, que l'on doit à la sociologue politique catalane Montserrat Guibernau (1999), décrit de façon incorrecte la réalité québécoise[3]. La division des pouvoirs entre les ordres de gouvernement dans la fédération canadienne procure au Québec une marge appréciable d'autonomie que ses dirigeants politiques avaient laissée aux mains de l'Église et des organismes de charité jusque dans la deuxième moitié du XXᵉ siècle. Cette dynamique de changement fut fortement impulsée par la très importante cohorte démographique du *baby-boom*, laquelle a beaucoup carburé idéologiquement au nationalisme de décolonisation qui a caractérisé l'après-Deuxième Guerre mondiale en Afrique et en Asie (Monière, 2001 ; Keating, 1997). Ce Québec extrêmement novateur, symbolisé par l'Exposition universelle de 1967 à Montréal, a nourri, simultanément, un important mouvement indépendantiste et les transformations politico-identitaires qui ont donné naissance au Canada contemporain (Ralston Saul, 1998).

Dans la reconstruction historique des principes de l'édifice politico-constitutionnel du Canada qu'elle a proposée en 1998, la Cour suprême a beaucoup insisté sur les éléments normatifs pour en arriver à un récit par trop idéalisé (Racine, 2012, p. 143). En tenant davantage compte du cadre

....

3. En lien avec le titre de son ouvrage, *Nations without States*, paru en 1999. Nous estimons cependant que l'auteure a raison d'écrire que pour des communautés politiques autonomes, mais non souveraines, comme le Québec, la Catalogne et l'Écosse, la gestion de la diversité interne est un enjeu fondamental, comme les travaux de la commission Bouchard-Taylor l'ont clairement démontré.

géopolitique et de la dynamique conflictuelle de la vie des sociétés, nous allons conclure cette section en cernant quatre dimensions interreliées de l'architecture politico-identitaire du Canada. Il s'agit de la place centrale de l'État, de la portée de l'héritage britannique, du **principe fédéral** et, enfin, de l'apport déterminant du Québec à la diversité canadienne.

chapitre de la protection des communautés minoritaires : catholiques et protestantes, sans oublier la minorité anglo-québécoise au temps de la fondation fédérale en 1867, minorités linguistiques à la grandeur du Canada, peuples autochtones et groupes attachés au patrimoine multiculturel du pays depuis le régime de Pierre Elliott Trudeau.

1.1. Le rôle incontournable et prioritaire de l'État

Dans l'histoire du pays, l'État a toujours été un marqueur identitaire fort, d'abord pour s'émanciper de la tutelle de Londres, puis, avant tout, dans le dessein de différencier le Canada de son voisin américain. Tandis que le rêve américain est construit sur un individualisme exacerbé et sur une profonde méfiance envers l'État, l'idéal canadien a toujours revêtu, dans un Canada plus *tory*, les traits d'un protecteur bienveillant de la communauté. Aux États-Unis, les textes fondateurs sacralisent les projets individuels de protection de la vie, de la liberté et de la poursuite du bonheur. Au Canada, et ce dès 1867, le Dominion fédéral fut érigé pour promouvoir la paix, l'ordre et le bon gouvernement (Brouillet, Gagnon et Laforest, 2016). Le ton était donné. Pour construire et développer un pays autonome et distinct au nord des États-Unis, il a donc été nécessaire de miser sur un volontarisme Est-Ouest renouvelé à travers cinq grandes politiques nationales : l'établissement d'une politique nationale économique derrière un mur tarifaire ; la construction des chemins de fer au XIXᵉ siècle ; la politique de l'immigration afin de peupler les provinces de l'Ouest canadien ; l'établissement d'un *Welfare State* à partir de la Deuxième Guerre mondiale (dont notamment le principe de la péréquation) ; et l'avènement de la *Charte canadienne des droits et libertés* en 1982. Au Canada, le rôle de fiduciaire attribué à l'État central prend une coloration particulière au

1.2. L'importance historique et la signification contemporaine de l'héritage britannique

Le Canada est un pays doté d'une solide épine dorsale étatique. Il a cependant eu besoin de plus d'un siècle, après 1867, pour vraiment affirmer son indépendance de la mère patrie impériale britannique. Cet esprit modéré s'est imposé dans la façon britannique de combiner la suprématie du Parlement dans un régime conservant une forte symbolique monarchique et persistant à attribuer des pouvoirs législatif et exécutif limités, mais bien réels, aux détenteurs de l'autorité royale. Cet héritage a donc procuré un antiradicalisme à la culture politique canadienne, distinguant le pays aussi bien de la France que des États-Unis. Pour décrire l'histoire de l'autonomisation du Canada, il faut parler d'une véritable décolonisation tranquille. Cet esprit caractérise aussi les processus de transformation constitutionnelle. Dans la tradition continentale européenne – et surtout en France –, changer de constitution, c'est déménager pour vivre dans une nouvelle maison après avoir démoli l'ancienne. Héritage britannique oblige, le Canada se comporte autrement. L'ingénierie constitutionnelle y est œuvre de rénovation et de récupération. État fort d'abord et avant tout pour maintenir une distinction avec les États-Unis et développer un sous-continent, il doit aussi à sa filiation britannique le fait d'être un État libéral limité. Les principales coutumes et les traditions britanniques – la primauté du droit, la monarchie constitutionnelle limitée par la prépondérance du Parlement, le système d'un **gouvernement responsable** à la tête duquel on trouve conventionnellement le chef du principal parti politique représenté à la Chambre des communes – font en sorte qu'il comptait, à l'échelle occidentale, parmi les pays les mieux protégés de l'autoritarisme étatique bien avant l'entrée en vigueur de la *Charte canadienne des droits et libertés* en 1982.

Il manquerait un élément à la compréhension de cette dimension si nous omettions d'établir un lien entre l'héritage britannique et la culture politique de la fonction publique au service de l'État central canadien. Tout au long de la période prolongée de gestation de l'État canadien, la fonction publique fédérale, massivement anglophone, a maintenu des contacts étroits avec la bureaucratie impériale britannique. La force de l'État au Canada, c'est donc aussi celle d'une élite administrative centrale dévouée, compétente, cultivant les vertus du service public et s'estimant d'emblée supérieure à ses homologues œuvrant dans les capitales provinciales, ayant donc transféré à son profit, dans la conduite de la vie politique au Canada, cette présomption de supériorité qui a longtemps caractérisé la bureaucratie impériale britannique (Owram, 1986). Cet aspect, trop souvent négligé, n'appartient pas uniquement à la sphère de la culture politique. Il conserve toute sa pertinence dans la dynamique des relations intergouvernementales à l'œuvre dans le fédéralisme canadien contemporain.

1.3. Le principe fédéral : autonomie et non-subordination des pouvoirs

Nous sommes d'accord avec l'opinion émise par la Cour suprême du Canada en 1998 selon laquelle le fédéralisme représente un pilier important de l'identité politique du pays. Mais si l'on intègre la totalité de l'expérience historico-politique canadienne, il semble difficile de faire

abstraction de ces deux dimensions fondamentales et prioritaires que sont l'étatisme et l'héritage britannique. Les travaux, faisant autorité, de Donald Smiley avaient déjà établi les limites de l'importance du fédéralisme pour la période allant de l'émergence du Dominion canadien en 1867 jusqu'à l'avènement d'un nouvel ordre constitutionnel en 1982 (Smiley, 1987). Plus récemment, à l'ère de la *Charte canadienne des droits et libertés*, les travaux du juriste José Woehrling ainsi que ceux d'Eugénie Brouillet et de Jean Leclair, appartenant pourtant à des écoles interprétatives distinctes, partagent la même vision en ce qui a trait aux réticences actuelles de la Cour suprême, dans sa jurisprudence constitutionnelle, à accorder de manière suivie et cohérente une importance primordiale ou décisive dans son travail au principe fédéral (Brouillet, 2005 ; Woehrling, 2006 ; Leclair, 2007).

Les Québécois et les francophones ont donné plus d'importance au fédéralisme dans leur compréhension du Canada que les anglophones et les habitants des autres provinces et territoires au pays. Par ailleurs, il serait tout à fait exagéré de penser que les francophones du Québec (lesquels vivaient au Bas-Canada dans le régime constitutionnel de 1791 et au Canada-Est dans celui de 1840) furent les seuls à désirer une union fédérale au temps des débats entre les colonies britanniques d'Amérique du Nord dans les années 1860 (Laforest, Brouillet, Gagnon, Tanguay, 2014). Dans les provinces maritimes de Charles Tupper et dans l'Ontario de George Brown, un fort courant autonomiste, désirant à la fois préserver les libertés politiques de ces communautés politiques et leur configuration identitaire, s'est joint aux forces de George-Étienne Cartier et de ses alliés au Canada-Est pour militer en faveur d'une approche fédérale. Il est cependant tout aussi vrai d'ajouter qu'à l'époque, au Québec, le projet d'une union fédérale canadienne fut présenté comme une forme de souveraineté-association. S'il est correct de penser, comme l'a écrit Marie Bernard-Meunier (2007), que le fédéralisme doit réconcilier les deux besoins fondamentaux que sont le désir de rester soi-même et le désir de s'unir, il est tout aussi juste de reconnaître que, dans ce moment clé qu'est toujours celui de la fondation, c'est le désir de rester soi-même, dans la nouvelle union, qui était dominant dans le Québec d'alors, tandis qu'ailleurs, le désir de s'unir était la plupart du temps au moins aussi fort que le désir de rester soi-même. Il faut peut-être voir dans cette réalité une des toutes premières causes expliquant que les dirigeants politiques québécois, les intellectuels et les universitaires s'intéressant à l'étude ou à la pratique du fédéralisme ont eu tendance à lui accorder une importance morale, normative et existentielle plus prononcée, en règle générale, que leurs collègues d'ailleurs au Canada. La démonstration de ce phénomène vient d'être faite de manière convaincante par notre collègue François Rocher. Au Québec, des générations d'acteurs et d'interprètes se sont passé le flambeau d'une lecture voyant, dans l'union de 1867, un pacte entre des communautés politiques – certains préfèrent parler de colonies ou de provinces –, voire entre des peuples, et on a systématiquement retenu de ce pacte qu'il visait à préserver l'autonomie du Québec, une autonomie servant une fin supérieure, celle de la conservation et de la promotion de ce qui fait la différence du Québec (Rocher, 2006, p. 93-146). Tandis qu'ailleurs au Canada, la perspective dominante a eu tendance à éviter la prise en compte des fondements moraux du fédéralisme pour privilégier les aspects fonctionnels et instrumentaux, le langage de la performance et de l'efficacité.

1.4. La contribution du Québec au maintien de l'originalité canadienne et le rôle prioritaire de l'État dans le façonnement de la différence québécoise

Le Québec n'est pas tout à fait le centre géographique du Canada, mais il demeure son cœur historique. La seule présence massivement francophone du Québec procure au Canada une forte distinction face aux États-Unis d'Amérique. Outre la part du Québec dans la genèse et le développement du fédéralisme, discutée précédemment, nous ne retiendrons ici que quelques aspects qui procurent une authentique dimension dualiste à la vie publique canadienne, bien que la reconnaissance constitutionnelle de cela paraisse improbable dans le Canada d'aujourd'hui. Cette dualité inimaginable sans le rôle du Québec, on la trouve dans la nature bilingue du pays, dans la présence de deux systèmes juridiques d'inspiration britannique – le droit coutumier ou la *common law* – et française – le droit civil québécois –, dans deux sociétés d'accueil intégrant l'immigration, l'une prioritairement en français et l'autre quasi exclusivement en anglais, dans le complexe tissu associatif de deux sociétés civiles, dans deux réseaux communicationnels et technologiques sophistiqués et dans deux communautés scientifiques à la fois autonomes et interreliées. Encore une fois, rien de tout cela ne serait possible sans le Québec, et la seule présence de tout cela conforte le Canada dans son désir de différence en Amérique. À cela s'ajoute, naturellement, l'enchâssement d'une charte des droits et libertés de la personne et d'un régime de protection sociale faisant l'envie de plusieurs États.

À ce Québec qui rassure, il faut cependant en ajouter un autre qui inquiète. Le Québec « menaçant », comme le Canada dans son entièreté, a eu besoin de la présence énergique de l'État dans la deuxième moitié du XXᵉ siècle pour actualiser et affirmer sa différence. Cette dynamique de modernisation sociale, connue sous le nom de Révolution tranquille, a mené dans l'horizon politique à l'exacerbation du conflit entre identité nationale canadienne et identité nationale québécoise, entre deux projets nationaux à certains égards similaires, mais vivant leurs rapports en tension permanente (Gagnon et Iacovino, 2007).

2. Une pluralité de fondations

Écrire l'histoire d'un pays, c'est aussi accomplir un acte politique dont la direction et la responsabilité nous incombent. Où et quand commence le Canada ? À l'époque contemporaine, nul ne saurait s'aventurer sur ce terrain sans évoquer une première fondation, complexe et multiforme, signée par les Premiers Peuples, ou Premières Nations, sur quelque dix millénaires d'occupation du territoire canadien. Cette première fondation a acquis une nouvelle importance au cours des quarante dernières années grâce à la résurgence politico-sociale des peuples autochtones au pays, dans la conscience morale de l'humanité et jusque dans le fonctionnement des organisations internationales.

Quand vient le temps d'interpréter les premières explorations européennes et leur rôle dans l'avènement du Canada, on trouve vite les lignes de démarcation classiques entre historiographies anglophone et francophone. Le découvreur est-il John Cabot (Terre-Neuve, 1492) ou Jacques Cartier (Gaspé et Québec, 1534) ? En soi, la réponse a peu d'importance, puisque ce n'est qu'au XVIIᵉ siècle que la colonisation du territoire canadien a réellement débuté.

Personne n'oserait reprocher aux Acadiens d'insister sur l'importance des efforts d'occupation de la région orientale du Canada par les Français dans les toutes premières années du XVIIᵉ siècle. Toutefois, comme cela a été rappelé il y a quelques années par le faste et les célébrations qui ont entouré la commémoration du 400ᵉ anniversaire de la fondation de la ville de Québec par Champlain, en 1608, il est possible de voir dans cet événement un moment clé dans l'émergence du Québec et du Canada contemporains. À partir de 1608, l'organisation de la vie politique, au sens européen ou occidental du terme, prend des airs de permanence. Dans la foulée de la fondation de Québec, l'histoire canadienne prend la forme d'un paradoxe. D'un côté, le Conseil souverain de la Nouvelle-France représente, dès 1663, l'Ancien Régime français dans ce qu'il pouvait avoir de plus absolutiste (Bouchard, 2000, p. 85-86). Cela complétait l'absolutisme religieux de l'Église catholique, maîtresse des âmes et souvent des terres, plus autoritaire encore qu'elle ne l'était dans la France de la même époque. Si l'on ajoute à cela l'implantation d'un régime seigneurial tout droit tiré de la féodalité française jusqu'à son abandon en 1854, on trouve dans ce premier Canada des institutions inspirées par les anciens régimes européens. Par ailleurs, la Nouvelle-France aura très vite la particularité d'être un milieu très homogène sur les plans linguistique et culturel (Bouchard, 2000, p. 90-91). Cette homogénéité fut le résultat de l'hégémonie de l'Église catholique et des institutions de l'Ancien Régime, lesquelles limitèrent considérablement les contacts des colons français avec les Amérindiens et l'installation d'une population importante de non-catholiques dans la colonie. Mais cette homogénéité fut aussi la conséquence d'un processus plus « moderne ».

Cette colonie était surtout un vaste territoire. Et comme tous les grands territoires d'Amérique, elle était l'objet de la convoitise mercantile des puissants États européens. Le destin de la Nouvelle-France doit beaucoup au fait qu'elle ne fut jamais vraiment plus qu'un avant-poste de l'exploitation marchande des ressources naturelles. Son sort était lié à celui de la France, à sa fortune militaire comme à la compréhension mercantile de ses intérêts. C'est pourquoi, en définitive, ce sont moins les affrontements de la vallée du Saint-Laurent qui menèrent à son appropriation par la Couronne britannique (plusieurs fois conquérante de Québec) que le choix métropolitain de céder le contrôle de la Nouvelle-France en échange du maintien de l'emprise sur les colonies antillaises, alors jugées plus rentables. C'est à Paris, en 1763, que la signature du traité du même nom scella le sort politique du Canada. Cette célèbre bataille des Plaines d'Abraham de septembre 1759 a revêtu une importance universelle quand la France calcula, en 1763, que son intérêt passait par le transfert ou la cession du Canada à la Grande-Bretagne. Les années 1759 à 1763 représentent, à l'évidence, l'une des grandes périodes de fondation du Canada. Certains y voient le début d'un régime politique britannique plus libéral et plus moderne, d'autres préfèrent se remémorer qu'il s'est d'abord agi d'une conquête, tandis que d'autres encore rappellent que 1763, en plus d'être l'année du Traité de Paris, fut aussi celle d'une proclamation royale délimitant les obligations fiduciaires de la Couronne britannique envers les peuples autochtones. Et d'une couronne à l'autre, le Canada allait trouver un nouveau nom qui, paradoxalement, engendrera au XXᵉ siècle celui de la seule société majoritairement francophone d'Amérique du Nord : *The Province of Quebec*. Désormais sujets du puissant Empire britannique, les 70 000 habitants francophones catholiques et les quelque 4 000 Amérindiens (concentrés dans la vallée du Saint-Laurent) changeaient de maîtres (Bouchard, 2000, p. 85 et 90).

La problématique de la fondation du Canada se complexifie davantage avec l'adoption, en 1774, de l'*Acte de Québec* par le Parlement britannique. Dans la politique impériale britannique au Canada, cet acte prend le relais de la Proclamation royale de 1763, laquelle avait institué un régime juridique, culturel et religieux de discontinuité radicale ; autrement dit, une dure politique d'assimilation « des Canadiens français par une colonie anglaise, gouvernée par des lois anglaises, dans un esprit anglais » (Wade, 1966, p. 80). Au grand dam des colonies américaines, et contribuant de la sorte à précipiter leur rébellion, l'*Acte de Québec* rétablit pour l'essentiel au profit de la nouvelle colonie les frontières de la Nouvelle-France. Sur les fronts religieux, culturel et identitaire, Londres abandonne ainsi le dessein assimilateur : le système seigneurial de propriété et d'organisation des terres ainsi que les coutumes et les lois civiles françaises

redeviennent en vigueur. La pleine liberté est accordée au culte catholique, avec le droit de percevoir la dîme, et un nouveau serment d'allégeance va permettre aux catholiques d'accéder aux charges publiques (Lamonde, 2000, p. 24-25). L'esprit et la lettre de l'*Acte de Québec* ne sont pas sans zones grises : le statut officiel ou prépondérant de la langue française, indéniable sur le terrain (dans une proportion de 30 à 1, la colonie parle français), n'y est pas constitutionnalisé ; alors que la Proclamation de 1763 avait combiné un régime d'assimilation identitaire et la promesse d'une assemblée législative à l'anglaise, l'*Acte de Québec*, lui, joint à un régime de générosité identitaire un cadre politique fondé sur l'autorité arbitraire et discrétionnaire de l'exécutif, sans promesse d'assemblée dans un proche avenir. Malgré ces nuances, un fait demeure : l'*Acte de Québec* est un document fondateur de la reconnaissance identitaire au Québec et au Canada, de l'amplitude de la *Magna Carta* pour l'Angleterre.

L'Acte constitutionnel de 1791 constitue un temps fort de l'implantation des pratiques démocratiques au Canada, puisqu'il établit deux chambres de délibération, contribuant ainsi à faire avancer les idéaux démocratiques. Les pouvoirs dévolus à ces chambres ne furent pas très importants. L'Acte de 1791 crée également deux territoires distincts, le Haut-Canada et le Bas-Canada. Chacun possède dès lors sa propre Chambre d'assemblée élue au suffrage censitaire, son propre Conseil législatif et son propre gouverneur. L'une et l'autre des chambres agissent de façon autonome et n'exercent aucun contrôle sur les dépenses publiques. Le principe de la responsabilité ministérielle tarde à s'implanter. C'est d'ailleurs la quête de la responsabilité ministérielle qui constituera l'un des grands enjeux derrière les tiraillements entre le Parti anglais et le Parti patriote à la veille des grands bouleversements annonçant les soulèvements des patriotes en 1837-1838 au Bas-Canada, mais aussi au Haut-Canada. Réagissant aux troubles qui avaient cours, Londres, reprenant les grandes lignes du rapport Durham qui recommandait d'angliciser les Canadiens français et d'imposer une majorité anglophone et fidèle sur tout le territoire, procéda à la fusion du Bas et du Haut-Canada en votant l'*Acte d'Union*, le 23 juillet 1840. Il prit effet le 10 février 1841. Dès lors, il n'y avait plus qu'une seule et même Chambre d'assemblée, un seul gouvernement. Nous sommes encore loin de la responsabilité ministérielle, puisque le gouverneur et les membres du Conseil exécutif étaient nommés par Londres. Quant au Conseil législatif, il comprenait 24 membres nommés à vie, alors que la Chambre des représentants était composée de 84 membres élus de façon égale en provenance du Canada-Est (pourtant plus peuplé) et du Canada-Ouest. L'anglais fut initialement la seule langue officielle de la législature puis, à compter de 1844, le français fut reconnu. On profita de l'*Acte d'Union* pour consolider les dettes des deux territoires, ce qui fut nettement défavorable au Bas-Canada.

Selon l'essayiste canadien-anglais John Ralston Saul, la vraie fondation politique du Canada moderne est à trouver dans l'évolution du régime de l'*Acte d'Union* vers la reconnaissance *de facto* du principe de gouvernement responsable en 1848. Cela signifiait que dorénavant, les gouverneurs coloniaux nommés par Londres n'exerceraient leurs pouvoirs que sur l'avis d'un cabinet ou conseil exécutif, obligatoirement choisi parmi les représentants élus par la population à l'Assemblée législative ou parmi les membres du Conseil législatif. Outre cette dimension institutionnelle, Ralston Saul considère que le partenariat politique entre le leader canadien-français Louis-Hippolyte La Fontaine et son collègue réformiste de la future Ontario, Robert Baldwin, dont les réalisations au cours de cette décennie cruciale allèrent de la légalisation de l'usage de la langue française dans la vie parlementaire à des transformations économico-sociales, installa de manière durable au pays une culture politique de collaboration et de confiance mutuelle entre francophones et anglophones. Vingt ans plus tard, le Canada devenait une fédération.

La juriste Eugénie Brouillet a écrit à ce sujet : « L'Acte de Québec constitue le premier jalon juridique de l'enracinement profond de la nation québécoise dans une culture distincte » (2005, p. 111). L'*Acte de l'Amérique du Nord britannique* de 1867 – officiellement *Loi constitutionnelle de 1867* depuis 1982, constitution fédérale toujours en vigueur dans le Canada contemporain – peut être vu comme une suite logique et cohérente de l'esprit de l'*Acte de Québec*, approfondissant l'idée de la fondation du Canada dans une pluralité d'identités et de souverainetés partagées. Londres y consent au désir de plusieurs de ses colonies d'Amérique septentrionale de se fédérer politiquement. On y écrit un chapitre original dans l'histoire de l'État moderne en inventant une structure hybride, le Dominion du Canada, largement autonome face à l'Empire, mais subordonné quant à certaines questions fondamentales comme les Affaires étrangères et l'arbitrage constitutionnel, et on reproduit, en son sein, des rapports hiérarchiques semblables entre le gouvernement central et les provinces. Le constitutionnalisme britannique – monarchie mixte, souveraineté parlementaire, *rule of law* ou « règle de droit » – y est reconduit. Mais l'essentiel est d'abord à trouver du côté d'une véritable renaissance politique du Québec, quelque vingt-cinq ans à peine après le rapport Durham et l'*Acte d'Union* de 1840. Il est à trouver également du côté de l'implantation d'un fédéralisme complexe accordant une autonomie politique gagnée de hautes luttes aux entités fédérées – reconnues souveraines dans leurs champs de compétence – enchâssant un régime tout aussi complexe de reconnaissance du droit à la différence de majorités et de minorités nationales, culturelles, religieuses et linguistiques enchevêtrées les unes dans les autres. Pour le Québec contemporain, le régime de 1867 est le pilier fondateur de son existence en tant que communauté politique autonome et comme société nationale distincte. Le principe fédéral fut d'abord et avant tout choisi en 1867 pour préserver l'identité d'un Québec qui ne saurait consentir à la dissolution de sa nationalité. C'est pour cette raison que l'on a implanté un régime de bijuridisme en matières civiles, reconnaissant l'équivalence entre le *Code civil du Québec* et la *common law* britannique pratiquée dans les autres provinces canadiennes (Burelle, 2005). C'est pour cette raison aussi que dans le partage des compétences, on a attribué aux entités fédérées la responsabilité sur la plupart des questions dites locales, associées aux identités culturelles et communautaires – l'organisation sociale, civile, familiale, scolaire, municipale. Ce régime accordait en outre de solides garanties juridiques à la minorité anglophone et protestante vivant au Québec. C'était un régime de diversité complexe à la grandeur du Canada, mais aussi à l'intérieur du Québec. Dans le passage qui suit, Eugénie Brouillet résume l'esprit de la fondation canadienne de 1867 en établissant le lien avec l'*Acte de Québec* :

> Est donc né en 1867 [...] un régime d'abord fédératif, certes imprégné de certains éléments à connotation centralisatrice, mais qui, somme toute, collait à la réalité socioculturelle et politique qui s'exprimait au sein des collectivités. Plus particulièrement, le régime adopté satisfaisait l'essence des préoccupations identitaires de la nation québécoise : son autonomie politique acquérait un statut constitutionnel et s'étendait à toutes les matières qui, à cette époque, étaient considérées comme étant liées à son identité culturelle particulière. Comme l'écrivait le professeur Jean-Charles Bonenfant : « L'esprit de 1867, c'est donc l'acceptation définitive de l'existence des Canadiens français, c'est la suite logique de l'*Acte de Québec* [...] Ils [les pères fondateurs] ont eu vraiment l'intention d'assurer la survivance des Canadiens français et ils ont accepté les moyens qui, à l'époque, leur semblèrent les meilleurs pour la réaliser. » (Brouillet, 2005, p. 197)

3. EN MARCHE VERS UN NOUVEAU RÉGIME CONSTITUTIONNEL

Plusieurs projets de réforme constitutionnelle ont été proposés au cours des ans. Ils ont souvent été accompagnés par la tenue de commissions royales ou de groupes de travail en quête d'ajustements à apporter aux institutions en place et de réponses aux tensions du moment[4]. Le temps était propice à la réévaluation du partage des pouvoirs au moment de la Grande Dépression du début des années 1930. C'est ainsi que le gouvernement central a lancé la commission Rowell-Sirois pour étudier les relations entre le gouvernement central et les provinces et qu'il a cherché à tirer profit de la crise en centralisant les pouvoirs à Ottawa au cours des décennies suivantes. Les réactions furent vives en Ontario et, dans un premier temps, mitigées au Québec, en particulier sous le leadership d'Adélard Godbout. Ottawa allait poursuivre sur sa lancée centralisatrice au moment de la Deuxième Guerre mondiale en exerçant des pouvoirs accrus dans les champs de la fiscalité et des politiques sociales. C'est dans cette démarche centralisatrice qu'il faut inscrire le remplacement du Comité judiciaire du Conseil privé (qui favorisait une vision plus décentralisée de la Constitution) par la Cour suprême du Canada comme tribunal de dernière instance en 1949.

Le Québec répondit initialement fort timidement aux avancées du gouvernement central en créant la commission Tremblay, en 1953. Cette commission, chargée d'étudier les problèmes constitutionnels dans la fédération canadienne, a produit un rapport fort important qui a fourni à la plupart des partis politiques actifs sur la scène provinciale leur ligne de conduite pour un bon moment. Ce document mettait en avant les notions de l'autonomie provinciale, de la non-subordination d'un ordre de gouvernement

....

4.   Voir à ce sujet le chapitre II de Xavier Dionne et Alain-G. Gagnon.

par rapport à l'autre, de la **subsidiarité** en vue d'une saine collaboration entre Québec et Ottawa.

Les tensions entre Québec et Ottawa devinrent palpables avec l'amorce de la Révolution tranquille et la prise en charge graduelle par les Québécois francophones de l'économie et des institutions publiques québécoises. Le développement rapide des sciences sociales a naturellement contribué à donner aux francophones les outils nécessaires à cette reconquête. Face à ces tensions, le gouvernement de Lester B. Pearson a lancé la commission Laurendeau-Dunton sur le bilinguisme et le biculturalisme, en 1963. Les travaux de cette commission ont contribué à faire entrer les Canadiens français en plus grand nombre dans la fonction publique fédérale, bien que les conclusions du rapport aient été utilisées pour substituer la politique de multiculturalisme à la politique de biculturalisme initialement envisagée pour atténuer la crise constitutionnelle qui se profilait et répondre aux revendications québécoises inspirées par le principe de la dualité canadienne.

Or une grande révolution des us et coutumes au pays en matière de législation constitutionnelle était en préparation et elle se fera avec l'opposition maintes fois exprimée par le gouvernement du Québec. Relativement à cette réorientation, mais aussi dans l'accomplissement d'une démarche parallèle d'autonomisation plus substantielle, le Québec réagissait en tenant deux référendums : un premier portant sur la souveraineté-association en 1980 et un second portant sur la souveraineté-partenariat en 1995. Cette révolution constitutionnelle canadienne cherchera à confirmer le principe d'égalité des provinces (aux dépens du Québec qui se définit comme nation fondatrice), des grandes régions (Atlantique, Québec, Ontario, Ouest, Nord), des groupes ethnoculturels (les Canadiens français étant un groupe parmi tant d'autres) et des individus par l'enchâssement de la *Charte canadienne des droits et libertés* dans la *Loi constitutionnelle de 1982*. Ce dernier élément constituait la principale pierre du nouvel édifice légal voulant faire de la Cour suprême l'institution par excellence pour tous les Canadiens en modifiant les liens entre les citoyens et leurs dirigeants politiques. En bref, il s'agissait de transformer les *demoi*, propres à tout État fédéral, en un seul *demos* confirmant dès lors l'appauvrissement des pratiques fédérales au pays. Cette transformation majeure de l'ordre légal canadien ne s'est pas faite sans heurts et sans fragiliser le lien de confiance devant caractériser les rapports entre les communautés nationales à l'origine du pacte fédérant le Canada (Karmis et Rocher, 2012).

4. LE CONFLIT ENTRE LES PROJETS NATIONAUX CANADIEN ET QUÉBÉCOIS

Dans des travaux qui comptent parmi les plus importants de la science politique et de la philosophie contemporaine, des auteurs tels Alain-G. Gagnon, Michael Keating, Will Kymlicka, Wayne Norman et Michel Seymour ont proposé des cadres conceptuels pour étudier des pays où la vie politique est traversée par des conflits complexes et diversifiés entre plusieurs projets de construction d'une communauté nationale distincte et autonome (Gagnon, 2011 ; Gagnon et Keating, 2012 ; Keating, 1997 et 2001 ; Norman, 2006 ; Seymour, 2008 ; Kymlicka, 1995 et 2007). Ce projet peut être celui de l'État-nation englobant et juridiquement indépendant – c'est le cas du Canada – comme il peut être celui d'une ou de plusieurs nations non souveraines – c'est le cas du Québec. Dans son ouvrage sur les défis du nationalisme moderne, consacré au Québec, à la Catalogne et à l'Écosse, voici comment Keating cerne le concept de « projet national » :

Dans ce nouveau contexte, l'autonomie n'a plus le même sens. Il ne s'agit désormais ni de créer un État ni de viser à l'autarcie. Il s'agit plutôt de formuler un projet national/régional, de rassembler la population autour de ce projet et d'acquérir la capacité de formuler des politiques adaptées à un monde complexe et interdépendant. Les institutions acquièrent, dès lors, une grande importance. Il est nécessaire à une nation/région de disposer d'institutions autonomes (de *self-government*) qui lui permettent de créer un lieu de débats et de décisions, d'élaborer des politiques, de conférer légitimité aux décisions et de défendre l'intérêt de la collectivité au niveau de l'État et au plan international (Keating, 1997, p. 71).

Après ce développement, Keating rappelle que des projets nationaux de cette nature essaieront de se traduire par des résultats concrets dans tous les domaines des politiques publiques, tant sur les plans économique, social et culturel que politique. Par après, il a introduit les concepts de « plurinationalisme » et de « post-souveraineté » pour caractériser, d'abord, des contextes où plusieurs identités nationales coexistent (non seulement de façon séparée et parallèle, mais aussi en s'entremêlant à des degrés divers aussi bien dans la tête des individus que dans des sous-ensembles territoriaux au sein de l'État) à l'intérieur d'un ordre politique et, ensuite, pour signifier la fin des prétentions de l'État indépendant au monopole territorial de l'autorité et de la légitimité (Keating, 2001). Le travail de Wayne Norman complète bien celui de Keating en approfondissant les conditions, dans la perspective de la philosophie politique libérale, de la cohabitation de plusieurs projets nationaux et de l'acceptabilité normative de leurs entreprises de construction ou d'ingénierie nationale (Norman, 2006).

Le XXe siècle canadien et le XXe siècle québécois sont ainsi traversés par de formidables efforts de construction nationale, par des tentatives visant à consolider ou à renforcer des projets nationaux selon la formulation de Keating. Dans la perspective du projet national canadien, depuis 1945, les principales réalisations ont été

les suivantes : la citoyenneté et le passeport canadiens, l'État-providence, l'établissement de la Cour suprême comme cour de dernière instance, la consolidation d'un réseau pancanadien de communications, le choix d'un hymne national et d'un nouveau drapeau national, l'implantation de politiques de bilinguisme et de multiculturalisme et de politiques culturelles et scientifiques pancanadiennes, la promotion d'un réseau pancanadien d'institutions liées à la société civile, la définition d'une politique étrangère à portée internationale, le rapatriement de la Constitution et l'adoption de la *Charte canadienne des droits et libertés* (1982), l'implantation d'une union sociale pour l'ensemble du pays et, enfin, la consolidation graduelle de la légitimité d'un régime libéral représentatif en vue d'établir une vraie délibération démocratique pluraliste.

Dans la perspective du projet national québécois, depuis l'amorce de la Révolution tranquille en 1960, les principales réalisations ont été les suivantes : un État-providence en parallèle et en juxtaposition à l'État-providence canadien, avec une carte d'assurance maladie, la carte-soleil, qui est ce que le projet national québécois a de mieux à offrir pour rivaliser avec le passeport du projet national canadien, la nationalisation des ressources hydroélectriques, la consolidation d'un réseau québécois francophone de communications, l'intervention de l'État dans la création et le développement d'un système public d'éducation, la mise en place d'un important réseau de sociétés d'État, la *Charte des droits et libertés de la personne* du Québec, des politiques linguistiques officialisant le statut du français comme langue nationale commune et incluant des mesures d'accès à l'école publique française pour les immigrants, la promotion d'un réseau québécois d'institutions liées à la société civile, l'établissement d'une politique internationale québécoise, des éléments d'un régime québécois de citoyenneté incluant un cadre normatif et des pratiques associées à une approche interculturelle, le développement de politiques culturelles et scientifiques québécoises, l'implantation d'un régime de garderies, l'implantation d'un entrepreneuriat collectif (économie sociale) établi dans toutes les régions du Québec et, enfin, la consolidation de la légitimité d'un régime libéral représentatif qui est le théâtre d'une vraie délibération démocratique pluraliste. On le voit, d'une certaine manière, rien ne ressemble plus au projet national canadien que le projet national québécois ; en un sens, ce sont, à quelques différences notoires près, des modèles qui se ressemblent.

L'existence d'une véritable tension entre ces deux projets nationaux est l'élément manquant au récit de la Cour suprême du Canada à propos de l'identité politique du pays. Le passage du temps ne peut faire oublier que cette reconstruction interprétative n'aurait jamais eu lieu sans la formidable pression exercée par le référendum québécois de 1980. Dans les sphères publiques de chacun des deux projets nationaux, au cours des quarante dernières années, on peut trouver des gens qui ont défendu, pour leur « nation » respective, des modèles en accord tantôt avec les paramètres de l'État-nation moderne, appuyé sur le projet triplement moniste d'une concentration de la souveraineté, d'une citoyenneté unique et d'une identité nationale singulière, tantôt avec ceux d'une pensée fédérale pluraliste ouverte à la diversité, aux asymétries et aux identités culturelles et nationales plurielles. Dans plusieurs secteurs, il serait correct de parler d'une belle collaboration entre les deux projets nationaux et leurs institutions, notamment en ce qui a trait au champ de la politique scientifique et aux efforts menés par le Canada et par le Québec pour faire avancer la cause de la diversité culturelle sur le plan international.

Le modèle du **fédéralisme pluraliste** ouvert aux asymétries et aux identités plurielles, à la conciliation entre des projets nationaux, possède un ancrage juridique au Canada dans la Constitution fédérale de 1867. Pour des motifs de concision, nous ne reprendrons ici que le modèle proposé par André Burelle pour résumer cet esprit canadien de 1867 : union sans fusion entre les communautés fondatrices du pays, les entités fédérées conservent leur pleine souveraineté dans les affaires locales, pratique d'une subsidiarité ascendante, reconnaissance de l'existence de deux ordres de gouvernement souverains et également légitimes, respect du principe de non-subordination et gestion par codécision des chevauchements, équivalence de droit et de traitement des personnes et des communautés fondatrices comme refus du « *melting pot* » (Burelle, 2005, p. 459). En 1982, et très précisément dans le cadre d'une exacerbation du conflit entre le projet national canadien et le projet national québécois, nettement symbolisé par le référendum souverainiste de 1980, le Canada a complexifié son régime constitutionnel en parachevant son indépendance face à la Grande-Bretagne et en y enchâssant la *Charte canadienne des droits et libertés*. Ce faisant, le Canada a succombé à la tentation d'incarner à sa manière le modèle de l'État-nation moderne, moniste et uniformisateur. Burelle y voit un fédéralisme « *one nation* » glissant vers l'unitarisme, appuyé dans sa promotion rhétorique sur les principes d'un **libéralisme individualiste** anticommunautaire. Ce régime cherche à fusionner les individus en une seule nation civique déléguant au Parlement central la totalité de sa souveraineté nationale, laquelle peut permettre, pour des motifs de fonctionnalité, des délégations aux provinces. On y pratique une subsidiarité descendante et dévoyée partant de l'État central, confirmant l'existence d'un seul gouvernement « senior » national et de gouvernements « juniors » provinciaux. Dans ce modèle, le pouvoir central peut s'insérer dans les champs de compétence des entités fédérées pour protéger « l'intérêt national ». Enfin, ce modèle promeut l'idée d'une identité de droit et de traitement – symétrique, uniforme – des individus et des provinces vu leur fusion au sein d'une seule et même nation (Burelle, 2005, p. 459-460).

Dans les paramètres du régime de 1982, le Canada n'absolutise pas un libéralisme monochrome, aveugle à la différence. On y retrouve bel et bien une conception de l'égalité généreuse envers des personnes et des groupes défavorisés par des circonstances non choisies, allant assez loin dans la redistribution de la richesse économique aux provinces plus pauvres (y compris envers le Québec), ouverte même à la reconnaissance de plusieurs formes de différences, notamment en ce qui a trait aux peuples autochtones, à la valorisation du patrimoine multiculturel de tous les Canadiens, au renforcement des droits linguistiques pour les minorités francophones ou anglophones territorialement concentrées et aux différences de genre. Pourtant, ce régime adopte aussi une attitude dure envers la différence nationale québécoise, qu'il n'intègre dans aucune de ses catégories. Adopté sans le consentement des autorités politiques québécoises, ce régime est vu comme étant l'équivalent de l'imposition d'un nationalisme canadien, d'un patriotisme canadien uniforme au Québec (Keating, 2001 ; Ignatieff, 2001 ; Taylor, 1992). Il consolide le rôle du gouvernement central comme promoteur de l'identité nationale canadienne, tout en minant l'autonomie du gouvernement du Québec, et donc en affaiblissant sa capacité de promouvoir l'identité nationale québécoise (Kymlicka, 1998, p. 166).

Les corpus de sociologie politique et de philosophie politique les plus actuels nous permettent d'imaginer pour notre temps le dépassement du modèle de l'État-nation moderne établi au-delà de la souveraineté moniste et unitaire, et ce, notamment par la voie du **fédéralisme plurinational** (Gagnon, 2008 ; Gagnon et Iacovino, 2007 ; Gagnon, 2011 ; Requejo, 2005). Les projets nationaux canadien et québécois peuvent représenter d'authentiques communautés de destin, où l'on se sent coresponsables du sort de concitoyens qui ne définissent pas leur patriotisme et leur identité nationale, par-delà l'exclusivisme doctrinaire.

Cela exigera des Québécois qu'ils acceptent, aussi, la légitimité du projet national canadien sur le territoire du Québec et qu'ils redécouvrent une certaine solidarité pancanadienne (Pratte, 2007 ; Parekh, 2000 ; Laforest, 2014). Cela exigera des Canadiens qu'ils redécouvrent l'importance du principe d'autonomie au cœur du fédéralisme et qu'ils acceptent la légitimité du projet national québécois en trouvant une place importante pour la différence québécoise (autocompréhension nationale, prépondérance de la langue française et reconnaissance de l'existence de deux sociétés d'accueil permettant d'intégrer les nouveaux citoyens issus de l'immigration) dans la charte des droits et libertés qui est au cœur du constitutionnalisme canadien. Pour un rapprochement authentique entre les projets nationaux canadien et québécois, il faudra élargir les espaces d'asymétrie et définir la justice comme équivalence de traitement plutôt que comme cadre moral uniforme (Gagnon et Laforest, 2012 ; McGarry, 2007 ; Burelle, 2005). Des progrès, certes modestes, ont été accomplis ces dernières années dans l'élargissement de l'espace non constitutionnel réservé à une asymétrie de traitement favorable au Québec grâce, par exemple, à la signature de l'Accord sur la santé en 2004 ainsi qu'à une résolution du Parlement canadien reconnaissant que les Québécois forment une nation au sein d'un Canada uni. Toutefois, au Québec, les forces politiques de toutes tendances s'entendent pour dire qu'il reste encore beaucoup de chemin à parcourir pour qu'on puisse parler d'une véritable réconciliation entre les projets nationaux canadien et québécois (Laforest, 2014 ; Gagnon, 2011 ; Gagnon, 2008 ; Gagnon et Iacovino, 2007). Élu en octobre 2015, moins viscéral que son père à propos du conflit entre les projets nationaux canadien et québécois, Justin Trudeau n'est pas étranger au langage de la réconciliation. Toutefois, pour l'instant, il semble limiter un tel vocabulaire au projet d'établissement d'un partenariat de nation à nation avec les peuples autochtones du Canada.

> En 1998, la Cour suprême du Canada, dans un renvoi historique, a identifié le fédéralisme, la démocratie, le constitutionnalisme et la primauté du droit, ainsi que le respect des droits de minorités comme formant l'ossature de l'édifice constitutionnel canadien.
> On ne pourra comprendre la dynamique politique et identitaire canadienne que dans la mesure où nous aurons saisi le rôle central de l'État, la portée importante de l'héritage britannique, l'existence du principe fédéral et l'apport déterminant du Québec à l'approfondissement de la diversité canadienne.
> Les spécialistes des sciences sociales contribuent, à travers leurs interprétations, à façonner l'histoire du pays et à élucider les divers courants de pensée.
> Le Canada a connu plusieurs actes de fondation. Chacun de ces actes a contribué à donner au pays une personnalité internationale complexe et en transition continue.
> Le Québec et le Canada ont cherché à avancer des projets nationaux distincts bien que dans les faits ils se soient fréquemment inspirés l'un de l'autre, à des échelles distinctes et dans des langues différentes, au chapitre de la concrétisation de leurs projets politiques et sociétaux.

CONCLUSION

Ce retour sur les fondements et sur les fondations du Canada et du Québec nous a ramenés sur un terrain très fertile pour les spécialistes des sciences sociales (Gagnon et Chokri, 2005 ; Laforest et Gagnon, 2013) et pour les philosophes en ce qu'il a contribué à retracer la trame des débats actuels dans un passé en apparence révolu.

Nous avons tenté, dans la présente analyse, de mettre en relief d'abord deux compréhensions, cohérentes dans leurs ambitions respectives, en ce qui a trait aux principes historico-constitutionnels et aux contours normatifs de l'identité politique canadienne, à savoir celle adoptée par la Cour suprême du Canada dans son jugement de 1998 sur le droit du Québec de faire sécession et celle que nous avons nous-mêmes formulée. Puis nous avons exploré la nature et le sens des fondations, inéluctablement plurielles, qui ont marqué les expériences politiques canadienne et québécoise. Nous avons finalement fait ressortir le clivage fondamental qui a opposé, et qui oppose toujours, les projets nationaux canadien et québécois.

L'étude approfondie du régime politique canadien nous a permis d'inscrire l'apport du Canada et du Québec en matière de gestion de la diversité dans un ensemble plus vaste, celui des pays de démocratie libérale avancée. À Londres comme à Édimbourg, au moment de la consultation référendaire d'octobre 2014 sur l'avenir de l'Écosse, à Madrid comme à Barcelone, où des consultations semblables sur l'avenir de la Catalogne ont dominé tous les débats de 2010 à 2017, la problématique canado-québécoise demeure d'actualité et d'une très grande pertinence. L'apport des spécialistes canadiens et québécois y est reconnu comme une expertise de tout premier plan. Pensons aux travaux des membres du Groupe de recherche sur les sociétés plurinationales (GRSP) et du Centre de recherche interdisciplinaire sur la diversité et la démocratie (CRIDAQ) qui viennent étoffer la recherche depuis plusieurs années. En outre, les discussions existentielles caractérisant les rapports Québec-Canada sont en voie de faire la preuve que les questions identitaires sont loin d'être dangereuses et qu'elles constituent plutôt des outils de mobilisation efficaces et démocratiques essentiels pour le vivre-ensemble des communautés nationales en contexte de **pluralisme identitaire** et communautaire.

QUESTIONS

1. Quels sont les quatre principes qui constituent l'appareil politico-normatif de l'édifice constitutionnel canadien ? Expliquez.

2. Quels sont les quatre grandes dimensions associées à l'architecture politico-identitaire au Canada ? Expliquez.

3. Quels sont les principaux éléments qui participent à distinguer le Canada de son voisin étasunien ?

4. De quelle manière la vision entrenue le plus souvent par les Québécois et les Canadiens hors Québec à l'égard de la fédération canadienne se distingue-t-elle ?

5. Comment le Québec contribue-t-il à l'originalité canadienne dans le concert des démocraties libérales avancées ?

6. Il a été affirmé que le Canada a connu divers moments fondateurs. Quels sont-ils ? Les auteurs anglophones et francophones sont-ils parvenus à faire consensus sur ces moments ?

7. Y a-t-il lieu de contraster l'existence de projets nationaux concurrents au Canada ?

LECTURES SUGGÉRÉES

Ajzenstat, J., P. Romney, I. Gentles et W.D. Gairdner (2004). *Débats sur la fondation du Canada* (éd. française préparée par S. Kelly et G. Laforest), Québec, Presses de l'Université Laval.

Brouillet, E. (2005). *La négation de la nation : l'identité culturelle québécoise et le fédéralisme canadien*, Québec, Septentrion.

Brouillet, E., A.-G. Gagnon et G. Laforest (dir.) (2016). *La conférence de Québec de 1864 150 ans plus tard : comprendre l'émergence de la fédération canadienne*, Québec, Presses de l'Université Laval.

Gagnon, A.-G. (dir.) (2003). *Québec : État et Société*, tome 2, Montréal, Québec Amérique, coll. «Débats».

Gagnon, A.-G. (dir.) (2006). *Le fédéralisme canadien contemporain : fondements, traditions, institutions*, Montréal, Les Presses de l'Université de Montréal.

Gagnon, A.-G. (2011). *L'âge des incertitudes. Essais sur le fédéralisme et la diversité nationale*, Québec, Presses de l'Université Laval, coll. «Prisme».

Karmis, D. et W. Norman (2005). *Theories of Federalism : A Reader*, Londres, Palgrave Macmillan.

Karmis, D. et F. Rocher (2012). *La dynamique confiance/méfiance dans les démocraties multinationales. Le Canada sous l'angle comparatif*, Québec, Presses de l'Université Laval.

Laforest, G. (2010). «What Canadian federalism means in Québec», *Review of Constitutional Studies/ Revue d'études constitutionnelles*, vol. XV, n° 1, p. 1-33.

Laforest, G. (2014). *Un Québec exilé dans la fédération : essai d'histoire intellectuelle et de pensée politique*, Montréal, Québec Amérique, coll. « Débats ».

Laforest, G., E. Brouillet, A.-G. Gagnon et Y. Tanguay (2014). *Ces constitutions qui nous ont façonnés. Anthologie historique des lois constitutionnelles antérieures à 1867*, Québec, Presses de l'Université Laval.

Norman, W. (2006). *Negotiating Nationalism : Nation-Building, Federalism and Secession in the Multinational State*, Oxford, Oxford University Press.

Pelletier, R. (2008). *Le Québec et le fédéralisme canadien : un regard critique*, Québec, Presses de l'Université Laval.

Racine, J.-C. (2012). *La condition constitutionnelle des Canadiens. Regards comparés sur la réforme constitutionnelle de 1982*, Québec, Presses de l'Université Laval.

SITES INTERNET

ASSEMBLÉE NATIONALE DU QUÉBEC	<http://www.assnat.qc.ca>
ASSOCIATION INTERNATIONALE DES ÉTUDES QUÉBÉCOISES	<http://www.aieq.qc.ca/>
CENTRE DE RECHERCHE INTERDISCIPLINAIRE SUR LA DIVERSITÉ ET LA DÉMOCRATIE – CRIDAQ	<http://www.cridaq.uqam.ca/>
CHAIRE DE RECHERCHE DU CANADA EN ÉTUDES QUÉBÉCOISES ET CANADIENNES	<http://www.creqc.uqam.qc.ca/>
CONSEIL INTERNATIONAL D'ÉTUDES CANADIENNES	<http://www.iccs-ciec.ca/pages/newweb/sample2/index_fr.asp>
COUR SUPRÊME DU CANADA	<http://www.scc-csc.gc.ca/home-accueil/index-fra.asp>
FORUM DES FÉDÉRATIONS. LE RÉSEAU MONDIAL SUR LE FÉDÉRALISME	<http://www.forumfed.org/fr/index.php>
INSTITUT DE RECHERCHE SUR LES POLITIQUES PUBLIQUES	<http://www.irpp.org/fr/index.htm>
INSTITUTE OF INTERGOVERNMENTAL RELATIONS, QUEEN'S UNIVERSITY	<http://www.queensu.ca/iigr/>
LES CLASSIQUES DES SCIENCES SOCIALES	<http://classiques.uqac.ca/>
PARLEMENT DU CANADA	<http://www.parl.gc.ca/Default.aspx?Language=F>

GLOSSAIRE

CONSTITUTIONNALISME : Ce concept correspond à la théorie selon laquelle la constitution écrite ou non écrite institue les rôles et les fonctions de la Constitution et convient de la hiérarchie devant exister entre les normes en usage.

FÉDÉRALISME PLURALISTE : Cette forme fédérale, souvent de type asymétrique, reconnaît l'existence de communautés et d'identités multiples dans un État-nation donné.

FÉDÉRALISME PLURINATIONAL : Cette forme fédérale reconnaît la présence de différentes communautés nationales au sein d'une fédération donnée.

GOUVERNEMENT RESPONSABLE : Cette forme de gouvernement correspond à l'obligation qui est faite au gouvernement d'être pleinement responsable devant le peuple et ainsi de rendre compte de ses actions.

LIBÉRALISME INDIVIDUALISTE : Correspond à un régime de droits qui cherche à fusionner les individus en une seule nation civique.

MONARCHIE CONSTITUTIONNELLE : Type de régime politique pouvant reconnaître soit un monarque élu, soit une personne ayant hérité du statut de monarque. Il existe une séparation des pouvoirs constitutionnalisés dans ce type de régime.

PLURALISME IDENTITAIRE : Ce référent concerne la présence d'une multiplicité d'identités et souvent d'appartenance sur un territoire donné.

PRIMAUTÉ DU DROIT : Principe selon lequel aucune personne ne peut se soustraire aux lois. Cela permet aussi aux citoyens d'échapper à toute forme de gouvernance arbitraire.

Le droit sert ici à encadrer et à limiter l'autorité dont le gouvernement est investi.

PRINCIPE FÉDÉRAL : Ce principe établit que la souveraineté est à la fois partagée et séparée à la faveur de deux ordres de gouvernement.

SUBSIDIARITÉ : Ce principe, popularisé dans l'Union européenne, repose sur l'idée qu'une compétence devrait d'abord être confiée à l'ordre de gouvernement le plus près de la population, pourvu qu'elle n'excède pas ses capacités. Si tel est le cas, elle doit alors être confiée au palier de gouvernement qui lui est supérieur.

Annexe

QUELQUES DATES IMPORTANTES DE L'HISTOIRE POLITIQUE CANADIENNE, 1492-2017

1492	Christophe Colomb arrive en Amérique
1497	Giovanni Caboto explore la côte Est de l'Amérique et vraisemblablement le golfe du Saint-Laurent
1534	L'explorateur Jacques Cartier prend possession du Canada au nom du roi de France
1608	Fondation de Québec par Samuel de Champlain
1629-1632	Première conquête anglaise (Québec aux mains des Kirke)
1634	Fondation de Trois-Rivières par Laviolette
1642	Fondation de Montréal (Ville-Marie) par Maisonneuve
1654-1667	L'Acadie passe aux mains des Anglais
1663	La Nouvelle-France devient une colonie royale (établissement d'un conseil souverain)
1689-1697	Première guerre intercoloniale entre la France et l'Angleterre
1755	Début de la déportation des Acadiens
1759	Reddition de Québec
1760	Capitulation de Montréal
1760	Établissement du régime militaire
1763	Traité de Paris Proclamation royale
1774	*Acte de Québec*
1791	*Acte constitutionnel*
1810	Premier projet d'union des deux Canadas
1822	Second projet d'union des deux Canadas
1834	Les 92 Résolutions
1837	Les résolutions Russell Rébellion : batailles de Saint-Denis, de Saint-Charles et de Saint-Eustache
1838	Déclaration d'indépendance du Bas-Canada (Nelson) Pendaison de 12 patriotes à Montréal
1840	*Acte d'Union*
1848	Ministère Baldwin-La Fontaine Avènement de la responsabilité ministérielle
1854	Fin du régime seigneurial

1864 Conférences de Charlottetown et de Québec

1867 Proclamation de l'*Acte de l'Amérique du Nord britannique*

1876 *Loi sur les Indiens*

1899 Le Canada envoie, pour la première fois, des troupes outre-mer
      pour participer à la guerre des Boers

1905 Création des provinces de l'Alberta et de la Saskatchewan

1931 Statut de Westminster

1939 Création, par les autorités fédérales, de la commission Rowell-Sirois
      sur les relations entre le Dominion et les provinces

1949 Fin des recours au Comité judiciaire du Conseil privé. La Cour suprême
      devient l'ultime recours judiciaire dans tous les types de causes au Canada

1953 Création, par les autorités québécoises, de la commission Tremblay
      sur les problèmes constitutionnels

1963 Création, par les autorités fédérales, de la commission Laurendeau-Dunton
      sur le bilinguisme et le biculturalisme

1976 Élection du Parti québécois

1980 Premier référendum québécois sur la souveraineté

1982 Rapatriement de la Constitution et enchâssement dans la Constitution
      de la *Charte canadienne des droits et libertés*

1987 Signature de l'Accord de principe du lac Meech

1990 Échec de l'Accord du lac Meech

1992 L'entente de Charlottetown est défaite par voie de référendum

1995 Second référendum québécois sur la souveraineté

2006 Reconnaissance de la nation québécoise par la Chambre des communes

2011 Élection au Canada du Parti conservateur de S. Harper et formation
      d'un gouvernement majoritaire

2012 Élection au Québec du Parti québécois de P. Marois et formation
      d'un gouvernement minoritaire

2014 Élection au Québec du Parti libéral de P. Couillard et formation
      d'un gouvernement majoritaire

2015 Élection au Canada du Parti libéral du Canada de J. Trudeau et formation
      d'un gouvernement majoritaire
      Rapport de la Commission de vérité et de réconciliation du Canada

BIBLIOGRAPHIE

Ajzenstat, J., P. Romney, I. Gentles et W.D. Gairdner (2004). *Débats sur la fondation du Canada* (éd. française préparée par S. Kelly et G. Laforest), Québec, Presses de l'Université Laval.

Bernard-Meunier, M. (2007). « Apprendre à jouer le jeu. Le défi du Québec au sein du Canada », dans A. Pratte (dir.), *Reconquérir le Canada. Un nouveau projet pour la nation québécoise*, Montréal, Voix parallèles, p. 115-140.

Bouchard, G. (2000). *Genèse des nations et cultures du Nouveau Monde : essai d'histoire comparée*, Montréal, Boréal.

Brouillet, E. (2005). *La négation de la nation : l'identité culturelle québécoise et le fédéralisme canadien*, Québec, Septentrion.

Brouillet, E., A.-G. Gagnon et G. Laforest (dir.) (2016). *La conférence de Québec de 1864 150 ans plus tard : comprendre l'émergence de la fédération canadienne*, Québec, Presses de l'Université Laval.

Burelle, A. (2005). *Pierre Elliott Trudeau : l'intellectuel et le politique*, Montréal, Fides.

Cour suprême du Canada (1998). *Renvoi relatif à la sécession du Québec*, <http://www.lexum.umontreal.ca>.

Fournier, J.-M. (2014). *Le Canada que nous souhaitons en 2020*, discours prononcé à Ottawa le 2 octobre, <https://www.saic.gouv.qc.ca/secretariat/salle-de-nouvelles/discours/details.asp?id=92>.

Gagnon, A.-G. (2008). *La raison du plus fort : plaidoyer pour le fédéralisme multinational*, Montréal, Québec Amérique, coll. « Débats ».

Gagnon, A.-G. (2011). *L'âge des incertitudes. Essais sur le fédéralisme et la diversité nationale*, Québec, Presses de l'Université Laval, coll. « Prisme ».

Gagnon, A.-G. et L.-M. Chokri (2005). « Le régime politique canadien : histoire et enjeux », dans R. Pelletier et M. Tremblay (dir.), *Le parlementarisme canadien*, 3e éd., Québec, Presses de l'Université Laval, p. 9-35.

Gagnon, A.-G. et R. Iacovino (2007). *De la nation à la multination : les rapports Québec-Canada*, Montréal, Boréal.

Gagnon, A.-G. et M. Keating (dir.) (2012). *Political Autonomy and Divided Societies : Imagining Democratic Alternatives in Complex Settings*, Basingstoke, Palgrave Macmillan.

Gagnon, A.-G. et G. Laforest (2012). « The moral foundations of asymmetrical federalism : Normative considerations », dans F. Requejo et M. Caminal (dir.), *Federalism, Plurinationality and Democratic Constitutionalism : Theory and Cases*, Londres, Routledge, p. 85-107.

Grant, G. (1965). *Lament for a Nation : The Defeat of Canadian Nationalism*, Toronto, McClelland & Stewart.

Grégoire, M., É. Montigny et Y. Rivest (2016). *Le cœur des Québécois. L'évolution du Québec de 1976 à aujourd'hui*, Québec, Presses de l'Université Laval.

Guibernau, M. (1999). *Nations without States : Political Communities in a Global Age*, Londres, Polity Press.

Guibernau, M. (2007). *The Identity of Nations*, Cambridge, Polity Press.

Ignatieff, M. (2001). *La révolution des droits*, Montréal, Boréal.

Karmis, D. et F. Rocher (dir.) (2012). *La dynamique confiance/méfiance dans les démocraties multinationales. Le Canada sous l'angle comparatif*, Québec, Presses de l'Université du Québec.

Keating, M. (1997). *Les défis du nationalisme moderne : Québec, Catalogne, Écosse*, Montréal, Les Presses de l'Université de Montréal.

Keating, M. (2001). *Plurinational Democracy : Stateless Nations in a Post-Sovereignty Era*, Oxford, Oxford University Press.

Kymlicka, W. (1995). *Multicultural Citizenship : A Liberal Theory of Minority Rights*, New York, Oxford University Press.

Kymlicka, W. (1998). *Finding Our Way : Rethinking Ethnocultural Relations in Canada*, Toronto, Oxford University Press.

Kymlicka, W. (2001). *La citoyenneté multiculturelle*, Montréal, Boréal.

Kymlicka, W. (2007). *Multicultural Odysseys : Navigating the New International Politics of Diversity*, New York, Oxford University Press.

Laforest, G. (2014). *Un Québec exilé dans la fédération : essai d'histoire intellectuelle et de pensée politique*, Montréal, Québec Amérique, coll. « Débats ».

Laforest, G., E. Brouillet, A.-G. Gagnon et Y. Tanguay (2014). *Ces constitutions qui nous ont façonnés. Anthologie historique des lois constitutionnelles antérieures à 1867*, Québec, Presses de l'Université Laval.

Laforest, G. et A.-G. Gagnon (2013). «Comprendre la vie politique au Canada et au Québec», dans R. Pelletier et M. Tremblay (dir.), *Le parlementarisme canadien*, 5ᵉ éd., Québec, Presses de l'Université Laval, p. 9-39.

Lamonde, Y. (2000). *Histoire sociale des idées au Québec*, Montréal, Fides.

Leclair, J. (2007). «Vers une pensée politique fédérale : la répudiation du mythe de la différence québécoise "radicale"», dans A. Pratte (dir.), *Reconquérir le Canada. Un nouveau projet pour la nation québécoise*, Montréal, Voix parallèles, p. 39-83.

McGarry, J. (2007). «Asymmetry in federations, federacies and unitary States», *Ethnopolitics*, vol. VI, nᵒ 1, p. 105-116.

McLachlin, B. (2002). «Les droits et les libertés au Canada ; vingt ans après l'adoption de la Charte», allocution prononcée au Centre national des arts, Ottawa, <http://www.scc-csc.gc.ca/court-cour/ju/spe-dis/bm02-04-17-fra.asp>.

Monière, D. (2001). *Pour comprendre le nationalisme au Québec et ailleurs*, Montréal, Les Presses de l'Université de Montréal.

Norman, W. (2006). *Negotiating Nationalism : Nation-Building, Federalism, and Secession in the Multinational State*, Oxford, Oxford University Press.

Owram, D. (1986). *The Government Generation : Canadian Intellectuals and the State, 1900-1945*, Toronto, University of Toronto Press.

Parekh, B. (2000). *Rethinking Multiculturalism : Cultural Diversity and Political Theory*, Londres, Macmillan Press.

Pelletier, R. (2008). *Le Québec et le fédéralisme canadien : un regard critique*, Québec, Presses de l'Université Laval.

Pisani, E. (1995). «Après le référendum : et maintenant ?», *Le Devoir*, 14 décembre, p. A-7.

Pratte, A. (dir.) (2007). *Reconquérir le Canada. Un nouveau projet pour la nation québécoise*, Montréal, Voix parallèles.

Racine, J.-C. (2012). *La condition constitutionnelle des Canadiens*, Québec, Presses de l'Université Laval.

Ralston Saul, J. (1998). *Réflexions d'un frère siamois*, Montréal, Boréal.

Ralston Saul, J. (2000). «Première conférence La Fontaine-Baldwin», 23 mars, Toronto, Musée royal de l'Ontario, <http://www.lafontaine-baldwin.com/discours/2000/>.

Requejo, F. (2005). *Multinational Federalism and Value Pluralism : The Spanish Case*, Londres et New York, Routledge.

Rocher, F. (2006). «La dynamique Québec-Canada ou le refus de l'idéal fédéral», dans A.-G. Gagnon (dir.), *Le fédéralisme canadien contemporain : fondements, traditions, institutions*, Montréal, Les Presses de l'Université de Montréal, p. 93-146.

Seymour, M. (2008). *De la tolérance à la reconnaissance : une théorie libérale des droits collectifs*, Montréal, Boréal.

Simard, J.-J. (1999). «Ce siècle où le Québec est venu au monde», dans R. Côté (dir.), *Québec 2000 : rétrospective du XXᵉ siècle*, Montréal, Fides.

Smiley, D. (1987). *The Federal Condition in Canada*, Toronto, McGraw-Hill Ryerson.

Taylor, C. (1992). *Rapprocher les solitudes. Écrits sur le fédéralisme et le nationalisme au Canada*, Québec, Presses de l'Université Laval.

Trudeau, J. (2015). «La diversité, force du Canada», discours prononcé à Londres le 26 novembre, <http://pm.gc.ca/fra/nouvelles/2015/11/26/la-diversite-force-du-canada>.

Tully, J. (1999). *Une étrange multiplicité : le constitutionnalisme à une époque de diversité*, Québec, Presses de l'Université Laval.

Wade, M. (1966). *Les Canadiens français de 1760 à nos jours. Tome I – 1760-1914*, Ottawa, Cercle du livre de France.

Woehrling, J. (2006). «Les conséquences de l'application de la *Charte canadienne des droits et libertés* pour la vie politique et démocratique et l'équilibre du système fédéral», dans A.-G. Gagnon (dir.), *Le fédéralisme canadien contemporain : fondements, traditions, institutions*, Montréal, Les Presses de l'Université de Montréal, p. 251-279.

Zarka, Y.-C. (2005). «Langue et identité», *Cités : Philosophie, histoire, politique*, nᵒ 23, p. 3-5.

CHAPITRE 2

EMPIRE, PLURALISME ET DÉMOCRATIE

La pensée politique au Québec et au Canada anglais[1]

Yves Couture

Au sens le plus ouvert, la pensée politique est l'arrière-plan d'idées et de valeurs qui informe les opinions de chacun sur la société, la justice, le bien commun ou l'excellence. On réserve toutefois le terme, en général, aux expressions les plus élaborées de la réflexion. Elles-mêmes prennent des formes diverses. La pensée politique canadienne s'est d'abord constituée en lien étroit avec l'action d'hommes comme Papineau, Mackenzie, Macdonald ou Laurier. Après 1840 et pendant plus d'un siècle, les historiens joueront un rôle déterminant dans l'interprétation de l'expérience nationale[2]. Dans une large mesure, ce sont les sciences sociales et la philosophie qui prennent ensuite le relais. On cherche alors à mieux distinguer deux rapports à la pensée politique : il s'agirait soit de la considérer comme un objet d'étude, soit d'y contribuer par des propositions normatives. En réalité, les deux tâches demeurent liées, puisque aucune étude n'est tout à fait neutre en ce domaine et qu'aucune proposition sérieuse ne peut faire l'économie d'une connaissance des divers courants et traditions. La perspective universitaire tend néanmoins à éloigner la pensée politique de la pratique. La replacer dans son cadre national permet d'atténuer cet effet. Non pas, bien sûr, que le cadre national soit le seul lieu de la politique concrète, mais aujourd'hui encore, il en demeure sans doute le plus important.

Plusieurs outils peuvent servir de point de départ à l'étude de la pensée politique canadienne. Signalons d'abord un certain nombre d'anthologies qui regroupent les textes jugés

---

1. Je tiens à remercier Charles Blattberg, dont j'espère avoir conservé ici une part de l'éthique du dialogue qu'il a si fortement formulée.
2. Sur le sens directement politique qu'a longtemps eu la discipline historique, il est instructif de lire conjointement Berger (1976) et Rudin (1998).

particulièrement significatifs[3]. Plusieurs ouvrages collectifs illustrant ses principaux aspects ont également été publiés depuis les années 1970[4]. Quelques rares auteurs proposent enfin leur propre synthèse du domaine. La comparaison de ces ouvrages généraux révèle une évolution très marquée des approches. Sous l'influence du marxisme, le genre dominant a longtemps été l'analyse comparée des idéologies. À partir des années 1980, le renouveau de la philosophie politique déplace les questions et les enjeux. On repère pourtant une constante : la conscience des défis posés par le caractère **multinational**[5] et multiculturel du Canada. La dualité linguistique constitue déjà ici une donnée incontournable, y compris au sein du monde intellectuel. La plupart des travaux québécois, par exemple, ne portent que sur le Québec ou sur le Canada français. Cette pratique existe aussi au **Canada anglais**. Un des livres les plus ambitieux sur la pensée politique canadienne précise ainsi que la pensée québécoise, selon la formule consacrée, mériterait un autre livre et qu'elle a donc été écartée[6]. Quelques perspectives plus générales ont été proposées, pensons notamment aux ouvrages de Katherine Fierlbeck (2005, 2006) ou au collectif dirigé par Stephen Brooks (1984). Malgré leurs mérites, on a parfois l'impression que la pensée québécoise y fait de la figuration dans un scénario intégrateur qui en change la signification[7].

La diversité intrinsèque du Canada a longtemps nourri un sentiment d'inachèvement. Elle semble toutefois s'accorder désormais avec la méfiance contemporaine pour les prétentions unitaires. Certains associent cette méfiance au **postmodernisme** ou du moins à un virage pluraliste de la pensée occidentale. L'éloge du multiple a en réalité des sources complexes. L'une des plus influentes nous paraît l'approfondissement de l'imaginaire démocratique moderne, dont un des principaux aspects est l'aspiration à l'égalité. C'est en effet au nom de revendications égalitaires que s'énoncent le plus souvent les critiques plus ou moins radicales de l'**impérialisme de l'Un**. Il y a pourtant là un paradoxe, car la notion d'« égalité » suppose elle-même une forme d'identité et donc une figure de l'Un. La plupart des critiques actuelles de l'Un entretiennent donc des rapports plus étroits qu'il n'y paraît avec ce qu'elles affirment combattre.

Cette tension sera notre point de départ. En partant des rapports entre la diversité et l'unité, il semble possible d'opérer une coupe transversale qui éclaire les principales expressions, l'évolution et les enjeux actuels de la pensée politique au Canada anglais et au Québec. Pour ce faire, nous rappellerons d'abord les données fondamentales de l'équation canadienne. Nous nous pencherons ensuite sur l'articulation des deux pôles au cours de ce qu'on peut appeler le moment hiérarchique et impérial de l'histoire du pays. La dernière partie essaiera de voir jusqu'à quel point la démocratisation de l'imaginaire et de la réalité politiques, depuis les années 1960, a renouvelé le statut et le sens de la pluralité. L'analyse proposée, précisons-le, se veut non pas une étude exhaustive de la pensée politique canadienne – ou de quelques œuvres majeures –, mais plutôt une interprétation de ce qui est sans doute son enjeu le plus durable et le plus décisif.

....

3. Voir notamment Corbo et Lamonde (1999), Forbes (1985) et Fierlbeck (2005).

4. Il reste utile de se rapporter à l'important corpus d'analyse des idéologies. En français, voir par exemple Dumont *et al.* (1971, 1974, 1978, 1981a, 1981b, 1981c) ou encore Monière (1977). En anglais, voir notamment Ornstein et Stevenson (1999). Pour des analyses plus proches de la pensée et de la philosophie politiques, voir Brooks (1984) ou Beiner et Norman (2001).

5. Les concepts en caractères gras sont définis dans le glossaire à la fin du chapitre.

6. Voir Beiner et Norman (2001, p. 2-3).

7. La meilleure perspective d'ensemble demeure sans doute celle de Fierlbeck (2006).

1. QUELLE NATION, QUEL ÉTAT, QUEL RÉGIME ?

L'État-nation s'est constitué en Europe dans un contexte marqué par une double symbolique universaliste : l'idée d'**empire**, héritée de la civilisation romaine, et l'idée de chrétienté. La consolidation d'États rivaux fractionne ces horizons de sens sans en épuiser toutefois la dynamique, puisque les États modernes seront également les héritiers des formes politiques et religieuses antérieures. Les grandes nations émergentes ne se sont en effet jamais pensées comme des particularités fermées sur elles-mêmes. À sa manière, chacune se voit comme une version exemplaire de l'esprit chrétien, européen ou moderne. Il ne faut donc pas oublier que l'État-nation, comme forme politique, se veut aussi porteur de l'universel. Cette dimension est très visible pour les États qui ont eu le plus d'influence sur l'expérience canadienne. Le Canada s'est construit dans l'ombre des États-Unis, *the first new nation*, à partir de fragments des empires coloniaux français et anglais[8]. Il a produit ses propres conceptions de soi dans un rapport complexe avec les conceptions américaines, françaises et anglaises de l'exemplarité nationale.

Cet héritage disparate explique la difficulté à fonder un récit national unifié comparable aux mythes fondateurs américains. Il signale par ailleurs les liens étroits entre la diversité interne d'une nation et l'idée qu'elle se fait de sa place dans le monde.

Observons de plus près cette diversité canadienne. La politique suppose la pluralité. Constat banal qui porte avant tout sur la pluralité des groupes ou des statuts dont les rapports constituent la société. C'est en voyant comment y est organisée et pensée la diversité, et lesquelles de ses formes sont mises en avant tandis que d'autres restent dans l'ombre, qu'on comprend le mieux la spécificité d'un État. Chaque État possède à cet égard une cartographie qui lui est propre. La juxtaposition de sociétés distinctes par la langue et la culture est un fait incontournable de l'expérience canadienne. Elle recoupe en partie la division en dix provinces et trois territoires ayant leurs institutions, leurs intérêts et leurs traits particuliers[9]. À ces divisions culturelles et politiques s'ajoutent les divisions du travail, de la richesse et du pouvoir, qui se cristallisent en différences de classes. Et s'ajoutent, bien sûr, les différences à la fois naturelles et sociales entre hommes et femmes, entre générations, etc.

Ces distinctions diverses se superposent. La différence des groupes nationaux et culturels s'est ainsi doublée au Canada d'une **hiérarchie** sociale liée à la division du travail et du pouvoir. Le terme *vertical mosaïc* décrit bien ce type de croisement[10]. La sociologie a appris à prendre également en compte la pluralité liée au genre ou à d'autres traits identitaires. Selon les choix théoriques ou les acteurs sociaux, on donnera toutefois un poids plus ou moins grand à chaque distinction. On peut aussi s'interroger sur l'articulation hiérarchique ou égalitaire des différences de toute nature. On peut enfin se demander quel est le statut – naturel, conventionnel ou l'un et l'autre à la fois – de la diversité humaine en tant que telle. Autant de questions inséparables, au final, de l'enjeu du **régime politique**.

....

8. La description des États-Unis comme *the first new nation* a été popularisée par le livre de Seymour Martin Lipset (1963). Elle exprime une idée profondément ancrée dans la culture politique américaine.

9. Que les peuples autochtones ne soient pas une partie constituante du fédéralisme canadien montre bien que ce recoupement n'est que partiel. Voir sur ce point Papillon (2006, p. 464-466).

10. Il renvoie bien sûr au livre classique de John Porter, *The Vertical Mosaic : An Analysis of Social Class and Power in Canada*. Publié en 1965, l'ouvrage est donc contemporain de la sortie du moment hiérarchique canadien.

Tant que le modèle restait l'Athènes classique, on liait la démocratie à un idéal d'égalité jugé irréalisable en dehors d'une petite société culturellement homogène. La pensée politique actuelle vise plutôt à réconcilier l'égalité au pluralisme identitaire. Le défi peut sembler banal, mais il requiert une prise en compte des conditions de possibilité et de l'influence de chaque forme politique. L'État moderne, avons-nous signalé, a hérité une part de sa substance des idées d'empire et de chrétienté. Dans la mesure où il a peu à peu intégré des aspects **républicains** et démocratiques, il s'est néanmoins rapproché du modèle de la Cité classique. Il est, pourrait-on dire, une forme quasi impériale – caractérisée par une distinction forte entre l'État et la société, et par une importante diversité culturelle – qui s'est pensée comme une Cité. L'État moderne demeure donc travaillé par une tension entre sa réalité effective et les référents intellectuels à partir desquels s'est construite ou renouvelée l'idée qu'on s'en fait. Il suffit, pour s'en convaincre, de considérer la difficile conciliation entre l'idée d'État et l'idée – prise au sens premier – de démocratie[11].

Cette tension a toujours été très visible au Canada dont, à bien des égards, l'histoire, les symboles, la structure institutionnelle et la pluralité identitaire rappellent un Empire plus qu'un État-nation[12]. L'enjeu sera dès lors de faire un pays unifié, libéral et démocratique avec des matériaux hétéroclites hérités d'un passé colonial.

On prend toute la mesure du défi en entrant plus avant dans la diversité nationale et culturelle qui a si profondément marqué l'histoire canadienne. Trois strates principales doivent être distinguées. D'abord, les sociétés désormais appelées « Premières Nations », qui, en plus de demeurer un monde à part, diffèrent entre elles par la langue, le mode de vie ou l'organisation politique. Fait important : aucune de ces sociétés ne couvrait l'ensemble du territoire canadien et plusieurs vivaient aussi dans l'espace maintenant occupé par les États-Unis. La division politique actuelle du continent doit donc peu à ses premiers occupants. Que les peuples autochtones aient pu inspirer certains aspects de l'ordre constitutionnel canadien – ou américain – est une question qui demeure débattue[13]. Ils n'en ont toutefois pas eu l'initiative, et leur statut initial était très ambigu. La situation des Premières Nations gardera cette ambiguïté jusqu'à aujourd'hui. Elle continue d'ailleurs de poser au pays ce qui reste sans doute son principal défi moral.

La deuxième strate est celle des sociétés nées d'un projet colonial européen. Le fait majeur est ici la coprésence concurrente des **fondations** coloniales françaises et anglaises. On observe un phénomène similaire aux États-Unis si l'on tient compte de la présence hollandaise, française ou espagnole initiale. Le rapport de force entre groupes n'a cependant pas été le même au Canada, où la société issue de la Nouvelle-France a conservé une personnalité institutionnelle bien plus forte que n'ont pu le faire les souches coloniales non anglaises absorbées dans la société américaine. La persistance d'une société politique d'origine française est bien sûr au fondement de la dualité nationale. Une part importante de la pensée politique canadienne a consisté à définir la portée de cette dualité, les penseurs canadiens-français, puis québécois, tendant à y voir le fait fondateur du pays, tandis que la majorité des penseurs du Canada anglais en minimisent plus ou moins la signification. Différence d'interprétation qui devient elle-même une des dimensions

11. Peut-être est-ce dans *Les principes de la philosophie du droit* de Hegel où cette difficulté apparaît dans toute sa profondeur. Se rapporter plus précisément aux paragraphes 272 et 273.

12. Le caractère impérial de l'État canadien a été souvent analysé. Voir Chevrier (2011), Couture (2007), Di Norcia (1979) ou encore Tully (1999).

13. Voir notamment Young (2000). Tully (1999) soutient qu'il nous reste beaucoup à apprendre de l'esprit autochtone, aujourd'hui encore, pour dégager le constitutionnalisme classique de son héritage impérial.

de cette dualité. Mais la différence tient aussi de la nature des deux Canadas. Le Canada anglais a été constitué d'un amalgame de loyalistes venus des États-Unis avec des colons anglais, écossais et enfin irlandais. Si l'on ajoute les distinctions religieuses et la pluralité des provinces, cela empêche d'en faire le pendant exact de la société nationale fortement cohésive qu'a été le Canada français et qu'est largement demeuré le Québec francophone moderne.

La dernière strate de la diversité culturelle canadienne s'est constituée par les vagues d'immigration successives. Il faudrait cette fois distinguer chaque groupe selon son ancienneté, son degré de proximité avec la société d'accueil, son profil socioéconomique et les principaux lieux de son insertion. Et tenir compte de l'imprévu des événements qui peut à tout moment favoriser une dynamique d'intégration ou d'exclusion. Malgré ou à travers cette complexité, l'ampleur de l'immigration a contribué à refaire l'image de la diversité canadienne en donnant un poids décisif à l'idée du **multiculturalisme**. Au point où certains résument désormais toutes les différences par ce terme. La résistance à une telle simplification a toujours été forte chez les Premières Nations et au Québec. Elle a aussi trouvé de nouvelles expressions conceptuelles chez des penseurs comme Charles Taylor ou Will Kymlicka, qui proposent des distinctions très nettes entre les types de diversités ou de minorités[14]. Il n'est toutefois pas certain que ces précisions aient un grand poids dans les perceptions de la majorité.

La présentation successive de ces strates nationales et culturelles ne rend pas justice à leur enchevêtrement. Les rapports entre le Québec et le reste du Canada interagissent constamment, en réalité, avec la question de l'immigration et des minorités culturelles, et ils ont parfois interagi de manière spectaculaire avec les questions relatives aux Premières Nations. Rappelons aussi que les polarités nationales et culturelles croisent les autres différences sociales. Pour n'évoquer ici qu'un nouvel exemple, on sait à quel point l'enjeu de l'égalité entre hommes et femmes s'est répercuté depuis trente ans dans les débats sur le statut des Premières Nations, sur l'intégration des immigrants et même sur le statut du Québec[15].

La vigueur de la pensée politique au Canada anglais comme au Québec tient largement de la tension entre une équation nationale très délicate et l'approfondissement de l'*ethos* démocratique. Pour donner une idée juste des défis affrontés et des interprétations ou des solutions proposées, il ne suffit pourtant pas de présenter un tableau des positions actuelles. Un débat intellectuel et politique n'a pas qu'une dimension horizontale, celle du présent. On ne peut non plus se contenter de supposer un invariant théorique à partir duquel on prétend tout classer définitivement. Les principales formes de la pensée canadienne se sont constituées dans l'histoire, avec ce que cela implique de continuité et de ruptures, conscientes ou non. Pour éviter un présentisme naïf, il faut donc redonner à voir cet ancrage historique[16].

POINTS CLÉS

> Chaque État comporte une organisation particulière de la pluralité.
> Le Canada se caractérise par l'existence en son sein de sociétés distinctes par l'histoire, la culture et le statut politique.

....

14. Voir la notion de «diversité profonde» chez Taylor (1992, p. 181-214). Kymlicka formalise la distinction entre minorités nationales et minorités issues de l'immigration dans *La citoyenneté multiculturelle* (2001).

15. Lors des débats entourant l'accord du lac Meech, par exemple, certaines féministes du Canada anglais estimaient que la reconnaissance du Québec comme société distincte pourrait entraîner un recul des droits des femmes.

16. *Three Civilizations, Two Cultures, One State: Canada's Political Traditions* (1986), de Douglas V. Verney, demeure à ce jour un des meilleurs exemples de l'apport d'une perspective historique approfondie pour ressaisir les diverses manifestations de la pensée politique canadienne.

> Pour comprendre la diversité canadienne, il ne faut pas en confondre les strates successives : les Premières Nations, les sociétés fondées par les entreprises coloniales françaises et anglaises, puis le multiculturalisme qui résulte de l'immigration.

2. Le moment hiérarchique et impérial

Trois aspects baliseront ici notre analyse. Il faut d'abord revenir au fait premier que le Canada résulte de projets coloniaux français et anglais. Une colonie suppose la fondation d'un ordre politique et d'une société, avec ses mœurs et sa culture. Cette double fondation pourra être suivie plus tard par la refondation d'un ordre politique indépendant de la métropole et – processus plus diffus – par la refondation d'une culture qui cesse de se voir comme le simple prolongement du pays souche. Les États-Unis illustrent très bien ces fondations et refondations successives. Leur exemple inspirera les autres États du continent, même s'il s'agit d'un modèle qu'on ne voudra pas toujours suivre jusqu'au bout. Au Canada anglais et au Québec, par exemple, l'idée d'une rupture symbolique forte avec l'Europe se heurte à la conscience qu'il n'est sans doute pas dans l'intérêt national de s'inspirer sans réserve du mythe américain de la refondation. Le lien aux anciennes métropoles apparaît au contraire comme un moyen d'atténuer l'hégémonie des États-Unis. Rappelons, par exemple, la réplique que s'est value l'insistance unilatérale sur l'américanité du Québec[17].

Deuxième rappel : le Canada naît dans un contexte hiérarchique, ce qui suppose l'affirmation de la supériorité en valeur de certains groupes, de certaines idées et de certaines pratiques. Au départ, une colonie s'insère d'ailleurs toujours dans un lien hiérarchique, puisqu'elle n'est que la partie d'un tout dont elle dépend pour sa survie et sa croissance. Une colonie conquise est dans une dépendance encore plus délicate. Pour maintenir une société distincte, on voudra retenir et magnifier certains traits de la métropole initiale. Il est tentant dès lors de se définir en termes culturels plutôt que politiques. Rappelons enfin que les aspects coloniaux du Canada ont interagi avec d'autres aspects hiérarchiques du monde européen, notamment la division marquée entre l'élite et le peuple ou la distinction institutionnelle du sacré et du profane.

Troisième aspect majeur : dès l'origine, la société canadienne comportait aussi des traits plus égalitaires qui ont pu servir de germes aux changements à venir. On a souvent noté que la **société d'Ancien Régime** n'avait jamais pu être entièrement reproduite sur le sol nord-américain. L'immensité du continent et l'exemple des Autochtones ont très tôt favorisé l'adoption de modes de vie au moins en partie détachés des modèles français ou anglais. Une structure sociale moins lourde a pu ensuite faciliter la lente progression d'un imaginaire de l'égalité. Ajoutons toutefois que cela a également pu atténuer les ruptures brutales. Pensons aux révolutions américaine et française, qui ailleurs ont transformé plus radicalement tel ou tel aspect de la société.

Le moment impérial canadien peut être défini comme la longue période où la marque du fait colonial et hiérarchique demeure prépondérante. Jusqu'à quand persiste-t-il ? On est tenté de répondre 1918, ou 1931, date du traité de Westminster, ou 1945, ou même qu'il dure encore. Il est toujours délicat d'établir des frontières historiques. Nous estimons pour notre part que l'esprit impérial prédomine jusqu'aux années 1960, où s'accélère une démocratisation de la pensée et de la vie canadiennes. Bien des

----

17. Voir par exemple *Critique de l'américanité* (2002), de Joseph-Y. Thériault.

idées et des événements antérieurs illustrent certes des poussées précoces d'un esprit libéral, républicain, démocratique ou décolonisateur. Les rébellions de 1837 et 1838 viennent d'emblée à l'esprit. Ne serait-ce qu'en raison du fait colonial, le cadre de la société demeurait néanmoins hiérarchique. S'étendant sur plus de trois siècles, ce moment impérial n'est bien sûr pas uniforme. Nous n'évoquerons la période allant de l'origine au Traité de Paris de 1763 que par quelques rappels. L'équation nationale prend sa forme durable dans la période qui va de la Conquête anglaise à la refondation politique de 1867. Suit alors un siècle de maturation puis de déclin de la société impériale canadienne. Valable pour l'ensemble du pays, cette distinction entre trois moments historiques successifs éclaire aussi le rythme spécifique de la vie politique et intellectuelle des deux sociétés nationales qui jouèrent les rôles décisifs dans ses fondations et refondations successives.

Considérons d'abord la société d'origine britannique, qui donne au Canada les principaux traits de sa forme politique et de sa culture, à commencer par le rôle dominant de la langue anglaise. Pendant longtemps, bien des Canadiens ont d'ailleurs estimé vivre dans *a British country* où le Canada français, les Autochtones et les groupes immigrants d'autres origines étaient des entités secondaires destinées à s'assimiler, ou du moins à admettre la primauté du fait britannique. Ce sens de la primauté s'est nourri d'idées et de sentiments divers selon les époques. Avant que le Canada anglais ne forme la majorité, au milieu du XIXe siècle, la hiérarchie des groupes nationaux reposait d'abord sur la Conquête et le lien à la métropole, sans oublier la conviction de la supériorité morale de la culture protestante. Le sens de la primauté du Canada anglais a pu ensuite s'appuyer aussi sur le nombre ou encore se satisfaire d'une prépondérance passée dans les faits. La remise en cause de cette hiérarchie nationale institutionnalisée – ou même le simple rappel de son existence – sera souvent perçue comme un manque de loyauté à l'égard d'un pays qui garantirait à tous la paix, l'ordre et un bon gouvernement.

La prédominance affirmée du Canada anglais est une dimension centrale du moment impérial. Elle ne l'empêche pourtant pas de devoir faire face à d'immenses défis. D'abord celui de la fondation, qui comporte deux aspects essentiels. Fonder un pays au nord du continent exige d'unifier des colonies disparates, éloignées les unes des autres. Cela exige surtout de distinguer la nouvelle société des États-Unis. Bien sûr, il fallait aussi tenir compte du fait français. Il s'agit toutefois d'une réalité qu'on a toujours préféré marginaliser. Si les événements en rappellent le caractère incontournable, on y fera face, tout en jugeant le Canada français narcissique de s'imposer ainsi à l'attention nationale. Les défis essentiels du Canada anglais consistent à construire sa propre unité et à résister à la tentation américaine. La transformation moderne de l'équilibre entre hiérarchie et égalité entraîne, d'autre part, des risques particuliers pour le Canada. Comment faire tenir ensemble des éléments aussi différents si l'ancien lien hiérarchique s'affaiblit ? Assurer la prospérité et l'autonomie d'un jeune pays excentré dont l'économie repose largement sur l'exportation de produits naturels s'avère aussi un enjeu de taille, qui donnera lieu à un débat soutenu jusqu'à aujourd'hui[18].

Les traditions politiques du Canada anglais se forment en adaptant des courants de pensée britanniques à ces multiples défis. Les principaux pôles sont d'emblée les traditions conservatrice et libérale. Mais l'esprit *tory*, au Canada, ne put jamais aller au bout de lui-même. Il lui

....

18. Ce débat sera marqué par un important courant d'histoire économique d'abord illustré par les travaux de Creighton (1937) et de Innis (1930). En magnifiant le rôle du Canada central dans la structure économique et politique du Canada, ces auteurs contribueront par ailleurs à une prise de conscience régionaliste, à un sentiment d'aliénation, dans le reste du pays. Sur cette question, voir par exemple Morton (1967).

manquait une base aristocratique forte et la composition nationale du pays était trop disparate[19]. L'esprit libéral, à l'inverse, a longtemps dû composer avec le fait colonial, qui institutionnalisait une composante hiérarchique et conservatrice. La *canadianisation* des deux traditions conduira donc à des mixtes de conservatisme libéral et de libéralisme impérial. Sous l'influence de modèles anglais ou américains, certains aspireront certes à une pensée plus unifiée. La tension entre la reprise d'idées étrangères et la réalité d'ici est d'ailleurs une constante de l'histoire intellectuelle nationale. L'attrait des modèles étrangers peut même devenir si fort qu'une partie de la population voit les compromis canadiens – notamment sur le plan linguistique – comme des artifices imposés par l'État. Outre les traditions *tories* et libérales adaptées au contexte canadien, dominantes dans l'élite, il faut signaler des populismes de droite (comme le Crédit social) et de gauche (comme la Cooperative Commonwealth Federation à ses débuts), liés à des courants distincts du protestantisme. Quant à la gauche intellectuelle, elle restera longtemps marginale.

Ce n'est qu'après la conquête de la Nouvelle-France et l'Indépendance américaine que se développe véritablement la réflexion sur la nature de l'Amérique du Nord britannique. Les tensions entre classes deviennent plus explicites. L'immigration de colons écossais, puis irlandais, met bientôt à l'avant-plan un pluralisme religieux qui accentue la difficulté d'imposer une Église d'État sur le modèle anglais. De la Révolution américaine jusqu'en 1815, le monde occidental est par ailleurs traversé par de puissants courants républicains et libéraux qui ressurgiront avec force autour de 1830. Le réformisme du Bas et du Haut-Canada profite de ce contexte international[20]. Peut-on aller jusqu'à parler d'un premier moment libéral du Canada anglais ? Dès 1839, le rapport Durham souligne sa précoce vitalité commerciale. Mais en insistant sur le conflit au Bas-Canada, présenté comme une lutte entre deux nations plutôt qu'entre le peuple et une oligarchie coloniale, Durham favorisait l'interprétation **culturaliste** des enjeux canadiens (1990, p. 64-86)[21]. Face au Canada français jugé retardataire, le Canada anglais est plus que jamais appelé à se voir comme l'élément moderne, progressiste, sur lequel repose l'avenir du pays. Le contraste avec les États-Unis fera pourtant ressortir sa dimension conservatrice, illustrée par le refus de la révolution et de la rupture avec la métropole. Le croisement des deux perspectives confirme en quelque sorte l'entremêlement des dimensions libérales et conservatrices au cœur de sa culture politique.

Précisons la nature de cet entremêlement en observant de plus près les effets du pluralisme identitaire du futur État canadien. La réaction contre le *family compact*, au Haut-Canada, se nourrit d'une diversité démographique qui rend inacceptable une domination étroitement anglaise et anglicane[22]. Après l'*Acte d'Union* de 1840, les libéraux se découvrent des intérêts communs avec les francophones modérés du Bas-Canada dans la lutte contre les prérogatives de l'administration coloniale. Apparaît ainsi un axe central de la politique canadienne : la nécessité pour les libéraux du Canada anglais, minoritaires dans leur propre société, de former une coalition avec des députés québécois pour s'assurer une majorité nationale[23]. La diversité canadienne semble donc avoir favorisé l'élan libéral

....

19. L'évaluation de l'influence anglaise fait bien sûr l'objet de débats persistants. Pour une lecture critique de la thèse d'une forte empreinte *torie*, voir par exemple Ajzenstat et Smith (1995).

....

20. Pour une perspective comparative, voir Klooster (2009).

21. L'âge victorien systématisera le culturalisme en germe dans l'analyse de Durham.

22. Sur le réformisme du Haut-Canada, voir Wilton (2000).

23. Saul (1998) s'appuie sur ce constat pour prôner une nouvelle alliance des forces progressistes des deux Canadas.

du début du XIXᵉ siècle. La Confédération de 1867 institutionnalisera cependant la prédominance *torie* dans la définition du pays : fidélité à l'Angleterre et à la monarchie, Sénat non élu, tout cela en contraste avec le républicanisme et le populisme américains[24]. Confirmé par la forme fédérale, le pluralisme canadien est néanmoins secondarisé par le renforcement du principe hiérarchique et la concentration des pouvoirs les plus importants au bénéfice du Parlement fédéral. L'affaiblissement du Canada français est une des clés du basculement de tendance. Son poids relatif diminuait depuis des décennies sous l'effet d'une politique d'immigration sélective favorisant les émigrants britanniques. De plus, la défaite des patriotes place le courant républicain et libéral sur la défensive, favorisant l'hégémonie conservatrice de l'Église. La recréation d'une entité politique à majorité francophone, le Québec, peut certes être vue comme une victoire. Son intégration dans un vaste ensemble anglophone signifie toutefois la marginalisation provinciale du Canada français. L'alliance avec des partenaires du Canada anglais reste possible, mais dans un contexte élargi qui diminue durablement l'influence des francophones. Le cadre politique et symbolique était en place pour le développement et l'apogée de l'âge impérial canadien.

L'impérialisme canadien se déploiera dans les décennies suivantes. Il s'agit d'un courant de pensée très étudié depuis les travaux de Carl Berger (1969, 1970)[25]. Attention méritée, puisqu'il fournit au Canada anglais sa première conception forte de lui-même. En ce sens, il faut le considérer comme l'expression d'une société plutôt que de le confiner à quelques cercles restreints[26]. Dans ses grandes lignes, la pensée impérialiste voulait donner au Canada et aux autres *white dominions*, comme l'Australie, un rôle de premier plan dans la direction de l'Empire britannique. Elle s'appuie ainsi sur l'idée d'une mission civilisatrice et sur la volonté de gérer l'Empire de manière collégiale, en intégrant l'apport de jeunes **dominions** encore vertueux et énergiques[27]. Le contexte idéologique de la fin du XIXᵉ siècle fournissait un terrain favorable pour de tels discours identitaires à connotation raciale. Mais l'impérialisme répondait également à des besoins spécifiques du Canada anglais. En faisant de l'Empire le meilleur propagateur d'idéaux comme le parlementarisme et l'économie de marché, il fournissait une réconciliation grandiose du conservatisme et du libéralisme. L'impérialisme liait aussi l'identité canadienne-anglaise à un ensemble plus prestigieux et puissant que les États-Unis eux-mêmes, donnant ainsi une réponse symbolique au défi américain. Le projet d'une direction commune de l'Empire promettait par ailleurs de surmonter la hiérarchie coloniale entre la Grande-Bretagne et ses dominions. L'identification à l'Empire magnifie enfin la prépondérance du Canada anglais sur les autres composantes de la société canadienne. Ce qui est loin d'être un détail, à une époque où la colonisation de l'Ouest créait d'importantes frictions avec les Métis et les francophones, en plus de poser le défi

---

24. On trouve une présentation synthétique des débats entourant la Constitution de 1867 dans *Débats sur la fondation du Canada*, dirigé par Ajzenstat *et al.* (2004). Sur l'intention conservatrice du principal architecte de la Constitution, John A. Macdonald, le classique demeure la monumentale biographie que lui a consacrée Creighton (1981).

25. Nous nous sommes aussi inspirés de la remarquable analyse comparée proposée par Lacombe (2002).

26. Sur l'importance des thèmes impérialistes dans l'éducation des Canadiens anglais, jusqu'aux années 1960, voir notamment Francis (1997, p. 52-87).

27. L'impérialisme canadien s'est souvent appuyé sur l'idée de la supériorité morale des peuples du Nord. L'argument visait soit à glorifier l'origine nordique des Canadiens, soit à voir dans la géographie et le climat une force capable d'unifier une nation disparate. On retrouve les deux axes dans un texte aussi tardif que *The Canadian Identity* (1961), de Morton. Sur le mythe du Nord au Canada anglais, voir Francis (1997, p. 152-171).

d'intégrer des vagues successives d'immigrants non anglo-saxons.

La pensée impérialiste associait donc la particularité canadienne à l'universalité d'un grand empire civilisateur. Cette dialectique du particulier et de l'universel rappelle à bien des égards la philosophie hégélienne de l'État, qui connut une importante réception au Canada anglais à la fin du XIXe siècle[28]. Sans doute fournissait-elle en effet le meilleur cadre spéculatif pour réconcilier unité et différences, hiérarchie et progrès. Cela n'empêcha pas la forme initiale de l'impérialisme canadien de connaître un déclin assez rapide, faute d'avoir réussi, notamment, à imposer l'idée d'une cogestion de l'Empire. Il serait pourtant trop simple de conclure à son échec. Il reste en effet l'expression la plus cohérente d'une identité canadienne fondée sur la prédominance affirmée de sa composante britannique. Expression qui a longtemps reflété, justifié et renforcé une hiérarchie nationale effective. Bien sûr, on ne saurait ramener à l'impérialisme plus d'un siècle de pensée politique au Canada anglais. C'est néanmoins dans ce cadre symbolique que se sont longtemps inscrits non seulement le conservatisme canadien, mais aussi le libéralisme majoritaire et même les courants populistes.

Observons maintenant le moment impérial canadien du point de vue du Canada français. La pensée politique y a pour axe principal l'interprétation d'un destin national. Dans le récit moderniste dominant depuis les années 1960, ce destin a précisément pour finalité la sortie du cadre hiérarchique canadien, soit par l'indépendance du Québec, soit par une participation active à la modernisation du Canada. Chaque option admet plusieurs variantes, et on a continuellement cherché à définir des solutions intermédiaires. Le modernisme ne doit cependant pas faire perdre de vue l'importance du Canada français dans le moment impérial. La référence britannique a certes fourni la substance de l'impérialisme canadien. Mais l'édifice politique fédéral reposait aussi sur la possibilité de neutraliser la force de négation contenue dans la présence d'une nation minoritaire ou même celle de domestiquer, en quelque sorte, la société canadienne-française, qui offrait le contraste le plus fort avec les États-Unis. Voilà son véritable intérêt pour le Canada anglais : bien encadrée, sa différence peut servir les intérêts du peuple majoritaire. À côté de la symbolique britannique, le dominion intégra donc la couleur locale fournie par des symboles canadiens-français et même autochtones, ces derniers ayant l'avantage d'être encore plus inoffensifs[29].

Tout au cours du moment impérial, les mêmes défis se poseront au Canada français et au Canada anglais : la **fondation** politique et culturelle, l'équilibre entre hiérarchie et égalité, la modernisation comme réponse à la pression américaine. La situation du Canada français est toutefois bien plus délicate. Quelques remarques s'imposent d'abord sur la période d'avant 1763, dont l'interprétation restera ensuite un enjeu majeur. Quel sens donner en effet à la Nouvelle-France ? Elle constitue, à n'en pas douter, une première fondation, à la fois politique et culturelle. Elle fournit en cela l'image d'une cohérence initiale brutalement interrompue. La pensée conservatrice – pensons notamment à Lionel Groulx – donnera longtemps à cette cohérence une substance forte, française et catholique, et par là, estimait-on, doublement porteuse d'universalité. Cependant, le souvenir de cette totalité cohérente hantera aussi les nombreux projets de refondation nationale jusqu'à aujourd'hui.

....

28. Sur l'hégélianisme impérial canadien, voir Armour et Trott (1981). Sibley (2008) reprend le thème de manière plus polémique.

29. Cette dynamique d'appropriation identitaire a souvent été analysée. On en trouve une présentation frappante dans Dufour (1989, p. 51-58).

La pensée libérale ou républicaine ne pouvait pourtant pas avoir une conception entièrement positive de cette société d'Ancien Régime qu'était la Nouvelle-France. On rejoint ici le deuxième aspect de l'interprétation de la période initiale : le sens donné à la Conquête anglaise et à ses suites. L'événement brouille d'emblée le lien du politique et du culturel. Cela n'empêchera pas la pensée canadienne-française d'en proposer diverses appréciations favorables. Même chez de futurs patriotes, on trouve d'abord l'idée que la nouvelle métropole a créé un cadre politique plus juste, grâce notamment à l'octroi, en 1791, d'un régime parlementaire[30]. S'ajoute parfois la thèse voulant que la Conquête ait ainsi préservé la société canadienne d'une refondation politique radicale sur le modèle des révolutions américaine et française. Voilà notamment pourquoi le nationalisme conservateur lui attribua longtemps un statut providentiel. La Conquête suscitera également deux critiques principales. Selon la première, les fondations politiques rendues possibles par l'intégration à l'Empire britannique resteraient à mi-chemin entre l'Ancien Régime et les principes de la politique moderne. L'échec des patriotes, suivi par l'*Acte d'Union* et par la Confédération, en amènera ainsi plusieurs à voir dans le régime conservateur et hiérarchique de 1867 l'ultime conséquence de la Conquête[31]. La seconde critique insiste sur les effets négatifs de la césure entre le politique et la culture. Certes, une société issue de la Nouvelle-France a survécu. À partir de 1867, désormais fortement minoritaire, elle doit toutefois lutter dans un cadre constitutionnel qui la met constamment sur la défensive.

Arrêtons-nous un instant aux divers horizons politiques qu'ouvre, ou ferme, la suite des régimes canadiens. En reconnaissant des droits culturels aux Canadiens de langue française et de religion catholique, l'*Acte de Québec*, en 1774, rend plausible une survie nationale sous l'autorité britannique. L'*Acte constitutionnel de 1791* fait du Haut et du Bas-Canada deux colonies à part. Cette première *séparation* résulte d'une demande des anglophones de l'actuel Ontario, qui préfèrent obtenir leur propre société distincte plutôt que d'être minoritaires. La colonie sœur, le Bas-Canada, se retrouve dès lors avec une majorité française renforcée. Il devient possible d'entrevoir une autonomisation graduelle de la nouvelle entité, et même son éventuelle indépendance républicaine sur le modèle d'autres ex-colonies du continent. Bien sûr se poserait l'enjeu de la survie d'un État francophone voisin du géant américain. On trouve la trace de ce dilemme au cœur de la pensée patriote[32]. Le régime d'Union qui suit l'échec des rébellions de 1837 et 1838 vise à réaliser les buts définis par le rapport Durham : assurer le développement des principes libéraux dans le cadre impérial – et non contre lui – et favoriser l'assimilation du Canada français. Comme d'autres libéraux de l'époque, Durham juge en effet que la diversité de langues et de mœurs entretient des conflits et des replis identitaires néfastes pour la liberté. Ses thèses susciteront toutefois une prise de conscience qui, dès l'*Histoire du Canada* de François-Xavier Garneau, nourrira la volonté d'affirmation nationale. L'alliance entre libéraux modérés du Bas et du Haut-Canada permettra d'ailleurs aux francophones de retrouver certains droits linguistiques. S'ouvre ainsi une nouvelle perspective, celle d'une dualité fondatrice du Canada[33].

. . . .

30. Voir par exemple le discours de Papineau intitulé « France et Angleterre » (1998, p. 42-45).

31. Papineau développe lui-même cette thèse dans son « Testament politique » (1998, p. 574-611).

. . . .

32. Les *Six lectures sur l'annexion du Canada aux États-Unis* (1851) de Dessaulles en restent l'écho le plus explicite.

33. Corbo et Lamonde (1999) présentent plusieurs textes des principaux acteurs – notamment Étienne Parent et Louis-H. Lafontaine – du régime d'Union. Pour deux appréciations différentes de la période, voir Kelly (1997) et Bédard (2009).

La Confédération change de nouveau la donne. Nous avons vu qu'elle posait les bases hiérarchiques où s'épanouira le Canada impérial. Sans doute redonne-t-elle aux francophones une entité politique où ils sont majoritaires. Mais les provinces ne jouissent que d'une autonomie limitée aux enjeux locaux et culturels, les pouvoirs politiques effectifs étant concentrés au niveau fédéral. La double dimension – fédérale et impériale – du régime nourrira les débats sur ses conséquences[34]. Certains attribueront à cette ambivalence l'évolution conservatrice de la société québécoise, tandis que d'autres critiqueront plutôt l'incapacité des Canadiens français à utiliser pleinement les institutions dont ils disposent désormais. L'imaginaire canadien-français s'approprie néanmoins d'emblée le nouvel espace politique en développant l'idée d'un pays binational qui s'étendrait de l'Atlantique au Pacifique. En germe dès la pensée de George-Étienne Cartier, ce binationalisme élargi trouve sa forme aboutie chez Henri Bourassa. Certes, ce n'est qu'au Québec que la société canadienne-française jouit d'une véritable expression politique. Dans les autres provinces, l'identification du politique à la culture majoritaire entraîne un **unilinguisme anglais** farouchement défendu. Le binationalisme de Bourassa se définira donc surtout par une défense morale de la culture canadienne-française et de la religion catholique. L'idée d'un nationalisme canadien-français continental, qui intégrerait l'importante population franco-américaine ayant pris racine en Nouvelle-Angleterre au tournant du XXᵉ siècle, sera un nouvel avatar de ce nationalisme culturel dépolitisé[35].

Par son rôle dans la définition de l'identité nationale, le nationalisme conservateur du Canada français est, à bien des égards, l'équivalent de la pensée impérialiste au Canada anglais. L'analyse de ses causes et de ses effets sera longtemps au cœur de la pensée québécoise. Nous signalerons brièvement quelques-uns des principaux débats qui persistent jusqu'à aujourd'hui.

On peut d'abord s'interroger sur la portée réelle de l'hégémonie conservatrice. Plusieurs historiens ont notamment insisté sur le maintien d'une forte tradition libérale, tout en soulignant le quasi-oubli de l'idéal républicain et la marginalité du socialisme[36]. Faut-il d'ailleurs opposer ainsi le libéralisme au conservatisme ? Dans la mesure où il a longtemps voulu restreindre l'action de l'État sur la société, le libéralisme laissait une grande place à d'autres institutions, comme l'Église, dans la gestion de l'éducation et des services sociaux. S'ajoutant aux effets du fédéralisme, ce partage des tâches accentuait les limites de l'initiative étatique au niveau provincial. Comme l'illustrent la pensée et l'action de sa figure centrale, Wilfrid Laurier, le libéralisme canadien-français a également dû se redéfinir en fonction du cadre impérial qui marque toute l'époque[37]. Nouvel enjeu crucial : le nationalisme conservateur canadien-français était-il l'expression d'une société fondamentalement réfractaire aux idéaux modernes ? Les historiens de l'école de Laval – Jean Hamelin, Fernand Ouellet, Marcel Trudel – auront tendance à défendre la thèse culturaliste d'un retard historique des sociétés catholiques, alors que les historiens de l'école de Montréal – Michel Brunet, Guy Frégault, Maurice Séguin – voient le long conservatisme du Canada français

---

34. On trouve une présentation synthétique des débats entourant la Constitution de 1867 dans *Débats sur la fondation du Canada*, dirigé par Janet Ajzenstat et ses collaborateurs (Ajzenstat *et al.*, 2004).

35. *L'avenir du peuple canadien-français* (1968) de Nevers reflète cette version continentale du nationalisme culturel.

36. Sur la persistance d'un radicalisme libéral, voir notamment Lamonde (1995). Pour une analyse du refoulement du républicanisme au Canada français, voir la synthèse de Chevrier (2012, p. 9-17 et p. 272-282).

37. Cette évolution est déjà très claire en 1877 dans *Le libéralisme politique* (1999), texte crucial de Laurier.

comme une conséquence de la Conquête et une réaction à l'esprit impérial du Canada anglais. Autre débat décisif, cette fois sur les frontières de la communauté de référence. Son aspect le plus connu est l'effort de l'abbé Groulx pour redonner sa centralité au pôle québécois, ce qui permettait de recréer un lien plus direct entre culture et politique. À travers les historiens de l'école de Montréal, héritiers de Groulx sur ce point, le thème sera au centre de la refondation québécoise du nationalisme canadien-français[38].

Les années 1950 posent les bases du projet modernisateur ou néonationaliste qui dominera les décennies suivantes. De manière générale, on accuse le nationalisme conservateur de s'être figé en un idéalisme messianique tourné vers le passé. Discours compensatoire impuissant à changer le réel, il ne servirait plus qu'à légitimer le régime médiocre de Maurice Duplessis. Pour le **néonationalisme**, l'illusion remonte au binationalisme de Bourassa et même à la Confédération. On estimera donc tout aussi irréaliste la solution prônée par Trudeau, qui consiste à faciliter l'identification des Québécois au Canada en neutralisant la symbolique britannique de l'État fédéral et en instituant un bilinguisme institutionnel pancanadien[39]. Ambition qui porterait la marque d'un idéalisme impénitent incapable d'intégrer les leçons de l'histoire. Pour Trudeau (1962), à l'inverse, c'est plutôt la critique néonationaliste du passé qui maintient de vieilles illusions, surtout lorsqu'elle prend la forme d'un projet de refondation politique *séparée*. L'indépendance, estime-t-il, détournerait les progressistes et l'ensemble du Québec de tâches plus importantes, tout en maintenant l'obsession illibérale d'une adéquation complète

entre l'État et une nation culturelle. Se développe donc une tendance symétrique à dénoncer chez l'adversaire des références jugées dépassées : dans un cas, le binationalisme culturel de Bourassa, dans l'autre, l'idée d'un lien substantiel entre l'État et la nation. Ce tir croisé ouvrira la voie à une sorte de surenchère dans la dévaluation du passé. Le dernier débat à souligner porte d'ailleurs sur les paradoxes et la valeur du modernisme québécois. Il ne s'amorcera vraiment que trente ans plus tard, mais le rapport ambivalent à la tradition et à la mémoire est néanmoins visible dès le prélude critique de la Révolution tranquille.

Nous avons défini le moment impérial par le rôle prépondérant du principe hiérarchique dans l'ordre politique et symbolique canadien. Le cadre impérial permettait une certaine reconnaissance de la pluralité nationale et culturelle tout en affirmant la supériorité de l'élément britannique dans la mosaïque identitaire. L'analyse détaillée de la pensée politique des Canadas anglais et français rétablirait bien sûr les nuances nécessaires, sans toutefois, nous semble-t-il, remettre en cause les lignes générales tracées ici. Il faudrait aussi considérer l'influence du cadre impérial sur les Premières Nations et les communautés issues de l'immigration. La majorité des Canadiens estimaient que leur destin était de s'intégrer, voire de s'assimiler. Resterait à établir comment ces groupes eux-mêmes voyaient leur insertion dans la hiérarchie nationale. Il faudrait enfin comprendre l'effet du principe hiérarchique sur les autres rapports sociaux et identitaires. On tend aujourd'hui à perdre, par exemple, le sens moral qu'avaient autrefois les distinctions entre les notables et les classes populaires. Même la signification vécue de l'ancien partage des rôles entre hommes et femmes nous devient difficilement compréhensible. Sur tous ces enjeux, le Canada restait proche des autres sociétés occidentales. Il serait néanmoins éclairant de préciser les conséquences du cadre impérial sur les autres dimensions hiérarchiques de la vie sociale.

....

38. Dumont (1993) visera à dépasser la tension entre l'ancien nationalisme culturel et le virage progressiste du nationalisme amorcé par l'école de Montréal. Car le conservatisme canadien-français est aussi, selon lui, une des conditions historiques du désir d'autonomie moderne des Québécois.

39. Voir Trudeau (1967, p. 39).

> L'histoire canadienne a été longtemps dominée par le fait colonial et impérial, qui contribuait au maintien de traits sociaux fortement hiérarchiques. La prépondérance institutionnalisée du Canada anglais était un élément décisif de ce moment impérial.

> La succession des régimes canadiens, à la fin du XVIIIe siècle et au XIXe siècle, éclaire les divers destins possibles du Canada français comme du Canada anglais. Dans les deux sociétés, la pensée politique sera longtemps centrée sur les rapports complexes entre les fondations politique et culturelle.

> La Constitution de 1867 a permis de consolider à la fois le moment impérial canadien et une identité canadienne-française dont le Québec serait le principal foyer politique. Cette double dimension nourrira jusqu'à aujourd'hui des interprétations divergentes du fédéralisme canadien.

3. Démocratiser l'Empire canadien

Les sociétés occidentales ont connu de profondes mutations depuis les années 1950. On souligne en général la hausse du niveau de vie, le progrès technique dans des domaines aussi divers que les communications, la médecine ou la contraception, l'érosion des formes traditionnelles d'autorité politique, religieuse et sociale au profit d'un nouvel individualisme. Nous intéresse ici en premier lieu le passage d'un imaginaire encore marqué par des conceptions hiérarchiques du Tout à un imaginaire où les principes modernes d'autonomie et d'égalité deviennent prépondérants. Le changement s'observe dans l'ensemble des rapports sociaux. Les différences de classe paraissent d'abord de moins en moins acceptables, comme un legs obsolète du vieux monde. Elles semblent ensuite devenir moins visibles, en partie du fait de l'élargissement de la classe moyenne. Le lieu par excellence où se déploient le désir et la marche de l'égalité devient plutôt la différence identitaire, entre groupes culturels, entre minorités et majorités, entre hommes et femmes. C'est là une des clés qui aident à comprendre pourquoi le pluralisme identitaire a pris une telle importance dans l'idéal démocratique. De façon plus générale, la pensée contemporaine promeut ou évalue, de manière plus ou moins critique, l'extension des principes modernes évoqués précédemment à tous les aspects de la société. Et sans doute qu'une de ses tâches les plus délicates s'avère d'accorder entre elles les différentes versions – entre individus ou entre groupes diversement définis – du principe d'égalité.

Chaque pays vit ces transformations selon son équation nationale particulière. Au Canada comme en Europe, la Seconde Guerre mondiale et la fin des empires coloniaux contribuent à dévaluer l'idée de hiérarchie entre nations, mais aussi le principe d'organisation sociale. La mosaïque verticale y perd une large part de sa légitimité. Le déclassement politique, militaire et économique de la Grande-Bretagne change d'ailleurs l'équilibre qui fondait l'ancienne synthèse entre l'impérialisme et le libéralisme. Mais sans doute est-ce la contestation québécoise, à partir des années 1960, qui contribue le plus à bousculer le vieil ordre hiérarchique.

Pour comprendre la transformation de l'équation politique canadienne, il faut donc en distinguer les divers plans. Le **Canada anglais** connaît une évolution qui lui est propre, de même que le Québec. Dans chaque société, le vieux débat entre le conservatisme et le libéralisme tourne au profit du second. Et l'on y observe une émergence parallèle de gauches progressistes jusqu'alors restées assez marginales en dehors de certaines provinces de l'Ouest. Ces itinéraires distincts se mêleront pourtant, et ce sera de leur interaction conflictuelle que résultera le changement majeur de l'ordre canadien en 1982. Comme cela avait pu être un moment le cas au XIXᵉ siècle, la pluralité canadienne semble de nouveau favoriser une poussée libérale. Trois phases doivent toutefois être distinguées à cet égard. D'abord, une période de contestation active de l'ordre fédéral, de 1960 à 1980, fortement marquée par les revendications québécoises. Ensuite, une phase dominée par la réforme constitutionnelle de 1982 et par les efforts ultérieurs pour l'amender et la compléter. L'échec de ces efforts sera suivi par le référendum québécois de 1995, étrange événement où rien ne se décide, mais qui marque sans doute la fin d'un cycle. Depuis lors, en effet, la dialectique entre les deux sociétés paraît s'être épuisée, ce qui a ouvert la voie à un virage conservateur dont la portée reste encore difficile à apprécier.

À ces phases politiques correspondent des moments successifs de la réflexion théorique, bien que son évolution réponde aussi à d'autres influences. Deux aspects dominent la première période. D'une part, l'ascendant libéral et progressiste, y compris sur le terrain de la définition des identités nationales, longtemps resté le thème par excellence de la pensée conservatrice. D'autre part, une critique plus radicale de l'ordre établi, inspirée du marxisme et des thèses de la décolonisation. Le débat central prend ensuite la forme d'un dialogue entre les théories libérales de la justice et leurs critiques communautariennes ou pluralistes. À bien des égards, on assiste à la formalisation par les philosophes de ce qui était déjà le cœur des enjeux politiques et historiques canadiens. On peut même considérer le Canada comme le pays de référence du dialogue entre libéraux et communautariens, de la même manière que la France a longtemps été le pays de référence pour penser la lutte des classes. Ce débat culmine par de nouvelles synthèses et, notamment, par la formulation d'un libéralisme plus ouvert aux droits des minorités. Le pluralisme identitaire devient par ailleurs, à partir des années 1990, un aspect central des

analyses conservatrices, républicaines ou démocrates radicales d'un ordre libéral mondialisé.

Voyons de plus près les divers éléments de l'équation nationale en commençant de nouveau par le Canada anglais. Une fois dissipées les illusions d'après-guerre sur le Commonwealth comme héritier de la puissance britannique, l'hégémonie américaine s'impose comme le fait majeur du nouvel ordre international. Les leçons de la crise de 1929 et de la guerre amènent la révision des vues généralement admises sur le rôle limité de l'État. Compte tenu de l'ascendant que la guerre lui a permis de prendre, la situation favorise un rôle accru du gouvernement fédéral. Le libéralisme canadien s'adapte plus facilement à cette nouvelle donne que la pensée et les forces conservatrices. Il opère d'ailleurs une sorte de reformulation de son propre héritage impérialiste. La participation à l'Empire élevait le Canada au-dessus de sa particularité. Avec des buts en partie différents, l'idéalisme internationaliste de Lester B. Pearson (1957) jouera un rôle similaire. Entre le vieil impérialisme britannique déclassé et le nouvel impérialisme américain, jugé brutal et manichéen, le Canada se veut l'image d'un idéalisme moral anglo-saxon dégagé des lourdeurs d'une politique de puissance. Se met ainsi en place une pièce centrale d'une nouvelle identification à l'universel. Une fois au pouvoir, Trudeau complétera le libéralisme de Pearson par l'idée que le Canada peut devenir un modèle de société juste qui fait droit, mieux que tout autre pays, à la différence des cultures et des identités.

Il faut donc voir le libéralisme canadien des années 1960 et 1970 comme un héritier du souci d'exemplarité qu'avait cultivé la tradition impérialiste canadienne. Ce n'est bien sûr pas ainsi que le jugent ses adversaires conservateurs, et notamment le plus grand d'entre eux, George Grant. Publié en 1965, *Lament for a Nation* constitue un puissant révélateur du rôle identitaire qu'avait joué l'impérialisme au Canada anglais. Mais le fait national, pour Grant (1987), est désormais menacé par un nouvel empire, celui des États-Unis, vecteur d'une uniformisation libérale et technique du monde. À ses yeux, les libéraux canadiens ne sont que le relais de cette influence délétère pour toutes les cultures. À la relire aujourd'hui, l'analyse frappe par son mélange de lucidité acerbe et d'illusion. Si Grant signale avec force les vecteurs d'unification du monde, il ne voit toutefois pas que le libéralisme canadien s'emploiera aussi à magnifier le rôle spécifique du Canada dans l'ordre à venir. Il s'empêche dès lors de saisir la dimension nationaliste – d'un nationalisme qui se veut certes l'expression d'un universel, mais c'est le cas de presque tous les nationalismes modernes – et même la veine antiaméricaine que contenait en germe le renouvellement de la tradition libérale par Pearson et Trudeau. Il ne voit pas que le libéralisme deviendrait ainsi le laboratoire d'une nouvelle identité canadienne. À sa décharge, il faut dire que Grant ne pouvait prévoir que sa propre réflexion jouerait un rôle dans la quête d'un nouveau canadianisme, y compris chez la gauche intellectuelle et politique[40].

Beaucoup plus qu'au Canada anglais, la contestation de l'ordre ancien sera marquée au Québec par une volonté de rupture avec le passé[41]. Nous avons déjà signalé à cet égard le rôle joué par les deux matrices, libérale-fédéraliste et néonationaliste, du modernisme québécois. Leur lutte constituera le cœur de la vie politique et intellectuelle pendant au moins trois décennies. En un sens, les deux courants peuvent revendiquer la victoire. Le fédéralisme libéral de Trudeau

s'institutionnalise en 1982, il a contribué à renouveler l'identité du Canada anglais et est demeuré la loi canadienne jusqu'à aujourd'hui. Le néonationalisme a cependant gagné la bataille pour la redéfinition d'une identité *québécoise*, et non plus canadienne-française ou canadienne. Double résultat qui maintient évidemment une tension fondamentale.

Mais revenons aux années 1960. Leur foisonnement idéologique vient surtout du néonationalisme, qui prend trois formes principales[42]. L'apport des théories de la décolonisation – notamment les travaux d'Albert Memmi (1961) et de Franz Fanon (1961) – permet d'ancrer nettement à gauche le discours sur la nation, répondant ainsi à l'argument libéral qui liait nationalisme et régression conservatrice. Pierre Vallières, Charles Gagnon, Hubert Aquin, les auteurs de la revue *Parti pris*, et d'autres encore, introduisent, à dose variable, une dimension sociale et marxiste dans l'analyse de la situation québécoise. Se développe ainsi une forme d'hégélianisme critique qui insiste sur la négativité ou sur la dialectique du maître et de l'esclave pour mettre en valeur la nécessité d'une émancipation radicale. Cet usage de Hegel contraste fortement avec l'hégélianisme comme pensée de la totalisation observé au Canada anglais lors du moment impérial. Le néonationalisme prendra également, bien sûr, la forme plus modérée d'un discours modernisateur porté aussi bien par le Parti libéral du Québec que, plus tard, par le Parti québécois. Il prendra enfin la forme d'un renouveau culturel ou contre-culturel visant à refonder l'identité canadienne-française et même, selon les termes de l'époque, à faire advenir un homme nouveau, l'Homme québécois. On sous-estime trop, aujourd'hui, l'importance du moment contre-culturel dans ce qu'a eu de

40. Laxer pourra ainsi écrire : « *Lament for a Nation is the most important book I ever read in my life. Here was a crazy old philosopher of religion at McMaster and he woke up half our generation. He was saying Canada was dead, and, by saying it, he was creating the country* » (Grant, 1998, p. 10).

41. L'imaginaire de la rupture avait connu une expression très forte dès le *Refus global* de Borduas en 1948. Il est d'ailleurs éclairant de comparer la symbolique automatiste avec l'âpre manifestation du mythe nordique chez les peintres du Groupe des Sept, qui occupe une centralité artistique équivalente au Canada anglais.

42. Pour une version détaillée de cette analyse, voir Couture (1994, p. 8-110).

–48–

très particulier la refondation identitaire du Québec moderne.

La fatigue culturelle du Canada français (1962) est peut-être l'œuvre qui illustre le mieux la lucidité critique, l'ouverture vers l'avenir et les paradoxes de la pensée québécoise des années 1960. Aquin vise d'abord à répondre au libéralisme de Trudeau, présenté comme une fuite dans l'universalisme abstrait. Sans cesse, poursuit-il, le Canada français a eu la tentation de s'annuler en s'identifiant à des réalités plus glorieuses que son provincialisme étriqué : l'Église universelle, la culture française, le gouvernement fédéral. Il est temps qu'il se retrouve lui-même, qu'il retrouve le *chemin de l'immanence*. On pourra voir dans le projet souverainiste la forme politique de cette reconquête d'une adéquation à soi. Mais la décolonisation de la culture par la critique des modèles français en est une autre[43]. Et l'émancipation de l'individu à l'égard de tout idéal transcendant et de toute institution n'en serait-elle pas encore une autre ? Aquin vise certes à comprendre une situation globale et il propose une des analyses les plus aiguës de la dialectique complexe des deux sociétés canadiennes. La quête d'adéquation à soi que dévoile et promeut sa réflexion pourrait néanmoins avoir été prophétique d'un individualisme contemporain dont il aurait lui-même déploré le potentiel de dépolitisation.

Le Canada anglais a déjà amorcé sa propre évolution lorsque surgit la contestation québécoise de la hiérarchie impériale canadienne. Les trajectoires parallèles des deux sociétés semblent d'ailleurs vouées à un choc frontal. Dans un premier temps, de 1960 à 1968, la situation reste floue. Face au défi québécois, le reste du Canada ne sait guère comment réagir. L'élite paraît disposée à une reconnaissance accrue de la dualité. Grant (1987) a lui-même jugé qu'il y avait là une

chance pour le Canada anglais de reconnaître également sa propre tradition, plutôt que de la sacrifier sur l'autel d'un libéralisme désincarné[44]. Créée par le gouvernement Pearson, la commission Laurendeau-Dunton sur le bilinguisme et le biculturalisme illustre ce flottement. Les conclusions du rapport tracent la voie d'une démocratisation binationale des institutions et de la vie canadiennes. Elles rencontrent toutefois de fortes résistances. Plusieurs souhaitent tout simplement maintenir la prédominance britannique de ce qui reste, à leurs yeux, *a British country*. D'autres estiment que la notion de « biculturalisme » suppose trop d'identification entre la politique et les cultures majoritaires, au risque de mettre à mal la neutralité de l'État. Souci souvent sincère, mais qui reflète aussi la difficulté des majorités à reconnaître qu'elles-mêmes imposent leur marque culturelle et linguistique sur les institutions et la vie politiques. Soulignons enfin la critique du biculturalisme venue des communautés immigrantes, qui ne se reconnaissent pas dans un Canada défini par ses origines britanniques et françaises. Pensée comme outil du dialogue entre les deux Canadas, la commission Laurendeau-Dunton devient donc un puissant révélateur du fait multiculturel.

L'arrivée de Pierre Elliott Trudeau à la tête du pays change l'équation. Il incarne pour les uns l'évolution du libéralisme canadien, pour d'autres les espoirs du Canada français, pour d'autres encore la promesse d'une ferme opposition aux nationalistes québécois. Ces attentes parfois contraires reflètent les divers accents de sa réflexion. Dès l'époque où il codirigeait *Cité libre*, Trudeau associait des arguments classiques de l'individualisme libéral, les thèses de Lord Acton sur l'avantage des empires plurinationaux pour assurer la liberté, certains traits du binationalisme d'Henri Bourassa, un humanisme

---

43. Sur la décolonisation culturelle à l'égard de la France, voir Couture (1991).

44. Grant reviendra sur cette idée même après 1976. Voir Grant (1998, p. 127).

moral marqué par le personnalisme français et une critique de l'économie de marché qui doit beaucoup à Harold Laski[45]. Sa méfiance persistante à l'égard du nationalisme, ou encore la volonté initiale de son gouvernement de traiter l'enjeu autochtone sur la base d'une stricte égalité des droits individuels semblent indiquer que le pôle dominant de sa pensée et de son action a été l'individualisme libéral. L'évolution du pays et l'ensemble des luttes pour la reconnaissance auxquelles le combat québécois donne un surcroît de légitimité feraient néanmoins de lui le symbole d'un libéralisme ouvert au pluralisme identitaire. C'est du moins ainsi qu'est largement interprétée son œuvre maîtresse, la charte des droits de 1982. Qu'ils y soient favorables ou non, plusieurs la voient comme la pierre d'assise de la nouvelle identité canadienne, définie par le multiculturalisme, le bilinguisme officiel, la reconnaissance des nations autochtones et la protection des droits de toutes les minorités. On peut donc voir en Trudeau celui qui a, volontairement ou non, démocratisé le pluralisme impérial canadien.

Les négociations et la réforme constitutionnelles de 1982 semblent toutefois marginaliser la différence québécoise. Principal vecteur de la mise en question du vieil ordre hiérarchique national, le Québec ne se retrouve-t-il pas privé du sens de son combat au moment décisif ? La suite montrerait à nouveau la difficulté de concilier unité, dualité et pluralité. L'accord du lac Meech, en 1987, tente de rééquilibrer la Constitution par une plus grande reconnaissance du rôle du Québec dans la dualité canadienne. Les résistances qu'il rencontre et son

échec final rappellent pourtant l'ampleur du défi. Un refus latent, mais très fort, s'enracine dans la préférence du Canada anglais pour une conception unitaire du pays. Les Premières Nations et d'autres minorités sont par ailleurs réfractaires à une insistance sur la dualité qui paraît les exclure. L'accord de Charlottetown, en 1992, essaie de tenir compte de tous les points de vue. Il sera néanmoins rejeté par référendum dans une majorité des provinces, dont le Québec[46].

De 1982 jusqu'au référendum québécois de 1995, le Canada offre le rare spectacle d'un pays dont l'attention politique est presque entièrement absorbée par un débat constitutionnel qui vise à concilier, dans un horizon d'égalité, les différences identitaires et intellectuelles enracinées dans l'histoire. Reflet du choc de pensées et de projets politiques distincts, cette crise institutionnelle nourrira à son tour la réflexion. Nous terminerons par un bref exposé des principaux enjeux qui illustrent à nouveau la tension entre unité et diversité.

Une première discussion porte sur le sens de la réforme de 1982. Les défenseurs de la Charte y voient l'avènement d'un Canada plus libéral et pluraliste. Trudeau (1997) présente également l'enchâssement des droits des minorités francophones hors Québec comme la réponse aux demandes historiques du Canada français. Au Québec, les adversaires de la nouvelle Constitution dénoncent un recul des prérogatives de l'Assemblée nationale et du pouvoir collectif des Québécois imposé sans le consentement exprès du peuple. Parmi l'ensemble des analyses en ce sens, relevons le point de vue souverainiste de

....

45. Sur l'usage de la pensée de Lord Acton par Trudeau, voir Kelly (2001, p. 198-202). L'auteur montre comment Trudeau passe d'un éloge des empires multinationaux à un éloge des États multinationaux (quitte à tronquer ses citations d'Acton). Il estime que Trudeau s'éloignera ensuite de ce pluralisme rénové au profit d'un libéralisme plus classique. Ce point ne paraît pourtant pas si net si l'on considère ses défenses tardives de la Charte. Sur les influences du personnalisme chez Trudeau, voir Burelle (2005).

....

46. Voici les taux d'approbation de l'accord de Charlottetown au référendum d'octobre 1992 : Alberta : 39,8 % ; Colombie-Britannique : 31,7 % ; Île-du-Prince-Édouard : 73,9 % ; Manitoba : 38,4 % ; Nouveau-Brunswick : 61,8 % ; Nouvelle-Écosse : 48,8 % ; Ontario : 50,1 % ; Québec : 43,3 % ; Saskatchewan : 44,7 % ; Terre-Neuve-et-Labrador : 63,2 % ; Territoires du Nord-Ouest : 61,3 % ; Yukon : 43,7 %. Total canadien : 45,7 %.

Claude Morin (1988) et celui de Guy Laforest (1992) en faveur d'une fédération décentralisée. Après l'échec de l'accord de Charlottetown, les critiques de l'orientation et des risques de la réforme de 1982 se multiplient aussi au Canada anglais. Mentionnons les apports substantiels de Jeremy Webber (1994) et de Kenneth McRoberts (1999), pour qui l'entreprise constitutionnelle de Trudeau et les appuis qu'elle a reçus supposent un malentendu fondamental sur la nature du Canada. Soulignons également les analyses de James Tully (1999) sur les conditions et les formes possibles du constitutionnalisme dans un âge pluraliste.

L'interprétation de la crise canadienne devient aussi l'occasion d'un approfondissement des débats entre les principaux courants de la pensée politique contemporaine. Parmi l'ensemble des contributions qui mériteraient d'être signalées, mentionnons d'abord l'œuvre de Charles Taylor. On la considère parfois comme la défense la plus substantielle de la reconnaissance du Québec et des Premières Nations prévue aux accords de Meech et de Charlottetown. Marqué par les analyses de Hegel (1991), le concept de « reconnaissance » est susceptible de lectures diverses. On peut en avoir une conception qui accentue le conflit ou sa résolution, ou une conception plutôt culturelle ou socioéconomique. Taylor lui donne un sens fortement intégrateur et culturaliste (1992, p. 179-214)[47]. Il contribue ainsi à son tour à rénover, dans un sens démocratique, le pluralisme impérial canadien qui tendait déjà à voir la reconnaissance du minoritaire en fonction des intérêts et de la valeur morale du tout. Rappelons également

l'effort exemplaire et influent de Will Kymlicka pour intégrer à la théorie libérale de la justice une meilleure prise en compte des droits collectifs des minorités, et notamment des minorités nationales[48]. Du côté francophone, relevons les propositions de Michel Seymour (2009) et de Gérard Bouchard (2012) pour redéfinir le nationalisme québécois dans des termes compatibles avec l'éthique pluraliste contemporaine. Mentionnons enfin le travail fédérateur d'Alain-G. Gagnon (2008, 2011) dans l'émergence de nouvelles perspectives sur les États multinationaux.

La crise canadienne suscite par ailleurs des analyses d'un esprit très différent. Les auteurs associés à l'école de Calgary, par exemple, rejettent les termes d'un débat jugé trop centré sur les demandes québécoises[49]. Leurs critiques incisives semblent toutefois recourir à plusieurs arguments distincts. D'abord, une vision libérale classique qui juge néfaste la reconnaissance de droits collectifs, pour le Québec comme pour les Premières Nations[50]. On approfondit aussi la critique de l'impérialisme du Canada central, dont l'un des signes serait l'imposition d'une conception dualiste du pays qui ferait fi de la spécificité de l'Ouest canadien[51]. On regrette d'ailleurs que le Canada contemporain ait cherché à accroître son unité par la redistribution des

----

47. Cette lecture culturaliste colore par exemple son analyse des attitudes québécoises et canadiennes-anglaises à l'égard des droits individuels et collectifs. En identifiant chaque société aux tendances qui y prédominent, il tend à masquer leur complexité respective sur ce plan. Il interprète par ailleurs l'écart observé comme le résultat d'une différence culturelle plutôt qu'un rapport de force.

----

48. Par son identification à une référence absolue et unifiée à partir de laquelle sera déterminé, de manière claire et définitive, s'il faut accorder ou non des droits à tel ou tel groupe, le théoricien de la justice, comme le conçoit Kymlicka, conserve néanmoins une forte dimension *monarchique*. Sur cette question, voir notamment les analyses critiques de Blattberg (2004, p. 53, note 7).

49. Bercuson et Cooper (1991) vont au bout de cette critique en soutenant que le Canada bénéficierait de l'indépendance du Québec.

50. La critique libérale des droits collectifs n'a bien sûr pas été formulée que par des auteurs de l'école de Calgary. On en trouve notamment une expression forte dans la pensée d'Ajzenstat (2003). Pour un exemple d'analyse libérale classique de la question autochtone, voir Flanagan (2000).

51. Pour comprendre l'importance de la critique de l'imaginaire loyaliste *ontarien* dans l'élaboration d'une identité propre à l'Ouest canadien, le texte le plus explicite demeure *Western Political Consciousness* (1984) de Cooper.

richesses – système dont le Québec profiterait aux dépens de l'Alberta –, s'éloignant ainsi du respect pragmatique des différences qui aurait été la marque de l'ancien pluralisme impérial (Bercuson et Cooper, 1994). Malgré l'apparente liquidation populiste du vieux fonds *tory* du Parti conservateur, dans les années 1990, relevons enfin une reprise des thèmes traditionnels de la monarchie et de la fierté militaire. Quel que soit cependant l'argument privilégié, le lecteur a parfois l'impression d'un retour jubilatoire du refoulé après trente ans à voir la marque du Québec dans tous les aspects de la modernisation canadienne. Même en faisant la part des excès, le poids économique, démographique et politique croissant de l'Ouest contribuera néanmoins à mettre ces idées au cœur du débat national.

L'évolution du Canada n'est pas sans avoir déjà d'importants effets au Québec. Un des plus nets est l'influence de l'esprit de la Charte et du multiculturalisme. Il est toutefois trop simple de voir dans le *trudeauisme*, comme on le suggère parfois, la principale source du défi pluraliste contemporain. Par les dispositions de la Loi 101 sur l'éducation, le Québec français a choisi d'intégrer lui-même les nouveaux arrivants et de mettre ainsi fin à sa forte homogénéité culturelle. Le véritable enjeu porte donc sur le rythme et les conséquences de l'incontournable pluralisation identitaire de la majorité francophone. Au multiculturalisme canadien on reproche de marginaliser la différence québécoise et de suggérer une juxtaposition immuable des cultures. D'où l'émergence du concept d'**interculturalisme**, qui décrirait mieux la double transformation, de la majorité, mais aussi des minorités, qu'implique tout processus d'intégration. Il affirmerait enfin plus nettement la légitimité du désir majoritaire de maintenir la continuité d'un sujet historique de langue française façonné par plus de quatre siècles de vie nord-américaine.

Au-delà de la divergence des concepts, les défis du pluralisme identitaire redéfinissent les marqueurs politiques de la Révolution tranquille. Comme ailleurs, la gauche, au Québec, a longtemps pensé ses combats en lien avec des figures fortes de l'unité : le peuple souverain, la classe révolutionnaire, l'État-nation à construire, l'Histoire comme émancipation humaine. Comme ailleurs, elle se réclame de plus en plus d'horizons pluriels. La pluralisation du discours prend plusieurs formes : un progressisme multiculturel qui s'appuie sur des versions revues et corrigées des théories libérales de la justice ; une gauche nietzschéenne avide de déconstruire ce qu'elle voit comme les avatars des anciennes figures de l'Un ; de nouvelles conceptions agonistiques de la démocratie. Des différences importantes existent entre ces divers courants, notamment en ce qui a trait au statut du droit et du rôle qu'il peut jouer dans l'avènement d'une société plurielle. Une double convergence pratique s'opère pourtant. D'abord, la promotion de la société civile, lieu de la liberté individuelle, du multiple, du mouvant et de l'immanence. Elle s'accompagne parfois d'une forte méfiance à l'égard de l'idée d'État ou d'institution. Ensuite, le soupçon que la défense des figures modernes de l'Un – ou même le manque de zèle à les pourfendre – relève désormais du conservatisme[52].

Soulignons toutefois les paradoxes du pluralisme québécois contemporain. Par son progressisme, il s'inscrit malgré tout dans la continuité des idéaux des années 1960 et 1970, poursuivant sur de nouveaux terrains la critique des hiérarchies héritées du passé. À des degrés variables, il s'éloigne cependant du souci privilégié pour un sujet national à émanciper et pour l'État québécois comme moyen de cette libération. S'opère

....

52. C'est ainsi qu'un penseur de gauche comme F. Dumont semble devenu une référence conservatrice. Même chose pour des penseurs de la mémoire nationale comme J. Beauchemin ou J.-Y. Thériault, tout sociaux-démocrates soient-ils. Redéfinition qui atteste la centralité actuelle du pluralisme identitaire.

ainsi une réconciliation tranquille avec l'ordre canadien. Par son vague identitaire, le Canada ne correspond-il pas mieux à l'air du temps qu'un récit souverainiste encore imbibé d'ambitions unitaires modernes ? L'enjeu de la fondation politique ou même de la fondation culturelle semble dès lors disparaître, un peu comme il semble toujours déjà résolu pour l'individualisme libéral. On ne réfléchit guère, d'ailleurs, aux contextes constitutifs des cultures que le pluralisme vise pourtant à reconnaître. S'opère également une réconciliation tranquille avec certains aspects du nouvel ordre international. Non pas, bien sûr, avec ces formes explicites de la puissance que sont, par exemple, les entreprises impériales de l'État américain. C'est plutôt l'idée d'une société civile mondialisée qui séduit. Il faut néanmoins se demander si cette société n'est pas le relais d'intérêts matériels et culturels dominants, ou même si sa condition de possibilité n'est pas précisément la puissance américaine si souvent honnie. Le pluralisme contemporain entretient enfin un rapport paradoxal à l'histoire. Sa logique devrait en effet le conduire à dissoudre le grand récit progressiste de l'émancipation humaine. Cette projection unificatrice n'est-elle pas tout aussi illusoire ou néfaste, en effet, que les conceptions modernes du *Sujet*, de l'*État* ou de la *Nation* ?

Il est donc tentant de conclure : *Québécois, encore un effort si vous voulez* vraiment *être pluralistes.* Mais les paradoxes du pluralisme contemporain méritent mieux qu'une boutade. Ils illustrent en effet les dilemmes des démocraties tardives. La démocratie moderne a d'abord connu un moment fortement unitaire. L'État-nation postrévolutionnaire fait passer dans le réel l'unité symbolique des vieilles monarchies. L'Un démocratique initial doit être compris, au moins en partie, à la lumière de formes théologico-politiques antérieures. La tâche du moment pluraliste de la démocratie semble dès lors toute tracée : il s'agit de défaire ces héritages tenaces. Il serait néanmoins naïf de conclure que l'ambition pluraliste viendra à bout de toute figure d'unité. Sans doute est-ce d'ailleurs là une des illusions d'un certain **constructivisme** qui porte à croire que l'essentiel se joue dans le discours. Il suffirait de prendre conscience que l'Un puisse être oppresseur, par exemple, pour croire ensuite son abolition possible. Si le réel résiste, on imputera la faute à des intérêts malveillants ou au « conservatisme ». Les conflits de l'Un et du multiple n'ont pourtant jamais fait autre chose que de changer la forme de chaque pôle et de reconfigurer leur articulation. Le pluralisme contemporain suppose lui aussi des formes d'unité, ne serait-ce que l'idée d'unité morale de l'humanité. Et il contribue à l'avènement de nouvelles figures de l'unité, ne serait-ce que le fait, en partie réel, en partie idéalisé, d'une société mondiale.

La réflexion sur la démocratie doit par conséquent demeurer dialectique. Non pas au sens qu'il s'agirait de penser à la lumière d'une hypothétique synthèse finale. Mais la posture qui consiste à favoriser aveuglément le pluriel sans voir que de nouvelles figures de l'Un lui sont nécessairement attachées reste en deçà d'une pensée vraiment réflexive. Pour des raisons que nous avons tâché de rendre évidentes, la pensée politique, au Québec comme au Canada anglais, s'est largement déployée sur le terrain des difficiles articulations de l'unité, de la dualité et du multiple. Il serait dommage que cette fécondité se tarisse dans la naïveté ou les anathèmes moralisateurs.

> POINTS CLÉS

> Comme les autres sociétés occidentales, le Canada a connu de profonds changements depuis les années 1960. L'approfondissement de l'imaginaire démocratique a notamment délégitimé l'idée de hiérarchie entre les peuples et les identités, ce qui a entraîné une mise en question de la mosaïque verticale canadienne héritée du moment impérial.

> Sur le plan politique, on peut distinguer trois phases de ces transformations : de 1960 à 1980, une dynamique de contestation marquée par les revendications québécoises ; de 1980 à 1995, une période de crise constitutionnelle ; depuis 1995, un réalignement des forces politiques qui a favorisé un virage conservateur de la politique canadienne.

> La pensée politique connaît elle aussi des phases distinctes. On observe d'abord un élan modernisateur qui prend parfois des formes radicales, notamment par l'intégration de perspectives marxistes et décolonisatrices. La crise constitutionnelle contribue ensuite à nourrir les débats contemporains entre les théories libérales de la justice, le communautarisme et le républicanisme. Dans l'ensemble, on note un virage pluraliste qui reflète néanmoins l'émergence de nouvelles figures d'unité.

QUESTIONS

1. Le texte met l'accent sur la démocratisation de l'imaginaire et du cadre institutionnel canadiens depuis les années 1960, mais souligne également certaines limites de cette évolution. Quelles seraient, selon vous, les manifestations impériales et hiérarchiques persistantes de la société politique canadienne ?

2. L'idée de hiérarchie suppose une reconnaissance très forte de la pluralité, puisqu'on ne peut hiérarchiser que des éléments dont on a d'abord posé qu'ils étaient distincts. L'idée d'égalité a souvent été associée, à l'inverse, à une relativisation des différences au profit de l'affirmation de ce qui est commun entre les pôles comparés. Comment comprenez-vous les défis d'un *pluralisme démocratique*, qui souligne l'importance des différences identitaires tout en défendant l'égalité ?

3. La pensée politique suppose la prise en compte à la fois de principes généraux et de situations particulières. L'insistance sur l'un ou l'autre peut bien sûr varier. Expliquez quelle influence exerce la réalité canadienne dans le développement de conceptions pluralistes de l'État ou de la nation.

4. Comme pour tout courant idéologique, on peut avoir diverses lectures de l'école de Calgary. Au Québec, on a tendance à voir l'orientation du mouvement comme une sorte d'antithèse des valeurs dominantes de la société québécoise. Mais les penseurs de l'école de Calgary insistent souvent eux-mêmes davantage sur leur refus d'un Canada dominé par l'Ontario. Un dialogue vous semble-t-il possible entre les deux perspectives ?

LECTURES SUGGÉRÉES

Ajzenstat, J. et P.J. Smith (dir.) (1995). *Canada's Origin : Liberal, Tory or Republican*, Ottawa, Carleton University Press.

Corbo, C. et Y. Lamonde (1999). *Le rouge et le bleu. Une anthologie de la pensée politique au Québec de la Conquête à la Révolution tranquille*, Montréal, Les Presses de l'Université de Montréal.

Fierlbeck, K. (2006). *Political Thought in Canada : An Intellectual History*, Peterborough, Broadview Press.

Grant, G. (1987). *Est-ce la fin du Canada ? Lamentation sur l'échec du nationalisme canadien*, LaSalle, Hurtubise.

Lacombe, S. (2002). *La rencontre de deux peuples élus. Comparaison des ambitions nationale et impériale au Canada entre 1896 et 1920*, Québec, Presses de l'Université Laval.

Kymlicka, W. (2003). *La voie canadienne. Repenser le multiculturalisme*, Montréal, Boréal.

Porter, J. (1965). *The Vertical Mosaic. An Analysis of Social Class and Power in Canada*, Toronto, University of Toronto Press.

Taylor, C. (1992). *Rapprocher les solitudes. Écrits sur le fédéralisme et le nationalisme au Canada*, Québec, Presses de l'Université Laval.

SITE INTERNET

L'ENCYCLOPÉDIE CANADIENNE
<http://thecanadianencyclopedia.com/index.cfm? PgNm=TCESubjects&Params=F1>

GLOSSAIRE

CANADA ANGLAIS : Le terme doit être entendu au sens que lui donne Philip Resnick dans *Thinking English Canada* : une société dont l'essentiel de la vie publique et intellectuelle se déroule en anglais et dont les institutions et la culture politiques ont d'abord été définies par les colons et immigrants d'origine américaine et britannique.

CONSTRUCTIVISME : Terme qui tend à se généraliser dans les sciences sociales. Il désigne l'idée que la réalité n'est pas appréhendée directement, mais construite par l'esprit humain, ou encore que sa représentation est influencée par des facteurs historiques, culturels et politiques. Le constructivisme ainsi défini a de très nombreuses variantes plus ou moins radicales.

CULTURALISME, CULTURALISTE : Qualifie une approche de la société qui accorde plus d'importance aux différences culturelles qu'à des différences politiques ou socioéconomiques. De façon plus précise, une lecture de l'histoire québécoise qui insiste sur sa différence linguistique et religieuse plutôt que sur la continuité d'une société politique distincte.

DOMINION : Un État jouissant d'une large autonomie au sein de l'Empire britannique. Cette désignation a d'abord été attribuée au Canada dès 1867. Le terme n'est plus employé aujourd'hui et la totalité des anciens dominions britanniques sont devenus des États souverains.

EMPIRE, IMPÉRIAL : Le terme *empire* fait d'abord référence à une entité politique de grande taille qui intègre des sociétés de langues et de cultures différentes. Il décrit également un type de régime à tendance autoritaire et marqué par une coupure forte entre l'État et la société ainsi que par une dimension hiérarchique qui accorde un rôle privilégié au groupe qui donne son identité au tout.

FAMILY COMPACT : L'élite restreinte qui dominait la société et l'administration coloniale du Haut-Canada avant 1840.

FONDATION : Concept qui renvoie à l'idée qu'une collectivité humaine n'est pas une donnée naturelle, qu'elle doit être instituée, à la fois concrètement et symboliquement. Un des intérêts de l'histoire de l'Amérique depuis 1492 est de rendre lisible la stratification complexe de fondations et de refondations politiques et culturelles successives.

HIÉRARCHIE, HIÉRARCHIQUE : Au sens précis, la hiérarchie ne désigne pas toute forme d'inégalité. On qualifie de hiérarchique la structure différenciée d'un Tout où chaque partie a un rôle distinct et une valeur jugée plus ou moins grande.

IMPÉRIALISME DE L'UN : Désignation critique de l'effort pour soumettre la diversité du réel à un modèle unique ou même à l'influence d'une identité prédominante.

INTERCULTURALISME : Au Québec, terme que l'on distingue du multiculturalisme, rattaché aux politiques fédérales du même nom. Le concept est à la fois descriptif et normatif. Il vise à mieux décrire le fait de l'intégration à une société d'accueil qu'implique l'immigration. Il vise aussi à mieux garantir les droits d'une majorité qui est elle-même une minorité dans le contexte canadien. La portée réelle des distinctions entre les deux concepts demeure l'objet de débats.

MULTICULTURALISME, MULTICULTUREL : L'adjectif multiculturel a d'abord été employé pour décrire la juxtaposition de populations de langues et de cultures diverses dans les sociétés de forte immigration comme les États-Unis et le Canada. Quant au multiculturalisme, il peut désigner la pluralité culturelle considérée comme un fait sociologique, les programmes gouvernementaux visant à lui donner une reconnaissance officielle ou encore une idéologie qui promeut le maintien et le respect des différences culturelles au sein d'un même État. Soulignons que le sens du mot varie selon les sociétés et les époques.

MULTINATIONAL : Terme qui désigne un État ou une société qui comprend plusieurs nations, au sens sociologique ou même politique, puisque plusieurs nations, dans les États fédéraux, peuvent avoir une expression institutionnelle et politique.

NÉONATIONALISME : Terme qui désignait, à la fin des années 1950 et au début des années 1960, le nationalisme canadien-français tourné vers l'avenir et recentré sur le Québec. Le néonationalisme opère une rupture consciente avec les thèmes conservateurs du nationalisme culturel et catholique canadien-français. Il contribue à définir l'identité québécoise moderne et constitue l'axe principal du mouvement souverainiste.

POSTMODERNISME : Plusieurs estiment que ce terme a désormais perdu sa pertinence polémique des années 1980 et 1990. On peut même douter qu'il ait véritablement signifié autre chose qu'un approfondissement de logiques modernes. Reste néanmoins l'idée forte d'une critique des figures unitaires de la première modernité : la *Raison*, le *Sujet*, l'*Histoire*, etc.

RÉGIME POLITIQUE : Terme qui désigne un mode de gouvernement, mais aussi les mœurs et les idées qui lui correspondent, soit parce qu'elles sont nécessaires à son institution et à son maintien, soit parce qu'elles tendent à prendre forme sous son influence. Au sens le plus large, un régime est donc un mode d'existence possible de la société, avec ses pratiques et son imaginaire spécifiques.

RÉPUBLIQUE, RÉPUBLICAIN : Il faut entendre républicain au sens du gouvernement de la société par elle-même. Opposée au fait monarchique, la tradition républicaine insiste sur la valeur de la participation politique. Les courants néorépublicains actuels – qu'on renvoie aussi à la tradition de l'humanisme civique – se définissent par l'opposition à certains aspects de l'individualisme libéral ou encore au culturalisme des courants communautariens.

SOCIÉTÉ D'ANCIEN RÉGIME : On appelle Ancien Régime l'état politique du continent européen aux XVIIᵉ et XVIIIᵉ siècles, soit avant les bouleversements entraînés par la Révolution française et ses suites. La société d'Ancien Régime était notamment marquée par la puissance et le prestige de l'aristocratie, qui possédait une large partie des terres. Rien de tel ne s'est vu au Canada, y compris pendant le régime seigneurial.

UNILINGUISME ANGLAIS : À la fin du XIXᵉ siècle et au début du XXᵉ, toutes les provinces canadiennes, à l'exception du Québec, ont imposé une langue unique, l'anglais, comme langue de l'enseignement public. Cet unilinguisme était alors le modèle dominant des sociétés en voie de démocratisation, comme on le voit en France ou aux États-Unis. Relevons toutefois que certaines provinces canadiennes n'ont pas hésité, pour ce faire, à aller contre la lettre de la Constitution.

BIBLIOGRAPHIE

Ajzenstat, J. (2003). *The Once and Future Canadian Democracy*, Montréal et Kingston, McGill-Queen's University Press.

Ajzenstat, J., P. Romney, I. Gentles et W. Gairdner (dir.) (2004). *Débats sur la fondation du Canada*, Québec, Presses de l'Université Laval.

Ajzenstat, J. et P.J. Smith (dir.) (1995). *Canada's Origin : Liberal, Tory or Republican*, Ottawa, Carleton University Press.

Aquin, H. (1962). « La fatigue culturelle du Canada français », *Liberté*, vol. 4, nº 23, p. 299-325.

Armour, L. et E. Trott (1981). *The Faces of Reason – An Essay on Philosophy and Culture in English Canada 1850-1950*, Waterloo, Wilfrid Laurier Press.

Bédard, É. (2009). *Les Réformistes, une génération canadienne au milieu du XIXᵉ siècle*, Montréal, Boréal.

Beiner, R. et W. Norman (dir.) (2001). *Canadian Political Philosophy*, Don Mills, Oxford University Press.

Bercuson, D. et B. Cooper (1991). *Goodbye... et bonne chance : les adieux du Canada anglais au Québec*, Montréal, Le Jour.

Bercuson, D. et B. Cooper (1994). *Derailed : The Betrayal of the National Dream*, Toronto, Key Porter Books.

Berger, C. (1969). *Imperialism and Nationalism, 1884-1914 : A Conflict in Canadian Thought*, Toronto, Copp Clark.

Berger, C. (1970). *The Sense of Power. Studies in the Ideas of Canadian Imperialism*, Toronto, University of Toronto Press.

Berger, C. (1976). *The Writing of Canadian History*, Toronto, Oxford University Press.

Blattberg, C. (2004). *Et si nous dansions ? Pour une politique du bien commun au Canada*, Montréal, Les Presses de l'Université de Montréal.

Borduas, P.-É. (1948). *Le refus global*, Saint-Hilaire, Mythra-Mythe.

Bouchard, G. (2000). *Genèse des nations et cultures du Nouveau Monde. Essai d'histoire comparée*, Montréal, Boréal.

Bouchard, G. (2012). *L'interculturalisme, un point de vue québécois*, Montréal, Boréal.

Brooks, S. (dir.) (1984). *Political Thought in Canada : Contemporary Perspectives*, Toronto, Irwin Publishing.

Brunet, M. (1968). *Québec, Canada anglais, Deux itinéraires un affrontement*, Montréal, HMH.

Burelle, A. (2005). *Pierre Elliott Trudeau. L'intellectuel et le politique*, Montréal, Fides.

Chevrier, M. (2011). « Par-delà le fédéralisme multinational, l'Empire », dans M. Seymour et G. Laforest (dir.), *Le fédéralisme multinational : un modèle viable ?*, Bruxelles, Peter Lang, coll. « Diversitas », p. 73-95.

Chevrier, M. (2012). *La république québécoise. Hommages à une idée suspecte*, Montréal, Boréal.

Cooper, B. (1984). « Western political consciousness », dans S. Brooks (dir.), *Political Thought in Canada*, Toronto, Irving Publishing.

Corbo, C. et Y. Lamonde (1999). *Le rouge et le bleu. Une anthologie de la pensée politique au Québec de la Conquête à la Révolution tranquille*, Montréal, Les Presses de l'Université de Montréal.

Couture, Y. (1991). « L'identité québécoise et la France », *Cité libre*, vol. 19, n° 3, p. 7-12.

Couture, Y. (1994). *La terre promise. L'absolu politique dans le nationalisme québécois*, Montréal, Liber.

Couture, Y. (2007). « Servir l'Empire ? », *Argument*, vol. 9, n° 2, p. 55-66.

Creighton, D. (1937). *The Empire of the St. Lawrence*, Toronto, MacMillan.

Creighton, D. (1981). *John A. Macdonald*, Montréal, Éditions de l'Homme, 2 tomes.

Dessaulles, L.-A. (1851). *Six lectures sur l'annexion du Canada aux États-Unis*, Montréal, Gendron.

Di Norcia, V. (1979). « The Empire structures of the Canadian State », dans S. French (dir.), *La confédération canadienne : qu'en pensent les philosophes ?*, Montréal, Association canadienne de philosophie.

Dufour, C. (1989). *Le défi québécois*, Montréal, L'Hexagone.

Dumont, F. (1993). *Genèse de la société québécoise*, Montréal, Boréal.

Dumont, F., J. Hamelin, F. Harvey et J.-P. Montminy (dir.) (1974). *Idéologies au Canada français : 1900-1929*, Québec, Presses de l'Université Laval.

Dumont, F., J. Hamelin et J.-P. Montigny (dir.) (1978). *Idéologies au Canada français : 1930-1939*, Québec, Presses de l'Université Laval.

Dumont, F., J. Hamelin et J.-P. Montminy (dir.) (1981a). *Idéologies au Canada français : 1940-1976. Tome I – La presse – La littérature*, Québec, Presses de l'Université Laval.

Dumont, F., J. Hamelin et J.-P. Montminy (dir.) (1981b). *Idéologies au Canada français : 1940-1976. Tome II – Les mouvements sociaux – Les syndicats*, Québec, Presses de l'Université Laval.

Dumont, F., J. Hamelin et J.-P. Montminy (dir.) (1981c). *Idéologies au Canada français : 1940-1976. Tome III – Les partis politiques – L'Église*, Québec, Presses de l'Université Laval.

Dumont, F., J.-P. Montminy et J. Hamelin (dir.) (1971). *Idéologies au Canada français : 1850-1900*, Québec, Presses de l'Université Laval.

Durham, J.G.L. (1990). *Le rapport Durham*, Montréal, L'Hexagone.

Fanon, F. (1961). *Les damnés de la terre*, Paris, Maspéro.

Fierlbeck, K. (2005). *The Development of Political Thought in Canada : An Anthology*, Peterborough, Broadview Press.

Fierlbeck, K. (2006). *Political Thought in Canada : An Intellectual History*, Peterborough, Broadview Press.

Flanagan, T. (2000). *First Nations ? Second Thoughts*, Montréal et Kingston, McGill-Queen's University Press.

Forbes, D.H. (dir.) (1985). *Canadian Political Thought*, Toronto, Oxford University Press.

Francis, D. (1997). *National Dreams. Myth, Memory and Canadian History*, Vancouver, Arsenal Pulp Press.

Gagnon, A.-G. (2008). *La raison du plus fort. Plaidoyer pour le fédéralisme multinational*, Montréal, Québec Amérique, coll. « Débats ».

Gagnon, A.-G. (2011). *L'âge des incertitudes : essais sur le fédéralisme et la diversité nationale*, Québec, Presses de l'Université Laval, coll. « Prisme ».

Garneau, F.-X. (1882-1883). *Histoire du Canada depuis sa découverte jusqu'à nos jours*, Montréal, Beauchemin-Valois, 4 vol.

Glazebrook, G.P. de T. (1966). *A History of Canadian Political Thought*, Toronto, McClelland and Stewart.

Grant, G. (1987). *Est-ce la fin du Canada ? Lamentation sur l'échec du nationalisme canadien*, LaSalle, Hurtubise.

Grant, G., W. Christian et S. Grant (dir.) (1998). *The George Grant Reader*, Toronto, University of Toronto Press.

Hegel, G.W.F. (1998). *Les principes de la philosophie du droit*, Paris, Presses universitaires de France.

Horowitz, G. (1966). « Conservatism, liberalism and socialism in Canada : An interpretation », *Revue canadienne de science politique*, vol. 32, n° 2, p. 144-171.

Innis, H.A. (1930). *The Fur Trade in Canada. An Introduction to Canadian Economic History*, Toronto, University of Toronto Press.

Kelly, S. (1997). *La petite loterie. Comment la couronne a obtenu la collaboration du Canada français après 1837*, Montréal, Boréal.

Kelly, S. (2001). *Les fins du Canada selon Macdonald, Laurier, Mackenzie King et Trudeau*, Montréal, Boréal.

Klooster, W. (2009). *Revolutions in the Atlantic World : A Comparative History*, New York, New York University Press.

Kymlicka, W. (2001). *La citoyenneté multiculturelle*, Montréal, Boréal.

Kymlicka, W. (2003). *La voie canadienne. Repenser le multiculturalisme*, Montréal, Boréal.

Lacombe, S. (2002). *La rencontre de deux peuples élus. Comparaison des ambitions nationale et impériale au Canada entre 1896 et 1920*, Québec, Presses de l'Université Laval.

Laforest, G. (1992). *Trudeau et la fin d'un rêve canadien*, Québec, Septentrion.

Lamonde, Y. (dir.) (1995). *Combats libéraux au tournant du XXe siècle*, Montréal, Fides.

Laurier, W. (1999). « Le libéralisme politique », dans Y. Lamonde et C. Corbo (dir.), *Le rouge et le bleu. Une anthologie de la pensée politique au Québec*, Montréal, Les Presses de l'Université de Montréal.

Lipset, S.M. (1963). *The First New Nation. The United States in Historical and Comparative Perspective*, New York, Basic Books.

McRoberts, K. (1999). *Un pays à refaire. L'échec des politiques constitutionnelles canadiennes*, Montréal, Boréal.

Memmi, A. (1961). *Portrait du colonisé. Portrait du colonisateur*, Paris, Gallimard.

Monière, D. (1977). *Le développement des idéologies au Québec*, Montréal, Québec Amérique.

Morin, C. (1988). *Lendemains piégés. Du référendum à la nuit des longs couteaux*, Montréal, Boréal.

Morton, W.L. (1961). *The Canadian Identity*, Toronto, University of Toronto Press.

Morton, W.L. (1967). « Clio in Canada : The interpretation of Canadian history », dans R. Cook *et al.* (dir.), *Approaches to Canadian History*, Toronto, University of Toronto Press, p. 42-49.

Nevers, E. de (1964). *L'avenir du peuple canadien-français*, Montréal, Fides.

Ornstein, M. et M.H. Stevenson (dir.) (1999). *Politics and Ideology in Canada*, Montréal et Kingston, McGill-Queen's University Press.

Papillon, M. (2006). « Vers un fédéralisme postcolonial ? La difficile redéfinition des rapports entre l'État canadien et les peuples autochtones », dans A.-G. Gagnon (dir.), *Le fédéralisme canadien contemporain : fondements, traditions, institutions*, Montréal, Les Presses de l'Université de Montréal, p. 461-485.

Papineau, L.-J. (1998). *Un demi-siècle de combats*, Montréal, Fides.

Pearson, L.B. (2005). « Where do we go from here », dans K. Fierlbeck (dir.), *The Development of Political Thought in Canada : An Anthology*, Peterborough, Broadview Press.

Porter, J. (1965). *The Vertical Mosaic. An Analysis of Social Class and Power in Canada*, Toronto, University of Toronto Press.

Resnick, P. (1994). *Thinking English Canada*, Toronto, Studdart Publishers.

Rocher, F. et B. Pelletier (dir.) (2013). *Le nouvel ordre constitutionnel canadien : du rapatriement de 1982 à nos jours*, Québec, Presses de l'Université du Québec, coll. « Politeia ».

Rudin, R. (1998). *Faire de l'histoire au Québec*, Québec, Septentrion.

Saul, J. (1998). *Réflexions d'un frère siamois*, Montréal, Boréal.

Seymour, M. (2009). *La reconnaissance dans tous ses états : repenser les politiques de pluralisme culturel*, Montréal, Québec Amérique, coll. « Débats ».

Sibley, R. (2008). *Northern Spirits – John Watson, George Grant and Charles Taylor. Appropriations of Hegelian Political Thought*, Montréal et Kingston, McGill-Queen's University Press.

Taylor, C. (1992). *Rapprocher les solitudes. Écrits sur le fédéralisme et le nationalisme au Canada*, Québec, Presses de l'Université Laval.

Thériault, J.Y. (2002). *Critique de l'américanité. Mémoire et démocratie au Québec*, Montréal, Québec Amérique, coll. « Débats ».

Trudeau, P.E. (1962). « La nouvelle trahison des clercs », *Cité libre*, vol. 46, p. 3-16.

Trudeau, P.E. (1967). « Le Québec et le problème constitutionnel », dans *Le fédéralisme et la société canadienne-française*, Montréal, HMH, p. 7-59.

Trudeau, P.E. (1997). « Entretien avec Pierre Elliot Trudeau », *Cité libre*, vol. XXV, p. 9-17.

Tully, J. (1999). *Une étrange multiplicité. Le constitution-nalisme à une époque de diversité*, Québec, Presses de l'Université Laval.

Verney, D.V. (1986). *Three Civilizations, Two Cultures, One State : Canada's Political Traditions*, Durham, Duke University Press.

Webber, J. (1994). *Reimagining Canada. Language, Culture, Community, and the Canadian Constitution*, Montréal et Kingston, McGill-Queen's University Press.

Wilton, C. (2000). *Popular Politics and Political Culture in Upper Canada*, Montréal et Kingston, McGill-Queen's University Press.

Young, I.M. (2000). « Hybrid democracy : Iroquois federalism and the post-colonial project », dans D. Ivison, P. Patton et W. Sanders (dir.), *Political Theory and the Rights of Indigenous Peoples*, Cambridge, Cambridge University Press, p. 237-255.

CHAPITRE 3

LES AUTOCHTONES ET LE COLONIALISME CANADIEN

Nicolas Houde et Benjamin Pillet

Plus de 300 **revendications territoriales autochtones**[1] sont actuellement en négociation au Canada (Affaires autochtones et du Nord du Canada, 2017). Ces revendications, de même que les **traités** conclus au cours des dernières années (p. ex. *Convention de la Baie-James et du Nord québécois*) et les ententes bilatérales négociées entre provinces et **Premières Nations**, ont transformé et continuent de transformer la gouverne du territoire et des collectivités autochtones à travers le Canada. Ces revendications, dont le nombre a explosé en quantité et en complexité au cours des quarante dernières années, sont une tentative, d'un certain point de vue autochtone, de renverser les tendances assimilationnistes et colonisatrices qui ont caractérisé (et caractérisent encore selon certains) le

Canada. Si autant de revendications sont actuellement en négociation ou devant les tribunaux, c'est que la période des quatre cents dernières années de l'histoire canadienne en fut une, pour les Autochtones, de marginalisation, de dépossession et de tentatives d'assimilation. Par ces revendications, les Autochtones tentent de renégocier leur place dans l'ensemble canadien.

L'objectif de ce chapitre est, d'une part, d'examiner les processus ayant mené les Autochtones à la marge de l'espace politique canadien et, d'autre part, de dresser un portrait des différentes lectures qui peuvent être faites du colonialisme et d'expliquer quels moyens et quelles stratégies peuvent être utilisés pour dépasser le cadre colonial. Le chapitre fait donc état des débats actuels entourant les différentes solutions politiques qui sont proposées dans le but de mettre fin à la situation actuelle de dépendance et de marginalisation vécue par les Autochtones.

....

1. Les concepts en caractères gras sont définis dans le glossaire à la fin du chapitre.

1. Les identités autochtones à l'échelle internationale

Les Nations Unies n'ont pas adopté de définition officielle permettant de définir de façon universelle qui est autochtone et qui ne l'est pas, préférant laisser les groupes autochtones définir eux-mêmes leur identité (Groupe des Nations Unies pour le développement, 2009). Cependant, les efforts ayant mené à l'adoption de la Déclaration des Nations Unies sur les droits des peuples autochtones furent largement guidés par le travail de José Martínez Cobo, rapporteur spécial du Haut-Commissariat des Nations Unies aux droits de l'homme pendant les années 1980. Son rapport sur les problèmes de discrimination vécus par les populations autochtones à travers le monde donne une « définition de travail » qui suggère que les communautés, nations ou peuples autochtones sont ceux qui, ayant maintenu une continuité historique avec les sociétés précoloniales qui ont développé leurs territoires, se considèrent toujours comme distincts des autres secteurs de la société, aujourd'hui hégémoniques sur ces territoires (Martínez Cobo, 1983).

Martínez Cobo suggère, et c'est ce à quoi l'Organisation des Nations Unies (ONU) et nombre de ses agences adhèrent, que l'auto-identification est une dimension fondamentale de l'identité autochtone. L'article 33 de la Déclaration fait référence, en ce sens, au droit des peuples autochtones d'élaborer leurs propres codes d'appartenance régissant le choix de leurs membres (ONU, 2008). Dans cette perspective, l'identité autochtone relève surtout du social et du culturel. Les Autochtones sont les descendants des premiers habitants d'un territoire donné qui, malgré leur confinement à un statut social subordonné, continuent de s'identifier à une culture qui diffère de celle de la majorité (Fleras et Elliott, 1992). Conséquemment, sur une base individuelle, un Autochtone est une personne qui s'identifie comme tel, qui appartient à un groupe autochtone et qui est acceptée par ce groupe comme en faisant partie. Le sentiment d'appartenance et l'identité du groupe « autochtone » peuvent, par exemple, être liés à l'expérience commune de politiques discriminatoires, d'une histoire d'assimilation, d'enclavement sur une **réserve**, de déplacements forcés, etc. Plus d'un million de Canadiens se sont auto-identifiés comme « Autochtone » lors du recensement de 2006 (Affaires autochtones et Développement du Nord canadien – AADNC, 2013a). L'aspect collectif de l'auto-identification étant inséparable de sa composante individuelle, nombre de communautés ont mis en place des règles internes d'appartenance, généralement spécifiques à chaque communauté (Champagne *et al.*, 2005 ; Grammond, 2009), dans le but premier de fournir un contrepoids à la fois aux définitions institutionnelles des identités autochtones (reposant principalement sur les quotas sanguins), ainsi qu'au phénomène d'appropriation culturelle (Churchill, 1998 ; Cobb, 2014 ; Coombe, 1993 ; Vowel, 2015 ; Tuck et Yang, 2012 ; Deloria, 1998).

POINTS CLÉS

> L'Organisation des Nations Unies utilise des critères souples, dont celui de l'auto-identification, dans sa reconnaissance des peuples et des individus autochtones.
> De nombreuses communautés autochtones du Canada se sont donné des règles internes d'appartenance.

2. Une identité normée au Canada

Malgré l'approche onusienne qui favorise l'auto-identification, celle-ci n'est, pour le Canada, pas suffisante dans la formation d'une identité autochtone qui serait légalement reconnue par l'État. Historiquement, l'État canadien s'est pourvu de critères et de lois afin de catégoriser les différents groupes de la population canadienne et de structurer sa relation avec les descendants de ceux qui vivaient déjà sur le continent nord-américain à l'arrivée des Européens. Ainsi, ces critères permettent à l'État de distinguer trois groupes autochtones tels qu'identifiés par la *Loi constitutionnelle de 1982* : les « Indiens » (ou membres des Premières Nations), les « Inuits » et les « Métis ».

2.1. Les membres des Premières Nations

Un « Indien » est une personne qui, conformément à la *Loi sur les Indiens*, « est inscrite à titre d'Indien ou a droit de l'être ». L'inscription dont il est question est celle au *Registre des Indiens* qu'utilise comme base de référence le gouvernement fédéral. C'est à partir de 1850 que des agents locaux du gouvernement du Canada-Uni consignent par écrit les Autochtones par communauté d'appartenance, et c'est en 1951 qu'un *Registre des Indiens* consolidé fait son apparition (AADNC, 2011). Aujourd'hui, les individus dont le nom est inscrit au registre sont les descendants des Autochtones dont le nom avait été inscrit à l'origine et les descendants de ceux dont le nom aurait dû s'y trouver, mais qui avait été omis. En 2008, on retrouvait 794 040 « Indiens », ou membres de Premières Nations, inscrits au registre, dont à peu près la moitié vivait en ville, en dehors de leur communauté d'origine (Canada, 2009).

Ce processus d'enregistrement n'ayant pas été exhaustif, certains Autochtones, et parfois des communautés entières se réclamant d'une identité autochtone, se sont retrouvés exclus. D'autres Autochtones, ou leurs descendants, inscrits à l'origine au registre se sont vu retirer leur statut à un moment ou à un autre. Ce statut pouvait être abandonné volontairement (ce qui s'est rarement produit) par une personne

voulant s'affranchir des mesures discriminatoires et désavantageuses que pouvait conférer le statut d'*Indien*. Ces personnes affranchies pouvaient alors jouir de tous les droits d'un citoyen canadien, mais devaient quitter leur communauté d'origine. Il arrivait plus fréquemment qu'une personne perde son statut de façon involontaire, comme le prévoyait la loi en 1869, à la suite d'une décision discrétionnaire d'un agent des Affaires indiennes d'affranchir une personne de son statut lorsque celle-ci avait atteint un « degré de civilisation » assez élevé (Canada, 1869).

Les femmes mariant un non-Autochtone étaient, jusqu'en 1985, automatiquement exclues du registre et ne pouvaient donc plus s'identifier comme Autochtone et participer à la vie politique de leur communauté : « toute femme Sauvage qui se mariera à un autre qu'un Sauvage, cessera d'être une Sauvage dans le sens du présent acte [de 1869], et les enfants issus de ce mariage ne seront pas non plus considérés comme Sauvages dans le sens du présent acte ».

La norme patrilinéaire est imposée aux peuples autochtones à partir de 1869 (Gehl, 2000). Cette patrilinéarité aura pour conséquence non seulement d'exclure des communautés les femmes mariant des non-Autochtones (alors qu'un Autochtone mariant une femme non autochtone pouvait conserver son statut), mais également de diminuer le pouvoir politique des femmes à l'intérieur des communautés – à partir de 1869, seuls les hommes seront habilités à choisir un chef – et de les rendre économiquement dépendantes. Au cours des années 1970 et 1980, les femmes autochtones portèrent leur cause devant les tribunaux (les causes *Lavell* et *Bédard* en 1973 ainsi que *Lovelace c. Canada*, 1977-1981) et aux Nations Unies afin que soient abolies les mesures de la *Loi sur les Indiens* discriminatoires envers les femmes. À la suite de ces pressions, la *Loi sur les Indiens* sera réformée en 1985 par la loi C-31 (*Loi modifiant la Loi sur les Indiens*) (Boldt, 1993, p. 292-293) et les femmes ayant perdu leur statut légal d'Autochtone, ainsi que leurs descendants, pourront désormais voir leur nom restauré au registre, après avoir fourni une preuve d'ascendance autochtone. La lutte des femmes pour faire reconnaître leur appartenance à une communauté autochtone et pour participer à la vie politique n'est néanmoins pas terminée. Pour Lynn Gehl (2000) et d'autres (Fiske, 1996 ; Green, 2007 ; Ladner, 2008), la *Loi sur les Indiens* a introduit dans les communautés des structures politiques patriarcales qui y demeurent encore aujourd'hui. Ce patriarcat « est si bien implanté dans les communautés autochtones que les femmes autochtones luttent tant à l'interne qu'à l'externe afin que soient reconnus leurs droits. L'opprimé devient souvent l'oppresseur » (Gehl, 2000, p. 64, traduction libre).

2.2. Les Inuits et les Métis

Lorsque l'on traite de la question métisse au Canada, il faut dans un premier temps relever la confusion que la langue française est susceptible de générer à ce propos. En effet, bien que la catégorie ou l'identité nommée officiellement « Métis » trouve ses origines dans le métissage de populations autochtones et européennes lors des premiers temps de la colonisation de l'Amérique du Nord, elle ne s'y cantonne pas et a pris depuis un sens particulier. Les différentes communautés se définissant et étant reconnues aujourd'hui comme métisses revendiquent une ou plusieurs identités nationales propres (il existe plusieurs nations métisses en Amérique du Nord) dont les critères d'appartenance sont similaires au reste des communautés autochtones. Être Métis ne possède donc plus la même signification qu'être une personne métissée, contrairement à ce que le sens commun pourrait laisser penser. Lorsque les Métis ont été reconnus comme peuple autochtone dans la Constitution de 1982, on avait surtout à l'esprit les membres

de communautés métisses des Prairies. Cependant, de nombreuses personnes à travers le pays se réclamaient d'une identité métisse, et leur lutte pour une meilleure reconnaissance a porté certains fruits lorsqu'un groupe de Métis de Sault Ste. Marie (Ontario) a amené la Cour suprême à établir une liste de critères juridiques pouvant être utilisés par d'autres communautés afin de se faire reconnaître comme métisses. Ainsi, depuis l'arrêt *Powley* de 2003, une personne peut se faire reconnaître par l'État comme Métisse si elle rencontre les trois principaux critères établis par la Cour, soit 1) s'identifier comme membre de la communauté métisse ; 2) faire partie d'une communauté métisse existante ; et 3) avoir des liens avec une communauté métisse historique (AADNC, 2010)[2]. La Cour suprême du Canada reconnut également en 2016 que les Métis étaient bien des Autochtones au sens entendu à l'article 91(24) de l'*Acte constitutionnel de 1867* au même titre que les Indiens (c'est-à-dire les Premières Nations au sens de la loi) et les Inuits, rappelant ainsi les droits et les responsabilités (notamment de négociation) du gouvernement fédéral envers eux.

Les Inuits, exposés plus tardivement à la mise en place de l'État colonial, ne se sont jamais vu accorder le statut d'*Indien*. Ce n'est qu'en 1939, dans une cause qui opposait Québec et Ottawa, que les tribunaux forcèrent le gouvernement fédéral à fournir aux Inuits les mêmes services qu'aux *Indiens* inscrits au registre. Vint par la suite une reconnaissance des Inuits comme « Autochtones » dans la *Loi constitutionnelle de 1982*.

***

Les membres des Premières Nations, les Inuits et les Métis ont aujourd'hui les mêmes droits reconnus dans la Constitution. Il existe cependant des variations majeures dans les régimes de

....

2. Pour plus de détails sur la situation spécifique des luttes métisses pour la reconnaissance, voir les travaux de Denis Gagnon (2009 et 2012).

gouvernance des communautés ou des nations ; certains étant définis par traités, d'autres non. Les Autochtones tentent depuis de nombreuses décennies de se réapproprier par différents moyens les outils qui leur permettraient de gérer les frontières de leurs identités et de construire des institutions politiques auxquelles ils pourraient s'identifier, reflétant la diversité des cultures et des traditions autochtones de gouvernement.

Évidemment, même si les catégories qui différencient les Autochtones des autres Canadiens ont été utilisées pour protéger une identité autochtone et comme levier dans la négociation d'ententes politiques, l'imposition par l'État de ces catégories rigides s'éloigne d'un processus d'auto-identification qui permettrait aux Autochtones de gérer eux-mêmes les frontières identitaires de leurs communautés.

2.3. Les institutions politiques coloniales

En plus de définir les critères devant déterminer qui est autochtone et qui ne l'est pas, les politiques de l'État colonial ont, à partir du milieu du XIXe siècle, transformé en profondeur les institutions politiques autochtones. L'*Acte pourvoyant à l'émancipation graduelle des Sauvages* de 1869, qui autorisait le « gouverneur [à] ordonner que les chefs de toute nation, tribu ou peuplade de Sauvages [soient] élus par les membres du sexe masculin de chaque bourgade sauvage [...] aux temps et lieu et de la manière que le surintendant-général des affaires des Sauvages pourra prescrire », ainsi que les différentes moutures de la *Loi sur les Indiens* mises en application à partir de 1876 allaient imposer une transition des modes traditionnels de gouvernement vers un système électif ressemblant à celui de l'État canadien, imitant graduellement les pratiques propres à son appareil politique et son administration (Otis, 2006). Élections et **conseils de bande** devinrent synonymes de

gouvernement local ; les Premières Nations étant progressivement subdivisées en bandes ayant chacune son conseil élu. Ce système représentait un élément clé d'une stratégie d'assimilation des Autochtones à la culture majoritaire (Otis, 2006, p. 219). L'objectif général étant de préparer les Autochtones à s'intégrer à la culture politique canadienne – affranchis de leur statut différencié – lorsqu'ils auraient atteint un « degré de civilisation » assez élevé au sens de l'*Acte pourvoyant à l'émancipation graduelle des Sauvages*.

Il existe aujourd'hui plus de 600 de ces gouvernements locaux prenant leur source dans le régime de la *Loi sur les Indiens* (AADNC, 2013a). Ils veillent à pourvoir à la population de la communauté des services de type municipal (voirie, collecte d'ordures, sécurité publique, etc.) en plus de gérer des dossiers qui, d'habitude, échoient au gouvernement provincial, comme celui de l'éducation. La plus grande part de leur budget provient du gouvernement fédéral, souvent par l'entremise d'ententes administratives, et le conseil de bande est souvent le principal employeur de la communauté (Morissette, 2007).

Si les conseils de bande ont été créés en suivant le modèle des institutions politiques non autochtones, il existe, depuis les années 1990, certaines options permettant de réintroduire des éléments de tradition dans l'élaboration des pratiques électorales et dans la gestion d'une communauté ou dans les processus politiques locaux (*Ratt c. Matchewan*, [9]). En 1971, plus de 70 % des bandes procédaient à des élections en suivant les lignes directrices fournies par la *Loi sur les Indiens*, alors qu'en 2006, c'était la moitié des conseils qui intégrait certains éléments de processus politiques qui leur étaient propres (Otis, 2006).

2.4. Le territoire

Par un processus que nous décrirons dans la prochaine section, les nations autochtones qui, à l'arrivée des Européens, exerçaient un contrôle sur de vastes territoires ont été morcelées en *bandes* et isolées sur de minuscules parcelles de terre, les réserves. Les conseils de bande ont été créés à l'origine pour prendre des décisions et gérer les affaires d'une communauté à l'échelle locale, à l'intérieur des limites d'une réserve. Ce faisant, les communautés autochtones ont, pour de nombreuses années et jusqu'à aujourd'hui, exercé un contrôle limité sur l'exploitation des ressources du territoire au-delà des limites de leur réserve et, souvent encore aujourd'hui, n'ont pas bénéficié des retombées économiques directes de cette exploitation, notamment du fait que le droit des Autochtones sur leurs territoires n'est pas un droit de propriété selon la loi canadienne, mais s'apparente à un droit d'usufruit (*Ste Catharine's Milling and Lumber Co. c. R.*). Cette situation limite grandement leur indépendance économique. Avant la mise en place des conseils de bande et des réserves, les groupes autochtones occupaient bien sûr des espaces qui s'étendaient bien au-delà des confins actuels des réserves, sur un vaste **territoire traditionnel ou ancestral**.

La création de réserves donna aux colons, bientôt devenus des Canadiens, l'accès à de vastes territoires . Comme plusieurs l'ont souligné, à partir du moment où une réserve est délimitée, clairement identifiée sur des cartes, le reste du territoire devient un territoire inoccupé, sous-utilisé, non structuré – pour reprendre la formule du gouvernement québécois – prêt à être pris en charge par l'État au nom de l'intérêt public et développé selon les normes de la société non autochtone (Brealey, 1995 ; Braun, 2002 ; Harris, 2002 ; Baldwin, 2004 ; Desbiens, 2004). C'est ainsi que l'État, au nom de l'intérêt public, devint le propriétaire de ces territoires et le gestionnaire de ces ressources. Investi du rôle de représentant de l'intérêt public dans les décisions concernant le territoire, le gouvernement impose dès lors la vision de la majorité à une minorité isolée sur une parcelle maintenant enclavée à l'intérieur de ce que fut son territoire historique d'occupation. Cette prise de contrôle des processus décisionnels au nom de l'intérêt public a fait en sorte que les communautés autochtones ont difficilement pu, jusqu'à récemment, intervenir de façon efficace dans les débats de politique publique reliés au territoire au-delà des terres de réserve (Braun, 2002).

C'est afin de renverser cette tendance qu'au cours des dernières décennies les pressions autochtones se sont multipliées afin d'obtenir, par la voie d'ententes politiques de cogestion du territoire ou de traités, une plus grande influence sur les décisions concernant le territoire au-delà des frontières de la réserve.

POINTS CLÉS

> Le gouvernement canadien utilise des critères stricts d'ascendance afin de catégoriser les Autochtones comme des « Indiens » (ou membres des Premières Nations), « Inuits » et « Métis ».
> Jusqu'en 1985, une femme autochtone mariant un non-Autochtone perdait son identité légale d'Autochtone et ne pouvait donc plus participer à la vie politique de sa communauté. La lutte des femmes pour participer à la vie politique de leur communauté n'est toujours pas terminée.
> Les communautés autochtones sont gouvernées par des conseils de bande, organes imposés historiquement par le Canada et calqués sur les gouvernements non autochtones. De nombreuses communautés réintroduisent aujourd'hui des éléments de tradition dans leurs pratiques de gouvernement.
> Le confinement aux réserves du pouvoir politique autochtone a donné aux colons, puis à l'ensemble des Canadiens, l'accès à de vastes territoires, ce qui a permis l'occupation et le

développement du territoire selon les normes de la société non autochtone.

3. Alliances, dépossession et nouvelles relations

Dans le but de comprendre l'évolution des relations entre les Autochtones et l'État colonial canadien, il est utile, comme suggéré par le rapport de la Commission royale sur les peuples autochtones publié en 1996, de diviser l'histoire canadienne en quatre grandes périodes. La période des alliances s'étend des premiers contacts entre Autochtones et Européens jusqu'en 1815. La fin de la guerre de 1812 marque le début d'une nouvelle période durant laquelle l'État colonial adopte différentes stratégies afin de marginaliser politiquement, socialement, culturellement et physiquement les Autochtones pour ensuite les assimiler dans le corps de la population non autochtone en croissance rapide. Cette période historique fut marquée par des déplacements de population, la dissolution des entités politiques autochtones et une assimilation culturelle accélérée (Brant Castellano, 1999). Cette période dura jusqu'en 1969, année où le gouvernement du premier ministre Pierre Elliott Trudeau présenta son *Livre blanc de la politique indienne*, qui visait à assimiler complètement les Autochtones à la société canadienne. Finalement, depuis 1969, le Canada se trouve dans une période caractérisée par un activisme politique et légal renouvelé de la part des Autochtones et par la recherche de nouveaux partenariats, de nouvelles relations avec les non-Autochtones.

3.1. Les alliances

Lorsque les Français et les Britanniques commencèrent à s'établir en Amérique du Nord, ils connaissaient mal le territoire et se trouvaient largement minoritaires. Il ne leur était donc pas possible d'exercer un contrôle sur les gens et les terres. Les colons durent donc mettre sur pied des alliances économiques avec les Autochtones, qui les guideraient en territoire inconnu, leur permettant de s'insérer dans des axes commerciaux et de transport déjà existants, et qui partageraient leur expertise nécessaire à la traite des fourrures (Miller, 2009).

Ces alliances économiques comportaient également une dimension militaire. À partir du contact et jusqu'en 1763, Français et Britanniques furent parties prenantes dans nombre de guerres dont l'Amérique du Nord fut un des théâtres, aussi bien entre colons qu'entre Autochtones et nouveaux arrivants. Ces guerres furent suivies par la guerre d'indépendance américaine (1775-1783) et par la guerre de 1812 entre la Grande-Bretagne et les États-Unis (1812-1815). Au cours de ces différentes guerres, les belligérants avaient besoin de s'allier des nations autochtones pour espérer quelques gains (Rodon, 2003 ; Papillon, 2009). Dès les premiers jours de la colonisation, les puissances européennes se devaient donc de maintenir des relations diplomatiques sophistiquées avec les peuples autochtones en formant des alliances, signant des traités, échangeant cadeaux et promesses de protection mutuelle (Slattery, 1985, p. 115), ces alliances permettant aux souverains européens de revendiquer une suprématie (réelle ou imaginée) sur de vastes pans du continent américain (Havard, 2003).

Les Autochtones étaient donc considérés à l'époque comme des *alliés* de la Couronne (britannique ou française) et non pas des *sujets* (Miller, 2009). Conséquemment, ils n'étaient pas assujettis aux lois que les puissances coloniales mettaient en place pour leurs propres citoyens. D'ailleurs, la *Proclamation royale* de 1763, qui allait réorganiser l'Amérique du Nord à la suite de la conclusion de la guerre de Sept Ans (1756-1763) confirma ce statut d'alliés en établissant, par son langage et son contenu, la Couronne britannique comme le protecteur des « nations » avec qui elle est « en relation », et non pas le protecteur de ses sujets[3].

Pour de nombreux observateurs, la *Proclamation royale* allait devenir le document le plus important dans la longue histoire des traités entre les Autochtones et la Couronne (Miller, 2004, p. 117), non seulement parce qu'elle identifiait explicitement les Autochtones comme des alliés et non des sujets, mais aussi parce qu'elle déclarait que les terres qui n'étaient pas à l'époque comprises à l'intérieur des colonies existantes seraient réservées à leur usage. Il faut dire que le pouvoir relatif (notamment militaire) que les Autochtones détenaient encore au lendemain de la guerre de Sept Ans faisait en sorte que les Britanniques ne pouvaient pas les déposséder unilatéralement de leurs territoires, et d'aucuns relèvent que la *Proclamation*, rédigée et proclamée dans l'urgence, avait comme but premier de rassurer les chefs autochtones inquiets face à l'expansion territoriale des colonies américaines (Calloway, 2013). Cette inquiétude se traduisant en partie par la rébellion du chef Pontiac entre 1763 et 1766. Selon la *Proclamation*, une entente devait être négociée pour qu'un nouveau territoire puisse être colonisé. Il peut donc être avancé que l'existence d'un territoire réservé à l'usage des Autochtones était la reconnaissance d'un titre autochtone sur ces terres, titre qui devait être cédé par l'entremise d'un traité conclu entre la collectivité autochtone concernée et la Couronne avant que la terre soit rendue accessible aux colons.

La guerre d'indépendance américaine et la fin de la guerre de 1812 changeront la donne pour les Autochtones. Alors que commence une période de stabilité dans l'est de l'Amérique du Nord, les États-Unis et l'Empire britannique n'ont plus un besoin aussi criant d'alliés militaires. Comme ces alliances entre puissances européennes et nations autochtones étaient fondées sur la nécessité – militaire et économique – et non sur une reconnaissance des groupes autochtones comme nations aussi évoluées que les puissances européennes, ces alliances plus ou moins égalitaires cédèrent le pas à une relation de domination (Rodon, 2003).

3.2. La production de la marginalité : dépossession et assimilation

À partir de 1815, l'attention des autorités coloniales se porte moins sur la construction d'alliances stratégiques avec les Autochtones que sur l'établissement de colons et le développement du territoire à l'européenne, favorisant ainsi la densification du peuplement et le développement de l'agriculture. À la fin de la guerre de 1812, on observe une croissance de l'immigration dans les territoires qui deviendront le Canada. Afin de permettre l'installation de ces immigrants, de nouveaux territoires devaient être ouverts à la colonisation, notamment dans les territoires situés à l'extérieur des colonies de 1763. Des traités devaient être négociés avec les Autochtones occupant ces territoires. Du point de vue du gouvernement colonial, ces traités étaient devenus de simples outils visant

....

3. « [C]omme il est juste, raisonnable & essentiel à nos intérêts & à la sureté de nos colonies que les différentes nations de sauvages avec lesquelles nous avons quelques relations & qui vivent sous notre protection, ne soient ni inquiétées & ni troublées dans la possession de telles parties de nos domaines & territoires comme ne nous ayant pas été cèdés, ni achetés par nous, leur sont réservés, ou à aucun d'eux, comme leur pays de chasse ; En conséquence nous déclarons par l'avis de notre Conseil privé, que tel est notre bon plaisir & volonté royale qu'aucun gouverneur ou Commandant en chef dans quelles de nos Colonies que ce puisse être, soit de Québec, Floride orientale, Floride occidentale, ne présume sous quelque prétexte que ce puisse être, d'accorder des ordres pour faire arpenter, ou accorder des lettres patentes pour terres hors des limites de leurs gouvernements respectifs, [...] qui ne nous ayant pas été cèdées, ou autrement sont réservées pour les dits sauvages, comme il est dit ci-dessus » (*Proclamation royale*, version reproduite à l'annexe D du volume 1 du rapport de la Commission royale d'enquête sur les peuples autochtones).

à déposséder de leur titre territorial les Autochtones habitant un territoire identifié pour la colonisation.

La dépossession, par le biais de ce que l'on appellera les « traités historiques », était légitime d'un point de vue européen qui accordait un statut inférieur aux cultures légales et politiques des Autochtones, sur la base du fait que leur mode d'occupation du territoire ne générait pas de plus-value permettant le progrès de la civilisation. En d'autres mots, le mode de vie nomade est inefficace et peu productif (Harris, 2008 ; Goulet, 2010). La norme européenne de référence était celle du peuplement plus intensif et, conséquemment, remplacer le nomadisme par une utilisation plus intensive du territoire à l'aide de méthodes et de façons de faire importées d'Europe était un processus normal, voire un « impératif moral » (Harris, 2008, p. 59).

La dépossession devait alors être complétée par une assimilation des Autochtones à la culture de la société canadienne. Si les instruments de la dépossession furent les traités et les réserves, ceux de l'assimilation furent les écoles et la *Loi sur les Indiens*. En créant des réserves, on pouvait isoler les Autochtones de l'influence du monde extérieur et ainsi les préparer à être pleinement assimilés à la culture de la société canadienne en misant sur une éducation à l'occidentale – notamment à travers le système des pensionnats autochtones qui se déploie à partir du milieu du XIXe siècle – et en leur imposant de nouvelles structures politiques, les conseils de bande, similaires aux structures coloniales (Boldt *et al.*, 1985 ; Rodon, 2003 ; Papillon, 2009). Cet appareil assimilationniste fit l'objet de certains revirements ainsi que de logiques parfois contraires ; Rémi Savard et Jean-René Proulx (1982, p. 73) notent par exemple que deux options furent envisagées et appliquées tour à tour : la « civilisation par contagion », qui recommandait d'installer les Autochtones parmi les colons, et la technique de la « quarantaine » et des « soins intensifs », qui préconisait d'isoler les

Autochtones « dans des villages spéciaux pour les confier aux soins intensifs des missionnaires, des instituteurs et des agents de l'administration coloniale ». *L'Acte pourvoyant à l'émancipation graduelle des Sauvages* et la *Loi sur les Indiens* permirent quant à eux de compléter cette assimilation en dépossédant les individus de leur identité « d'Indien » lorsqu'ils avaient atteint, du point de vue d'un agent du gouvernement fédéral, un « degré de civilisation » assez élevé (Canada, 1869). Du statut d'alliés, les Autochtones deviennent donc graduellement, à partir de 1815, des pupilles de l'État.

3.3. Les traités historiques

Les traités signés entre 1764 et 1921 sont ceux que l'on nomme aujourd'hui « traités historiques ». Ces documents, visant du point de vue de la Couronne à légaliser un processus de dépossession territoriale et à garantir la souveraineté canadienne sur ce territoire (Blackburn, 2007), firent en sorte que les communautés autochtones signataires cédèrent les terres qu'elles occupaient en échange de garanties d'accès au territoire pour la pratique de certaines activités (de chasse, de pêche), de compensations pécuniaires et de garanties d'accès à certains services (p. ex. l'accès à des services médicaux ou la construction d'écoles). Le type de compensations variait d'un traité à l'autre (Neu et Therien, 2003). Parfois était également créée une réserve. Les sommes d'argent accordées en compensation étaient souvent proportionnelles à la population autochtone du territoire cédé (Miller, 2009), alors que la grandeur des réserves était proportionnelle à la population de la communauté, le calcul étant basé sur l'espace nécessaire à une famille de colons européens pour subsister sur une ferme.

Au fur et à mesure que le front de colonisation avançait vers l'Ouest, des traités étaient signés avec les habitants des terres convoitées. Le processus de signature de traités se poursuit sans interruption après l'*Acte de l'Amérique du Nord britannique*, qui crée la fédération canadienne en 1867 et qui confie au nouveau gouvernement fédéral la responsabilité des relations avec les Autochtones (Dupuis, 1985 ; Gibbins, 2009). Ainsi, les traités historiques négociés entre 1764 et 1921 s'appliquent, encore aujourd'hui, sur une vaste portion du pays, exception faite du Nunavut, du Yukon, du Québec et du Labrador, ainsi que la majeure partie de la Colombie-Britannique.

Pour la Couronne, les traités étaient principalement des documents utilisés dans le but d'éteindre tout titre autochtone qui aurait pu exister sur le territoire à coloniser. Pour les Premières Nations ayant négocié les traités, par contre, la signification de ces traités était tout autre. Les interprétations différentes, ainsi que l'écart entre les promesses orales, rapportées jusqu'à nous par la tradition orale autochtone, et ce qui se retrouvait par écrit est apparu clairement dans les travaux réalisés dans le contexte de la Commission royale d'enquête sur les peuples autochtones au début des années 1990 (commission Erasmus-Dussault). Pour les Premières Nations, le fondement même des traités historiques se trouve dans l'idée de réciprocité, de protection et d'aide mutuelle entre alliés, entre nations amies (Brant Castellano, 1999). Dans cette perspective, les traités ne sont pas des transactions entre propriétaires, mais des alliances qui demandent à être constamment entretenues, réaffirmées et renouvelées. De ce point de vue, les Autochtones ne croyaient pas céder un titre de propriété, mais tentaient plutôt de protéger des droits et d'établir une relation de nation à nation avec la Couronne (Blackburn, 2007, p. 623). Les Autochtones mettent ainsi en opposition la lettre et « l'intention et l'esprit » des traités lorsqu'ils soutiennent, comme l'ont fait les chefs de l'Alberta dans le document politique *Citizens Plus* rendu public en 1970, que les traités sont des instruments évolutifs fondés sur une relation à long terme de réciprocité et que

c'est cette intention et cet esprit qui doivent guider la relation, et non ce que l'agent fédéral chargé à l'époque de la négociation s'était limité à consigner par écrit dans le traité et dans les notes consignées des rencontres (Indian Association of Alberta, 1970, p. 8). Leur conception des traités était à l'image de l'allégorie anglo-saxonne de la Constitution comme un arbre vivant (*Edwards c. Canada*, [1930] A.C. 124 §44 ; Slattery, 2013).

Au fil des ans et encore aujourd'hui, cette différence de perception amène beaucoup de mécontentement au sein des populations autochtones canadiennes, comme en fait foi, par exemple, la création, à l'été de 2013, de l'Organisation pour le respect des traités, lors du sommet de *Onion Lake* (Saskatchewan), chargée de veiller à l'application des traités historiques.

3.4. La période 1921-1969

De 1921 à 1970, le gouvernement fédéral se refuse à négocier de nouveaux traités (Alcantara, 2007a et 2007b) puisqu'il n'est pas intéressé par les terres des Autochtones, à moins que les non-Autochtones démontrent un intérêt à s'y établir ou à en exploiter les ressources (Miller, 2004). La crise économique des années 1930 et la Seconde Guerre mondiale aidant, il n'y avait pas d'appétit pour de nouvelles terres ou de nouvelles ressources. De plus, il était maintenant tenu pour acquis, au sein du leadership politique canadien, que les Autochtones, en tant que groupe culturel distinct, allaient simplement disparaître devant la marche de la modernité (Miller, 2004), s'assimiler à la société plus « avancée »[4]. Ce n'était donc plus justifiable, d'un point de vue économique, d'entrer dans des négociations coûteuses avec des groupes qui allaient selon toute

....

4. Une perspective que défend encore aujourd'hui le sulfureux politologue Tom Flanagan (2000 et 2013).

probabilité disparaître. L'État se tourne alors résolument vers l'assimilation des Autochtones à la société canadienne (Alcantara, 2007b).

La poursuite de cette approche assimilationniste culmine en 1969 alors que le gouvernement libéral présente son *Livre blanc sur la politique indienne* (Canada, 1969). Ce projet politique propose d'éliminer le statut d'Indien afin de faire des Autochtones des citoyens à part entière. Il proposait le retrait pur et simple de la *Loi sur les Indiens*, le transfert aux provinces de la responsabilité de pourvoir des services aux Autochtones et la disparition des réserves. On proposait, ni plus ni moins, l'assimilation rapide des Autochtones dans la société canadienne (Cairns, 2004).

Le *Livre blanc sur la politique indienne* était fondé sur une vision libérale individualiste des droits des minorités, en l'occurrence ceux des minorités autochtones. L'approche libérale, plutôt que de protéger directement les groupes minoritaires en leur octroyant des droits collectifs spéciaux, favorise de les protéger indirectement « en garantissant les droits civils et politiques fondamentaux de tout individu, indépendamment de son appartenance à quelque groupe que ce soit » (Kymlicka, 2001, p. 11). Ainsi, cette lecture libérale du problème colonial canadien l'identifiait (et l'identifie encore) comme en étant un de décalage économique et social entre les Autochtones et la majorité canadienne en raison de l'existence de deux statuts qui ne confèrent pas les mêmes droits à tous au chapitre de la citoyenneté.

« Les libéraux de l'après-guerre [les tenants de l'approche dont il question ici] se sont souvent, de par le monde, opposés à l'idée que certains groupes ethniques ou nationaux puissent se voir accorder une identité politique permanente ou un statut constitutionnel » (Kymlicka, 2001, p. 14). Pour le premier ministre Pierre Elliott Trudeau, « seul l'individu est détenteur de droits » (cité dans Kymlicka, 2001, p. 59). Conséquemment, les problèmes (sociaux, de pauvreté, etc.) qui affligent les Autochtones doivent être remédiés par l'abolition du statut différencié d'*Indien*. Le *Livre blanc* proposait donc l'abrogation de la *Loi sur les Indiens* puisque pour les libéraux fédéraux, il était impossible que « le Canada puisse à la fois réaliser chez lui la société juste et conserver des lois d'exception » (Canada, 1969). La préservation et le développement des identités et des cultures autochtones devaient de ce fait découler de « l'intervention de l'Indien lui-même » (Canada, 1969). Le rôle de l'État dans la préservation des identités et des cultures ne se limiterait dorénavant qu'à une aide pécuniaire pour promouvoir un patrimoine autochtone limité au domaine du folklore et de l'art.

Il était également proposé que le lien privilégié entre la Couronne et les Autochtones soit rompu afin « que les services dispensés à tous les Canadiens le leur soient par les mêmes voies administratives et les mêmes institutions gouvernementales (transfert vers les provinces) » (Canada, 1969). Finalement, le régime des réserves devait également être aboli en transférant celles-ci vers un régime de propriété privée relevant de « collectivités indiennes » ayant pour modèle les gouvernements municipaux non autochtones. Le tout avait pour but « de faire disparaître de la Constitution toutes les allusions à l'Indien » (Canada, 1969). Une conséquence de cette approche était aussi l'abrogation unilatérale des traités historiques, dès lors perçus comme des artéfacts d'une autre époque, inadaptés à la nouvelle réalité canadienne, moderne, des années 1960[5].

....

5. « Il suffit d'en prendre connaissance [des traités historiques] pour constater qu'ils ne comportent guère qu'un minimum de promesses, promesses généralement très restreintes. [...] Il reste que le gibier et le poisson deviendront de moins en moins nécessaires à l'existence au fur et à mesure que se modifient les façons de vivre de l'Indien » (Canada, 1969).

La réaction immédiate des Autochtones fut le rejet catégorique de l'approche proposée par le gouvernement fédéral. Le *Livre blanc* eut l'effet d'un électrochoc et cristallisa la conscience politique des populations autochtones. Cet événement charnière allait clore la période au cours de laquelle le gouvernement avait cherché activement l'assimilation et ouvrir une nouvelle ère dans les relations entre les Autochtones et l'État canadien, caractérisée par un activisme politique autochtone et la recherche de nouveaux partenariats.

POINTS CLÉS

> À partir du premier contact entre puissances européennes et nations autochtones se forgèrent entre elles des alliances militaires et économiques qui cédèrent le pas, à partir de 1815, à une relation de domination, alors que le gouvernement colonial commence activement à déposséder et à assimiler les Autochtones.
> Les instruments de la dépossession furent les traités et les réserves, ceux de l'assimilation ont été les écoles et la *Loi sur les Indiens*.

4. Vers une nouvelle relation ? Les lectures du problème colonial

À partir de 1970, les Autochtones du Canada expriment clairement leur refus de s'assimiler. Se développe alors une stratégie qui se déploiera sur plusieurs fronts. Les leaders autochtones vont continuer à tenter de faire reconnaître et respecter les traités historiques, de chercher à forcer la Couronne à en négocier de nouveaux et d'utiliser la voie des réformes constitutionnelles ainsi que celle des tribunaux pour définir, faire reconnaître et faire respecter les droits spéciaux que les Autochtones affirment détenir. La société civile autochtone posera des gestes de résistance de plus en plus fréquents afin de s'opposer aux injustices environnementales, de reprendre en mains l'éducation de leurs enfants ou de faire progresser les droits des femmes autochtones. Finalement, les intellectuels autochtones vont se faire entendre plus fortement afin de réclamer une relecture de l'histoire canadienne et de proposer une réappropriation de cette histoire par les Autochtones. Cette nouvelle posture, activiste, guidera les travaux, entre autres, de Georges Sioui (1989), Olive Patricia Dickason (1996) et Howard Adams (1975 et 1995).

4.1. Le *Livre blanc* : émancipation ou assimilation ?

La critique de la lecture libérale individualiste du problème colonial canadien commence à s'articuler dès la sortie du *Livre blanc*. Les leaders et les organisations autochtones de l'époque, notamment ceux de la *National Indian Brotherhood*, rejettent l'idée que le statut différencié soit à la source de la situation socioéconomique désastreuse des Autochtones (Papillon, 2009). Le problème réside plutôt dans l'utilisation par l'État de ce statut différencié pour construire un système qui désavantage systématiquement ceux qui sont identifiés comme *Indiens*, ne laissant aux Autochtones que le choix de demeurer pauvres ou de s'assimiler à la culture majoritaire. Alors que le *Livre blanc* est fondé sur la prémisse qu'un Canada juste doit adopter les mêmes règles pour tout le monde, ne tenant pas compte des différences culturelles, afin de créer des institutions politiques et des lois « neutres », les détracteurs de cette approche[6] arguent que les institutions politiques – et les décisions qui en émergent – portent toujours une empreinte culturelle qui sera, si les empreintes des

....

6. Voir notamment la critique de Kymlicka (2001).

minorités ne sont pas protégées par le truchement de droits différenciés, celle de la majorité. Dans un tel système « neutre », les minorités s'assimileront simplement à la majorité. Conséquemment, la sortie du *Livre blanc* fut perçue par les leaders autochtones comme l'ultime tentative d'assimiler politiquement, socialement et sans leur consentement les Autochtones (Weaver, 1981). C'est d'ailleurs ce que souligne le mémoire publié en 1970 sous l'impulsion de Harold Cardinal par l'Association des Indiens de l'Alberta et que l'on surnommera le « Livre rouge ». Les auteurs y expliquent que la reconnaissance d'un statut indien, le respect des droits issus des traités historiques et l'accès aux terres sont essentiels au développement de cultures autochtones vigoureuses (Indian Association of Alberta, 1970). Selon eux, le statut séparé avait certes apporté son lot de discriminations, mais, paradoxalement peut-être, la reconnaissance d'un statut spécial avait tout de même contribué à préserver les cultures autochtones. Pour l'Association des Indiens de l'Alberta, ce que les Autochtones souhaitaient, c'était d'être reconnus comme citoyens canadiens, mais différents, possédant, en plus des droits accordés à l'ensemble des citoyens, des droits issus de traités ou des droits ancestraux inhérents existant du fait que leurs ancêtres habitaient déjà l'Amérique du Nord à l'arrivée des Européens.

4.2. Les droits collectifs et la redistribution du pouvoir

Ainsi, la réaction autochtone a été de rejeter cette approche libérale basée sur des droits individuels non différenciés et de présenter une lecture différente du problème colonial canadien. Pour les Autochtones, le problème ne réside pas dans l'existence d'un statut individuel différencié. Il trouve sa source dans le non-respect des droits collectifs des nations autochtones signataires de traités et dans la non-reconnaissance de droits territoriaux et ancestraux intacts pour les nations qui n'avaient pas, jusqu'à maintenant, signé de traités avec la Couronne. À partir de 1970, les Autochtones s'activent à faire reconnaître leurs droits collectifs en militant pour une plus grande reconnaissance des traités historiques et en réclamant la négociation de nouveaux traités pour les nations qui n'en avaient jamais signés. Par les traités et par une reconnaissance des droits ancestraux, on cherchait à faire en sorte que les collectivités autochtones puissent développer leur propre culture politique et exister en tant que collectivités viables socialement, économiquement, politiquement et culturellement, à l'intérieur de l'ensemble politique canadien. Les Autochtones voulaient maintenant se servir de ces droits collectifs qui leur sont spécifiques pour négocier un partage, une redistribution du pouvoir de façon que les collectivités autochtones puissent exercer plus d'autonomie quant aux décisions qui les concernent ou qui concernent la vie de leurs membres.

La lutte pour la reconnaissance et la protection des droits ancestraux et issus de traités a permis d'identifier, à partir des années 1970, quelques avenues pour tenter de les mettre en application. Cette lutte a mené, d'une part, à envisager une approche globale passant par une reconnaissance constitutionnelle qui aurait pu mener, à terme, à la création d'un troisième ordre de gouvernement à l'intérieur du régime fédéral, comme en fait foi l'accord de Charlottetown de 1992. Cependant, les nouvelles politiques de reconnaissance vont être utilisées par l'État canadien dans un but d'extinction des droits – c'est-à-dire d'une assimilation graduelle des communautés autochtones dans l'appareil administratif canadien – notamment par des politiques fédérales dites de « revendications globales ». Cet objectif fut conduit sous la forme d'une approche au cas par cas où chaque Première Nation entrait en négociation avec la Couronne afin de conclure une entente de « nation à nation » qui viendrait « clarifier » les droits des Premières Nations concernées. Cette deuxième approche a également débouché sur la négociation d'ententes, de portée plus limitée que les traités, permettant aux communautés locales de prendre en charge l'administration de certains services à la population et permettant d'adapter leurs structures, créant ainsi des gouvernements de type municipal adaptés à leur contexte.

4.3. L'arrêt *Calder* et la Convention de la Baie-James et du Nord québécois

Les Nisga'a ont toujours maintenu qu'ils n'ont jamais cédé leurs droits sur leur territoire traditionnel, le bassin du fleuve Nass, dans le nord de la Colombie-Britannique. La Province, cependant, avait tenu pour acquise la désuétude des titres autochtones sur les terres. L'époque des traités historiques semblait, à la fin des années 1960, déjà bien loin pour la Province et pour les compagnies forestières et minières qui convoitaient les riches territoires du Nord. En 1969, alors que la foresterie, les mines et d'autres activités économiques changeaient le visage de ces terres peut-être à jamais (Cassidy, 1992, p. 15), ces Autochtones n'étaient toujours pas reconnus comme peuples autonomes sur leur propre territoire.

Irrités par une pression croissante sur leur territoire traditionnel, pression régulée par des forces extérieures de surcroît, les Nisga'a, sous le leadership de Frank Calder, entamèrent en 1969 des démarches juridiques contre le gouvernement provincial. Le but de ces démarches était de forcer l'État à reconnaître une fois pour toutes qu'un titre autochtone existait toujours sur les territoires n'ayant pas fait l'objet d'un traité. Les Nisga'a voulaient par la même occasion forcer les gouvernements provincial et fédéral à entrer en négociation dans le but de signer un traité avant de procéder à davantage de développement industriel dans la vallée du fleuve Nass.

L'affaire *Calder* se rendit jusqu'à la Cour suprême du Canada qui confirma, en 1973, le point de vue nisga'a. Cette décision envoya le signal que les groupes autochtones n'ayant pas, par le passé, conclu d'entente avec la Couronne pouvaient, même aujourd'hui, revendiquer un titre sur leur territoire ancestral.

Pendant ce temps, au Québec, une décision de la Cour supérieure allait inciter le gouvernement de Robert Bourassa, désireux de développer un vaste projet hydroélectrique dans le bassin de la baie James, à négocier une entente avec les Cris vivant sur ce territoire. Parce que les Cris n'avaient jamais signé d'entente avec la Couronne par le passé, le juge Malouf émit une injonction ordonnant l'arrêt des travaux en novembre 1973. Bien que cette injonction fut renversée peu de temps après, le signal était donné que les Cris possédaient des droits sur ce territoire et qu'il était préférable de s'entendre avec eux avant de poursuivre les travaux. Les démarches juridiques forcèrent donc le Canada et le Québec à négocier une entente hors cour, qui deviendra le premier traité moderne, la *Convention de la Baie-James et du Nord québécois* (Dupuis, 2001 ; Gourdeau, 2002).

À la suite de ces deux événements et de la contestation entourant la présentation du *Livre blanc*, le gouvernement du Canada, conscient de l'impopularité de son projet d'abolir les traités historiques et de poursuivre des politiques assimilationnistes, change son fusil d'épaule. Le but[7]

....

7. Comme détaillé dans un premier temps en 1970 par le sous-ministre adjoint aux Affaires indiennes, David Munro, dans un mémo aux ministres Jean Chrétien et au premier ministre Pierre Elliott Trudeau, puis dans le rapport Nielsen de 1984 soumis au gouvernement Mulroney, communément appelé « le saut de bison des années 1980 » (Boldt, 1993, p. 294-296).

devient alors d'étirer les provisions du *Livre blanc* sur le temps long au moyen d'ententes globales, d'une réduction des budgets fédéraux alloués aux Premières Nations et d'un transfert des responsabilités fédérales en matière autochtone aux provinces par le biais d'ententes de cogestion tripartites avec les communautés « les plus avancées » (Diabo, 2012, p. 8). Ce faisant, le gouvernement fédéral adopte une politique ministérielle pour la négociation de traités modernes (Canada, 1981 ; Cassidy, 1992 ; Charest, 1992). Les Nisga'a, après leur action en justice qui se termina avec l'arrêt *Calder*, entrent dans un processus de négociation qui se termine en 1998 avec la conclusion d'un traité.

4.4. 1980-2000, deux décennies de tumulte politique

Cependant, le début des années 1980 donne lieu à des changements politiques d'ampleur au Canada. La nouvelle *Loi constitutionnelle de 1982* est adoptée dans un contexte de tensions qui font se confronter des interprétations concurrentes du fédéralisme canadien. Or, tandis que le Québec est écarté des négociations finales (au cours de l'épisode connu sous le nom de « nuit des longs couteaux » au Québec et de *kitchen meeting* au Canada anglais), les droits autochtones « ancestraux ou issus de traités » sont reconnus et confirmés à l'article 35 de la nouvelle Constitution grâce aux pressions exercées par quatre grandes associations autochtones : l'Assemblée des Premières Nations (APN/AFN) ; le Comité inuit sur les Affaires nationales (CIAN/ICNI) ; le Ralliement national des Métis (RNM/MNC) ; et le Conseil des Autochtones du Canada (CAC/NCC). Ces associations obtiennent aussi que soit mise sur pied une succession de conférences des premiers ministres sur les questions constitutionnelles soulevées par l'article 35, à laquelle les représentants des peuples autochtones devraient être invités (Gagnon, 1989,

p. 183). Une série de quatre conférences va donc être organisée entre 1983 et 1987 ; les deux premières vont identifier les thèmes de l'autonomie gouvernementale et de la gestion des territoires et ressources comme étant les enjeux prioritaires. Néanmoins, le peu d'enthousiasme démontré par les premiers ministres provinciaux à travailler à la résolution de ces enjeux entraîne bientôt l'échec des conférences suivantes, alimentant, ce faisant, une méfiance et un cynisme grandissant chez les représentants des Premières Nations. Du point de vue des Autochtones, cette méfiance va se voir confirmer la même année lors des discussions aboutissant à l'accord du lac Meech (qui, s'il reconnaît le statut distinct du Québec au sein de la fédération canadienne, reste silencieux quant à celui des peuples autochtones), auxquelles ils ne sont pas convoqués, ajoutant à leur sentiment que les enjeux autochtones se faisaient peu à peu écarter des questions constitutionnelles (Cosentino et Chartrand, 2007, p. 298). Ces événements aboutiront au blocage du processus de ratification de l'accord par le parlementaire autochtone du Manitoba Elijah Harper, en 1990.

Cet été-là, l'armée canadienne occupe et bloque pendant 78 jours la communauté de Kanehsatake au Québec. Cette occupation militaire, déclenchée à la suite d'affrontements entre la Sûreté du Québec et des membres de la communauté mohawk qui contestent le droit du maire de la municipalité voisine (Oka) de détruire un ancien cimetière pour agrandir le golf municipal – cet épisode sera connu dès lors sous le nom de « crise d'Oka » –, inaugure une décennie de tensions politiques sans précédent entre l'État canadien et les Premières Nations (Ramos, 2004). Si de nombreuses mobilisations voient le jour sur l'ensemble du territoire canadien dans les quinze années qui suivent la crise d'Oka, cette agitation politique ne se cantonne pas à l'action directe (comme le blocage de routes), mais use aussi des tribunaux, confirmant une tendance amorcée dès la fin des années

1970 avec l'arrêt *Calder*. Plusieurs ententes et jugements devenus par la suite fondamentaux pour l'interprétation des droits autochtones vont découler de mobilisations locales (Clairmont et Potts, 2006), souvent amplifiées par des organisations régionales ou nationales (à l'image de l'APN/AFN) qui vont chercher à bénéficier de ces événements pour consolider la légitimité du caractère représentatif qu'elles revendiquent, et ce, malgré le fait que nombre d'acteurs engagés dans les mobilisations sur le terrain se montrent de plus en plus critiques vis-à-vis de ces mêmes organisations (Clairmont et Potts, 2006). La commission Erasmus-Dussault est ainsi convoquée dans la foulée de la crise d'Oka ; pareillement, les arrêts de la Cour suprême du Canada *Delgamuukw* (1997), *Haïda* et *Taku River* (2004) – qui rappellent à l'État canadien son obligation de consulter et d'accommoder les communautés – font suite à des poursuites intentées par des Premières Nations contestant le manque de consultations publiques lors de projets de développement effectués sur leurs territoires avec l'approbation des gouvernements provinciaux et fédéral.

4.5. Les critiques du paradigme canadien

Malgré tout, ces réponses judiciaires et politiques sont loin de satisfaire tous les acteurs autochtones, certains estimant que les pouvoirs publics ne cherchent par là qu'à apaiser la colère des communautés tout en ne modifiant pas en profondeur les objectifs de l'État canadien, jugés assimilationnistes. Deux éléments principaux vont notamment faire l'objet de critiques virulentes : le processus canadien de revendications territoriales globales et l'objectif général d'accommodement et de reconnaissance, graduellement présenté sous le jour de la « réconciliation » par les pouvoirs publics.

Le processus de revendications globales est mis en place à la suite de l'arrêt *Calder* de 1973. Avec *Calder*, la Cour suprême du Canada reconnaissait l'existence d'un titre tout en évitant de spécifier sa nature exacte, et ce n'est qu'en 1997 qu'elle allait apporter quelques précisions sur le sujet. Il ressort alors de la cause *Delgamuukw* (1997) que le titre autochtone est un titre collectif de propriété existant du fait d'une occupation antérieure. Conséquemment, un groupe autochtone possède le droit inhérent de prendre collectivement des décisions à propos de l'utilisation de son territoire (Slattery, 2000, p. 16). Il fallait donc trouver une solution pouvant « réconcilier » les droits ancestraux des Autochtones avec les lois et la présence non autochtone, puisque si les droits existaient, ils ne pouvaient s'exercer de façon pleine et entière et avaient été, en quelque sorte, modifiés du fait de la présence et du contrôle effectif du territoire par les non-Autochtones. La solution proposée par l'État fut la négociation d'ententes qui viendraient clarifier au cas par cas les droits des Autochtones sur un territoire donné.

Le processus, appelé communément processus de traités modernes, fut mis sur pied pour remplir cette tâche et concerne toutes les communautés n'ayant pas signé de traités, ainsi que celles désireuses de renégocier certains aspects de traités anciens. L'objectif de la Politique sur les revendications territoriales globales, selon le gouvernement canadien, est de mettre en œuvre les principes de « reconnaissance » et de « réconciliation » en clarifiant les « ambiguïtés d'ordre juridique associées au principe de droits ancestraux en common law » par la signature de nouveaux traités, la résolution de ces incertitudes juridictionnelles étant présentée par l'État canadien comme porteuse de prospérité économique (Canada, 2003, p. 8). La Couronne vise donc à préciser les termes en s'assurant qu'un traité soit une entente finale qui ne peut être rouverte sans l'accord des deux parties. Dans les faits, cela signifie que les droits qui auraient pu exister avant la négociation, mais qui n'ont pas été prévus par ce traité, ne pourront s'exercer à l'avenir, à moins que les deux parties y consentent. On remarque donc que, paradoxalement, la certitude recherchée par le gouvernement canadien dans les négociations découle d'une plus grande incertitude pour les Autochtones, à qui l'on demande de se prononcer sur les droits des générations futures par l'entremise d'un traité final qui n'a pas, au moment de la signature, été testé (Woolford, 2005, p. 13).

De plus, pour les critiques de la Politique et du processus de revendications territoriales globales, les « ambiguïtés » montrées du doigt ne sont en réalité que des « illusions » (Borrows, 2002, p. 137) résultant des déclarations de souveraineté unilatérales de la part de la Couronne, et reposant sur des fictions métaphysiques problématiques faisant l'objet d'une jurisprudence internationale grandissante (Omar, 2008). Malgré de récentes réformes de la Politique sur les revendications territoriales ayant pour but de mettre en œuvre l'impératif de consentement souligné par la Cour suprême du Canada dans son arrêt *Tsilhqot'in* (2014), les critiques de la Politique estiment qu'il est la plupart du temps mis en place dans des contextes présentant des lacunes démocratiques ne permettant pas de s'assurer du consentement des populations consultées (Samson, 2016) et qu'il sert avant tout à satisfaire les industries extractivistes en dépossédant les communautés du contrôle de leurs territoires et des ressources qui s'y trouvent (Diabo et Pasternak, 2015).

Les critiques de la Politique participent aussi d'une critique plus large du paradigme canadien et des politiques de reconnaissance. Pour certains intellectuels, dont les penseurs kanien'kehaka (mohawk) Taiaiake Alfred et dene Glen Coulthard, ce processus de négociation d'ententes modernes, tel que mené actuellement, n'est pas en rupture avec le cadre colonial canadien et renforce au contraire ce cadre en balisant trop étroitement le domaine de ce qu'il est

possible ou impossible de négocier (Alfred, 2009). Ce sont, pour ces critiques, des ententes qui permettent peut-être de transformer quelque peu le cadre fédéral canadien, mais qui ne remettent pas en question de façon fondamentale un cadre ancré dans des valeurs eurocanadiennes et dont l'objectif ultime est l'assimilation (Ladner et Orsini, 2004 ; Alfred, 2009). En effet, pour Alfred, les « droits » accordés aux Autochtones ne constituent pas un démantèlement du colonialisme, mais sa confirmation, étant donné qu'ils sont créés, contrôlés et limités par l'État canadien. Coulthard ajoute que si les processus asymétriques de reconnaissance et d'accommodement étatiques ont généralement remplacé aujourd'hui les relations coloniales coercitives, ils ne font néanmoins que reproduire les mécanismes « d'un pouvoir étatique colonialiste, raciste et patriarcal que les revendications autochtones de reconnaissance ont cherché historiquement à dépasser » (Coulthard, 2014, p. 3).

4.6. Le renouveau théorique de la décolonisation

Pour les critiques de la vision actuelle – d'accommodement et de reconnaissance – des relations entre l'État et les Autochtones, ceux-ci ne sont pas des partenaires de la fédération. Ils n'ont pas le loisir, par exemple, de faire sécession de la fédération et d'ainsi accéder à une autonomie totale. Peut-on parler, dans ce contexte, de fédéralisme *postcolonial*, d'un État qui aurait dépassé la période historique caractérisée par les efforts d'assimilation des populations locales, si la liberté de sortir de la fédération n'existe pas, alors même qu'elle a été reconnue, selon des balises strictes, au Québec dans le *Renvoi sur la sécession* (1998) ? Peut-on parler de fédéralisme postcolonial si les communautés autochtones ne possèdent que peu de marge de manœuvre dans la mise sur pied de leurs institutions politiques et doivent se limiter au statut de

« supermunicipalité » (Ladner et Orsini, 2004, p. 71) ? Ce sont des questions que posent aujourd'hui nombre d'intellectuels autochtones à propos des traités et des relations entre l'État canadien et les Autochtones.

Plus encore, ces problématiques suscitent des questions quant à l'impératif de la décolonisation. Si le concept de « décolonisation » lui-même renvoie bien souvent à la période des luttes nationales tiers-mondistes ayant succédé à la Seconde Guerre mondiale, il est aujourd'hui réinterprété par de nombreux auteurs autochtones et allochtones dans une tentative de concilier à la fois ses penseurs traditionnels (comme Frantz Fanon et Albert Memmi) et les plus récents développements scientifiques, qui cherchent à préciser et à comprendre la teneur du colonialisme de peuplement. Selon Veracini par exemple, ce type de colonialisme, qui caractérise notamment les anciens pays du Commonwealth britannique, s'illustre non seulement par un fonctionnement propre qui le distingue des compréhensions classiques du colonialisme (Veracini, 2010 et 2014), mais est de plus d'une criante actualité sans faire, pour le moment, l'objet de luttes de décolonisation victorieuses (Veracini, 2015, p. 68). C'est pour remédier à cela que de nombreux auteurs cherchent à (re)développer des conceptions de la décolonisation à même de s'appliquer au cadre nord-américain. Bien que la décolonisation semble être un terme polysémique, certains thèmes majeurs s'imposent pour en donner une définition commune structurée autour de quelques éléments généraux. Parmi ceux-ci, on note que « la décolonisation n'est pas une métaphore » (Tuck et Yang, 2012) ; elle est un projet spécifique qui vise au démantèlement du colonialisme sans se cantonner uniquement à la justice sociale (Tuck et Yang, 2012, p. 21) ; elle est susceptible de prendre des formes variées suivant les contextes tout en postulant néanmoins la centralité des intérêts et points de vue autochtones dans son élaboration et sa mise en œuvre (Ritskes, 2012 ; Snelgrove *et al.*, 2014) ; enfin, elle

est nécessairement troublante et « ne passe jamais inaperçue » (Fanon, 2010, p. 40).

Conclusion

En plus de voir leurs options politiques être, même depuis les années 1970, limitées par l'État, les Autochtones sont toujours largement marginalisés dans les livres d'histoire et dans les pratiques environnementales, ce qui fait qu'aujourd'hui encore, il est difficile de reconstruire leurs façons de penser et de faire et de les présenter comme de légitimes solutions de remplacement au langage technoscientifique de la bureaucratie canadienne. Les épistémologies autochtones ont été enfouies (Braun, 1997). Ce que proposent donc de faire certains penseurs et activistes autochtones comme Taiaiake Alfred (2009), Olive P. Dickason (1996) ou Georges Sioui (1989) est une réécriture de l'histoire et une solidification théorique des philosophies politiques autochtones. Pour eux, le pouvoir de l'État s'est construit et est soutenu par une connaissance (du monde naturel, de la bonne voie pour l'évolution sociale, etc.) qui s'est établie comme norme de référence, comme « vérité ». C'est pour eux une vérité qu'il faut déconstruire en présentant une autre vision de l'histoire et de ce que le futur peut être, afin que les Autochtones puissent contribuer à changer les structures et les perceptions qui sont, à leurs yeux, oppressives.

Conséquemment, pour que le Canada puisse tourner la page sur son histoire coloniale, des systèmes politiques autochtones distincts doivent pouvoir exister, des systèmes politiques sur lesquels l'État canadien n'interfère pas en jugeant de leur validité par des cours de justice, donc investis d'une autonomie qui leur permet d'évoluer selon la vision politique évolutive des nations autochtones, fondée dans leur propre philosophie. Dans ce contexte, il faut, comme le souligne par exemple la géographe anishnabe Deborah McGregor (2011), repenser les traités, les réinterpréter, pour mettre en évidence le point de vue autochtone voulant qu'il s'agisse d'instruments régulant une coexistence de nation à nation plutôt que de moyens d'assimilation aux standards culturels de la majorité. Dans cette perspective, les droits des Autochtones seraient fondés dans la reconnaissance des nations autochtones comme entités politiques légitimes et souveraines, idée à laquelle l'État canadien reste, pour le moment, hermétique, les peuples autochtones n'ayant pas, selon le premier ministre actuel Justin Trudeau, de quelconque droit de veto quant aux décisions prises par la Couronne (O'Neil, 2016).

POINTS CLÉS

> La lecture du gouvernement libéral de 1969 du problème colonial canadien l'identifie comme en étant un de décalage économique et social entre les Autochtones et la majorité canadienne en raison de l'existence de deux statuts qui ne confèrent pas les mêmes droits à tous au chapitre de la citoyenneté. Conséquemment, les problèmes qui affligent les Autochtones doivent être remédiés par l'abolition du statut différencié d'*Indien*.

> Pour les Autochtones de l'époque, le problème réside plutôt dans l'utilisation par l'État de ce statut différencié pour construire un système qui désavantage systématiquement ceux qui sont identifiés comme *Indiens*, ne laissant aux Autochtones que le choix de demeurer pauvres ou de s'assimiler à la culture majoritaire.

> En réaction au rejet de l'approche libérale, on propose de renforcer la reconnaissance et l'application des droits ancestraux et issus de traités, ce qui sera fait par le truchement d'ententes entre les Premières Nations et l'État et à la suite des démarches judiciaires.

> Les critiques de l'approche actuelle de négociation d'ententes modernes soutiennent qu'il n'est pas en rupture avec le cadre colonial canadien et renforce au contraire le lien colonial en balisant trop étroitement le domaine de ce qu'il est possible ou impossible de négocier, forçant, au bout du compte, les Autochtones à s'assimiler à la majorité canadienne.

QUESTIONS

1. En 1969, le gouvernement canadien, libéral, présente le *Livre blanc de la politique indienne*, qui propose l'abolition de la *Loi sur les Indiens*, des réserves et du statut d'Indien. Cette proposition émane d'une vision libérale individualiste d'une « société juste » au sein de laquelle tous les citoyens jouissent des mêmes droits, peu importe le groupe d'appartenance ou l'origine ethnique des citoyens. Le *Livre blanc* et cette vision de la « société juste » dont il est le reflet furent très mal reçus par les Autochtones. Pourquoi ?

2. En quoi l'approche canadienne actuelle des relations avec les Premières Nations limite-t-elle la portée de l'autodétermination politique des Autochtones ?

3. En quoi un traité peut-il permettre de mettre en œuvre les droits collectifs d'un groupe autochtone signataire ?

4. Quelles sont les formes de lutte privilégiées par les Autochtones pour voir leurs droits ancestraux et politiques reconnus ? Quelle forme de régime politique les leaders autochtones aspirent-ils à créer ?

5. Est-ce que le cadre constitutionnel et politique canadien laisse place à la reconnaissance juridique et politique des minorités nationales ?

6. Pourquoi un régime de droits individuels mine-t-il d'emblée les aspirations à la reconnaissance des Premières Nations ?

7. Quels sont les motifs qui expliquent, à différentes époques, le type de relations privilégiées entre les autorités coloniales puis canadiennes face aux Premières Nations ? Peut-on parler de traitement juste, de relation d'égal à égal ou de rapports instrumentaux ?

LECTURES SUGGÉRÉES

Alfred, T. (2014). *Paix, pouvoir et droiture : un manifeste autochtone*, 2ᵉ éd., Wendake, Hannenorak.

André, A. (1976). *Je suis une maudite sauvagesse*, Ottawa, Leméac.

Beaulieu, A., S. Gervais et M. Papillon (dir.) (2013). *Les Autochtones et le Québec : des premiers contacts au Plan Nord*, Montréal, Les Presses de l'Université de Montréal.

Cardinal, H. (1970). *La tragédie des Indiens du Canada*, Montréal, Éditions du Jour.

Flanagan, T., C. Alcantara et A. Le Dressay (2012). *Au-delà de la Lois sur les Indiens : rétablir les droits de propriété autochtone au Canada*, Québec, Septentrion.

Gagné, N. *et al.* (dir.) (2009). *Autochtonies : vues de France et du Québec*, Québec, Presses de l'Université Laval.

Gagnon, A.-G. et G. Rocher (dir.) (2002). *Regard sur la Convention de la Baie-James et du Nord québécois*, Montréal, Québec Amérique.

Murphy, M. (dir.) (2005). *Canada : The State of the Nation*, Montréal et Kingston, McGill-Queen's University Press.

Simpson, A. (2014). *Mohawk Interruptus : Political Life Across the Borders of Settler States*, Durham, Duke University Press.

Turner, D. (2006). *This is not a Peace Pipe : Towards a Critical Indigenous Philosophy*, Toronto, University of Toronto Press.

Vowel, C. (2016). *Indigenous Writes : A Guide to First Nations, Métis and Inuit issues in Canada*, Winnipeg, Highwater Press.

GLOSSAIRE

CONSEIL DE BANDE : gouvernement d'une collectivité autochtone locale. C'est la forme de gouvernement qui, historiquement, a été imposée aux collectivités autochtones en remplacement des structures et des pratiques traditionnelles, jusqu'à récemment activement réprimées par le gouvernement canadien.

PREMIÈRE NATION : peuple autochtone du Canada. Le terme, selon le contexte, peut faire référence aux nations historiques qui peuplaient déjà le Canada à l'arrivée des Européens. Il peut également désigner une collectivité autochtone locale. L'utilisation du terme *bande,* pour désigner ces communautés locales, est tombée en désuétude. Les « membres des Premières Nations » sont, au sens utilisé par le gouvernement canadien, les Autochtones du Canada qui ne sont ni Inuits ni Métis.

RÉSERVE : parcelle de territoire qui, dans le contexte légal canadien, a été retenue par la Couronne pour « l'usage et au profit » (voir la *Loi sur les Indiens*) de la collectivité pour laquelle elle fut mise de côté. La réserve ne peut être subdivisée en propriétés individuelles et les décisions relatives à son usage et les règlements qui s'y appliquent sont pris collectivement par l'entremise du conseil de bande.

REVENDICATION TERRITORIALE AUTOCHTONE : réclamation de droits faite par un groupe autochtone à propos d'un territoire qu'il revendique comme ancestral. Dans le jargon juridique et politique du Canada, il existe deux types de revendications territoriales : les revendications globales et les revendications particulières. Les revendications globales portent sur les territoires ancestraux qui n'ont pas, jusqu'à maintenant, été l'objet d'un traité ou d'une cession de droits autochtones. Les revendications particulières portent sur des griefs autochtones concernant le non-respect d'obligations découlant de traités historiques ou la mauvaise gestion par le gouvernement de dossiers concernant les Autochtones.

TERRITOIRE TRADITIONNEL OU ANCESTRAL : territoire qu'une nation autochtone occupait ou contrôlait au moment de sa prise de contrôle par le gouvernement colonial. C'est souvent à partir de ce territoire, beaucoup plus vaste que les réserves, que s'articulent les revendications territoriales autochtones en vue de conclure sur le partage du contrôle de l'accès, de l'occupation, des modes de développement et des retombées du développement économique des territoires.

TRAITÉ : entente conclue entre la Couronne (française, britannique ou canadienne) et une nation autochtone dans le but de protéger, définir et mettre en œuvre une relation réciproque et des droits autochtones. Les traités historiques, signés entre 1763 et 1970, ont été utilisés par la Couronne pour sécuriser la souveraineté sur un territoire à coloniser. Il existe un décalage quant à la signification des traités historiques entre ce qui fut consigné par écrit par les autorités coloniales et ce qui est rapporté par la tradition orale autochtone. Pour la Couronne, ces documents servaient essentiellement à obtenir une cession des territoires occupés par les Autochtones. Pour les nations autochtones concernées, ces traités signifiaient plutôt un engagement entre alliés de protection mutuelle et d'entraide. Les traités modernes, signés depuis 1975, sont plus complexes et comprennent par exemple des ententes de cogestion des ressources naturelles, des ententes facilitant la prise en charge par les communautés de services à la population, ainsi que des ententes d'autonomie gouvernementale visant à doter les communautés signataires d'un appareil gouvernemental ancré dans la culture locale.

BIBLIOGRAPHIE

Adams, H. (1975). *Prison of Grass : Canada from the Native Point of View*, Toronto, New Press.

Adams, H. (1995). *A Tortured People : The Politics of Colonization*, Penticton, Theytus.

Affaires autochtones et Développement du Nord canadien – AADNC (2010). *Gestion des droits Métis : l'arrêt Powley*, Ottawa, Gouvernement du Canada.

Affaires autochtones et Développement du Nord canadien – AADNC (2011). *Le Registre des Indiens*, Ottawa, Gouvernement du Canada.

Affaires autochtones et Développement du Nord canadien – AADNC (2013a). *Peuples et collectivités autochtones*, Ottawa, Gouvernement du Canada.

Affaires autochtones et Développement du Nord canadien – AADNC (2013b). *Rapport d'étape. Revendications particulières, 2012*, Ottawa, Gouvernement du Canada.

Affaires autochtones et Développement du Nord canadien – AADNC (2017). *Sommaire national des revendications particulières*, Ottawa, Gouvernement du Canada, <http://services.aadnc-aandc.gc.ca/SCBRI_E/Main/ReportingCentre/PreviewReport.aspx?output=PDF>.

Alcantara, C. (2007a). « Explaining Aboriginal treaty negotiation outcomes in Canada : The case of the Inuit and the Innu in Labrador », *Revue canadienne de science politique*, vol. 40, n° 1, p. 185-207.

Alcantara, C. (2007b). « To treaty or not to treaty ? Aboriginal peoples and comprehensive land claims negotiations in Canada », *Publius*, vol. 38, n° 2, p. 343-369.

Alfred, T. (2009). *Peace, Power, Righteousness : An Indigenous Manifesto*, Don Mills, Oxford University Press.

Andersen, C. (2011). « "I'm Métis, What's Your Excuse ?" : On the optics and the ethics of the misrecognition of Métis in Canada », *Aboriginal Policy Studies*, vol. 1, n° 2, p. 161-165.

Baldwin, A. (2004). « An ethics of connection : Social-nature in Canada's boreal forest », *Ethics, Place and Environment*, vol. 7, n° 3, p. 185-194.

Blackburn, C. (2007). « Producing legitimacy : Reconciliation and the negotiation of Aboriginal rights in Canada », *Journal of the Royal Anthropological Institute (N.S.)*, vol. 13, n° 3, p. 621-638.

Boldt, M. (1993). *Surviving as Indians : The Challenge of Self-government*, Toronto, University of Toronto Press.

Boldt, M., J.A. Long et L. Little Bear (1985). *The Quest for Justice : Aboriginal Peoples and Aboriginal Rights*, Toronto, University of Toronto Press.

Borrows, J. (2002). *Recovering Canada : The Resurgence of Indigenous Law*, Toronto , University of Toronto Press.

Brant Castellano, M. (1999). « Renewing the relationship : A perspective on the impact of the Royal Commission on Aboriginal Peoples », dans Y.D. Bélanger (dir.), *Aboriginal Self-Government in Canada : Current Trends and Issues*, Saskatoon, Purich, p. 92-111.

Braun, B. (1997). « Buried epistemologies : The politics of nature in (post)colonial British Columbia », *Annals of the Association of American Geographers*, vol. 87, n° 1, p. 3-31.

Braun, B. (2002). *The Intemperate Rainforest : Nature, Culture, and Power on Canada's West Coast*, Minneapolis, University of Minnesota Press.

Brealey, K.G. (1995). « Mapping them "out" : Euro-Canadian cartography and the appropriation of the Nuxalk and Ts'Ilhqot'in First Nations' Territories, 1793-1916 », *The Canadian Geographer*, vol. 39, n° 2, p. 140-156.

Cairns, A.C. (2004). « First Nations and the Canadian Nation : Colonization and constitutional alienation », dans J. Bickerton et A.-G. Gagnon (dir.), *Canadian Politics*, 4ᵉ éd., Peterborough, Broadview Press, p. 349-367.

Calloway, C. (2013). « The historical context and the emergence of the Royal Proclamation », conférence présentée au LCAC Creating Canada Symposium, Ottawa, <http://www.landclaimscoalition.ca/assets/Colin_Calloway_-_Historical_Context.pdf>.

Canada (1869). *Acte pourvoyant à l'émancipation graduelle des Sauvages, à la meilleure administration des affaires des Sauvages et à l'extension des dispositions de l'acte trente et un Victoria, chapitre quarante-deux*, L.C. 1869, c. 6.

Canada (1969). *La politique indienne du gouvernement du Canada*, Ottawa, Ministère des Affaires indiennes et du Nord canadien.

Canada (1981). *En toute justice. Une politique des revendications des Autochtones*, Ottawa, Ministère des Affaires indiennes et du Nord Canada.

Canada (2003). *Règlement des revendications des Autochtones : un guide pratique de l'expérience canadienne*, Ottawa, Ministère des Affaires indiennes et du Nord Canada.

Canada (2009). *Population indienne inscrite selon le sexe et la résidence, 2008*, Ottawa, Ministère des Affaires indiennes et du Nord Canada et Direction de la statistique et de la mesure.

Cassidy, F. (1992). « Aboriginal land claims in British Columbia », dans K. Coates (dir.), *Aboriginal Land Claims in Canada : A Regional Perspective*, Toronto, Copp Clark Pitman, p. 11-43.

Champagne, D., K.J. Torjesen et S. Steiner (2005). *Indigenous Peoples and the Modern State*, Walnut Creek, AltaMira Press.

Charest, P. (1992). « La prise en charge donne-t-elle du pouvoir ? L'exemple des Atikamekw et des Montagnais », *Anthropologie et Sociétés*, vol. 16, n° 3, p. 55-76.

Churchill, W. (1998). *Fantasies of the Master Race : Literature, Cinema, and the Colonization of American Indians*, San Francisco, City Lights Books.

Clairmont, D. et J. Potts (2006). *For the Nonce : Policing and Aboriginal Occupations and Protests*, document de travail rédigé pour la Commission d'enquête sur Ipperwash, mai 2006, Toronto, <https://www.attorneygeneral.jus.gov.on.ca/inquiries/ipperwash/policy_part/research/pdf/Policing_and_Aboriginal_Occupations_May_2006.pdf>.

Cleary, B. (1993). « Le long et difficile portage d'une négociation territoriale », *Recherches amérindiennes au Québec*, vol. 23, n° 1, p. 49-60.

Cobb, R. (2014). « Among the tribe of the Wannabes », *This Land*, vol. 5, n° 15, <http://thislandpress.com/2014/08/26/among-the-tribe-of-the-wannabes/>.

Coombe, R.J. (1993). « The properties of culture and the politics of possessing identity : Native claims in the cultural appropriation controversy », *Canadian Journal of Law and Jurisprudence*, vol. 6, p. 249-286.

Cosentino, G. et P.L.A.H. Chartrand (2007). « Dream catching Mulroney style : Aboriginal policy and politics in the era of Brian Mulroney », dans R.B. Blake (dir.), *Transforming the Nation : Canada and Brian Mulroney*, Montréal, McGill-Queen's University Press.

Coulthard, G.S. (2014). *Red Skin, White Masks : Rejecting the Colonial Politics of Recognition*, Minneapolis, University of Minnesota Press.

Deloria, P.J. (1998). *Playing Indian*, New Haven, Yale University Press.

Desbiens, C. (2004). « Défricher l'espace de la nation : lieu, culture et développement économique à la baie James / Opening up the Nation's space : Place, culture and economic development in James Bay », *Géographie et Cultures*, vol. 49, p. 87-104.

Diabo, R. (2012). « Harper launches major First Nations termination plan : As negotiating tables legitimize Canada's colonialism », *First Nations Strategic Bulletin*, vol. 10, nos 7-10, p. 1-10.

Diabo, R. et S. Pasternak (2015). « Canada responds to Tsilhqot'in decision : Extinguishment or nothing ! », *New Socialist Webzine*, <http://www.newsocialist.org/787-canada-responds-to-tsilhqot-in-decision-extinguishment-or-nothing>.

Dickason, O.P. (1996). *Les Premières Nations du Canada : depuis les temps les plus lointains jusqu'à nos jours*, Québec, Septentrion.

Dupuis, R. (1985). *Les revendications territoriales du Conseil Attikamek-Montagnais*, mémoire de maîtrise, École nationale d'administration publique, Québec.

Dupuis, R. (2001). *Quel Canada pour les Autochtones ? La fin de l'exclusion*, Montréal, Boréal.

Edwards c. Canada (1930), A.C. 124, 1929 UKPC 86.

Fanon, F. (2010). *Les damnés de la terre*, Paris, La Découverte.

Fiske, J.-A. (1996). « The Womb is to the Nation as the heart is to the body : Ethnopolitical discourses of the Canadian indigenous women's movement », *Studies in Political Economy*, vol. 51, p. 65-95.

Flanagan, T. (2000). *First Nations ? Second Thoughts*, Montréal et Kingston, McGill-Queen's University Press.

Flanagan, T. (2013). « Why the native fixation on meeting with the Crown ? », *Globe and Mail*, 25 janvier, p. A11.

Fleras, A. et J.L. Elliott (1992). *The Nations Within : Aboriginal-State Relations in Canada, the United States, and New Zealand*, Toronto, Oxford University Press.

Gagnon, D. (2009). « "Nous savons qui nous sommes" : les Métis et l'État canadien. Définitions identitaires et agencéité », dans D. Gagnon *et al.* (dir.), *Histoires et identités métisses. Hommage à Gabriel Dumont – Métis Histories and Identities : A Tribute to Gabriel Dumont*, Winnipeg, Presses universitaires de Saint-Boniface, p. 277-301.

Gagnon, D. (2012). « Les études métisses subventionnées et les travaux de la Chaire de recherche du Canada sur l'identité métisse », dans D. Gagnon et H. Giguère (dir.), *L'identité métisse en question. Stratégies identitaires et dynamismes culturels*, Québec, Presses de l'Université Laval, p. 315-339.

Gagnon, J.A. (1988). « Relations entre l'État canadien et les Autochtones », dans *L'État et les Autochtones en Amérique latine/au Canada*, Université Laval, Département d'histoire de l'Université Laval, ACELAC/CALACS, vol. 2, p. 117-194.

Gehl, L. (2000). « "The Queen and I" : Discrimination against women in the Indian Act continues », *Cahiers de la femme*, vol. 20, n° 2, p. 64-69.

Gibbins, R. (2009). « Constitutional politics », dans J. Bickerton et A.-G. Gagnon (dir.), *Canadian Politics*, 5e éd., Toronto, University of Toronto Press, p. 97-114.

Goulet, J.-G.A. (2010). « Legal victories for the Dene Tha ? Their vignificance for Aboriginal rights in Canada », *Anthropologica*, vol. 52, p. 15-31.

Gourdeau, É. (2002). « Genèse de la Convention de la Baie-James et du Nord québécois », dans A.-G. Gagnon et G. Rocher (dir.), *Regard sur la Convention de la Baie-James et du Nord québécois*, Montréal, Québec Amérique, p. 17-24.

Grammond, S. (2009). *Identity captured by law : membership in Canada's indigenous peoples and linguistic minorities*, Montréal, McGill-Queens's University Press.

Green, J. (2007). « Taking account of Aboriginal feminism », dans J. Green (dir.), *Making Space for Indigenous Feminis*, Halifax, Fernwood, p. 20-32.

Groupe des Nations Unies pour le développement (2009). *Lignes directrices sur les questions relatives aux peuples autochtones*, New York, Nations Unies.

Harris, C. (2002). *Making Native Space : Colonialism, Resistance, and Reserves in British Columbia*, Vancouver, UBC Press.

Harris, C. (2008). « Réponse de Cole Harris », *Recherches amérindiennes au Québec*, vol. 38, n° 1, p. 59-61.

Havard, G. (2003). *Empire et métissages. Indiens et Français dans le Pays d'en Haut, 1660-1715*, Sillery, Septentrion.

Hladki, J. (1994). « Problematizing the issue of cultural appropriation », *Alternate Routes*, vol. 11, p. 95-119.

Houde, N. (2007). « The six faces of traditional ecological knowledge : Challenges and opportunities for Canadian co-management arrangements », *Ecology and Society*, vol. 12, n° 2, <http://www.ecologyandsociety.org/vol12/iss2/art34/>.

Indian Association of Alberta (1970). *Citizens Plus : A Presentation by the Indian Chiefs of Alberta to Right Honourable P. E. Trudeau*, Edmonton, Indian Association of Alberta.

Isaac, T. (1993). « Balancing rights : The Supreme Court of Canada, *R. v. Sparrow*, and the future of Aboriginal rights », *The Canadian Journal of Native Studies*, vol. 13, n° 2, p. 199-219.

Kymlicka, W. (2001). *La citoyenneté multiculturelle : une théorie libérale du droit des minorités*, Montréal, Boréal.

Ladner, K. (2008). « Gendering decolonization, decolonizing gender », conférence présentée au 80e congrès annuel de l'Association canadienne de science politique, <http://ww.cpsa-acsp.ca/papers-2008/Ladner.pdf>.

Ladner, K. et M. Orsini (2004). « De l'"infériorité négociée" à l'"inutilité de négocier" : la *Loi sur la gouvernance des Premières Nations* et le maintien de la politique coloniale », *Politique et Sociétés*, vol. 23, n° 1, p. 59-69.

Martínez Cobo, J. (1983). *Study of the Problem of Discrimination Against Indigenous Populations : Final Report (last part)*, New York, Nations Unies, Commission des droits de l'homme.

McGregor, D. (2011). « Aboriginal/non-Aboriginal relations and sustainable forest management in Canada : The influence of the Royal Commission on Aboriginal Peoples », *Journal of Environmental Management*, vol. 92, p. 300-310.

Miller, J.R. (2004). *Lethal Legacy : Current Native Controversies in Canada*, Toronto, McClelland & Stewart.

Miller, J.R. (2009). *Compact, Contract, Covenant: Aboriginal Treaty-Making in Canada*, Toronto, University of Toronto Press.

Morissette, A. (2007). « Composer avec un système imposé : la tradition et le conseil de bande à Manawan », *Recherches amérindiennes au Québec*, vol. 37, n°s 2-3, p. 127-138.

Nadasdy, P. (2003). *Hunters and Bureaucrats: Power, Knowledge, and Aboriginal-State Relations in the Southwest Yukon*, Vancouver, UBC Press.

Nation Tsilhqot'in c. Colombie-Britannique (2014), Pub. L. No. 34986, 2014 CSC 44.

Nations Unies (2008). *Déclaration des Nations Unies sur les droits des peuples autochtones*, New York, Nations Unies.

Neu, D. et R. Therien (2003). *Accounting for Genocide: Canada's Bureaucratic Assault on Aboriginal People*, Winnipeg, Ferwood Publishing.

Notzke, C. (1995). « A new perspective in Aboriginal natural resource management: Co-management », *Geoforum*, vol. 26, n° 2, p. 187-209.

O'Neil, P. (2016). « Trudeau says First Nations "don't have a veto" over energy projects », *The Financial Post*, 20 décembre, <http://business.financialpost.com/news/trudeau-says-first-nations-dont-have-a-veto-over-energy-projects?__lsa=ce6f-f8bc>.

Omar, S.M. (2008). « The right to self-determination and the indigenous people of Western Sahara », *Cambridge Review of International Affairs*, vol. 21, n° 1, p. 41-57.

Otis, G. (2006). « Elections, traditional aboriginal governance and the *Charter* », dans G. Christie (dir.), *Aboriginality and Governance: A Multidisciplinary Perspective*, Penticton, Theytus, p. 217-237.

Papillon, M. (2009). « The (re)emergence of Aboriginal governments », dans J. Bickerton et A.-G. Gagnon (dir.), *Canadian Politics*, 5ᵉ éd., Toronto, University of Toronto Press, p. 179-196.

Ramos, H. (2004). *Divergent Paths: Aboriginal Mobilization in Canada, 1951–2000*, thèse de doctorat, Ann Arbor University, États-Unis.

Ratt c. Matchewan (2010), Pub. L. No. T-654-09.

Ritskes, E. (2012). « What is decolonization and why does it matter ? », *Intercontinental Cry Magazine A Publication of the Center for World Indigenous Studies*, 21 septembre.

Rodon, T. (2003). *En partenariat avec l'État. Les expériences de cogestion des Autochtones du Canada*, Québec, Presses de l'Université Laval.

Rynard, P. (2000). « "Welcome in, but check your rights at the door": The James Bay and Nisga'a Agreements in Canada », *Canadian Journal of Political Science / Revue canadienne de science politique*, vol. 33, n° 2, p. 211-243.

Samson, C. (2016). « Canada's strategy of dispossession: Aboriginal land and rights cessions in comprehensive land claims », *Canadian Journal of Law and Society / Revue canadienne droit et société*, vol. 31, n° 1, p. 87-110.

Savard, R. et J.-R. Proulx (1982). *Canada: derrière l'épopée, les autochtones*, Montréal, Hexagone.

Sioui, G.E. (1989). *Pour une autohistoire amérindienne. Essai sur les fondements d'une morale sociale*, Québec, Presses de l'Université Laval.

Slattery, B. (1985). « The hidden constitution: Aboriginal rights in Canada », dans M. Boldt *et al.* (dir.), *The Quest for Justice: Aboriginal Peoples and Aboriginal Rights*, Toronto, University of Toronto Press, p. 114-138.

Slattery, B. (2000). « The nature of Aboriginal title », dans O. Lippert (dir.), *Beyond the Nass Valley: National Implications of the Supreme Court's Delgamuukw Decision*, Vancouver, Fraser Institute, p. 11-33.

Slattery, B. (2006). « The metamorphosis of Aboriginal title », *The Canadian Bar Review*, vol. 85, p. 255-286.

Slattery, B. (2013). « The Royal Proclamation of 1763: Roots and branches », conférence présentée au LCAC Creating Canada Symposium, Ottawa, <http://www.landclaimscoalition.ca/assets/Brian_Slattery.pdf>.

Slowey, G. (2008). *Navigating Neoliberalism: Self-Determination and the Mikisew Cree First Nation*, Vancouver, UBC Press.

Snelgrove, C., R. Dhamoon et J. Corntassel (2014). « Unsettling settler colonialism: The discourse and politics of settlers, and solidarity with Indigenous nations », *Decolonization: Indigeneity, Education & Society*, vol. 3, n° 2, p. 1-32.

St. Catharines Millling and Lumber Co. v. R. (1887), Pub. L. No. (1887) 13 SCR 577.

Thom, B. (2001). « Aboriginal rights and title in Canada after *Delgamuuk*: Part two, anthropological perspectives on rights, tests, infringement and justification », *Native Studies Review*, vol. 24, n° 2, p. 1-42.

Tuck, E. et K.W. Yang (2012). « Decolonization is not a metaphor », *Decolonization : Indigeneity, Education & Society*, vol. 1, n° 1, p. 1-40.

Veracini, L. (2010). *Settler Colonialism : A Theoretical Overview*, New York, Palgrave Macmillan.

Veracini, L. (2014). « Understanding colonialism and settler colonialism as distinct formations », *Interventions*, vol. 16, n° 5, p. 615-633.

Veracini, L. (2015). *The Settler Colonial Present*, Londres, Palgrave Mcmillan.

Vowel, C. (2015). « Settlers claiming Métis heritage because they just feel more Indigenous », *Rabble.ca*, 3 novembre, <http://rabble.ca/blogs/bloggers/apihtawikosisan/2015/03/settlers-claiming-m%C3%A9tis-heritage-because-they-just-feel-more->.

Weaver, S. (1981). *Making Canadian Indian Policy : The Hidden Agenda 1968-1970*, Toronto, University of Toronto Press.

Woolford, A. (2005). *Between Justice and Certainty : Treaty Making in British Columbia*, Vancouver, UBC Press.

CHAPITRE 4

LES DÉBATS SUR L'IDENTITÉ ET LA CITOYENNETÉ AU QUÉBEC

Jean-Charles St-Louis

Pour quiconque s'intéresse à l'actualité et aux débats publics au Québec, il semble qu'il se passe très peu de temps avant qu'une intervention ne fasse référence, pour le meilleur et pour le pire, à l'«identité québécoise». La question de l'**identité**[1] semble ainsi porter sur les problématiques et les domaines les plus variés: le statut constitutionnel de l'État québécois dans la fédération canadienne, les politiques linguistiques, le patrimoine culturel, la création artistique, l'enseignement de l'histoire, l'éducation citoyenne, les orientations socioéconomiques de l'État, la diversité sociale et religieuse. D'usage tout à fait commun, la notion d'«identité» a également été mobilisée et investie massivement dans les différentes disciplines des sciences sociales au cours des dernières décennies, fondant des perspectives aussi fructueuses qu'éclatées.

En puissance, les débats visant à définir les «identités collectives» concernent l'ensemble des gens que ces «identités» prétendent englober, décrire, inclure et exclure. Les discussions sur les identités visent notamment la représentation et la réalisation d'une certaine conception de la communauté politique, de la vie citoyenne ou de la relation entre les membres d'une société. Dans les sociétés dont les formes constitutionnelles et les imaginaires sont marqués par les théories libérales de la démocratie, ces échanges sont au cœur de l'exercice politique conflictuel qui consiste à définir le collectif au nom duquel est exercée l'autorité politique légitime – le peuple, le *demos*, la république, la nation, etc. – et les rapports entre les habitants d'un ensemble politique (Nootens, 2010; Norman, 2006). Tous n'ont cependant pas le même poids lorsqu'il s'agit de définir les termes des échanges ou même d'y participer. C'est entre autres parce que les débats sur les «identités collectives» portent

---

1. Les concepts en caractères gras sont définis dans le glossaire à la fin du chapitre.

sur la définition ou la contestation des modes d'organisation de la vie citoyenne et de leurs critères de légitimité qu'ils apparaissent centraux dans la compréhension des dynamiques politiques contemporaines.

Ce chapitre vise à cerner certains enjeux sociopolitiques qui se trouvent au centre des conversations publiques et savantes sur l'« identité » au Québec. Dans un premier temps, il s'agira d'explorer quelques-unes des manières dont la question de l'identité a été problématisée par les sciences sociales, notamment quant à sa place dans l'exercice démocratique et les pratiques citoyennes dans les sociétés politiques de tradition libérale. Dans un deuxième temps, nous survolerons les principales mises en récit de l'« identité québécoise » qui ont cours depuis 1960 pour cerner les enjeux que soulèvent les récits dominants et leurs limites. Enfin, dans un troisième temps, nous aborderons trois thèmes majeurs des discussions publiques contemporaines sur l'« identité québécoise » : la diversité culturelle, les contours de l'appartenance citoyenne et les conditions de la vie démocratique.

1. L'« IDENTITÉ » COMME OBJET D'ÉTUDE ET DE DÉBATS

1.1. Les sciences sociales et la thématique de l'identité

Les définitions du concept d'« identité » qui apparaissent les plus influentes quant aux questionnements qui nous intéressent sont d'abord issues des innovations en psychologie et en sociologie au lendemain de la Seconde Guerre mondiale (Gleason, 1983 ; Keucheyan, 2007, p. 133-182 ; Brinthaupt, 2008, p. 553-555). Les travaux du psychanalyste Erik H. Erikson (1980 et 2007) s'intéressaient déjà, dans les années 1950 et 1960, à l'importance des interactions sociales et du contexte socioculturel dans le processus de formation de l'« identité personnelle » (ou de ce

qu'on nomme couramment la « personnalité »). Cette problématique est investie à la même époque par plusieurs sociologues à partir de questionnements sur la constitution sociale et relationnelle du « Soi » (« *Self* ») (Cooley, 1998 ; Mead, 2006), puis sur le thème précis de l'« identité » (Goffman, 1973 et 1975). Dès le milieu des années 1960, la prolifération des usages et des appropriations du concept est telle qu'il devient impossible de retracer précisément l'origine de chaque occurrence (Gleason, 1983, p. 918). L'identité devient ainsi rapidement une « notion à succès » (Désy, 2011, p. 8). Elle est populaire pour aborder les phénomènes liés aux normes, aux institutions et à la différence, mais la multiplication des usages parfois flous et des définitions contradictoires est également critiquée.

Les études portant sur le nationalisme et l'ethnicité sont parmi celles qui ont le plus mobilisé le concept d'identité. La diffusion des travaux s'inscrivant dans le sillage des approches modernistes du nationalisme et de leur penchant **constructiviste** a eu un effet déterminant sur les manières dont sont aujourd'hui théorisées les questions dites « identitaires » (Norval, 2001 ; Smith et West, 2001). Ces approches cherchent à dépasser les limites des conceptions **essentialistes** de l'identité véhiculées par les théories « primordialistes » de l'ethnie ou de la nation (Ozkirimli, 2000). Les auteurs modernistes comprennent le nationalisme comme un phénomène relativement récent, un projet sociopolitique qui s'est développé en phase avec les changements technologiques, socioéconomiques et idéologiques de l'époque moderne. Certains situent son émergence dans le cadre du développement des sociétés industrielles (Gellner, 1989), des moyens de communication de masse (Deutsch, 1969) ou de nouvelles manières d'« imaginer » la communauté dans la modernité (Anderson, 2002). D'autres voient plutôt les identités nationales comme des ressources malléables qui peuvent être mobilisées et manipulées par les élites politiques en fonction

---

TABLEAU 4.1.

Principaux usages contemporains du concept d'« identité » en sciences sociales

1. L'« identité » comme base de l'action sociale et politique. Selon les usages, elle représente soit *a*) une motivation désintéressée à agir (par opposition à une action motivée par un calcul rationnel) ou *b*) un intérêt *particulier* à la base de l'action d'un individu, par opposition à un intérêt dit « universel » parce qu'il serait objectivement poursuivi par et pour tous.

2. L'« identité » comme phénomène collectif relevant d'une « similitude fondamentale et conséquente entre les membres d'un groupe ou d'une catégorie ». Elle se manifeste par une certaine solidarité, par des dispositions partagées ou par l'action collective.

3. L'« identité » en tant que « condition fondamentale de l'être social » ; elle désigne les éléments profonds et permanents au centre de la « personnalité » (*selfhood*) d'un individu ou d'une collectivité. Qu'elle soit individuelle ou collective, l'identité est, dans cette perspective, quelque chose à « valoriser, cultiver, encourager, reconnaître et préserver ».

4. L'« identité » comme processus par lequel se forment et se transforment la conscience et la solidarité collectives lors des mobilisations. Elle apparaît comme le produit plus ou moins contingent de ces mobilisations, mais aussi comme la base des mobilisations futures.

5. L'« identité » comme synonyme de l'intériorité, mettant en lumière sa condition « instable, multiple, fluctuante et fragmentée ». Elle apparaît comme « le produit évanescent de discours multiples et concurrents ».

Source : Adapté de Brubaker et Cooper (2001, p. 71-73).

---

de leurs intérêts (Brass, 1991). En exposant l'*historicité* des imaginaires nationaux – leur caractère relativement nouveau, contingent et « inventé » (Hobsbawm et Ranger, 2012) –, ces travaux ouvrent sur différentes réflexions critiques des récits nationaux dominants.

Les démarches issues des approches marxistes, poststructuralistes, des théories postcoloniales et des *cultural studies*, entre autres, ont permis d'insister sur les relations de pouvoir qui se tissent et s'expriment à travers les grands récits collectifs. Elles montrent que les hiérarchies et rapports de force font intégralement partie de la manière dont les gens comprennent le sens de leur propre existence – comment ils conçoivent leur « identité » et celle des autres. Pour Stuart Hall, par exemple, l'identité désigne d'abord les « points d'attache temporaires », en partie choisis, en partie imposés, qu'occupent les personnes à l'intérieur d'un monde de représentations en constante reconfiguration (Hall, 2008, p. 270 et 273). Ses recherches exposent, avec d'autres, le caractère pluriel, éclaté, contradictoire et souvent conflictuel des éléments supposés fixes et homogènes qui caractériseraient l'identité d'un individu ou d'une communauté – par exemple le genre, la langue, la culture, etc.

Pour Rogers Brubaker et Frederick Cooper (2001), le concept d'identité reste toutefois marqué par des significations équivoques que la reformulation constructiviste ne permet pas de clarifier. Les ambiguïtés tiennent notamment du fait que l'« identité », comme plusieurs autres notions importantes en sciences sociales, est une « catégorie » appartenant à la fois au domaine de l'analyse et à celui de la pratique sociale et politique (Brubaker et Cooper, 2001, p. 69-70). C'est donc une notion qui sert à la fois aux acteurs et actrices dans leurs mobilisations et aux chercheurs et chercheuses qui tentent de les comprendre ou de les expliquer. Ce dédoublement des usages rend difficile la distanciation critique par rapport aux représentations que les acteurs et actrices se font de leurs propres mouvements.

Les sciences sociales tendent alors à reproduire les conceptions qui sont utilisées sur le terrain et à postuler qu'elles existent comme telles, plutôt qu'à essayer de comprendre les pratiques dont ces représentations font partie.

Les réserves de Brubaker et Cooper montrent les écueils considérables qui guettent l'emploi non critique d'une notion aussi populaire et polysémique. L'utilisation du concept demeure néanmoins récurrente en sciences sociales. Il semble par conséquent aussi important de comprendre *ce dont il est question – ce qu'on cherche à dire et à faire – lorsqu'on y parle d'« identité »*.

1.2. L'identité comme « projet narratif » et vecteur de mobilisation

En philosophie et dans les sciences sociales, l'« identité » peut d'abord servir à désigner le « projet narratif » qui donne sens à la vie des êtres humains à l'époque moderne. C'est ce que Paul Ricœur (1990) a appelé l'« identité narrative ». La composition de l'identité peut ainsi être comprise comme une sorte de mise en récit par laquelle une personne compose et recompose l'histoire de sa vie sous une forme cohérente et se reconnaît toujours comme « elle-même » malgré les changements et accidents qui marquent forcément son existence. Entendue comme la réponse à la question « Qui suis-je ? », l'identité représente, pour Charles Taylor, « les interprétations qu'[une personne] donne d'elle-même », le « cadre de référence » ou « l'horizon à l'intérieur duquel [elle peut] prendre position » (Taylor, 1998, p. 54 et 46). Cet horizon s'élabore de manière dialogique « dans la rencontre avec l'autre », au fil des rapports avec un entourage réel ou virtuel qui donne un sens aux interrogations personnelles (Taylor, 1992, p. 48). Il dépend des communautés d'interlocution dans lesquelles une personne s'inscrit. C'est ainsi que les travaux sur l'« identité » cherchent à rendre compte de l'**intersubjectivité** constitutive de

l'expérience humaine. À travers les thématiques de l'interprétation, du dialogue et de la reconnaissance, ils interrogent les points de passage et d'indétermination entre l'expérience interne d'une personne et les environnements – sociaux, culturels, économiques et politiques – dans lesquels elle évolue.

À ce sujet, certaines critiques ont fait valoir que les perspectives comme celles de Taylor et de Ricœur n'insistent pas suffisamment sur les éléments qui contraignent la capacité de définition de soi d'une personne. Comme le remarque Diane Lamoureux,

> Force est de constater que certaines [identités sociales] sont plus choisies que d'autres. On ne choisit ni où l'on naît, ni notre sexe, ni la couleur de notre peau, ni notre milieu social d'origine. Selon tout cela, nos possibilités de constructions identitaires sont plus ou moins hypothéquées. [...] Il s'ensuit un bricolage identitaire qui est tributaire à la fois d'un effort personnel de construction de soi en fonction des multiples rapports sociaux dans lesquels nous sommes insérés – ce que l'on pourrait qualifier d'identité narrative – et de modes collectifs d'existence et de relations qui sont tributaires des luttes sociales et des rapports qui s'y nouent (2008, p. 210-211).

Sous cet angle, la formation de l'identité est un processus marqué de part en part par les rapports de pouvoir qui traversent les interactions sociales. Les « luttes au sujet de la reconnaissance » (Tully, 2007) ne visent pas simplement à ce que l'on admette la légitimité d'une « identité » proclamée, mais bien à ce qu'on remette en question les dispositifs par lesquels certains attributs deviennent source de discrimination ou d'inégalité. Suivant la formule de James Tully, ce sont « des luttes pour modifier la façon dont [...] différents individus sont reconnus en tant que membres (c'est-à-dire : comme des personnes ayant leur mot à dire) » (Tully, 2007, p. 46). Ces luttes auraient ainsi pour but la redéfinition démocratique des espaces citoyens et chercheraient à combattre les inégalités relationnelles basées sur la différence (Young, 1990).

Qu'en est-il plus précisément des « identités nationales » ? Par leur rapport particulier à l'État, elles occupent une place centrale dans l'économie des forces et des discours politiques contemporains. L'essentialisation et la réification des groupes ou mouvements « identitaires » y sont par ailleurs particulièrement répandues. Dans les bulletins de nouvelles, les débats publics, les publications scientifiques ou les échanges quotidiens entre citoyennes et citoyens, le monde politique apparaît couramment animé par des groupes définis en termes nationaux ou ethniques que l'on dote d'une personnalité, d'une intention, voire d'une psychologie commune. On entendra par exemple que « *les Canadiens* ont choisi la stabilité lors de la dernière élection » ou que « les affrontements entre *l'ethnie X* et *la nation Y* ont repris pour le contrôle de telle région ». Aussi commun soit ce type de cadrage, on peut douter qu'il permette d'éclaircir les enjeux et dynamiques propres à ces problématiques complexes.

Plusieurs recherches ont ainsi appelé à rompre avec la tendance à personnifier les communautés et à les représenter comme des acteurs collectifs suivant *une* trajectoire historique. Dans cette optique, il s'agit de prendre en compte la multiplicité et la diversité irréductibles des discours sur l'identité nationale. Cette pluralité d'interprétations apparaît comme un vaste champ de luttes inégales où les récits officiels ou hégémoniques et les narrations contestataires et subversives se mesurent en fonction de leur rapport aux différents dispositifs de « construction » identitaire (Blommaert, 2005, p. 207 ; Wodak *et al.*, 2009). Ces luttes ont notamment pour enjeux la définition des rapports légitimes entre les membres d'une communauté – les modalités d'inclusion et d'exclusion – et leur mise en forme.

1.3. Pourquoi parler d'identité ? Démocratie, citoyenneté et diversité dans les échanges québécois

Les manières dont les discussions sur l'« identité » en sciences sociales problématisent les relations sociales sont profondément imbriquées dans les principales traditions discursives portant sur la légitimité politique, l'appartenance et la citoyenneté dans les sociétés libérales. La notion d'« identité » et son champ sémantique sont ainsi omniprésents dans les langages communément utilisés pour justifier, critiquer ou simplement rationaliser les actions de l'État, les régulations en matière linguistique et culturelle ou la signification de la diversité culturelle des citoyens et des citoyennes dans la vie démocratique d'une communauté. Lorsqu'on parle d'« identités », on s'inscrit donc au cœur des discours privilégiés sur les relations de pouvoir instituées et leurs contestations.

Sous le paradigme libéral, l'État est conçu la plupart du temps comme un État-*nation*. Ainsi, comme le soutient Geneviève Nootens, l'« exercice [de la "démocratie libérale"] est présumé reposer sur la présence d'un peuple relativement homogène, détenteur de la souveraineté et dont le consentement légitime l'exercice des rapports publics de pouvoir » (Nootens, 2010, p. 12). Le décalage entre cette conception unitaire du « peuple souverain » et la diversité de la population qu'elle doit mettre en ordre et régir alimente les luttes politiques qui ont amendé, au fil du temps, les pratiques politiques (Tully, 1999). Néanmoins, l'image surplombante de la communauté politique reste la même : c'est *la nation* – pouvant être représentée comme plurielle, inclusive, « civique », multilingue ou même multinationale – qui est dite souveraine. L'« identité nationale », dans ces circonstances, « joue le rôle de récit unificateur » (Nootens, 2010, p. 29). Devant faire autorité, elle prétend agréger et représenter une « souveraineté populaire » pourtant disparate et divisée. Les débats sur les identités nationales et leur définition apparaissent ainsi concerner au moins deux ordres d'enjeux politiques connexes : d'une part, la définition des modalités internes de reconnaissance et d'inclusion des membres d'une communauté politique ; d'autre part, la détermination des frontières externes – souvent disputées – de cette même communauté[2].

D'après Taylor (1999), les dynamiques d'exclusion propres aux sociétés politiques de tradition libérale relèvent paradoxalement de la manière dont ces sociétés fondent leur besoin de cohésion. Les actions et institutions de l'État moderne puisent leur légitimité dans leur capacité à fournir aux questions « pourquoi ? » ou « pour qui ? » des réponses qui soient satisfaisantes pour une majorité de citoyens et de citoyennes. L'« identité collective » répondrait à ce besoin de cohésion préalable à l'exercice démocratique. L'exclusion apparaît alors comme une « tentation » rendue possible précisément par cette exigence de cohésion, lorsqu'une définition trop restreinte ou contraignante de la communauté est adoptée (Taylor, 1999, p. 277). Pour Taylor, le défi de l'époque contemporaine est de reformuler les identités collectives sous un mode qui ne commande pas l'unanimité et qui est sensible à la diversité des citoyens et des citoyennes concernés. Le caractère nécessaire de cette identité commune peut par ailleurs être interrogé. Historiquement, cette « identité forte » a surtout été articulée autour des principaux référents culturels de la majorité. La voir comme une base nécessaire de la vie démocratique contribue « à naturaliser les types de solidarités propres à l'État national moderne ». Or, cela marginalise les théories et les expériences où la confiance mutuelle et l'engagement réciproque

ne sont pas posés comme des conditions préalables de la délibération, mais émergent et se transforment potentiellement *à travers* elle (Nootens, 2007, p. 92-93).

Les discussions sur les identités visent donc la (re)définition des contours de la collectivité politique et leur contestation : Qui constitue le peuple « souverain » ? En quel nom les décisions de l'État sont-elles prises ? Dans les contextes canadien et québécois, ces discussions ont beaucoup porté sur les rapports entre le gouvernement fédéral et l'État québécois et sur leur légitimité respective. Les délibérations sur l'identité canadienne et l'identité québécoise se sont trouvées au cœur de l'institutionnalisation de deux « régimes de citoyenneté » distincts, imbriqués et fréquemment en concurrence pour se rallier le sentiment d'appartenance premier de la population québécoise (Jenson, 1998). Elles remettent aussi en cause les modes de reconnaissance internes de ces régimes : Qui est citoyen ? Qu'est-ce que cela implique ? Enfin, les débats sur les identités peuvent également contester les frontières des États et leurs significations ; c'est le cas du nationalisme québécois dans le cadre de l'État fédéral canadien, mais aussi des luttes de plusieurs peuples autochtones (Jenson et Papillon, 2003). En somme, ces discussions visent donc la définition ou la redéfinition des contours des collectivités et des relations de pouvoir, affirmant ou contestant, par exemple, les frontières des États, les rapports entre les citoyens et citoyennes qu'elles englobent ou la définition du « peuple » au nom duquel l'autorité politique est exercée ou contestée.

POINTS CLÉS

> L'« identité » est l'un des concepts les plus populaires des études et des pratiques politiques contemporaines. Il est aussi l'un des plus polysémiques. Cette notion constitue de ce fait un point de passage et de recouvrement entre le discours des chercheurs et celui des

---

2. Un troisième ordre – la démocratisation de la vie politique à l'échelle mondiale, en rapport avec les inégalités de puissance et de richesse entre les États – est abordé en profondeur par Nootens (2010).

acteurs sociaux, brouillant les frontières de leurs champs d'intervention respectifs.

> L'identité peut être théorisée comme un projet interprétatif à travers lequel la vie d'une personne ou l'histoire d'un groupe sont (re) mises en récit. La place centrale des «autres» dans la composition de l'«identité» ainsi entendue montre son intersubjectivité constitutive. Lorsque cette intersubjectivité est considérée sous l'angle des relations de pouvoir, elle ouvre sur la question du poids des récits collectifs hégémoniques dans la détermination et la limitation de ce qu'une personne est et peut être dans un contexte donné.

2. Les mises en récit de l'« identité québécoise »

2.1. La réarticulation des représentations collectives et les sciences sociales

Les réflexions contemporaines sur l'identité québécoise s'inscrivent dans une importante lignée de questionnements quant aux contours et à la signification politique des cultures dites nationales. Elles trouvent leur origine au tournant des années 1950 dans la critique et la volonté de dépassement du nationalisme canadien-français traditionnel, axé, pour l'essentiel, sur la perpétuation d'une communauté catholique d'ascendance française en Amérique du Nord. Les critiques prennent plusieurs formes, mais partagent souvent une même conviction issue de la modernité politique libérale : l'État (québécois d'abord, mais aussi canadien) doit remplacer l'Église catholique et la paroisse comme principales institutions de rassemblement des francophones. Associée à l'État et à ses moyens croissants d'intervention et de communication, la question «identitaire» prend une signification territoriale et civique. Si la préservation de

la langue et de l'héritage canadien-français demeurent une des préoccupations majeures des discussions sur l'identité, « la "nation" elle-même », c'est-à-dire la manière dont les gens se représentent ses institutions et ses membres, « change de signification et de configuration » (Balthazar, 2013, p. 39). La question du pluralisme, de l'inclusion et de la citoyenneté devient dès lors centrale dans les questionnements naissants sur l'« identité *québécoise* » (Karmis, 1994).

Dès le départ, les acteurs et actrices des sciences sociales participent activement à ces remises en cause. Plusieurs de ceux et celles qui mènent la charge contre les élites traditionnelles et le gouvernement de Maurice Duplessis prendront ensuite part aux nouvelles activités d'un État interventionniste qui institutionnalise de nouvelles représentations de la collectivité. On les retrouve aussi parmi les éléments les plus dynamiques de la société civile, militant dans les organisations syndicales et communautaires (Brooks et Gagnon, 1994). Sur le plan de la recherche, la «question nationale» et identitaire devient une préoccupation centrale (Fournier, 2001 ; Leroux, 2001). Les questions des chercheurs et chercheuses sont en phase avec les événements politiques et les transformations sociales de l'époque ; elles participent à leur compréhension, mais sont aussi profondément influencées par les différentes conjonctures.

Au cours des deux dernières décennies, le paradigme interprétatif ou «herméneutique» s'est développé jusqu'à devenir une des principales orientations méthodologiques des travaux sur la société québécoise (Warren, 2006). Cette approche veut que la compréhension des phénomènes sociaux passe par la considération des représentations du monde qui sont à leur origine et desquelles ils tirent leur sens. Il s'agit donc de rendre compte de l'«identité québécoise» non pas comme une réalité objective et immuable, mais plutôt telle qu'elle a été historiquement imaginée, comprise et débattue. Dans cette optique, Dimitrios Karmis (1994) souligne l'importance de prendre en compte la diversité et le caractère historiquement situé des récits à portée collective. Même les discours les plus durables sur l'identité québécoise doivent être considérés comme les produits «d'une perpétuelle auto-interprétation d'où émerge une certaine configuration de significations communes susceptible d'évoluer à mesure que la tradition narrative de la collectivité concernée s'enrichit de nouvelles expériences» (Karmis, 1994, p. 314). Dans ce contexte, de multiples récits de l'«identité québécoise» se distinguent et s'affrontent, notamment quant à l'importance, à la légitimité et à l'authenticité qu'ils accordent aux différentes représentations de l'expérience québécoise.

2.2. Deux mises en récit durables et une tradition narrative plurielle

Au tournant des années 1950, la revue *Cité libre* est un des premiers lieux de diffusion autour desquels s'articulent les critiques du gouvernement Duplessis, des autorités cléricales et des élites canadiennes-françaises. Pierre Elliott Trudeau, l'un des fondateurs de la revue, y présente un examen virulent et sans merci du nationalisme. Il inaugure une tradition narrative qui occupera une place centrale dans les débats politiques des décennies à venir : l'antinationalisme universaliste et rationaliste (Maclure, 2000 et 2003). La critique de Trudeau (1970) vise d'abord le nationalisme conservateur des élites canadiennes-françaises, qui lui paraît profondément inadapté devant les problématiques complexes des sociétés industrialisées. En accord avec un certain libéralisme qui oppose les particularismes nationaux à des valeurs civiques dites «universelles», il condamne néanmoins toute forme de nationalisme comme base d'organisation de la communauté politique (Laforest, 1993). Pour Trudeau, «un gouvernement nationaliste est par essence intolérant, discriminatoire et en fin de compte totalitaire» (Trudeau, 1967, p. 174). La

diversité culturelle des sociétés contemporaines exige, selon lui, qu'elles s'organisent plutôt à partir de principes dits rationnels et «universels», tels les droits individuels et la citoyenneté (Trudeau, 1967).

Cette critique du nationalisme a été reprise jusqu'à aujourd'hui par plusieurs auteurs de tendance cosmopolite (Maclure, 2000). Chez Trudeau (1967) lui-même, elle s'ouvrait à l'origine sur une forme de fédéralisme multinational, inspiré des écrits de Lord Acton, où l'autonomie locale semblait être une valeur aussi importante que la convergence autour de l'État central. Paradoxalement, en pratique, l'idée d'une identité «civique-juridique» sera plutôt placée au cœur d'un discours nationaliste pancanadien et des nouvelles pratiques identitaires du gouvernement fédéral, dont Trudeau sera le principal instigateur (Karmis, 1994, p. 315-316 ; 2003, p. 103-107). L'«identité canadienne» ainsi entendue se posera dorénavant comme une représentation concurrente de la communauté visant précisément à contrer le nationalisme québécois et ses accents indépendantistes.

Si le discours antinationaliste vise au départ le nationalisme traditionnel, le nouveau discours nationaliste québécois devient rapidement son principal adversaire. Ce **néonationalisme** a été décliné de diverses manières jusqu'à aujourd'hui, notamment en réarticulant le fonds autonomiste des discours sur la francophonie canadienne autour du territoire et de l'État québécois. Parmi les nombreuses réflexions suscitées par cette redéfinition des représentations de la collectivité, celles du sociologue Fernand Dumont ont particulièrement marqué les recherches contemporaines, que ce soit pour poursuivre ses interrogations ou les critiquer (Mathieu, 2001 ; Bernier-Renaud, Couture et St-Louis, 2011, p. 77-82). Au cœur de l'interprétation de Dumont se trouvent la quête et l'édification de la «référence» collective. Remise en perspective, la trajectoire des Canadiens français apparaît au sociologue comme « une longue résistance », « une modeste, mais troublante tragédie » marquée par un commencement « avorté » et des empêchements successifs (Dumont, 1996, p. 331). Pour le sociologue, la « nation française en Amérique » porte en elle, en tant que « communauté d'un héritage historique », un projet politique visant à poursuivre un destin particulier qui doit s'arrimer à l'État québécois (Dumont, 1997, p. 51). D'après Dumont, cette articulation passe par la convergence autour de la culture de langue française comme « culture publique commune » (1997, p. 63-67).

Les travaux de Dumont posent d'une manière particulièrement précise et achevée les balises d'un discours répandu et durable au sein du nationalisme québécois, que Jocelyn Maclure (2000 et 2003) a identifié comme le « nationalisme de la (re)fondation », aux accents mélancoliques. Ce discours est surtout préoccupé par la place et la signification que prend « la continuation de l'aventure canadienne-française et le maintien d'un certain héritage » devant la diversité manifeste de la société québécoise contemporaine (Beauchemin, 2001, p. 236 ; Thériault, 2007). L'affirmation résolue de la mémoire et de la culture de la communauté francophone au cœur du « sujet central et unitaire de la nation » y apparaît comme la seule manière de *refonder* un projet politique significatif capable de mettre en ordre les divers « intérêts particuliers » sur le territoire québécois (Beauchemin, 2003, p. 51). Or, vu la diversité, la complexité et la constante transformation des mémoires et des pratiques culturelles ayant cours au Québec, il apparaît difficile pour plusieurs de formuler une telle représentation transcendante ou « totalisante » de l'identité nationale sans imposer à une partie importante de la population un « héritage » et une « trajectoire » dans lesquels elle n'a aucune raison ni envie de se reconnaître.

Nombreuses sont les contributions qui, contre les scénarios un peu courts des discours antinationalistes cosmopolites et nationalistes de la refondation, ont tenté de prendre en compte avec plus de subtilité et de créativité la multiplicité et la complexité des appartenances et des affinités culturelles qui s'expriment dans le Québec contemporain. Elles ont ouvert des brèches sur plusieurs fronts. Par exemple, la critique « communautarienne » de l'individualisme libéral et de sa prétention à la neutralité culturelle a contribué à la réhabilitation des revendications collectives minoritaires à l'intérieur des États multinationaux et pluriculturels (Bickerton, Brooks et Gagnon, 2003 ; Kymlicka, 2001). Les appropriations des théories de la décolonisation ont également ouvert de nombreux points de passage et de dialogue entre la « question nationale » et les préoccupations des militantes et militants féministes, antiracistes et anticapitalistes, contestant le récit téléologique de la modernité économique libérale commun aux principaux acteurs politiques des dernières décennies, qu'ils soient nationalistes ou non (Mills, 2011). Enfin, les critiques pluralistes des représentations unitaires courantes de l'État et du « peuple » ont pu puiser à différentes sources, dont les théories du fédéralisme, pour élaborer des conceptions de la souveraineté et de la communauté politique plus souples et inclusives devant la diversité profonde des sociétés contemporaines (Karmis et Maclure, 2001 ; Karmis, 2006 ; Burgess et Gagnon, 2011). Avec bien d'autres, ces perspectives ont participé à la composition de trames narratives complexes cherchant à témoigner du fait qu'il n'y a pas de réponse à la question de l'« identité » qui puisse être proposée *a priori*, sans considérer la diversité des points de vue légitimes en cause, la profondeur des tensions qu'elle suscite et les transformations mutuelles que les échanges engendrent.

L'histoire est un des champs de recherche qui a été le plus remué par l'éclatement des réflexions « identitaires » des dernières décennies. Bon nombre des débats historiographiques récents portent ainsi sur la manière dont *peut* et *doit* être (re)composée la trajectoire historique de la société québécoise. La question de l'« identité », entendue comme la définition ou la contestation d'une certaine représentation de la collectivité, a toujours traversé les échanges entre historiens. La proximité entre programme historiographique et projet politique est cependant devenue particulièrement évidente après l'appel de Gérard Bouchard, au tournant des années 2000, à « réinventer » le « récit national » en « ouvr[ant] au maximum le cercle de la nation » (Bouchard, 1999, p. 98-99).

Pour Bouchard, récrire l'histoire de la « nation québécoise » en fonction de la diversité de la population du Québec doit permettre de « fonder la cohésion collective le plus loin possible de l'ethnicité, hors de l'homogénéité culturelle » (Bouchard, 1999, p. 98-99 et 138). Cette proposition a suscité plusieurs réactions. L'historien Jocelyn Létourneau (2000 et 2006) estime ainsi que la démarche de Bouchard, bien qu'elle délaisse le ton « mélancolique » des récits classiques, reprend néanmoins la même téléologie nationaliste centrée sur la réalisation de la « nation québécoise » et de sa souveraineté. Selon lui, elle risque de sous-estimer les tensions traversant la société québécoise, notamment l'« ambivalence » durable des Québécois d'héritage canadien-français quant à la formulation de leurs identités nationales. Les auteurs nationalistes de la lignée néodumontienne ont quant à eux reproché à l'approche de Bouchard de négliger la particularité et la centralité de la trajectoire canadienne-française dans la définition de la collectivité québécoise, participant à une « certaine tendance au refus de soi » (Beauchemin, 2002, p. 15).

En plus d'être critiquée par les tenants d'une histoire nationale « pluraliste » comme Bouchard et Létourneau, la conception néodumontienne de l'histoire « nationale » – voulant qu'un certain récit de l'héritage canadien-français doive exercer un ascendant déterminant sur la représentation de l'« identité québécoise » – est en tension avec la compréhension du « peuple » et du politique mise en avant par l'histoire sociale « critique ». S'intéressant aux « inégalités nationales, bien sûr, mais également [aux] inégalités de classes et de genre » (Petitclerc, 2009, p. 112), cette dernière approche met en doute le caractère consensuel, voire organique, de la communauté « nationale » dont on fait le récit. Elle met notamment en lumière les dimensions exclusivistes ou autoritaires des institutions politiques et culturelles par l'inclusion d'actrices et d'acteurs généralement absents des grands récits de la collectivité (Baillargeon, 2011). L'histoire ainsi comprise forme des portraits moins cohésifs et univoques de la société québécoise que ne le sont les récits collectifs classiques. Elle vise l'approfondissement du caractère démocratique des pratiques politiques et de la vie citoyenne qui passe par la contestation « par le bas » des institutions et des récits hégémoniques.

POINTS CLÉS

> Les discussions contemporaines sur l'« identité québécoise » naissent au tournant des années 1960 de la critique du nationalisme canadien-français et de l'émergence d'un nationalisme articulé autour de l'État québécois. Elles ont pour problématique commune la clarification ou la contestation du projet politique qui doit correspondre à cette « identité », notamment quant aux contours de la vie citoyenne, à la teneur de l'« héritage » canadien-français et à son ascendant sur les institutions québécoises contemporaines.

> Les approches interprétatives s'intéressent aux diverses manières dont la société québécoise a été imaginée et comprise à travers le temps. Les débats entre les narrations identitaires dominantes et celles plus marginales portent notamment sur la légitimité, la validité et l'authenticité qui sont accordées aux différents récits de l'expérience collective québécoise.

> L'opposition classique entre l'antinationalisme universaliste et le nationalisme de la (re)fondation a eu tendance à occulter les nombreux courants interprétatifs qui ont tenté de comprendre et de traiter la diversité des appartenances qui s'expriment au Québec de manières plus souples et créatives. L'historiographie québécoise est par ailleurs traversée par les tensions liées à l'interprétation du sens de l'« identité collective » au Québec, notamment quant à la part à accorder à l'hétérogénéité, à la continuité et à la conflictualité dans la composition de la « trajectoire historique » de la société québécoise.

3. LES ENJEUX DES DISCUSSIONS UNIVERSITAIRES CONTEMPORAINES SUR L'IDENTITÉ QUÉBÉCOISE

3.1. La diversité, la cohésion sociale, l'exclusion et l'appartenance

Si la thématique de l'« identité québécoise » traverse autant de questionnements et de polémiques, c'est qu'un ensemble d'échanges publics à propos de la définition ou de la contestation des contours de l'espace citoyen y convergent. En ce sens, elle correspond au cadrage principal à travers lequel sont traitées les questions de l'appartenance, de la diversité, de l'inclusion, de la cohésion sociale et du sens de l'expérience citoyenne au Québec. De façon plus générale, au cœur des débats actuels se trouve l'enjeu du « pluralisme », c'est-à-dire le « fait que les États contemporains sont habités non seulement par une diversité croissante sur le plan des identités collectives, mais aussi par une expression politique accrue de cette diversité » (Karmis, 2003, p. 86).

Suivant certaines conceptions républicaines de tradition jacobine ou conservatrice de l'identité nationale, le pluralisme apparaît comme un « défi » (sinon une menace) pour la communauté politique. À moins d'être sérieusement encadré et aligné sur une représentation totalisante de la nation, il participerait à la fragmentation de la communauté. Cette thèse s'appuie sur l'idée que « la nation (et son corollaire, le "peuple") constitue la référence identitaire essentielle au fonctionnement de l'État démocratique » et que les dynamiques « particularistes » issues du pluralisme identitaire concourent à miner l'unité symbolique qu'elle procurerait (Bourque et Duchastel, 1996, p. 303). L'inquiétude réside donc dans le fait que la « déchéance du monopole que détenait la nation » dans les sociétés modernes ouvre sur le déluge désordonné des « intérêts particuliers » dans l'arène politique (Beauchemin, 2004, p. 56). Dans cette optique, il faudrait symboliquement « réduire la diversité afin de ramener la société à un certain centre d'elle-même » (Beauchemin, 2010, p. 38).

Plusieurs approches libérales ou critiques ont contesté cette idée voulant qu'il puisse exister une telle conception consensuelle et transcendante de la communauté nationale capable de subordonner et d'organiser les diverses revendications politiques[3]. Parce que les mouvements sociaux et les autres regroupements dits « identitaires » visent généralement l'*inclusion*, ils contribueraient surtout à l'élargissement du caractère démocratique des pratiques politiques (Lamoureux, 2008). Pour Francis Dupuis-Déri (2007), la capacité alléguée des représentations dominantes de la nation à représenter le « bien commun » n'est surtout que la traduction en termes « universels » des intérêts des éléments dominants de la société, jointe à l'appel à la soumission des « autres » membres à cette représentation transcendante. Dans le même ordre d'idées, Nootens (2005, p. 112-113) souligne

---

3. Voir les critiques de Belkhodja (2008), Petitclerc (2009), Belkhodja et Traisnel (2012), Piotte et Couture (2012) et Dupuis-Déri et Éthier (2016).

qu'« [a]vant même d'arguer de cette fragmenta-tion [de la communauté politique], il faudrait démontrer l'unité préalable, antérieure, du sujet politique [national], comme il faudrait démon-trer le caractère intrinsèquement solidaire et responsable du projet politique de la moder-nité ». En somme, la problématique du plura-lisme ouvre sur la (re)définition de la manière dont peuvent être compris l'exercice démo-cratique et la cohésion dans les sociétés de tradition libérale.

Si ces discussions universitaires semblent bien théoriques et abstraites, elles demeurent en phase avec les dynamiques et les change-ments qui animent la société québécoise. Les débats suscités par la Commission de consulta-tion sur les pratiques d'accommodement reliées aux différences culturelles, dont le rapport a été déposé en mai 2008 (Bouchard et Taylor, 2008), ont montré toute l'actualité de ces questionne-ments. La commission est mise sur pied dans un contexte où se multiplient les mouvements et projets législatifs visant à renforcer l'ascen-dant de la majorité sur la régulation des pra-tiques culturelles et religieuses minoritaires (Bilge, 2010 et 2013 ; Leroux, 2013 ; Mahrouse, 2010 ; Stasiulis, 2013). Elle prend pour objet de départ *une* facette du pluralisme des sociétés contemporaines, soit l'accommodement des pratiques culturelles minoritaires au regard du droit et de son application. Son rapport inclut néanmoins une discussion plus large sur l'inté-gration, la cohésion sociale et l'identité collec-tive qui imprègne l'ensemble de ses propositions quant aux « pratiques d'accommodement ». S'appuyant sur le constat d'un « malaise » et d'un « mouvement de braquage identitaire » de la part de plusieurs « Québécois d'ascendance canadienne-française » à l'égard des pratiques d'accommodement (Bouchard et Taylor, 2008, p. 18), le compte rendu des commissaires pro-pose des pistes pour approfondir le « cadre civique commun ». L'une des pièces majeures de ce cadre, l'interculturalisme comme modèle

d'intégration[4], est centrée sur la recherche de cohésion et le développement d'un sentiment d'appartenance, notamment à travers la pra-tique du français comme langue commune, la participation à la culture citoyenne et la promo-tion d'une mémoire nationale qui tiennent compte de la diversité de la population québé-coise et de ses traditions.

Les travaux de la commission ont probable-ment reçu autant de critiques de toutes sortes que d'éloges. Parmi les critiques les plus intéres-santes se trouvent celles qui exposent les écueils du cadrage de la problématique choisi par le rapport, soit la tension à aménager et à résoudre entre la majorité (d'héritage canadien-français) et les « minorités culturelles ». Plusieurs ana-lystes ont ainsi remarqué que cette manière d'aborder la question de l'intégration reconduit l'idée qu'un important écart culturel et moral – un « conflit de valeurs » – existe entre la « majo-rité québécoise » et les « minorités ». Dès lors, la principale préoccupation des politiques d'inté-gration semble devoir être la réduction de l'importance de ces « différences » culturelles (Armony, 2010, p. 83-84). Or, cette compréhen-sion particulière de la question de l'intégration renvoie d'abord aux inquiétudes exprimées par *certains* citoyens et *certaines* citoyennes lors des audiences, inquiétudes qui ont été identifiées comme « les craintes de la majorité franco-phone ». Elle laisse bien peu de place aux autres perspectives sur la question, notamment quant aux appréhensions « minoritaires » face à la dis-crimination quotidienne et aux dynamiques structurelles d'exclusion (Pelletier et Cousineau Morin, 2012 ; Rocher 2015). Pour Victor Armony, le véritable problème demeure le fait que beau-coup de personnes, malgré leur statut de

....

4. L'interculturalisme a été peu défini officiellement, mais il a été l'objet de plusieurs débats publics et universitaires et de pro-positions théoriques et pratiques variées (Bégin *et al.*, 2010 ; Gagnon et Iacovino, 2003 ; Karmis, 2003 ; Rocher et Labelle, 2010 ; Salée, 2010 ; Bouchard, 2014).

citoyens, «trouvent des obstacles systémiques à leur intégration politique, économique et culturelle à la société» (Armony, 2010, p. 80). Insister uniquement sur la «gestion» de la différence culturelle «dépolitiserait» ainsi en bonne partie la question de l'intégration, ignorant les relations de pouvoir qui s'y déploient. Les rapports à la définition des cadres de la vie citoyenne et des normes d'interactions sociales demeurent inégaux et hiérarchisés: il y aurait, d'une part, ceux et celles qui décident des formes et des limites de la tolérance de «leur» société et, d'autre part, ceux et celles qui demandent que leurs pratiques soient «tolérées» (Leroux, 2010, p. 117-119).

En définitive, ce qui est maintenu par ce cadrage de la question, c'est l'idée que les tensions liées aux manifestations concrètes du «pluralisme» dans l'espace public puissent être résolues sans grande remise en question des hiérarchies, privilèges et relations de pouvoir établis de longue date. Les pratiques culturelles des citoyens et citoyennes issus de l'immigration plus ou moins récente constituent un cas de figure de la tendance générale à considérer l'inclusion «comme un mouvement de convergence obligée de l'Autre vers le Soi [...] et non pas comme un rapport social réciproque, libre, d'égal à égal» (Salée, 2010, p. 179). Sont ainsi plus ou moins évacuées les questions de la responsabilité des majorités à l'origine des normes collectives qui contribuent aux pratiques d'exclusions systématiques et de l'examen «autocritique» qui devrait en découler (Armony, 2010; Salée, 2010 et 2016). Ainsi, après avoir remarqué la multiplicité des récits identitaires québécois et leurs reconfigurations dans le temps, il faut bien constater que les voix n'ont pas toutes le même poids ni la même importance lorsqu'il s'agit de déterminer les contours de la citoyenneté et de l'appartenance à l'espace québécois. L'inclusion symbolique dans des récits communs ou partagés suppose ainsi qu'on admette au moins la légitimité des critiques qui sont

formulées par les voix dissidentes, plutôt que de les ranger commodément sous le registre marginal de «la diversité», qu'on peut par ailleurs «apprécier» ou «respecter».

3.2. Les voix dissidentes et les limites des discussions sur l'identité

Les pensées politiques féministes entretiennent une longue tradition de relations critiques et tiraillées avec les discours sur la citoyenneté et l'identité nationale, même là où le nationalisme apparaît d'abord comme une force d'émancipation (Lamoureux, 1996; Smith, 1999; Yuval-Davis, 1997). Au Québec, la «question nationale» et ses reformulations ont occupé une place centrale dans les réflexions qui ont animé les mouvements féministes jusqu'à aujourd'hui, depuis les interrogations sur les relations entre féministes francophones et anglophones au tournant des années 1970 jusqu'à celles sur la diversité interne des principaux regroupements (Belleau, 1996; Hamrouni et Maillé, 2015; Maillé 2001; Mills, 2011). Pour Lamoureux, bien que les effets du projet de modernisation qui accompagne les mobilisations nationalistes québécoises soient globalement positifs, il reste que les mouvements nationalistes ont eu tendance à subordonner et à canaliser les mobilisations féministes au nom de la «quête collective», favorisant la «communion» plutôt que l'affrontement et la critique (Lamoureux, 2001, p. 128). Les revendications féministes sont ainsi à la fois «entendues» et *traduites* par les pouvoirs en place, entraînant nécessairement leur déradicalisation. À ce titre, la «conscience nationale [...] comme facteur unifiant» aura aussi, pour Lamoureux, «servi de frein à l'expression de la diversité sociale» (Lamoureux, 2001, p. 98).

La relation des peuples autochtones aux délibérations sur l'identité québécoise est plus ouvertement conflictuelle. La place accordée aux Premières Nations dans les récits identitaires dominants aura souvent été vue au mieux comme une tentative d'usurpation de leur voix et de leur autonomie, au pire comme une oblitération de leur présence sur le territoire revendiqué par les États canadien et québécois (Green, 2004). Au Québec, ces représentations collectives conflictuelles, notamment quant à la reconnaissance *réciproque* d'un «droit à l'autodétermination», ont animé les revendications autochtones depuis les années 1970 (Jenson et Papillon, 2003 ; Salée, 1995). Pour le théoricien mohawk Taiaiake Gerald R. Alfred (1995), le nationalisme représente d'abord l'imposition des institutions propres à l'imaginaire politique occidental à travers le monde. Il s'agit donc de ne pas être dupe des possibilités politiques ouvertes par ce discours. Puisqu'il est aussi marqué du caractère conservateur des nationalismes coloniaux, il risque de mener à des ententes qui relèvent plus de l'accommodement et de la subordination que de l'autonomie (Alfred, 2009, p. 62). La déclaration de souveraineté du Conseil de la Nation Atikamekw (2014) sur le Nitaskinan, territoire ancestral d'Atikamekw Nehirowisiw, représente, à ce titre, non seulement une critique des pratiques des États canadien et québécois en matière de consultation et de gestion du territoire, mais plus fondamentalement une contestation de la légitimité des régimes de citoyenneté et d'appartenance à partir desquels ces pratiques sont maintenues et justifiées.

Les lectures dissidentes des récits identitaires québécois s'expriment aussi dans certaines critiques des institutions culturelles et des critères d'appartenance implicites qu'elles reproduisent, notamment quant aux pratiques linguistiques. Ces critiques sont sceptiques quant aux discours sur la cohabitation harmonieuse et le métissage culturel réciproque en vogue notamment dans le domaine des arts et des lettres. Elles relèvent plutôt la part de conflictualité et de résistance qui traverse encore aujourd'hui les interactions culturelles et linguistiques. S'intéressant aux études littéraires, Simon Harel (2007) remarque que les œuvres des écrivains migrants sont généralement placées par les critiques sous le signe de l'«ouverture à l'Autre», qui serait caractéristique de l'identité québécoise contemporaine. Or, cette valorisation particulière des écritures migrantes laisse souvent peu de place à la voix des auteurs comme telle. Elle la double d'un discours sur l'ouverture qui, finalement, ne sert qu'à refléter l'autoreprésentation que la majorité interprétante se fait d'elle-même. Dans le cas des lettres anglo-québécoises, leur intégration dans le corpus de «la littérature québécoise» apparaît encore plus difficile. Pour Harel, elle témoigne de la persistance d'un «imaginaire de l'adversité» (Harel, 2007, p. 48). Les travaux de la linguiste Mela Sarkar (2008) dépeignent quant à eux les contacts «interculturels» quotidiens du point de vue des jeunes du milieu hip-hop. Pour elle, le «nouveau langage hybride et mixte» qu'ils déploient doit se lire comme une pratique subversive qui conteste les principales considérations sur la langue française intégrées dans les récits identitaires dominants (Sarkar, 2008, p. 28). D'après Sarkar, même si l'appartenance au Québec se présente officiellement de plus en plus comme «civique», «la couleur de la peau et l'accent en français» demeurent au centre de définitions populaires et au cœur des dynamiques d'exclusion quotidiennes (Sarkar, 2008, p. 32). Dans cette perspective, les pratiques contestataires spontanées du hip-hop «jett[ent] les bases pour une critique fondamentale : le multilinguisme contre le principe de l'unilinguisme français et toute tentative d'homogénéisation selon les critères de la société dominante, qui est, dans les faits, exclusionniste envers les minorités linguistiques et raciales» (Sarkar, 2008, p. 40 ; Mccan, 2014). Ces pratiques artistiques contribueraient ainsi à la redéfinition libre et ouverte des expériences de la vie en société au Québec.

> La problématique du pluralisme ouvre sur la (re)définition de la manière dont peuvent être compris l'exercice démocratique et la cohésion dans les sociétés libérales. Elle pose certes la question de la cohabitation harmonieuse et des accommodements entre les pratiques culturelles majoritaires et minoritaires ; de manière plus profonde, elle remet en question les hiérarchies officielles et implicites dans les capacités de définir les termes des interactions citoyennes au Québec.

> En marge des grands récits identitaires québécois s'élèvent de nombreuses voix dissidentes. Outre les importantes critiques qu'elles formulent à l'égard des dispositifs de hiérarchisation ou d'exclusion qui subsistent dans les récits et pratiques « identitaires » au Québec, ces voix montrent qu'on ne peut souhaiter l'inclusion et la réciprocité sans accepter que toutes les pratiques et toutes les représentations soient potentiellement remises en question et transformées par les processus dits d'intégration.

CONCLUSION

Les sciences sociales ont joué un rôle majeur dans les discussions tant théoriques que pratiques sur les questions liées à l'« identité québécoise » depuis plus de six décennies. Malgré les limites de ce que la notion d'« identité » permet de dire et de comprendre de la vie politique et des expériences citoyennes, il semble plutôt évident que sa mobilisation, tant dans les travaux universitaires que dans les débats publics, ne soit pas près de s'essouffler. Une tradition d'échanges, longue de plus d'un demi-siècle, cherche ainsi à saisir le ou les sens de la société politique québécoise. Historiquement, ces réflexions se sont montrées tantôt larges, ouvertes, plurielles et créatives, tantôt orientées d'abord vers les conceptions hégémoniques formulées au nom de la majorité et de « sa » trajectoire – à l'exclusion des multiples voix qui ne s'y trouvent pas représentées et qui participent néanmoins aux phénomènes culturels et politiques qui font le quotidien de la société québécoise. Au cours des quinze dernières années, le pôle hégémonique a fait un retour marqué tant dans les discussions publiques que dans les recherches et les débats normatifs universitaires, à contre-courant des tendances institutionnelles et délibératives récentes qui semblaient toujours plus engagées à promouvoir la rencontre des pratiques culturelles majoritaires et minoritaires plutôt qu'à les opposer (Juteau, 2015). Plutôt que de renverser cette tendance exclusiviste, les débats et projets de loi ayant suivi les travaux de la commission Bouchard-Taylor – et notamment le projet de loi 60, surnommé « Charte des valeurs », déposé par le Parti québécois en novembre 2013 – semblent plutôt avoir participé à la nourrir, tout en suscitant la mobilisation des milieux intellectuels et militants contre les reculs quant à l'approfondissement des pratiques citoyennes pluralistes (Haince *et al.*, 2014 ; Gagnon et St-Louis, 2016).

Ce repli conservateur de certains protagonistes s'articule à même le concept d'identité qu'ils partagent – à partir de définitions certes fort divergentes – avec l'ensemble des intervenants et intervenantes de la discussion que nous avons survolé dans ce chapitre. Cela ne signifie pas nécessairement qu'il faille abandonner le concept et les riches contributions qu'il a permis de forger. Pour la recherche, cela peut cependant vouloir dire de s'éloigner des discussions théoriques sur l'« identité » pour se rapprocher de la pluralité quotidiennement renouvelée et reproduite des phénomènes complexes, conflictuels et contradictoires que la théorie cherche à organiser.

QUESTIONS

1. Quels sont les principaux usages de la notion d'identité en sciences sociales ?

2. Quels risques courons-nous lorsque nous mobilisons le concept d'identité ? Comment pouvons-nous nous prémunir contre ces risques ?

3. Que signifie le concept d'identité narrative ? S'applique-t-il de la même façon aux phénomènes individuels et collectifs ?

4. Quelles sont les principales traditions narratives lorsqu'il s'agit de rendre compte de l'« identité québécoise » ? Comment contribuent-elles à la compréhension de la situation politique et culturelle du Québec ?

5. En quoi les réflexions sur l'identité québécoise concernent-elles l'historiographie québécoise et l'écriture d'une « histoire nationale » ?

6. Quels sont les principaux enjeux contemporains liés aux débats sur l'« identité québécoise » en sciences sociales ? En quoi le concept d'identité oriente-t-il la compréhension de ces enjeux ?

7. Les principales discussions sur l'« identité québécoise » vous apparaissent-elles inclusives ou exclusives ? Les réponses à cette question varient-elles selon la perspective adoptée ?

8. Identifiez un événement de l'actualité récente où le thème de l'identité a été mentionné. Comment le terme était-il défini ? Quels enjeux politiques voulait-on soulever ?

LECTURES SUGGÉRÉES

Bouchard, G. et C. Taylor (2008). *Fonder l'avenir. Le temps de la conciliation. Rapport de la Commission de consultation sur les pratiques d'accommodement reliées aux différences culturelles*, Québec, Gouvernement du Québec.

Brubaker, R. et F. Cooper (2001). « Au-delà de l'"identité" », *Actes de la recherche en sciences sociales*, vol. 139, p. 66-85.

Hall, S. (2008). « Qui a besoin de l'"identité" ? », dans *Identités et cultures. Politiques des cultural studies*, Paris, Éditions Amsterdam, p. 267-285.

Karmis, D. (2003). « Pluralisme et identité(s) nationale(s) dans le Québec contemporain : clarifications conceptuelles, typologie et analyse du discours », dans A.-G. Gagnon (dir.), *Québec : État et société*, tome 2, Montréal, Québec Amérique, coll. « Débats », p. 85-116.

Maclure, J. (2000). *Récits identitaires. Le Québec à l'épreuve du pluralisme*, Montréal, Québec Amérique, coll. « Débats ».

Maclure, J. et A.-G. Gagnon (dir.) (2001). *Repères en mutation. Identité et citoyenneté dans le Québec contemporain*, Montréal, Québec Amérique, coll. « Débats ».

Venne, M. (dir.) (2000). *Penser la nation québécoise*, Montréal, Québec Amérique, coll. « Débats ».

GLOSSAIRE

CONSTRUCTIVISME, CONSTRUCTIVISTE : En sciences sociales, les approches constructivistes font valoir le caractère socialement construit plutôt qu'objectif de ce qui compose la « réalité ». Dans cette perspective, des phénomènes comme la culture, la tradition, l'ethnie ou le genre, par exemple, n'ont pas de fondements naturels et immuables ; ils reposent plutôt sur des conventions historiques et des interprétations partagées dont on peut étudier la composition et les transformations à travers le temps.

ESSENTIALISME, ESSENTIALISTE : Compréhension des phénomènes sociaux qui, par opposition au constructivisme, les fait reposer sur des caractéristiques naturelles, substantielles, inaltérables et indépendantes de la volonté des individus ou des représentations qu'ils s'en font. On utilise couramment l'expression *essence* en ce sens pour désigner les caractéristiques données d'une personne, d'un groupe ou d'un objet qui détermineraient leur « être » de manière immuable.

IDENTITÉ : Terme qui peut, sur le plan individuel, référer au sentiment de soi et à sa permanence tout au long d'une vie ; par exemple, au fait qu'une personne peut estimer savoir (ou ne plus reconnaître) « qui elle est ». Par identité « collective », on désigne généralement l'ensemble des caractéristiques que les membres d'un groupe estiment ou encore sont réputés partager – aussi difficile soit-il de les saisir dans les faits sous une formulation qui fasse consensus. À ce titre, les « identités » sont mieux conçues comme des objets de lutte à propos du sens d'un groupe ou d'une association politique et de la place qu'y occupe chacun de ses membres.

INTERSUBJECTIVITÉ : Terme qui renvoie à l'idée selon laquelle la subjectivité humaine se forme dans les interactions sociales et le dialogue avec les autres, plutôt que de manière autonome et isolée. Le langage et la culture comme systèmes et pratiques conventionnels sont des marques manifestes de cette présence des autres au cœur de ce qui apparaît exprimer notre individualité.

NÉONATIONALISME : Reformulation du nationalisme canadien-français au tournant des années 1960 au Québec. Ce nouveau nationalisme est articulé autour de l'État et du territoire québécois plutôt qu'autour des institutions du Canada français. À l'origine, ceux et celles qui s'en font les porte-parole appellent généralement à la modernisation de l'État québécois et à une plus grande autonomie par rapport au gouvernement central, voire à son indépendance.

BIBLIOGRAPHIE

Alfred, T.G.R. (1995). *Heeding the Voices of Our Ancestors. Kahnawake Mohawk Politics and the Rise of Native Nationalism*, Toronto, Oxford University Press.

Alfred, T.G.R. (2009). *Wasáse. Indigenous Pathways of Action and Freedom*, Toronto, University of Toronto Press.

Anderson, B. (2002). *L'imaginaire national. Réflexions sur l'origine et l'essor du nationalisme*, Paris, La Découverte.

Armony, V. (2010). « Les rapports majorité/minorités au Québec : question culturelle ou enjeu de pouvoir ? », dans B. Gagnon (dir.), *La diversité québécoise en débat. Bouchard, Taylor et les autres*, Montréal, Québec Amérique, coll. « Débats », p. 77-92.

Baillargeon, D. (2011). « Histoire – Le soi-disant déclin de l'histoire nationale au Québec », *Le Devoir*, 14 octobre.

Balthazar, L. (2013). *Nouveau bilan du nationalisme au Québec*, Montréal, VLB.

Beauchemin, J. (2001). « Dumont : historien de l'ambiguïté », *Recherches sociographiques*, vol. 42, n° 2, p. 219-238.

Beauchemin, J. (2002). *L'histoire en trop. La mauvaise conscience des souverainistes québécois*, Montréal, VLB.

Beauchemin, J. (2003). « La nation entre communauté imaginée et communauté politique », dans R. Canet et J. Duchastel (dir.), *La nation en débat. Entre modernité et postmodernité*, Outremont, Athéna, p. 47-63.

Beauchemin, J. (2004). *La société des identités. Éthique et politique dans le monde contemporain*, Outremont, Athéna.

Beauchemin, J. (2010). « La notion de diversité comme lieu commun », dans B. Gagnon (dir.), *La diversité québécoise en débat. Bouchard, Taylor et les autres*, Montréal, Québec Amérique, coll. « Débats », p. 27-41.

Bégin, L. *et al.* (2010). « Manifeste pour un Québec pluraliste », *Le Devoir*, 3 février.

Belkhodja, C. (2008). « Le discours de la "nouvelle sensibilité conservatrice" au Québec », *Études ethniques au Canada*, vol. 40, n° 2, p. 79-100.

Belkhodja, C. et C. Traisnel (2012). « Une communauté nationale assiégée ? Le constat des "nouveaux penseurs de la sensibilité conservatrice" en France et au Québec », dans M. Labelle, J. Couture et F.W. Remiggi (dir.), *La communauté politique en question. Regards croisés sur l'immigration, la citoyenneté, la diversité et le pouvoir*, Québec, Les Presses de l'Université Laval, p. 122-144.

Belleau, J. (1996). *Le féminisme tricoté serré en question. Perspectives de Québécoises de minorités ethnoculturelles*, Québec, Groupe de recherche multidisciplinaire féministe.

Bernier-Renaud, L., J.-P. Couture et J.-C. St-Louis (2011). « Le réseau des revues d'idées au Québec : esquisse d'une recherche en cours », *Globe. Revue internationale d'études québécoises*, vol. 14, n° 2, p. 59-83.

Bickerton, J., S. Brooks et A.-G. Gagnon (2003). « Le libéralisme communautarien de Charles Taylor », dans *Six penseurs en quête de liberté, d'égalité et de communauté. Grant, Innis, Laurendeau, Rioux, Taylor et Trudeau*, Québec, Presses de l'Université Laval, p. 99-128.

Bilge, S. (2010). « "... alors que nous, Québécois, nos femmes sont égales à nous et nous les aimons ainsi" : la patrouille des frontières au nom de l'égalité de genre dans une "nation" en quête de souveraineté », *Sociologie et sociétés*, vol. 42, n° 1, p. 197-226.

Bilge, S. (2013). « Reading the racial subtext of the Québécois accommodation controversy : An analytics of racialized governmentality », *Politikon : South African Journal of Political Studies*, vol. 40, n° 1, p. 157-181.

Blommaert, J. (2005). *Discourse. A Critical Introduction*, Cambridge, Cambridge University Press.

Bouchard, G. (1999). *La nation québécoise au futur et au passé*, Montréal, VLB.

Bouchard, G. (2014). « Qu'est-ce que l'interculturalisme ? », dans A.-G. Gagnon (dir.), *La politique québécoise et canadienne. Une approche pluraliste*, Québec, Presses de l'Université du Québec, coll. « Politeia », p. 613-647.

Bouchard, G. et C. Taylor (2008). *Fonder l'avenir. Le temps de la conciliation. Rapport de la Commission de consultation sur les pratiques d'accommodement reliées aux différences culturelles*, Québec, Gouvernement du Québec.

Bourque, G. et J. Duchastel (1996). *L'identité fragmentée. Nation et citoyenneté dans les débats constitutionnels canadiens, 1941-1992*, Montréal, Fides.

Brass, P.R. (1991). *Ethnicity and Nationalism : Theory and Comparison*, New Delhi, Sage.

Brinthaupt, T.M. (2008). « Identity », dans W.A. Darity Jr. (dir.), *International Encyclopedia of the Social Sciences*, vol. 3, 2e éd., Détroit, Thomson-Gale, p. 551-556.

Brooks, S. et A.-G. Gagnon (1994). *Les spécialistes des sciences sociales et la politique au Canada. Entre l'ordre des clercs et l'avant-garde*, Montréal, Boréal.

Brubaker, R. et F. Cooper (2001). « Au-delà de l'"identité" », *Actes de la recherche en sciences sociales*, vol. 139, p. 66-85.

Burgess, M. et A.-G. Gagnon (dir.) (2010). *Federal Democracies*, Londres, Routledge.

Conseil de la Nation Atikamekw (2014). *Déclaration de souveraineté d'Atikamekw Nehirowisiw*, <http://www.atikamekwsipi.com/fichiers/File/declaration_souverainete_signe.pdf>.

Cooley, C.H. (1998). *On Self and Social Organisation*, Chicago, The University of Chicago Press.

Désy, C. (2011). « Les tribulations d'un concept mal-aimé : l'identité », dans C. Désy, A. Gérin et S. Harel (dir.), *Traces d'appartenance. De nouvelles avenues pour la recherche sur la construction des identités*, Montréal, CÉLAT, p. 7-16.

Deutsch, K.W. (1969). *Nationalism and Social Communication : An Inquiry into the Foundations of Nationality*, Cambridge, Massachusetts Institute of Technology Press.

Dumont, F. (1996). *Genèse de la société québécoise*, Montréal, Boréal.

Dumont, F. (1997). *Raisons communes*, Montréal, Boréal.

Dupuis-Déri, F. (2007). « Quelques précisions au sujet de ma tribu… et un hommage aux mères fondatrices de la modernité », dans J. Beauchemin et M. Bock-Côté (dir.), *La cité identitaire*, Outremont, Athéna, p. 171-195.

Dupuis-Déri, F. et M.-A. Éthier (2016). *La guerre culturelle des conservateurs québécois*, Montréal, M Éditeur.

Erikson, E.H. (1980). *Identity and the Life Cycle*, New York, Norton.

Erikson, E.H. (2007). *Adolescence et crise. La quête de l'identité*, Paris, Flammarion.

Fournier, M. (2001). « Quebec sociology and Quebec society : The construction of a collective identity », *The Canadian Journal of Sociology*, vol. 26, n° 3, p. 333-347.

Gagnon, A.-G. et R. Iacovino (2003). « Le projet interculturel québécois et l'élargissement des frontières de la citoyenneté », dans A.-G. Gagnon (dir.), *Québec : État et société*, tome 2, Montréal, Québec Amérique, coll. « Débats », p. 413-434.

Gagnon, A.-G. et J.-C. St-Louis (dir.) (2016). *Les conditions du dialogue au Québec. Laïcité, réciprocité, pluralisme*, Montréal, Québec Amérique, coll. « Débats ».

Gellner, E. (1989). *Nations et nationalisme*, Paris, Payot.

Gleason, P. (1983). « Identifying identity : A semantic history », *The Journal of American History*, vol. 69, n° 4, p. 910-931.

Goffman, E. (1973). *La mise en scène de la vie quotidienne*, Paris, Minuit.

Goffman, E. (1975). *Stigmate. Les usages sociaux des handicaps*, Paris, Minuit.

Green, J. (2004). « Autodétermination, citoyenneté, fédéralisme : pour une relecture autochtone du palimpseste canadien », *Politique et Sociétés*, vol. 23, n° 1, p. 9-32.

Haince, M.-C., Y. El-Ghadban et L. Benhadjoudja (dir.) (2014). *Le Québec, la Charte, l'Autre. Et après ?*, Montréal, Mémoire d'encrier.

Hall, S. (2008). « Qui a besoin de l'"identité" ? », dans *Identités et cultures. Politiques des cultural studies*, Paris, Éditions Amsterdam, p. 267-285.

Hamrouni, N. et C. Maillé (dir.) (2015). *Le sujet du féminisme est-il blanc ? Femmes racisées et recherche féministe*, Montréal, Remue-ménage.

Harel, S. (2007). « Les loyautés conflictuelles dans la littérature québécoise », *Québec Studies*, vol. 44, p. 41-52.

Hobsbawm, E.J. et T.O. Ranger (2012). *L'invention de la tradition*, Paris, Éditions Amsterdam.

Jenson, J. (1998). « Reconnaître les différences : sociétés distinctes, régimes de citoyenneté, partenariats », dans G. Laforest et R. Gibbins (dir.), *Sortir de l'impasse. Les voies de la réconciliation*, Montréal, Institut de recherche en politiques publiques, p. 235-262.

Jenson, J. et M. Papillon (2003). « Les frontières de la citoyenneté sous tension : les Cris de la baie James et la redéfinition de la communauté politique canadienne », dans J. Duchastel (dir.), *Fédéralisme et mondialisation. L'avenir de la démocratie et de la citoyenneté*, Outremont, Athéna, p. 133-150.

Juteau, D. (2015). *L'ethnicité et ses frontières*, 2e éd., Montréal, Les Presses de l'Université de Montréal.

Karmis, D. (1994). « Interpréter l'identité québécoise », dans A.-G. Gagnon (dir.), *Québec : État et société*, tome 1, Montréal, Québec Amérique, coll. « Débats », p. 305-327.

Karmis, D. (2003) « Pluralisme et identité(s) nationale(s) dans le Québec contemporain : clarifications conceptuelles, typologie et analyse du discours », dans A.-G. Gagnon (dir.), *Québec : État et société*, tome 2, Montréal, Québec Amérique, coll. « Débats », p. 85-116.

Karmis, D. (2006). « Les multiples voix de la tradition fédérale et la tourmente du fédéralisme canadien », dans A.-G. Gagnon (dir.), *Le fédéralisme canadien contemporain : fondements, traditions, institutions*, Montréal, Les Presses de l'Université de Montréal, p. 63-86.

Karmis, D. et J. Maclure (2001). « Two escape routes from the paradigm of monistic authenticity : Post-imperialist and federal perspectives on plural and complex identities », *Ethnic and Racial Studies*, vol. 24, n° 3, p. 361-385.

Keucheyan, R. (2007). *Le constructivisme. Des origines à nos jours*, Paris, Hermann.

Kymlicka, W. (2001). « The new debate over minority rights », dans R. Beiner et W. Norman (dir.), *Canadian Political Philosophy*, Oxford, Oxford University Press, p. 159-176.

Laforest, G. (1993). « Herder, Kédourie et les errements de l'antinationalisme », dans *De la prudence*, Montréal, Boréal, p. 58-84.

Lamoureux, D. (1996). « Féminins singuliers et féminins pluriels », dans M. Elbaz, A. Fortin et G. Laforest (dir.), *Les frontières de l'identité. Modernité et postmodernisme au Québec*, Québec, Presses de l'Université Laval, p. 270-286.

Lamoureux, D. (2001). *L'amère patrie. Féminisme et nationalisme dans le Québec contemporain*, Montréal, Remue-ménage.

Lamoureux, D. (2008). « Les mouvements sociaux, vecteurs de l'inclusion politique », dans S. Gervais, D. Karmis et D. Lamoureux (dir.), *Du tricoté serré au métissé serré ? La culture publique commune au Québec en débats*, Québec, Presses de l'Université Laval, p. 207-226.

Leroux, D. (2010). « Québec nationalism and the production of difference : The Bouchard-Taylor Commission, the Hérouxville code of conduct, and Québec's Immigrant integration policy », *Québec Studies*, vol. 49, p. 107-126.

Leroux, D. (2013). « The many paradoxes of race in Québec : Civilization, laïcité and gender inequality », dans L. Caldwell, D. Leroux et C. Leung (dir.), *Critical Inquiries. A Reader in Studies of Canada*, Winnipeg, Fernwood Publishing.

Leroux, R. (2001). « "La nation" and the Quebec sociological tradition (1890-1980) », *The Canadian Journal of Sociology*, vol. 26, n° 3, p. 349-373.

Létourneau, J. (2000). *Passer à l'avenir : histoire, mémoire et identité dans le Québec d'aujourd'hui*, Montréal, Boréal.

Létourneau, J. (2006). *Que veulent vraiment les Québécois ? Regard sur l'intention nationale au Québec (français) d'hier à aujourd'hui*, Montréal, Boréal.

Maclure, J. (2000). *Récits identitaires. Le Québec à l'épreuve du pluralisme*, Montréal, Québec Amérique, coll. « Débats ».

Maclure, J. (2003). « Récits et contre-récits identitaires au Québec », dans A.-G. Gagnon (dir.), *Québec : État et société*, tome 2, Montréal, Québec Amérique, coll. « Débats », p. 45-64.

Maclure, J. (2007). « La reconnaissance engage-t-elle à l'essentialisme ? », *Philosophiques*, vol. 34, n° 1, p. 77-96.

Mahrouse, G. (2010). « "Reasonable accommodation" in Québec : The limits of participation and dialogue », *Race and Class*, vol. 52, n° 1, p. 85-96.

Maillé, C. (2001). « Les contributions du féminisme à la reformulation des discours sur l'identité nationale au Québec : un examen de quelques idées et notions », dans J. Maclure et A.-G. Gagnon (dir.), *Repères en mutation. Identité et citoyenneté dans le Québec contemporain*, Montréal, Québec Amérique, coll. « Débats », p. 165-179.

Mathieu, G. (2001). *Qui est Québécois ? Synthèse du débat sur la redéfinition de la nation*, Montréal, VLB.

Mccan, Yes (2014). « Dead Obies et le franglais : la réplique aux offusqués », *Voir*, 23 juillet, <https://voir.ca/jepenseque/2014/07/23/la-replique-aux-offusques/>.

McRoberts, K. (1999). *Un pays à refaire. L'échec des politiques constitutionnelles canadiennes*, Montréal, Boréal.

Mead, G.H. (2006). *L'esprit, le soi et la société*, Paris, Presses universitaires de France.

Mills, S. (2011). *Contester l'empire – Pensée postcoloniale et militantisme*, Montréal, Hurtubise.

Nootens, G. (2005). « Chronique d'une mort annoncée », *Argument*, vol. 8, n° 1, p. 107-113.

Nootens, G. (2007). « Pluralisme et lien civique : quelques remarques sur les limites du libéralisme contemporain », dans S. Vibert (dir.), *Pluralisme et démocratie. Entre culture, droit et politique*, Montréal, Québec Amérique, coll. « Débats », p. 85-101.

Nootens, G. (2010). *Souveraineté démocratique, justice et mondialisation. Essai sur la démocratie libérale et le cosmopolitisme*, Montréal, Liber.

Norman, W. (2006). *Negotiating Nationalism : Nation-Building, Federalism and Secession in Multinational States*, New York, Oxford University Press.

Norval, A.J. (2001). « The politics of ethnicity and identity », dans K. Nash et A. Scott (dir.), *The Blackwell Companion to Political Sociology*, Malden, Blackwell Publishing, p. 271-280.

Ozkirimli, U. (2000). *Theories of Nationalism. A Critical Introduction*, New York, St. Martin's Press.

Pelletier, A. et P. Cousineau Morin (2012). « "Échanger pour s'entendre"? : confiance et méfiance entre le soi et l'autre dans les mémoires de la commission Bouchard-Taylor », *Québec Studies*, vol. 53, p. 181-209.

Petitclerc, M. (2009). « Notre maître le passé ? Le projet critique de l'histoire sociale et l'émergence d'une nouvelle sensibilité historiographique », *Revue d'histoire de l'Amérique* française, vol. 63, n° 1, p. 83-113.

Piotte, J.-M. et J.-P. Couture (2012). *Les nouveaux visages du nationalisme conservateur au Québec*, Montréal, Québec Amérique, coll. « Débats ».

Ricœur, P. (1990). *Soi-même comme un autre*, Paris, Seuil.

Rocher, F. (2015). « Sur les dimensions constitutives de la citoyenneté : perspective des minorités ethnoculturelles et religieuses dans un Québec à l'identité incertaine », *Recherches sociographiques*, vol. LVI, n° 1, p. 139-170.

Rocher, F. et M. Labelle (2010). « L'interculturalisme comme modèle d'aménagement de la diversité : compréhension et incompréhension dans l'espace public québécois », dans B. Gagnon (dir.), *La diversité québécoise en débat. Bouchard, Taylor et les autres*, Montréal, Québec Amérique, coll. « Débats », p. 179-203.

Salée, D. (1995). « Identities in conflict : The Aboriginal question and the politics of recognition in Quebec », *Ethnic and Racial Studies*, vol. 18, n° 2, p. 277-314.

Salée, D. (2010). « Penser l'aménagement de la diversité ethnoculturelle au Québec : mythes, limites et possibles de l'interculturalisme », *Politique et Sociétés*, vol. 29, n° 1, p. 145-180.

Salée, D. (2016). « Vivre-ensemble et dynamiques de pouvoir : éléments pour comprendre l'anxiété antipluraliste actuelle des Québécois », dans A.-G. Gagnon et J.-C. St-Louis (dir.) (2016). *Les conditions du dialogue au Québec. Laïcité, réciprocité, pluralisme*, Montréal, Québec Amérique, coll. « Débats », p. 253-281.

Sarkar, M. (2008). « "Ousqu'on chill à soir ?" Pratiques multilingues comme stratégies identitaires dans la communauté hip-hop montréalaise », *Diversité urbaine*, hors-série, p. 27-44.

Smith, C.L. (1999). « Is citizenship a gendered concept ? », dans A.C. Cairns *et al.* (dir.), *Citizenship, Diversity & Pluralism : Canadian and Comparative Perspectives*, Montréal et Kingston, McGill-Queen's University Press, p. 137-162.

Smith, P. et B. West (2001). « Cultural studies », dans A.J. Motyl (dir.), *Encyclopedia of Nationalism*, Londres, Academic Press, p. 81-99.

Stasiulis, D. (2013). « Worrier nation : Quebec's value codes for immigrants », *Politikon : South African Journal of Political Studies*, vol. 40, n° 1, p. 183-209.

Taylor, C. (1992). *Grandeur et misère de la modernité*, Montréal Bellarmin.

Taylor, C. (1998). *Les sources du moi. La formation de l'identité moderne*, Montréal, Boréal.

Taylor, C. (1999). « Democratic exclusion (and its remedies ?) », dans A.C. Cairns *et al.* (dir.), *Citizenship, Diversity & Pluralism : Canadian and Comparative Perspectives*, Montréal et Kingston, McGill-Queen's University Press, p. 265-287.

Thériault, J.Y. (2007). « Le Canada français comme trace », dans É.-M. Meunier et J.Y. Thériault (dir.), *Les impasses de la mémoire. Histoire, filiation, nation, religion*, Montréal, Fides, p. 213-219.

Trudeau, P.E. (1967). « La nouvelle trahison des clercs », dans *Le fédéralisme et la société canadienne-française*, Montréal, HMH, p. 159-190.

Trudeau, P.E. (1970 [1956]). « La province de Québec au moment de la grève », dans P.E. Trudeau (dir.), *La grève de l'amiante*, Montréal, Éditions du Jour, p. 1-91.

Tully, J. (1999). *Une étrange multiplicité. Le constitutionnalisme à une époque de diversité*, Québec, Presses de l'Université Laval.

Tully, J. (2007). « Reconnaissance et dialogue. Émergence d'un nouveau champ d'études et de pratiques », *Négociations*, vol. 2, n° 8, p. 33-54.

Warren, J.-P. (2006). « La sociologie québécoise aurait-elle (sans qu'elle le sache) succombé aux Cultural Studies ? », *Bulletin d'histoire politique*, vol. 14, n° 1, p. 237-247.

Wodak, R. *et al.* (2009). *The Discursive Construction of National Identity*, 2ᵉ éd., Édimbourg, Edinburgh University Press.

Young, I.M. (1990). « Polity and group difference : A Critique of the ideal of universal citizenship », dans C.S. Sunstein (dir.), *Feminism and Political Theory*, Chicago, Chicago University Press, p. 117-141.

Yuval-Davis, N. (1997). *Gender and Nation*, Londres, Sage.

CHAPITRE 5

LES CINQ VISAGES DU QUÉBEC[1]

Alain-G. Gagnon

Le choix de concepts et de récits en politique n'est pas une question banale, il s'agit en fait d'un moyen d'instaurer une vision du monde et d'ordonner les priorités. Les mots sont donc des outils politiques qui peuvent changer la société ou légitimer le *statu quo*. Ainsi, il n'est pas anodin que des décideurs politiques dans un système fédéral parlent de « niveaux de gouvernement » plutôt que d'« ordres de gouvernement » ou qu'ils utilisent la notion d'« entités infranationales » en référence aux « États multinationaux », ou enfin qu'ils remplacent l'expression de « membre fondateur d'une fédération » par le terme de « région ». Dans chaque cas, on oppose une vision centralisée, hiérarchique et parfois impériale du Canada à une vision plus décentralisée et horizontale de la fédération. De plus, les différents usages de concepts clés tels que ceux de « nationalité politique », « nation », « société distincte », « Province-État » et « démocratie multinationale » ont une influence considérable sur la façon dont on conçoit les entités constituantes au sein des États fédéraux. De même, en contexte canadien, que des spécialistes du fédéralisme tout comme des politiciens aient recours aux notions de « gouvernement fédéral », « gouvernement central » ou « gouvernement du Canada » de manière interchangeable est significatif. Cela engendre de la confusion quant aux voies hiérarchiques et aux relations de pouvoir dans l'esprit des citoyens en faisant comprendre subtilement que « par qui, où et comment » les décisions sont prises est sans importance[2].

1. La première version de ce texte a été présentée dans le cadre de l'atelier international organisé par Michael Burgess sur le thème *Small Worlds. The Character, Role and Significance of Constituent Units in Federations and Federal Political Systems* (De petits mondes. La nature, le rôle et l'importance des entités constituantes au sein des fédérations et des systèmes politiques fédéraux) sous les auspices du Centre international de formation européenne et de l'Université Canterbury Christ Church, à Canterbury, du 21 au 26 avril 2013. Je tiens à remercier tous les participants pour leur rétroaction et je tiens à remercier tout particulièrement Audrey Lord pour la traduction de ce texte.

2. Cela rappellera au lecteur l'ouvrage publié par Harold Dwight Lasswell, en 1936, *Politics: Who Gets What, When and How?*

Le politologue Richard Simeon a fait une importante observation lorsqu'il a noté, il y a quarante ans, que le concept de « régions [et les autres concepts en cette matière] ne sont que des contenants [...] et la façon dont nous en dessinons les contours dépend entièrement des objectifs que nous poursuivons : il s'agit d'un *a priori*, déterminé par des besoins théoriques ou des fins politiques » (Simeon, 1977, p. 293, traduction libre). Par conséquent, lorsque l'on s'intéresse au Québec, il est important de s'entendre au sujet des objectifs souhaités par les différents acteurs, groupes et communautés ainsi que par les partis politiques et les décideurs politiques en position d'influence et d'autorité.

Mon intention dans ce chapitre est de présenter les principaux visages ou images du Québec et les récits politiques qui sont apparus et qui ont refait surface depuis le début de la Révolution tranquille au Québec (Gagnon et Montcalm, 1990), ainsi que d'évaluer leur effet sur la vision des Canadiens et des Québécois. D'emblée, je tiens à préciser que j'ai choisi de ne pas inclure la notion de « nation sans État » pour dépeindre le Québec, puisque cette communauté politique s'est dotée d'un appareil d'État considérable. Que ce soit en matière de paradiplomatie, d'éducation, de culture, d'économie ou d'affaires intergouvernementales, le rayon d'action du Québec en fait un des plus puissants États fédérés en Occident. Je n'emploie pas non plus le concept de « nation minoritaire » pour analyser la dynamique Québec-Canada, puisque les Québécois estiment en général qu'ils forment l'une des deux principales communautés politiques du pays.

Par conséquent, dans ce chapitre, je vais me concentrer sur cinq visages politiques[3] du

Québec : un partenaire clé dans la création d'une nouvelle nationalité politique ; une nation fondatrice dans un Canada dualiste (binational), ce qui sous-tend le principe de co-souveraineté ; une Province-État qui a mené la lutte pour défendre les droits des États-membres de la fédération canadienne ; une société distincte au sein du Canada ; et, finalement, une société multinationale à part entière.

1. PREMIER VISAGE : UNE NATIONALITÉ POLITIQUE

La place de l'histoire compte énormément dans la formulation de récits, comme nous le verrons avec le premier visage du Québec. Les débuts du Canada ont été marqués par une série d'événements politiques dont les multiples interprétations continuent d'avoir une incidence majeure sur la façon dont les Canadiens se perçoivent. À titre d'exemples, les Canadiens français ont-ils été conquis par les Britanniques ou est-ce que la France a tout simplement cédé son territoire au nord du 49e parallèle à son principal ennemi ? La Confédération était-elle un pacte entre les Français et les Anglais qui cohabitaient sur le territoire canadien ou était-elle un accord politique entre les quatre provinces d'origine et le gouvernement impérial britannique ? Qui était le dépositaire de la souveraineté en 1867 ou, en d'autres termes, quel ou quels étaient le ou les pouvoirs constituants ? Des réponses contradictoires ont été fournies à ces questions en fonction soit de la vision qu'ont les gens du pacte

3. L'idée des « visages » a été évoquée dans un article publié par James Mallory en 1965 dans lequel l'auteur référait aux « cinq visages du fédéralisme » pour décrire différentes phases qu'a traversées le système fédéral du pays entre 1867 et le début des années 1960, à savoir le quasi-fédéralisme, le fédéralisme classique, le fédéralisme d'urgence, le fédéralisme de coopération et

la double image du fédéralisme (traduction libre de la typologie originale : *quasi, classical, emergency, cooperative and double-image federalism*). La façon dont Mallory a catégorisé la transformation du Canada était très juste à cette époque. Voir James Mallory (1965, p. 3-15) et l'analyse que Xavier Dionne et moi en faisons au chapitre 11 de cet ouvrage. C'est cependant mon collègue Michael Burgess qui m'a proposé de prendre le temps d'écrire au sujet des différentes images pour dépeindre le Québec comme un petit univers/monde en évolution.

original ou soit de l'influence qu'exerce leur identité dominante.

George-Étienne Cartier est demeuré un personnage politique clé pour le Canada tout au long du dernier siècle et demi. Cartier voulait que la nouvelle fédération, dont il fut l'un des pères fondateurs, repose sur l'allégeance politique au pays dans son ensemble. Cette loyauté ne devait pas être fondée sur l'appartenance linguistique ou culturelle. Cartier prônait une unité politique respectueuse de la diversité culturelle. Pour lui, l'expérience canadienne incarnait une «vision noble» (Smiley, 1967, p. 128, traduction libre) qui rejetait l'esprit de clocher, le nationalisme majoritaire et l'impérialisme, mais aussi qui ne cherchait pas à «imposer un mode de vie unique à ses citoyens» (LaSelva, 1996, p. 24, traduction libre). «La Confédération aurait été inacceptable si les Français et les Anglais ne s'étaient unis que pour se faire la guerre, elle aurait été tout aussi inacceptable si elle avait créé un nationalisme canadien unique. Pour que la Confédération réussisse, elle devait créer une nouvelle sorte de nationalité que Cartier appelait une nationalité politique» (LaSelva, 1996, p. 25, traduction libre). Toutefois, il convient de souligner que la vision pluraliste et fédéraliste de Cartier n'est pas celle qui a prévalu dans la définition des valeurs fondamentales et dans la conception de l'appartenance collective au Canada.

Cartier avait clairement indiqué que les Canadiens français ne renonceraient ni à leur culture ni à leur identité en raison de la Confédération, mais qu'ils formeraient une communauté nationale à part entière respectueuse des différents systèmes de valeurs que «ni l'origine nationale ni la religion de quiconque n'allait compromettre» (LaSelva, 1996, p. 25, traduction libre). Cela dit, dans les années ayant suivi la Confédération, l'avènement d'une communauté politique à l'image de celle imaginée par Cartier ne s'est jamais concrétisé. La période d'avant la Grande Dépression peut être décrite comme un bras de fer politique entre des images et des projets politiques concurrents liés aux intérêts politico-économiques divergents de l'État central et des gouvernements provinciaux, notamment de l'Ontario sous Mitchell Hepburn (1934-1942) et du Québec sous Maurice Duplessis (1936-1939, 1944-1959) (Gagnon et Iacovino, 2007). C'est pourquoi des historiens tels que J.M.S. Careless ont dépeint cette situation comme l'expression d'«identités limitées» (Careless, 1969, traduction libre) et ont précisé que le Canada n'était pas réductible à une seule identité dans laquelle toutes les autres pourraient se fondre.

Un élément qui mérite d'être souligné est le rôle joué par le Comité judiciaire du Conseil privé (CJCP) en tant que plus haut tribunal d'arbitrage constitutionnel, avant que la Cour suprême du Canada ne prenne ce rôle en 1949. Le CJCP a largement contribué à la défense des droits et des pouvoirs des États membres de la fédération, protégeant ainsi leurs «identités limitées». Cela a certainement contribué à faire des Québécois d'ardents défenseurs des traditions et des pratiques parlementaires britanniques, tout en les encourageant à continuer d'appuyer la fédération canadienne.

Un autre aspect digne de mention concerne le fait que le gouvernement central, de même que les neuf provinces majoritairement anglophones, soient parvenus à récupérer au fil des années la notion originale de «nationalité politique» de Cartier pour la faire correspondre à l'idée que le Canada constitue une nation uniforme. Cette réinterprétation de la vision de Cartier a sans doute contribué à l'aliénation de nombreux Québécois face aux institutions politiques centrales et à l'égard du fédéralisme plus largement.

POINTS CLÉS

> George-Étienne Cartier voulait que la nouvelle fédération repose sur l'allégeance politique au pays dans son ensemble en tant qu'unité respectueuse de la diversité.

> Dans les années ayant suivi la Confédération, l'avènement d'une communauté politique à l'image de celle pensée par Cartier ne s'est jamais concrétisé.
> Le Comité judiciaire du Conseil privé à Londres a largement contribué, avant 1949, à la défense des droits et des pouvoirs des États-membres de la fédération, préservant la diversité des appartenances au Canada.
> Le gouvernement fédéral et les neuf provinces majoritairement anglophones ont fini par adopter la notion originale de nationalité politique de Cartier, mais pour la faire correspondre plutôt à l'idée que le Canada constitue une nation uniforme.

2. DEUXIÈME VISAGE : UNE COMMUNAUTÉ BINATIONALE

Selon la deuxième image du Québec, celui-ci est conçu comme étant l'une des deux nations fondatrices à l'origine du pacte fédéral canadien. Une fois de plus, c'est George-Étienne Cartier qui a le mieux exprimé cette conception binationale, sans contredire son concept plus large selon lequel le Canada est une nouvelle nationalité politique. En 1867, Cartier a fait une importante déclaration qui allait être reprise tout au long des décennies suivantes : « Telle est [...] la signification que l'on doit attacher à cette constitution. On y voit la reconnaissance de la nationalité canadienne-française. Comme nationalité distincte et séparée, nous formons un État dans l'État, avec la pleine jouissance de nos droits, la reconnaissance formelle de notre indépendance nationale » (cité dans Gagnon et Iacovino, 2007, p. 104-105[4]). Pour le Québec, ce

qui comptait le plus en regard de l'accord constitutionnel énoncé dans l'*Acte de l'Amérique du Nord britannique* (AANB) de 1867, comme nous le verrons plus loin, était que sa tradition de droit civil soit formellement reconnue, que l'autonomie provinciale prévale en matière d'éducation et de culture et, de plus, que les politiques sociales et linguistiques relèvent de sa compétence. Ces conditions étaient cruciales aux yeux des Canadiens français, qui y voyaient une garantie du principe d'égalité entre les deux peuples fondateurs.

L'image d'un Canada dualiste a été utilisée principalement par les Canadiens français pour décrire leur vision de la dynamique politique du pays. Elle dépeint le Canada comme étant l'expression constitutionnelle d'un pacte qui a réuni deux nations ou, en d'autres termes, deux peuples égaux avec des protections spécifiques pour les minorités linguistiques et religieuses garanties à travers tout le pays.

Le premier premier ministre de la fédération, John A. Macdonald, défendit une position compatible avec cette vision dualiste lors des débats au Parlement du Canada-Uni sur la question de la Confédération en comparant le cas du Québec à celui de l'Écosse. Il est nécessaire ici de le citer longuement :

La position de l'Angleterre et de l'Écosse est à peu près analogue à celle du Canada. L'union de ces deux pays, en matière de législation, est d'un caractère fédéral, pour la raison que l'acte d'union stipule qu'aucune loi écossaise ne sera changée qu'à l'avantage évident des Écossais. Et cette règle a été regardée comme tellement obligatoire, dans la législature de la Grande-Bretagne, qu'aucune loi affectant l'Écosse ne peut être passée sans une majorité des votes écossais. Il peut être important, pour les intérêts généraux de l'Empire, que la loi écossaise soit modifiée ; cette loi peut affecter le système général de la législation du Royaume-Uni – malgré toutes ces raisons, elle ne peut être changée sans la sanction de la majorité des membres écossais dans la législature, et leurs vues

---

4. Déclaration originalement parue dans le journal *La Minerve*, Montréal, 1er juillet 1867.

sont exprimées par un vote sur la question même. Si les membres écossais ne l'approuvent pas, la loi ne peut passer en parlement. Nous trouvons donc en Angleterre un exemple frappant du fonctionnement et des effets d'une union fédérale, et nous pouvons nous attendre à voir les mêmes effets se produire dans notre confédération (Canada-Uni, 1865, p. 31-32).

L'historien Ramsay Cook, à l'époque de la Commission royale d'enquête sur le bilinguisme et le biculturalisme (commission B & B), a décrit cette vision dualiste dans les termes suivants :

> Cherchant à protéger et à élargir les droits des minorités de religion et de langue, on a élaboré une théorie assimilant l'acte confédératif à un pacte culturel, à une entente anglo-française. D'après cette théorie, la Confédération associait à titre égal deux groupes culturels se garantissant mutuellement leurs droits dans l'ensemble du pays. On peut affirmer que, dès 1921, la doctrine des droits égaux et le pacte la sous-tendant prévalaient parmi les politiques canadiens, et qu'ils étaient partiellement admis par les juristes (Cook, 1969, p. 65).

Bien que la conception binationale ait acquis une certaine notoriété à partir de 1867 jusqu'à la fin des années 1920, il reste que certains éminents historiens anglo-canadiens (Frank Underhill et, plus près de nous dans le temps, Jack Granatstein et Michael Bliss) définissent le Canada comme une nation unitaire. Ce qui démontre un manque de respect à l'égard des composantes constitutives originales de la fédération (Gagnon et Dionne, 2009, p. 10-50).

Par contraste, le jeune Pierre Elliott Trudeau disait, à propos de cette prétention d'assimiler l'État canadien à la nation canadienne-anglaise, que « [l]es Canadiens britanniques s'en donnèrent néanmoins l'illusion en cantonnant le plus possible le fait français dans le ghetto québécois – dont on rogna souvent les pouvoirs par des mesures centralisatrices – et en luttant avec

une férocité qui étonne contre tous les symboles qui eussent pu détruire cette illusion à l'extérieur du Québec » (Trudeau, 1962, p. 172).

L'interprétation binationale donne du crédit à l'idée que le « Canada » ait vu le jour grâce au consentement libre de deux communautés politiques. Cependant, il y a eu de nombreux débats à ce sujet. À différents moments de l'histoire canadienne, des représentants du gouvernement central ont cherché à réinterpréter son moment fondateur et ont tenté d'imposer le point de vue que le « Canada » précédait la création des quatre provinces d'origine (le Bas-Canada, le Haut-Canada, la Nouvelle-Écosse et le Nouveau-Brunswick).

Selon la conception binationale de la Confédération, en entrant dans la fédération canadienne en 1867, le Québec avait sa propre personnalité politique et a préservé certains de ses pouvoirs et de ses institutions d'origine qui avaient été formellement reconnus par la Couronne britannique près d'un siècle plus tôt dans l'*Acte de Québec* de 1774. Avec la Confédération, le Québec a consenti à partager certains de ses pouvoirs et à en céder d'autres au gouvernement fédéral nouvellement constitué. Appuyant cette idée, James Tully a fait valoir que « [l]es actes de confédération n'ont pas mis un terme aux cultures juridiques et politiques de longue date des anciennes colonies et imposé une culture juridique et politique uniforme, mais ils ont plutôt reconnu et permis la poursuite de leurs cultures constitutionnelles au sein d'une fédération diversifiée à laquelle chacune des provinces avait consenti » (Tully, 1994, p. 84-85, traduction libre).

La position de Tully a été inspirée par les écrits des membres d'une école de pensée ancrée dans le pluralisme juridique qui, elle, a été influencée par des juristes tels que les juges Thomas-Jean-Jacques Loranger et P.B. Mignault. Le juge Loranger a résumé son interprétation de la Confédération dans ses célèbres *Lettres sur la*

Constitution de 1883[5], qui a ensuite été développée par Mignault. Voici ce que Mignault avait à dire à propos des notions de souveraineté « partagée », « divisée » et « commune » :

> Nous avons dit que les parties contractantes partagent leur souveraineté et créent, grâce à des concessions communes et réciproques, un nouveau pouvoir qui les incorpore sans les absorber. Nous devons tirer une conclusion essentielle de cette situation. Chaque État ou province conserve sa propre existence et les pouvoirs qu'il ou elle n'a pas cédés au gouvernement central. La province n'est pas subordonnée au gouvernement central pas plus que ce dernier n'est subordonné à la province. Il y a égalité absolue et une souveraineté commune ; chaque gouvernement est souverain dans sa propre juridiction et dans les limites de sa sphère de pouvoir[6].

Michael Burgess et moi-même avons actualisé certains de ces idéaux fédéraux dans le livre *Federal Democracies* (2010) et Burgess a poursuivi ce travail dans un ouvrage influent intitulé *In Search of the Federal Spirit* (2012).

Il convient de souligner que cette conception fondée sur le pluralisme juridique a été fréquemment réitérée et modernisée par les représentants québécois dans le cadre de différentes commissions au fil des années. La commission Tremblay[7] (1953-1956) et la commission Bélanger-Campeau[8] (1990-1992), de même que diverses négociations constitutionnelles entre Ottawa et les provinces en constituent quelques exemples.

Ainsi, l'image voulant que le Canada constitue un pacte entre deux peuples fondateurs a continué à être utilisée par des représentants du gouvernement québécois d'une manière constante depuis la Confédération. Au fil des années cependant, et en particulier à la suite du rapatriement de la Constitution en 1982, la vision binationale a perdu du terrain dans le reste du Canada (ROC, *Rest of Canada*). Cela découle en bonne partie du fait que le gouvernement central a cherché à parler au nom de tous les Canadiens en tant que seul gouvernement national et à imposer son autorité politique aux États provinciaux. Le recul de la vision binationale est également attribuable au fait qu'à partir de la fin des années 1960, il y a eu un schisme entre, d'un côté, les communautés francophones évoluant en contexte minoritaire au sein du ROC et, de l'autre, le gouvernement et le peuple québécois[9]. Il s'agit là d'un enjeu que les politologues aussi bien que les historiens négligent d'analyser depuis trop longtemps dans leurs recherches.

Au fil du temps et en particulier depuis le début de la Révolution tranquille, soit des années 1960 jusqu'au rapatriement de la Constitution en 1982, les Canadiens, tout comme les Québécois, ont eu tendance à employer la notion de « dualisme » pour décrire l'expérience canadienne (Wade et Falardeau, 1960). Cependant, avec la réforme constitutionnelle de 1982 ayant mené à l'adoption de la *Charte canadienne des droits et libertés*, Ottawa a imposé sa vision symétrique voulant que le Québec soit une province comme les autres. Cela a représenté un revers majeur pour les défenseurs du projet politique selon lequel le Canada constitue une communauté politique binationale.

....

5. Pour une analyse en profondeur de ces *Lettres* rédigées par Loranger, se référer à la Commission royale sur les peuples autochtones (1993).

6. P.B. Mignault, cité dans Ramsay Cook (1969, p. 66, traduction libre).

7. Elle était officiellement appelée Commission royale d'enquête sur les problèmes constitutionnels.

8. Dont l'intitulé était formellement Commission sur l'avenir politique et constitutionnel du Québec.

....

9. Au sujet de la thèse de la rupture, voir Marcel Martel (2003, p. 129-45) et Anne-Andrée Deneault (2013).

> Le Québec est conçu comme l'une des deux nations fondatrices du Canada.
> La division des pouvoirs, en 1867, permettait au Québec de conserver, de manière exclusive, les pouvoirs propices à la préservation de sa culture, soit le droit civil, l'éducation, la culture, la langue et les politiques sociales.
> Avec la Confédération, le Québec a consenti à concéder certains de ses pouvoirs au gouvernement fédéral nouvellement constitué.
> L'image d'un Canada fondé par deux peuples libres et égaux, ou dualisme, a été utilisée principalement par les francophones, et est encore utilisée, de nos jours, au Québec pour décrire la dynamique politique canadienne.
> Le recul de la vision binationale découle en bonne partie du fait que le gouvernement central a cherché à devenir le seul gouvernement national ainsi que du schisme entre les communautés francophones minoritaires et celle, majoritaire, du Québec.

3. TROISIÈME VISAGE : UNE PROVINCE-ÉTAT

Pendant plusieurs décennies, il était reconnu par les chercheurs en politique québécoise que le Québec ne formait pas une province comme les autres. Cela dit, le Québec a été dès l'origine du Canada à la tête des luttes politiques pour faire respecter les droits des provinces. En toute justice pour les autres provinces, il n'a jamais été seul dans cette bataille. Le Québec a été accompagné par divers partenaires provinciaux à différents moments historiques, bien qu'au cours des dernières décennies, ce soit l'Alberta et Terre-Neuve qui, la plupart du temps, aient joint le Québec au front pour défendre les droits et l'autonomie des provinces au sein de la fédération canadienne.

Keith Brownsey et Michael Howlett ont introduit la notion de « *province state* » pour décrire les provinces du Canada, puisqu'« elles se qualifient comme étant des États. Non seulement elles sont constitutionnellement habilitées à prendre des décisions contraignantes à l'endroit de leurs habitants, mais elles sont façonnées et définies précisément par les dispositions constitutionnelles qui leur confèrent leur autorité autant qu'elles le sont par leurs structures de classe internes et leurs relations économiques extérieures » (Brownsey et Howlett, 2009, p. 14, traduction libre). Ces auteurs ont fait une remarque intéressante disant que les provinces et territoires canadiens partagent des caractéristiques institutionnelles importantes qui correspondent au pouvoir d'un État. Cependant, ils omettent de reconnaître le fait que le Québec est le seul membre de la fédération qui peut véritablement être décrit comme une Province-État, puisque le principal centre d'intérêt d'un État est d'ordre international et que, contrairement aux autres États membres de la fédération canadienne, il joue un rôle de premier plan au sein de la francophonie, de même qu'il aspire à être un chef de file parmi les nations minoritaires dans le monde qui cherchent à se voir conférer un statut politique plus important.

Il existe un courant important dans la littérature en science politique qui insiste sur le rôle déterminant du Québec comme champion historique des droits provinciaux. Bien que cette histoire soit généralement bien connue au Canada, elle doit être soulignée ici, étant donné son influence dans la défense de l'autonomie provinciale et de la non-subordination des pouvoirs des gouvernements – deux aspects clés du fédéralisme.

La Confédération de 1867 incarne une défense sans équivoque des droits des provinces puisque la Constitution confirmait que les pouvoirs seraient partagés entre un État central et des États provinciaux qui seraient tous responsables auprès de leur population au regard de leur sphère de compétence respective. Une interprétation s'est imposée selon laquelle l'*Acte de l'Amérique du Nord britannique* (AANB) octroyait à la fois aux gouvernements central et provinciaux des compétences exclusives dans les domaines qui s'avéraient essentiels à leurs intérêts particuliers. Cela ressort nettement des *Résolutions de Québec* (connues également sous le nom de *Projet de Confédération*). Les Québécois ont à cœur cette façon d'interpréter la Confédération et demandent, depuis ce temps, que l'esprit de 1867 soit respecté par ses partenaires, traduit dans des institutions politiques appropriées et reflété dans les relations de pouvoir.

La description la plus élaborée de l'idée que le Canada constitue un pacte entre des provinces a été offerte par le juge Loranger, l'un des juristes les plus influents du Québec, qui a publié une série de textes constitutionnels en 1883, lesquels ont eu un effet durable sur la jurisprudence canadienne. Leurs échos les plus récents se trouvent dans les rapports déposés par la Commission royale sur les peuples autochtones en 1993 et 1995, qui reprend trois des postulats de Loranger à propos des droits des provinces :

1. La Confédération canadienne est la résultante d'un pacte entre les provinces (colonies britanniques) et le Parlement impérial de l'époque britannique.

2. Les provinces adhérèrent au pacte fédératif avec leur identité propre, leur ancienne constitution, leurs pouvoirs législatifs, dont elles acceptèrent de se départir partiellement en faveur du gouvernement central. Ce dernier en fera usage dans l'intérêt commun des provinces ; elles conserveront toutefois le droit de jouir du plein exercice des pouvoirs non cédés, suivant leurs anciennes constitutions et suivant certaines modifications formelles explicitées dans le pacte fédératif.

3. Les pouvoirs des provinces sont le résidu de pouvoirs antérieurs à la Confédération et en aucune façon ils ne doivent être vus comme des pouvoirs octroyés par l'instance fédérale. Le gouvernement fédéral est la création des provinces, le résultat de leur association et du pacte qu'elles ont conclu (Canada, Commission royale sur les peuples autochtones, 1993, p. 22-23).

Cette interprétation a jeté les bases d'une école de pensée appuyant les droits des provinces et l'autonomie provinciale et qui a exercé une grande influence au Québec et dans certaines autres provinces au fil des années. Il est notoire qu'au Québec, l'explication de Loranger n'a pratiquement pas été contestée. En revanche, de nombreux décideurs politiques au sein du ROC et des fédéralistes centralisateurs ont en général rejeté cette conception et ont plutôt fait valoir que les provinces ont tout simplement été créées par le gouvernement central et lui sont donc subordonnées. Par moments, ce désaccord fondamental a engendré une relation tendue entre certaines provinces et le gouvernement central, comme l'illustrent les conflits acrimonieux entre l'Ontario et Ottawa à partir des années 1870 jusqu'aux années 1940.

Avant la Deuxième Guerre mondiale, les chefs du Parti libéral du Canada, tels que Wilfrid Laurier et Mackenzie King, étaient enclins à appuyer les droits des provinces, pourvu qu'ils n'affaiblissaient pas le leadership politique et l'autorité d'Ottawa. Toutefois, cette défense des droits provinciaux dans la sphère politique fédérale a décliné dans l'après-guerre, alors qu'une succession de premiers ministres (surtout libéraux) ont cherché à investir le gouvernement central de davantage de pouvoirs pour qu'il occupe une position dominante au sein de la fédération. Cela a particulièrement été le cas sous les gouvernes de Pierre Elliott Trudeau et de Jean Chrétien.

Le rapport de la commission Tremblay, déposé en 1956, a justement été inspiré par la doctrine Loranger. Dans ce rapport, l'accent était mis sur les concepts d'« autonomie provinciale » et de « coordination » entre les ordres de gouvernement (Rocher, 2006). Autonomie et coordination devaient aller de pair, sans quoi l'esprit fédéral ne peut se concrétiser. Sur cette base, il était possible (et il s'agissait peut-être même d'un devoir) pour un État membre de la fédération de refuser l'aide du gouvernement central afin d'exercer pleinement ses responsabilités comme convenu dans l'acte fondateur de 1867. Partant du principe de subsidiarité et influencé par la doctrine sociale de l'Église catholique, le rapport Tremblay faisait valoir que les autorités centrales ne devaient pas chercher à exercer des compétences que des autorités plus locales pourraient exercer plus efficacement. Le rapport énonçait :

> [S]eul le fédéralisme, comme système politique, peut permettre à deux cultures de vivre en paix et de se développer côte à côte dans un même État – et c'est la raison véritable de la forme fédérative de l'État canadien […] [P]as de fédéralisme sans autonomie des parties constituantes de l'État et pas de souveraineté des divers gouvernements sans autonomie fiscale et financière (Commission Tremblay, 1956, p. 302-303 et 292).

Le rapport Tremblay a apporté un contenu philosophique supplémentaire en soutien à l'argumentaire juridique développé par Loranger. Ce sont ces assises historique et philosophique qui ont rendu la position constitutionnelle du Québec aussi forte et durable, au point où les Premières Nations ont élaboré leurs arguments sur cette base pour faire avancer leurs revendications d'autonomie gouvernementale, tout comme l'ont fait des provinces comme l'Alberta et Terre-Neuve lorsqu'elles ont cherché à défendre leurs droits provinciaux.

La Révolution tranquille poursuivait des ambitions autonomistes similaires, en leur donnant toutefois une portée beaucoup plus ambitieuse (Gagnon et Montcalm, 1990). Cette approche, connue sous le nom de doctrine Gérin-Lajoie, du nom du premier titulaire du ministère de l'Éducation, Paul Gérin-Lajoie,

prônait le déploiement des compétences provinciales au-delà des frontières du Canada. C'est-à-dire que toute compétence provinciale pourrait être exercée vis-à-vis d'autres provinces ou États tant que le Québec (ou tout autre État provincial) était prêt à assumer ses pouvoirs souverains dans les matières constitutionnelles sur lesquelles il avait la pleine autorité (Paquin, 2006).

La doctrine Gérin-Lajoie tentait de consolider le rôle du Québec comme Province-État en donnant de la substance et un sens à son statut particulier au sein de la Confédération. Cette doctrine a été élaborée vers la fin du deuxième gouvernement libéral de Jean Lesage et a été actualisée à différents moments critiques par les gouvernements québécois, qu'ils soient d'orientation libérale, sous les premiers ministres Robert Bourassa et Jean Charest, ou à tendance plus sociale-démocrate, sous René Lévesque et Jacques Parizeau.

La doctrine Gérin-Lajoie reste à ce jour une position constitutionnelle unanimement acceptée par les acteurs politiques clés du Québec et confirme son intention de jouer un rôle central au sein de la Confédération. La décision du premier ministre Brian Mulroney d'accorder au Québec le statut de gouvernement participant au sein de la Francophonie à partir de 1985 a été inspirée par le respect qu'il avait pour la doctrine Gérin-Lajoie. On peut faire une remarque semblable au regard de la décision du premier ministre Stephen Harper de permettre au Québec de jouer un rôle important au sein de la délégation canadienne à l'UNESCO à partir de 2006.

Le Québec a été (et continue d'être) à la tête des luttes pour défendre les droits des provinces, pour empêcher Ottawa de s'immiscer dans des champs de compétences provinciales et pour faire cesser de tels empiétements dans les domaines où ils se sont déjà produits. Le leadership assumé par le Québec dans la mise sur pied du Conseil de la fédération, en 2003, grâce, en grande partie, à la détermination de l'ancien ministre québécois des Affaires intergouverne-mentales, Benoît Pelletier, en offre le meilleur exemple. Au cours de son mandat, ce ministre a continué de promouvoir la notion d'autonomie provinciale et l'a rendue acceptable aux yeux de chefs de gouvernement de plusieurs autres pro-vinces. Voici un extrait d'un important discours qu'il a livré à des dizaines de rencontres au pays au cours des années qui ont suivi l'élection du premier gouvernement Charest en 2003.

La formule fédérale, dans ce qu'elle a d'univer-sel, implique l'existence de deux ordres de gouver-nement, chacun étant souverain dans l'exercice de ses compétences constitutionnelles. Cependant, certaines conditions doivent être remplies afin qu'une fédération, quelle qu'elle soit, puisse fonctionner et évoluer sainement :

1. Il doit y avoir un partage équilibré des compé-tences entre les deux ordres de gouvernement.
2. Chaque ordre de gouvernement doit disposer des ressources fiscales lui permettant d'assumer pleinement et adéquatement ses responsabili-tés, de sorte qu'aucun ne se trouve en position de dépendance financière par rapport à l'autre.
3. Les provinces doivent avoir la possibilité de s'exprimer au sujet de la gouverne de la fédéra-tion et exercer une certaine influence sur le processus législatif fédéral. Cela peut se réali-ser, par exemple, par une seconde chambre du Parlement fédéral à l'action effective, ou par une institution équivalente où les provinces pourraient faire valoir leur point de vue et influencer ainsi, de façon réelle et positive, l'avenir de notre fédération.
4. Des mécanismes efficaces doivent être instaurés afin de favoriser la concertation intergouverne-mentale dans des secteurs où la convergence s'impose entre des intérêts a priori divergents (Pelletier, 2004).

Le Québec a fait avancer la cause des droits des provinces par différents moyens depuis la fin de la Deuxième Guerre mondiale. Mentionnons au passage quelques luttes constitutionnelles et politiques qui ont eu lieu depuis lors : en matière fiscale, il s'est battu pour reprendre le contrôle sur les accords d'utilisation de l'espace fiscal d'après-guerre et pour élargir ses pouvoirs fiscaux ; sur le front constitutionnel, il a soutenu l'idée d'accor-der à toutes les provinces un droit de veto sur des modifications constitutionnelles à différentes occasions (la formule d'amendement Fulton-Favreau, en 1966, et à nouveau à la Conférence sur le rapatriement, en novembre 1981) ; sur le plan social, il a insisté pour que chacune des provinces puisse exercer son droit de retrait d'un programme national qui relevait d'une compétence provinciale avec pleine compensation.

POINTS CLÉS

> Le Québec, avec l'Alberta et Terre-Neuve, a été à la tête des luttes pour faire respecter les droits et l'autonomie des États membres de la fédération canadienne.
> Le Québec est le seul membre de la fédération qui peut véritablement être décrit comme une Province-État, puisqu'il est le seul qui soit aussi actif dans ses relations internationales.
> La Confédération de 1867 incarne une défense des droits provinciaux en précisant que les pouvoirs seraient partagés entre un État fédé-ral et des États provinciaux selon le principe de la suprématie parlementaire de chaque ordre de gouvernement.
> Depuis la Deuxième Guerre mondiale, une succession de premiers ministres (surtout libéraux) ont miné l'esprit fédéral de 1867 en enclenchant une stratégie d'édification nationale autour de l'État fédéral.
> La commission Tremblay a été mise en place par l'État du Québec pour répondre aux aspirations centralisatrices d'Ottawa, et son rapport mettait l'accent sur les concepts d'au-tonomie provinciale, de coordination entre les ordres de gouvernement et de subsidiarité.

4. QUATRIÈME VISAGE : UNE SOCIÉTÉ DISTINCTE

Au début des années 1980, le constitutionnaliste Gil Rémillard (qui est par la suite devenu ministre des Affaires intergouvernementales du Québec) a décrit l'AANB comme « un pacte constitutionnel qui permettrait [aux Canadiens français] de s'affirmer comme peuple distinct sur un pied d'égalité avec la majorité anglophone » (Rémillard, 1980, p. 112 ; également cité dans Brian O'Neal, 1995, p. 3). Par société distincte (et peuple distinct), les personnalités politiques de même que les intellectuels québécois promouvaient l'idée que le Québec possède une culture particulière, en Amérique du Nord, qui a été façonnée par la langue française, un héritage catholique, une tradition civiliste et des institutions parlementaires britanniques. Au fil des années, la notion de « société distincte » s'est transformée et fait aujourd'hui référence à un engagement profond au Québec à l'égard des politiques publiques fondées sur une solidarité sociale marquée dans les domaines de l'éducation, de la culture, des services de garde, du tiers secteur ou de l'économie sociale ainsi que du développement régional et des politiques fiscales progressistes.

Les conceptions de « statut particulier » et de « société distincte » ont souvent suscité de la méfiance chez certains leaders politiques – pensons ici à John Diefenbaker et Pierre Elliott Trudeau – qui y voyaient un terrain glissant pouvant mener à la sécession du Québec. Pierre Elliott Trudeau était fortement déterminé à miner le concept de « société distincte » au cours de ses mandats comme premier ministre du Canada (1968-1979, 1980-1984). Toutefois, Ramsay Cook nous rappelle que l'idée que le Québec constitue une société distincte était présente au Canada depuis les débuts de la Confédération. Il convient cependant de préciser que le recours à cette notion n'a été popularisé qu'au cours de la deuxième moitié du XXe siècle. À titre d'exemple, Cook écrit que :

L'article 94 reconnaissait que le droit civil québécois est distinct et, si l'intention qui est formulée dans cette disposition avait été respectée (« l'uniformité de toutes [...] les lois relatives à la propriété et aux droits civils » dans toutes les provinces à l'exception du Québec), le Québec aurait eu un « statut particulier » en ce domaine. De plus, la spécificité du Québec a été reconnue dans l'article 133 qui, pour la première fois, a non seulement fait du français une langue officielle au Canada, mais a également fait du Québec une province bilingue, la seule parmi les provinces d'origine (Cook, 1989, p. 149-150, traduction libre).

Autrement dit, l'identité distincte du Québec constituait un élément fondamental de l'AANB et, comme nous le rappellent les auteurs du rapport *Partenaires au sein de la Confédération*, publié par la commission Erasmus-Dussault sur les peuples autochtones, « [l]e caractère distinct du régime québécois de droit civil se reflète dans une disposition qui habilite le Parlement du Canada à adopter des mesures visant à uniformiser les lois dans toutes les provinces fédérées, à l'exception du Québec, ce qui constitue en même temps la reconnaissance d'un élément d'asymétrie dans la Confédération (Canada, Commission royale sur les peuples autochtones, 1993, p. 25) ».

La notion de société distincte est entrée dans les milieux politiques à la fin des années 1950 dans la foulée de la commission Tremblay, alors que les partis politiques provinciaux tentaient de déterminer le meilleur moyen d'affirmer la place du Québec au sein de la fédération canadienne. Intellectuels et politiciens se sont mobilisés pour faire comprendre aux autres partenaires de la fédération canadienne que le Québec avait besoin d'outils spécifiques pour protéger les institutions, les valeurs et la culture qui le rendaient aussi unique en Amérique du Nord.

Au fil des années, la notion de société distincte a été interprétée de multiples façons par des forces politiques rivales : comme un concept dangereux qui pourrait mener à l'éclatement du Canada, comme une façon d'accroître un ensemble de privilèges ou, de façon opposée, comme une stratégie politique qui ne pouvait que permettre des changements accessoires qui ne pourraient d'aucune façon répondre aux revendications politiques du Québec. Autrement dit, le concept a été disqualifié à la fois par les nationalistes canadiens et les nationalistes québécois pour des raisons opposées, contribuant à discréditer fortement l'idée au sein des deux principales communautés linguistiques.

Certains efforts ont été déployés au fil des années pour sensibiliser les Canadiens à la présence de la société distincte québécoise. Il convient de souligner ici deux initiatives d'Ottawa : celle du Comité spécial mixte du Sénat et de la Chambre des communes sur la Constitution (en particulier en raison de son rapport minoritaire en 1972) et celle du Groupe de travail sur l'unité canadienne, connu sous le nom de commission Pepin-Robarts.

Au moment où le rapport de la commission B & B a été déposé, en 1968, Ottawa a décidé de convoquer une conférence fédérale-provinciale avec l'objectif de moderniser la Constitution. Ottawa a également mis sur pied un Comité spécial mixte du Sénat et de la Chambre des communes sur la Constitution pour évaluer d'éventuelles modifications. Ce comité a déposé son rapport en mars 1972. Ce qui importe à cet égard n'est pas tellement le rapport principal, mais bien le rapport minoritaire qui a été signé par Martial Asselin et Pierre De Bané. Tous deux s'opposaient au rapport principal, car il ne mentionnait pas que le Québec constitue une société distincte au sein du Canada. Voici ce qu'ils ont écrit : « Il n'en reste pas moins [...] que la société québécoise forme une entité distincte, et que, graduellement, elle comprend que son plein épanouissement exige une latitude et la présence de conditions psychologiques qui lui font actuellement défaut » (De Bané et Asselin, 1972,

p. 8)[10]. Les deux auteurs critiquaient également sévèrement le rapport principal (et la Constitution canadienne) parce qu'« entièrement ignorant[s] de l'existence d'une société québécoise distincte. [Or] [c]ette lacune a des conséquences concrètes » (De Bané et Asselin, 1972, p. 10). Enfin, il convient de signaler que ce rapport minoritaire a été froidement accueilli à Ottawa et qu'en fait, la plupart des députés ont choisi de l'ignorer. Néanmoins, avec le recul, on peut affirmer qu'Asselin et De Bané avaient clairement identifié une faiblesse majeure de la Constitution canadienne.

À la suite de l'élection du gouvernement du Parti québécois, en novembre 1976, le gouvernement central a mis sur pied un Groupe de travail sur l'unité canadienne, qui allait promouvoir les concepts de « régionalisme » et de « dualisme ». Les membres du Groupe de travail ont abondamment écrit sur le fait que le Québec constitue une société distincte, en soulignant qu'il « est différent et devrait détenir les pouvoirs nécessaires à la préservation et au développement de son caractère distinct au sein d'un Canada viable. Toute solution politique qui ne répondrait pas à cette attente signifierait l'éclatement du Canada » (Groupe de travail sur l'unité canadienne, 1979, p. 92). Les politiques linguistiques ont particulièrement retenu l'attention du Groupe de travail, qui a donné son appui aux politiques publiques du gouvernement québécois, à savoir la loi 101, approuvant les efforts du gouvernement provincial et de la nation québécoise pour assurer la prédominance de la langue et de la culture françaises au Québec. Cette position était diamétralement opposée à celle adoptée par le Parti libéral du Canada depuis l'élection de Pierre Elliott Trudeau comme chef du parti en 1968.

Les membres du Groupe de travail craignaient que leur rapport puisse être perçu comme un

....

10. La Chambre des communes a refusé d'accepter le dépôt officiel du Rapport minoritaire.

encouragement à l'égard du développement du fédéralisme asymétrique, alors, afin d'éviter cela, ils ont recommandé d'accorder à toutes les provinces la possibilité d'agir dans les mêmes champs de compétences, puisque faire autrement aurait certainement engendré de l'opposition dans les autres régions du pays. Ils ont suggéré d'octroyer à chacune des provinces les pouvoirs réclamés par le Québec pour préserver sa culture et son patrimoine (Gagnon, 2002, p. 105-120). Aucun de ces pouvoirs n'a jamais été prévu de manière à assurer à Ottawa une marge de manœuvre dans ses négociations avec les provinces. Cette approche visant à accorder le statut de société distincte au Québec – dans les faits, il s'agissait pour le Groupe de travail d'offrir un statut similaire à toutes les provinces – le rendrait beaucoup moins important politiquement. L'objectif d'Ottawa était d'admettre l'idée que chacune des provinces constituait une société distincte, imposant ainsi un cadre politique d'égalité individuelle et provinciale qui pourrait, somme toute, être acceptable au sein du ROC, mais qui entrait directement en conflit avec la vision que le Québec avait de sa place au sein du Canada.

Néanmoins, la notion de société distincte a acquis une certaine notoriété au Québec dans le camp fédéraliste, en particulier parce qu'elle était perçue comme une position minimale afin de préserver l'unité canadienne et de répondre à la revendication d'autodétermination du Québec. Le concept est omniprésent dans le *Livre beige* qui a été écrit par le chef libéral provincial, Claude Ryan, pour promouvoir la cause fédéraliste au Québec, à l'époque du premier référendum sur la souveraineté. Les libéraux fédéraux, bien qu'ils n'aient jamais été tout à fait à l'aise avec l'idée, ont stratégiquement convenu avec leurs alliés politiques québécois de ne pas faire connaître leur désaccord, compte tenu du référendum prévu pour le mois de mai 1980. Par la suite, la «société distincte» est devenue un cri de ralliement pour convaincre les Québécois d'appuyer l'accord du lac Meech (1987-1990) négocié avec les provinces

par Mulroney et qui était destiné à ramener le Québec dans le giron fédéral à la suite de son rejet de la Constitution de 1982. Bien qu'au Parlement tous les partis aient voté pour l'adoption de l'accord, les libéraux fédéraux, sous leur chef John Turner, étaient divisés sur son bien-fondé, quoique le caucus ait finalement appuyé Meech. En outre, l'ancien premier ministre Trudeau a catalysé l'opposition en faisant valoir que la reconnaissance du Québec comme société distincte allait encourager les aspirations séparatistes et lui accorder des privilèges particuliers qui porteraient atteinte au principe d'égalité des provinces.

Bien que l'échec de l'accord du lac Meech eut fait en sorte que le concept de société distincte ne soit pas enchâssé dans la Constitution, il a été utilisé par le gouvernement Mulroney pour moderniser un accord intergouvernemental sur l'immigration entre le Québec et Ottawa et, ultérieurement, à la suite du deuxième référendum au Québec en 1995, par les libéraux de Jean Chrétien, lorsqu'une motion a été adoptée à la Chambre des communes affirmant que le Québec forme, au sein du Canada, une société distincte[11]. Depuis lors, la notion de société distincte, autrefois l'objet de vives contestations, a reçu étonnamment peu d'attention, en particulier au Québec, où d'autres idées ou visions l'ont remplacée, notamment la notion politique que le Québec constitue une démocratie multinationale.

> **POINTS CLÉS**

> Le concept de société distincte fait référence au fait que le Québec possède une culture particulière, en Amérique du Nord, qui a été façonnée par la langue française, un héritage catholique, une tradition civiliste et des institutions parlementaires britanniques.

....

11. La plupart des analystes politiques et des juristes estimaient qu'une telle reconnaissance était insuffisante puisqu'elle n'était pas enchâssée dans la *Loi constitutionnelle de 1982*. Pour une telle analyse, voir Gérald Beaudoin (1996).

> La notion de société distincte fait aujourd'hui référence à un engagement profond à l'égard de politiques publiques fondées sur une solidarité sociale marquée dans les domaines de l'éducation, de la culture, des services de garde, du tiers secteur, de l'économie sociale, du développement régional et des politiques fiscales.

> L'idée que le Québec constitue une société distincte était présente au Canada depuis les débuts de la Confédération.

> Ottawa a cherché à imposer l'idée que chacune des provinces constituait une société distincte, imposant ainsi un cadre politique d'égalité individuelle et provinciale qui entrait en conflit avec la vision que le Québec avait de sa place au sein du Canada.

5. CINQUIÈME VISAGE : UNE DÉMOCRATIE MULTINATIONALE

Pour compléter notre esquisse politique du Québec, examinons l'image voulant qu'il constitue une démocratie multinationale. Le gouvernement du Québec a incidemment publié son nouvel énoncé politique en matière constitutionnelle, dans lequel il adhère à l'idéal d'un fédéralisme multinational pour le Canada (Gouvernement du Québec, 2017). Cette conception multinationale de la fédération canadienne et du Québec, selon moi, reflète le mieux la vision des citoyens québécois à ce moment-ci de l'histoire. Au moins quatre éléments donnent corps et substance à cette forme émergente d'association politique. Je suis, à cet égard, particulièrement influencé par le travail de pionnier effectué par James Tully sur le sujet[12]. Premièrement, une démocratie multinationale compte plus d'une

nation. Les membres de ces nations ont, à tout le moins, le droit d'exercer une autodétermination interne et de s'engager dans des délibérations et des négociations continues en vue de développer des relations entre partenaires fondées sur une confiance mutuelle et conditionnelle. Libre aux représentants de ces nations constituantes de rechercher une reconnaissance au sein des instances internationales. Michael Keating fait ressortir qu'une autodétermination de cette nature ne conduit pas nécessairement à la sécession politique. Selon Keating, il n'y a

aucune raison logique pour laquelle l'autodétermination devrait être associée au statut d'État, hormis les dogmes rigides du discours au sujet de la souveraineté [...] Une autre façon d'envisager l'autodétermination est de la concevoir comme le droit de négocier sa position au sein d'un État et de l'ordre supranational, sans nécessairement créer un État distinct (Keating, 2001, p. 10, traduction libre).

Je reviendrai sur ce deuxième aspect plus loin. Nous sommes bien loin du modèle westphalien classique qui conçoit les États comme étant un *demos* unique au sein duquel « les minorités internes, infranationales, cherchent à obtenir des droits collectifs » plutôt que de les percevoir comme « des sociétés de deux nations ou plus, qui se chevauchent souvent et dont le statut est plus ou moins égal » (Tully, 2001, p. 3, traduction libre).

Deuxièmement, les démocraties fédérales multinationales se caractérisent par le fait que chacune des nations au sein de la fédération forme une société pluraliste. Tel est le cas du Québec. Une illustration concrète de cela a eu lieu en 1985, lorsque l'Assemblée nationale du Québec a adopté une résolution reconnaissant l'existence des nations abénaquise, algonquine, attikamek, crie, huronne, micmaque, mohawk,

---

12. On peut se reporter ici au collectif que nous avons publié en 2001 ; se référer à Gagnon et Tully (2001). En complément, il est possible de consulter une importante collection d'essais publiés par Michael C. van Der Walt Van Praage et Onoo Seroo (1999),

<http://www.unpo.org/downloads/THE%20IMPLEMENTATION%20OF%20THE%20RIGHT%20TO%20SELF.pdf>.

montagnaise, naskapie et inuite[13]. Une onzième nation, malécite, a été reconnue en 1989. Dans le cadre de cette interprétation selon laquelle le Québec est une société pluraliste, Tully va jusqu'à affirmer qu'en pareil contexte « [l]es juridictions, modes de participation et de représentation et les identités nationales et multinationales des citoyens se recoupent et font l'objet de négociation » (Tully, 2001, p. 3, traduction libre).

Troisièmement, les démocraties multinationales adoptent les principes de la démocratie constitutionnelle, qui remettent en question la norme d'un cadre démocratique fondé sur une seule nation. À ce titre, cette « association multinationale repose sur leur adhésion [de chacune des nations] aux valeurs, aux principes et aux droits juridiques et politiques de la démocratie constitutionnelle et du droit international » (Tully, 2001, p. 3, traduction libre).

Quatrièmement, les démocraties multinationales se doivent de développer des institutions qui mettent en contact permanent les membres et les représentants des différentes nations tout en encourageant les échanges politiques. Dans le cas du Québec, l'approche politique et les politiques publiques en matière d'interculturalisme (la réponse québécoise au multiculturalisme) peuvent être considérées comme une expression manifeste de cette volonté de concevoir un système politique fondé sur l'interrelation entre partenaires sociétaux.

Jusqu'à présent, les principaux partis politiques québécois n'ont pas été prompts à promouvoir un renforcement du pouvoir des nations amérindiennes et inuites de la province. L'Assemblée nationale du Québec a sans doute été un chef de file pour identifier les perspectives de développement économique et social du nord du Québec, un territoire traditionnellement occupé par de nombreuses Premières Nations, mais il reste encore beaucoup à faire pour éradiquer l'héritage colonial qui a longtemps dominé la relation entre le Québec et les Premières Nations. L'anthropologue Denys Delâge nous rappelle avec justesse que « les leaders autochtones actuels sont davantage prêts à réclamer des droits qu'à remettre globalement en question le système colonial dans lequel les Premières Nations sont inscrites. [...] Ils échapperont de la sorte à l'héritage colonial de la tutelle et de l'incapacité d'accès à la pleine citoyenneté » (Delâge, 2000, p. 228). La poursuite sérieuse de tels objectifs contribuerait sans doute à rapprocher les Québécois de toutes les origines et de toutes les couches de la société dans l'optique de construire un monde meilleur et plus juste que tous pourraient partager.

Enfin, je dois préciser que si le Québec devait éventuellement se séparer du Canada, il devrait reconnaître une nouvelle nation : les Québécois anglophones. Pour le moment toutefois, cette communauté s'identifie fortement à la majorité canadienne et, ce faisant, ne se perçoit pas – et n'est pas perçue de l'extérieur – comme constituant une nation minoritaire au sein du Québec.

POINTS CLÉS

> L'image voulant que le Québec constitue une démocratie multinationale reflète le mieux la vision des citoyens québécois à ce moment-ci de l'histoire.

> Une démocratie multinationale compte plus d'une nation. Les membres de ces nations ont le droit d'exercer une autodétermination interne et de s'engager dans des délibérations continues en vue de développer des relations entre partenaires égaux.

> Les démocraties fédérales multinationales se caractérisent par le fait que chacune des nations au sein de la fédération forme une société pluraliste.

---

13. Pour une analyse en profondeur de l'évolution de la politique québécoise au sujet des enjeux autochtones, consulter Éric Gourdeau (1993, p. 349-71).

> Les démocraties multinationales adoptent les principes de la démocratie constitutionnelle qui remettent en question la norme d'un cadre démocratique fondé sur une seule nation.

> Les démocraties multinationales se doivent de développer des institutions qui mettent en contact permanent les membres et les représentants des différentes nations tout en encourageant les échanges politiques.

Conclusion

Dans ce chapitre, j'ai analysé cinq visages qui sont utilisés pour dépeindre le Québec : une nationalité politique, une nation fondatrice, une Province-État, une société distincte et une démocratie multinationale. Chacun de ces visages tend à proposer et à promouvoir différentes caractéristiques et suggère une vision unique avec des systèmes de pensée propres à chacun.

En outre, ces différents portraits du Québec suggèrent de multiples interprétations des relations de pouvoir. Le recours à ces images n'est pas insignifiant, comme nous le rappelait E.E. Schattschneider, qui faisait valoir que « la

définition d'alternatives [lire « visages »] est l'instrument suprême du pouvoir ; les adversaires parviennent rarement à s'entendre sur la nature des enjeux parce que le pouvoir intervient dans le processus de définition. Celui qui détermine quel est l'objet de la politique dirige le pays parce que la définition des alternatives revient à choisir les conflits et le choix des conflits confère le pouvoir » (Schattschneider, 1960, traduction libre). Ainsi, le visage politique qui prévaut – la vision partagée par la communauté politique – fournit une orientation générale aux priorités politiques et aux dispositions convenables de partage du pouvoir.

Pour conclure et revenir au point soulevé par Simeon en introduction, il est évident que la définition de concepts clés a des répercussions qui atteignent le cœur même de l'organisation sociétale et qui peuvent soudainement faire pencher l'équilibre politique, entraînant des conséquences potentiellement à long terme, comme nous l'ont rappelé en 1982[14] le rapatriement de la Constitution et l'instauration d'un nouvel ordre constitutionnel au Canada.

....

14. Pour un compte rendu analytique du rapatriement de la *Loi constitutionnelle de 1982*, voir François Rocher et Benoît Pelletier (2013).

QUESTIONS

1. Que signifie le concept de société distincte ? Quelles ont été ses répercussions politiques dans l'histoire du Canada ?

2. Quel visage du Québec correspond le plus à la société québécoise d'aujourd'hui ? Pensez-vous que ce visage est le plus porteur politiquement pour le Québec ?

3. La commission Tremblay était une réponse de quel gouvernement à quelle crise politique ? Quelles étaient les principales conclusions de son rapport ?

4. Quelle était la vision du Canada portée par George-Étienne Cartier ? Cette vision s'est-elle concrétisée ?

LECTURES SUGGÉRÉES

Brouillet, E., A.-G. Gagnon et G. Laforest (dir.) (2016). *La conférence de Québec de 1864 150 ans plus tard : comprendre l'émergence de la fédération canadienne*, Québec, Presses de l'Université Laval.

Gagnon, A.-G. et R. Iacovino (2007). *De la nation à la multination : les rapports Québec-Canada*, Montréal, Boréal.

LaSelva, S.V. (1996). *The Moral Foundations of Canadian Federalism : Paradoxes, Achievements, and Tragedies*, Montréal et Kingston, McGill-Queen's University Press.

Mallory, J. (1965). « Five Faces of Canadian Federalism », dans P.-A. Crépeau et C.B. Macpherson (dir.), *The Future of Canadian Federalism*, Toronto, University of Toronto Press, p. 3-15.

Martel, M. (2003). « Le débat de l'existence et de la disparition du Canada français : état des lieux », dans S. Langlois et J. Létourneau (dir.), *Aspects de la nouvelle francophonie canadienne*, Québec, Presses de l'Université Laval, p. 129-145.

Paquin, S. (dir.) (2006). *Les relations internationales du Québec depuis la Doctrine Gérin-Lajoie (1965-2005). Le prolongement externe des compétences internes*, Québec, Presses de l'Université Laval.

Tully, J. (2001). « Introduction », dans A.-G. Gagnon et J. Tully (dir.), *Multinational Democracies*, Cambridge, Cambridge University Press, p. 1-33.

BIBLIOGRAPHIE

Beaudoin, G. (1996). « Constitution : Ne travailler que sur un plan B serait admettre que la sécession est inévitable », *La Presse*, 16 février.

Bickerton, J. et A.-G. Gagnon (2011). « Regions », dans D. Caramani (dir.), *Comparative Politics*, 2e éd., Oxford, Oxford University Press, p. 275-291.

Brownsey, K. et M. Howlett (2009). *The Provincial State in Canada : Politics in the Provinces and Territories*, Toronto, University of Toronto Press.

Burgess, M. (2006). *Comparative Federalism : Theory and Practice*, Abingdon, Routledge.

Burgess, M. (2012). *In Search of the Federal Spirit : New Theoretical and Empirical Perspectives in Comparative Federalism*, Oxford, Oxford University Press.

Burgess, M. et A.-G. Gagnon, dir. (2010). *Federal Democracies*, Londres, Routledge.

Canada (1993). *Partenaires au sein de la Confédération : les peuples autochtones, l'autonomie gouvernementale, et la Constitution*, Ottawa, Commission royale sur les peuples autochtones.

Canada-Uni (1865). *Débats parlementaires sur la question de la Confédération des provinces de l'Amérique britannique du Nord. Parlement provincial du Canada*, Québec, Rose et Lemieux, imprimeurs parlementaires.

Careless, J.M.S. (1969). « "Limited identities" in Canada », *Canadian Historical Review*, vol. 50, n° 1, p. 1-10.

Cook, R. (1969). *L'autonomie provinciale, les droits des minorités et la théorie du pacte, 1867-1921*, Études de la Commission royale d'enquête sur le bilinguisme et le biculturalisme, Ottawa, Information Canada.

Cook, R. (1989). « Alice in Meechland or the concept of Quebec as a "distinct society" », dans M. Behiels (dir.), *The Meech Lake Primer*, Ottawa, Les Presses de l'Université d'Ottawa, p. 285-294.

De Bané, P. et M. Asselin (1972). *Special Joint Committee of the Senate and of the House of Commons on the Constitution, A Minority Report*, Ottawa, Queen's Printer.

Delâge, D. (2000). « Le Québec et les autochtones », dans M. Venne (dir.), *Penser la nation québécoise*, Montréal, Québec Amérique, coll. « Débats », p. 215-228.

Deneault, A.-A. (2013). *Divergences et solidarité une étude sociologique des rapports entre le Québec et les francophones d'Amérique*, thèse de doctorat en sociologie, Université d'Ottawa, Ottawa.

Gagnon, A.-G. (2002). « La condition canadienne et les montées du nationalisme et du régionalisme », dans J.-P. Wallot (dir.), *Le débat qui n'a pas eu lieu. La commission Pepin-Robarts quelque vingt ans après*, Ottawa, Les Presses de l'Université d'Ottawa, p. 105-120.

Gagnon, A.-G. (2008). *La raison du plus fort : plaidoyer pour le fédéralisme multinational*, Montréal, Québec Amérique.

Gagnon, A.-G. et X. Dionne (2009). « Historiographie et fédéralisme au Canada », *Revista d'Estudis Autonomics i Federals*, vol. 9, p. 10-50.

Gagnon, A.-G. et R. Iacovino (2007). *De la nation à la multination : les rapports Québec-Canada*, Montréal, Boréal.

Gagnon, A.-G. et M.B. Montcalm (1990). *Québec : au-delà de la révolution tranquille*, Montréal, VLB.

Gagnon, A.-G. et J. Tully (dir.) (2001). *Multinational Democracies*, Cambridge, Cambridge University Press.

Gourdeau, É. (1993). « Quebec and the Aboriginal Question », dans A.-G. Gagnon (dir.), *Quebec : State and Society*, Scarborough, Nelson Canada, p. 349-371.

Gouvernement du Québec (1956). *Rapport de la Commission royale d'enquête sur les problèmes constitutionnels* (commission Tremblay), Québec, Gouvernement du Québec.

Gouvernement du Québec (2017). *Québécois, notre façon d'être Canadiens : politique d'affirmation du Québec et de relations canadiennes*, Québec, Gouvernement du Québec, Ministère du Conseil exécutif, Secrétariat aux affaires intergouvernementales canadiennes.

Groupe de travail sur l'unité canadienne (1979). *Se retrouver. Observations et recommandations*, Ottawa, Approvisionnements et Services Canada.

Guibernau, M. (1999). *Nations Without States. Political Communities in a Global Age*, Cambridge, Polity.

Keating, M. (1996). *Nations against the State. The New Politics of Nationalism in Quebec, Catalonia and Scotland*, Londres, Macmillan.

Keating, M. (1998). *The New Regionalism in Western Europe : Territorial Restructuring and Political Change*, Cheltenham, Edward Elgar.

Keating, M. (2001). *Plurinational Democracy : Stateless Nations in a Post-Sovereignty Era*, Oxford, Oxford University Press.

Kwavnick, D. (1973). *The Tremblay Report : Report of the Royal Commission of Inquiry on Constitutional Problems*, Toronto, McClelland and Stewart.

LaSelva, S.V. (1996). *The Moral Foundations of Canadian Federalism : Paradoxes, Achievements, and Tragedies*, Montréal et Kingston, McGill-Queen's University Press.

Mallory, J. (1965). « Five faces of Canadian federalism », dans P.-A. Crépeau et C.B. Macpherson (dir.), *The Future of Canadian Federalism*, Toronto, University of Toronto Press, p. 3-15.

Martel, M. (2003). « Le débat de l'existence et de la disparition du Canada français : état des lieux », dans S. Langlois et J. Létourneau (dir.), *Aspects de la nouvelle francophonie canadienne*, Québec, Presses de l'Université Laval, p. 129-145.

O'Neal, B. (1995). *Distinct Society : Origins, Interpretations, Implications*, Ottawa, Library of Parliament.

Paquin, S. (dir.) (2006). *Les relations internationales du Québec depuis la Doctrine Gérin-Lajoie (1965-2005). Le prolongement externe des compétences internes*, Québec, Presses de l'Université Laval.

Pelletier, B. (2004). « L'état de notre fédération : la perspective du Québec » / « The state of our federation. A Québec perspective », allocution prononcée par monsieur Benoît Pelletier, ministre délégué aux Affaires intergouvernementales canadiennes et aux Affaires autochtones du Québec dans le cadre d'un déjeuner organisé par la Canada West Foundation, 24 mars, <http://www.saic.gouv.qc.ca/centre_de_presse/discours/2004/saic_dis20040324.htm>.

Rémillard, G. (1980). *Le fédéralisme canadien*, Montréal, Québec Amérique.

Rioux Ouimet, H. (2012). *Le « Lion celtique » : néolibéralisme, régionalisme et nationalisme économique en Écosse, 1979-2012*, mémoire de maîtrise en sociologie, Université du Québec à Montréal, Montréal.

Rocher, F. (2006). « La dynamique Québec-Canada ou le refus de l'idéal fédéral », dans A.-G. Gagnon (dir.), *Le fédéralisme canadien contemporain : fondement, traditions, institutions*, Montréal, Les Presses de l'Université de Montréal, p. 93-146.

Rocher, F. et B. Pelletier (dir.) (2013). *Le nouvel ordre consti-tutionnel canadien. Du rapatriement de 1982 à nos jours*, Québec, Presses de l'Université du Québec, coll. «Politeia».

Schattschneider, E.E. (1960). *The Semisovereign People: A Realist's View of Democracy in America*, Chicago, Holt, Rinehart and Winston.

Simeon, R. (1977). «Regionalism and Canadian political institutions», dans J. Meeksion (dir.), *Canadian Federal-ism: Myth or Reality?*, Toronto, Methuen, p. 292-303.

Smiley, D.V. (1967). *The Canadian Political Community*, Toronto, Methuen.

Task Force on Canadian Unity (1979). *A Future Together: Observations and Recommendations*, Ottawa, Gouver-nement du Canada.

Trudeau, P.E. (1967 [1962]). *Le fédéralisme et la société canadienne-française*, Montréal, HMH.

Tully, J. (1994). «The crisis of identification: the case of Canada», *Political Studies*, vol. 42, n° 1, p. 77-96.

Tully, J. (2001). «Introduction», dans A.-G. Gagnon et J. Tully (dir.), *Multinational Democracies*, Cambridge, Cambridge University Press, p. 1-33.

Van Der Walt Van Praage, M.C. et O. Seroo (1999). *The Implementation of the Right to Self-Determination as a Contribution to Conflict Prevention*, Barcelone, Unesco Catalogne.

Wade, M., avec la coll. de J.-C. Falardeau (1960). *La dualité canadienne: essais sur les relations entre Canadiens fran-çais et Canadiens anglais / Canadian Dualism: Studies of French-English Relations*, Québec et Toronto, Presses de l'Université Laval et University of Toronto Press.

PARTIE II

INSTITUTIONS

Sujet classique en politique canadienne et québécoise, l'étude des institutions, bien qu'un champ en décroissance, garde toute son importance pour comprendre la vie politique, ce que reflète le choix de lui accorder une pleine section de ce manuel, en commençant par le chapitre 6 dans lequel **Peter Graefe** trace à grands traits le portrait de l'évolution de l'État canadien et des relations changeantes entre cet État et les citoyens. L'auteur commence son étude en proposant une discussion des concepts de l'État et de la citoyenneté en prenant soin de mettre l'accent sur la nécessité de les comprendre comme des processus historiques de l'action sociale. La citoyenneté est analysée sous plusieurs angles (civil, politique, social, industriel, fédératif) pour saisir son développement particulier. Graefe procède alors à une discussion des différentes formes qu'a prises l'État canadien depuis la Confédération ainsi que des types de citoyennetés qui lui correspondent. En bref, l'histoire de l'État canadien consiste dans la démocratisation d'un régime politique libéral, mais les éléments démocratiques restent provisoires et des reculs s'observent ces dernières années dans plusieurs domaines de la citoyenneté, notamment avec l'avènement de l'État austère.

Dans le chapitre 7, **Hubert Cauchon** présente les principales caractéristiques du pouvoir législatif au Québec et au Canada en explorant le fonctionnement des institutions parlementaires. Il propose d'abord un aperçu historique des origines britanniques du système parlementaire canadien, avant de s'engager dans l'étude approfondie des parlements fédéral et provinciaux. Il y évoque leurs pouvoirs et leurs limites. Puis, il s'intéresse plus en détail à l'une des composantes de ces parlements que sont les assemblées législatives. Leurs trois fonctions constitutionnelles y sont expliquées après l'étude de leur composition. L'auteur décrit ensuite le rôle que jouent les gouvernements dans le système parlementaire canadien et y expose les motifs qui leur accordent une certaine ascendance sur le pouvoir législatif. L'étude du chapitre se termine par une description de certains aspects organisationnels relatifs aux travaux parlementaires.

Au chapitre 8, **Donald J. Savoie** se penche sur le processus de concentration du pouvoir autour du premier ministre canadien et ses effets sur le fonctionnement du régime politique. Après avoir présenté comment, par le passé, le fonctionnement du cabinet ministériel était plus collégial, Savoie démontre qu'un lent processus de transfert de pouvoir vers la seule personne du premier ministre et de sa cour, composée de conseillers non élus, a privé les ministres, pourtant des députés, de tout rôle significatif au profit de la cour du chef du gouvernement, constituée de conseillers non élus. Ce processus à l'œuvre au Canada – dû en partie à l'impératif d'unité nationale et au caractère central des relations intergouvernementales – tend à rendre caducs les principes de la responsabilité gouvernementale et de la reddition de comptes. Ainsi, argumente Savoie, un gouvernement monarchique s'est élevé là où par le passé on trouvait un gouvernement collégial.

Dans le chapitre 9, **Maude Benoit** se penche sur la genèse, l'évolution et le fonctionnement des États canadien et québécois, ainsi que de leur administration publique réciproque. À mesure que s'affirmait le rôle de l'État dans la société et dans l'économie, une administration professionnelle et rationnelle croissait, car elle est le bras agissant de l'État. De manière corollaire, l'État développait sa capacité de percevoir des impôts pour appuyer son nouveau rôle. Or, face à la montée du pouvoir bureaucratique, les critiques fusent de toutes parts, omettant toutefois le rôle crucial pour la vie en société que joue la fonction publique, en fournissant une panoplie de services essentiels à la population. Enfin, la montée du nouveau management public au cours des années 1980 – qui encourage une gestion entrepreneuriale de l'État, met d'un côté un frein et impose un recul au rôle de l'État-providence, mais de l'autre pousse à davantage de transparence et de processus de reddition de comptes.

Louis-Philippe Lampron innove de façon importante, pour un manuel de science politique, en nous conviant, dans le chapitre 10, à mieux comprendre le fonctionnement des institutions judiciaires et le phénomène de la judiciarisation du politique au Québec et au Canada. Il précise que les institutions judiciaires exercent un rôle fondamental au sein d'une société démocratique, étant responsables de faire respecter le principe de la primauté du droit. Toutefois, le phénomène de constitutionnalisation des droits et libertés fondamentaux a accru – en raison de la nature très morale et floue des objets de protection qu'ils consacrent – le phénomène de la judiciarisation du politique au sein d'États comme le Québec et le Canada. Le texte de Lampron a pour but d'analyser de manière critique les causes de l'empiétement du pouvoir judiciaire sur les institutions politiques et de présenter aux lecteurs des pistes de solution.

Le chapitre suivant traite d'enjeux clés pour le devenir de la fédération canadienne. Dans le chapitre 11, **Xavier Dionne** et **Alain-G. Gagnon** proposent une étude des relations fédérales-provinciales au Canada. Dans un premier temps, les auteurs étudient les débats (et leurs implications) portant sur la définition même de fédéralisme. Puis, ils exposent les cinq conceptions ou les cinq moments du fédéralisme au Canada hérités de l'« école canadienne », soit le quasi-fédéralisme, le fédéralisme classique, le fédéralisme d'urgence, le fédéralisme coopératif et le fédéralisme dualiste. Enfin, les auteurs identifient les principales lacunes de cette « école canadienne » et mettent en parallèle les deux conceptions dominantes du fédéralisme au pays. Ces deux conceptions ne cohabitent pas toujours facilement.

CHAPITRE 6

L'ÉTAT CANADIEN

Peter Graefe

La question de l'**État**[1] est souvent au centre de la vie politique. En suivant l'actualité politique, on voit des anarchistes qui protestent contre l'**État policier**, des représentants du patronat qui dénoncent l'**État interventionniste**, des militants communautaires qui réclament des investissements dans l'**État social**, des gais et des lesbiennes qui exigent que l'État reconnaisse leur droit au mariage ou encore des nationalistes québécois qui dénoncent l'ingérence du gouvernement central et qui, pour certains, souhaitent établir un État québécois indépendant.

Ces exemples rappellent que la forme que revêt l'État est un enjeu primordial de la vie politique et qu'il résulte de la contestation sociale, c'est-à-dire que les acteurs cherchent à façonner l'État dans le but de faire avancer leurs intérêts propres. Ces exemples mettent en lumière aussi que cette contestation est liée à une conception

de la communauté politique : en d'autres mots, qui est reconnu par l'État, quel État est légitime, qu'est-on en droit d'attendre de l'État et quelles activités cherche-t-on à limiter ? Bref, on est sur le terrain mettant en rapport l'individu et l'État ou, en d'autres mots, le champ de la **citoyenneté**.

Ce chapitre brosse d'abord un portrait large de l'État canadien et de la citoyenneté. Prenant la mesure de la multiplicité d'usages populaires (les anarchistes et les représentants patronaux peuvent-ils s'entendre sur la représentation de l'État ?), la première partie propose une définition de l'État et du **régime de citoyenneté** pouvant prendre en compte l'État comme produit de la contestation sociale et ainsi porter plus avant une analyse historique des frontières changeantes entre l'État et la citoyenneté. Puis ce chapitre trace l'historique du développement de l'État canadien, de la Confédération de 1867 à nos jours.

La vie politique contemporaine au Canada se joue au sein d'institutions et par le jeu de diverses actions qui ne sont pas le résultat d'une recette

----

1. Les concepts en caractères gras sont définis dans le glossaire à la fin du chapitre.

abstraite propre aux **démocraties libérales**, mais qui traduisent plutôt d'importantes luttes politiques. Il est important de comprendre le jeu des acteurs et la place des institutions politiques comme étant des produits historiques contribuant à façonner une citoyenneté particulière. Ce sera l'objet de ce chapitre.

1. UNE DÉFINITION DE L'ÉTAT ET DE LA CITOYENNETÉ

Pour plusieurs auteurs, il est difficile d'arrêter une définition de l'État. La première image qui vient à l'esprit est généralement celle de la colline du Parlement à Ottawa ou de l'Assemblée nationale à Québec. Certains penseront à des lieux de prestation de services publics, comme les centres locaux de santé et de services sociaux ainsi que les écoles, ou aux immobilisations des entreprises publiques, comme l'édifice emblématique d'Hydro-Québec à Montréal.

Mais ce qui importe, c'est évidemment moins les bâtiments que les actions menées dans – ou liées à – ces lieux physiques, des actions qui ont une certaine régularité et prévisibilité parce qu'elles sont régies par des règles de fonctionnement reconnues (comme la Constitution) par les acteurs étatiques (politiciens, fonctionnaires) et par les acteurs sociaux (citoyens, groupes de pression, mouvements sociaux). Bref, l'État n'est pas une donnée immédiate, il est un **construit social**.

Le concept d'« État » est fortement contesté chez les politologues : les différentes écoles de pensée ont leurs propres manières de concevoir ce construit social, donc leurs propres manières de définir ce qu'est l'État. Aux fins de ce chapitre, nous adopterons la définition proposée par Bob Jessop, qui voit ce centre de pouvoir comme étant formé par « un ensemble distinct d'institutions et d'organisations dont la fonction, acceptée par la société, est de définir et d'appliquer des décisions qui contraignent collectivement les membres de la société au nom de l'intérêt commun ou de la volonté générale » (Jessop, 1990, p. 341, traduction libre).

Jessop note cependant que la définition de l'« intérêt commun », de ce qui est « accepté par la société » et de la « volonté générale » n'est pas arrêtée d'avance et qu'elle est bien le produit de conflits politiques. Chaque définition rend l'État plus perméable à certains intérêts qu'à d'autres. Par exemple, si l'intérêt commun est d'abord défini comme la croissance économique, cela augmentera la légitimité relative des intérêts du patronat au détriment de ceux des syndicats et des écologistes au sein même de l'État. L'analyse de l'État doit donc être sensible à l'évolution des rapports de pouvoir entre les forces sociales, car c'est à partir du conflit social que l'on peut penser les institutions qui font partie de l'État.

Cette définition a l'avantage de mettre en valeur le fait que l'État existe dans le temps, et qu'il se transforme au gré des conflits sociaux autour de la définition de l'intérêt commun et des actions à entreprendre pour assurer le bien commun. L'incarnation de l'État, à différents moments historiques, n'est donc pas un objet neutre, mais résulte d'une série de luttes et de compromis sociaux (Dufour, 2004).

Cette conception dynamique de l'État a des implications directes sur notre manière de penser la citoyenneté. Comme le soulignent Jane Jenson et Martin Papillon (s. d., p. 5, traduction libre), la citoyenneté fait référence à deux relations, celle concernant le statut des membres d'une communauté face à l'autorité publique et celle des liens de solidarité qui existent entre les membres justement *parce qu'ils sont membres* de cette communauté. Les changements au sein de l'État ont donc, au fil du temps, des incidences importantes quant à la forme et au contenu de la citoyenneté.

Jenson nous propose le concept de « régime de citoyenneté ». Ce concept revêt quatre dimensions importantes liées à ces deux relations et qui peuvent servir de guides à une analyse historique :

1. Un régime de citoyenneté définit les frontières de la *responsabilité étatique*, distinguant les responsabilités de l'État de celles dévolues aux marchés, à la famille et aux communautés.

2. En reconnaissant une variété de *droits*, le régime fixe les *frontières d'inclusion et d'exclusion*. Il établit qui a droit à une pleine citoyenneté et qui se voit reconnaître une citoyenneté de seconde zone.

3. Le régime de citoyenneté définit aussi *le mode de fonctionnement démocratique*, ce qui inclut les mécanismes institutionnels d'accès à l'État, les modes de participation aux débats publics et la légitimité sous-tendant les différentes approches lorsque vient le temps d'adresser des demandes à l'autorité publique.

4. Les régimes contribuent à définir la nation, à la fois au sens légal et dans le sens plus touffu de l'identité nationale et de son emprise territoriale, donc établissent les *frontières de l'appartenance* (Jenson, 2001, p. 4, traduction libre).

On peut penser cette citoyenneté sur divers fronts[2]. Il existe une **citoyenneté civique**, qui inclut l'encadrement des libertés civiles (liberté d'association, liberté d'expression, liberté religieuse, droits procéduraux liés aux tribunaux ou au service de police). On trouve aussi une **citoyenneté politique**, liée à l'exercice du droit de vote et à la représentation des intérêts des citoyens au sein des assemblées législatives. À cela, on pourrait ajouter la **citoyenneté sociale**, définie par les **droits sociaux** consentis aux citoyens ou à certains groupes de citoyens, et la

citoyenneté industrielle, concernant l'encadrement étatique des relations employeurs-employés dans la prise de décisions sur les lieux de travail, surtout relativement aux salaires et aux conditions de travail.

Enfin, dans le contexte canadien, on ne peut pas négliger la **citoyenneté fédérale**. L'adoption d'un régime fédéral a fait en sorte que le pouvoir étatique est partagé entre deux ordres de gouvernement, central et provincial, chacun ayant des pouvoirs exclusifs dans des domaines particuliers. Cela a pour incidence que les citoyens ont deux horizons d'appartenance politique, à la fois à la communauté provinciale et à la communauté pancanadienne. Ces horizons d'appartenance se concrétisent autour des liens construits entre les citoyens et les ordres de gouvernement provincial et central. Le respect pour la division des pouvoirs constitutionnels et de l'autonomie des gouvernements d'agir dans leurs champs de compétence sont d'une importance fondamentale pour le maintien d'une citoyenneté fédérale.

POINTS CLÉS

> L'État est un construit social désignant un ensemble d'institutions qui ont le pouvoir de contraindre tous les membres de la société au nom du bien commun. L'étendue de ce pouvoir coercitif et la définition du bien-être sont des enjeux du conflit politique.

> La citoyenneté fait référence au lien entre l'individu et l'État. L'ensemble des pratiques et des idées qui façonnent les frontières de cette citoyenneté (qui est inclus ou exclu, quelles sont les responsabilités de l'État, comment se définit la communauté politique, par quels moyens est-ce que les citoyens peuvent affecter la prise de décisions étatique) forment un régime de citoyenneté. Le régime de citoyenneté se transforme au gré des luttes sociales.

---

2. On pourrait multiplier les dimensions de la citoyenneté (p. ex. la citoyenneté culturelle ou la citoyenneté sexuelle). Le choix privilégié dans ce chapitre reprend les dimensions classiques. La question de la citoyenneté culturelle sera reprise ailleurs dans cette collection.

2. L'ÉTAT CANADIEN AU MOMENT DU PACTE FÉDÉRATIF

L'État canadien, tel qu'il a été mis en place avec l'avènement de la Confédération en 1867, portait la marque de la primauté des idées libérales de l'époque (McKay, 2009 ; Ajzenstat, 2007) qui défendaient une conception extrêmement limitée de la citoyenneté. Cela pourrait surprendre : on a tendance à établir rapidement une équation entre **libéralisme** et démocratie, mais ce qui les opposait était plus clair au XIXe siècle. Le libéralisme de l'époque était en grande partie défini par le respect de la propriété privée. L'individu au centre du libéralisme n'était pas défini comme n'importe quel être humain : c'était une personne qui avait une indépendance de pensée et d'action et qui n'était pas dépendante d'autrui ; on prêtait surtout ces qualités aux personnes nanties. Par exemple, les libéraux canadiens du XIXe siècle se posaient des questions sur la capacité des Canadiens français à être des citoyens, étant donné l'absence d'indépendance présumée par la présence de l'aliénant pouvoir clérical de l'Église catholique (McKay, 2000). Les grandes valeurs de liberté et d'égalité se résumaient surtout à la liberté de disposer à sa guise de sa propriété et à l'égalité juridique. Nous étions en présence surtout d'une idéologie qui contestait l'ordre aristocratique afin de mettre en place une économie marchande régie par la loi (McKay, 2009).

En ce sens, les multiples discours antidémocratiques des Pères de la Confédération ne constituaient pas nécessairement une tendance conservatrice. On craignait notamment que l'impulsion démocratique caractérisant les fermiers donne naissance à une communauté politique gérée par une masse dépourvue de l'indépendance de pensée nécessaire à la sauvegarde de la liberté individuelle et au respect de la propriété privée, et cette crainte a donné lieu à un certain caractère conservateur, dans le sens d'embrasser les institutions de gouvernement responsable, mais d'une manière qui limitait l'accès aux masses.

C'est ce qui explique l'intérêt des Pères de la Confédération pour des institutions politiques qui érigeraient des barrières entre l'expression de la volonté populaire et la prise de décisions politique. Les Pères fondateurs canadiens ont beaucoup mis l'accent sur le rôle du député en tant que « fiduciaire », et non comme délégué du peuple. Aussi le député était-il censé posséder des capacités de réflexion et de jugement supérieures à celles des citoyens ordinaires, qui lui permettaient notamment de savoir ce qui est dans l'intérêt du pays (et non pas seulement de sa circonscription). L'établissement d'un Sénat non élu, avec une qualification de propriété importante pour y être nommé sénateur, ainsi qu'un rôle important pour la Couronne, ajoutait des barrières à l'expression démocratique.

D'autres historiens et politologues ont vu la Confédération comme un cadre constitutionnel conservateur, puisque les projets économiques des Pères fondateurs s'éloignaient du laisser-faire et du libre-échange pour appuyer des investissements publics importants dans les chemins de fer ou proposaient l'utilisation de tarifs pour protéger les industries manufacturières naissantes (Smith, 2008). Mais il faut se demander si les Pères fondateurs voyaient dans l'État une solution de rechange à une économie libéralisée ou plutôt un instrument nécessaire pour étendre une économie libérale à un espace continental dans lequel les rapports de propriété existants se déclinaient selon les préceptes collectivistes des communautés autochtones en place (McKay, 2009). Autrement dit, l'extension du libéralisme d'un océan à l'autre demandait un État fort, que ce soit pour procéder à la dépossession des Autochtones dans le Nord et dans l'Ouest, pour financer et construire de vastes réseaux de transport et de communications ou pour accueillir et intégrer de nombreux immigrants constituant les jalons d'un marché de travail et de consommation grandissant.

2.1.   Les idées et les acteurs

L'accent mis sur le libéralisme cache une partie de la réalité, puisque les idées ne peuvent être complètement séparées des personnes qui les portent. Ce libéralisme reposait sur la défense d'intérêts économiques particuliers. Comme l'historien Stanley Ryerson (1972) l'a souligné, le déblocage politique qui a mené à la Confédération dépendait d'une triple alliance mettant en lien les intérêts financiers et ferroviaires de Montréal, l'élite francophone et l'Église catholique, ainsi que les secteurs industriels et commerciaux émergents de Toronto.

Dans le cas des intérêts financiers et commerciaux, l'intérêt commun se basait sur le projet d'étendre la communauté politique afin de créer un marché assez large pour assurer un développement économique dynamique. Cela se concrétisa plus tard, en 1879, grâce à la Politique nationale du premier ministre John A. Macdonald, joignant le projet d'un chemin de fer transcontinental à une protection tarifaire pour les industries manufacturières naissantes et au peuplement des Prairies, servant à la fois de soutien à l'expansion ferroviaire et à la demande de produits de consommation, en particulier des produits manufacturés par le Canada central (McKay, 2009) (tableau 6.1).

Ce projet de refondation de la communauté politique ne pouvait faire abstraction de la capacité de la communauté canadienne-française à résister aux visées assimilationnistes des Canadiens anglais. Il ne pouvait non plus occulter la volonté de cette dernière de se doter des moyens politiques nécessaires en vue d'infléchir son propre destin, notamment en accédant au contrôle d'un État provincial. Le compromis entre les intérêts ferroviaires et commerciaux anglophones autour de la Confédération a donc forcé l'obtention d'un accord avec l'Église catholique et l'élite francophone autour d'une union fédérale plutôt qu'une union législative (Ryerson, 1972 ; Rocher, 2012 ; Brouillet, Gagnon, Laforest, 2016).

L'idée était d'adopter une forme fédérative qui laisserait aux provinces (y compris le Québec et sa forte majorité francophone) le soin de gérer les questions culturelles et celles de nature plus locales, comme l'éducation. Ce compromis servait le projet d'assurer la survie d'une nation

---

TABLEAU 6.1.

L'État libéral canadien

Stratégie de développement étatique	**Citoyenneté civile et politique**
« La Politique nationale » • construction du chemin de fer ; • érection d'un mur tarifaire pour protéger l'industrie manufacturière émergente en Ontario et au Québec ; • promotion de l'immigration pour peupler l'Ouest en parallèle avec la dépossession autochtone.	• Représentation parlementaire comme moyen de protéger les droits. • Droit de vote restreint, mais qui s'élargit pour inclure les hommes sans propriété et les femmes. **Citoyenneté sociale** • Premiers développements dans les années 1920. La protection sociale n'est pas vue comme une responsabilité étatique. **Citoyenneté fédérale** • La Constitution reflète la tension entre une division de pouvoirs qui assure une autonomie pour les provinces, nécessaire pour le consentement des Canadiens français, et la volonté de créer un gouvernement central dominant pour assurer la construction d'une nouvelle nation canadienne. • Le respect pour la division des pouvoirs se concrétise, surtout à partir des années 1880, mais les droits des francophones hors du Québec sont bafoués.

canadienne-française en terre d'Amérique. Pour certains acteurs, dont Macdonald qui caressait l'idée d'un État unitaire et centralisé, ce fut une concession importante, mais pour d'autres, c'était une manière de mettre fin aux blocages politiques qui prévalaient au Parlement du Canada-Uni, en délaissant les secteurs sur lesquels on ne parvenait pas à s'entendre et qui étaient jugés de moindre importance (culture, affaires sociales) au profit des provinces.

2.2. De vives oppositions à la Confédération

L'opposition au projet fédératif résidait surtout dans les milieux agricoles. On y critiquait l'utilisation du crédit disponible pour financer les chemins de fer et d'autres grands projets d'infrastructure. L'utilisation du crédit donnait à l'exécutif la possibilité d'acheter la loyauté des législateurs en échange de postes prestigieux dans le nouvel appareil d'État et de gains potentiels dans les travaux publics, tout en passant la facture aux contribuables. Cela donnait lieu à la fois à de la corruption et à l'augmentation des impôts des contribuables permettant de financer le tout (Smith, 1995).

Dans le cas des Rouges du Bas-Canada, les principales critiques concernaient l'antidémocratisme (Couronne, Sénat non élu) et la centralisation économique et politique pressentie du nouvel État, qui allaient de pair avec une critique plus nationaliste : la Confédération offrait une autonomie trop limitée aux Canadiens français et protégeait davantage les intérêts et les privilèges de l'élite anglophone de Montréal. Malgré cette méfiance à l'endroit des intentions des Canadiens anglais, la possibilité d'avoir à la fois un espace d'autonomie (un État provincial où les Canadiens français auraient le pouvoir de légiférer même dans les domaines de l'éducation et du droit civil), tout en participant à la construction d'un nouvel État transcontinental,

intéressait l'élite francophone. Cette dernière avait cependant une confiance mitigée face à la volonté réelle des Canadiens anglais de respecter le pacte confédératif, et ce, malgré le fait que la Confédération prévoyait un partage des pouvoirs entre les ordres de gouvernement fédéral et provincial (Rocher, 2012).

L'opposition au projet confédéral au Haut-Canada fut plus faible, surtout à la suite du redéploiement des alliances politiques. Les réformistes du Haut-Canada n'ont jamais pu travailler de concert avec les Rouges du Bas-Canada à cause des préjugés anti-Canadiens français des premiers. Mais le développement économique a introduit une scission dans le rang des réformistes, lorsque des leaders comme George Brown se sont rapprochés avec le temps de l'élite économique responsable des chemins de fer. Ce rapprochement laissait les fermiers réformistes sans grande possibilité d'alimenter leur contestation de la Confédération (Smith, 1995). Du côté des colonies des Maritimes, l'opposition a failli y faire dérailler le pacte fédératif, mais n'est toutefois pas parvenue à modifier de façon marquante les paramètres institutionnels du nouveau pays. De telle sorte que l'État, au moment de la Confédération, portait surtout les marques d'un libéralisme dominant teinté de conservatisme, que l'on peut synthétiser ainsi :

1. l'adoption du système parlementaire britannique, avec une chambre haute basée sur la propriété et la volonté de restreindre les pulsions démocratiques du peuple en les canalisant vers les institutions parlementaires ;
2. l'adoption d'un système fédéral où les grands leviers de développement économique et d'expansion territoriale relevaient du gouvernement central et où les provinces héritaient des pouvoirs liés à la culture, à la vie privée et aux responsabilités de nature locale ;
3. la poursuite du régime impérial britannique, laissant plusieurs décisions entre les mains des autorités impériales, dont la politique

étrangère et la diplomatie, tout en conservant au Conseil privé de Londres son ascendant en matières constitutionnelles et juridiques.

Il est à noter que l'approbation de l'*Acte de l'Amérique du Nord britannique* de 1867 s'est faite dans le cadre de débats législatifs, et non pas par une consultation populaire, voire un référendum. Cela est tout à fait conséquent avec le libéralisme décrit plus haut : un référendum aurait ouvert la porte à des pulsions démocratiques moins réceptives à la protection des minorités, commençant avec la minorité de la classe possédante (Ajzenstat, 2007 ; Ryerson, 1972).

2.3. La citoyenneté et la Confédération

La citoyenneté qui émanait du compromis de 1867 était étroite et faiblarde, en commençant par le sens donné à la citoyenneté politique. La vision de la citoyenneté s'appuyait sur l'idée que les individus agissaient de façon autonome et étaient capables de prendre leurs propres décisions sans tomber sous l'influence des autres. C'est l'étendue des propriétés ou l'importance de la richesse qui garantissait cette indépendance. Étaient donc exclus de la citoyenneté politique la grande majorité des hommes blancs ne disposant pas d'assez de richesse pour se qualifier pour le droit de vote. Au moment de la Confédération, on estime que seulement 15 % de la population adulte masculine avait le droit de voter.

Du côté des femmes, leur présumée dépendance envers leur mari ou leur père, conjuguée aux idées saugrenues voulant qu'elles soient émotives et non rationnelles, fit en sorte que le droit de vote ne leur a pas été reconnu pendant le premier demi-siècle de la Confédération. De plus, ce n'est qu'en 1929 que le statut légal de « personne » a finalement été reconnu aux femmes et leur a donc permis d'être nommées au Sénat.

Pour ce qui est des immigrants, l'idée du vote pour les personnes d'origine asiatique restait sans défenseur, et des restrictions à cet égard sont restées en vigueur en Colombie-Britannique jusqu'en 1948 (Strong-Boag, 2002).

Enfin, ce régime de citoyenneté excluait aussi les Premières Nations. Le fait pour les Autochtones de détenir en commun une propriété et la présomption **ethnocentrique** quant au caractère non moderne de leurs cultures les gardaient à la marge de la communauté politique. Le droit de vote ne leur a été accordé qu'en 1960 et plusieurs droits civils leur ont été retirés (jusqu'en 1951) par le truchement de la *Loi sur les Indiens* : droit à la religion (interdiction d'exécuter certaines danses et de participer à des cérémonies traditionnelles) ; liberté de mouvement (approbation nécessaire de l'agent du gouvernement central pour quitter la réserve) ; liberté d'association (interdiction de former des associations politiques) ; droit d'embaucher des avocats pour entamer des revendications territoriales. Les Autochtones avaient accès à la citoyenneté à condition de renoncer à leur statut d'Indien. Cette visée assimilationniste sera également visible dans les pensionnats où l'on disait vouloir créer de bons sujets libéraux, affranchis de tout relent de culture autochtone (McKay, 2000 et 2009).

Les droits des citoyens étaient surtout de nature civique et politique. La citoyenneté industrielle était quasi inexistante à cette période, car la participation à des syndicats était considérée comme une forme de conspiration contre la propriété privée et l'intérêt général. En 1872, à la suite d'une grève au *Globe and Mail*, la légalité des syndicats a toutefois été reconnue. L'activité syndicale au sein de l'entreprise reste cependant sans protection légale et, lors des grèves, les instances étatiques interviennent, souvent par la force, en disant protéger les droits de propriété (Smith, 2012 ; Rouillard, 2008).

Du côté des droits sociaux, les responsabilités liées à la prestation de services sociaux étaient de nature privée et devaient se régler au niveau des familles et des institutions caritatives, telle l'Église catholique, mais ces dernières manquaient de l'envergure nécessaire pour répondre aux dislocations sociales causées par l'industrialisation et l'urbanisation. Plusieurs acteurs – que ce soit les syndicats ou les nouvelles catégories professionnelles du domaine social, dont les travailleurs sociaux, les experts en santé publique – réclamaient une implication majeure de l'État. On note parmi les balbutiements de l'État social quelques lois provinciales sur les lésions professionnelles à partir des années 1910, suivies par les débuts de l'aide sociale pour les mères de famille monoparentale et le versement des premières pensions de vieillesse à la fin des années 1920 (Noël, Boismenu et Jalbert, 1993).

Si l'État canadien, au moment de sa fondation, accordait une citoyenneté limitée, celle-ci restait singulière, car, le Canada demeurant dans le giron britannique, la citoyenneté juridique des membres de la communauté politique se confondait avec celle de l'Empire[3]. Ce n'est qu'en 1946 que le gouvernement central a instauré une citoyenneté proprement canadienne, et ce n'est qu'après la Première Guerre mondiale, et surtout en 1931 avec le **Statut de Westminster,** que les gouvernements canadiens successifs ont pu prendre des décisions de manière autonome dans le domaine des affaires étrangères, sans possibilité d'ingérence de la part du gouvernement de Londres.

Malgré la durabilité du lien impérial, la citoyenneté fédérale s'est enrichie au cours du premier demi-siècle de la Confédération. Le gouvernement central a tenté à plusieurs reprises de se servir d'instruments constitutionnels hérités de la période impériale (comme le pouvoir de désaveu des législations provinciales) afin de miner l'autonomie provinciale qui était par ailleurs protégée par la division des pouvoirs législatifs. C'est la combinaison de résistances provinciales (surtout en provenance de l'Ontario

et du Québec) ainsi que les décisions du Comité judiciaire du Conseil privé à Londres, plus favorables à une interprétation décentralisée de la Constitution, qui ont contribué à rendre désuets plusieurs de ces instruments (Simeon et Robinson, 1990).

Les réticences quant au pacte fédéral durant ces années concernaient moins le partage des compétences que l'effritement du lien de confiance entre les communautés fondatrices canadienne-anglaise et canadienne-française. Cela s'observait surtout dans le recul des droits linguistiques, en particulier la question de l'éducation pour les communautés francophones hors Québec. Derrière ce recul, on trouve à la fois de vieux préjugés anti-français, mais aussi la présence d'une nouvelle identité pancanadienne réfractaire à l'idée d'un Canada qui évoluerait telle une société régie par l'idéal fédéral et pluraliste (Rocher, 2012).

En somme, l'État canadien mis en place à la Confédération s'est transformé plusieurs fois au cours des soixante-quinze années qui ont suivi sa création, à la suite de pressions et de contestations de toutes sortes. Les loyautés locales ont aidé les provinces à contrecarrer les visées centralistes du premier ministre Macdonald et ont contribué à décentraliser la fédération. Les pressions exercées par les femmes, entre autres, ont ouvert la voie au respect des droits politiques. Enfin, la transition industrielle et urbaine et les réponses à celle-ci (syndicats, nouvelles catégories professionnelles dans le champ social, début des protections sociales) ont contribué à façonner une citoyenneté sociale et industrielle.

Les sections suivantes tracent le trajet de l'État dans les années qui suivent, partant de la construction de l'**État social** pendant la période keynésienne de l'après-Seconde Guerre mondiale jusqu'à la période néolibérale caractérisant les années 1980 et 1990. On termine avec la période contemporaine, coincée entre les idées d'un « **libéralisme inclusif** » qui prend ses distances de certaines idées néolibérales et

....
3. Se référer au chapitre 2 d'Yves Couture dans cet ouvrage.

l'austérité, qui implique un renforcement du programme néolibéral.

POINTS CLÉS

> La Confédération est le résultat d'un pacte entre les intérêts financiers, liés aux chemins de fer, l'élite marchande, liée au développement proto-industriel, et l'élite traditionnelle du Bas-Canada, liée à l'Église catholique.
> La Confédération traduit surtout la vision libérale et élitiste de l'époque. On met l'accent sur la libre entreprise et le laisser-faire pour assurer le développement économique, laissant la prise de décisions politiques entre les mains des parlementaires, qui sont choisis parmi les gens les plus « éclairés » de la société.
> Les zones d'exclusion de la citoyenneté sont larges : les femmes, les Autochtones, les minorités visibles, les hommes ne disposant pas d'assez de propriétés privées. La prise en compte de la diversité canadienne-française reste assez fragile.
> Au cours des soixante années suivant la Confédération, ce libéralisme fut partiellement démocratisé à la suite des pressions exercées pour obtenir le droit de vote, ainsi que des efforts des syndicats dans une société en pleine transition industrielle et urbaine.
> La citoyenneté fédérale a démontré des tendances opposées : un respect pour l'autonomie de la province du Québec grâce au non-interventionnisme propre au libéralisme, ainsi qu'un non-respect des droits de francophones hors Québec résultant de l'identité mononationale au Canada anglais.

3. L'ÉTAT SOCIAL

C'est au cours de la période débutant après la Seconde Guerre mondiale que l'évolution de cet État libéral s'accélère. L'impulsion pour ce changement vient de plusieurs sources, mais surtout de la montée d'un nationalisme canadien, d'un côté, et des forces sociales à la recherche d'un ordre économique moins libéral, de l'autre.

Durant cette période, on observe un accroissement du sentiment national pancanadien lié à de multiples facteurs, alimentés par l'expérience de mobilisation lors de la guerre ainsi que le développement de nouveaux liens de communications interrégionaux (radio et télécommunications, autoroutes, avions). On note aussi le développement d'une nouvelle classe d'experts, formés dans le champ des sciences sociales, qui accaparent les postes clés au sein de l'administration fédérale au cours des années 1930 et 1940 et qui cherchent à étendre les tentacules du gouvernement central en vue de répondre aux problèmes accompagnant la mise en place d'une société industrielle moderne. En Occident, l'État cherche depuis cette époque à garantir le plein emploi, et les stratégies mises en œuvre pour y arriver – comme la création d'un État-providence ou le renforcement des syndicats dans la négociation collective – ouvrent la voie à l'**État interventionniste**. Les compétences en matière de planification et de perception d'impôt dont l'État central s'était doté pendant la guerre donnaient à Ottawa plusieurs longueurs d'avance sur les bureaucraties provinciales en développement.

Dans le cas canadien, l'influence marquée du libéralisme (économique) faisait en sorte que les droits socioéconomiques des citoyens étaient souvent bien minces en comparaison de ceux garantis dans les pays d'Europe de l'Ouest. En effet, le droit à l'emploi y était faible, le Canada se donnant la cible non pas du plein emploi, mais simplement d'un très haut taux d'emploi. De plus, la citoyenneté sociale et industrielle restait assez peu développée en comparaison de celle des États-providence de Scandinavie ou d'Europe continentale. Mais, comme on le verra, les syndicats et d'autres mouvements contestataires vont, au cours des trente années suivant la

Seconde Guerre mondiale, mener l'État à tempérer graduellement le libéralisme pour adopter de plus en plus de mesures sociales-démocrates (Noël, Boismenu et Jalbert, 1993 ; Mahon, 2008). Ce libéralisme social transparaît dans la construction graduelle de l'État-providence au Canada sur une période d'un quart de siècle : assurance-chômage (à la suite d'une modification constitutionnelle) en 1940 ; prestations familiales en 1945 ; régimes ciblés d'aide sociale pendant les années 1950 (p. ex. pour les personnes ayant différents types de handicaps) ; assurance hospitalisation en 1957 ; régimes des rentes en 1965 ; assurance maladie universelle et régime d'assistance publique du Canada en 1966. Cette citoyenneté sociale favorisait les hommes et était conçue pour protéger l'ordre familial : l'homme comme chef de famille et la conjointe comme personne dépendante. Ce n'est qu'au cours des années 1960, au Québec comme au Canada, à la faveur des pressions du mouvement féministe, qu'on a commencé à la fois à ouvrir cette citoyenneté aux femmes et à l'étendre aux besoins liés à l'accouchement et à la garde des jeunes enfants (Noël, Boismenu et Jalbert, 1993 ; Mahon, 2008).

La citoyenneté industrielle fut aussi élargie au cours de cette période, à rythme variable selon les provinces. L'État autorisera les travailleurs à se doter d'une représentation au sein de l'entreprise et acceptera d'encadrer le processus de négociation collective. En contrepartie, les syndicats doivent devenir responsables, ce qui veut dire, entre autres choses, limiter leurs revendications aux salaires et aux conditions de travail tout en cédant le droit de grève lorsqu'une convention collective est en vigueur (soit la grève sociale) (Smith, 2012 ; Rouillard, 2008).

La situation fut la même au regard des droits politiques, où l'on constate la mise en place de meilleures pratiques électorales. Cela mène à une plus grande professionnalisation de la fonction publique (plutôt que d'être une dépouille que le gagnant des élections partage avec ses militants), à une plus grande transparence et à un recul du pouvoir de l'argent (surtout au cours des années 1970). Il y a aussi le foisonnement de nouvelles initiatives liant les citoyens avec la prise de décisions. Cette évolution au chapitre de la citoyenneté politique restait à géométrie variable, avec plusieurs catégories de citoyens (femmes, minorités raciales ou ethniques, personnes ayant des handicaps) qui devaient se battre pour prendre part aux divers processus décisionnels. Mais le fait le plus important à souligner est que la logique prévalant au cours de cette période était d'élargir l'éventail des canaux d'accès au pouvoir afin d'incorporer ces diverses demandes d'inclusion.

Le nationalisme canadien de l'après-Seconde Guerre mondiale avait donc des effets directs sur la mise en place d'une **citoyenneté pancanadienne**. Or, en occupant de plus en plus de champs de compétence provinciale, le gouvernement central remettait en cause le pacte fédératif. La Constitution de 1867 représentait une barrière à une centralisation tous azimuts : les décisions du Comité judiciaire du Conseil privé à Londres, jusqu'aux années 1940, ont limité la capacité du gouvernement central de légiférer dans des domaines de compétence provinciale, et les provinces étaient parvenues à limiter les ambitions du gouvernement central dans le cadre des Conférences sur la reconstruction au lendemain de la Deuxième Guerre mondiale.

Pour mettre en place son projet de citoyenneté sociale, le gouvernement central avait dû recourir au supposé « pouvoir de dépenser[4] » afin de contraindre les provinces à mettre en place des politiques publiques équivalentes et ainsi garantir des droits sociaux semblables, peu importe la province de résidence des citoyens. Au lieu de légiférer directement dans un champ provincial, le gouvernement central propose de

....

4. Voir le chapitre 11 de Xavier Dionne et Alain-G. Gagnon dans cet ouvrage.

TABLEAU 6.2.

L'État social canadien

Stratégie de développement étatique	Citoyenneté civique et politique
« Keynésien/Plein emploi »	• Établissement d'un État plus ouvert aux groupes d'intérêt non patronaux.
• L'État central utilise ses outils budgétaires pour encourager le plein emploi et maintenir le pouvoir d'achat.	• Élargissement du droit de vote pour inclure les femmes, les minorités visibles et les Autochtones.
	• Adoption de déclarations des droits de la personne dans les provinces et par le gouvernement fédéral.

Citoyenneté sociale
- Mise en place de l'État-providence, en reconnaissant les « risques sociaux » (et donc les risques collectifs comme le chômage, les problèmes de santé, etc.) de la modernité.

Citoyenneté fédérale
- Le recours fréquent au pouvoir de dépenser contourne la protection de la diversité fédérale.
- Une modification constitutionnelle sans le consentement du Québec sape la légitimité nécessaire pour le bon fonctionnement du fédéralisme. Cette modification cherche aussi à uniformiser l'identité canadienne (multiculturalisme, bilinguisme, égalité des provinces).

---

payer un pourcentage (habituellement 50 %) du coût d'un programme provincial, à la condition que ce dernier respecte les normes imposées par le gouvernement central connues sous le vocable de « conditions nationales » (Boismenu et Graefe, 2003).

Avec le rattrapage au chapitre de la capacité bureaucratique des provinces et avec la montée des identités provinciales et régionales, il devint plus difficile pour Ottawa de faire usage du pouvoir de dépenser sans soulever d'importants débats politiques. L'intrusion du gouvernement fédéral, sous l'impulsion du nationalisme canadien, a eu pour conséquence d'alimenter le nationalisme québécois moderne et de signifier aux principaux protagonistes au Québec que les compétences provinciales existantes étaient insuffisantes pour permettre l'épanouissement de la province.

Les tentatives de refondation de la part du nationalisme pancanadien ont eu du succès sur le plan institutionnel : les amendements constitutionnels de 1982 ont confirmé les politiques de bilinguisme individuel et de multiculturalisme et doté le pays d'une *Charte canadienne des droits et libertés*, symbole clé, s'il en est un, de la communauté politique en voie de consolidation. Se faisant le garant de ces valeurs, le gouvernement central est venu limiter la capacité du gouvernement du Québec d'édifier son propre régime linguistique et son propre modèle d'intégration. La décision de procéder à ces amendements, même sans le consentement du Québec, et avec une formule d'amendement ne reconnaissant pas son droit de veto, représente une limitation sévère à l'exercice démocratique devant ordonner les rapports entre nations au Canada.

POINTS CLÉS

> Au lendemain de la Seconde Guerre mondiale, le pouvoir syndical ainsi qu'une vision de développement basée sur le maintien du plein emploi ont refaçonné la citoyenneté, surtout ses dimensions sociales (État-providence) et industrielles (représentation

syndicale). Il y a aussi une diversification des canaux d'accès du citoyen au pouvoir.

> Ces développements s'appuyaient sur une vision centralisatrice de la communauté politique et ont donc été soutenus par un nouveau nationalisme pancanadien. En revanche, le nationalisme canadien-français s'est transformé en nationalisme québécois pour contester la réduction de la citoyenneté fédérale qui en résultait.

> La *Loi constitutionnelle de 1982* traduit largement la vision de la citoyenneté liée au nationalisme pancanadien : un Canada mononational, multiculturel, avec des provinces ayant un statut symétrique. La charte des droits qui fait partie de cet acte renforce les droits civils et politiques de certains groupes. En revanche, elle représente une entrave majeure à la vision de la citoyenneté fédérale qui assurait la légitimité du régime canadien au Québec.

4. L'ÉTAT NÉOLIBÉRAL

Ce virage vers le **libéralisme social** a débouché sur un quart de siècle de croissance économique rapide, appelé les « Trente Glorieuses ». Ce modèle économique a toutefois perdu sa capacité d'assurer la croissance économique et le plein emploi à compter du début des années 1970. Au Canada, comme ailleurs dans le monde occidental, la réponse a pris la forme d'une campagne du patronat et de ses intellectuels pour changer le modèle keynésien en **État néolibéral**. Au chapitre de l'établissement d'un nouveau régime de citoyenneté, cette période se caractérise surtout par des tentatives de retirer les droits acquis de longue lutte pendant l'ère du libéralisme social et de voir à leur remplacement par des programmes ciblés et surtout plus individualisant.

En ce qui a trait à la question de la citoyenneté politique, ces années se distinguent par des

assauts répétés contre les liens institutionnels qui unissent l'État et les groupes d'intérêt, ces derniers étant présentés comme l'expression néfaste d'« intérêts particuliers ». La représentation parlementaire est remise en avant comme canal légitime, même si le pouvoir se concentre de plus en plus autour du premier ministre et du ministre des Finances, loin du contrôle des députés. Il y a donc un rétrécissement de l'accès à l'État, une perte de légitimité de plusieurs acteurs collectifs représentant des groupes moins puissants et une centralisation du pouvoir au sein de l'exécutif, qui est de moins en moins redevable face au pouvoir législatif[5] (Smith, 2006). Par contre, avec la *Charte canadienne des droits et libertés*, on voit l'ouverture d'un nouvel accès au pouvoir politique. Pour plusieurs groupes – comme les personnes ayant un handicap ou les gais et lesbiennes –, l'utilisation des protections de la Charte permettant de porter des causes devant les tribunaux a constitué la stratégie politique la plus porteuse pendant cette période.

En ce qui concerne la citoyenneté sociale et industrielle, il y a eu un démantèlement partiel de l'édifice construit au cours de la période d'après-guerre[6]. Cette déstructuration est en partie idéologique, en ce sens que l'on a redéfini les risques sociaux comme relevant désormais de la responsabilité individuelle (Mahon, 2008). La place des syndicats a aussi été remise en question au cours de cette période. La volonté de réduire les dépenses et les revenus de l'État est allée de pair avec l'adoption de lois spéciales pour diminuer les salaires et modifier les conditions de travail pour les employés des secteurs public et parapublic. Les changements au marché du travail, avec beaucoup plus d'emplois au sein des petites entreprises œuvrant dans le secteur tertiaire, ont aussi rendu l'accès à la

....

5. Voir le chapitre 8 de Donald J. Savoie dans cet ouvrage.
6. Voir le chapitre 19 d'Alain Noël dans cet ouvrage.

syndicalisation plus difficile, tout en affaiblissant la citoyenneté industrielle pour la majorité des travailleurs (Smith, 2012).

La citoyenneté fédérale se transforme un peu au cours de cette période. Si la montée de la droite a mis fin à la progression des droits sociaux, le nationalisme pancanadien a conservé en bonne partie sa force. Cette tendance a pu être observée lors des débats constitutionnels alors que le gouvernement conservateur de Brian Mulroney essayait de réparer les pots cassés de 1982 au moment du rapatriement de la Constitution en prenant au sérieux les demandes de réformes du gouvernement libéral de Robert Bourassa. En fin de compte, il a été impossible pour les acteurs politiques de trouver un compromis acceptable entre la vision québécoise d'un pays dualiste et véritablement fédéral, d'une part, et la vision pancanadienne dominante d'un pays mononational et unitaire, d'autre part (McRoberts, 1999).

Sur le plan des relations intergouvernementales, le changement du discours (recul de la présence d'Ottawa dans les politiques sociales, respect des compétences provinciales dans le but de réduire le coût des chevauchements, décentralisation des responsabilités pour réduire les

dépenses) à Ottawa a dû faire en sorte que les tensions diminuent entre l'État central et les États membres de la fédération. Or, la prévalence du nationalisme pancanadien et l'enracinement de l'idéologie néolibérale ont contribué à entretenir d'importantes tensions intergouvernementales. Par exemple, le gouvernement central, sous le premier ministre Chrétien, voulait faire des économies au chapitre des transferts vers les provinces tout en conservant sa capacité d'intervention ; cela a donné lieu à d'importants remous avec plusieurs provinces (Boismenu et Graefe, 2003). Le premier ministre Stephen Harper, à son tour, entretenait un discours du respect des compétences provinciales, mais en pratique avait des relations tendues avec les provinces, que ce soit autour de l'ingérence dans les champs de compétence des provinces (p. ex., tentative de créer une Commission de valeurs mobilières) ou dans la prise de décisions qui impliquaient des coûts pour les provinces dans leurs champs de compétence (p. ex., la réforme de la *Loi sur les jeunes contrevenants* et des dispositions du *Code criminel* par le gouvernement fédéral ayant des incidences importantes sur les coûts des pénitenciers provinciaux).

TABLEAU 6.3.

L'État néolibéral canadien

Stratégie de développement étatique	Citoyenneté civile et politique
« Néolibéral » • L'accent est mis sur la compétitivité des entreprises. • L'État se désengage des interventions économiques ciblées et il cherche à libérer les entreprises de la réglementation. • L'État cherche à rendre le marché du travail plus flexible en réduisant les protections pour les travailleurs.	• Centralisation du pouvoir autour du premier ministre et du ministre des Finances. **Citoyenneté sociale** • Retour du pendule vers la responsabilité individuelle pour les risques sociaux. • Tentative d'accroître la prestation de services par le secteur privé pour se substituer à la prestation étatique. **Citoyenneté fédérale** • Portrait mixte : moins d'État veut dire moins d'ingérence du gouvernement central, mais le nationalisme pancanadien insiste sur le leadership central dans les dossiers importants (santé, environnement, etc.), ce qui amène une série de nouveaux empiétements concernant l'autonomie provinciale.

> Le néolibéralisme cherche à revoir à fond la citoyenneté héritée de la période keynésienne pour assurer une performance économique dynamique. On met l'accent sur la responsabilité individuelle pour remplacer la responsabilité sociale.
> Malgré le retrait de l'État, la nature fédérale de l'État canadien reste un point chaud étant donné les courants nationalistes, au Canada anglais et au Québec, cherchant à affirmer un Canada mononational ou à faire avancer le projet de souveraineté-partenariat.

5. L'après-néolibéralisme

Le virage néolibéral remonte maintenant à plus de trois décennies. On a pu observer tout au long de cette période une volonté de responsabiliser davantage les individus tout en permettant à l'État de se dégager de ses propres obligations. La volonté d'imposer une plus grande rigueur budgétaire ou de poursuivre la déréglementation du marché du travail s'est maintenue.

Avec le tournant du millénaire, on constate l'évidence des limites sociales du néolibéralisme. Certains auteurs parlent de « libéralisme inclusif » (Mahon, 2008) pour définir le modèle à mettre en place en réponse à de nouveaux défis comme la pauvreté croissante et la garde des jeunes enfants. En comparaison avec le néolibéralisme, on reconnaît que l'égalité des chances fait appel à une intervention étatique, mais, au lieu de tenter d'égaliser les chances (comme c'est le cas avec le libéralisme social), on cherche plutôt à investir dans le « capital humain » afin que tous les citoyens puissent gérer individuellement les risques sociaux encourus à long terme.

De même, il y a eu un changement au chapitre de l'évolution du fédéralisme. Répondant aux limites du néolibéralisme, le gouvernement central a tenté de réinvestir le champ social. Voulant éviter les grands investissements, le gouvernement ne pouvait plus utiliser le pouvoir de dépenser pour imposer des normes nationales dans les domaines de politiques sociales. Mais même avec des sommes modestes, ce dernier est parvenu à rassembler les provinces autour de projets d'investissement social dans les domaines de la santé, de la petite enfance, du logement et des programmes d'emploi pour les personnes ayant des handicaps. Ottawa a cherché à donner de la cohérence à son projet en demandant aux administrations provinciales de partager leurs « meilleures pratiques » et de produire des rapports sur les résultats obtenus par la mise en place des divers programmes. S'il y a eu une provincialisation graduelle de la citoyenneté sociale, cela s'inscrivait quand même à l'intérieur d'un projet de normalisation pancanadien (Boismenu, 2006). Les tentatives du gouvernement de Justin Trudeau d'influencer les choix provinciaux dans les domaines des soins à domicile et de la santé mentale par des ententes bilatérales semblent suivre cette tendance.

La question de la citoyenneté politique a connu des épisodes inquiétants. Face aux protestations contre la mondialisation et l'austérité, on a assisté à un durcissement des tactiques policières[7]. L'État tolère de moins en moins les manifestations associées à la violence, bien qu'il soit de plus en plus sensible et ouvert aux représentations faites par divers groupes d'intérêt. Ce qui est nouveau ici, c'est que l'État s'intéresse beaucoup à l'expertise de ces groupes (et non à leur représentativité ou à leur capacité de trouver des solutions aux divers maux sociaux) afin de mettre en place des politiques publiques plus efficaces (Laforest et Orsini, 2005).

En somme, cette période est généralement marquée par la continuité. C'est notamment le cas concernant la concentration du pouvoir

....

7. Voir le chapitre 13 de Francis Dupuis-Déri dans cet ouvrage.

TABLEAU 6.4.

L'État libéral-inclusif canadien

Stratégie de développement étatique « Libéralisme inclusif »	Citoyenneté civile et politique
• Continuité avec le laisser-faire économique du néolibéralisme. • Accent plus marqué sur l'investissement social et l'investissement dans le capital humain pour assurer la cohésion sociale et la compétitivité de la main-d'œuvre.	• Construction de nouveaux liens avec les groupes d'intérêt, mais sur la base d'expertises. • Recours aux forces de l'ordre pour limiter le droit de manifester. **Citoyenneté sociale** • Accent mis sur l'investissement social, surtout dans le domaine de la petite enfance, pour limiter les coûts sociaux du néolibéralisme. • Volonté d'outiller les individus pour gérer les risques de parcours au lieu de les assurer collectivement contre ces risques. **Citoyenneté fédérale** • Ingérence du gouvernement central en faisant usage du pouvoir de dépenser, mais avec normalisation par la publication de rapports sur les résultats obtenus plutôt que par le respect des conditions imposées au chapitre de la prestation des services par le gouvernement central.

---

autour du premier ministre et du ministre des Finances, quoique le poids de ce dernier ait reculé un peu avec l'atteinte de l'équilibre budgétaire à la fin des années 1990, pour ensuite augmenter dans le sillon des déficits engendrés par des baisses d'impôt et par la crise économique de 2008.

POINTS CLÉS

> Face aux problèmes sociaux non résolus du néolibéralisme, il y a une ouverture pour les forces sociales prônant de nouveaux investissements sociaux, surtout dans le domaine de la petite enfance et de la formation du « capital humain ».

> L'État ouvre de nouveaux canaux d'accès, surtout pour les groupes disposant d'expertises, mais le droit de manifester est limité.

> Tout comme sous l'État social, les questions du rôle du gouvernement central et du présumé pouvoir de dépenser deviennent incontournables dans la délimitation de la citoyenneté fédérale. La force du nationalisme pancanadien s'inscrit dans le long

terme, malgré la faiblesse du leadership moral du gouvernement fédéral.

CONCLUSION : LA CITOYENNETÉ FACE À L'ÉTAT AUSTÈRE

La conception de l'État ainsi que les frontières de la citoyenneté ont vécu plusieurs bouleversements depuis l'avènement de la Confédération canadienne. Les manuels d'introduction à la politique québécoise et canadienne célèbrent la belle histoire du Canada, une histoire qui aurait été marquée par des améliorations notoires au chapitre des pratiques démocratiques et de l'inclusion progressive de nouvelles catégories de citoyens à travers le temps.

La présente radiographie multidimensionnelle de la citoyenneté permet de nuancer cette histoire. On a pu noter des avancées et des reculs ainsi que des tensions et des contradictions quant à la façon dont l'État s'est imposé et a agi de manière à établir de meilleures pratiques démocratiques. On a vu par exemple comment

TABLEAU 6.5.

L'État austère canadien

Stratégie de développement étatique « L'État austère »
- Accent sur l'équilibre budgétaire, sans une augmentation des impôts.
- Suppose un État qui peut s'isoler des pressions sociales pour réduire l'activité étatique et ignorer les demandes pour de meilleurs programmes.

Citoyenneté civile et politique
- Dépassement des institutions parlementaires.
- Contraintes imposées au droit de manifester.

Citoyenneté sociale
- Compression des programmes sociaux, sous l'angle de la responsabilité individuelle.

Citoyenneté fédérale
- Remise en cause du pacte fédéral par un unilatéralisme fédéral musclé.

l'élargissement de la conception de la citoyenneté pour inclure la dimension sociale après la Seconde Guerre mondiale a contribué à la dé-fédéralisation de l'État canadien.

Au cours de la période actuelle, marquée par l'adoption de politiques d'austérité budgétaire dans la plupart des pays occidentaux, l'État semble en voie de changer de nouveau sa trajectoire d'un point de vue qualitatif. Avec les stratagèmes adoptés pour limiter le pouvoir de négociation des syndicats du secteur public et le recours fréquent à des lois de retour au travail lors des grèves, on peut se demander si l'idée même de citoyenneté industrielle, c'est-à-dire d'une protection étatique permettant aux travailleurs d'avoir un mot à dire quant à leurs conditions de travail, ne devient pas désuète. La citoyenneté sociale s'en tire mieux, en comparaison, avec de nouvelles initiatives fédérales et provinciales en matière de logement et de prestations pour les enfants, qui contrebalancent une gestion stricte des dépenses et la privatisation partielle de l'État social existant.

Pour ce qui est des transformations au chapitre de la citoyenneté politique, on a pu constater, dans l'arène extra-parlementaire, un virage autoritaire dans l'encadrement des manifestations. Que ce soit l'agressivité de la réponse policière au moment de la grève étudiante au Québec en 2012 ou la plus grande arrestation de masse de l'histoire du Canada lors du sommet du G20 à Toronto en 2010, il semble que l'État contemporain devienne de plus en plus opposé aux droits des citoyens d'exprimer leurs revendications par la voie de manifestations[8].

Du côté politique, on remarque une centralisation des pouvoirs parlementaires dans les mains du pouvoir exécutif. Cela se manifeste par le recours plus fréquent au bâillon ou en privilégiant l'adoption de lois omnibus pour limiter les débats parlementaires sur des questions de fond. En d'autres mots, on voit l'avènement d'une conception plus plébiscitaire de la politique, où les élections serviraient moins à élire les membres de la Chambre des communes qu'un premier ministre qui dispose de pouvoirs énormes.

Il faut évidemment éviter de tirer des conclusions trop sombres. Ces tendances se profilent dans des sociétés qui continuent à tenir des élections ouvertes et où la liberté de la presse existe. C'est plutôt pour souligner que nous en sommes à un moment charnière de l'histoire canadienne où les contours de l'État – et des liens entre les citoyens et l'État – risquent d'être redéfinis en profondeur.

....

8. Voir le chapitre 13 de Francis Dupuis-Déri dans cet ouvrage.

QUESTIONS

1. Le chapitre traite de l'État en tant que « construit social ». Qu'est-ce que cela signifie ?

2. Quelle est la nature du conflit entre le libéralisme et la démocratie au début de la Confédération ? Est-ce qu'on peut observer un conflit entre le libéralisme et la démocratie dans les périodes ultérieures ?

3. Quelles ont été les répercussions de l'adoption de la *Charte canadienne des droits et libertés* sur la citoyenneté au Canada ?

4. S'il est vrai d'affirmer que l'État et la citoyenneté prennent forme sous l'influence des conflits sociaux, quelles forces sociales semblent avoir eu le plus d'influence sur la transformation de l'État et de la citoyenneté pour chaque découpage historique présenté dans ce chapitre ?

5. Le chapitre conclut sur un portrait assez sombre quant aux perspectives d'avenir de la citoyenneté au Canada. Peut-on observer des tendances qui déboucheraient sur des conclusions moins pessimistes ?

LECTURES SUGGÉRÉES

Jenson, J. (2001). « Social citizenship in 21st Century Canada : Challenges and options », *2001 Timlin Lecture*, 5 février, Saskatoon, University of Saskatchewan, <http://www.cprn.org/documents/28981_en.pdf>.

Mahon, R. (2008). « Varieties of liberalism : Canadian social policy from the "Golden Age" to the present », *Social Policy and Administration*, vol. 42, n° 4, p. 342-361.

McBride, S. et H. Whiteside (2011). *Private Affluence, Public Austerity : Economic Crisis and Democratic Malaise in Canada*, Halifax, Fernwood.

McKay, I. (2009). « Canada as a long Liberal revolution : On writing history of actually existing Canadian liberalisms, 1840s-1940s », dans J.-F. Constant et M. Ducharme (dir.), *Liberalism and Hegemony : Debating the Canadian Liberal Revolution*, Toronto, University of Toronto Press, p. 347-452.

Rocher, F. (2006). « La dynamique Québec-Canada ou le refus de l'idéal fédéral », dans A.-G. Gagnon (dir.), *Le fédéralisme canadien contemporain : fondements, traditions, institutions*, Montréal, Les Presses de l'Université de Montréal, p. 93-146.

GLOSSAIRE

CITOYENNETÉ : Notion qui fait référence à la relation entre le statut des membres d'une communauté face à l'autorité publique et aux liens de solidarité qui existent entre des personnes qui se reconnaissent mutuellement comme membres d'une même communauté. Les relations avec l'État étant nombreuses et complexes, on a conceptualisé différents types de citoyennetés. Par exemple, la **citoyenneté civique** concerne l'encadrement des droits civils ; la **citoyenneté politique** est liée à l'exercice du droit de vote et la représentation des intérêts des citoyens ; la **citoyenneté sociale** se définit par les droits sociaux consentis aux citoyens ou à des groupes de citoyens ; la **citoyenneté industrielle** touche à l'encadrement étatique des relations de travail ; la **citoyenneté fédérale** qualifie une relation entre l'État et le citoyen respectueuse de la division constitutionnelle des pouvoirs et de la double allégeance, provinciale et fédérale, du citoyen ; la **citoyenneté pancanadienne** est la création de liens de solidarité et d'identification entre tous les citoyens à l'échelle du Canada, qui ne laisse pas d'espace pour des variations provinciales dans les droits, les responsabilités et l'appartenance des citoyens.

CONSTRUIT SOCIAL : Normes qui émergent du processus d'imagination et de représentation collectives ainsi que de sa pérennisation dans des pratiques, des institutions et la culture. Par exemple, les rôles sociaux des femmes et des hommes au sein des familles sont largement des construits sociaux érigés sur la base des différences de sexes.

DÉMOCRATIE LIBÉRALE : Type de régime politique qui fusionne des principes démocratiques (participation universelle, décisions majoritaires) et libéraux (protection des droits individuels, de la propriété privée, limitation de la sphère publique au profit d'une sphère privée). Libéralisme et démocratie vont souvent de pair depuis le XVIIIᵉ siècle, mais il y a aussi des zones de conflits lorsque la volonté de la majorité remet en question les droits minoritaires, ou quand les inégalités de propriété influent sur la capacité des individus à participer pleinement et concrètement à la prise de décisions politiques.

DROITS SOCIAUX : Protections sociales auxquelles une personne a droit en vertu de son statut de citoyen. Les droits sociaux découlent de l'idée que la prospérité des sociétés modernes entraîne de nouveaux risques socioéconomiques (p. ex. chômage) pour les personnes. Ils sont présentés comme étant une contrepartie en vue de compenser ces nouveaux risques.

ÉTAT : Institutions (centrales) sur un territoire aux frontières définies, requérant le consentement de la société, qui définissent et appliquent des décisions collectivement contraignantes au nom du bien commun. L'État a pris diverses formes à différentes époques et dans diverses sociétés. Par exemple, on peut penser à l'**État policier**, où le pouvoir policier est utilisé d'une manière ouverte, et sans tenir compte des droits civiques, pour assurer le contrôle social ; à l'**État interventionniste**, qui cherche à guider et à encourager le développement économique au moyen des politiques publiques ; à l'**État social**, qui est la forme étatique de l'après-Seconde Guerre mondiale et qui met l'accent sur le développement de politiques sociales universelles ; à l'**État néolibéral** qui lui a succédé au cours des années 1980 et qui traduisait une idéologie de responsabilité individuelle ainsi qu'une foi dans la supériorité du marché comme institution efficace pour régler les problèmes sociaux et économiques. Pour sa part, l'**État-nation** fait allusion à l'apparente correspondance des frontières des États avec celles des nations dans la période moderne. Quant à l'**État austère**, il découle des changements étatiques (p. ex. rigueur budgétaire) survenus pour répondre à la crise des finances publiques à la suite de la crise économique de 2008.

ETHNOCENTRISME, ETHNOCENTRIQUE : Phénomène qui consiste à juger une autre culture en s'appuyant sur les valeurs et les normes de sa propre culture. Ce type de jugement tend à identifier les différences et les lacunes des autres cultures pour les voir comme autant d'indicateurs de l'infériorité de celles-ci.

LIBÉRALISME : Philosophie politique développée au XVIIe siècle et qui s'est ancrée socialement au point d'en être devenue l'idéologie dominante en Occident. Le libéralisme prend comme point de départ la primauté de l'individu et sa liberté. On peut identifier plusieurs traditions de pensée libérale, mais il y a une convergence autour de l'importance des droits individuels et négatifs (ceux qui restreignent l'espace occupé par l'autorité publique), notamment le droit de l'individu d'agir et de disposer de sa propriété libre de toute contrainte étatique. Différents projets politiques peuvent être qualifiés de libéraux. Par exemple, le **libéralisme économique** laisse le maximum de liberté économique aux agents économiques suivant la croyance que le marché, libéré de l'ingérence étatique, va assurer de meilleurs résultats économiques ; le **libéralisme social** voit la nécessité d'une certaine intervention de l'État (par des programmes sociaux universels) pour s'attaquer à des phénomènes comme la pauvreté afin d'assurer une égalité des chances et la possibilité d'une pleine participation individuelle dans la société ; le **libéralisme inclusif** cherche à garantir l'égalité des chances en aidant ponctuellement les individus à développer leurs capacités (éducation, formation, etc.) afin de gérer les aléas de la vie.

RÉGIME DE CITOYENNETÉ : Ce concept cherche à capter la manière dont la citoyenneté est institutionnalisée à différentes périodes et dans diverses sociétés. Un tel régime comporte plusieurs dimensions : les frontières de responsabilité étatique, les règles d'inclusion et d'exclusion de la citoyenneté, le mode de fonctionnement démocratique, l'appartenance.

STATUT DE WESTMINSTER : *Loi britannique de 1931* qui a mis fin à la tutelle politique du Parlement de Westminster sur la politique étrangère de ses anciennes colonies devenues dominions (notamment du Canada). Cette loi, en établissant l'égalité législative entre le Parlement du Royaume-Uni et ceux des dominions, reconnaissait officiellement leur autonomie juridique, donc leur indépendance politique.

BIBLIOGRAPHIE

Ajzenstat, J. (2007). *The Canadian Founding : John Locke and Parliament*, Montréal et Kingston, McGill-Queen's University Press.

Boismenu, G. (2006). « Les nouveaux visages de vieux démons : les défis posés au fédéralisme par la restructuration de la protection sociale au Canada », *Lien social et Politiques*, vol. 56, p. 57-71.

Boismenu, G. et P. Graefe (2003). « Le régime fédératif et la fragmentation des espaces dans le contexte de la mondialisation », dans J. Duchastel (dir.), *Fédéralismes et mondialisation : l'avenir de la démocratie et de la citoyenneté*, Montréal, Athéna, p. 215-238.

Brouillet, E., A.-G. Gagnon et G. Laforest (dir.) (2016). *La conférence de Québec 150 ans plus tard : comprendre l'émergence de la fédération canadienne*, Québec, Presses de l'Université Laval.

Dufour, P. (2004). « L'adoption du projet de loi 112 au Québec : le produit d'une mobilisation ou une simple question de conjoncture politique ? », *Politique et Sociétés*, vol. 23, n°s 2-3, p. 159-182.

Jenson, J. (2001). « Social citizenship in 21st Century Canada : Challenges and options », *2001 Timlin Lecture*, 5 février, Saskatoon, University of Saskatchewan, <http://www.cprn.org/documents/28981_en.pdf>.

Jenson, J. et M. Papillon (s. d.). *The Changing Boundaries of Citizenship : A Review and a Research Agenda*, Ottawa, Canadian Policy Research Networks, <http://www.rcrpp.org/documents/2096_fr.pdf>.

Jessop, B. (1990). *State Theory : Putting the Capitalist State in Its Place*, Cambridge, Polity Press.

Laforest, R. et M. Orsini (2005). « Evidence-based engagement in the voluntary sector : Lessons from Canada », *Social Policy and Administration*, vol. 39, n⁰ 5, p. 481-497.

Mahon, R. (2008). « Varieties of liberalism : Canadian social policy from the "Golden Age" to the present », *Social Policy and Administration*, vol. 42, n⁰ 4, p. 342-361.

McBride, S. et H. Whiteside (2011). *Private Affluence, Public Austerity : Economic Crisis and Democratic Malaise in Canada*, Halifax, Fernwood.

McKay, I. (2000). « The liberal order framework : A prospectus for a reconnaissance of Canadian history », *Canadian Historical Review*, vol. 81, n⁰ 4, p. 617-645.

McKay, I. (2009). « Canada as a long liberal revolution : On writing history of actually existing Canadian liberalisms, 1840s-1940s », dans J.-F. Constant et M. Ducharme (dir.), *Liberalism and Hegemony : Debating the Canadian Liberal Revolution*, Toronto, University of Toronto Press, p. 347-452.

McRoberts, K. (1999). *Un pays à refaire : l'échec des politiques constitutionnelles canadiennes*, Montréal, Boréal.

Noël, A., G. Boismenu et L. Jalbert (1993). « The political foundations of state regulation in Canada », dans J. Jenson, R. Mahon et M. Bienefeld (dir.), *Production, Space, Identity : Political Economy Faces the 21st Century*, Toronto, Canadian Scholars Press, p. 171-194.

Rocher, F. (2012). « La construction du Canada en perspective historique : de la méfiance comme élément consubstantiel des débats constitutionnels », dans D. Karmis et F. Rocher (dir.), *La dynamique confiance/méfiance dans les démocraties multinationales : le Canada sous l'angle comparatif*, Québec, Presses de l'Université Laval, p. 137-164.

Rouillard, J. (2008). *L'expérience syndicale au Québec*, Montréal, VLB.

Ryerson, S. (1972). *Le capitalisme et la Confédération – Aux sources du conflit Canada-Québec, 1760-1873*, Montréal, Parti Pris.

Simeon, R. et I. Robinson (1990). *L'État, la société et l'évolution du fédéralisme canadien*, Ottawa, Commission royale sur l'union économique et les perspectives de développement du Canada.

Smith, A. (2008). « Toryism, classical liberalism, and capitalism : The politics of taxation and the struggle for Canadian Confederation », *Canadian Historical Review*, vol. 89, n⁰ 1, p. 1-24.

Smith, C.W. (2012). « Labour, courts and the erosion of workers' rights in Canada », dans S. Ross et L. Savage (dir.), *Rethinking the Politics of Labour in Canada*, Halifax, Fernwood, p. 184-197.

Smith, M. (2006). *A Civil Society ?*, Peterborough, Broadview Press.

Smith, P.J. (1995). « The ideological origins of Canadian Confederation », dans J. Ajzenat et P.J. Smith (dir.), *Canada's Origins : Liberal, Tory or Republican ?*, Ottawa, Carleton University Press, p. 47-78.

Strong-Boag, V. (2002). « The citizenship debates : The 1885 Franchise Act », dans R. Adamoski, D.E. Chunn et R. Menzies (dir.), *Contesting Canadian Citizenship*, Peterborough, Broadview Press, p. 69-94.

CHAPITRE 7

LES INSTITUTIONS PARLEMENTAIRES

Hubert Cauchon[1]

L'organisation d'un État se décline en trois pouvoirs : le **pouvoir législatif**[2], le pouvoir exécutif et le pouvoir judiciaire. Le présent chapitre se consacre à l'étude du premier. La souveraineté d'un État s'exprime d'abord et avant tout par l'exercice du pouvoir législatif. Dans une fédération, cette souveraineté, c'est-à-dire l'exercice du pouvoir législatif, est minimalement partagée entre une entité fédérale et des entités fédérées. L'existence d'une constitution écrite établit non seulement ce partage entre les États fédérés et l'État fédéral, mais garantit, en principe du moins, qu'aucun ne pourra attenter à ce partage. Au Canada, ce partage s'effectue entre les 11 membres de la fédération et s'exprime par l'entremise des parlements fédéral et provinciaux, chacun étant entièrement souverain dans

l'exercice des **compétences législatives** qui lui sont réservées et aucun n'étant subordonné à l'autorité d'un autre.

Tous les parlements provinciaux se composent de la reine et d'une seule assemblée législative[3]. Pour sa part, le parlement fédéral est constitué de la reine et de deux assemblées législatives. La reine est représentée dans chacun de ces parlements par un gouverneur, appelé « lieutenant-gouverneur » dans les États fédérés et « gouverneur général » dans l'État fédéral. Chaque composante d'un parlement, qu'il soit provincial ou fédéral, exerce, non pas des pouvoirs, mais des fonctions. De fait, une assemblée législative ne peut, par exemple, prétendre détenir et exercer seule le pouvoir législatif sans la participation de l'autre ou, dans le cas de

---

1. Les opinions exprimées dans le présent chapitre n'engagent que son auteur.
2. Les concepts en caractères gras sont définis dans le glossaire à la fin du chapitre.

3. Cinq d'entre eux ont cependant connu un système bicaméral, du moment de l'entrée de leur province dans la fédération canadienne jusqu'à ce qu'ils décident, tour à tour, d'abolir leur deuxième chambre.

l'État fédéral, des deux autres composantes de son parlement.

Ainsi, l'étude de ce chapitre s'articule principalement autour de l'analyse du rôle joué par chaque composante du système parlementaire. La première section retrace d'abord les origines du parlementarisme britannique et nous permet de comprendre les raisons qui sous-tendent la présence actuelle de chacune d'elles. La deuxième section s'intéresse ensuite aux pouvoirs des parlements avant d'examiner la composition et les fonctions constitutionnelles des assemblées législatives fédérales et provinciales. La troisième section traite de la position particulière du pouvoir exécutif, c'est-à-dire des gouvernements, au sein des institutions parlementaires. Enfin, la dernière section aborde quelques notions générales relatives à l'organisation des travaux parlementaires.

1. L'ORIGINE DU PARLEMENTARISME BRITANNIQUE

Nos institutions parlementaires s'inspirent, pour des raisons historiques évidentes, de celles en vigueur au Royaume-Uni. À l'origine, les trois pouvoirs de l'État étaient concentrés dans la seule personne du roi. Avant le XIIIe siècle, le monarque exerçait seul et sans consultation le pouvoir législatif, mais l'adoption par le roi Jean sans Terre de la *Magna Carta*, en 1215, sous la pression de ses barons, jeta les premières bases du changement. Considérée comme étant le début du parlementarisme, cette Grande Charte reconnaissait pour la première fois le droit aux barons anglais d'être consultés par le roi et de le conseiller. À cette époque, la Cour du roi, composée de manière indéfinie de proches conseillers, de nobles et de prélats, existait déjà. Le roi consultait sa Cour principalement pour rendre justice et gouverner. La consultation de la Cour était d'ailleurs particulièrement utile lorsque le roi désirait prélever des taxes ou des impôts. En obtenant

l'approbation de la noblesse représentant le royaume, et plus tard de la petite noblesse, c'est-à-dire ce que l'on allait appeler les communes, il s'assurait du financement de ses projets sans trop soulever de mécontentement au sein de la population. C'est ainsi que les communes commencèrent à participer sporadiquement aux réunions de la Cour du roi.

À travers les siècles, les pouvoirs judiciaire, exécutif et législatif ont peu à peu quitté les mains du roi pour être confiés à des organes qui se sont constitués à partir du démembrement de la Cour du roi. Très tôt, des cours royales ont été créées et chargées de rendre justice au nom du roi, mais la Cour du roi demeurait cependant le plus haut tribunal. L'exercice du pouvoir judiciaire continuera d'ailleurs, jusqu'en 2009, de relever du Comité judiciaire du **Conseil privé**, une formation de *Law Lords* siégeant en une **commission parlementaire** qui émanait de la Chambre des lords. La convocation par le roi d'une partie très restreinte de sa Cour, composée uniquement de ses plus proches conseillers, deviendra le Conseil privé, auquel le **conseil des ministres** appartient de nos jours. Enfin, la Cour convoquée dans son intégralité finira par devenir le *Parlement*.

C'est au début du XIIIe siècle que le roi invite pour la première fois des hommes de la petite noblesse, les communes, à venir siéger à sa Cour. C'est aussi durant cette période que l'on organise des scrutins uninominaux majoritaires à un tour. Le moment exact à partir duquel les lords et les communes siégeront définitivement de façon séparée est inconnu, mais l'on sait qu'ils délibéraient occasionnellement dans des endroits distincts à partir du XIVe siècle.

À cette époque, le droit anglais est essentiellement coutumier. Les rois légifèrent peu, mais lorsqu'ils le font, ils décident seuls du contenu des lois. Celles-ci sont rédigées par des juges et ont pour but de répondre aux doléances des communes, que ces dernières expriment en soumettant des **pétitions** aux rois. Le droit de présenter des pétitions participe ainsi à la naissance du processus législatif, puisqu'il constitue pour les communes une forme d'initiative législative.

Excédées d'apprendre le contenu des lois une fois adoptées, les communes réclament à partir de 1414 que des **projets de loi** leur soient d'abord soumis, mais ce n'est qu'en 1461 qu'un premier roi accède à leur demande. Les communes entreprennent par la suite de présenter des projets de loi, accordant uniquement au roi le droit de les sanctionner ou de les refuser sans pouvoir les amender.

Ce trop bref survol historique nous permet non seulement de comprendre comment sont nées ces institutions arrivées jusqu'à nous, mais la place importante qu'a conservé le monarque dans l'exercice des pouvoirs législatif et exécutif.

Le Canada est, à l'instar du Royaume-Uni, une monarchie constitutionnelle, ce qui signifie que le chef de l'État est désigné héréditairement selon des règles constitutionnelles. Le système politique du Canada repose par ailleurs sur un régime parlementaire qui diffère substantiellement du régime présidentiel étasunien. Un régime parlementaire implique une étroite collaboration entre le pouvoir législatif et le pouvoir exécutif, par opposition au régime présidentiel étasunien, qui commande une séparation beaucoup plus accentuée entre ces deux mêmes pouvoirs.

Au moment de la création de la fédération, en 1867, le Canada demeurait – malgré l'emploi du terme *Dominion* dans sa loi constitutive – une colonie. En effet, l'adoption par le **Parlement de Westminster** du *British North America Act, 1867* maintenait un lien de subordination juridique et politique évident entre l'Empire et le Canada. Seul le Parlement de Westminster était habilité, hormis quelques petites exceptions, à modifier cette loi britannique, et Londres représentait le Canada dans ses relations diplomatiques avec les autres États. De plus, le *Colonial Laws Validity Act, 1865*, également adopté par le Parlement de Westminster, continuait de s'appliquer aux diverses colonies de l'Empire,

dont le Canada de 1867, en imposant la suprématie des lois britanniques à l'égard de toutes les lois adoptées par les parlements des colonies.

De colonie qu'il était en 1867, le Canada a, dans un premier temps, acquis son indépendance politique, d'abord par l'entremise de la Déclaration Balfour, proclamée lors de la Conférence impériale de 1926, pour être ensuite officialisée par l'adoption d'une loi, le *Statut de Westminster de 1931*. Ce n'est que beaucoup plus tard, soit en 1982, que le Canada a obtenu son indépendance juridique du Royaume-Uni par ce qu'on a populairement désigné comme étant le « rapatriement ». Par l'adoption de la ***Loi de 1982 sur le Canada***, le Parlement de Westminster s'engageait à ne plus jamais légiférer pour le Canada.

Le *Statut de Westminster de 1931* a par ailleurs eu pour effet de créer une véritable couronne canadienne, différente de celle du Royaume-Uni. Ainsi, bien qu'il s'agisse de la même personne physique, la reine du Canada est, depuis 1931, distincte en droit de la reine du Royaume-Uni. De même, Élisabeth II cumule la charge de chef d'État de 14 autres « royaumes » membres du Commonwealth britannique. Cette coïncidence s'explique par le fait que tous ces pays ont intégré dans leur droit interne des dispositions équivalentes pour désigner la même personne pour être leur chef d'État, c'est-à-dire qu'ils possèdent les mêmes règles de succession au trône.

En somme, la reine du Canada est le chef de l'État canadien, ce qui implique, puisque le Canada est une fédération, qu'elle est autant le chef de l'État fédéral que le chef des États fédérés. Autrement dit, la reine est autant une composante des pouvoirs législatif et exécutif fédéraux qu'une composante des pouvoirs législatifs et exécutifs provinciaux. Cette proposition est explicite, en ce qui a trait aux institutions fédérales, mais implicite en ce qui concerne les institutions provinciales. En effet, bien que la Constitution ne le mentionne pas expressément, la jurisprudence est venue confirmer que les lieutenants-gouverneurs agissent directement au nom de la reine, et ce, même s'ils sont nommés par le pouvoir exécutif fédéral. Enfin, les articles 9 et 17 de la *Loi constitutionnelle de 1867* énoncent respectivement que le pouvoir exécutif fédéral est exercé par la reine et que le parlement fédéral est composé de la reine, de la Chambre des communes et du Sénat. Même si la Constitution du Canada confie d'importants pouvoirs au chef d'État, ils ne sont, en vertu d'une **convention constitutionnelle**, jamais exercés en fonction de l'avis personnel de la souveraine. La reine règne, mais ne gouverne pas.

POINTS CLÉS

> À l'origine, les trois pouvoirs de l'État étaient concentrés dans la seule personne du roi, mais ont peu à peu, à travers les siècles, été confiés à des organes qui se sont constitués à partir du démembrement de la Cour du roi.
> Le Canada est une monarchie constitutionnelle parce que le chef de l'État est désigné héréditairement selon des règles constitutionnelles.
> Le Canada repose sur un régime parlementaire qui implique une étroite collaboration entre le pouvoir législatif et le pouvoir exécutif.
> Depuis 1931, le chef de l'État canadien est distinct en droit du chef de l'État britannique.
> La reine du Canada est autant le chef de l'État fédéral que le chef des États fédérés, ce qui implique qu'elle est autant une composante des pouvoirs législatif et exécutif fédéraux qu'une composante des pouvoirs législatifs et exécutifs provinciaux.

2. LES PARLEMENTS DANS LA FÉDÉRATION CANADIENNE

Dans notre système de gouvernement, les parlements n'ont aucun autre rôle à jouer que celui d'adopter des lois. Lorsqu'ils remplissent ce rôle, les parlements le font soit en tant que titulaire du pouvoir législatif, soit à titre de pouvoir constituant.

L'exercice, par chacune des composantes d'un parlement, des fonctions législatives qui lui sont attribuées converge vers l'exercice du pouvoir législatif. Les assemblées législatives étudient, amendent, adoptent ou rejettent les projets de loi qui leur sont soumis. Pour leur part, les gouverneurs (c'est-à-dire, rappelons-le, le gouverneur général et les lieutenants-gouverneurs) octroient ou refusent la sanction royale sur avis de leur conseil des ministres. L'agrément par chacune des composantes sur une version définitive d'un **projet de loi** a pour conséquence de commuer ce dernier en loi du parlement.

Par ailleurs, les parlements fédéral et provinciaux ont également, depuis 1982, la possibilité de troquer leur chapeau de pouvoir législatif pour celui de **pouvoir constituant**. En effet, l'article 45 de la *Loi constitutionnelle de 1982* autorise chaque parlement provincial à modifier, par l'adoption d'une loi, la Constitution de l'État fédéré auquel il appartient. De même, l'article 44 permet au Parlement du Canada de modifier la Constitution de l'État fédéral, mais uniquement en ce qui concerne le pouvoir exécutif fédéral, le Sénat ou la Chambre des communes. L'article 44 est, en ce sens, plus restrictif que l'article 45. Les provinces ont toujours eu le droit de modifier, à l'exception de la charge de lieutenant-gouverneur, les aspects de leur Constitution interne qui n'ont aucun lien avec la fédération et ses membres. L'État fédéral, lui, a obtenu ce droit uniquement en 1949. Avant 1982, toute modification faite par les parlements fédéral et provinciaux de leur Constitution interne était l'expression d'une compétence législative et donc, du pouvoir législatif, tandis que l'exercice du pouvoir constituant demeurait, à cette époque, la prérogative de Londres. Toutefois, depuis 1982, la Partie V de la *Loi constitutionnelle de 1982* confie un véritable pouvoir constituant aux parlements fédéral et provinciaux qui, lorsqu'il est exercé conformément à cette partie, permet de modifier la

Constitution du Canada (al. 52(3)). Ces modifications, nous dit l'alinéa 52(2)c), font tout autant partie de la Constitution du Canada et ont, conformément à l'alinéa 52(1), un caractère supralégislatif.

L'un des principes fondamentaux du parlementarisme britannique est celui de la souveraineté parlementaire. Pour paraphraser le juriste Jean-Louis de Lolme, un parlement peut tout faire sauf changer une femme en homme. Cette formule devenue célèbre illustre qu'un parlement n'est soumis à aucune limite lorsqu'il légifère. Elle implique du même souffle qu'un parlement ne peut être lié par l'un de ses prédécesseurs ; il peut donc modifier ou abroger toutes les lois adoptées avant lui.

Aucune autorité n'étant supérieure au Parlement de Westminster, celui-ci jouit pleinement du principe de la souveraineté parlementaire. Il en va par contre autrement au Canada, où le principe est limité par deux réalités juridiques inexistantes au Royaume-Uni. D'abord, la souveraineté parlementaire est entamée par le **partage constitutionnel des compétences législatives**. Les parlements ne sont pas autorisés à légiférer dans des domaines de compétence qui relèvent de l'autre ordre de gouvernement. C'est la raison pour laquelle nous devons préciser, en parlant du principe de la souveraineté parlementaire au Canada, que les parlements fédéral et provinciaux sont souverains dans leurs champs de compétence respectifs. Ensuite, l'adoption en 1982 de la *Charte canadienne des droits et libertés* empêche désormais les parlements – même lorsqu'ils légifèrent dans leurs propres sphères de compétence –, de porter atteinte aux droits et libertés qui y sont garantis. Certes, un parlement peut recourir à la disposition de dérogation prévue à l'article 33 de la Charte canadienne, ce qui lui permet d'exercer pleinement sa souveraineté parlementaire à ces occasions. Toutefois, la dérogation n'est possible qu'à l'égard de certains droits et libertés garantis, soit ceux inscrits aux articles 2 et 7 à 15. De plus, la dérogation n'est valide que pour une durée maximale de cinq ans, à moins qu'elle ne soit renouvelée par l'adoption d'une autre loi.

Il est important de préciser que les assemblées législatives ne bénéficient pas du principe de la souveraineté parlementaire, mais y sont plutôt soumises. En effet, même si les assemblées législatives jouissent de certains privilèges parlementaires, bénéficiant d'un statut supralégislatif, une loi de leur parlement peut venir les circonscrire. Par exemple, même si les assemblées possèdent le privilège de contrôler leurs propres débats ou travaux, des dispositions législatives peuvent leur imposer un quorum, la langue délibérative, l'obligation de se réunir, etc. Un parlement pourrait même renoncer à ce que le privilège habilitant l'expulsion des caméras de télévision de l'enceinte de la chambre s'applique à son assemblée législative, permettant ainsi une diffusion libre des débats. En somme, les lois des parlements s'appliquent à leurs assemblées législatives respectives.

2.1. La composition des assemblées législatives

Avant d'aborder l'étude des fonctions constitutionnelles, dont la plus notoire est la fonction législative, nous allons examiner la composition des assemblées législatives. Nous pouvons regrouper les assemblées dans deux catégories selon leur mode constitutif. Il y a, d'une part, les assemblées qui sont électives, c'est-à-dire dont les membres sont choisis par suffrage, et, de l'autre, celles qui ne le sont pas. Au Canada, 11 des 12 assemblées figurent dans la première catégorie, alors que le Sénat fait bande à part dans la deuxième.

2.1.1. La composition des assemblées législatives électives

Dans le système parlementaire actuel, les membres des assemblées législatives électives sont les seuls

TABLEAU 7.1.

Nombre de députés siégeant dans chaque assemblée législative élective

Entités	Noms officiels des assemblées législatives électives*	Nombre de députés
Fédéral	Chambre des communes	338
Québec	Assemblée nationale	125
Ontario	Assemblée législative	107
Nouveau-Brunswick	Assemblée législative	49
Nouvelle-Écosse	House of Assembly	51
Manitoba	Assemblée législative	57
Colombie-Britannique	Legislative Assembly	85
Île-du-Prince-Édouard	Legislative Assembly	27
Alberta	Legislative Assembly	87
Saskatchewan	Assemblée législative	61
Terre-Neuve	House of Assembly	40

* La désignation anglaise est fournie lorsqu'il n'en existe aucune en français.

à être directement choisis par la population, tandis que les gouverneurs, les sénateurs et les ministres sont tous nommés. Chaque assemblée se compose d'un certain nombre de députés, chacun représentant une circonscription électorale.

Le système électoral actuellement en vigueur prend ses racines dans celui utilisé en Angleterre au début du XIIIᵉ siècle. À cette époque, et jusqu'à la fin du XIXᵉ siècle, l'idée était de désigner une ou deux personnes, même parfois plus, chargées de représenter leur communauté. La répartition des circonscriptions ne reposait pas sur le principe d'une représentation égalitaire des personnes habiles à voter, mais dépendait davantage de l'influence que pouvait avoir chaque communauté. Les élections se déroulaient devant public à main levée. Peu de personnes possédaient le droit de vote, si bien qu'un pourcentage famélique de la population élisait l'ensemble des députés.

Ce n'est que petit à petit que des principes aujourd'hui jugés fondamentaux se sont enracinés. Par exemple, le vote de vive voix aux élections fédérales a été remplacé en 1874 par le vote secret. Les femmes ont obtenu le droit de vote en 1918, les dernières interdictions de voter pour des motifs religieux ont été abrogées en 1955 et les Autochtones ont finalement été autorisés à voter sans condition en 1960. Les provinces ont chacune connu une évolution similaire, mais à des dates différentes. Enfin, en 1982, l'enchâssement du droit de vote dans la Constitution a consacré le principe de la représentation effective. Ce principe reconnaît l'égalité relative des électeurs, et non la parité absolue, ce qui veut dire que deux votes n'ont pas à avoir le même poids démocratique. Des caractéristiques telles que la géographie, l'histoire et les intérêts de la collectivité peuvent être prises en considération pour juger du caractère effectif de la

TABLEAU 7.2.

Pourcentage des votes et des sièges obtenus à la Chambre des communes lors de l'élection générale du 15 octobre 2015 (42ᵉ législature)

	% des votes valides par parti politique	% des sièges obtenus à la Chambre des communes	Écart entre le % des sièges obtenus et le % des votes valides	Nombre de sièges obtenus à la Chambre des communes
Parti libéral du Canada	39,5 %	54,4 %	+14,9 %	184
Parti conservateur du Canada	31,9 %	29,3 %	−2,6 %	99
Nouveau Parti démocratique	19,7 %	13,0 %	−6,7 %	44
Bloc québécois	4,7 %	3,0 %	−1,7 %	10
Parti vert	3,4 %	0,3 %	−3,1 %	1

Source : Pour les données sur le pourcentage des votes valides par parti politique, voir Élections Canada (2015a). Pour les données sur le pourcentage des sièges obtenus à la Chambre des communes, voir Élections Canada (2015b).

représentation lors du découpage des circonscriptions électorales. Ainsi, il peut survenir des écarts importants entre le nombre total d'électeurs des circonscriptions dites rurales et celui des circonscriptions urbaines.

Du système électoral anglais, c'est le mode de scrutin uninominal majoritaire à un tour qui a davantage émergé ici et qui est principalement parvenu jusqu'à nous. Ce système de votation veut que le candidat qui, dans une circonscription donnée, obtient le plus de voix lors d'un seul tour de scrutin soit proclamé élu. Il n'est donc pas nécessaire pour un candidat d'obtenir la majorité absolue des voix dans sa circonscription pour être élu. Ce mode de scrutin, actuellement en vigueur dans toutes les provinces et au fédéral, est présentement fort décrié, puisqu'une formation politique peut obtenir une majorité absolue de sièges au sein de l'assemblée élective tout en n'obtenant pas la majorité absolue du suffrage universel exprimé. Parfois, un parti politique peut même terminer deuxième au nombre des suffrages exprimés, mais premier dans la répartition des sièges. Or, il faut se rappeler que l'objectif à l'origine du système électoral actuel consiste à identifier un représentant pour chaque

communauté, non pas à choisir une formation politique dirigeante pour l'ensemble de ces communautés. Il va de soi que l'apparition des partis politiques structurés, vers la fin du XIXᵉ siècle, a aujourd'hui perverti cet objectif et rend le système inadapté.

Tous les parlements, à l'exception de celui de la Nouvelle-Écosse, ont adopté depuis 2001 des dispositions législatives introduisant des « élections générales à date fixe[4] ». Toutefois, étant donné qu'on ne peut porter atteinte à la charge constitutionnalisée des gouverneurs par une simple loi du parlement, il fut jugé que les tribunaux ne peuvent forcer l'application de ces dispositions. Les gouverneurs conservent alors leur prérogative de dissoudre les parlements, sur avis de leur premier ministre, à tout moment. Pour l'essentiel, ces dispositions commandent aux acteurs politiques qu'ils posent un geste afin que l'élection générale survienne au moment

....

4. L'expression est maintenant consacrée, mais il serait plus rigoureux de parler d'« élections générales à période fixe », les lois prévoyant le plus souvent la tenue d'une élection générale entre une date et une autre, ou lors d'un jour déterminé (p. ex. le premier lundi du mois d'octobre).

prévu dans la loi. Autrement dit, elles ne font que créer une attente raisonnable, mais non contraignante. La législation québécoise se distingue cependant en ce qu'elle n'ordonne pas qu'un geste soit posé, mais module la durée des législatures afin qu'elles expirent à intervalles réguliers à la même date, provoquant, par le fait même, des élections générales à période fixe[5].

En résumé, toutes les assemblées législatives électives se composent de députés qui ont obtenu, lors d'une élection, une majorité simple de voix dans les circonscriptions où ils se sont présentés. Examinons maintenant la composition du Sénat.

2.1.2. Le cas particulier du Sénat

Le Sénat est une assemblée législative au même titre que ses consœurs, à la différence que ses membres ne sont pas élus. Cette assemblée est née d'un compromis historique entre les deux majorités culturelles de l'époque. Elle a été conçue pour permettre de donner un second regard attentif aux mesures législatives adoptées par les représentants du peuple à la Chambre des communes.

La composition du Sénat repose sur un modèle quelque peu alambiqué qui suit une représentation à la fois régionale et provinciale. L'article 22 de la *Loi constitutionnelle de 1867* divise d'abord le Canada en 4 grandes régions, chacune comprenant 24 sénateurs. Étrangement, les trois territoires et Terre-Neuve ne font partie d'aucune d'entre elles. Le Québec et l'Ontario constituent à elles seules chacune une région. Les quatre provinces de l'Ouest et les trois provinces maritimes[6] forment les deux autres régions.

Évidemment, le Québec et l'Ontario comptent chacune 24 sénateurs. Elles sont les deux seules provinces à détenir une représentation provinciale équivalente à leur représentation régionale. Les provinces de l'Ouest ont droit à six sénateurs chacune. Le Nouveau-Brunswick et la Nouvelle-Écosse en ont 10, alors que 4 sénateurs représentent l'Île-du-Prince-Édouard. Terre-Neuve, qui s'est jointe à la fédération en 1949, a obtenu le droit d'être représentée par six sénateurs. Enfin, chacun des trois territoires compte un seul sénateur. Au total, le Sénat du Canada se compose de 105 sénateurs depuis 1999 ; il en comptait 72 en 1867.

Autre curiosité, le Québec est la seule province qui comporte des circonscriptions sénatoriales. Toutefois, le découpage de ces 24 circonscriptions repose uniquement sur la portion de territoire qu'occupait le Québec au moment de la Confédération, en 1867. Il ne tient pas compte des agrandissements territoriaux survenus en 1898 et 1912, si bien qu'une grande portion du territoire québécois est formellement sans représentant au Sénat. À l'origine, l'objectif recherché par l'imposition de ces circonscriptions sénatoriales était d'assurer une représentation au Sénat de la minorité anglophone du Québec en obligeant la nomination de sénateurs anglophones dans les circonscriptions sénatoriales où vivait une majorité de locuteurs de langue anglaise. La contrepartie de cette garantie ne fut jamais offerte aux minorités francophones présentes dans les provinces anglophones.

Enfin, mentionnons qu'une personne doit, pour être nommée au Sénat, avoir 30 ans et être citoyenne canadienne au moment de sa nomination, détenir un avoir net personnel d'au moins 4 000 $ et posséder une propriété foncière valant au moins 4 000 $ dans la province pour laquelle elle est nommée ou, dans le cas d'une personne représentant le Québec, dans la circonscription sénatoriale pour laquelle elle est nommée. Le Canada de 1867 étant dépourvu d'une classe aristocratique, l'idée derrière ces

....

5. Bien que la 7e législature du Parlement du Canada ait été dissoute une journée avant l'expiration, aucun parlement n'a jusqu'à maintenant expiré. Il se peut fort bien que le Parlement du Québec devienne le premier de la fédération à expirer le 29 août 2018.

6. Traditionnellement, l'appellation «provinces maritimes» diffère de «provinces atlantiques», la première excluant Terre-Neuve alors que la seconde l'inclut.

critères économiques visait à s'assurer que le Sénat soit composé d'une élite financière. Les montants n'ayant pas été indexés au fil des ans, ces critères ne permettent guère de satisfaire cet objectif aujourd'hui.

Les femmes ont obtenu le droit d'être nommées au Sénat en 1930 non pas par une loi, mais par une décision du Comité judiciaire du Conseil privé infirmant une décision de la Cour suprême du Canada. Le mandat des sénateurs n'est pas à durée fixe, mais bien viagère. Ils occupent leur siège leur vie durant jusqu'à l'âge de la retraite prévue à 75 ans.

La principale critique que l'on peut adresser à l'égard du Sénat tient du fait qu'il ne constitue pas une véritable chambre fédérale. En effet, les fédérations ont généralement une deuxième chambre, au sein de leur pouvoir législatif central, chargée de représenter et de défendre les intérêts des entités fédérées. Or, dans le cas du Canada, les provinces ne participent pas à l'adoption de la législation fédérale, puisque les sénateurs ne sont pas désignés par elles, mais sont nommés uniquement par le gouvernement fédéral. Pour cette raison, certains auteurs, comme Kenneth C. Wheare, qualifient le Canada de quasi-fédération. Ainsi, procéder à l'abolition du Sénat compromettrait sérieusement le caractère fédéral du Canada.

D'autres critiquent le fait que les sénateurs ne sont pas élus. Même si l'élection des membres de la chambre fédérative conférait assurément une légitimité démocratique, elle n'est toutefois pas impérative au fédéralisme. L'important n'est pas le mode de désignation des sénateurs, mais la provenance de la désignation. Au Canada, cette désignation relève entièrement de la discrétion du premier ministre fédéral. Dans d'autres fédérations, les membres des chambres fédératives sont soit nommés (comme en Allemagne), soit élus (comme en Australie, aux États-Unis et en Suisse), mais ils sont toujours le choix des entités fédérées.

L'accord de Charlottetown, qui fut rejeté par référendum en 1992, prévoyait l'implantation d'un Sénat dit triple E : « Égal pour toutes les provinces, élu et efficace ». S'il avait été adopté, chaque province aurait été représentée par six sénateurs. L'Accord aurait ainsi permis une véritable participation des provinces à l'adoption de la législation fédérale.

2.2. Les fonctions des assemblées législatives

Contrairement aux parlements qui n'exercent que deux pouvoirs, les assemblées législatives accomplissent des fonctions qui sont au nombre de trois. Elles exercent des fonctions législatives, délibératives et de contrôle de l'action gouvernementale. Ce sont là les trois seules et uniques fonctions constitutionnelles dont elles s'acquittent.

La fonction législative est sans doute la plus évidente des fonctions. Elle opère à partir du moment où une assemblée décide de se saisir de l'étude d'un projet de loi. Cette fonction sera plus amplement détaillée dans la sous-section portant sur le processus législatif.

Pour sa part, la fonction délibérative entre en jeu lorsqu'une assemblée souhaite qu'une décision soit prise ou qu'une action soit posée. Il peut s'agir, par exemple, d'un débat relatif à l'organisation des travaux parlementaires, à l'adoption d'un ordre pour enjoindre des personnes à venir témoigner, ou encore, à l'adoption d'une proposition déclaratoire, telle une **résolution** d'agrément, de désaccord, de condoléances ou de félicitations.

Enfin, la fonction de contrôle de l'action gouvernementale se manifeste lorsque la gestion du gouvernement se situe au cœur des discussions. Cette fonction s'exerce par l'entremise de différents mécanismes. La période de questions et réponses orales est certainement le plus connu de ces mécanismes. Durant cette période, tous les députés qui ne sont pas ministres, y compris ceux appartenant à la même formation politique que les membres du gouvernement, peuvent questionner les ministres sur leurs modes de gestion, leurs activités, leurs intentions, etc. Le contrôle s'effectue aussi, mais non exclusivement, par l'entremise de questions et réponses écrites, par l'adoption du budget des dépenses, par l'octroi des crédits et par certains débats où la gestion du gouvernement est au cœur des discussions.

Précisons que le Sénat exerce exactement les mêmes fonctions que les autres assemblées. Par contre, la Chambre des communes bénéficie d'un droit prioritaire par rapport au Sénat en matière financière. L'article 53 de la *Loi constitutionnelle de 1867* précise que toute mesure législative affectant une partie des revenus publics ou imposant une taxe doit être présentée à la Chambre des communes en premier. Une fois adopté par celle-ci, le projet de loi doit tout de même franchir toutes les étapes du processus législatif au Sénat, processus que nous allons étudier à l'instant.

2.2.1. *Le processus législatif*

Il existe deux sortes de projets de loi : les projets de loi publics et les projets de loi d'intérêt privé. La différence entre ces deux catégories réside principalement dans leur objet. Les projets de loi publics traitent généralement de sujets qui concernent l'État, le bien commun ou la collectivité. Les projets de loi d'intérêt privé visent plutôt des intérêts particuliers d'une ou plusieurs personnes physiques ou morales.

On a recours aux projets de loi d'intérêt privé pour régler une situation que la loi ne prévoit pas ou interdit, pour octroyer des pouvoirs spéciaux ou des droits exclusifs. Ces projets de loi sont, en principe, toujours présentés à la demande des personnes requérant pour elles-mêmes l'adoption de mesures particulières.

Pour leur part, les projets de loi publics relèvent de la volonté des parlementaires. Ainsi,

on distingue un projet de loi public présenté par un député qui n'est pas ministre (« projet de loi public de député » ou « projet de loi public d'initiative parlementaire[7] ») du projet de loi public présenté par un député qui est aussi ministre (« projet de loi public du gouvernement » ou « projet de loi public d'initiative ministérielle »). En principe, un projet de loi public du gouvernement met en œuvre la politique gouvernementale. Un tel projet est présenté et défendu par le ministre responsable du secteur visé dans le projet de loi, alors qu'un projet de loi public de député est le reflet d'une initiative personnelle à titre de parlementaire.

Pour adopter un projet de loi, les assemblées législatives fédérales et provinciales suivent un processus législatif établi par des dispositions constitutionnelles, législatives et réglementaires. Ces dispositions sont essentiellement les mêmes d'une assemblée à l'autre, avec quelques différences mineures qu'il est inutile de relever dans le détail.

Pour qu'un projet de loi soit adopté, il doit franchir cinq étapes que sont : 1) le dépôt ou la présentation du projet de loi, aussi appelé **première lecture** ; 2) l'adoption du principe du projet de loi, aussi appelée deuxième lecture ; 3) l'étude détaillée du projet de loi ; 4) l'adoption du rapport de l'étude détaillée ; 5) l'adoption du projet de loi, aussi appelée troisième lecture.

Au fédéral, les projets de loi peuvent aussi bien prendre naissance à la Chambre des communes ou au Sénat. Les projets de loi portent alors la mention « C- » ou « S- » suivi d'un numéro selon la chambre où ils sont présentés en premier. Les sénateurs qui sont aussi ministres peuvent présenter des projets de loi publics au nom du gouvernement. Les cinq

....

7. On qualifie souvent à tort un projet de loi public de député comme étant un projet de loi privé à cause de son équivalent anglais *private member's bill*. Or, ce dernier se traduit correctement par « projet de loi public de député », et la traduction de *private bill* est « projet de loi d'intérêt privé ».

TABLEAU 7.3.

Nombre de projets de loi présentés et sanctionnés au cours de la 41e législature du Parlement du Canada

	Présentés d'abord au Sénat	Sanctionnés
Projets de loi publics du gouvernement	22	17 (77 %)
Projets de loi publics de sénateurs	56	9 (16 %)
Projets de loi d'intérêt privé	4	4 (100 %)
Total	82	30 (37 %)

	Présentés d'abord à la Chambre des communes	Sanctionnés
Projets de loi publics du gouvernement	138	105 (76 %)
Projets de loi publics de députés	798	34 (4 %)
Projets de loi d'intérêt privé	0	0
Total	936	139 (15 %)

Source : Données tirées du site Web du Parlement du Canada, « Tableau de la législation introduite et sanctionnée, par session », <http://www.lop.parl.gc.ca/ParlInfo/Compilations/HouseOfCommons/BillSummary.aspx?Language=F&Parliament=1924d334-6bd0-4cb3-8793-cee640025ff6>, consulté le 3 mai 2017.

étapes doivent être franchies devant chacune des deux assemblées jusqu'à ce qu'elles s'entendent sur une version définitive du texte du projet de loi. Ainsi, si le Sénat, après avoir reçu un projet de loi ayant franchi les cinq étapes à la Chambre des communes, propose des amendements, le projet de loi sera retourné à la Chambre des communes qui devra se prononcer sur les amendements. Si celle-ci les accepte, le projet de loi est adopté. Si elle les refuse ou si elle en propose d'autres, le projet de loi sera renvoyé au Sénat qui devra se prononcer.

Le tableau 7.3 illustre que 92 % des projets de loi de la 41e législature fédérale ont d'abord été étudiés par la Chambre des communes. De même, 86 % des projets publics du gouvernement ont été déposés en premier lieu devant la Chambre des communes.

On aurait tort de conclure à partir des projets de loi publics non sanctionnés du gouvernement que ceux-ci ont été rejetés par l'une ou l'autre chambre. Il arrive bien souvent que le gouvernement décide de ne pas poursuivre l'étude d'un projet de loi qu'il a lui-même présenté. On dit de ces projets de loi qu'ils meurent au feuilleton. C'est aussi le cas d'une très grande proportion de projets de loi publics d'initiative parlementaire qui ne franchissent pas l'étape de la deuxième lecture.

Selon le site Web du Parlement du Canada, le Sénat s'est formellement opposé à l'adoption de 133 projets de loi provenant de la Chambre des communes depuis 1867[8]. Considérant le nombre élevé de lois adoptées à chaque législature, on constate que le Sénat ne rejette que très rarement les mesures législatives proposées par l'autre chambre. Cela s'explique par le fait que le

....
8. La Chambre des communes a fait de même à 35 occasions. Voir <http://www.lop.parl.gc.ca/ParlInfo/Compilations/HouseOfCommons/legislation/billsbyresults.aspx?Language=F&Parliament=&BillResult=>.

rôle fondamental du Sénat n'a jamais été de faire contrepoids à la Chambre des communes, mais bien d'améliorer la qualité des textes législatifs et de fournir un forum de discussion où des questions techniques peuvent être débattues de façon calme et réfléchie. Lorsqu'il n'est pas d'accord, le Sénat propose le plus souvent des amendements. Il est toutefois survenu à quelques occasions dans l'histoire que le Sénat s'oppose à l'adoption de mesures législatives importantes d'un gouvernement, notamment lorsque celui-ci ne jouissait pas d'une pluralité absolue de sièges au Sénat. À ces occasions, les critiques ont fait valoir que le manque de légitimité démocratique du Sénat ne pouvait permettre de s'opposer à la volonté d'une assemblée élue. Cependant, rien dans la Constitution n'empêche le Sénat de rejeter un projet de loi provenant de la Chambre des communes. En cas d'impasse, la solution est éminemment politique.

Le tableau 7.3 nous renseigne également sur le faible nombre de projets de loi publics de députés qui ont réussi à franchir toutes les étapes du processus législatif malgré la quantité élevée de projets de loi présentés. Comme nous l'aborderons dans la troisième section, ce faible pourcentage s'explique principalement en raison des droits que possèdent les gouvernements d'accorder la priorité à leur programme législatif au détriment des projets de loi publics des députés. Par ailleurs, dans le contexte d'un **gouvernement majoritaire**, les projets de loi publics présentés par des députés de l'opposition ont rarement l'occasion de franchir les étapes du processus législatif, étant donné le principe politique de la discipline de parti. Le parti politique formant le gouvernement use de sa majorité parlementaire pour empêcher l'adoption d'un projet de loi proposé par un député de l'opposition. Le même phénomène s'observe dans les parlements provinciaux.

En amont de tout dépôt, il y a bien sûr la rédaction législative. Celle-ci variera selon le type de projet de loi. Les projets de loi publics du gouvernement suivent un processus interne propre à chaque administration gouvernementale. Un ministre confie aux légistes de son ministère le mandat de rédiger un projet de loi suivant une politique gouvernementale. Les députés qui ne sont pas ministres désireux de présenter un projet de loi peuvent requérir l'aide du personnel que le président de leur assemblée met à leur disposition.

Enfin, les projets de loi d'intérêt privé sont généralement rédigés aux frais des personnes les requérant. Ils peuvent alors se tourner vers des légistes de la pratique privée ou encore faire appel au personnel des assemblées législatives mis à leur disposition.

Sur le plan parlementaire, les **règles de procédure** relatives au processus législatif diffèrent quelque peu selon qu'il s'agit d'un projet de loi d'intérêt privé ou d'un projet de loi public, mais les deux devront toutefois franchir les mêmes étapes avant d'être sanctionnés.

2.2.2. Les privilèges parlementaires

Pour qu'elles puissent s'acquitter de leurs fonctions constitutionnelles, les assemblées législatives possèdent des privilèges parlementaires nécessaires à leur bon fonctionnement. Ces privilèges regroupent un ensemble de droits, pouvoirs et immunités qui, d'une part, permettent aux assemblées de s'acquitter de leurs fonctions dignement et efficacement, et, d'autre part, offrent une protection contre toute personne ou tout organe de l'État qui voudrait s'immiscer dans leurs débats ou travaux. La jurisprudence a établi que les tribunaux sont habilités à déterminer l'existence et l'étendue de ces privilèges, mais qu'ils ne peuvent évaluer le bien-fondé de leur exercice. Elle a également statué que certains privilèges, c'est-à-dire uniquement ceux qui sont étroitement et directement liés à l'exécution des fonctions constitutionnelles, pouvaient bénéficier d'un statut supralégislatif.

Autrement dit, les privilèges jugés nécessaires au bon fonctionnement des assemblées font tout autant partie de la Constitution du Canada que les droits garantis par la *Charte canadienne des droits et libertés*. Étant donné qu'ils sont sur le même pied d'égalité, les tribunaux ont jugé qu'ils ne pouvaient forcer l'application d'un droit garanti par la Charte et que son assujettissement relevait, en définitive, de la discrétion des assemblées. Voilà pourquoi les médias ne sont pas autorisés à filmer les débats parlementaires malgré la liberté de presse garantie par la Charte, les assemblées législatives préférant donner priorité à l'application de leur privilège.

De façon générale, les tribunaux ont reconnu le caractère supralégislatif des privilèges suivants :
1. la liberté de parole ;
2. le droit des assemblées de bénéficier de la présence de tous leurs membres ;
3. le droit de contrôler exclusivement les débats ou travaux ;
4. le pouvoir disciplinaire ;
5. le pouvoir d'exclure des étrangers de leur enceinte ;
6. le droit d'enquêter ;
7. le pouvoir d'assermenter des témoins ;
8. le pouvoir de contrôler la publication des débats ou travaux ;
9. le pouvoir de gérer certains membres de leur personnel.

POINTS CLÉS

> Dans notre système de gouvernement, les parlements ne font rien d'autre que d'adopter des lois. Le pouvoir d'adopter des lois appartient aux parlements fédéral et provinciaux.
> En plus du pouvoir législatif, les parlements fédéral et provinciaux peuvent aussi exercer le pouvoir constituant dans certaines occasions.
> Au Canada, le principe de la souveraineté parlementaire est limité par le partage constitutionnel des compétences législatives et par la *Charte canadienne des droits et libertés*.

> Les membres des assemblées législatives électives sont les seuls à être directement choisis par la population, les gouverneurs, les sénateurs et les ministres étant tous nommés.
> Le Sénat n'est pas une véritable chambre fédérative. Les sénateurs n'étant pas nommés par les provinces, mais uniquement par le gouvernement fédéral, celles-ci ne peuvent prétendre participer à l'adoption de la législation fédérale.
> Les assemblées législatives exercent des fonctions législatives, des fonctions délibératives et une fonction de contrôle de l'action gouvernementale. Ce sont là les trois seules et uniques fonctions constitutionnelles dont elles s'acquittent.
> Le Sénat exerce exactement les mêmes fonctions que les autres assemblées. Par contre, la Chambre des communes bénéficie d'un droit prioritaire par rapport au Sénat en matière financière.
> Les assemblées législatives possèdent des privilèges parlementaires nécessaires à leur bon fonctionnement.

3. LES GOUVERNEMENTS

Considérant l'étroite collaboration qui existe entre le pouvoir législatif (parlement) et le pouvoir exécutif (gouvernement) dans un régime parlementaire de type britannique, il importe d'étudier le rôle que joue ce dernier dans les institutions parlementaires. À l'instar du pouvoir législatif, l'exercice du pouvoir exécutif est, dans le régime fédératif canadien, partagé entre l'État fédéral et les États fédérés. De même, tous les gouvernements, fédéral et provinciaux, se composent de la reine et d'un conseil des ministres aussi appelé conseil exécutif. Là encore, la reine est représentée dans chacun des gouvernements par un gouverneur. Au sein de l'ordre fédéral, le conseil des ministres appartient à un organe plus grand prévu par l'article 11 de la *Loi constitution nelle de 1867*, le Conseil privé de la reine pour le Canada. Composé de ministres anciens et actuels, de l'actuel juge en chef de la Cour suprême du Canada et de ses prédécesseurs, des présidents du Sénat et de la Chambre des communes, de premiers ministres provinciaux, des membres de la famille royale et d'autres personnalités, le Conseil privé est un organe purement symbolique qui ne se réunit à peu près jamais, le conseil des ministres exerçant plutôt en son nom le véritable pouvoir exécutif.

Soulignons d'emblée que les premiers ministres et ministres ne sont pas élus par l'ensemble de la population, mais uniquement nommés par les gouverneurs, et leur mandat peut être révoqué à tout moment. Les gouverneurs sont également nommés. Sur le plan politique, le choix de la personne qui occupera la charge du gouverneur général et celles des lieutenants-gouverneurs dans chaque province revient au premier ministre fédéral. Le premier est toutefois officiellement nommé par la reine du Canada, alors que les seconds le sont par le gouverneur général.

D'un point de vue constitutionnel formel (juridique), l'exercice du pouvoir exécutif est confié à la reine du Canada, mais d'un point de vue constitutionnel conventionnel (politique), il est exercé par un conseil des ministres distinct pour chacun des membres de la fédération, au sein duquel le premier ministre de chaque entité occupe une position dominante. Voilà pourquoi la *Loi constitutionnelle de 1867* mentionne explicitement à son article 9 que l'exercice du pouvoir exécutif de l'État fédéral est confié à la reine, alors que la mention de la charge de premier ministre est totalement absente de l'ensemble de la loi. Quant aux États fédérés, l'attribution à la reine du pouvoir exécutif n'est pas expresse, mais découle de l'interprétation des tribunaux. Notons enfin que la mention de la charge des premiers ministres provinciaux est tout autant absente de la *Loi constitutionnelle de 1867*.

Dans les faits, la prise de décisions relève du premier ministre et de ses ministres. Le plus souvent, la recommandation du conseil des ministres prend la forme d'un projet de **décret** soumis après délibération au représentant de la reine qui, une fois approuvé par ce dernier, devient un décret ayant force de loi. Dans quelques autres occasions, il arrive que la recommandation se fasse oralement. Dans tous les cas, la participation du gouverneur est essentielle pour que l'acte ait valeur officielle.

La proximité du pouvoir exécutif avec le pouvoir législatif résulte de l'obtention progressive, durant la période 1841-1848, sous le Canada-Uni, du principe du gouvernement responsable. Il s'agit d'une convention constitutionnelle voulant que les ministres doivent être membres du parlement (c'est-à-dire de l'une ou l'autre assemblée en ce qui concerne le parlement fédéral) et jouir de la confiance de la majorité des membres de l'assemblée élective. Cette convention demeure, encore aujourd'hui, une pierre angulaire de notre régime parlementaire, sans toutefois être expressément inscrite dans la Constitution.

Ainsi, les ministres sont d'abord des députés ou, plus rarement dans le cas du parlement fédéral, des sénateurs. S'ils sont choisis en dehors de la députation, ils doivent chercher à se faire élire le plus rapidement possible à l'occasion d'une élection partielle. S'ils échouent, ils doivent démissionner. Par ailleurs, un gouvernement ne doit jamais perdre la confiance de l'assemblée élective. Cette confiance se vérifie uniquement, et non autrement, lors des votes en assemblée. Si un gouvernement n'obtient pas l'appui d'une majorité de députés, il doit démissionner ou recommander au représentant de la reine la dissolution du parlement en vue de tenir une élection générale. La question de savoir quelles matières peuvent remettre en cause la confiance de l'assemblée élective envers le gouvernement relève de la prérogative de ce dernier. Cependant, la perte d'un vote sur la politique gouvernementale, sur la politique budgétaire ou sur une

motion de censure a traditionnellement été considérée comme des circonstances où les assemblées électives avaient retiré leur confiance envers leur gouvernement. En somme, la convention du gouvernement responsable permet à l'assemblée élective de contrôler le gouvernement relativement à sa gestion des affaires de l'État et de le sanctionner au besoin s'il devient manifeste qu'il n'a plus la légitimité requise pour gouverner.

Il va sans dire que le contrôle du gouvernement par l'assemblée élective n'a, de nos jours, qu'une portée effective que dans le contexte d'un **gouvernement minoritaire**. En effet, l'émergence de partis politiques structurés, vers la fin du XIXe siècle, et l'apparition de la discipline de parti quelques décennies plus tard, ont mis un terme à cette époque où des gouvernements, même majoritaires, pouvaient être congédiés. En outre, ces deux phénomènes ont permis de concentrer, d'un point de vue politique, l'exercice du pouvoir législatif dans les mains du pouvoir exécutif.

Malgré cette concentration du pouvoir, un gouvernement fédéral ou provincial ne peut en aucun cas se passer de son parlement pour légiférer. Tout gouvernement doit, s'il souhaite adopter, modifier ou abroger des lois, convoquer les parlementaires et soumettre à leur approbation les mesures législatives souhaitées. Il en va de même lorsque le gouvernement fédéral conclut des traités internationaux. Une intervention législative des parlements fédéral et provinciaux sera requise chaque fois que la mise en œuvre d'un traité requiert des changements en droit interne qui touchent à l'un ou l'autre des ordres de gouvernement.

Toutefois, le gouvernement fédéral pourra, en vertu de la *Loi sur les mesures d'urgence*, adopter des règlements s'il survient une situation de crise. Son pouvoir réglementaire sera plus ou moins étendu selon qu'il choisit de déclarer : 1) l'état de sinistre ; 2) l'état d'urgence ; 3) l'état de crise internationale ; 4) l'état de guerre. Par

contre, il ne pourra jamais suspendre les droits fondamentaux garantis par la *Charte canadienne des droits et libertés*. La déclaration d'urgence devra être approuvée par les deux assemblées législatives fédérales ou rejetée par l'une d'entre elles. Les règlements pourront pareillement être abrogés ou modifiés par les deux chambres. Ce cas de figure démontre la prépondérance juridique du pouvoir législatif sur le pouvoir exécutif dans notre système de gouvernement.

La proximité du pouvoir exécutif avec le pouvoir législatif s'explique aussi par l'existence de certaines **prérogatives royales**. Celles-ci étaient autrefois exercées personnellement par le souverain ; leur usage relève désormais de la décision du premier ministre en raison de la convention constitutionnelle du gouvernement responsable. Ces prérogatives sont, dans le contexte des institutions parlementaires, le pouvoir de convoquer, de proroger et de dissoudre le parlement ; le droit du gouverneur de prononcer un discours devant le parlement ; le droit de nommer et de destituer les ministres ; le droit de recommander l'adoption d'une mesure législative affectant une partie quelconque du revenu public, le prélèvement d'une taxe ou d'un impôt ; et, enfin, le droit de sanctionner un projet de loi.

Au demeurant, nous remarquons que les activités parlementaires des assemblées législatives sont en quelque sorte tributaires de certaines prérogatives. Par exemple, aucune assemblée législative ne peut commencer à siéger, malgré sa volonté de le faire, tant et aussi longtemps que le gouvernement n'a pas exercé sa prérogative de convoquer le parlement. Elle est également défendue de siéger lorsque le gouvernement décide de le proroger. Elle ne peut pas non plus librement choisir d'étudier un projet de loi qui affecte des fonds publics à moins d'avoir obtenu la recommandation royale de le faire, c'est-à-dire l'autorisation du gouvernement.

Enfin, les règles de procédure des assemblées législatives octroient généralement des droits prioritaires aux gouvernements dont ceux-ci peuvent se prévaloir, peu importe qu'ils soient minoritaires ou majoritaires. Ces droits accordent aux gouvernements une certaine ascendance sur les travaux parlementaires en leur permettant principalement de mettre en avant leur programme législatif. Par exemple, un gouvernement pourra décider de l'ordre dans lequel les projets de loi seront appelés à être débattus par l'assemblée. Il bénéficiera également de certains droits d'initiative, notamment pour la présentation de certaines procédures telles, par exemple, l'ajournement des travaux, la convocation pour une séance extraordinaire ou la suspension de l'application de certaines règles, communément appelée l'imposition du « **bâillon** ». L'avantage de former un gouvernement majoritaire permet à ce dernier de contrôler tous les aspects des travaux parlementaires en obtenant l'approbation de l'assemblée, là où un vote au sujet d'un acte de procédure est nécessaire. L'**opposition** ne conserve alors que les seuls droits de se faire entendre et d'employer des moyens dilatoires pour retarder le plus longtemps possible l'adoption des propositions à l'étude.

Pour diminuer l'emprise qu'exerce le pouvoir exécutif sur le pouvoir législatif et ainsi permettre aux députés qui ne sont pas ministres de jouer un rôle parlementaire plus important, il est indispensable de mettre d'abord un terme au principe politique de la discipline de parti. Renoncer à ce principe autoriserait tous les parlementaires à agir selon leurs propres convictions plutôt que d'avoir à suivre les directives de leur chef. Il faudrait ensuite que les règles de procédure conférant des droits prioritaires aux gouvernements soient revues de manière à établir un meilleur équilibre entre les pouvoirs exécutifs et législatifs. La réforme de ces deux aspects apparaît souhaitable dès lors que l'objectif poursuivi consiste à faire des assemblées législatives des forums où les décisions sont davantage prises sur une base consensuelle plutôt que d'être imposées par une minorité d'acteurs politiques.

POINTS CLÉS

> Tous les gouvernements, fédéral et provinciaux, se composent de la reine et d'un conseil des ministres. La reine est représentée dans chacun des gouvernements par le même gouverneur qui la représente au sein de l'institution parlementaire auquel le gouvernement est rattaché.

> D'un point de vue constitutionnel formel, l'exercice du pouvoir exécutif est confié à la reine du Canada, mais d'un point de vue constitutionnel conventionnel, il est exercé par un conseil des ministres.

> Le principe du gouvernement responsable est une convention constitutionnelle voulant que les ministres doivent être membres du parlement et jouir de la confiance de la majorité des membres de l'assemblée élective.

> Si un gouvernement n'obtient pas l'appui d'une majorité de députés, il doit démissionner ou recommander au représentant de la reine la dissolution du parlement en vue de tenir une élection générale.

> L'émergence de partis politiques structurés et l'apparition de la discipline de parti ont permis de concentrer, d'un point de vue politique, l'exercice du pouvoir législatif dans les mains du pouvoir exécutif.

4. L'ORGANISATION DES TRAVAUX PARLEMENTAIRES

Avant de clore l'étude de ce chapitre, nous allons aborder quelques aspects organisationnels relatifs aux travaux parlementaires. L'exercice des fonctions constitutionnelles des assemblées législatives se déroule dans des enceintes où se réunissent des dizaines, voire des centaines de personnes appartenant à des formations politiques différentes. Afin de pouvoir mener des débats ordonnés, des règles de procédure structurent l'organisation des travaux parlementaires. Ces règles se retrouvent dans la Constitution, dans des lois et dans les règlements des assemblées législatives. Elles établissent entre autres l'ordre du jour des séances et les périodes pendant lesquelles les assemblées doivent ou peuvent se réunir à l'intérieur du calendrier parlementaire. Ces règles sont nombreuses et nécessitent la présence d'un arbitre pour les interpréter et les appliquer. Cette tâche revient aux présidents.

4.1. Les présidents

Dans chaque assemblée législative, un président est désigné parmi les membres. Le président du Sénat est le seul à être choisi par le gouverneur général sur recommandation du premier ministre fédéral. Tous les autres sont le choix des assemblées elles-mêmes. Toutes ont désormais intégré dans leurs règles de procédure l'élection du président au scrutin secret. Il peut arriver que le président soit choisi parmi les députés formant l'opposition. La désignation d'un président est essentielle à la tenue des travaux parlementaires, une assemblée ne pouvant procéder à l'étude d'aucune affaire sans avoir pourvu la charge de président. C'est d'ailleurs la première tâche dont toute assemblée élective s'acquittera après une élection générale. Il en sera de même si la charge devient vacante.

Les présidents des assemblées électives remplissent des fonctions parlementaires, administratives et représentatives. Un président représente son assemblée dans ses relations avec d'autres institutions. Il est également responsable de diriger les différents services administratifs et de gérer tout le personnel nécessaire à leur maintien. Enfin, la fonction phare d'un président est de présider aux travaux de l'assemblée en s'assurant du respect des règles de procédure. À ce titre, il est l'autorité compétente pour trancher toute question d'interprétation relative à la

procédure parlementaire pouvant être soulevée par les membres au cours des débats. Ses décisions portant sur les règles de procédure adoptées par les assemblées ne peuvent, en vertu du privilège parlementaire que possèdent les assemblées législatives de contrôler leurs propres travaux, être portées en appel devant un tribunal.

De plus, les présidents des assemblées électives ne participent pas aux débats et ne votent pas, sauf en cas d'égalité des voix où leur vote est alors prépondérant. Dans pareilles circonstances, les présidents ne se prononcent pas en fonction de leur allégeance politique, mais de façon à permettre la poursuite du débat sur une question ou, s'il s'agit de la dernière étape, de manière à maintenir le *statu quo*.

Pour sa part, le président du Sénat ne remplit que des fonctions parlementaires et représentatives. De fait, les fonctions administratives du Sénat relèvent plutôt d'une commission parlementaire appelée le Comité de la régie interne, des budgets et de l'administration.

Contrairement aux autres présidents, celui du Sénat peut participer aux débats et voter. Sa voix n'est toutefois pas prépondérante. Par contre, les différents présidents du Sénat ont eu tendance à s'abstenir au cours des dernières années.

4.2. Le calendrier parlementaire

Une législature correspond à la durée de vie d'un parlement. Elle représente la période de temps qui s'écoule entre la date fixée pour le retour des brefs d'élection[9] et l'expiration du parlement ou, s'il est dissout plus tôt, sa dissolution. Elle

....

9. Au Québec, une législature débute plutôt à partir du moment où le secrétaire général de l'Assemblée nationale reçoit la liste complète des candidats proclamés élus transmise par le directeur général des élections.

constitue en quelque sorte la plus grande unité de temps du calendrier parlementaire. C'est uniquement à l'intérieur de cette période qu'un parlement peut exercer son pouvoir législatif. Une législature ne coïncide donc pas exactement avec la période de temps qui s'écoule entre deux élections générales, car elle exclut la campagne électorale, l'élection générale et la phase post-électorale[10]. Durant cet interrègne législatif, aucune composante d'un parlement n'est autorisée à exercer ses fonctions ; les assemblées législatives ne peuvent adopter de projets de loi ni les gouverneurs les sanctionner.

Les parlements sont autorisés à fixer, par loi, la durée maximale de leurs législatures. Celle-ci ne doit cependant pas excéder un terme de cinq ans, tel que le prescrit l'article 4 de la *Loi constitutionnelle de 1982*. Dans les faits, aucune législature n'a expiré du seul fait qu'elle soit arrivée à l'échéance de la durée prévue par la loi, toutes ayant été dissoutes plus tôt. Certaines législatures ont été très courtes et n'ont duré que quelques mois, alors que d'autres se sont approchées de la limite des cinq ans.

Les sessions parlementaires correspondent à la deuxième plus grande unité de temps du calendrier parlementaire. Bien qu'un parlement soit validement constitué quelque temps seulement après une élection générale, il n'est habilité à se réunir qu'à l'intérieur d'une session. Il relève de la prérogative du pouvoir exécutif de choisir le moment où le parlement sera convoqué et le moment où il sera prorogé. Un gouvernement peut donc techniquement patienter plusieurs mois après une élection générale, ou après une **prorogation**, avant de convoquer le parlement de nouveau, pas plus de douze mois ne devant

cependant s'être écoulés depuis la dernière séance (art. 5 de la *Loi constitutionnelle de 1982*)[11].

Certains parlements n'ont connu qu'une seule session, alors que d'autres en ont eu jusqu'à sept, mais il n'y a aucune limite au nombre de sessions que peut compter une législature. Par ailleurs, certaines sessions ont été très courtes en ne durant qu'une seule journée, alors que les plus longues se sont échelonnées sur plus de deux ans.

Une session parlementaire s'ouvre avec le discours du Trône lu par le gouverneur[12]. Il représente, pour le gouvernement, l'occasion d'exposer sa politique gouvernementale et le menu législatif qu'il entend soumettre au pouvoir législatif. Une session parlementaire se poursuit généralement malgré l'ajournement des travaux en juin et en décembre, par exemple, et se termine uniquement par une proclamation prorogeant le parlement. La prorogation du parlement peut se produire alors qu'une séance est en cours ou lors d'un ajournement des travaux. Celle-ci a pour effet de mettre un terme à tous les travaux parlementaires qui n'ont pas été entièrement complétés. Les commissions parlementaires perdent leurs mandats. Tous les ordres adoptés par les assemblées sont annulés. Les projets de loi non sanctionnés cessent d'exister. Toutefois, plusieurs règlements d'assemblée prévoient maintenant le

....

11. En vertu du principe constitutionnel de la continuité du parlement, le pouvoir exécutif doit toujours, en mettant un terme à une session, immédiatement convoquer la suivante de manière que la date d'ouverture de la prochaine session soit en tout temps

connue. Celle-ci peut cependant subséquemment être devancée ou même reportée, dans la mesure où l'article 5 de la *Loi constitutionnelle de 1982* demeure respecté.

12. Au Québec, l'expression *discours du Trône* a été remplacée par *allocution du lieutenant-gouverneur*. L'essentiel de la politique gouvernementale se retrouve toutefois dans le discours du premier ministre, qui suit l'allocution du lieutenant-gouverneur.

....

10. Un interrègne législatif dure approximativement entre 50 et 100 jours.

rétablissement de certains projets de loi à la session suivante, épargnant ainsi aux parlementaires d'avoir à reprendre l'étude depuis le début. Il peut devenir avantageux pour un gouvernement de recourir à la prorogation lorsqu'une assemblée ou une commission parlementaire est en train de procéder à l'étude d'une affaire politiquement embarrassante. La prorogation permet ainsi de couper court à tout débat. Le gouvernement minoritaire de Stephen Harper a d'ailleurs eu recours à cette manœuvre à deux reprises au cours de la 40ᵉ législature : une première fois, le 4 décembre 2008, pour éviter la tenue d'un vote sur une question susceptible de faire perdre au gouvernement la confiance de la Chambre des communes, et une deuxième fois, le 30 décembre 2010, pour empêcher une commission parlementaire spéciale d'enquêter sur le traitement des prisonniers afghans détenus par les Forces canadiennes.

Une fois un parlement convoqué, il appartient à l'assemblée ou aux assemblées législatives qui le composent d'établir leur propre calendrier de séances. Bénéficiant d'une majorité parlementaire, les gouvernements d'autrefois restreignaient parfois au minimum le nombre de séances des assemblées législatives, empêchant du même coup l'opposition d'exercer son travail efficacement. Avec le temps est apparue l'idée d'instaurer des périodes fixes de travaux permettant aux parlementaires de connaître d'avance les jours de séance. Ces périodes de travaux sont en général au nombre de deux, une à l'automne et l'autre à l'hiver, et s'échelonnent sur une douzaine de semaines. Elles sont prévues dans les règlements des assemblées législatives. Ceux-ci prévoient les jours et les heures de séances, laissant ainsi moins de marge de manœuvre à la majorité parlementaire pour dicter le temps des travaux.

Enfin, la plus petite unité de temps du calendrier parlementaire est la séance. Celle-ci commence au moment fixé par le règlement ou par l'assemblée elle-même. Elle correspond à la période de temps où les membres d'une assemblée se réunissent et délibèrent dans l'enceinte parlementaire. Une séance peut durer quelques minutes ou s'étaler sur plusieurs journées. Elle se termine lorsque l'assemblée décide, par l'adoption d'une motion, d'ajourner ses travaux, ou à l'heure prévue par le règlement.

4.3. L'ordre du jour

Lorsqu'une assemblée législative décide de se réunir, elle est tenue de suivre l'ordre du jour fixé par ses règles de procédure. De façon générale, les règles prévoient la division des séances en deux périodes : les affaires courantes et les affaires du jour. La période des affaires courantes est une période dite d'information, puisqu'elle permet d'informer l'assemblée sur un certain nombre de sujets. Cette période comprend une série de rubriques telles que le dépôt de documents, de projets de loi, de pétitions ou de rapports parlementaires, les déclarations ministérielles et la période de questions et réponses orales. Sauf exception, les rubriques des affaires courantes sont systématiquement abordées à chaque séance et un gouvernement, même majoritaire, ne peut écarter cette période. Quant à elle, la période des affaires du jour est consacrée aux débats. C'est durant cette période que le gouvernement indique à l'assemblée les projets de loi ou les projets de résolution qu'il souhaite voir débattre. De nos jours, de nombreux règlements ont intégré à l'intérieur des affaires du jour une courte période réservée à l'étude des initiatives des députés de l'opposition que l'on appelle populairement par extension les « journées de l'opposition ». Contrairement aux rubriques des affaires courantes, il arrive fréquemment que les rubriques des affaires du jour ne soient pas toutes abordées au cours d'une même séance.

> Les règles de procédure structurent l'organisation des travaux parlementaires. Ces règles se retrouvent dans la Constitution, dans des lois et dans les règlements des assemblées législatives.
> Les présidents remplissent des fonctions parlementaires, administratives et représentatives.
> Une législature correspond à la durée de vie d'un parlement.
> Un parlement n'est habilité à se réunir qu'à l'intérieur d'une session parlementaire. Il relève de la prérogative du pouvoir exécutif de choisir le moment où le parlement sera convoqué et le moment où il sera prorogé.

Conclusion

Il est déplorable que certains commentateurs confondent les institutions parlementaires entre elles en leur attribuant des fonctions ou des pouvoirs qu'elles ne possèdent pas. Par exemple, il n'est pas rare d'entendre qu'un gouvernement a adopté une loi, évacuant du même souffle le rôle et l'importance des assemblées législatives. Ce genre d'affirmation contribue à la méconnaissance du public envers nos institutions parlementaires. Plusieurs personnes croient ainsi à tort que le premier ministre fédéral est le chef de l'État, que les ministres sont élus, que le parlement fédéral est hiérarchiquement supérieur aux parlements provinciaux et que les assemblées législatives sont souveraines.

Pourtant, dans un système parlementaire de type britannique, chaque composante détient une place héritée de l'histoire et joue un rôle bien défini qui lui est propre. Les gouvernements, non élus, gouvernent en conservant constamment la confiance de leur assemblée élective. C'est cette confiance accordée par des représentants élus, susceptible de leur être retirée, qui leur permet d'assurer légitimement la gouverne des affaires étatiques. Pour leur part, les assemblées législatives s'acquittent des fonctions législatives, délibératives et de contrôle de l'action gouvernementale. En exerçant leur fonction législative, les assemblées adoptent des projets de loi que le souverain, ou ses représentants, sanctionne. Enfin, la coordination de chacune des composantes d'un parlement permet à ce dernier d'adopter des lois.

Cette confusion s'explique peut-être par la mainmise des gouvernements sur les assemblées législatives. Il est vrai, au demeurant, que l'existence de partis politiques structurés, la discipline de parti, les prérogatives royales et les droits prioritaires accordés aux gouvernements dans les règles de procédure permettent à ceux-ci d'exercer une véritable ascendance sur les travaux parlementaires, laissant croire à certains qu'ils détiennent le pouvoir législatif.

1. Qui est le chef de l'État pour l'ordre fédéral ? Est-il différent de celui des provinces ?

2. Quelles sont les composantes des parlements fédéral et provinciaux ?

3. Quel est l'unique rôle accompli par les parlements ?

4. Quels sont les deux pouvoirs que les parlements fédéral et provinciaux peuvent exercer ?

5. Qu'est-ce que le principe de la souveraineté parlementaire et de quelle manière est-il entamé au Canada ?

6. Quels acteurs, au sein des institutions parlementaires, sont nommés ?

7. Quel est le principal défaut du Sénat ? Et pourquoi ?

8. Quelles sont les trois fonctions constitutionnelles des assemblées législatives ?

9. Quelles sont les étapes du processus législatif ?

10. Quels organes détiennent des privilèges parlementaires et à quelles fins ?

11. Quel organe exerce le pouvoir exécutif d'un point de vue constitutionnel conventionnel ?

12. Qu'est-ce que le principe du gouvernement responsable ?

13. De quelle façon les présidents des assemblées législatives sont-ils désignés ?

14. Quelles sont les différences entre une législature, une session, une période de travaux et une séance ?

LECTURES SUGGÉRÉES

Bernard, A. (1995). *Les institutions politiques au Québec et au Canada*, Montréal, Boréal.

Brun, H., G. Tremblay et E. Brouillet (2014). *Droit constitutionnel*, 6ᵉ éd., Cowansville, Yvon Blais.

Forsey, E. (2010). « Les institutions du gouvernement du Canada », *Les Canadiens et leur système de gouvernement*, 7ᵉ éd., <http://www.bdp.parl.gc.ca/About/Parliament/senatoreugeneforsey/book/preface-f.html>.

Massicotte, L. (2009). *Le Parlement du Québec de 1867 à aujourd'hui*, Québec, Presses de l'Université Laval.

GLOSSAIRE

BÂILLON : Nom populaire donné à un acte de procédure prévu dans les règles de procédure des assemblées législatives permettant au gouvernement de demander à l'assemblée qu'elle suspende l'application de certaines règles afin, le plus souvent, d'accélérer le débat sur une mesure législative et, par conséquent, son adoption. L'imposition du « bâillon » est fort critiquée par l'opposition, car il limite ou écourte le temps de parole normalement accordé. Cette procédure est le plus souvent utilisée, sinon presque exclusivement, dans le contexte d'un gouvernement majoritaire.

BRITISH NORTH AMERICA ACT, 1867 : Loi adoptée par le Parlement de Westminster en anglais seulement, souvent désignée en français comme étant l'*Acte de l'Amérique du Nord britannique* de 1867 (d'autres désignations moins fréquentes existent), qui a créé la fédération canadienne. Son titre a été modifié en 1982 pour devenir la *Loi constitutionnelle de 1867*. Cette loi est l'une des lois britanniques que comprend la Constitution du Canada. Elle établit le partage constitutionnel des compétences législatives entre l'État fédéral et les États fédérés.

COMMISSION PARLEMENTAIRE : Démembrement d'une assemblée législative composée d'un nombre restreint de parlementaires. Aussi appelée « comité parlementaire », une commission est chargée d'étudier les questions que lui soumet l'assemblée dont elle émane (p. ex. l'assemblée confie l'étude détaillée d'un projet de loi à une commission). Elle peut aussi examiner d'autres sujets de sa propre initiative.

COMPÉTENCES LÉGISLATIVES : Matières sur lesquelles un parlement est autorisé à légiférer en vertu du partage constitutionnel des compétences. Ce partage se retrouve principalement, mais non exclusivement, aux articles 91 à 95 de la *Loi constitutionnelle de 1867*.

CONSEIL DES MINISTRES : Regroupe l'ensemble des ministres sous un gouvernement responsable d'assurer la gestion de l'État. « Conseil exécutif » et « cabinet » sont des synonymes.

CONSEIL PRIVÉ : Organe chargé de conseiller le souverain dans l'exercice de son pouvoir exécutif. Au Canada, cet organe existe seulement pour l'ordre fédéral et est purement symbolique.

CONVENTIONS CONSTITUTIONNELLES : Ce sont des règles non écrites appliquées par les acteurs politiques et qui modifient des règles formelles inscrites dans la Constitution du Canada, dont les tribunaux peuvent reconnaître l'existence, mais ne peuvent forcer leur application. Trois conditions sont nécessaires pour qu'une convention existe : la règle doit avoir une raison d'être, les acteurs politiques doivent se sentir liés par elle et au moins un précédent doit pouvoir être démontré. Même si elles ne peuvent être sanctionnées par les tribunaux, les conventions constitutionnelles ont une force politique importante, si bien qu'elles sont presque toujours respectées.

DÉCRET : Décision prise par le souverain ou son représentant sur avis du conseil des ministres.

GOUVERNEMENT MAJORITAIRE : Gouvernement dont le parti politique jouit d'une pluralité absolue de sièges au sein de l'assemblée élective. Un gouvernement majoritaire compte normalement uniquement sur l'appui des députés issus de son parti politique pour conserver la confiance de l'assemblée.

GOUVERNEMENT MINORITAIRE : Gouvernement dont le parti politique ne jouit pas d'une pluralité absolue de sièges au sein de l'assemblée élective. Un gouvernement minoritaire doit pouvoir compter sur l'appui d'un nombre suffisant de députés issus d'autres partis politiques s'il souhaite conserver la confiance de l'assemblée et voir certaines de ses mesures législatives adoptées.

LOI CONSTITUTIONNELLE DE 1867 : Il s'agit du ***British North America Act, 1867*** qui a été adopté par le Parlement de Westminster pour créer le Dominion du Canada et dont le titre a été modifié en 1982.

LOI CONSTITUTIONNELLE DE 1982 : Loi figurant en annexe de la *Loi de 1982 sur le Canada* (voir ci-dessous) adoptée par le Parlement de Westminster.

LOI DE 1982 SUR LE CANADA : Loi adoptée par le Parlement de Westminster en anglais et en français contenant en annexe la *Loi constitutionnelle de 1982*. Par l'adoption de la *Loi de 1982 sur le Canada*, le Parlement de Westminster renonçait à exercer le pouvoir constituant pour le Canada.

MOTION DE CENSURE : Proposition présentée par un député demandant à l'assemblée législative élective de déclarer que le gouvernement n'a plus la confiance de l'assemblée pour gouverner.

OPPOSITION : Regroupe l'ensemble des parlementaires siégeant au sein d'une assemblée législative qui ne sont pas affiliés au parti politique duquel provient le gouvernement. L'opposition officielle est le nom donné au parti politique (ou à la coalition de partis) qui est le plus susceptible de remplacer le gouvernement en cas de démission. Ce titre revient le plus souvent au parti politique détenant, à l'exception du parti formant le gouvernement, le plus grand nombre de sièges au sein de l'assemblée législative élective. Il existe aussi une opposition et une opposition officielle au Sénat.

PARLEMENT DE WESTMINSTER : Parlement britannique situé à Londres et composé de la reine, de la Chambre des lords et de la Chambre des communes. Le Parlement de Westminster a exercé le pouvoir constituant pour le Canada de 1867 à 1982.

PARTAGE CONSTITUTIONNEL DES COMPÉTENCES LÉGISLATIVES : Répartition entre les parlements fédéral et provinciaux des matières sur lesquelles chacun est autorisé à légiférer. Voir *Compétence législative*.

PÉTITION : Écrit signé adressé aux autorités publiques et qui formule une plainte ou une demande afin qu'une situation soit corrigée.

POUVOIR CONSTITUANT : Instance autorisée, en vertu de la Constitution, à modifier le contenu de cette dernière. Au Canada, le pouvoir constituant peut être exercé par différents acteurs selon différentes configurations. Voir la Partie V de la *Loi constitutionnelle de 1982*.

POUVOIR LÉGISLATIF : Instance autorisée, en vertu de la Constitution, à adopter des lois.

PREMIÈRE LECTURE : Première étape du processus législatif qui consiste à présenter devant l'assemblée un projet de loi. Le titre et les notes explicatives traçant les grandes lignes y sont lus par le député ou le ministre présentant le projet de loi.

PRÉROGATIVES ROYALES : Ensemble de droits, pouvoirs et immunités fondés sur la *common law* qui étaient autrefois exercés personnellement par le souverain, mais qui le sont aujourd'hui par le pouvoir exécutif.

PROJET DE LOI : Proposition législative écrite soumise à une assemblée législative pour discussion et pouvant être amendée, rejetée ou adoptée.

PROROGATION : Prérogative royale exercée par le souverain ou son représentant sur avis du premier ministre, selon la convention constitutionnelle du gouvernement responsable, qui remet à plus tard la tenue des séances du parlement. Pour cette raison, on dira que le parlement a été prorogé et non que la session a été prorogée, car la prorogation n'a pas pour effet de remettre à plus tard la session, mais d'y mettre un terme. La date de convocation du parlement est inscrite dans l'acte de prorogation.

RÈGLES DE PROCÉDURE : Règles écrites qui édictent l'organisation et le fonctionnement de l'ensemble des débats ou travaux parlementaires. Ces règles se retrouvent dans la Constitution, dans des lois et dans des règlements. Chaque assemblée a le pouvoir d'adopter son propre règlement et de le modifier. Les règles de procédure contenues dans des lois ne peuvent être modifiées que par le parlement, alors que celles contenues dans la Constitution ne peuvent être modifiées que par le pouvoir constituant.

RÉSOLUTION : Décision prise par une assemblée législative qui n'a pas force exécutoire. Un parlementaire propose, par la présentation d'une motion, que l'assemblée se prononce sur une question. Une fois le débat terminé, le cas échéant, la motion est mise aux voix. Si elle est adoptée, elle devient alors une résolution.

SANCTION ROYALE : Prérogative royale exercée par le souverain ou son représentant sur avis, selon la convention constitutionnelle du gouvernement responsable, du premier ministre, ayant pour effet de commuer un projet de loi en loi du parlement. Il s'agit de l'une des fonctions législatives pouvant être exercées par le souverain.

BIBLIOGRAPHIE

Bourinot, J.G. (1916). *Parliamentary Procedure and Practice in the Dominion of Canada*, 4ᵉ éd., Toronto, Canada Law Book Company.

Boyce, P. (2008). *The Queen's Other Realms*, Sydney, Federation Press.

Brun, H., G. Tremblay et E. Brouillet (2014). *Droit constitutionnel*, 6ᵉ éd., Cowansville, Yvon Blais.

Canada (Chambre des communes) c. Vaid, [2005] 1 R.C.S. 667.

Charte canadienne des droits et libertés, partie I de la *Loi constitutionnelle de 1982*, constituant l'annexe B de la *Loi de 1982 sur le Canada* (R.-U.), 1982.

Chitty, J. (1820). *A Treatise on the Law of the Prerogatives of the Crown : And the Relative Duties and Rights of the Subject*, Londres, Butterworth and Son.

Deschênes, G. (1992). *L'ABC du Parlement, lexique des termes parlementaires en usage au Québec*, Québec, Les Publications du Québec.

Direction des recherches pour le Bureau de la Chambre des communes (2010). « Processus législatif », dans *Compendium de procédure*, Ottawa, Chambre des communes, <http://www.parl.gc.ca/About/House/Compendium/Web-Content/c_g_legislativeprocess-f.htm>.

Élections Canada (1997). *Histoire du vote au Canada*, Ottawa, Travaux publics et services gouvernementaux Canada, <http://www.elections.ca/res/his/Histoire-Fra_Text.pdf>.

Élections Canada (2015a). *Quarante-deuxième élection générale 2015 : Pourcentage des votes valides par appartenance politique* (Tableau 9), Ottawa, Directeur général des élections, <http://www.elections.ca/res/rep/off/ovr2015app/accueil.html#1>.

Élections Canada (2015b). *Quarante-deuxième élection générale 2015 : Répartition des sièges par appartenance politique et par sexe* (Tableau 7), Ottawa, Directeur général des élections, <http://www.elections.ca/res/rep/off/ovr2015app/accueil.html#1>.

Émond, A. (2009). *Constitution du Royaume-Uni : des origines à nos jours*, Montréal, Wilson et Lafleur.

Forsey, E. (2010). « Les institutions du gouvernement du Canada », *Les Canadiens et leur système de gouvernement*, 7ᵉ éd., <http://www.bdp.parl.gc.ca/About/Parliament/senatoreugeneforsey/book/preface-f.html>.

Gagné, L. (1997). *Le processus législatif et réglementaire au Québec*, Cowansville, Yvon Blais.

Gagné, L. (1999). *Le processus législatif et réglementaire fédéral*, Cowansville, Yvon Blais.

Heard, A. (1991). *Canadian Constitutional Conventions : The Marriage of Law and Politics*, Toronto, Oxford University Press.

Hogg, P.W. (2007). *Constitution Law of Canada*, 5ᵉ éd., Scarborough, Thomson Carswell.

In re Queen's Counsel (1896), 23 O. A. R. 792.

In re The Initiative and Referendum Act, [1919] A.C. 935 (C.P.).

Keith, A.B. (1928). *Responsible Government in the Dominions*, vol. II., Oxford, Clarendon Press.

Liquidators of the Maritime Bank of Canada c. Receiver-General of New Brunswick, [1892] A.C. 437 (C.P.).

Loi constitutionnelle de 1867 (R.-U.), 30 & 31 Vict, c 3.

Loi constitutionnelle de 1982, constituant l'annexe B de la *Loi de 1982 sur le Canada* (R.-U.), 1982, c. 11.

Loi de 1982 sur le Canada (R.-U.), 1982, c. 1.

Macdonald, J.A. (1865). *Débats parlementaires sur la question de la Confédération des provinces de l'Amérique britannique du Nord*, Province du Canada, Assemblée législative, 3ᵉ sess., 8ᵉ parlement provincial, 6 février.

Maer, L. et O. Gay (2009). *The Royal Prerogative*, Londres, Parliament and Constitution Centre, <http://www.parliament.uk/briefing-papers/SN03861.pdf>.

Massicote, L. (2009). *Le Parlement du Québec de 1867 à aujourd'hui*, Québec, Presses de l'Université Laval.

May, E. (1946). *A Treatise on the Law, Privileges, Proceedings and Usage of Parliament*, 14ᵉ éd., Londres, Butterworths.

Morin, J.-Y. et J. Woehrling (1994). *Les constitutions du Canada et du Québec : du Régime français à nos jours*, tome 1, Montréal, Thémis.

New Brunswick Broadcasting Co. c. Nouvelle-Écosse (Président de l'Assemblée législative), [1993] 1 R.C.S. 319.

O'Brien, A. et M. Bosc (2009). *La procédure et les usages de la Chambre des communes*, 2ᵉ éd., Montréal et Ottawa, Yvon Blais et Chambre des communes.

Partridge c. Strange and Croker (1553), 1 Plowd 77.

Saywell, J.T. (1957). *The Office of Lieutenant-Governor*, Toronto, University of Toronto Press.

The Canada Law Journal (1890). « The Crown a constituent part of the provincial legislatures », *The Canada Law Journal*, vol. 26, n° 1, p. 2.

Todd, A. (1894). *Parliamentary Government in the British Colonies*, 2ᵉ éd., Londres, Longmans, Green and Co.

Woehrling, J. (2002). « Le recours à la procédure de modification de l'article 43 de la *Loi constitutionnelle de 1982* pour satisfaire certaines revendications constitutionnelles du Québec », dans P. Thibault, B. Pelletier et L. Perret (dir.), *Les mélanges Gérald-A. Beaudoin. Les défis du constitutionnalisme*, Cowansville, Yvon Blais.

CHAPITRE 8

LE POUVOIR AU SOMMET

La domination de l'exécutif

Donald J. Savoie

La branche exécutive occupe depuis longtemps une position dominante dans les régimes parlementaires de type britannique. Officiellement, sur le plan constitutionnel, le pouvoir est concentré entre les mains du premier ministre et du **Cabinet**[1]. Des développements survenus récemment au Canada semblent toutefois indiquer un renforcement considérable du pouvoir du premier ministre. De fait, en ce qui a trait au poids politique inhérent à leur fonction, les premiers ministres canadiens n'ont pas d'égal en Occident. Les premiers ministres canadiens sont parvenus à accroître leur pouvoir encore davantage au détriment des autres acteurs politiques, législatifs et administratifs au cours des dernières années.

Il y a plus de quarante ans, Gordon Robertson, un ancien secrétaire du Cabinet jadis qualifié de référence incontournable en tant que greffier du Conseil privé, a écrit que dans notre système politique « la **responsabilité ministérielle** prévaut. Le gouvernement appartient aux ministres » (Robertson, 1971, p. 497, traduction libre). Le Bureau du Conseil privé (BCP) affirmait en 1993 dans une publication au sujet de l'appareil gouvernemental : « nous partons du principe que le processus décisionnel est de nature confédérale et que le pouvoir émane des ministres » (Canada, 1993, traduction libre). Je soutiens, au contraire, que le pouvoir n'émane plus des ministres, mais bien du premier ministre, et de façon inégale de surcroît.

Ce qui précède témoigne de l'évolution dans la façon dont les politiques sont adoptées et les décisions prises à Ottawa. À la fin des années 1960 et au début des années 1970, J.S. Dupré a fait valoir qu'un Cabinet « institutionnalisé » a

---

1.   Les concepts en caractères gras sont définis dans le glossaire à la fin du chapitre. L'auteur tient à remercier Audrey Lord pour la traduction vers le français de ce texte rédigé à l'origine en anglais.

désormais remplacé le Cabinet «de ministres». Individuellement, les ministres et leurs ministères ont perdu une grande part d'autonomie au profit de l'ensemble du Cabinet, du savoir partagé et d'un processus décisionnel collégial (Dupré, 1987, p. 238-239). Or, à mon avis, cette époque n'a pas duré très longtemps avant que le **gouvernement monarchique** ne commence à prendre racine. Certes, l'information était ramenée au **centre**. Cependant, elle était rassemblée au bénéfice du premier ministre et d'une poignée de ses principaux conseillers travaillant au Bureau du Conseil privé et au Cabinet du premier ministre (CPM), et non pas en vue d'une prise de décisions collégiale. Le gouvernement monarchique s'est développé à Ottawa sous Pierre Elliott Trudeau et s'est possiblement encore davantage consolidé sous Brian Mulroney, Jean Chrétien, Paul Martin et Stephen Harper. Souvenons-nous que Martin a déclaré, lors de la campagne à la direction de son parti, que sous son prédécesseur, Chrétien, la clé pour faire avancer les choses passait par le CPM. Il a affirmé que «les contacts au sein du CPM» sont désormais ce qui compte à Ottawa. Pourtant, selon des observateurs, une fois au pouvoir, son gouvernement a été «plus centralisé que tout ce que l'on a pu observer au cours de l'ère Chrétien» (Simpson, 2005, p. A15, traduction libre).

Harper a poursuivi la tradition de concentration du pouvoir au cours de ses deux mandats. Rappelons-nous qu'après n'avoir consulté qu'une poignée de ses plus proches conseillers, il a déposé au Parlement, en 2006, une motion qui se lit comme suit : «Que cette Chambre reconnaisse que les Québécoises et les Québécois forment une nation au sein d'un Canada uni.» Le Cabinet avait été laissé sur la touche. Même le ministre responsable des Affaires intergouvernementales n'avait pas été informé, encore moins consulté, ni avant que la décision ne soit prise ni avant que l'ensemble du caucus ne soit mis au courant (*Globe and Mail*, 2006, p. A1, A4).

Il existe d'autres exemples encore plus récents. Le sénateur Lowell Murray, qui fut un ministre hautement respecté au sein du Cabinet Mulroney, soutient que le gouvernement de Cabinet est maintenant dysfonctionnel. Comment pourrait-il en être autrement, étant donné que les décisions clés se rapportant notamment aux déploiements militaires du Canada en Afghanistan (sous un gouvernement libéral, puis sous les conservateurs) ont été prises par le premier ministre avec l'aide de seulement quelques conseillers politiques et responsables civils et militaires ? Les deux ministres concernés – ceux de la Défense nationale et des Affaires étrangères – n'étaient même pas présents. Tout comme les autres membres du Cabinet, qui n'ont été informés qu'après coup (Murray, 2013).

Ce chapitre fait état des forces qui ont contribué à affirmer la position du premier ministre au sein du gouvernement. Nous passons ensuite en revue les leviers de pouvoir dont dispose le premier ministre et les récents développements qui ont fait en sorte que son bureau et les **organismes centraux** deviennent les acteurs prédominants au sein du gouvernement fédéral – en bref, nous analysons l'avènement du gouvernement monarchique.

1. LES FORCES

Un événement important, qui fut à l'origine de l'émergence du gouvernement monarchique à Ottawa, a été l'arrivée au pouvoir du Parti québécois (PQ) en 1976, un parti politique provincial déterminé à séparer le Québec du Canada. Les répercussions se sont fait sentir dans tous les édifices gouvernementaux à Ottawa, mais à l'édifice Langevin, qui abrite à la fois le CPM et le BCP, les secousses ont été ressenties plus fortement que partout ailleurs.

Les premiers ministres se soucient énormément de la place qu'ils occupent dans l'histoire.

Aucun premier ministre canadien ne veut que le pays n'éclate sous sa gouverne. Ainsi, sa mission principale consiste-t-elle à préserver l'unité du pays. Aucun autre responsable politique au Canada ne se sent aussi directement responsable de l'unité canadienne que le premier ministre fédéral. En fait, si le Canada devait éclater, celui-ci serait le premier à devoir rendre des comptes.

Les préoccupations à l'égard de l'unité nationale tendent à refondre des enjeux fondamentaux de politiques publiques de façon à prendre en compte leur effet sur le Québec et sur la probabilité de parvenir à conclure des accords fédéraux-provinciaux. Les exemples sont fort nombreux. Ainsi, Andrew Cooper écrit, dans son étude comparative des affaires étrangères canadiennes et australiennes :

> « [U]n indice révélateur de la façon dont la stratégie économique et diplomatique du Canada a été soumise à des tactiques politiques dans le domaine du commerce agricole est que toutes les décisions importantes dans ce domaine ont découlé [...] des organismes centraux, donc du Cabinet du premier ministre et du Bureau du Conseil privé. À cet égard, la prépondérance des enjeux constitutionnels a inévitablement miné la capacité du gouvernement fédéral de bien mener les négociations de la phase finale du cycle de l'Uruguay [qui réunissait les pays membres de l'Organisation mondiale du commerce] » (Cooper, 1997, p. 217, traduction libre).

Les participants directement impliqués dans ce recadrage constitutionnel sont, pour la plupart, des stratèges politiques ou des fonctionnaires qui travaillent au sein des organismes centraux et ne sont habituellement pas des spécialistes des politiques de santé, des politiques sociales ou de développement économique, etc. (Cameron et Simeon, 2000, p. 58-118). De plus, ils sont souvent rattachés directement au premier ministre fédéral et à son Cabinet sous une forme ou une autre.

Les premiers ministres provinciaux ont un accès direct au premier ministre fédéral et n'hésitent pas à l'interpeller personnellement lorsqu'un problème les préoccupe. Si ce dernier donne son appui à un premier ministre provincial, le problème est traité au centre du gouvernement à Ottawa en vue de sa résolution. Pour diverses raisons, des engagements sont pris entre les chefs des gouvernements provinciaux et leur homologue fédéral, et ce dernier ne peut se permettre que le système ou le processus gouvernemental ne conduise pas, finalement, à la bonne décision. Par conséquent, un agent qui œuvre au cœur du gouvernement assurera le suivi de la décision jusqu'à sa mise en œuvre complète. Lorsque cela se produit, les ministres, et leur ministère, perdent inévitablement une partie de leur pouvoir au profit du premier ministre canadien et de ses conseillers.

Les réévaluations des programmes, qui ont eu lieu au milieu des années 1990 ainsi qu'en 2011 et en 2012, ont mis en évidence le fait que le Cabinet n'est pas en mesure de prendre des décisions en matière de dépenses, et donc que le pouvoir décisionnel devait être concentré entre les mains de quelques personnes, en particulier le premier ministre, le ministre des Finances et le président du Conseil du Trésor. Il est généralement admis à Ottawa que si le gouvernement a perdu le contrôle sur le budget des dépenses, c'est parce que les ministres ont refusé de s'opposer aux plans de dépenses de leurs collègues, sachant fort bien que le moment viendrait où eux aussi présenteraient leurs propres propositions de dépenses (Savoie, 1990). On ne peut guère exagérer l'importance du budget des dépenses pour les politiques publiques et les activités du gouvernement. Il occupe l'avant de la scène. Lorsque le premier ministre et ses courtisans décident de confier à l'organe central du gouvernement à la fois les politiques budgétaires et les décisions clés en matière de dépenses, ils leur transfèrent également les leviers de l'élaboration des politiques. Le premier ministre, avec son ministre des Finances, contrôle étroitement toutes les révisions des programmes, et cela, depuis 1978. En bref, aucun de ces exercices n'a été mené par le Cabinet.

2. Les médias

Tout dossier important est susceptible d'exiger une intervention du centre du gouvernement. Or, ce qui donne son importance à un dossier n'est pas clair. Tout dépend des circonstances. L'attention médiatique peut très rapidement donner de l'importance à n'importe quel enjeu, si futile soit-il. Lorsque cela se produit, la distinction entre le politique et l'administratif se perd. Un dossier qui reçoit une couverture médiatique devient politique et, dans ce cas, le premier ministre et ses conseillers voudront en superviser les développements. Par exemple, la une des quotidiens *The Globe and Mail* ou *Le Devoir* ou encore un reportage sur les ondes de Radio-Canada ou de CTV peut rendre un enjeu important, indépendamment de sa portée ou de sa nature.

Aujourd'hui, les médias, à l'instar de la société elle-même, sont nettement moins déférents à l'égard des leaders et des institutions politiques. Il n'existe désormais plus de sujets interdits, et les dirigeants politiques de même que les fonctionnaires du gouvernement doivent continuellement demeurer prudents et vigilants lorsqu'ils rencontrent des journalistes. Les chaînes d'information continue et l'essor des médias sociaux ont rendu le contrôle du message encore plus crucial que par les années passées. Cela aussi a renforcé la position du premier ministre et de ses proches conseillers.

De plus, les médias concentrent leur attention sur les chefs des partis politiques en période électorale plutôt que sur les candidats des différents partis, même ceux qui jouissent d'une grande notoriété. Les journalistes achètent des places dans les avions nolisés des chefs de parti et les suivent partout. Au Canada, les médias et, par extension, les électeurs, s'intéressent surtout aux affrontements entre les chefs de parti. Tout d'abord, il y a les débats des chefs diffusés à la télévision nationale, tant en français qu'en anglais. La performance d'un chef lors des débats peut avoir un effet important, ou du moins être perçue comme ayant un effet important, sur la campagne électorale, voire sur l'élection comme telle (Johnston *et al.*, 1992, p. 244). Toutefois, il est désormais largement admis dans la littérature que « les débats portent davantage sur les incidents et les erreurs que sur l'évaluation de la capacité de gouverner des candidats » (Polsby et Wildavsky, 1991, p. 246, traduction libre).

Les dirigeants politiques canadiens semblent de plus en plus être les seuls candidats qui comptent lors d'une campagne électorale. Jadis, on retrouvait au Canada des membres du Cabinet qui étaient puissants, avaient de solides assises dans leur parti ou jouissaient de liens et d'appuis régionaux forts. Pensons à Jimmy Gardiner, Chubby Power, Jack Pickersgill, Ernest Lapointe, Louis Saint-Laurent, Don Jamieson et Allan MacEachen. Il ne semble plus exister de telles figures régionales puissantes capables de mener des candidats à la victoire dans leur sillage ou de s'adresser au premier ministre en s'appuyant sur une source de pouvoir indépendante au sein du parti.

Au Canada, les candidats élus du parti gouvernemental sont conscients que la performance de leur chef durant la campagne électorale explique, dans une large mesure, leur propre succès. L'objectif des partis politiques nationaux, au moment des élections, est davantage de mettre en valeur leur chef respectif auprès de l'électorat canadien que de promouvoir leurs idées ou leurs politiques. Les élections canadiennes reposent invariablement sur la question de savoir qui formera le gouvernement (Savoie, 2013). Si le chef parvient à obtenir un mandat majoritaire de la part des électeurs, il ne faut donc pas s'étonner que le parti lui soit redevable, et non l'inverse.

Les partis politiques, du moins au Canada, ne sont que des machines électorales qui fournissent le financement et le personnel nécessaires pour mener une campagne électorale. Ils ne sont guère des véhicules efficaces pour susciter des débats de politiques publiques, pour définir des positions de principe ou pour garantir leur propre compétence une fois au pouvoir. Robert Young a déjà affirmé que « l'Association canadienne des pâtes et papiers est davantage en mesure d'effectuer du travail d'analyse stratégique que le Parti libéral et le Parti [progressiste-] conservateur réunis » (cité dans Sutherland, 1996, p. 5, traduction libre). Les clivages régionaux au Canada, comme on le sait, dominent la politique gouvernementale nationale, et les partis politiques fédéraux évitent de s'attaquer de front aux enjeux régionaux, de peur de diviser le parti en fonction des appartenances régionales et de miner ses chances le moment des élections venu. Selon ce raisonnement, du moins au sein des partis qui ont détenu le pouvoir, les enjeux régionaux sont si délicats et politiquement explosifs qu'il est préférable de laisser les chefs de parti et une poignée de conseillers s'en occuper.

3. LE CENTRE DU GOUVERNEMENT

Les organismes centraux sont demeurés pratiquement intacts en dépit d'un exercice de réduction des échelons hiérarchiques entrepris au début des années 1990, d'une imposante restructuration gouvernementale amorcée en 1993 et de révisions des programmes réalisées au milieu des années 1990 et, à nouveau, en 2011 et en 2012. Les organismes centraux sont restés inchangés, même si leur volume de travail aurait dû considérablement décroître, étant donné que le BCP doit apporter son appui à des comités du Cabinet beaucoup moins nombreux que pendant les années 1970 et 1980, sous les gouvernements Trudeau et Mulroney.

On peut alors se demander : que fait le personnel des organismes centraux ? Lorsque Trudeau a décidé d'élargir la taille et le champ d'action du CPM, à la fin des années 1960, son premier secrétaire principal a cherché à se faire rassurant auprès des critiques et des ministres en affirmant que le CPM demeurerait essentiellement une organisation de service. Il a expliqué que ce bureau était là pour « servir personnellement le premier ministre, que son objectif n'était pas principalement d'ordre consultatif, mais bien fonctionnel, et que le CPM n'est pas un mini-Cabinet ; il ne constitue pas directement ou indirectement un organe décisionnel et il ne s'agit vraiment pas d'une instance » (cité dans Sutherland, 1996, p. 520, traduction libre). Dans ce contexte, il n'est évidemment pas possible de faire une distinction entre une fonction de service et une fonction de conseil politique. La rédaction d'une lettre ou la préparation d'un discours pour le premier ministre peut participer de l'élaboration de politiques publiques, ce qui est souvent le cas. Il ne fait également aucun doute que plusieurs hauts fonctionnaires du CPM offrent justement des conseils politiques au premier ministre, et si certains au sein des premiers cabinets de Trudeau l'ont nié, les conseillers et adjoints actuels ne le font pas (Savoie, 2013).

Les membres du personnel du CPM ont l'oreille du premier ministre pour toutes les questions qu'ils souhaitent soulever, qu'elles soient d'ordre politique, stratégique ou administratif, ou encore qu'elles concernent la nomination d'un ministre ou d'un sous-ministre. Ils peuvent également travailler en étroite collaboration avec un ministre afin de soumettre une proposition, et ce dernier se sentira plus rassuré sachant qu'un proche du premier ministre appuie sa suggestion. Cependant, ils peuvent aussi bloquer rapidement un projet au moment de le présenter au premier ministre. En bref, les hauts fonctionnaires du CPM se considèrent comme membres d'une cour de première ligne dont l'opinion compte. Ils sont au cœur du gouvernement monarchique et n'hésitent pas à conseiller un ministre ou même à s'opposer à lui.

Le rôle du BCP a également changé ces dernières années. Arnold Heeney, l'architecte derrière la forme moderne du Cabinet à Ottawa, a écrit après son départ à la retraite qu'il avait réussi à contrer le souhait de Mackenzie King de faire du secrétaire du Cabinet des ministres (ou greffier du Conseil privé) « une sorte de sous-ministre du premier ministre » ou « l'adjoint personnel du premier ministre » (Heeney, 1967, p. 367, traduction libre). Il est toutefois intéressant de signaler qu'aucun titulaire du poste de secrétaire du Cabinet ministériel, depuis Gordon Robertson, n'a décrit sa principale fonction comme étant bien celle de secrétaire du Cabinet. En 1997, le BCP a produit un document au sujet de son rôle et de sa structure dont la toute première page indique clairement que le premier devoir du secrétaire est de servir le premier ministre. Le document n'a fait l'objet d'aucune révision à ce jour. Il précise que le « greffier du Conseil privé et secrétaire du Cabinet » assume trois responsabilités principales :

1. En sa qualité de sous-ministre du premier ministre, offrir des conseils et un appui au premier ministre à l'égard de ses responsabilités de chef du gouvernement, dont la gestion de la fédération.

2. En tant que secrétaire du Cabinet des ministres, apporter un soutien et des conseils au Cabinet dans son ensemble et superviser l'élaboration des politiques et les services administratifs pour le Cabinet et ses comités.

3. À titre de chef de la fonction publique, veiller à la qualité des conseils et des services experts, professionnels et non partisans fournis par la fonction publique au premier ministre, aux ministres et à tous les Canadiens (Canada, 1997, p. 1, traduction libre).

Il importe également de souligner que le premier ministre n'a plus besoin de s'en remettre aux ministres régionaux pour évaluer la réception des politiques gouvernementales. Les sondages d'opinion sont plus fiables, plus objectifs, moins teintés d'un esprit régional, plus pertinents et il est plus facile de composer avec eux qu'avec les ministres. Trudeau faisait affaire avec le sondeur Martin Goldfarb, Mulroney avec Allan Gregg, Chrétien avec Michael Marzolini, Paul Martin avec David Herle et Stephen Harper comptait sur la firme Praxicus Public Strategies, établie à Ottawa. Les sondages peuvent permettre aux premiers ministres et à leurs conseillers de remettre en question le point de vue des ministres. Après tout, comment les ministres, même ceux de premier plan, pourraient-ils contester ce que révèlent les sondages ?

Il peut s'avérer particulièrement utile de disposer d'un sondeur au sein de la cour, toujours prêt à fournir des données, pour affronter le problème de la surcharge politique. La « surcharge politique » renvoie à un sentiment d'urgence omniprésent et à l'impression qui s'y rattache d'être dépassé tant par les événements que par le nombre de questions pressantes. Un sondeur peut également conseiller le premier ministre au sujet des dossiers « chauds ».

Les premiers ministres, du moins depuis Pierre Elliott Trudeau, ont décidé que le meilleur moyen de faire face au problème de la surcharge est de se concentrer sur une poignée de questions de politique et de s'en remettre aux organismes centraux pour s'occuper du reste. Toutes les initiatives politiques principales, au cours du dernier mandat de Trudeau (de 1980 à 1984), y compris le Programme énergétique national, la Constitution et l'initiative de restrictions salariales de 5 % et de 6 %, ont été mises en place en dehors du processus officiel de prise de décisions du gouvernement (*Globe and Mail*, 1997, p. A1). De la même façon, Mulroney a écarté le Cabinet en menant à bien la réforme constitutionnelle, l'Accord de libre-échange canado-américain ainsi que la mise en place des agences régionales de développement économique. À un coût considérable pour le Trésor public, Chrétien a fait fi du processus décisionnel officiel lorsqu'il a décidé de créer la Fondation canadienne des bourses d'études du millénaire, destinée aux étudiants à faible revenu. Le Cabinet n'a pas été consulté préalablement au lancement de la Fondation, bien que Chrétien ait qualifié celle-ci de « projet du millénaire le plus important du gouvernement » (Savoie, 1999, p. 297, traduction libre). Chrétien, tout comme Mulroney et Trudeau l'ont fait avant lui, n'a pas non plus consulté le Cabinet avant de conclure plusieurs accords bilatéraux importants avec les premiers ministres des provinces. Martin a négocié une coûteuse entente sur les soins de santé avec les provinces sans consulter le Cabinet, et Harper, comme nous l'avons déjà mentionné, a décidé de reconnaître que le Québec forme une nation au sein du Canada sans consulter le Cabinet, et a choisi de déployer du personnel militaire en Afghanistan sans consulter le ministre responsable et sans en parler au Cabinet.

Alors que se passe-t-il au juste lors des réunions du Cabinet ? Le premier point à l'ordre du jour est la « Discussion générale », que le premier ministre entame et dirige. Il peut soulever la question de son choix, allant d'une lettre qu'il a peut-être reçue d'un premier ministre provincial à un dossier purement partisan, en passant par la diplomatie. Le BCP prépare une note de synthèse portant sur des sujets de discussion que le premier ministre pourrait aborder. Mais il peut, bien entendu, en faire complètement abstraction. Cependant, la « Discussion générale » peut s'avérer particulièrement utile pour les premiers ministres comme un moyen camouflé de faire croire que le Cabinet a effectivement examiné une question importante susceptible de mettre des vies en danger ou de nécessiter une intervention militaire, par exemple. Ainsi, Mulroney a consenti à participer à la première guerre du Golfe lors d'une conversation avec le président George H. W. Bush, mais a soulevé la question au Cabinet pour pouvoir déclarer que ce dernier avait effectivement étudié la situation.

Le deuxième point à l'ordre du jour des réunions du Cabinet des ministres s'intitule « Présentations ». Les ministres, parfois accompagnés de leur sous-ministre, sont de temps à autre invités à offrir des séances d'information sur divers sujets. Le ministre des Finances et son sous-ministre peuvent soumettre un « dossier de présentation » sur la situation financière du gouvernement, ou bien le ministre de l'Industrie et son sous-ministre peuvent présenter un exposé sur la productivité du Canada par rapport à celle des États-Unis. Au terme de la présentation, les autres ministres ont la possibilité de poser des questions ou de demander des précisions ou des explications supplémentaires. Toutefois, les véritables décisions découlent rarement, voire jamais, de ces discussions. L'objectif est de mettre les membres du Cabinet au courant, non pas de prendre des décisions.

Le troisième point à l'ordre du jour est appelé « Nominations ». Les nominations gouvernementales requièrent toutes un décret en conseil, qu'il s'agisse des juges de la Cour suprême, des sénateurs et des sous-ministres ou des membres du conseil d'administration d'une société d'État. Il y a toujours une liste de nominations à confirmer à chacune des réunions du Cabinet. Cependant, les nominations ont toutes été organisées bien avant la tenue de la réunion. Le CPM et le BCP gèrent le processus de nomination et ne consultent que dans la mesure où ils le souhaitent.

À n'en pas douter, les premiers ministres ne cherchent pas à obtenir un consensus au sein du Cabinet lors de la nomination des juges à la Cour suprême ou même des sénateurs. Il suffit de citer l'*Ottawa Citizen*, qui avait vu juste en affirmant que « la Cour suprême de Mulroney pourrait bientôt devenir la Cour suprême de Jean Chrétien » en raison « d'une succession inhabituelle de départs à la retraite prévus » (*Ottawa Citizen*, 1997, p. A7, traduction libre). La Cour suprême devint peu à peu celle de Harper, qui a pu y nommer six juges (sur un total de neuf), entre 2006 et 2015. Les premiers ministres ne cherchent pas non plus à obtenir un consensus du Cabinet lorsqu'ils nomment les sous-ministres ou les responsables administratifs des ministères. Souvent, ils ne consultent même pas le ministre responsable dans le cadre de la nomination de son ou sa sous-ministre. J'ai demandé à un ancien haut fonctionnaire du BCP pourquoi on ne pouvait pas faire confiance à Jean Chrétien – alors qu'il était ministre, disons, de la Justice ou de l'Énergie au sein du gouvernement Trudeau – pour nommer son propre sous-ministre, mais que, dès lors qu'il est devenu premier ministre, on pouvait se fier à lui pour nommer tous les sous-ministres ? Il a simplement répondu : « Parce qu'il est devenu le roi » (Savoie, 1999, p. 283, traduction libre).

Le quatrième point porte sur les « Décisions des comités du Cabinet », qui figurent en annexe de l'ordre du jour. En réformant le processus décisionnel, Pierre Elliott Trudeau a clairement indiqué que toutes les décisions prises au sein des comités du Cabinet pouvaient être réexaminées par l'ensemble du Cabinet. Un ancien ministre de Trudeau rapporte en effet que, dans les premières années de son mandat, il était tout à fait disposé à laisser les ministres reconsidérer une décision d'un comité du Cabinet lors des réunions ministérielles. Avec le temps, cependant, il est devenu agacé par cette pratique et n'a pas hésité à manifester son mécontentement chaque fois qu'un ministre souhaitait revoir la moindre décision. Le Cabinet, estimait-il, ne dispose tout simplement pas du temps nécessaire pour discuter des décisions des comités du Cabinet. Quoi qu'il en soit, à la fin des années 1970 et au début des années 1980, chaque fois qu'un ministre soulevait des questions au sujet d'une décision d'un comité du Cabinet lors d'une réunion ministérielle, Trudeau renvoyait automatiquement la décision au comité en cause pour révision. Mulroney procédait essentiellement de la même manière ou s'en remettait au Comité des opérations du Cabinet, présidé par

Don Mazankowski, pour résoudre les problèmes entourant les décisions des comités du Cabinet. Chrétien réagissait mal lorsqu'une décision d'un comité du Cabinet était contestée et, tout comme Trudeau au cours de ses dernières années en poste, il renvoyait automatiquement la question au comité du Cabinet en cause sans qu'aucune discussion n'ait été engagée au sein de l'ensemble du Cabinet. Harper a agi de la même manière que Chrétien. Par conséquent, les décisions des comités du Cabinet sont désormais très rarement remises en question au Cabinet.

Mulroney, comme nous le savons maintenant, s'accommodait mal du processus décisionnel du Cabinet et a déclaré à un certain moment qu'il « privilégiait n'importe quel système de prise de décisions qui puisse réduire le plus possible le temps qu'il passait au Cabinet » (Kroeger, 1998, p. 10, traduction libre). Il préférait traiter des grands dossiers en dehors du Cabinet. Le téléphone et les conversations en personne étaient « l'apanage » de Mulroney. En effet, comme nous l'avons appris, « sous Mulroney, les décisions concernant les sujets importants tels que les mégaprojets énergétiques étaient souvent prises sans documents du Cabinet à l'appui » (Kroeger, 1998, p. 10, traduction libre). Le fait est que Trudeau, Mulroney, Chrétien, Martin et Harper ont tous préféré gérer les dossiers importants sans les contraintes imposées par le système. Résultat : l'élaboration des politiques s'effectue désormais par voie de proclamation, c'est-à-dire que le premier ministre dévoile une politique d'une grande importance dans le cadre d'une annonce, comme Chrétien l'a fait, par exemple, dans le cas de l'accord de Kyoto, et le système se démène pour la mettre en œuvre.

Au lendemain de sa réélection en 2008, Harper a envoyé une directive à son ministre des Finances pour abolir les subventions publiques de 28 millions de dollars que les partis politiques recevaient pour le nombre de votes recueillis lors d'une élection fédérale. Rapidement, le mot a couru à Ottawa et dans les médias que Harper avait pris seul cette décision. Les ministres de son Cabinet n'avaient pas été consultés ni, évidemment, les députés de son caucus. Il a simplement acheminé, à la dernière minute, une directive au ministre des Finances pour qu'il l'inclue dans l'énoncé de sa mise à jour économique «à l'insu des ministres ou des sous-ministres». Cela, ont soutenu les médias, démontrait qu'il était un «chef férocement partisan» qui désirait profondément «tout» centraliser «entre ses mains» (Simpson, 2008, traduction libre). Nous savons également que Harper profitait à l'occasion des réunions du Cabinet pour préparer les ministres à la période des questions. Cela s'inscrivait dans la volonté et la capacité de Harper de concentrer entre ses mains le contrôle de l'ordre du jour et du message du gouvernement (Savoie, 2013).

Bien entendu, les premiers ministres ne contournent pas toujours leur Cabinet respectif ou ne le consultent pas qu'après coup. Ils choisissent les dossiers qu'ils veulent mener et, dans certaines circonstances, peuvent décider de laisser le processus décisionnel collectif du Cabinet suivre son cours. Ils peuvent même laisser le caucus du gouvernement avoir gain de cause à l'occasion, en permettant qu'une proposition ou un projet de loi gouvernemental soit retiré et retravaillé afin de tenir compte du point de vue de ses membres. Mulroney, par exemple, estimait primordial de travailler avec son caucus. Il y a également des questions sur lesquelles le premier ministre n'a pas une opinion bien arrêtée, et il juge alors préférable de garder en réserve son capital politique pour un autre moment et un autre dossier.

4. LA MONDIALISATION

La «mondialisation» a également contribué à renforcer l'emprise du premier ministre. En rétrospective, nous avons fort probablement surestimé le risque que la mondialisation ait des effets désastreux pour les États-nations (Savoie, 1995). De nombreux gouvernements nationaux découvrent actuellement que l'environnement international peut en fait accroître leur propre pouvoir. La crise financière de 2008, par exemple, a forcé les gouvernements nationaux à intervenir sur les marchés financiers et à instaurer de nouvelles mesures afin de stimuler la croissance économique.

Les premiers ministres canadiens sont de toute façon membres d'un ensemble de cercles internationaux qui ont été créés récemment et qui réunissent d'autres chefs de gouvernement, allant du G8 à la Coopération économique Asie-Pacifique (APEC), en passant par la Francophonie. Des accords, même bilatéraux, sont conclus entre les chefs de gouvernement lors de ces rencontres. La mondialisation de l'économie signifie qu'un plus grand nombre de questions ou de dossiers atterrissent sur le bureau du premier ministre. Tout ce qui se passe au sein d'un ministère semble désormais impliquer d'autres ministères et d'autres gouvernements, que ce soit à l'échelle provinciale ou internationale. Au Canada, les premiers ministres fédéraux et provinciaux sont au cœur du processus d'élaboration des politiques publiques, et lorsqu'ils décident de prioriser un enjeu politique, ils peuvent très facilement la reprendre à leur compte.

Les gouvernements nationaux, en raison précisément des forces économiques mondiales, doivent dorénavant de plus en plus travailler de concert et collaborer dans le cadre d'accords commerciaux régionaux et internationaux. Il leur faut également être en mesure d'agir rapidement afin de conclure de nouvelles ententes lorsque le moment est propice ou de changer de cap en raison de nouvelles circonstances et possibilités politiques et économiques. L'accent est donc mis sur les chefs de gouvernement nationaux. Ce sont également eux, et non leurs ministres, qui mènent les discussions lors des réunions du G8, du Commonwealth, de la

Francophonie et de l'APEC, pour ne nommer que quelques-uns des forums internationaux auxquels le premier ministre participe.

Cela dit, l'économie mondialisée et le monde interconnecté des questions de politique ont contribué au transfert de certains pouvoirs des gouvernements nationaux vers la sphère continentale ou internationale, dans le cadre des accords commerciaux, et vers les gouvernements locaux (Rose, 1984). C'est peut-être parce qu'il y a désormais un peu moins de pouvoirs à exercer au sein du gouvernement national que le premier ministre et ses courtisans peuvent gouverner d'une main de fer.

Contrairement au président des États-Unis, qui doit négocier avec le Congrès, ou au premier ministre de l'Australie, qui doit composer avec un sénat élu et puissant, le premier ministre canadien a les coudées franches pour négocier au nom de son gouvernement et pour prendre des engagements officiels avec des chefs de gouvernement étrangers. Les dernières heures de négociation de l'ALENA, entre le premier ministre désigné Jean Chrétien et le président américain Bill Clinton, par l'entremise de son ambassadeur au Canada, sont révélatrices. À un certain moment, l'ambassadeur américain s'est interrogé sur l'autorité politique dont Chrétien disposait pour consentir à un accord final, étant donné qu'il n'avait pas encore nommé les membres de son Cabinet. L'ambassadeur lui a posé la question suivante : « Qu'arrivera-t-il si nous réglons le tout et qu'ensuite votre nouveau ministre du Commerce n'est pas d'accord ? » Ce à quoi Chrétien a répondu : « Alors j'aurai un nouveau ministre du Commerce le lendemain matin » (Greenspon et Wilson-Smith, 1996, p. 48, traduction libre). On ne saurait trop insister sur le fait qu'il y a peu de limites au pouvoir du premier ministre du Canada de définir son autorité politique au sein du gouvernement. Seul le tribunal de l'opinion publique restreint le pouvoir du premier ministre, parce que son gouvernement doit solliciter un nouveau mandat tous

les quatre ans. Le manque de temps limite aussi son pouvoir, puisqu'il lui est impossible d'assister à toutes les réunions importantes et de s'occuper de tous les dossiers.

5. Le fonctionnement du gouvernement monarchique

Les premiers ministres canadiens tiennent entre leurs mains tous les leviers de pouvoir importants. En fait, d'une manière ou d'une autre, toutes les grandes routes nationales en matière de politiques publiques mènent à leur porte. Ils sont élus chefs par les membres de leur parti politique ; ils président les réunions du Cabinet, instaurent les processus et les procédures du Cabinet, fixent l'ordre du jour du Cabinet et établissent le consensus nécessaire aux décisions du Cabinet ; ils nomment et congédient les ministres et les sous-ministres, créent les comités du Cabinet et déterminent leur composition ; ils exercent pratiquement tous les pouvoirs de nomination et agissent comme directeurs du personnel pour des milliers d'emplois gouvernementaux qui sont accordés par favoritisme ; ils élaborent les orientations stratégiques du gouvernement telles qu'énoncées dans le discours du Trône ; ils dictent le rythme des changements et sont les principaux agents de promotion des réalisations de leur gouvernement ; ils interviennent directement dans l'élaboration du cadre financier du gouvernement ; ils représentent le Canada à l'étranger ; ils formulent le mandat approprié de chacun des ministres et tranchent toutes les questions relatives à l'appareil gouvernemental ; et ils sont l'arbitre final en cas de conflits interministériels. Le premier ministre est le seul politicien dont la circonscription est pancanadienne et, contrairement aux députés et même aux membres du Cabinet, il n'a pas à rechercher la publicité ou l'attention des médias nationaux puisque l'attention est invariablement tournée vers son bureau et sa résidence, située au 24, promenade Sussex. Chacun de ces leviers de pouvoir pris séparément constitue un formidable instrument en soi, mais lorsqu'on les additionne et qu'on les confie à une seule personne, ils représentent un avantage indéniable.

Il n'y a rien de nouveau à cela ; les premiers ministres canadiens jouissent de ces instruments de pouvoir depuis un certain temps déjà. Cependant, l'évolution de la situation au cours des dernières années a contribué à affirmer davantage la position du premier ministre et de ses conseillers. D'ailleurs, cela est maintenant évident avant même l'entrée en fonction du premier ministre et de son Cabinet. La planification de la transition est devenue un événement de première importance qui vise à préparer un nouveau gouvernement à exercer le pouvoir. Elle renforce également la position du gouvernement monarchique puisque, par définition, elle est conçue pour répondre aux besoins du premier ministre. C'est le BCP, toutefois, qui dirige le processus, et il est clair que « les services de transition sont destinés au premier ministre qui s'apprête à entrer en fonction » (Savoie, 1993, p. 8, traduction libre). En effet, le processus de transition du BCP est entièrement axé sur les chefs de parti ou les futurs premiers ministres. Il pourrait difficilement en être autrement puisque, durant la période cruciale entre la victoire électorale et la prise de pouvoir officielle, le seul membre connu du nouveau Cabinet est le premier ministre désigné. Pour les autres ministres éventuels, il s'agit d'un « moment de grande angoisse », alors qu'ils attendent de savoir s'ils seront appelés à siéger au Cabinet et, dans l'affirmative, quel portefeuille ils se verront confier (Savoie, 1993, p. 8, traduction libre).

Le principal objectif de la transition gouvernementale est d'outiller le nouveau premier ministre pour qu'il fasse sa marque au cours des premières semaines de son gouvernement. Il est aujourd'hui largement reconnu que ces premières semaines peuvent être décisives pour donner le ton quant à la façon de diriger du nouveau gouvernement. C'est aussi la période au cours de laquelle le premier ministre, comme en témoigne l'histoire récente, prend d'importantes décisions en ce qui a trait à l'appareil gouvernemental et décide à quelles grandes questions de politiques publiques son gouvernement s'attaquera au cours de son mandat. De telles décisions et d'autres décisions cruciales, comme celle de chercher à modifier la Constitution ou celle de lutter contre le déficit, sont prises ou enclenchées au cours de la période de transition.

À la fin des années 1970, le BCP a commencé à préparer des lettres de mandat qui sont remises aux ministres le jour de leur nomination. Depuis, cette pratique fait partie intégrante du processus de formation du Cabinet. Des lettres de mandat sont également maintenant remises à tous les ministres lorsqu'ils sont affectés à un nouveau portefeuille. Par exemple, à l'arrivée au pouvoir du gouvernement Chrétien en 1993, tous ses ministres ont reçu une lettre de mandat, une autre en début de deuxième mandat en 1997 et une dernière à l'amorce du troisième mandat en 2000. Il en fut de même sous Paul Martin en 2003 et en 2004, puis sous Stephen Harper en 2006, en 2008 et en 2011.

Que contiennent ces lettres de mandat ? Dans la plupart des cas, ce sont des lettres courtes de deux ou trois pages seulement. Elles sont également adaptées à leur destinataire. Ainsi, une lettre de mandat adressée à un ministre nouvellement nommé sera différente de celle destinée à un collègue chevronné. Dans un premier temps, la lettre fournit des renseignements de base sur l'entrée en poste comme ministre, mais elle contient aussi des lignes directrices concernant les possibles conflits d'intérêts et rappelle le nécessaire respect du caractère collectif des décisions du Cabinet. Dans tous les cas, les lettres soulignent les questions auxquelles le ministre devrait accorder son attention et elles indiquent, le cas échéant, les domaines d'intervention prioritaires. Là encore, il existe deux types de lettres de mandat. L'une déclare en fait : « Ne nous appelez pas, nous vous appellerons. » Ce qui revient à dire que le premier ministre a décidé que le ministère en question ne devrait pas proposer de nouveaux objectifs politiques ou législatifs. Le message est essentiellement le suivant : assurez-vous que tout continue de bien fonctionner, ne faites pas de vagues et restez loin des ennuis (Savoie, 1999, p. 138). Dans d'autres cas, la lettre mentionne des objectifs politiques précis ainsi que des défis importants. Les lettres peuvent alors être très précises et cibler un projet de loi, une préoccupation particulière à laquelle il faut prêter attention ou un programme qui doit être révisé. De plus, des lettres de mandat sont désormais préparées pour les sous-ministres nouvellement nommés. Là encore, l'objectif est d'esquisser les principaux défis que devront affronter les nouveaux sous-ministres et les priorités qu'ils devraient suivre.

Les lettres de mandat sont-elles prises au sérieux ? La réponse est oui. En effet, les ministres consultés ont révélé que c'est le tout premier document qu'ils lisent après la cérémonie d'assermentation à Rideau Hall et qu'ils prennent son contenu très au sérieux. Ils savent, comme l'un d'eux l'a fait remarquer, que « le premier ministre peut toujours ressortir son exemplaire et s'enquérir de l'état d'avancement d'un dossier en particulier » (communications personnelles, traduction libre). Plus important encore, les lettres dévoilent ce que le premier ministre attend d'eux au cours de leur passage au sein de leur ministère. Tant d'anciens que d'actuels fonctionnaires du CPM et du BCP signalent que tous les premiers ministres, de Trudeau à Harper, prennent les lettres de mandat au sérieux et qu'ils y consacrent le temps requis pour s'assurer que chacune d'elles énonce bien ce qu'ils souhaitent transmettre au nouveau ministre.

Les ministres, à quelques exceptions près, ne démissionnent plus du Cabinet en raison d'un désaccord politique. Bien plus souvent, les ministres quittent leurs fonctions après avoir reçu une nomination partisane de la part du premier ministre – une nomination sénatoriale, un poste dans l'appareil judiciaire ou un poste dans la diplomatie. Des exceptions notables incluent Lucien Bouchard (en 1990) du Cabinet Mulroney et Michael Chang (en 2006) du Cabinet Harper. Ils ont tous deux démissionné pour des considérations liées à l'unité nationale.

Le budget est devenu le principal énoncé de politique du gouvernement et il expose en termes très précis ce que celui-ci fera au cours des mois à venir et de quelle façon les nouvelles sommes seront dépensées. Traditionnellement, le processus budgétaire du gouvernement opposait les économes (le premier ministre, le ministre des Finances et le président du Conseil du Trésor) et les dépensiers (les ministres titulaires de portefeuille et les ministres régionaux) (Savoie, 1990). Des efforts ont été déployés sous Pierre Elliott Trudeau et Brian Mulroney pour instaurer diverses façons d'allouer de « nouvelles » sommes, mais ils n'ont pas connu de succès.

Depuis quelque temps déjà, le premier ministre, le ministre des Finances et leurs conseillers combinent les rôles d'économes et de dépensiers. L'exercice budgétaire ne concerne plus uniquement la situation économique générale du pays, les projections de croissance économique, l'instauration du cadre financier, l'établissement du cadre fiscal ou encore la majoration, la réduction ou la création de taxes et d'impôts. L'exercice budgétaire implique désormais autant de « grandes » que de « petites » décisions, des projections de « recettes » et des décisions en matière de dépenses (Good, 2007). À titre d'exemple, lorsque des hauts gradés de l'armée canadienne ont voulu remplacer leurs véhicules blindés, ils ont ignoré le Cabinet en s'adressant directement au premier ministre. Le lieutenant-général Andrew Leslie a déclaré à la presse qu'il espérait que « Stephen Harper remplace les vieux chars d'assaut », ajoutant qu'il s'attendait à ce que « le premier ministre rende sa décision dans un délai d'une semaine » (*Globe and Mail*, 2007, p. A1, traduction libre). En outre, lorsque le noyau dur du gouvernement décide de financer de nouvelles initiatives, les organismes centraux obtiennent l'argent nécessaire le plus souvent en dehors du processus du Cabinet (Savoie, 2013).

Le rôle du greffier du Conseil privé et du secrétaire du Cabinet a considérablement changé ces dernières années. L'influence du greffier à Ottawa est évidente aux yeux de tous ceux qui se trouvent à l'intérieur du système. À l'extérieur, les personnes connaissent cependant très peu le rôle et les responsabilités du greffier. L'un des plus grands défis que doit relever le greffier est d'établir un juste équilibre entre, d'une part, son rôle de représentant de la fonction publique, en tant qu'institution, auprès du premier ministre et du Cabinet et, d'autre part, sa fonction de représentant du premier ministre auprès de la fonction publique. L'équilibre semble s'être déplacé en faveur de la fonction de représentation du premier ministre au moment de la nomination de Michael Pitfield, à l'âge de 37 ans, au poste de greffier et secrétaire par Pierre Elliott Trudeau en 1975. L'équilibre favorise peut-être encore davantage le premier ministre depuis que Paul Tellier a décidé, en tant que greffier et secrétaire sous Mulroney, d'ajouter le titre de sous-ministre du premier ministre à son poste.

Toutefois, la décision de Tellier était probablement un simple reflet de la réalité de son travail au quotidien. En effet, le greffier et secrétaire rend des comptes au premier ministre, et non au Cabinet, et la grande majorité de ses tâches journalières consistent désormais à assister le premier ministre et non l'ensemble des ministres. Le premier ministre, et non le Cabinet, nomme le greffier ; le premier ministre, et non le Cabinet, évalue son rendement ; et le premier ministre, et non le Cabinet, décide s'il demeure en poste ou s'il doit être remplacé. Tout cela pour dire que

non seulement le secrétaire du Cabinet porte le titre de sous-ministre du premier ministre, mais aussi que c'est sans doute le titre qui lui convient le mieux et celui qu'il incarne presque tout le temps. Un ancien haut fonctionnaire du BCP a fait remarquer que « tous les greffiers, depuis Pitfield, ont fait de l'excellent travail à titre de sous-ministre du premier ministre. En ce qui a trait au rôle de secrétaire de Cabinet, la performance a été inégale[2] ».

La façon de gouverner à Ottawa – du moins depuis Trudeau – est celle-ci : les premiers ministres se concentrent sur trois ou quatre questions prioritaires, tout en étant aussi toujours attentifs aux préoccupations entourant le Québec et l'unité nationale. Tom Axworthy, l'ancien secrétaire principal de Pierre Elliott Trudeau, dans son article judicieusement intitulé « Des secrétaires des princes » (« Of Secretaries to Princes », traduction libre), a écrit « seule une implication maximale du premier ministre peut permettre de surmonter les nombreux obstacles qui entravent la réforme […] le premier ministre doit choisir relativement peu de thèmes centraux, non seulement en raison des contraintes de temps qui lui sont imposées, mais aussi parce que la coordination de l'appareil gouvernemental requiert des efforts herculéens » (Axworthy, 1988, p. 247, traduction libre). Afin de déployer des efforts aussi colossaux, un premier ministre doit être entouré de personnes soigneusement choisies et occupant des postes clés pour faire avancer son programme, car le Cabinet, la fonction publique en tant qu'institution ou même les ministères ne lui sont pas toujours d'une aide précieuse.

Par conséquent, les décisions importantes ne sont plus prises au Cabinet. Elles sont désormais prises au sein du CPM, du BCP, du ministère des Finances, des organisations internationales et

....

2. Entretien avec un ancien haut fonctionnaire du BCP, Ottawa, novembre 1997 (traduction libre).

lors des sommets internationaux. Rien n'indique que celui qui détient toutes les cartes, le premier ministre, ainsi que les organismes centraux, qui lui permettent de concentrer le pouvoir politique réel, s'apprêtent à changer les choses. Peu de contrepoids institutionnels internes empêchent le premier ministre d'agir à sa guise.

CONCLUSION

Au Canada, les préoccupations à l'égard de l'unité nationale, la nature des relations fédérales-provinciales et le rôle des médias tendent, d'une façon pernicieuse, à favoriser le centre du gouvernement à Ottawa. La cour du premier ministre domine l'élaboration des politiques et intervient dans le processus décisionnel du gouvernement, à tel point qu'elle ne s'en remet qu'à elle-même pour superviser la gestion des dossiers importants. Dans un sens, le centre même du gouvernement s'est mis, au fil du temps, à redouter l'indépendance des ministres et des ministères davantage qu'il ne déplore la paralysie ministérielle. De ce fait, le gouvernement monarchique est probablement plus apte à gérer l'ordre du jour politique que ne l'était le gouvernement de Cabinet. À l'instar des monarques européens d'autrefois, le premier ministre décide des conseillers qui peuvent intégrer sa cour au sein du gouvernement fédéral. Le premier ministre Chrétien n'a guère laissé planer de doute sur le fait que le Canada avait réalisé sa transformation en un gouvernement monarchique, lorsqu'il a fait remarquer que « le premier ministre est le premier ministre et il dispose du Cabinet pour le conseiller. Au bout du compte, c'est le premier ministre qui dit "oui" ou "non" » (*Globe and Mail*, 2000, p. A4, traduction libre).

Les conseillers ont de l'influence, et non du pouvoir, tout comme jadis les courtisans du roi. Jean Chrétien a clairement précisé qu'à son avis, les ministres ont de l'influence au sein du Cabinet, mais pas de pouvoir, lorsqu'il a écrit : « un ministre peut jouir d'une grande autorité au sein de son ministère, mais au sein du Cabinet, il n'est qu'un membre d'une collectivité, un simple conseiller de plus pour le premier ministre. On peut dicter sa conduite et, sur les questions importantes, il ne peut que s'exécuter ou démissionner » (Chrétien, 1985, p. 85, traduction libre). Un ancien conseiller politique important de Chrétien a involontairement bien décrit le gouvernement monarchique en disant : « Certains considèrent malheureusement que tout ce qu'un premier ministre dit constitue une vérité. Souvent, le premier ministre ne fait que lancer une idée ou émet seulement une suggestion pour alimenter les discussions et le débat – elle est alors transcrite de manière solennelle comme s'il s'agissait de l'un des 10 commandements » (Goldenberg, 2006, p. 83, traduction libre). Il faisait référence tant aux élus qu'aux hauts fonctionnaires. Le roi d'Angleterre Henri VIII et ses consorts, les monarques absolus d'autrefois, n'en attendaient pas moins de la part de leurs courtisans.

QUESTIONS

1. Quels sont les facteurs (politiques, institutionnels, médiatiques, etc.) qui contribuent à la concentration du pouvoir autour du premier ministre fédéral ?

2. Quelles institutions fédérales contribuent à l'ascendant politique du premier ministre ?

3. Quelle est l'étendue du pouvoir du premier ministre ? Décrivez ses pouvoirs.

4. Quel est le rôle du Cabinet des ministres sous le gouvernement monarchique ?

5. Quels étaient le rôle passé et les pouvoirs des ministres avant l'avènement du gouvernement monarchique ?

LECTURES SUGGÉRÉES

Bernard, A. (1995). *Les institutions politiques au Québec et au Canada*, Montréal, Boréal.

Forsey, E. (2016). *Les Canadiens et leur système de gouvernement*, 9ᵉ éd., Ottawa, Bibliothèque du Parlement.

Lagassé, P. (2016). « La Couronne et le pouvoir du premier ministre », *Revue parlementaire canadienne*, été, p. 17-23.

Saint-Martin, D. (2015). « De Trudeau père à Trudeau fils, un legs à corriger. La concentration du pouvoir au bureau du premier ministre corrompt la fédération », *Le Devoir*, 2 octobre.

Savoie, D. (1999). « The rise of court government in Canada », *Revue canadienne de science politique*, vol. 32, nᵒ 4, p. 635-664.

GLOSSAIRE

CABINET : Fait référence la plupart du temps aux membres du Conseil des ministres à Ottawa (ou Conseil exécutif au Québec) qui se réunissent pour délibérer collectivement. Le cabinet désigne aussi l'équipe partisane qui entoure et assiste un ministre ou le premier ministre.

CENTRE : Épicentre du pouvoir politique au sein du gouvernement fédéral, qui est constitué par les organismes centraux que sont le Cabinet du premier ministre, le Bureau du Conseil privé, le Conseil du Trésor et le ministère des Finances.

GOUVERNEMENT MONARCHIQUE : Concentration exceptionnelle du pouvoir décisionnel entre les mains du premier ministre et de ses proches conseillers non élus qui court-circuitent le fonctionnement traditionnel du Cabinet et de la fonction publique et qui brouillent les frontières entre le politique et l'administratif.

ORGANISME CENTRAL : Organe du gouvernement qui joue un rôle central de coordination de l'activité du gouvernement. Son rayon d'action s'étend à l'ensemble des ministères et assure, à l'aide d'autres organes, une certaine cohérence de la politique gouvernementale. Ainsi, le Cabinet du premier ministre, le Bureau du Conseil privé, le Conseil du Trésor et le ministère des Finances jouent un rôle de courroie de transmission de la volonté du premier ministre, qui décide du programme politique, dans l'ensemble de l'appareil d'État.

RESPONSABILITÉ MINISTÉRIELLE : Convention constitutionnelle qui renvoie à la responsabilité commune des ministres envers les décisions du gouvernement. Les ministres, qui doivent être des parlementaires, ont l'obligation de rendre compte de leurs décisions et de leur gestion devant le Parlement, qui peut exiger le renvoi d'un ministre ou la démission collective des ministres en refusant sa confiance au gouvernement.

BIBLIOGRAPHIE

Axworthy, T.S. (1988). « Of secretaries to princes », *Canadian Public Administration*, vol. 31, n° 2, p. 247-264.

Cameron, D. et R. Simeon (2000). « Intergovernmental relations and democratic citizenship », dans B.G. Peters et D.J. Savoie (dir.), *Revitalizing the Public Service : A Governance Vision for the XXIst Century*, Montréal et Kingston, McGill-Queen's University Press, p. 58-118.

Canada, Bureau du Conseil privé (1993). *Responsibility in the Constitution*, Ottawa, Gouvernement du Canada.

Canada, Bureau du Conseil privé (1997). *The Role and Structure of the Privy Council Office*, Ottawa, Gouvernement du Canada.

Chrétien, J. (1985). *Straight from the Heart*, Toronto, Key Porter Books.

Cooper, A.F. (1997). *Between Countries : Australia, Canada and the Search for Order in Agricultural Trade*, Montréal et Kingston, McGill-Queen's University Press.

Dupré, J.S. (1987). « The workability of executive federalism in Canada », dans H. Bakvis et W. Chandler (dir.), *Federalism and the Role of the State*, Toronto, University of Toronto Press, p. 236-258.

Globe and Mail (1997). « Spending limits irk cabinet », 3 décembre, p. A1.

Globe and Mail (2000). « Penalty killer PM plays rough », 1er décembre, p. A4.

Globe and Mail (2006). « Inside story », 24 novembre, p. A1, A4.

Globe and Mail (2007). « All LAV IIIs to be replaced within a year » 3 avril, p. A1.

Goldenberg, E. (2006). *The Way It Works : Inside Ottawa*, Toronto, McClelland and Stewart.

Good, D.A. (2007). *The Politics of Public Money : Spenders, Guardians, Priority Setters and Financial Watchdogs Inside the Canadian Government*, Toronto, University of Toronto Press.

Greenspon, E. et A. Wilson-Smith (1996). *Double Vision : The Inside Story of the Liberals in Power*, Toronto, Doubleday.

Heeney, A.D.P. (1967). « Mackenzie King and the cabinet secretariat », *Administration publique du Canada*, vol. 10, n° 3, p. 359-375.

Johnston, R., A. Blais, H. Brady et J. Crête (1992). *Letting the People Decide : The Dynamics of a Canadian Election*, Stanford, Stanford University Press.

Kroeger, A. (1998). « A retrospective on policy development in Ottawa », Ottawa, polycopie.

Murray, L. (2013). « Power, responsibility and agency in Canadian government », dans J. Bickerton et B.G. Peters (dir.), *Governing : Essays in Honour of Donald J. Savoie*, Montréal et Kingston, McGill-Queen's University Press, p. 25-31.

Ottawa Citizen (1997). « Chrétien set to remake top court », 14 décembre, p. A7.

Polsby, N.W. et A. Wildavsky (1991). *Presidential Elections : Strategies of American Electoral Politics*, New York, Free Press.

Robertson, G. (1971). « The changing role of the privy council office », *Administration publique du Canada*, vol. 14, n° 4, p. 487-508.

Rose, R. (1984). *Understanding Big Government*, Londres, Sage.

Savoie, D.J. (1990). *The Politics of Public Spending in Canada*, Toronto, University of Toronto Press.

Savoie, D.J. (1993). « Introduction », dans D.J. Savoie (dir.), *Taking Power : Managing Government Transitions*, Toronto, Institut d'administration publique du Canada, p. 1-15.

Savoie, D.J. (1995). « Globalization, nation States, and the civil service », dans B.G. Peters et D.J. Savoie (dir.), *Governance in a Changing Environment*, Montréal et Kingston, McGill-Queen's University Press, p. 82-112.

Savoie, D.J. (1999). *Governing from the Centre : The Concentration of Power in Canadian Politics*, Toronto, University of Toronto Press.

Savoie, D.J. (2013). *Whatever Happened to the Music Teacher : How Government Decides and Why*, Montréal et Kingston, McGill-Queen's University Press.

Simpson, J. (2005). « From pariah to messiah : Send in the clerk », *Globe and Mail*, 9 mars, p. A15.

Simpson, J. (2008). « After the storm », *Globe and Mail*, 5 décembre, p. A17.

Sutherland, S. (1991). « Responsible government and ministerial responsibility : Every reform is its own problem », *Revue canadienne de science politique*, vol. 24, n° 1, p. 91-120.

Sutherland, S.L. (1996). « Does Westminster government have a future ? », Ottawa, Institut sur la gouvernance, coll. des publications hors-série.

CHAPITRE 9

L'ADMINISTRATION PUBLIQUE QUÉBÉCOISE ET CANADIENNE[1]

Maude Benoit

L'État et l'administration publique ont mauvaise presse, de nos jours. Lourds, lents, coûteux, inefficaces, inflexibles et peuplés de politiciens et de fonctionnaires plus à l'affût de leurs propres intérêts que de l'intérêt général, les critiques ne manquent pas à l'endroit de l'appareil étatique. Pourtant, la population canadienne et québécoise est attachée, voire fière, de la qualité de vie, des possibilités d'émancipation sociale et du sentiment de sécurité qui existent au pays (Johnson, 2011, p. 29-30). Or, ces dimensions sont directement associées à l'action de l'État et de son administration, que l'on pense au système de santé public gratuit au Canada et à la démocratisation de l'éducation opérée au Québec par l'entremise du programme de prêts et bourses et des frais de scolarité relativement peu élevés des

études supérieures. Pourquoi ces sentiments contradictoires à l'endroit de l'administration publique?

La méfiance que cette dernière suscite s'explique en partie par le fait qu'elle apparaît bien souvent aux yeux des citoyens comme une machine bureaucratique complexe et obscure. L'objectif de ce chapitre est précisément d'offrir un portrait clair de l'appareil étatique, de ses fondements, de sa structure et de son fonctionnement. Il s'agira d'abord de présenter le développement historique de l'administration publique au Canada et au Québec, puis d'en identifier les principes d'organisation et les diverses composantes, pour terminer en abordant quelques-uns des débats contemporains dont elle fait l'objet.

1. Merci à Mylène Benoit, étudiante à l'UQAM et à l'Université de Sherbrooke, pour son aide à la recherche.

1. LE DÉVELOPPEMENT DE L'ÉTAT ET DE SON APPAREIL ADMINISTRATIF AU CANADA ET AU QUÉBEC

Le développement de l'administration publique est étroitement lié au rôle que joue l'État dans la société et l'économie. Autrement dit, les missions qui sont assignées à l'État (plutôt qu'au marché, à l'individu et à la famille, aux communautés ou à l'Église, par exemple) ont un effet direct sur la structure et la complexité de l'appareil administratif.

Au Canada et au Québec, l'évolution de l'État et de l'administration publique de 1867 à nos jours peut être découpée en trois grandes périodes (comme illustré dans la figure 9.1) : la formation de l'administration étatique, son **institutionnalisation**[2] et sa restructuration. Évidemment, ce découpage est schématique et les lecteurs intéressés pourront raffiner leur compréhension historique en se référant aux lectures suggérées à la fin de ce chapitre.

1.1. Un État administratif en formation

Au début du XXᵉ siècle, tandis que la majorité des États occidentaux ont réussi à établir un contrôle effectif sur leur population et leurs frontières nationales, le gouvernement canadien concentre toujours la majorité de ses actions sur la consolidation de son territoire (Roberts, 2010, p. 220). L'élargissement du pays, de 4 provinces en 1867 à 10 en 1949, constitue un défi étatique qui se répercute dans l'organisation administrative et les dépenses publiques. Ainsi, entre 1901 et 1913, la moitié des dépenses publiques sont consacrées au développement des transports et des communications, notamment par l'amélioration des

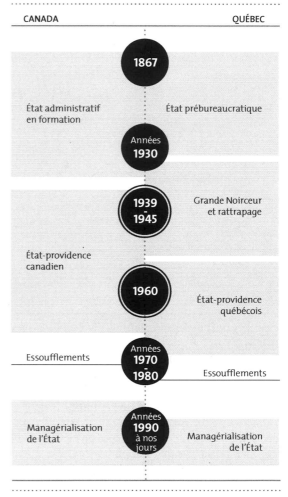

FIGURE 9.1.

Évolution de l'État et de l'administration publique de 1867 à nos jours

CANADA		QUÉBEC
	1867	
État administratif en formation		État prébureaucratique
	Années **1930**	
	1939-1945	Grande Noirceur et rattrapage
État-providence canadien		
	1960	État-providence québécois
Essoufflements	Années **1970-1980**	
		Essoufflements
Managérialisation de l'État	Années **1990** à nos jours	Managérialisation de l'État

transports fluviaux (Grands Lacs et fleuve Saint-Laurent) et le développement des lignes ferroviaires vers l'Ouest (Roberts, 2010, p. 220-221). Ses priorités gouvernementales sont également observables dans la structure de l'administration fédérale : jusqu'à la Deuxième Guerre mondiale, les trois ministères les plus imposants en nombre de fonctionnaires sont ceux des Postes, des Transports et du Revenu (Roy, 1999, p. 26-29).

---

2. Les concepts en caractères gras sont définis dans le glossaire à la fin du chapitre.

La crise économique de 1929 n'a pas le même effet sur la croissance gouvernementale au Canada qu'aux États-Unis, où le président Franklin Delano Roosevelt met en place le *New Deal* et accroît considérablement l'interventionnisme étatique. Au Canada, bien que le taux de chômage passe de 3 % en 1929 à 23 % en 1933 (Roberts, 2010, p. 222), tant les gouvernements libéral (1926-1930) que conservateur (1930-1935) sont partisans d'un conservatisme fiscal prônant l'équilibre budgétaire. La fonction publique fédérale demeure donc stable, passant de 42 790 fonctionnaires en 1929 à 42 836 en 1937 (Roy, 1999, p. 26), et le gouvernement central s'abstient d'intervenir dans les champs de compétences sociales attribuées constitutionnellement aux provinces[3].

Jusqu'à la Deuxième Guerre mondiale, l'État canadien est donc encore en formation : les interventions politiques tout comme la fonction publique sont limitées. Il faut toutefois noter que certains éléments fondamentaux sont mis en place durant cette période : l'impôt sur le revenu est institué en 1917 et la Commission de la fonction publique est créée en 1908, puis renforcée en 1918. La croissance du trésor public et la professionnalisation de la fonction publique sont ainsi amorcées.

Quant à l'État québécois, il restera jusqu'en 1960 essentiellement « pré-bureaucratique » (Gow, 1994, p. 7-8), c'est-à-dire qu'il possède peu de revenus, compte peu de ministères et intervient modestement dans ses champs de compétence. En fait, la puissance publique partage son autorité avec l'Église catholique, qui est omniprésente en éducation, en santé et dans les services sociaux. La fonction publique est alors instable et peu professionnalisée : les cumuls de postes sont fréquents et un renouvellement des fonctionnaires a lieu à chaque changement de gouvernement.

La période dite de la Grande Noirceur (1936-1959) permet cependant un rattrapage. Des pierres fondamentales de l'édifice étatique sont mises en place, telles que la création, en 1944, de la Commission hydroélectrique de Québec (ancêtre d'Hydro-Québec), l'instauration de l'impôt provincial sur le revenu en 1954 et la croissance de l'effectif de l'administration publique, qui double entre 1944 et 1959 (Gow, 1994, p. 2). Ces innovations institutionnelles préparent le terrain pour l'avènement de l'État-providence.

1.2. L'institutionnalisation de l'État-providence et de l'administration publique

La période de la Deuxième Guerre mondiale constitue un moment clé dans le développement de l'État-providence canadien. D'abord, au nom de la sécurité et de la défense nationales, le gouvernement accroît sa présence dans les affaires tant sociales qu'économiques, par exemple en prenant le contrôle de certaines entreprises jugées stratégiques à l'effort de guerre (Brock, *et al.*, 2010, p. 237). Le succès rencontré légitime l'interventionnisme accru de l'État, renforcé également par l'influence des idées des Britanniques John Maynard Keynes et William Beveridge, qui soutiennent respectivement le rôle de l'État pour relancer l'économie et pour mettre en place des programmes sociaux universels (Roberts, 2010, p. 223-224). En outre, les obstacles financiers et constitutionnels qui se dressaient à la création d'un État-providence fédéral sont aussi en partie dénoués pendant cette période. D'une part, les finances publiques sont consolidées par les

------

3. Le premier ministre conservateur Richard Bedford Bennett a tout de même tenté de mettre en place un New Deal canadien en 1935, tout juste avant la campagne électorale qu'il perdit au profit de Mackenzie King. Ce dernier soumit la législation sociale de Bennett au Comité judiciaire du Conseil privé de Londres, qui l'invalida largement en 1937, au motif que la plupart des éléments de cette législation étaient jugés *ultra vires*, c'est-à-dire « au-delà des pouvoirs » constitutionnels du gouvernement fédéral (Kelly, 2004, p. 279).

nouveaux espaces de taxation obtenus pendant la guerre. D'autre part, les rapports Rowell-Sirois, en 1940, et Marsh, en 1943, recommandent l'extension des interventions sociales d'Ottawa, des conclusions dont se sert le gouvernement lors des négociations fédérales-provinciales de l'époque pour mettre en place, avec le désaccord de certaines provinces, des programmes sociaux pancanadiens.

Bien qu'en partie contesté par les gouvernements provinciaux, l'État-providence fédéral se développe alors rapidement : assurance-chômage en 1940, allocations familiales en 1944, universalité des pensions de vieillesse en 1951, assistance aux invalides en 1955, assurance-hospitalisation en 1957, assurance maladie en 1965, régimes de pensions du Canada en 1965 et supplément de revenu garanti en 1967 (Dumais, 2012, p. 382-384). Cette multiplication des interventions étatiques va de pair avec une croissance fulgurante de l'effectif fédéral, qui passe de 40 709 fonctionnaires en 1935 à 307 390 en 1975 (figure 9.2). La complexification de l'appareil étatique amène également des changements dans l'organisation du pouvoir central. Le Bureau du Conseil privé, organe administratif du premier ministre et du Conseil des ministres, passe de 44 fonctionnaires en 1945 à 796 en 1975 (Roy, 1999, p. 28). Cette expansion illustre la volonté du politique de conserver le contrôle sur une machine bureaucratique de plus en plus imposante et qui développe sa propre source de pouvoir **technocratique**.

L'émergence de l'État-providence québécois est plus tardive ; elle débute avec la Révolution tranquille, qui survient après le décès du premier ministre Maurice Duplessis en 1959. Plusieurs artisans des deux gouvernements de Jean Lesage (1960-1966), lui-même un ancien ministre fédéral, l'ont souvent répété : le « vrai » gouvernement se trouvait alors à Ottawa et tout était à construire à Québec (Tourangeau et Bonneau, 1999). Portés par une perspective nationaliste et autonomiste, les gouvernements qui se succèdent au pouvoir dans les années 1960 et 1970 jugent que l'émancipation des Québécois francophones nécessite la construction d'un État moderne et interventionniste, fondé sur une administration publique professionnelle, qualifiée et capable de développer et de mettre en œuvre des politiques d'envergure. L'adoption de la *Loi sur la fonction publique*, en 1965, la création du poste de secrétaire général du Québec (le plus haut fonctionnaire de l'État), en 1968, et l'instauration du Conseil du Trésor, en 1971, participent à ce processus d'institutionnalisation de l'appareil étatique (Rouillard, *et al.*, 2008, p. 16-18).

L'interventionnisme de l'État s'appuie sur une double dynamique de multiplication et de spécialisation des organisations publiques. L'établissement du ministère de l'Éducation en 1964 est suivi de la création des cégeps en 1967 et des universités du Québec en 1968. Le réseau de la santé et des services sociaux se laïcise et s'institutionnalise au même moment avec l'instauration de la Régie de l'assurance maladie en 1969, du ministère des Affaires sociales en 1970 et des

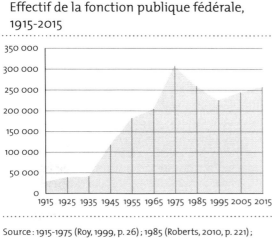

FIGURE 9.2.

Effectif de la fonction publique fédérale, 1915-2015

Source : 1915-1975 (Roy, 1999, p. 26) ; 1985 (Roberts, 2010, p. 221) ; 1995 (Secrétariat du Conseil du Trésor du Canada, 1997, p. 7) ; 2005-2015 (données tirées de divers documents du Secrétariat du Conseil du Trésor du Canada).

Centres locaux de services communautaires (CLSC) à partir de 1972. Des organismes autonomes sont aussi créés, tels que le Régime des rentes du Québec et la Caisse de dépôt et placement en 1965 (qui devait financer le développement des entreprises québécoises et assurer la rentabilité du système de pension provincial) et la Société d'assurance automobile du Québec (SAAQ) en 1978. D'autres voient leur rôle amplifié, par exemple Hydro-Québec avec la nationalisation de l'hydroélectricité en 1963.

À la fin des années 1970, le Canada et le Québec disposent chacun d'un État pleinement institutionnalisé et interventionniste. Toutefois, dans les deux cas, les années 1980 marquent un essoufflement du modèle de l'État-providence et une remise en cause de l'efficacité, voire de la légitimité de l'administration publique.

1.3. La restructuration de l'administration publique

À partir des années 1980, l'expansion de l'État s'essouffle. La fin des Trente Glorieuses (1945-1975) et les chocs pétroliers de 1973 et 1979 mettent à mal la croissance économique et les revenus que l'État en tire. Les déficits publics récurrents et le poids de la dette sont critiqués et l'interventionnisme étatique est remis en cause. Aux États-Unis et au Royaume-Uni, les gouvernements de Ronald Reagan et de Margaret Thatcher mettent en œuvre de nombreuses réformes inspirées du **nouveau management public**. Ce courant avance que le secteur public gagnerait à s'inspirer des pratiques de gestion du secteur privé afin d'accroître sa performance, son efficacité et son efficience. De plus, il est suggéré que l'État se retire de certains champs d'action où le privé se révélerait un meilleur gestionnaire, impulsant ainsi un mouvement de privatisation d'entreprises publiques. Suivant la tendance observée particulièrement dans l'espace anglo-saxon (Royaume-Uni, États-Unis, Australie,

Nouvelle-Zélande), le Canada épouse l'esprit des réformes proposées par le management public: l'heure est à la rationalisation de l'administration publique.

Les gouvernements de Brian Mulroney (1984-1993) et de Jean Chrétien (1993-2003) entreprennent de vastes transformations visant à réduire la taille de l'État. De nombreuses entreprises publiques sont privatisées, parmi lesquelles Air Canada (1989), Pétro-Canada (1991-1995) et la Canadian National Railways (CN, 1995). De 1994 à 1999, un «examen des programmes» est réalisé: il s'agit de reconsidérer les programmes fédéraux à l'aune de la capacité financière du gouvernement et de l'indispensabilité à ce que ce soit l'État qui en ait la charge (Scratch, 2010, p. 1; Secrétariat du Conseil du Trésor du Canada, 1997, p. 5). Les effets se multiplient: les allocations familiales ne sont désormais plus universelles, l'État fédéral cesse de contribuer à la caisse de l'assurance chômage et les transferts de paiements aux provinces en matière de santé et de programmes sociaux sont unilatéralement coupés, de sorte qu'il ne couvrait plus, en 1998, que 14 % des coûts desdits programmes (Dumais, 2012, p. 385). Quant à l'effectif public, il diminue de 21 % en dix ans, passant de 234 000 fonctionnaires en 1988 à 184 000 en 1998 (Brock, *et al.*, 2010, p. 238).

Au Québec, un durcissement à l'endroit de l'administration publique est aussi observable à partir des années 1980, avec l'adoption, par le gouvernement de René Lévesque, de lois réduisant considérablement les avantages (sociaux et salariaux) de la fonction publique et la création, par le gouvernement de Robert Bourassa, de comités chargés d'étudier la réorganisation de l'État. C'est cependant la fin des années 1990 qui donne lieu à une véritable «managérialisation» de l'État. À partir de 1996, sous la direction de Lucien Bouchard, le gouvernement priorise «l'assainissement» des finances publiques et la rationalisation budgétaire qui passe par l'atteinte du «déficit zéro». Cela constitue un tournant majeur puisque, de 1961 à 1998, l'ensemble des budgets de l'État québécois ont été déficitaires. L'exercice budgétaire 1998-1999 est le premier en quatre décennies à se solder par un surplus (Observatoire de l'administration publique – ENAP, 2013a, p. 1).

Cette rationalisation des finances étatiques passe par la modernisation de la gestion publique québécoise (Rouillard, *et al.*, 2008, p. 31-35). Ainsi, un groupe de travail sur l'examen des organismes gouvernementaux obtient le mandat en 1997 d'examiner le rôle de tous les organismes publics à la lumière des « balises suivantes : rationalisation, modernisation, adaptation et réduction des coûts » (Gouvernement du Québec, 1997, p. 14). L'adoption en 2000 de la *Loi sur l'administration publique* vient quant à elle intégrer concrètement les impératifs d'efficacité et d'efficience à l'appareil étatique, en instaurant de nouvelles valeurs telles que la responsabilisation des gestionnaires, l'évaluation de la performance et la gestion axée sur les résultats (Gouvernement du Québec, 1999, p. 4). Cette loi marque définitivement l'institutionnalisation d'un discours favorable à une managérialisation de l'administration publique, discours depuis lors sans cesse renouvelé par les différents partis politiques qui se sont succédé au pouvoir, de la réingénierie de l'État du gouvernement de Jean Charest à la rigueur budgétaire du gouvernement de Philippe Couillard.

À partir des années 1980 et surtout 1990, il ne s'agit plus pour l'État de poursuivre son expansion, mais bien de rationaliser ses effectifs et d'accroître sa performance. Au Canada comme au Québec, la maxime managériale du « *Doing more with less* » gagne en popularité et la recherche d'une administration moins coûteuse domine les débats politiques. En ce début de XXIe siècle, le Québec et le Canada héritent néanmoins d'un appareil étatique institutionnalisé, hiérarchisé et spécialisé, dont la structure et les principes d'organisation sont examinés dans la section suivante.

> Le développement de l'administration publique est directement lié au rôle qu'occupe l'État dans la société et l'économie.
> Au début du XXe siècle, l'État et son appareil administratif jouaient un rôle restreint tant au Canada qu'au Québec.
> La période suivant la Deuxième Guerre mondiale, au Canada (celle de la Révolution tranquille, au Québec), constitue l'un des moments clés dans le développement de l'État-providence et de l'administration publique.
> À partir des années 1980, le courant du management public gagne en popularité et conduit, surtout à partir des années 1990, à une rationalisation des finances publiques et à des réformes de l'administration publique tant au Canada qu'au Québec.

2. L'ORGANISATION DE L'APPAREIL ADMINISTRATIF

Tout au long du XXe siècle, les secteurs d'intervention de l'État se sont élargis, ce qui a nécessité le développement d'un appareil d'État – l'administration publique – capable de piloter et de mettre en œuvre les volontés politiques des élus. Aujourd'hui, les bureaucraties canadienne et québécoise constituent un vaste réseau d'organisations diversifiées couvrant une multitude de domaines spécialisés et réunissant des milliers d'agents au service du gouvernement. Le but de cette section est d'examiner les différentes composantes de cette machine bureaucratique et de soulever quelques tendances contemporaines caractérisant son évolution.

2.1. Le pouvoir exécutif et le contrôle de l'appareil étatique

Tel que l'illustre l'organigramme de l'État québécois (figure 9.3), les diverses composantes formant la structure de l'administration publique ont en commun de se rattacher au pouvoir exécutif. Il s'agit d'ailleurs de l'une des prérogatives les plus puissantes que détient le parti politique qui remporte les élections : celui de prendre les rênes de l'imposante machine bureaucratique (Saint-Martin, 2008, p. 149). Au Canada, les pouvoirs législatif et judiciaire ont peu d'emprise sur l'administration publique.

Comme l'expliquent dans leurs chapitres Hubert Cauchon, Patrick Taillon et Louis-Philippe Lampron, il est vrai que les ministères sont soumis à une reddition de comptes devant le parlement et que les tribunaux contrôlent *a posteriori* la légalité des actions posées par l'État, mais l'autorité sur l'appareil public demeure une compétence exclusive du pouvoir exécutif, c'est-à-dire le gouvernement, personnifié par le premier ministre et son Conseil des ministres.

Les élus à la tête du pouvoir possèdent en outre la prérogative d'organiser à leur guise la structure administrative : ils peuvent créer de nouveaux ministères ou fusionner ceux qui

FIGURE 9.3.

Organigramme de l'État québécois, 2017

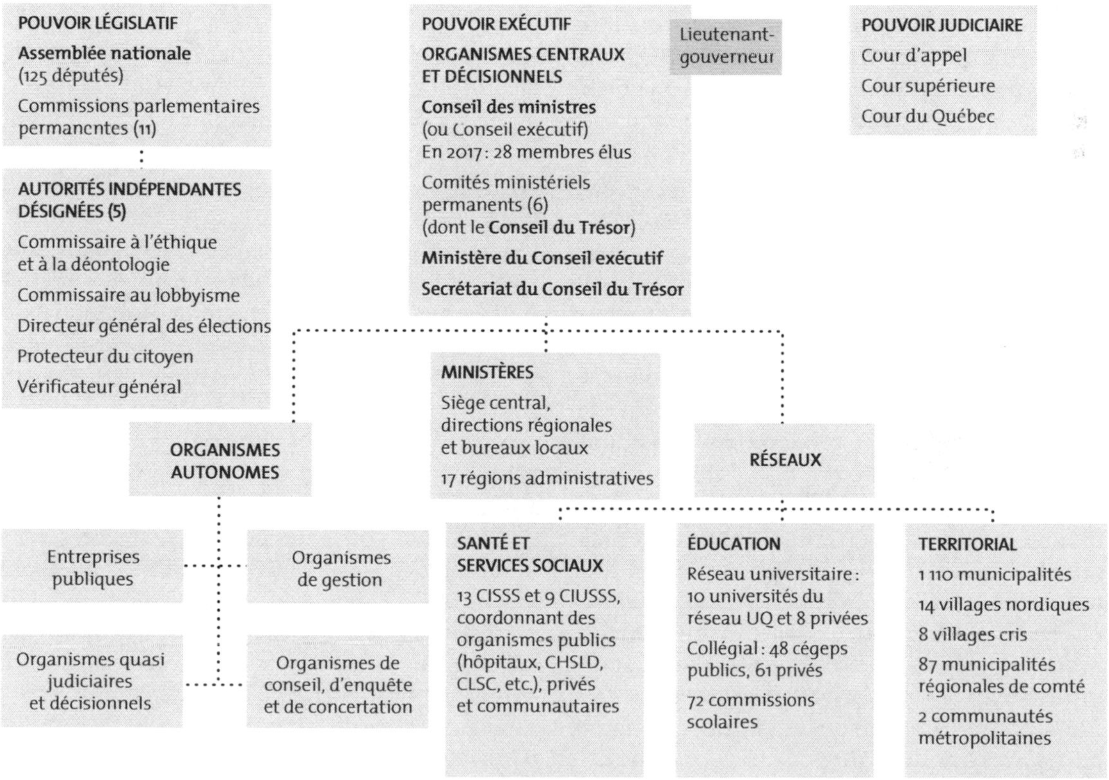

existent, établir de nouveaux organismes pour gérer des programmes spécifiques, abolir l'existence d'établissements jugés superflus, privatiser des entreprises publiques ou impulser des réformes majeures au sein du système de santé, par exemple. La question alors se pose : quel est le modèle d'organisation administrative privilégié par les gouvernements au Canada et au Québec ?

2.2. Quatre grandes catégories de composantes administratives

Une mise en garde d'abord s'impose : l'analyse de la structure de l'appareil étatique n'est pas une science exacte. Tant les universitaires que les praticiens de la fonction publique offrent différentes typologies pour appréhender l'administration publique, et même les institutions chargées de comptabiliser le nombre d'organismes publics n'arrivent pas aux mêmes conclusions (Bernier et Farinas, 2011). Cette complexité admise, je propose ici une catégorisation distinguant entre quatre grandes composantes de l'administration publique : les organismes centraux et décisionnels, les ministères, les organismes autonomes et les réseaux.

Comme illustré dans l'organigramme, les organismes centraux et décisionnels se situent au sommet de l'appareil hiérarchique. Ces organismes peuvent être de nature politique, c'est-à-dire composés de membres élus démocratiquement tels que le Conseil des ministres et les comités ministériels s'y rattachant, en particulier le Conseil du Trésor. En appui à ces instances se greffent de puissants organismes de nature administrative composés de fonctionnaires, le ministère du Conseil exécutif (couramment surnommé le ministère du premier ministre) et le Secrétariat du Conseil du Trésor. S'ajoutent à ce portrait des organismes de nature partisane composés de personnel politique, le Cabinet du premier ministre (au Québec ou au

Canada). Comme le chapitre 8 de Donald J. Savoie dans cet ouvrage est consacré aux organismes centraux, je soulignerai seulement ici leur rôle crucial dans la direction de la machine gouvernementale par la triple fonction qu'ils remplissent : prendre les décisions politiques, assurer la coordination de l'administration publique dans son ensemble et contrôler les actions posées par l'appareil administratif au nom de l'État. Une fois les priorités gouvernementales édictées, il s'agit alors de les mettre en œuvre. L'exécution des volontés du pouvoir exécutif est le rôle fondamental de l'administration publique, en particulier des ministères.

Les ministères constituent la structure de base par laquelle un gouvernement met en œuvre ses politiques et pilote la prestation des services publics à la population. Chacun des ministères est dirigé par un ministre, qui assure la gouverne politique de l'organisation, et par un sous-ministre, un haut fonctionnaire responsable de la gestion administrative du ministère et de son fonctionnement au jour le jour (contrairement au ministre, qui doit également faire du travail en circonscription, à l'Assemblée nationale, au Conseil des ministres, etc.). Le nombre de ministères change selon les gouvernements, mais varie habituellement au Canada comme au Québec entre 25 et 30. À l'exception du ministère du Conseil exécutif et du Secrétariat du Conseil du Trésor mentionnés précédemment, les autres ministères œuvrent normalement dans un domaine spécialisé et sectoriel, par exemple le ministère des Transports ou de l'Éducation, qui sont chacun responsable de l'élaboration et de la conduite des politiques publiques structurant le secteur qui leur est confié. Ces compétences sont statuées par une loi constitutive dans laquelle sont détaillées les missions, les pouvoirs et les obligations qui relèvent du ministère et du ministre qui le dirige. L'autonomie des ministères est limitée du fait qu'ils sont sous le contrôle direct de l'exécutif par l'entremise des ministres qui les commandent.

Tandis que les ministères ont une vocation généraliste surplombant l'ensemble d'un secteur donné, les organismes autonomes sont habituellement responsables de missions spécifiques. Il s'agit d'organismes publics, établis par les pouvoirs publics et appartenant à ceux-ci, mais qui fonctionnent de façon plus indépendante du gouvernement que les ministères. Cette autonomie se manifeste sous deux principaux aspects. D'abord, ces organismes sont dirigés non pas par un ministre, mais par un président et un conseil d'administration nommés par le gouvernement. Ensuite, bien que chaque organisme soit placé sous la responsabilité d'un ministre qui répond de leur gestion devant l'Assemblée nationale, le contrôle gouvernemental y est indirect. Si le gouvernement peut imposer à ces organismes certains objectifs ou contraintes, ces derniers disposent d'une autonomie dans leurs activités quotidiennes et dans la gestion de leurs ressources humaines et financières. L'on peut déceler, par le recours aux organismes autonomes, une volonté des pouvoirs publics de déléguer certains mandats ou du moins de les gérer à distance. Parfois, il apparaît en outre plus crédible et légitime qu'une mission spécifique soit remplie par un organisme autonome du gouvernement, par exemple les évaluations indépendantes menées par le Bureau des audiences publiques (BAPE) ou les constats formulés par diverses commissions d'enquête investiguant sur des pratiques politiques questionnables (telles que les commissions Gomery, Charbonneau et Bastarache).

Les organismes autonomes constituent une composante majeure de l'appareil étatique : on en dénombre entre 150 et 250 au Québec et entre 250 et 350 au sein de l'État fédéral (Bernier et Farinas, 2011, p. 394-403). Des chiffres plus précis sont difficiles à établir, d'une part puisque certains organismes sont éphémères (p. ex. les commissions d'enquête) et, d'autre part, puisqu'il n'existe pas de consensus à ce sujet chez les institutions qui les recensent (p. ex. le ministère du

Conseil exécutif et le Secrétariat du Conseil du Trésor n'affichent pas les mêmes résultats). Par ailleurs, leur nombre varie significativement au fil des années : si, en 1960, il existait 31 organismes autonomes au Québec, on en dénombrait 235 en 1992 et 157 en 2010 (Observatoire de l'administration publique – ENAP, 2011, p. 4). Ces fluctuations s'expliquent par des processus de fusion, d'abolition ou de privatisation. Au-delà de leurs caractéristiques communes d'autonomie face au gouvernement et de direction assumée par un président et un conseil d'administration, les organismes autonomes sont très diversifiés, à la fois dans leur mission et leur taille. Afin de produire de l'ordre dans cet ensemble hétéroclite, quatre grandes catégories d'organismes autonomes peuvent être distinguées[4] : les entreprises publiques, les organismes de gestion, les organismes quasi judiciaires et décisionnels et les organismes de conseil, d'enquête et de concertation.

Les entreprises publiques sont des entités appartenant entièrement ou majoritairement à l'État et qui « exploitent commercialement un bien (énergie atomique, électricité) ou un service (transport de passagers sur rail ou route, traversiers), dans une perspective d'intérêt public » (Bourgault, 2014, p. 274). Ces organisations poursuivent un objectif de rentabilité et sont d'autant plus autonomes qu'elles génèrent leurs propres revenus et sont ainsi indépendantes du budget gouvernemental. Au Québec, elles sont appelées sociétés d'État et au Canada, sociétés de la Couronne. Dans le langage courant, elles sont régulièrement surnommées les « vaches à lait de l'État », et pour cause : au Québec, un dixième des revenus de l'État provient des bénéfices de ses entreprises, dont trois en particulier, soit Hydro-Québec, Loto-Québec

....

4. Cette typologie s'inspire des typologies proposées par Bourgault (2014), par la Commission de la capitale nationale du Québec (2008), par Gélinas (2003) et par l'Observatoire de l'administration publique (2011).

et la Société des alcools du Québec (Bernier et Farinas, 2008, p. 1). Au Canada, les principales sociétés de la Couronne sont Radio-Canada, Via Rail, Postes Canada et la Banque du Canada.

Une deuxième catégorie, les organismes de gestion, regroupe l'ensemble des organisations responsables de la gestion de programmes, de services ou de missions spécifiques, mais sans que des objectifs de rentabilité ou d'autofinancement soient poursuivis. Elles sont actives dans plusieurs secteurs, tels que les arts et la culture (Office national du film, Conseil des arts du Canada, Bibliothèque et archives nationales du Québec), la jeunesse (Office Québec-Monde pour la jeunesse), la faune (Fondation de la faune du Québec), la recherche et l'information (Statistique Canada, Fonds de recherche du Québec), le recyclage (RECYC-QUÉBEC), la santé (Héma-Québec), etc.

Quant aux organismes quasi judiciaires et décisionnels, ils ont en commun de détenir des pouvoirs qui ont une force exécutoire, c'est-à-dire que leurs décisions ont une portée coercitive et obligatoire. Les tribunaux administratifs, qui appliquent le droit et rendent des décisions juridiques, entrent dans cette catégorie. On peut penser au Québec à la Régie du logement et au Tribunal administratif du travail et, au Canada, au Tribunal canadien des droits de la personne et au Tribunal de la concurrence. S'insèrent aussi dans cette catégorie les organismes de régulation qui accordent des privilèges ou contrôlent l'application de lois et de règlements dont ils ont la responsabilité d'assurer le respect. Au Canada, le Conseil de la radiodiffusion et des télécommunications canadiennes, l'Agence canadienne du revenu et l'Agence canadienne d'inspection des aliments font partie de cette catégorie. Au Québec, on y retrouve notamment l'Autorité des marchés financiers, l'Office québécois de la langue française et la Régie du cinéma.

Enfin, la dernière catégorie renvoie aux organismes de conseil, d'enquête et de concertation.

Comme l'intitulé l'indique, ils ont en commun d'avoir pour mission l'étude, l'examen, l'enquête et l'évaluation d'enjeux publics. Ils visent parfois également la concertation entre divers intérêts et perspectives coexistant dans la société. Par leur nature, les personnes qui y sont nommées sont habituellement choisies selon leur expertise et l'expérience développée au cours de leur carrière. À l'inverse de la catégorie précédente, ces organismes ne possèdent aucun pouvoir exécutoire, c'est-à-dire que les avis et rapports qu'ils produisent ne contraignent nullement le gouvernement à agir en ce sens. Le BAPE, le Conseil du statut de la femme, le Conseil du patrimoine culturel du Québec et le Conseil de l'Ordre du Québec en sont des exemples.

Les réseaux forment la dernière grande composante de l'administration publique. Au Québec, ils sont au nombre de trois : le réseau de la santé et des services sociaux, le réseau de l'éducation et le réseau du territoire. Les réseaux ont en commun de réunir une myriade d'organisations très diverses, parfois publiques, parfois privées, qui évoluent au sein d'un même secteur. Par exemple, le réseau de la santé et des services sociaux comprend tant les centres intégrés de santé et de services sociaux (CISSS) et les centres locaux de services communautaires (CLSC) – qui sont des établissements publics – que les organismes communautaires, les entreprises d'économie sociale d'aide domestique et les résidences privées pour aînés. Les réseaux traduisent bien l'idée que plusieurs types d'acteurs (publics, privés, communautaires) et plusieurs niveaux d'action (local, métropolitain, régional, national) s'enchevêtrent, se complètent ou se concurrencent dans la mise en œuvre des politiques publiques. Les organisations privées sont admises dans cette vision élargie de l'appareil étatique, puisqu'elles concourent, d'une part, à la prestation de services qui eux sont publics et que, d'autre part, elles sont souvent largement subventionnées par l'État et soumises, sous certains aspects, aux règles publiques[5]. Enfin, tout comme les organismes autonomes, les réseaux et les organisations qui les composent bénéficient d'un certain degré d'autonomie face au gouvernement dans leur gestion interne quotidienne. Cela étant dit, pour chaque réseau, un ministre est responsable devant l'Assemblée nationale, et le gouvernement peut décider de leur imposer unilatéralement des contraintes financières ou une restructuration organisationnelle, qui sont fréquentes dans le réseau de la santé, par exemple.

Pour terminer ce portrait de l'administration publique, il est utile de différencier les notions de « secteur public » et de « secteur parapublic ». Encore une fois, il n'existe pas de consensus à ce sujet, ni chez les universitaires ni chez les praticiens. Je reprends ici la catégorisation opérée par Jacques Bourgault (2014, p. 272), selon qui ces deux secteurs se distinguent en fonction du degré de contrôle qui est exercé sur les organisations par le gouvernement, ce qui renvoie aux volontés de l'État de faire les choses lui-même (ministères) ou à distance (organismes et réseaux). En somme, le secteur public inclut les organismes centraux et décisionnels et les ministères, tandis que le secteur parapublic concerne les organismes autonomes et les trois réseaux de la santé et des services sociaux, de l'éducation et du territoire.

2.3. L'évolution de la taille et des composantes de l'administration publique

Cet appareil administratif complexe a évolué en fonction des rôles assignés à l'État et des idéologies politiques dominantes des différents gouvernements au pouvoir. Ces variations se répercutent sur l'effectif de l'administration publique, c'est-à-dire sur le nombre d'agents employés des secteurs publics et parapublics, de même que sur la distribution des fonctionnaires entre les quatre grandes composantes de l'appareil étatique. Le tableau 9.1 offre un portrait de cette évolution à l'échelle fédérale et québécoise entre 2000 et 2015.

Quatre grandes tendances se dessinent. D'abord, l'ensemble des composantes ont enregistré un taux de croissance de leur nombre d'employés entre 2000 et 2015, à l'exception des ministères au Québec. L'une des explications possibles de cette réduction est liée à la distinction entre secteur public et parapublic. En effet, les gouvernements qui se sont succédé au pouvoir au cours des deux dernières décennies ont tous affiché la volonté de réduire la taille de la fonction publique. Or, au sens strict, la fonction publique ne renvoie qu'au secteur public. Autrement dit, en coupant le nombre de fonctionnaires dans les ministères, même si le nombre d'agents dans les organismes autonomes et les réseaux augmente, le gouvernement peut affirmer avoir réussi à couper dans l'administration publique. Par exemple, en 2011, le ministère du Revenu du Québec a été transformé en un organisme autonome, l'Agence du revenu du Québec, ce qui a eu pour effet direct que les fonctionnaires du ministère du Revenu sont devenus des employés de l'Agence du revenu, transitant ainsi d'une composante à l'autre de l'administration sans diminution véritable de personnel.

Derrière la croissance généralement observable entre 2000 et 2015, il faut relever la diminution considérable enregistrée entre 2010 et 2015

---

5. Par exemple, le réseau universitaire québécois est composé de 18 universités, dont 8 ont un statut juridique privé (telles que l'Université Laval, l'Université McGill, l'Université de Montréal, etc.) et 10 un statut juridique public (le réseau de l'Université du Québec et ses 9 composantes, dont l'UQAM, l'UQAT, etc.). Or, peu importe leur statut, ces universités sont soumises à une seule et même réglementation gouvernementale imposant des droits de scolarité identiques, et les subventions publiques qu'elles reçoivent (et qui constituent la majeure partie de leurs revenus) procèdent du même calcul selon le nombre d'étudiants admis.

TABLEAU 9.1.

Évolution de l'effectif de l'administration publique canadienne et québécoise, 2000-2015[*] (en équivalent temps complet)

	2000	2005	2010	2015	Taux de croissance (2000-2015)[***]
Canada					
Ministères	115 442	133 338	152 005	132 649	14,9 %
Organismes autonomes[**]	96 483	110 633	130 975	124 385	28,9 %
Total – Canada	211 925	243 971	282 980	257 034	21,3 %
Québec					
Ministères	35 919	38 720	38 201	29 648	−17,5 %
Organismes autonomes[**]	27 593	30 000	30 017	29 652	7,5 %
Commissions scolaires	108 469	115 204	120 848	128 007	18,0 %
Collèges	19 775	20 249	22 782	23 456	18,6 %
Santé et services sociaux	166 042	195 851	215 649	226 168	36,2 %
Total – Québec	357 798	400 024	427 497	436 931	22,1 %

[*] Au 31 mars de l'année.
[**] Calcul des organismes autonomes : Effectif total – effectif des ministères (calcul effectué manuellement).
[***] Calcul : (effectif 2015 – effectif 2000) / effectif 2000.
Source : Données tirées de divers documents du Secrétariat du Conseil du Trésor du Canada et du Secrétariat du Conseil du Trésor du Québec.

dans les ministères et les organismes autonomes, tant au Canada qu'au Québec. Cette baisse doit certainement être analysée à la lumière du contexte politique marqué par la crise financière et économique mondiale de 2008 et l'idéologie d'austérité et de rigueur budgétaire qui est en vogue depuis.

Une troisième observation est l'importance sans conteste du réseau de la Santé et des services sociaux, nettement le plus important bassin d'emplois publics toutes catégories confondues. Bien que les chiffres dévoilés par le Secrétariat du Conseil du Trésor ne comprennent pas les universités, le réseau de l'éducation (commissions scolaires et collèges) s'avère le deuxième principal employeur public. Cela correspond d'ailleurs au poids que représentent ces deux

réseaux dans les finances publiques : en 2011-2012, ces deux secteurs accaparaient plus de 60 % du budget de l'État québécois (Observatoire de l'administration publique – ENAP, 2013b, p. 1).

Enfin, il importe de signaler la répartition de plus en plus semblable entre les effectifs des ministères et ceux des organismes autonomes, au Canada comme au Québec. De surcroît, les organismes enregistrent une croissance beaucoup plus marquée que les ministères, ce qui présage peut-être, dans un futur rapproché, un dépassement en matière d'effectifs des organismes. Cela est déjà le cas au Québec, puisque les chiffres présentés dans le tableau ne comptabilisent pas – pour une raison inconnue – les employés de nombreuses sociétés d'État comme Hydro-Québec (22 774 employés en 2012),

Loto-Québec (6 553) et la SAQ (3 655) (Commission de la capitale nationale du Québec, 2012, p. 31-32). Si les ministères demeurent la structure traditionnelle de l'administration publique, force est de constater que les gouvernements recourent de plus en plus aux organismes autonomes pour la mise en œuvre des programmes et des services publics.

POINTS CLÉS

> Le pouvoir exécutif, par sa légitimité de gouvernement démocratiquement élu, prend les grandes décisions politiques qui gouvernent la société.
> Le pouvoir exécutif détient le contrôle de l'administration publique, qui est responsable de la mise en œuvre des politiques et des programmes publics.
> L'administration publique est vaste (des milliers d'agents), diversifiée (plusieurs secteurs d'action publique pris en charge) et spécialisée (des missions spécifiques sont attribuées à différents organismes).
> Quatre grandes composantes administratives coexistent : les organismes décisionnels et centraux, les ministères, les organismes autonomes et les réseaux. Les deux premières composantes forment le secteur public et les deux dernières le secteur parapublic.
> L'évolution de l'administration publique est marquée par une baisse des effectifs depuis 2010 dans les ministères et organismes au Canada et au Québec et à une croissance dans les réseaux de la santé et de l'éducation.

3. Les critiques et les réformes de l'administration publique

Le XXe siècle a été celui de la **bureaucratisation** de la société, processus par lequel l'administration publique s'est professionnalisée et est devenue une machine sophistiquée jouant un rôle majeur, tant dans la vie quotidienne des citoyens que dans la conduite des grandes politiques publiques qui ont transformé la société contemporaine (Dormagen et Mouchard, 2015, p. 27-44). Depuis les années 1980 cependant, les critiques fusent à l'endroit de l'appareil étatique. Tandis qu'ils avaient auparavant été des collaborateurs dans l'édification de l'État-providence, les fonctionnaires apparaissent désormais parmi les boucs émissaires privilégiés des politiciens (Bernard, 2009 ; Savoie, 2015). Cette suspicion des élus est tangible tant dans les mesures de contrôle exercées sur l'administration fédérale par l'ancien gouvernement de Stephen Harper que dans la maxime du « couper dans le gras » répétée par le gouvernement de Philippe Couillard. Cette méfiance est également répandue parmi la population, échaudée par des scandales révélant des cas de fonctionnaires dépourvus d'éthique et multipliant les conflits d'intérêts derrière des portes closes (Boisvert, 2014). L'omniprésence et la puissance de l'administration publique font parfois craindre le spectre d'une **technocratie** spoliant le pouvoir démocratique (Saint-Martin, 2008).

Ces diverses critiques ont provoqué des effets notables sur l'appareil étatique au cours des dernières décennies. C'est sur quelques-unes de ces transformations que cette dernière partie se penche.

3.1. L'*open government* et la montée en force des autorités indépendantes de contrôle et de surveillance

En réponse à l'opacité et à l'omniprésence de l'État a émergé à partir des années 1990 la notion prescriptive d'*open government* – parfois francisée sous l'expression de « gouvernance démocratique » –, qui a gagné en popularité avec l'avènement d'Internet et plus particulièrement le discours du président Barack Obama en 2009 sur ce thème (Wirtz et Birkmeyer, 2015, p. 382). Ce terme renvoie à l'idée de rendre l'appareil étatique plus transparent, en réponse, d'une part, aux injonctions managériales d'efficacité accrue des administrations par la reddition de comptes (*accountability*) et, d'autre part, aux demandes de renforcement du contrôle démocratique et de la protection des citoyens face à la puissance publique (Nay, 2014, p. 252). Cet impératif de transparence a conduit à l'adoption de lois assurant l'accès aux documents administratifs à toute personne qui en fait la demande et protégeant en contrepartie la vie privée et les données personnelles des citoyens détenues par l'État (législations sur l'accès à l'information et la protection des données adoptées au Québec en 1982 et au Canada en 1983). La création d'institutions indépendantes de médiation procède également de cette doctrine de l'ouverture gouvernementale, dont le Protecteur du citoyen du Québec instauré en 1968, qui est chargé d'examiner les plaintes des citoyens se sentant lésés par une décision de l'administration. Le renforcement des pouvoirs du Vérificateur général du Canada en 1977, la création du Vérificateur général du Québec en 1985 et du Directeur parlementaire du budget fédéral en 2006 viennent encore renforcer cette idée que des contrepoids institutionnels chargés de surveiller l'État en toute indépendance doivent exister. La popularité des conférences de presse annuelles tenues par ces autorités de contrôle indépendantes démontre l'influence qu'elles détiennent désormais dans l'univers politique canadien et québécois.

En outre, les scandales qui ont éclaboussé les administrations municipales, provinciales et fédérales ont impulsé l'émergence d'une « nouvelle bureaucratie de l'intégrité » (Boucher et Saint-Martin, 2012), que l'on pense aux législations encadrant le lobbyisme, à la mise sur pied du Commissaire aux conflits d'intérêts et à l'éthique de la Chambre des communes (2006),

de l'Unité permanente anticorruption (2011), du Commissaire à l'éthique et à la déontologie de l'Assemblée nationale (2011) et du Bureau de l'inspecteur général de la Ville de Montréal (2014).

L'impératif de transparence a donc considérablement transformé l'administration publique, avec l'apparition, toutefois, de certains effets plus discutables. Savoie remarque à ce sujet que la volonté d'éviter des révélations embarrassantes concernant la gestion de l'État a fait en sorte que les relations publiques et les activités d'évaluation internes sont devenues des missions centrales de l'administration (2015, p. 211-214). Autrement dit, à l'ère de la transparence, de plus en plus de fonctionnaires se consacrent à préserver l'image de l'État à renfort de communiqués de presse et de rapports de vérification, ce qui ne signifie pas pour autant que le contrôle démocratique sur l'État et l'efficacité de ses actions soient véritablement raffermis.

3.2. L'administration publique : l'amenuiser ou la renforcer ?

L'apparition de ces nouvelles institutions de surveillance se produit tandis que, depuis les années 1980, les gouvernements affichent tous la volonté de réduire les effectifs de l'administration publique, ou du moins de les stabiliser. En effet, sous l'inspiration combinée des courants managérial, néolibéral et d'austérité, l'idée que la fonction publique peut (et doit) être réduite sans que des risques ni dommages ne soient encourus est régulièrement martelée (« les services à la population ne seront pas affectés »). Or, cet amenuisement de l'administration publique n'est pas sans effets. À titre d'exemple, la commission Charbonneau a identifié de façon nette les répercussions de la perte de capacités administratives du ministère des Transports du Québec (MTQ) :

> Le MTQ s'est retrouvé dans une relation de dépendance et de vulnérabilité face aux firmes

de génie privées. La perte de la maîtrise d'œuvre des travaux et une expertise interne insuffisante l'ont également rendu vulnérable aux stratagèmes de collusion et de corruption utilisés par certains de ses «partenaires» du privé. L'effritement de l'expertise interne découlait de l'effet conjugué de plusieurs facteurs : le départ à la retraite d'ingénieurs, leur non-remplacement, l'exode vers le privé et le recours de plus en plus systématique au modèle de la sous-traitance. Si celui-ci devait en principe apporter des économies importantes pour l'État, il a plutôt mené à une hausse du coût des travaux publics, notamment en raison de la collusion et, dans certains cas, de la corruption (Charbonneau et Lachance, 2015, p. 493).

La faiblesse constatée du MTQ va de pair avec la réduction constante du nombre de fonctionnaires de ce ministère observée depuis 1993, tel que l'illustre la figure 9.4. Le cas du MTQ est significatif en ce qu'il souligne certaines limites des préceptes du management public, et il semble ici à propos de relever la pertinence du modèle bureaucratique posé par Max Weber, sociologue et juriste allemand du début du XXᵉ siècle.

Le modèle wébérien d'administration publique s'est imposé au cours du dernier siècle à travers l'Occident comme l'appareil bureaucratique le plus apte à assurer le bon fonctionnement d'un État moderne légal-rationnel et d'une démocratie de masse. Ce modèle repose sur la mise en place d'une administration hiérarchisée et spécialisée composée de fonctionnaires de carrière recrutés selon le mérite, c'est-à-dire par l'obtention de diplômes et la réussite de concours. Ces fonctionnaires ont pour mission première d'exécuter de façon impersonnelle les décisions des politiques : cela signifie à la fois une égalité de traitement assurée à l'ensemble des citoyens par une régularité procédurale stricte, l'absence de conflits d'intérêts, puisque les pouvoirs que possède l'agent relève de sa fonction et que jamais il ne les exerce en son nom, et finalement une indépendance bureaucratique, puisque le fonctionnaire est au service de l'État et de l'intérêt public et non au service d'un parti politique en particulier (Weber, 1995 [1922]).

Ce modèle est apparu révolutionnaire à l'époque, tandis que les emplois administratifs étaient «considérés comme une sorte de viatique dont sont pourvus les hommes politiques dès qu'ils accèdent au pouvoir, leur permettant – à titre quasi privé – de récompenser leurs partisans, amis ou parents, de s'assurer des clientèles

FIGURE 9.4.

Effectif du ministère des Transports du Québec, 1993-2016*

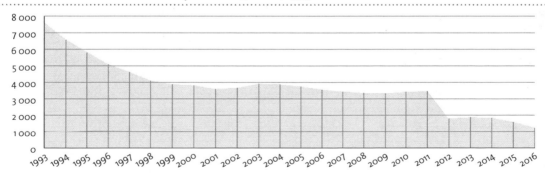

* Au 31 mars de l'année.
Source : Données tirées de divers documents du Secrétariat du Conseil du Trésor du Québec.

ou de corrompre les électeurs » (Dreyfus, 2000, p. 265). Toutefois, la rigidité et la lourdeur de l'administration de type wébérienne sont maintenant la source de nombreuses critiques, auxquelles le management public propose de remédier en s'inspirant de la gestion du secteur privé (Charbonneau, 2011).

Comme l'ont remarqué Calliope Spanou (2003) et Denis Saint-Martin (2008), les principes et valeurs associés au modèle wébérien, bien qu'imparfaits, apparaissent cependant garants de l'impartialité et de la droiture éthique de l'administration publique. C'est souvent le non-respect de l'impersonnalité dans l'application des règles et dans l'allocation des ressources (octroi de contrats, de subventions, d'emplois, etc.) qui est à l'origine des scandales qui secouent l'appareil étatique. Les réformes de l'administration visant l'amélioration de son efficacité ne doivent pas perdre de vue les normes d'intégrité élevées que la population exige de la part du service public.

POINTS CLÉS

> Depuis les années 1980, des critiques nombreuses sont faites à l'endroit de l'administration publique, tant de la part des élus que de la population.

> Dans ce contexte, l'administration publique est l'objet de plusieurs réformes. Deux courants ont particulièrement inspiré ces transformations, l'*open government* et le management public.

> Ces réformes remettent en cause certains aspects typiques du modèle wébérien d'administration publique, qui repose sur des principes et des valeurs qui conservent encore aujourd'hui leur pertinence.

CONCLUSION

L'administration publique a été partie prenante des transformations majeures qui sont survenues au sein des sociétés canadienne et québécoise au cours du dernier siècle. Elle se trouve aujourd'hui au cœur de débats concernant le rôle que l'État devrait jouer au XXIe siècle et fait face à de nombreuses critiques sur son fonctionnement, sa performance et sa capacité à répondre aux défis socioéconomiques et politiques contemporains.

Ce chapitre visait à éclairer ces réflexions en rappelant d'abord que l'administration que nous connaissons aujourd'hui est le fruit d'un long développement historique par lequel un appareil étatique vaste et professionnel est apparu nécessaire pour mettre en œuvre les volontés politiques des gouvernements élus démocratiquement par la population. Cette imposante machine bureaucratique a ensuite été analysée selon quatre grandes composantes organisationnelles, laissant entrevoir à la fois son fonctionnement hiérarchisé et spécialisé et l'étendue de l'éventail des missions publiques poursuivies. Enfin, certains processus de réformes administratives en cours ont été examinés, et leurs effets, soupesés. L'évolution historique de l'État et de l'administration publique n'est certainement pas un processus achevé et il importe d'adapter les organisations publiques aux enjeux et aux valeurs qui préoccupent les citoyens. En revanche, il semble important de ne pas perdre de vue les raisons qui ont mené à l'adoption d'une fonction publique compétente, impersonnelle et indépendante des pouvoirs politique et économique. Ces principes qui apparaissent parfois usés et source de frictions n'en demeurent pas moins le socle de la pérennité de l'État et de la poursuite du bien commun au service desquels se consacre l'administration publique.

QUESTIONS

1. Quels sont les éléments clés des trois périodes historiques du développement de l'administration au Canada et au Québec ? Quels politiques et programmes typiques peut-on associer à chacune de ces périodes ?

2. Qu'entend-on par la modernisation de l'administration publique ?

3. Quelles sont les grandes composantes de l'administration publique et les tendances générales qui les caractérisent depuis les années 2000 ?

4. Comment un ministère se différencie-t-il d'un organisme autonome ?

5. Pourquoi le gouvernement recourt-il à des organismes plutôt qu'à des ministères ?

6. Quels sont les principaux préceptes des courants réformateurs de l'*open government* et du management public ? Quelles sont les critiques qui peuvent être soulevées sur ces courants ?

7. Quelles sont les caractéristiques du modèle wébérien de l'administration publique ? Quelles sont ses forces et ses faiblesses ?

LECTURES SUGGÉRÉES

Dunn, C. (dir.) (2010). *The Handbook of Canadian Public Administration*, 2ᵉ éd., Oxford, Oxford University Press.

Johnson, D. (2011). *Thinking Government : Public Administration and Politics in Canada*, 3ᵉ éd., Toronto, University of Toronto Press.

Roberts, A. (2010). « A fragile State : Federal public administration in the twentieth century », dans C. Dunn (dir.), *The Handbook of Canadian Public Administration*, Don Mills, Oxford University Press Canada, p. 219-234.

Rouillard, C., I. Fortier, É. Montpetit et A.-G. Gagnon (2008). *De la réingénierie à la modernisation de l'État québécois*, Québec, Presses de l'Université Laval.

Saint-Martin, D. (2008). « La bureaucratie menace-t-elle la démocratie ? », dans Collectif – Les professeurs de science politique de l'Université de Montréal (dir.), *La politique en questions*, Montréal, Les Presses de l'Université de Montréal, p. 148-155.

Savoie, D.J. (2015). « La fonction publique canadienne a perdu ses repères », *Canadian Public Administration / Administration publique du Canada*, vol. 58, nᵒ 2, p. 205-226.

Spanou, C. (2003). « Abandonner ou renforcer l'État webérien ? », *Revue française d'administration publique*, vol. 105-106, nᵒ 1, p. 109-120.

SITES INTERNET

BUREAU DU CONSEIL PRIVÉ DU CANADA   <http://www.pco-bcp.gc.ca/index.asp?lang=fra>

MINISTÈRE DU CONSEIL EXÉCUTIF   <http://www.mce.gouv.qc.ca/index.htm>

OBSERVATOIRE DE L'ADMINISTRATION PUBLIQUE – ENAP

<http://www.observatoire.enap.ca/fr/accueil.aspx?sortcode=1>

ORGANISATION DE COOPÉRATION ET DE DÉVELOPPEMENT ÉCONOMIQUES – CANADA

<http://www.oecd.org/fr/canada/>

PORTAIL QUÉBEC – SERVICES QUÉBEC – MINISTÈRES ET ORGANISMES

<http://www.gouv.qc.ca/FR/VotreGouvernement/Pages/MinisteresOrganismes.aspx>

SECRÉTARIAT DU CONSEIL DU TRÉSOR DU CANADA   <https://www.canada.ca/fr/secretariat-conseil-tresor.html>

SECRÉTARIAT DU CONSEIL DU TRÉSOR DU QUÉBEC   <http://www.tresor.gouv.qc.ca/>

GLOSSAIRE

BUREAUCRATISATION : Au sens large, processus par lequel l'administration publique, comme organisation professionnelle et sophistiquée, prend de l'expansion et joue un rôle de plus en plus important dans la conduite des sociétés et de la vie quotidienne des citoyens. Au sens plus restreint, organisation d'une structure selon des règles formalisées et rationalisées d'inspiration wébérienne : hiérarchisation, spécialisation, dissociation entre la fonction et son titulaire, recrutement sur la base de la compétence.

ÉTAT-PROVIDENCE : Conception de l'État qui intervient activement dans les domaines économique et social afin d'assurer un certain niveau de sécurité et de bien-être social à l'ensemble de la population. Le terme désigne plus concrètement l'ensemble des politiques mises en place par l'État afin de redistribuer la richesse et de combattre les inégalités sociales. Les pensions de vieillesse, les allocations familiales et l'assurance chômage en sont des exemples répandus.

INSTITUTIONNALISATION : Processus par lequel une organisation, une pratique ou un acteur acquièrent un caractère permanent, stable, formel, codifié et légitime.

NOUVEAU MANAGEMENT PUBLIC : Courant apparu dans le monde anglo-saxon dans les années 1980 et préconisant l'amélioration de la performance, de l'efficacité et de l'efficience de l'administration publique par le recours à des pratiques s'inspirant de la gestion des entreprises privées. Parmi les principes et moyens souvent suggérés figurent la gestion par résultat (plutôt que procédurale), la flexibilité, la compétition entre les dispensateurs de services, la satisfaction des clients, l'évaluation de l'atteinte des objectifs par des indicateurs de performance, la privatisation et la contractualisation, etc.

***OPEN GOVERNMENT* :** Courant prescrivant l'amélioration de la transparence et de la responsabilité de l'État et de l'administration publique en créant des institutions indépendantes de contrôle et de médiation, puis en offrant aux citoyens les moyens nécessaires pour accéder aux informations que détient l'État et pour contrôler les décisions gouvernementales, voire y participer.

TECHNOCRATIE, TECHNOCRATIQUE : Système politique dans lequel les fonctionnaires détiennent un pouvoir prédominant et dont la légitimité repose sur leur expertise et leurs compétences technicienne, administrative, économique, juridique, etc.

BIBLIOGRAPHIE

Bernard, L. (2009). « L'évolution du rôle de la haute fonction publique au Québec », *Télescope*, vol. 15, n° 1, p. 92-101.

Bernier, L. et L. Farinas (2008). « Finances publiques, gouvernance et intérêt général : les sociétés d'État au Québec », *Éthique publique*, vol. 10, n° 1, p. 1-15.

Bernier, L. et L. Farinas (2011). « Les organismes autonomes », dans N. Michaud (dir.), *Secrets d'États ? Les principes qui guident l'administration publique et ses enjeux contemporains*, Québec, Presses de l'Université Laval, p. 380-410.

Boisvert, Y. (2014). « L'éthique gouvernementale : régulation ou marketing politique ? », dans R. Bernier (dir.), *Les défis québécois : Conjonctures et transitions*, Québec, Les Presses de l'Université du Québec, p. 99-120.

Boucher, M. et D. Saint-Martin (2012). « La nouvelle bureaucratie de l'intégrité. Les politiques publiques d'éthique et de lobbying », dans P. P. Tremblay (dir.), *L'administration contemporaine de l'État. Une perspective canadienne et québécoise*, Québec, Les Presses de l'Université du Québec, p. 195-208.

Bourgault, J. (2014). « L'administration publique canadienne et québécoise », dans A.-G. Gagnon (dir.), *La politique québécoise et canadienne : une approche pluraliste*, Québec, Les Presses de l'Université du Québec, p. 263-297.

Brock, K., M. Burbidge et J. Nater (2010). « A Resilient State : The Federal Public Service, Challenges, Paradoxes and a New Vision for the Twenty-First Century », dans C. Dunn (dir.), *The Handbook of Canadian Public Administration*, Don Mills, Oxford University Press Canada, p. 235-249.

Charbonneau, F. et R. Lachance (2015). *Rapport final de la Commission d'enquête sur l'octroi et la gestion des contrats publics dans l'industrie de la construction – Tome 2, Récit des faits*, remis au Ministère du Conseil exécutif, Québec.

Charbonneau, M. (2011). « Les modes d'organisation et de gestion de l'administration publique : de Weber au nouveau management public », dans N. Michaud (dir.), *Secrets d'États ? Les principes qui guident l'administration publique et ses enjeux contemporains*, Québec, Presses de l'Université Laval, p. 297-318.

Commission de la capitale nationale du Québec (2008). *Profil de localisation de l'effectif, des dirigeants, des bureaux centraux, des ministères et des sièges sociaux des organismes gouvernementaux*, Commission de la capitale nationale du Québec, Québec.

Commission de la capitale nationale du Québec (2012). *Profil de localisation de l'effectif, des dirigeants, des bureaux centraux, des ministères et des sièges sociaux des organismes gouvernementaux*, Commission de la capitale nationale du Québec, Québec.

Dormagen, J.-Y. et D. Mouchard (2015). *Introduction à la sociologie politique*, 4e éd., Paris, De Boeck Supérieur.

Dreyfus, F. (2000). *L'invention de la bureaucratie : servir l'État en France, en Grande-Bretagne et aux États-Unis, XVIIIe-XXe siècle*, Paris, La Découverte.

Dumais, L. (2012). « L'État et les politiques sociales. Dispositifs de protection, solidarités et autres mutations », dans P. P. Tremblay (dir.), *L'administration contemporaine de l'État. Une perspective canadienne et québécoise*, Québec, Presses de l'Université du Québec, p. 369-393.

Gélinas, A. (2003). *L'administration centrale et le cadre de gestion. Les ministères, les organismes, les agences, les appareils centraux*, Sainte-Foy, Presses de l'Université Laval.

Gouvernement du Québec (1997). *Rapport du Groupe de travail sur l'examen des organismes gouvernementaux*, ministère du Conseil exécutif, Québec.

Gouvernement du Québec (1999). *Pour de meilleurs services aux citoyens. Un nouveau cadre de gestion pour la fonction publique. Énoncé de politique gouvernementale*, Conseil du Trésor, Québec.

Gow, I. (1994) *L'État québécois en perspective : l'État et l'administration publique au Québec en 1960*, Québec, École nationale d'administration publique, <http://cerberus.enap.ca/Observatoire/docs/Etat_quebecois/Gow_1994.pdf>.

Johnson, D. (2011). *Thinking Government : Public Administration and Politics in Canada*, 3rd edition, Toronto, The University of Toronto Press.

Kelly, S. (2004). « Les origines antilibérales du New Deal canadien », *Recherches sociographiques*, vol. 45, n° 2, p. 259-287.

Nay, O. (2014). « Gouvernance démocratique », dans O. Nay (dir.), *Lexique de science politique. Vie et institutions politiques*, Paris, Dalloz, p. 252-253.

Observatoire de l'administration publique – ENAP (2011). *Les organismes gouvernementaux*, École nationale d'administration publique, Québec.

Observatoire de l'administration publique – ENAP (2013a). *La dette*, École nationale d'administration publique, Québec.

Observatoire de l'administration publique – ENAP (2013b). *Les dépenses par mission*, École nationale d'administration publique, Québec.

Roberts, A. (2010). « A Fragile State : Federal Public Administration in the Twentieth Century », dans C. Dunn (dir.), *The Handbook of Canadian Public Administration*, Don Mills, Oxford University Press Canada, p. 219-234.

Rouillard, C., I. Fortier, É. Montpetit et A.-G. Gagnon (2008). *De la réingénierie à la modernisation de l'État québécois*, Québec, Presses de l'Université Laval.

Roy, J.-L. (1999). *Statistiques historiques du Canada, section Y : politique et gouvernement*, Statistique Canada, Ottawa.

Saint-Martin, D. (2008). « La bureaucratie menace-t-elle la démocratie ? », dans Collectif – Les professeurs de science politique de l'Université de Montréal (dir.), *La politique en questions*, Montréal, Presses de l'Université de Montréal, p. 148-155.

Savoie, D. J. (2015). « La fonction publique canadienne a perdu ses repères », *Canadian Public Administration / Administration publique du Canada*, vol. 58, n° 2, p. 205-226.

Scratch, L. (2010). *Compressions d'effectif dans la fonction publique dans les années 1990 : Contexte et leçons apprises*, Bibliothèque du Parlement, Ottawa.

Secrétariat du Conseil du Trésor du Canada (1997). *Repenser le rôle de l'État – Un gouvernement pour les Canadiens*, Ministre des Travaux publics et Services gouvernementaux Canada, Ottawa.

Spanou, C. (2003). « Abandonner ou renforcer l'État webérien ? », *Revue française d'administration publique*, vol. 105-106, n° 1, p. 109-120.

Sur les traces de la Révolution tranquille, [Enregistrement vidéo], réalisateurs : P. Tourangeau et J. Bonneau, [Montréal], Société Radio-Canada, [1999], 21 min, <https://www.youtube.com/watch?v=ajU2Zn8-WMU>.

Weber, M. (1995 [1922]). *Économie et société*, Paris, Librairie Plon.

Wirtz, B. W. et S. Birkmeyer (2015). « Open Government : Origin, Development, and Conceptual Perspectives », *International Journal of Public Administration*, vol. 38, n° 5, p. 381-396.

CHAPITRE 10

LES INSTITUTIONS JUDICIAIRES ET LE PHÉNOMÈNE DE LA JUDICIARISATION DU POLITIQUE AU QUÉBEC ET AU CANADA

Louis-Philippe Lampron

Il n'y a point encore de liberté si la puissance de juger n'est pas séparée de la puissance législative et de l'exécutrice.
Si elle était jointe à la puissance législative, le pouvoir sur la vie et la liberté des citoyens serait arbitraire ;
car le juge serait législateur. Si elle était jointe à la puissance exécutrice, le juge pourrait avoir la force d'un oppresseur.
MONTESQUIEU, 1838, LIVRE IX, CHAPITRE VI.

La reconnaissance du principe d'*habeas corpus* (selon lequel toute personne privée de liberté par la puissance publique a le droit de faire vérifier la légalité de son arrestation par un juge) dans la *Magna Carta* anglaise de 1215[1] est sans contredit l'une des pierres d'assise sur lesquelles se sont construites les sociétés de droit occidentales telles que nous les connaissons aujourd'hui. En reconnaissant aux sujets de la Couronne d'Angleterre une protection contre les décisions arbitraires, ce document fondateur allait permettre la reconnaissance implicite – et le renforcement graduel – de deux principes essentiels

....

1. Bien que les barons anglais aient arraché au roi Jean Sans Terre cette *Grande Charte* par la force, le fait que son successeur ait accepté d'en reconnaître les principaux engagements fait de ce document un des premiers textes (après la Charte des libertés) par l'entremise desquels le titulaire de la puissance publique acceptait de limiter la portée de ses pouvoirs. Pour une étude

....

détaillée de la *Magna Carta* et de son influence actuelle sur les sociétés occidentales, voir notamment Holt (1992).

aux démocraties modernes : la **primauté du droit**[2] et la nécessité de la **séparation des pouvoirs** politiques et judiciaires.

Pour qu'elle soit effective, la possibilité de faire vérifier la *légalité* des décisions et des actes d'un État dépend en effet entièrement de l'existence d'institutions judiciaires *indépendantes* de ces mêmes États et *impartiales* par rapport aux litiges sur lesquels elles ont à statuer. Aujourd'hui, si l'ampleur des garanties d'indépendance et d'impartialité dont doivent jouir les institutions judiciaires est susceptible de varier d'un État occidental à l'autre, aucun système juridique démocratique ne remet en cause le principe de la séparation des pouvoirs[3] qui a été si bien théorisé par Montesquieu au début du XIXe siècle dans son *Esprit des lois*.

L'essor fulgurant de la théorie des *droits et libertés fondamentaux* (ou *droits de l'homme*) depuis la fin de la Seconde Guerre mondiale et l'adoption, en 1948, de la *Déclaration universelle des droits de l'homme* par les pays membres de l'Organisation des Nations Unies (ONU) ont eu pour conséquence majeure d'ouvrir un champ de contrôle judiciaire de l'action gouvernementale très fortement *politisé*. En effet, le caractère **supralégislatif** des différents textes juridiques internationaux et nationaux protégeant les droits et libertés en vigueur et le consensus largement accepté selon lequel toute action publique ne trouve de légitimité que si elle respecte les droits et libertés individuels ont mené à une importante mutation du contrôle judiciaire de l'action gouvernementale et, à travers le devoir qui leur a été imposé d'interpréter la portée de ces droits et libertés, a conduit

plusieurs magistrats nationaux – dont les canadiens – à exercer le rôle d'arbitre des valeurs.

Le régime constitutionnel canadien, parce qu'il comprend une charte des droits et libertés de très grande portée depuis 1982, qu'il permet le contrôle *a posteriori* de l'action gouvernementale et qu'il octroie aux tribunaux un très large pouvoir d'interprète des dispositions constitutionnelles, est un exemple clair de *judiciarisation* du politique ayant à sa source, principalement, les différends opposant certaines provinces – principalement le Québec – et le gouvernement fédéral sur la nature du fédéralisme canadien et la consécration des droits et libertés fondamentaux comme condition *sine qua non* de la légitimité gouvernementale au sein des sociétés occidentales. Comme l'écrivent les constitutionnalistes Henri Brun, Guy Tremblay et Eugénie Brouillet :

> L'**enchâssement** d'une charte des droits et libertés de la personne dans la Constitution en 1982 et, d'une façon plus générale, le phénomène de la constitutionnalisation du droit, ont provoqué un changement dans le modèle de comportement qui était autrefois privilégié par les tribunaux canadiens. La constitutionnalisation du droit a pour signification essentielle la judiciarisation de l'État. En hissant des normes à un niveau formellement constitutionnel, à un niveau supralégislatif, on confie du même coup à des juges le pouvoir de dire si les lois sont compatibles avec ces normes. La constitutionnalisation du droit marque donc un transfert du pouvoir de l'État du politique vers le judiciaire : plus on constitutionnalise, plus on remplace la suprématie législative par la suprématie judiciaire (Brun, Tremblay et Brouillet, 2008, p. 789).

POINT CLÉ

> Pour être effectif au sein d'une société démocratique, le principe de la primauté du droit exige la présence d'institutions judiciaires indépendantes de l'État.

....

2. Les concepts en caractères gras sont définis dans le glossaire à la fin du chapitre.

3. Voir notamment sur cette question l'article 10 de la *Déclaration universelle des droits de l'homme* (1948). Voir aussi Côté-Harper (1998) ; Shetreet et Forsyth (2011) de même que Moor (1999).

FIGURE 10.1.

Les institutions judiciaires canadiennes

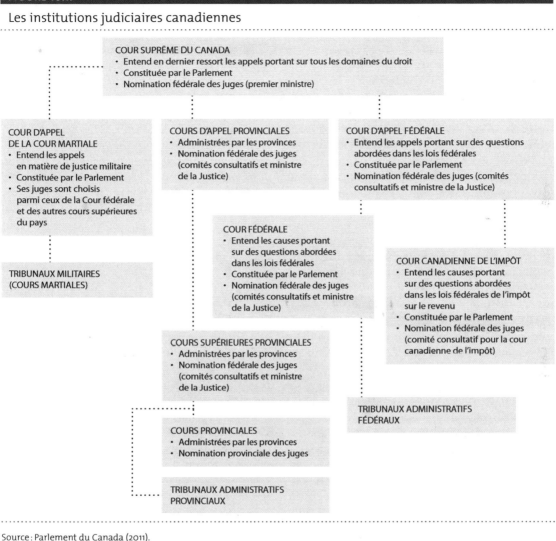

Source : Parlement du Canada (2011).

1. LES INSTITUTIONS JUDICIAIRES CANADIENNES

La Constitution canadienne prévoit que le gouvernement fédéral est responsable de la nomination des juges siégeant au sein des principales cours de justice canadiennes, qu'elles soient de compétence provinciale ou fédérale. Ainsi, chaque province a deux cours de justice dites *supérieures*, une de première instance (la Cour supérieure au Québec) et l'autre, d'appel (la Cour d'appel au Québec[4]). Les cours *supérieures*

....

4. Dans d'autres provinces, cette cour d'appel est appelée cour suprême, comme en Colombie-Britannique et à Terre-Neuve.

sont généralement compétentes pour entendre tout litige (ou contestation judiciaire) prenant naissance sur le territoire des provinces et dont la compétence n'a pas été réservée à un autre tribunal de première instance (comme la Cour fédérale ou la Cour du Québec).

En 1875, le législateur fédéral s'est également prévalu de l'article 101 de la *Loi constitutionnelle de 1867* en mettant sur pied la Cour suprême du Canada, tribunal canadien de dernière instance[5] composé de neuf juges, tous nommés par le gouvernement fédéral, mais dont la composition doit compter au moins trois juges du Québec (*Loi sur la Cour suprême*, L.R.C. 1985, c. S-26, art. 4 et 6). Bien que cette importante restriction quant à la province d'origine des juges de cette cour soit prévue par une loi fédérale ordinaire, la Cour suprême a récemment confirmé, dans le *Renvoi sur la nomination du juge Marc Nadon* (2014), que l'article 41 de la *Loi constitutionnelle de 1982* protège ce ratio minimal de juges venant du Québec au sein de la Cour suprême du Canada[6]. Pour les six autres juges, la pratique historique en matière de représentation régionale veut que trois viennent de l'Ontario, deux des provinces de l'Ouest et un dernier de celles de l'Atlantique.

Il existe deux manières de saisir la Cour suprême du Canada d'un litige ou d'une question de droit : soit dans le contexte d'un appel d'une décision initialement rendue par une cour de première instance (comme la Cour du Québec ou une Cour supérieure), soit dans le contexte d'une procédure de *renvoi*, comme prévu par l'article 53 de la *Loi sur la Cour suprême*, procédure en vertu de laquelle le gouvernement fédéral peut saisir directement la Cour suprême d'une question de droit qu'il juge particulièrement importante et sur laquelle il veut obtenir l'avis des juges de la Cour. C'est notamment par l'entremise de cette procédure que les célèbres *Renvoi sur le rapatriement de la Constitution* (1981) et *Renvoi sur la Sécession du Québec* (1998) ont été rendus par la Cour suprême, avec les conséquences qu'on leur connaît aujourd'hui sur les négociations constitutionnelles ayant mené à la promulgation de la *Loi constitutionnelle de 1982* et à l'adoption de la *Loi sur la clarté référendaire de 1999*[7]. Il est à noter que plusieurs gouvernements provinciaux jouissent également du droit de saisir les plus hautes cours supérieures provinciales (comme la Cour d'appel en ce qui concerne le Québec : *Loi sur les renvois à la Cour d'appel*, L.R.Q., c. R-23) d'une question juridique par l'entremise d'une procédure de renvoi similaire à celle prévue pour la Cour suprême du Canada[8].

Contrairement à la France et à sa cour exclusivement compétente pour traiter des questions de constitutionnalité – c'est-à-dire le Conseil constitutionnel –, le régime juridique canadien ne prévoit pas de mécanisme permettant de forcer le contrôle *a priori* de la constitutionnalité

....

5. Il importe ici de souligner le fait que, jusqu'en 1949, il était possible de saisir le Comité judiciaire du Conseil privé britannique en appel d'une décision de la Cour suprême du Canada ou même de saisir directement le Comité sans passer par la cette dernière (Pelletier, 2007, p. 75).

6. L'article 41(d) de la *Loi constitutionnelle de 1982* prévoit en effet que tout changement aux règles régissant la composition de la Cour suprême du Canada doit obtenir un appui unanime des législatures provinciales et fédérale. Cette position avait été longtemps défendue par certains constitutionnalistes, dont Henri Brun et Guy Tremblay – auxquels s'est rajoutée Eugénie Brouillet en 2008 (Brun, Tremblay et Brouillet, 2014) avant d'être confirmée par la Cour suprême dans le *Renvoi sur la nomination du juge Marc Nadon* de 2014 (paragr. 104-106).

....

7. En effet, alors que la déclaration de « légalité, mais illégitimité » (*Renvoi de 1981*) du projet fédéral de procéder unilatéralement au rapatriement de la Constitution a poussé le gouvernement fédéral à mettre de l'eau dans son vin et à « ré-entamer » une ronde de négociation constitutionnelle avec les provinces, le cœur de la *Loi sur la clarté référendaire* suit presque mot pour mot les suggestions qui avaient été formulées par la Cour suprême dans le *Renvoi sur la Sécession du Québec* de 1998.

8. En tout et pour tout, le gouvernement du Québec a utilisé la procédure de renvoi devant la Cour d'appel du Québec à neuf reprises (voir l'encadré « Les demandes de renvoi soumises à la Cour d'appel du Québec »).

de lois ou de règlements à être adoptés par les différents parlements, fédéral et provinciaux[9]. Non seulement il faut que la loi ait été valablement adoptée – et produise donc des effets – pour qu'un justiciable puisse saisir une cour de justice compétente d'une question de constitutionnalité[10], mais presque toutes les cours de justice canadiennes (et dans certains cas administratives) jouissent, sauf exception, de la compétence de traiter des questions constitutionnelles. L'arrêt *Conway* (2010) de la Cour suprême du Canada a en effet généralisé la présomption selon laquelle, dès qu'une cour a été habilitée à trancher sur des questions de droit, on doit également tenir pour acquis qu'elle est habilitée à trancher sur des questions constitutionnelles, et ce, à moins que le législateur n'ait prévu expressément qu'elle ne le peut pas. Autrement formulé, et malgré l'importance primordiale de toute décision jurisprudentielle déterminant la portée des différentes dispositions constitutionnelles, il n'existe pas au Canada d'instance judiciaire spécialisée en matière constitutionnelle, et

LES DEMANDES DE RENVOI SOUMISES À LA COUR D'APPEL DU QUÉBEC

Renvoi sur l'article 98 de la L.c. de 1867 (2014).

Renvoi sur le projet de loi relatif au Sénat (2013).

Renvoi sur les valeurs mobilières (2011).

Renvoi sur la procréation assistée (2008).

Renvoi sur l'assurance-emploi (2004).

Renvoi sur la Loi concernant le système de justice pénale pour les adolescents (2003).

Renvoi sur la Loi sur l'instruction publique (1990).

Renvoi sur la Constitution (1981 et 1982).

....

9. En effet, la possibilité de saisir, par l'entremise de la procédure de *renvoi* telle que nous l'avons résumée au paragraphe précédent, une cour de justice de la constitutionnalité d'un projet de loi repose entièrement entre les mains des gouvernements fédéral et provinciaux.

10. Que cette question porte sur le respect du partage des compétences entre les paliers fédéral et provinciaux de gouvernement ou sur le respect des droits et libertés enchâssés dans la Charte canadienne.

le *corpus* jurisprudentiel permettant d'interpréter la Constitution canadienne a été formé par des juges généralistes, le plus souvent nommés par le gouvernement fédéral.

POINTS CLÉS

> C'est le gouvernement fédéral qui est responsable de la nomination des juges des principales cours de justice au Canada.

> Dans des cas particuliers, les gouvernements provinciaux et fédéral peuvent respectivement saisir leurs cours d'appel et la Cour suprême du Canada d'une question juridique complexe (procédure de renvoi).

> Au Canada, le contrôle judiciaire de la constitutionnalité des lois ne peut généralement être fait qu'après que celles-ci ont été adoptées.

....

2. LA CONFUSION DES POUVOIRS ET LES GARANTIES D'INDÉPENDANCE ET D'IMPARTIALITÉ

Le fait que les juges de l'appareil judiciaire canadien soient exclusivement nommés par l'un ou l'autre des deux ordres constitutionnels de gouvernement canadien (fédéral et provinciaux) peut sembler être, à première vue, contraire au principe de la «séparation des pouvoirs» politiques et des institutions judiciaires. Bien que la procédure de nomination des juges canadiens et québécois (généralement assez *opaque* et pouvant être influencée par les intérêts partisans des membres du gouvernement en place au moment des nominations[11], comme on l'a notamment vu

....

11. Soulignons toutefois que la transparence du processus de nomination des juges de la Cour suprême du Canada a été fortement améliorée par la création, en 2016, du Comité consultatif indépendant sur la nomination des juges de la Cour suprême du Canada (Bureau du Premier Ministre, 2016 ; Commissariat à la magistrature fédérale Canada, 2016).

au Québec dans le cadre de la commission Bastarache en 2010) soit à la source de plusieurs critiques importantes, sur lesquelles nous reviendrons plus loin, il importe de rappeler que le principe de la séparation des pouvoirs repose sur deux garanties juridiques fondamentales : l'indépendance des cours de justice et l'impartialité des magistrats. Comme l'écrivent fort justement les administrativistes québécois Pierre Issalys et Denis Lemieux :

> [L]e principe de la séparation des pouvoirs doit être nuanc[é] : appliqu[é] inflexiblement, [il] conduirait à l'absurde. Montesquieu ne l'entendait d'ailleurs pas ainsi. Il faut plutôt distinguer entre la concentration des pouvoirs, qui tend effectivement à la dictature, et une certaine confusion des pouvoirs, qui – moyennant des garanties suffisantes – n'est pas forcément contraire à la liberté des citoyens et permet souvent un exercice plus efficace des fonctions de l'État (Issalys et Lemieux, 2009, p. 25).

Ces garanties juridiques qui assurent la légitimité de la «confusion» des pouvoirs – découlant du fait que les membres de la magistrature sont nommés par l'exécutif gouvernemental – ont été constitutionnalisées à travers l'article 11(d) de la Charte canadienne qui prévoit que : « Tout inculpé a le droit [...] d'être présumé innocent tant qu'il n'est pas déclaré coupable, conformément à la loi, par un tribunal *indépendant* et *impartial* à l'issue d'un procès public et équitable[12]. »

Dans son célèbre arrêt *Valente* (*Valente c. la Reine*, 1985, 2 R.C.S. 673.), la Cour suprême écrit ce qui suit à propos des garanties d'indépendance et d'impartialité :

Même s'il existe de toute évidence un rapport étroit entre l'indépendance et l'impartialité, ce sont néanmoins des valeurs ou exigences séparées et distinctes. L'impartialité désigne un état d'esprit ou une attitude du tribunal vis-à-vis des points en litige et des parties dans une instance donnée. Le terme « impartial », comme l'a souligné le juge en chef Howland, connote une absence de préjugé, réel ou apparent. Le terme « indépendant », à l'al. 11(d), reflète ou renferme la valeur constitutionnelle traditionnelle qu'est l'indépendance judiciaire. Comme tel, il connote non seulement un état d'esprit ou une attitude dans l'exercice concret des fonctions judiciaires, mais aussi un statut, une relation avec autrui, particulièrement avec l'organe exécutif du gouvernement, qui repose sur des conditions ou garanties objectives (paragr. 15).

Contrairement à la garantie d'impartialité des magistrats, qui renvoie à la neutralité (ou absence de préjugés) du décideur par rapport au litige qu'il a à trancher, la garantie d'indépendance judiciaire concerne les rapports existant entre les juges et les branches exécutive et législative de l'État. Une cour de justice véritablement indépendante sera donc la plus imperméable possible aux influences ou tentatives de manipulation pouvant être exercées contre ses juges par les tenants de la puissance publique. À partir du moment où il est nommé, un juge ne doit pas craindre d'être blâmé, sanctionné ou de perdre son poste s'il rend une décision qui serait défavorable au gouvernement ou qu'il invalide une loi d'un des parlements canadiens. Comme le résume le professeur Pierre Lemieux : « [La notion d'indépendance] doit ainsi se manifester comme le fait d'être à l'abri, dans l'exercice du pouvoir judiciaire, de toute intervention du pouvoir exécutif ou législatif, voire de toute intervention des milieux financiers ou encore de certains groupes sociaux. Le tribunal doit même être à l'abri des interventions provenant de l'intérieur du tribunal lui-même » (Lemieux, 2006, p. 206).

....

12. Nous soulignons. Les garanties judiciaires d'indépendance et d'impartialité ont également été enchâssées dans la Charte québécoise, à l'article 23 qui est ainsi libellé : « Toute personne a droit, en pleine égalité, à une audition publique et impartiale de sa cause par un tribunal indépendant et qui ne soit pas préjugé, qu'il s'agisse de la détermination de ses droits et obligations ou du bien-fondé de toute accusation portée contre elle. »

Le respect des garanties d'indépendance et d'impartialité étant à la base de la crédibilité des institutions judiciaires canadiennes, la jurisprudence a élargi le critère devant être utilisé pour déterminer l'existence d'une violation à ces dernières : le plaignant n'aura pas ainsi à démontrer que, dans les faits, il existe une preuve établissant qu'une cour de justice ou un juge donné n'étaient pas suffisamment *indépendants* par rapport aux pouvoirs publics ou ont manqué d'impartialité dans un litige donné. Plus simplement, les plaignants devront démontrer que les faits qui les ont menés à déposer leur plainte permettent d'établir une *crainte raisonnable* d'atteinte à l'une ou l'autre de ces deux garanties. Toujours dans l'arrêt *Valente*, la Cour suprême affirme en effet ce qui suit :

> Même si l'indépendance judiciaire est un statut ou une relation reposant sur des conditions ou des garanties objectives, autant qu'un état d'esprit ou une attitude dans l'exercice concret des fonctions judiciaires, il est logique, à mon avis, que le critère de l'indépendance aux fins de l'al. 11(d) de la Charte soit, comme dans le cas de l'impartialité, *de savoir si le tribunal peut raisonnablement être perçu comme indépendant*. Tant l'indépendance que l'impartialité sont fondamentales non seulement pour pouvoir rendre justice dans un cas donné, mais aussi pour assurer la confiance de l'individu comme du public dans l'administration de la justice. Sans cette confiance, le système ne peut commander le respect et l'acceptation qui sont essentiels à son fonctionnement efficace. Il importe donc qu'un tribunal soit perçu comme indépendant autant qu'impartial et que le critère de l'indépendance comporte cette perception qui doit toutefois, comme je l'ai proposé, être celle d'un tribunal jouissant des conditions ou garanties objectives essentielles d'indépendance judiciaire, et non pas une perception de la manière dont il agira en fait, indépendamment de la question de savoir s'il jouit de ces conditions ou garanties (paragr. 22, nous soulignons).

Ce critère très sévère d'*apparence* d'indépendance et d'impartialité auto-imposé par la jurisprudence canadienne n'a pas pour autant empêché la formulation de très sévères critiques à l'encontre de la légitimité de pans importants de l'activité judiciaire canadienne, et ce, en fonction de deux catégories de litiges vus comme étant de nature *politique*, soit les questions : 1) liées au partage constitutionnel des compétences entre les ordres fédéral et provinciaux de gouvernement au Canada et 2) liées à l'interprétation et à l'application des lois sur les droits fondamentaux, *supralégislatifs*, depuis le rapatriement de la Constitution canadienne en 1982.

POINTS CLÉS

> Alors que le principe d'impartialité renvoie à l'état d'esprit des juges par rapport aux litiges qu'ils ont à traiter, le principe d'indépendance judiciaire concerne les mesures assurant que les magistrats ne peuvent être influencés par l'État et ses représentants dans les litiges qu'ils ont à trancher.

> L'État doit faire en sorte que les institutions judiciaires fonctionnent selon des paramètres permettant d'assurer une *apparence* d'indépendance et d'impartialité.

3. LE POIDS DE LA NOMINATION FÉDÉRALE DANS LES DIFFÉRENDS OPPOSANT LES GOUVERNEMENTS PROVINCIAUX AU GOUVERNEMENT FÉDÉRAL À PROPOS DU PARTAGE DES COMPÉTENCES

Depuis la fondation du Canada en 1867, d'importants différends existent sur la nature institutionnelle du pays (ou, à l'époque, du *dominion* britannique) qui fut créé : s'agissait-il d'une fédération dont les pouvoirs avaient été centralisés autour du gouvernement fédéral ou, au contraire, répartis équitablement entre les gouvernements fédéral et provinciaux (ce qui impliquerait l'existence d'une fédération décentralisée) ? Le cœur politique de ces différends a été décrit, notamment et fort justement, par le politologue Marc Chevrier :

> Le Canada n'eut pas plus tôt été créé que le compromis de 1867 montra l'ampleur du malentendu qui s'était glissé entre ses fondateurs. Pour George-Étienne Cartier et ses successeurs, le compromis de 1867 était censé sceller un pacte entre deux nations, une entente bilatérale entre deux peuples fondateurs qui, reconnus dans leur égalité de droit, choisissaient le fédéralisme pour mieux vivre ensemble et laisser à la nation canadienne-française les moyens de préserver ses institutions, ses lois et son caractère propre. Pour John A. Macdonald, qui devint le premier ministre du gouvernement central, le Canada formait un dominion dirigé par un gouvernement central fort, investi de la plénitude des pouvoirs et de la représentativité (Chevrier, 1996, p. 7).

Pour plusieurs observateurs, il est clair que la situation particulière du Québec, en tant que seule province majoritairement francophone au sein du Canada, est le principal – sans être le seul – moteur des différends politiques sur la nature et les caractéristiques de l'État canadien (Kincaid, 2010 ; Gagnon, 2006). Et, dans l'état de la structure juridico-politique canadienne depuis 1867, c'est aux tribunaux que fut dévolu le rôle d'arbitres constitutionnels lorsque les gouvernements n'arrivaient pas à s'entendre sur l'interprétation des dispositions partageant, formellement, les pouvoirs entre les ordres fédéral et provinciaux de gouvernement[13]. Eu égard aux critiques que nous nous apprêtons à formuler, il

est par ailleurs très intéressant de noter que le Bureau du Conseil privé du Canada appuie très clairement la judiciarisation des litiges liés à l'interprétation du partage des compétences constitutionnelles lorsqu'il écrit sur la portion de son site Web consacré aux affaires intergouvernementales que : « Lorsqu'il s'agit de déterminer si une loi adoptée par le Parlement ou par une assemblée législative provinciale relève de leurs pouvoirs constitutionnels respectifs, *seuls les tribunaux peuvent rendre une décision faisant autorité* » (Bureau du Conseil privé du Canada, 2013, nous soulignons).

En *common law*, il est depuis longtemps acquis que les tribunaux, dans l'exercice de leur pouvoir d'interprétation des lois et de la Constitution, accèdent à une fonction créatrice du droit. Le régime juridique canadien octroie donc une part importante de la production normative de l'État à un groupe de personnes qui, contrairement aux parlementaires élus par la population, ont été nommées de manière largement discrétionnaire par le premier ministre fédéral[14]. Pour plusieurs, cette caractéristique du régime canadien jouit d'un très faible degré de légitimité démocratique, puisque dérogeant au principe voulant que la responsabilité d'établir les normes publiques applicables sur le territoire canadien revienne au législateur, composé d'élus de la population (Morton et Knopff, 1992 ; Mandel, 1996 ; Peacock, 1996). Cette critique prend une acuité accrue lorsque les juges ont pour mission d'interpréter des dispositions constitutionnelles comme les articles 91 et 92 de la *Loi constitutionnelle de 1867*, 1) dont la modification a été rendue

....

13. Principalement la Partie vi de la *Loi constitutionnelle de 1867*, y compris les articles 91 et 92, qui font l'énoncé des principales compétences partagées.

14. Ce très large pouvoir discrétionnaire a été partiellement restreint en ce qui concerne la nomination des juges de la Cour suprême à la suite de la création d'un comité consultatif indépendant, en 2016, qui est responsable de soumettre des recommandations (« non contraignantes et fondées sur le mérite des candidatures » : Commissariat à la magistrature fédérale Canada, 2016) au premier ministre. Le juge Malcom Rowe, des provinces de l'Atlantique, a été le premier juge nommé sur la base des recommandations de ce comité consultatif en 2016.

PRINCIPALES FORMULES D'AMENDEMENT CONSTITUTIONNEL

Formule générale – Applicable à moins d'indications contraires, cette formule est fréquemment désignée comme celle du 7/50. Elle exige qu'au moins 7 provinces représentant au moins 50 % de la population des 10 provinces entérinent la modification, en plus de la législature fédérale et du Sénat (art. 38 et 42 de la *L.c. de 1982*).

Formule de l'unanimité – Prévue pour les matières visées à l'article 41 de la *L.c. de 1982*, elle exige que toutes les législatures (fédérale et provinciales) et le Sénat entérinent la modification proposée.

Formule bi/multilatérale – Cette formule est pertinente lorsque les modifications constitutionnelles ne visent qu'une ou certaines provinces, auquel cas seuls les consentements du Sénat ainsi que de la législature fédérale et de celle de cette ou ces provinces sont nécessaires (art. 43 de la *L.c. de 1982*).

Formule unilatérale fédérale ou provinciale – Les articles 45 et 46 de la *L.c. de 1982* prévoient précisément que les législatures fédérale et provinciales peuvent, dans certaines circonstances (notamment en ce qui concerne la modification des constitutions des provinces), agir unilatéralement pour modifier des règles constitutionnelles.

presque impossible par le choix de la procédure d'amendement constitutionnel de la *Loi constitutionnelle de 1982* et le contexte politique actuel au Canada, et pour lesquelles 2) il n'existe pas d'outil dérogatoire dont pourrait se saisir les gouvernements dans un cas où ils auraient un désaccord fondamental avec une décision judiciaire limitant leurs pouvoirs constitutionnels (Roach, 2001b) et, partant, ayant des effets politiques très importants[15].

Alors que certains auteurs attribuent la force actuelle du gouvernement fédéral, dans le régime constitutionnel canadien, aux déséquilibres présents à l'intérieur même de la *Loi constitutionnelle de 1867* (Chevrier, 1996 ; Mackay, 2006-2007), d'autres, comme la constitutionnaliste québécoise Andrée Lajoie (2006), attribuent majoritairement la responsabilité de cet état de fait à l'interprétation faite par les magistrats canadiens dans la jurisprudence constitutionnelle rendue sur les questions institutionnelles canadiennes. Cette jurisprudence, contrairement

à celle du Comité judiciaire du Conseil privé jusqu'en 1949 (Pelletier, 2010), aurait très lourdement favorisé la thèse du gouvernement central fort – et donc d'une fédération centralisée – telle qu'elle était défendue par le premier ministre canadien Macdonald dans les années qui suivirent la création de la « Confédération » canadienne. Comme l'écrit Andrée Lajoie : « Ce n'est pas tant le texte constitutionnel initial qui est responsable de la centralisation actuelle dans la Constitution canadienne, mais plutôt les interprétations judiciaires auxquelles ce partage a donné lieu et les pratiques gouvernementales qui se sont élaborées à sa marge » (Lajoie, 2006, p. 184-185)[16].

Une chose est cependant certaine : l'état actuel des rapports de force politiques permettent à l'ordre fédéral de gouvernement canadien d'empiéter sur ou de carrément passer outre les compétences des provinces en vertu, notamment, de plusieurs pouvoirs constitutionnels, dont la portée a été souvent élargie par la Cour suprême du Canada. Les **pouvoirs déclaratoire, de dépenser**, **résiduaire** et **d'urgence** attribués au

---

15. L'article 33 de la Charte canadienne, sur lequel nous reviendrons dans la prochaine partie, permet une telle dérogation pour certains droits et libertés fondamentaux protégés par ce texte constitutionnel.

---

16. Dans le même sens, voir aussi Parent (2011).

gouvernement central canadien – et souvent élargis par la Cour suprême du Canada (Beaudoin, 2000, 2006) – constituent tous des exemples du débalancement favorisant actuellement le législateur fédéral par rapport aux législateurs provinciaux, dans le contexte où les deux ordres de gouvernement constitutionnels canadiens auraient concurremment le désir de légiférer par rapport à un sujet donné. Ce déséquilibre des pouvoirs a été brillamment résumé par le constitutionnaliste Benoît Pelletier, dans un discours qu'il a prononcé en 2004 alors qu'il était ministre des Affaires intergouvernementales au sein du gouvernement québécois issu du Parti libéral :

D'abord, bien que la Constitution canadienne effectue en effet un partage entre les compétences fédérales et les compétences provinciales, force est d'admettre qu'il existe un déséquilibre en ce qui a trait aux pouvoirs concrets qu'exercent et que possèdent respectivement le gouvernement fédéral et les provinces. Ainsi, les pouvoirs fédéraux incluent la théorie des *dimensions nationales*, les pouvoirs résiduel et déclaratoire ainsi que le pouvoir d'effectuer différentes nominations. Le déséquilibre entre les pouvoirs fédéraux et provinciaux se trouve augmenté par l'interprétation de plus en plus étendue donnée par la Cour suprême du Canada à certaines compétences fédérales, notamment en matière d'échanges et de commerce et de droit criminel, d'urgence et de *dimensions nationales*.

[...]

Le déséquilibre qui affecte le partage des pouvoirs dans le fédéralisme canadien résulte également de développements que n'avaient pas prévus les rédacteurs de la Constitution canadienne en 1867 et qui se sont traduits dans les faits, après l'indépendance du Canada survenue beaucoup plus tard, par un large contrôle fédéral notamment en matière de conclusion de traités internationaux, y compris dans les domaines de compétence provinciale. Un résultat semblable peut aussi être observé en ce qui concerne le processus de nomination, entièrement contrôlé par le gouvernement fédéral, des juges de la Cour suprême qui, depuis

l'abolition par le Parlement canadien des appels à Londres en 1949, a hérité du rôle d'arbitre ultime des contentieux constitutionnels entre les deux ordres de gouvernement (Pelletier, 2004).

Sur le strict plan des principes, il nous semble que le critère pris en considération pour établir une atteinte à la garantie fondamentale d'*impartialité* judiciaire, soit la crainte raisonnable qu'un juge responsable d'une affaire ait un « préjugé favorable » par rapport au litige qu'il doit trancher, n'est pas respecté eu égard aux différends judiciaires concernant l'interprétation des dispositions constitutionnelles liées à la nature même du régime politique et institutionnel canadien[17]. En effet, à partir du moment où l'on reconnaît que c'est le gouvernement fédéral seul qui choisit et nomme les juges des cours supérieures canadiennes et de la Cour suprême du Canada, et que ce même ordre de gouvernement est, par nature, favorable à la thèse du gouvernement central fort, l'existence d'une « crainte raisonnable de partialité » des magistrats de nomination fédérale nous semble clairement pouvoir être démontrée pour de tels litiges. Pour appuyer notre point de vue, qu'il suffise de rappeler, *a contrario*, que la garantie d'*impartialité* n'exige pas des justiciables qu'ils démontrent que les magistrats sont *effectivement* partiaux par rapport aux litiges, mais bien seulement qu'il existe un risque raisonnable qu'ils le soient. Pour reprendre une formule qui a été créditée à la constitutionnaliste Eugénie Brouillet : « Si le Canadien de Montréal choisissait les arbitres lors des matchs qu'il dispute, il y aurait un problème – peu importe la compétence et la réputation des *officiels* sélectionnés » (citée dans Robitaille, 2010, p. A7).

....

17. Soit principalement les dispositions qui concernent le partage des compétences entre le gouvernement fédéral et les provinces.

Le même constat nous semble également pouvoir être tiré en ce qui concerne les litiges relatifs aux modalités entourant une éventuelle « sécession » du Québec, surtout dans un contexte où il semble clair que toute personne ayant exprimé des allégeances souverainistes dans le passé, indépendamment de ses compétences et qualités personnelles, aura beaucoup de mal (voire, ne pourra pas réussir) à obtenir une charge de juge de nomination fédérale. Ce tabou entourant l'exclusion de juristes souverainistes des cours supérieures, d'appel et suprême du Canada (Cumyn, 2005 ; Boisvert, 2005) avait été exposé au grand jour par le juge en chef de la Cour d'appel du Québec, l'honorable Michel Robert, qui avait affirmé, lors d'une entrevue dans les médias, que « les avocats souverainistes ne devraient pas monter en grade puisqu'ils *n'adhèrent pas au système fédéral canadien* et que c'est *dans ce système-là qu'on opère* » (Castonguay, 2005, p. A8).

POINTS CLÉS

> Depuis la promulgation de la *Loi constitutionnelle de 1867*, deux courants politiques et doctrinaux s'opposent quant à la nature de la fédération canadienne.
> Au Canada, il revient aux juges (non élus) d'interpréter les dispositions constitutionnelles et, partant, de trancher les différends constitutionnels entre les ordres de gouvernement.
> L'état actuel du droit constitutionnel canadien favorise clairement la thèse de la fédération centralisée.
> Les juges de nomination fédérale (*cours supérieures, cours fédérales*) étant presque exclusivement responsables du *corpus jurisprudentiel* circonscrivant les limites de la Constitution canadienne, le critère de l'*apparence d'impartialité* n'est pas respecté en ce qui concerne le contentieux constitutionnel au Canada.

4. Le juge en tant qu'arbitre des valeurs depuis l'enchâssement de la Charte canadienne dans la Constitution en 1982

Depuis la *Déclaration universelle des droits de l'homme*, adoptée par l'ONU en 1948, le respect des droits de l'homme est devenu, dans l'imaginaire collectif, une condition *sine qua non* pour asseoir la légitimité d'un gouvernement au sein d'une société « libre et démocratique ». L'interdépendance entre les concepts de « société démocratique » et de « respect des droits de l'homme » (ou « droits de la personne », selon l'expression consacrée au Québec) a été confirmée à l'article 29(2) de cette même *Déclaration universelle*, dont s'est très largement inspiré le constituant canadien pour rédiger l'article 1er de la Charte canadienne :

Déclaration universelle des droits de l'homme :

Art. 29

[...]

2. Dans l'exercice de ses droits et dans la jouissance de ses libertés, chacun n'est soumis qu'aux limitations établies par la loi exclusivement en vue d'assurer la reconnaissance et le respect des droits et libertés d'autrui et afin de satisfaire aux justes exigences de la morale, de l'ordre public et du bien-être général dans une société démocratique.

Charte canadienne des droits et libertés :

Art. 1er

La *Charte canadienne des droits et libertés* garantit les droits et libertés qui y sont énoncés. Ils ne peuvent être restreints que par une règle de droit, dans des limites qui soient raisonnables et dont la justification puisse se démontrer dans le cadre d'une société libre et démocratique.

La doctrine de l'universalisme des droits et libertés de la personne a trouvé une résonance très importante au sein des différentes communautés juridiques occidentales (Donnelly, 2003 ; Fellous, 2010) et, combinée à l'enchâssement de la *Charte canadienne des droits et libertés* en 1982, a très certainement octroyé une très large légitimité aux magistrats canadiens dans l'élaboration des différents mécanismes leur permettant de remettre en cause la validité de pans importants de l'action législative des parlements canadiens, fédéral et provinciaux. Comme l'écrivait l'honorable juge Frank Iacobucci dans l'arrêt *Vriend* (1998), dans un des passages où la Cour suprême s'est peut-être aventurée le plus loin quant à la légitimité du rôle d'*arbitre des valeurs* que lui aurait octroyé le constituant canadien en adoptant les articles 24 de la Charte canadienne et 52 de la *Loi constitutionnelle de 1982* :

> Lorsque la Charte [canadienne] a été introduite, le Canada est passé du système de la suprématie parlementaire à celui de la **suprématie constitutionnelle** [...] [p]lus simplement, chaque citoyen canadien a reçu des droits et des libertés qu'aucun gouvernement ni aucune législature ne pouvait lui reprendre.
>
> [...] par le truchement de ses élus, le peuple canadien a choisi, dans le cadre de la redéfinition de la démocratie canadienne, d'adopter la Charte et, par suite, de donner aux tribunaux un rôle correctif à jouer. Notre Constitution a été réaménagée de façon à déclarer que dorénavant le pouvoir législatif et le pouvoir exécutif devront exercer leurs fonctions dans le respect des libertés et droits constitutionnels nouvellement reconnus. La dévolution aux tribunaux du rôle de fiduciaires à l'égard de ces droits en cas de litiges quant à leur interprétation constituait un élément nécessaire de ce nouveau régime.
>
> Il s'ensuit obligatoirement qu'en leur qualité de fiduciaires ou d'arbitres, les tribunaux doivent examiner les actes du pouvoir législatif et du pouvoir exécutif, non en leur nom propre, mais pour l'exécution du nouveau contrat social démocratiquement conclu. Ce rôle découle implicitement du pouvoir conféré aux tribunaux par l'art. 24 de la Charte et l'art. 52 de la *Loi constitutionnelle de 1982*.

DE LA SUPRÉMATIE PARLEMENTAIRE À LA SUPRÉMATIE CONSTITUTIONNELLE

Dans la tradition britannique, on revient souvent au mot de De Lolme (selon qui « Le Parlement a le droit de tout faire, sauf changer un homme en femme ») pour résumer le principe de la **suprématie parlementaire**, dans le cadre duquel les pouvoirs législatifs du Parlement sont illimités. La suprématie constitutionnelle, quant à elle, repose précisément sur le principe que les pouvoirs législatifs des assemblées législatives ne vont pas au-delà de ce qui est prévu par la Constitution. En tant que gardiens des dispositions de la Constitution, les juges jouissent donc d'un pouvoir normatif beaucoup plus important dans un régime de suprématie constitutionnelle.

Exception faite du caractère unilatéral de leur nomination par le gouvernement fédéral, un des principaux problèmes liés à l'attribution de ce rôle d'arbitre des valeurs aux juges canadiens découle sans doute du fait que, contrairement aux dispositions constitutionnelles établissant le partage des compétences législatives, les *objets de protection* des droits et libertés fondamentaux enchâssés dans la *Charte canadienne des droits et libertés* sont tous porteurs d'une très importante charge morale (Patman, 2000) et susceptibles d'interprétations très variées. Dans ces circonstances, il était sans doute inévitable que les magistrats responsables de l'interprétation des libertés de conscience, de religion, d'expression ou d'association, de même que de celle des droits à l'égalité ou à la vie, à la liberté et à la sécurité de la personne – dont le libellé, en lui-même, ne renseigne guère les citoyens sur l'éventail des activités pouvant bénéficier de la protection de ces droits fondamentaux – laissent transparaître leurs inclinations politiques lors du nécessaire exercice de définition qui leur incombait pour que ces mêmes droits puissent *avoir du sens* d'un point de vue juridique.

Lors de cet exercice d'interprétation, qui se fait toujours dans un contexte où une loi ou une décision gouvernementale est contestée par un justiciable canadien pour non-respect de ses droits fondamentaux, les juges canadiens ont notamment été appelés à répondre à des questions aussi *politiques* que : le droit à la vie protège-t-il le droit de mourir dans la dignité (*Rodriguez, Carter*) ou la vie des fœtus (*Tremblay c. Daigle*) ? ; la liberté d'expression peut-elle être invoquée par des personnes morales et protège-t-elle la liberté d'expression commerciale (*Irwin Toy* et *Ford*) ? ; le droit à la sécurité de la personne inclut-il un droit à la sécurité économique des individus (*Gosselin*) ? ; la *Charte de la langue française* – loi 101 – porte-t-elle atteinte au droit des individus d'avoir accès à l'instruction publique dans la langue de la minorité anglophone au Québec (*Nguyen*) ? ; la liberté de conscience et de religion protège-t-elle des convictions qui impliquent un risque d'atteinte à la vie d'un enfant (*B.(R.) c. Children's Aid*) ? ; ou la liberté d'association protège-t-elle les activités collectives des associations, telles que le droit à la négociation collective ou à la grève pour les syndicats de travailleurs (*Health services, Police Montée* et *Saskatchewan Federation of Labour*) ?

Dans un très célèbre article publié en 1997, les constitutionnalistes canadiens Peter W. Hogg et Alison A. Bushell ont construit un argumentaire visant à atténuer les critiques d'activisme judiciaire formulées à l'encontre des magistrats canadiens depuis la constitutionnalisation (ou l'enchâssement) de la Charte canadienne et, en quelque sorte, à légitimer la constitutionnalisation du droit d'intrusion des juges canadiens dans des sphères autrefois laissées au contrôle des législateurs canadiens : la théorie du dialogue entre les tribunaux et les législateurs à propos de la portée des droits protégés par la Charte canadienne. Selon Hogg et Bushell (1997), plusieurs dispositions de la Charte canadienne, dont principalement la **clause dérogatoire** prévue à l'article 33, qui donne le droit aux législateurs fédéral et provinciaux d'exclure l'application des droits protégés par les articles 2 et 7 à 15 de cette même Charte, permettraient de laisser le dernier mot aux législateurs dans les cas où certaines décisions judiciaires mettant en œuvre la Charte canadienne soulèveraient une controverse sociale ou politique importante. Selon leurs propres termes :

> Notre conclusion est que la critique de la Charte basée sur la légitimité démocratique ne peut être maintenue. Si la Cour suprême du Canada est un organe non élu et non imputable composé d'avocats d'âge mûr. De plus, si elle invalide parfois des lois adoptées par des parlements élus qui sont redevables au corps civique. Par contre, les arrêts de la Cour laissent presque toujours l'espace pour une réponse législative de la part des parlements, qui s'en prévaudront généralement. Finalement, si la volonté démocratique est présente, l'objectif législatif pourra toujours être atteint, malgré l'ajout de nouveaux garde-fous visant à protéger les droits et libertés individuels. Le contrôle judiciaire n'est pas un « veto des politiques d'une nation », mais plutôt le commencement d'un dialogue sur les façons de réconcilier les valeurs individualistes de la Charte avec les accomplissements des politiques économiques bénéficiant à l'ensemble de la communauté (Hogg et Bushell, 1997, p. 105, traduction libre).

Plus de trente ans après le rapatriement de la Constitution, force est de constater que, même si la théorie du dialogue entre les législateurs et les tribunaux en matière d'interprétation des droits et libertés a été très largement acceptée (et utilisée) par la Cour suprême du Canada (notamment dans l'arrêt *Vriend*), l'évaluation de sa validité supporte difficilement le choc avec la réalité.

D'une part, le poids politique lié à l'utilisation de la clause dérogatoire par un ordre de gouvernement semble avoir été très largement sous-estimé par les tenants de la thèse du *dialogue*. Considérant le principal moteur historique du développement d'outils juridiques consacrant le caractère *supralégislatif* des droits et libertés fondamentaux de la personne – soit, depuis la *Magna Carta* anglaise de 1215, le désir de limiter la portée des actes et décisions des puissances publiques à l'égard de leurs justiciables – le recours à la clause dérogatoire a été largement considéré, par les politiciens et la population en général, comme une façon de retirer des droits fondamentaux aux citoyens plutôt que comme une manière permettant aux législateurs d'appuyer une définition différente d'un droit fondamental dans un cas où il existerait un désaccord majeur avec l'interprétation donnée par la jurisprudence canadienne. Témoigne notamment de cet état de fait le nombre étonnamment peu élevé de cas où des législateurs provinciaux (jamais fédéraux) ont eu recours au mécanisme prévu par l'article 33 de la Charte canadienne, tel que le décrivent la constitutionnaliste Eugénie Brouillet et l'avocat Félix-Antoine Michaud :

> La clause de dérogation n'a été utilisée qu'à 16 reprises par les provinces et en aucune circonstance par le fédéral, dont 13 fois par l'Assemblée nationale du Québec (sans compter le *Bill Omnibus* de 1982). Outre le Québec, seuls le Yukon, la Saskatchewan et l'Alberta y ont eu recours. Dans la plupart de ces cas, son utilisation ne s'inscrivait pas dans le cadre d'un débat sur une grande question d'intérêt public ni dans une dynamique dialogique avec la Cour suprême. En fait, elle ne fut utilisée que deux fois en guise de réponse à des décisions de la Cour suprême, et ce, sur un total de 111 déclarations d'invalidité basées sur des articles de la Charte, entre 1982 et 2003. Il est intéressant de noter qu'il s'agissait dans ces deux cas de réactions québécoises à des jugements rendus par la Cour en matière linguistique. Dans ces deux cas, les clauses dérogatoires n'ont pas été renouvelées par l'Assemblée nationale à l'expiration de la période de cinq ans (Brouillet et Michaud, 2011, p. 22-23)[18].

D'autre part, les tenants de la théorie du dialogue ne nous semblent pas accorder un poids suffisamment important au fait que l'article 33 de la Charte canadienne ne permet aux législateurs de déroger, pour une période renouvelable de cinq ans, qu'aux droits fondamentaux protégés par les articles 2 et 7 à 15, laissant donc très clairement le « dernier mot » aux tribunaux en ce qui concerne l'interprétation de dispositions telles que le droit de vote aux élections fédérales et provinciales (art. 3) et le droit des membres de minorités linguistiques de chaque province (anglophone ou francophone) d'avoir accès à l'instruction publique dans leur langue maternelle (art. 23). Cette dernière disposition avait permis à la Cour suprême du Canada de rendre l'arrêt *Nguyen*, dans lequel elle avait invalidé les modifications apportées par le législateur québécois à la *Charte de la langue française* en 2002 dans le but d'éliminer le phénomène dit « des écoles passerelles[19] ».

Finalement, il nous semble également que l'éventail très large de réparations possibles qu'a ouvert la Cour suprême du Canada, pour les cas où une cour de justice conclut qu'une loi donnée porte atteinte de manière injustifiée à un droit fondamental, n'est pas de nature à simplement « renvoyer la balle aux législateurs » pour qu'ils trouvent la manière la plus appropriée de rendre la loi invalidée conforme à la Charte canadienne. Une telle réserve judiciaire nous semblerait être mieux servie par des déclarations d'invalidité avec, pour les cas où l'invalidation d'une loi pourrait créer un vide juridique risquant de

---

18. Dans le même sens, voir aussi Kahana (2001) et, *a contrario*, voir Rousseau (2016).

19. Le phénomène des « écoles passerelles » fait référence à un système d'écoles anglophones privées non financées par l'État québécois et dont la fréquentation pendant un certain nombre d'années (ou de mois) permet à des enfants de parents n'ayant pas fréquenté l'école publique anglaise d'avoir accès, au Québec, au système public d'enseignement anglophone (protégé constitutionnellement par l'article 23 de la Charte canadienne). Pour plus d'informations sur ce phénomène, voir notamment le Conseil supérieur de la langue française (2010).

porter préjudice à un pan de la population concernée, une suspension des effets de l'invalidité pour une période de temps pouvant aller jusqu'à un an – ce que la Cour suprême fait, par ailleurs, souvent (voir notamment les arrêts *Chaoulli*, *Carter* et *Bedford*). Or, non seulement les tribunaux canadiens se permettent-ils de formuler des suggestions de modifications qui devraient être suivies par les législateurs (et qui, en règle générale, le sont), mais la Cour suprême a également autorisé le recours à deux techniques de réinterprétation des dispositions législatives contestées, l'**interprétation large** (*reading in*) et l'**interprétation atténuée** (*reading down*), qui permettent carrément aux tribunaux de réécrire des dispositions législatives de manière à les rendre conformes à leur interprétation de la *Charte canadienne des droits et libertés*. C'est notamment ce qu'a fait la Cour suprême dans les arrêts *Canadian Foundation* (où la Cour a presque entièrement réécrit l'article 43 du *Code criminel*, qui permettait aux gardiens légaux d'enfants de leur infliger des châtiments corporels *raisonnables* sans être accusés de voies de fait à leur égard, pour assurer sa constitutionnalité) et *Vriend* (dans lequel la Cour suprême a carrément rajouté un motif de discrimination interdit dans le *Code albertain des droits de la personne* – l'orientation sexuelle – et qui a fait couler beaucoup d'encre partout au pays, et en particulier dans l'Ouest canadien) (Martin, 2003 ; James, 2010 ; De Coste, 1999).

POINTS CLÉS

> En plus du principe de l'universalisme des droits et libertés fondamentaux, la légitimité d'intervention des juges canadiens en la matière serait largement fondée sur la possibilité que les législatures puissent, en bout de parcours, déroger à certains articles de la Charte canadienne – théorie du dialogue (Hogg et Bushell, 1997).

> Cette théorie du dialogue ne résiste toutefois pas au test de la réalité puisque, *de facto*, la clause dérogatoire (art. 33 de la Charte canadienne) n'a presque pas été utilisée par les législatures provinciales et fédérale depuis 1982 et que les tribunaux n'hésitent pas à réécrire des dispositions législatives qu'ils jugent non conformes à leur interprétation des droits et libertés constitutionnels (*reading in* et *reading down*).

CONCLUSION

À notre avis, le fait que le régime juridique canadien remette presque entièrement l'interprétation de dispositions constitutionnelles entre les mains de juges qui, malgré leurs grandes compétences juridiques, demeurent des généralistes et sont nommés exclusivement par l'ordre de gouvernement fédéral, est à la source de la judiciarisation de larges pans de la sphère politique et, partant, de deux importants déficits (démocratique et fédéral) du droit canadien. Ces déficits ont sans nul doute été aggravés par le refus des politiques actuels de prendre la pleine mesure de l'article 33 de la Charte canadienne, mécanisme constitutionnel leur assurant formellement le droit au dernier mot *politique* sur les enjeux liés aux droits fondamentaux protégés aux articles 2 et 7 à 15 de la Charte canadienne.

Indépendamment des obstacles constitutionnels, politiques et idéologiques qui se dresseraient inévitablement devant un tel projet, il nous semble aujourd'hui incontournable de réfléchir à la mise sur pied d'une institution (non judiciaire) spécialisée en matières constitutionnelles (similaire au Conseil constitutionnel français) et dont les membres – qui devraient jouir d'un important degré d'indépendance par rapport aux pouvoirs publics – devraient être nommés de manière paritaire par l'ordre de gouvernement fédéral et par les gouvernements provinciaux du Canada en fonction de leurs compétences et de leur degré de spécialisation en matières politiques, sociales et juridiques[20].

En ce qui concerne le respect de la Charte canadienne, la mise en place de cette institution aurait un double avantage. Premièrement, elle continuerait d'assurer aux justiciables canadiens l'existence d'un rempart institutionnel indépendant garantissant qu'un gouvernement (ou législateur) donné ne porte pas atteinte indûment à leurs droits et libertés fondamentaux. En second lieu, en élargissant à d'autres disciplines

que le droit la provenance des personnes responsables de la mise en œuvre de cette même Charte canadienne, elle permettrait d'accroître la légitimité – et donc l'acceptation citoyenne – des définitions données aux droits et libertés applicables sur le territoire canadien.

S'agissant du partage des compétences, la nature paritaire (fédérale/provinciale) des nominations des membres de cette nouvelle institution spécialisée en matières constitutionnelles aurait également l'avantage clair de respecter le critère de l'apparence d'impartialité en ce qui concerne les litiges portant sur l'interprétation du partage constitutionnel des compétences législatives et de favoriser un réalignement de la jurisprudence constitutionnelle canadienne en fonction d'un régime fédératif réellement *décentralisé* et, donc, plus enclin à respecter les compétences provinciales.

....

20. Voir notamment sur cette question : Morin (1965) et Parti libéral du Québec (1980).

QUESTIONS

1. Pourquoi l'existence d'institutions judiciaires indépendantes est-elle nécessaire à l'effectivité du principe de la primauté du droit ?

2. Quelle est la différence entre les garanties d'indépendance et d'impartialité judiciaires ?

3. Qui est responsable de l'interprétation des dispositions constitutionnelles canadiennes ?

4. Quels ordres de gouvernement sont responsables de la nomination des juges siégeant au sein des différentes institutions judiciaires canadiennes ?

5. Est-il possible de saisir une cour de justice pour contester la constitutionnalité d'un projet de loi provincial ou fédéral ?

6. Existe-t-il, au Canada, une institution judiciaire spécialisée en matières constitutionnelles ?

7. En quoi l'état du droit constitutionnel canadien actuel favorise-t-il la thèse de la fédération centralisée ?

8. Les législatures provinciales et fédérale ont-elles un moyen de rendre la Charte canadienne (ou certains de ses articles) inapplicable ?

9. Pouvez-vous résumer la théorie des professeurs Hogg et Bushell fondant la légitimité d'intervention des juges canadiens en vertu de la Charte canadienne ?

10. Dans le cas où une cour de justice canadienne en vient à la conclusion qu'une loi provinciale ou fédérale entre en opposition avec une disposition de la Charte canadienne, que peut-elle faire ?

LECTURES SUGGÉRÉES

Bernatchez, S. (2000). « La controverse doctrinale sur la légitimité du juge constitutionnel canadien », *Politique et Sociétés*, vol. 19, n°s 2-3, p. 89-113.

Brouillet, E. (2005). *La négation de la nation : l'identité culturelle québécoise et le fédéralisme canadien*, Québec, Septentrion.

Chevrier, M. (2006). « La genèse de l'idée fédérale chez les Pères fondateurs américains et canadiens », dans A.-G. Gagnon (dir.), *Le fédéralisme canadien contemporain : fondements, traditions, institutions*, Montréal, Les Presses de l'Université de Montréal, p. 19-61.

Gagnon, A.-G. (dir.) (2006). *Le fédéralisme canadien contemporain : fondements, traditions, institutions*, Montréal, Les Presses de l'Université de Montréal.

Goodale, M. (dir.) (2012). *Human Rights at the Crossroads*, New York, Oxford University Press.

Hogg, P.W. et A.A. Bushell (1997). « The charter dialogue between courts and legislatures (Or perhaps the charter of rights and freedoms isn't such a bad thing) », *Osgoode Hall Law Journal*, vol. 35, n° 1, p. 75-124.

Huppé, L. (2007). *Histoire des institutions judiciaires au Canada*, Montréal, Wilson et Lafleur.

Kelly, J.B. (2005). *Governing with the Charter : Legislative and Judicial Activism and Framers' Intent*, Vancouver, UBC Press.

Lajoie, A. (1997). *Jugements de valeurs : le discours judiciaire et le droit*, Paris, Presses universitaires de France.

Mossman, M.J. et G. Otis (dir.) (2000). *La montée en puissance des juges : ses manifestations, sa contestation*, Montréal, Thémis.

GLOSSAIRE

CLAUSE DÉROGATOIRE : Disposition pouvant être intégrée à l'intérieur d'une loi et permettant de soustraire cette même loi à l'application de textes supralégislatifs comme la Charte canadienne (art. 33) et la Charte québécoise (art. 52).

CONTRÔLE JUDICIAIRE : Processus par l'entremise duquel une cour de justice peut vérifier la légalité de l'action gouvernementale

et, le cas échéant, invalider une norme ou une décision.

ENCHÂSSEMENT : Fait d'intégrer, expressément, des droits et libertés à l'intérieur de la Constitution.

INTERPRÉTATION ATTÉNUÉE : Interprétation étroite d'une loi que les tribunaux considèrent comme étant plus conforme à la Constitution, ce qui revient *de facto* à la modifier pour en limiter la portée.

INTERPRÉTATION LARGE : Interprétation expansive d'une loi par les tribunaux élargissant sa portée afin d'étendre son application à de nouveaux cas ou à de nouvelles personnes (physiques ou morales) non prévus par le législateur, mais qui auraient dû l'être.

LOI CONSTITUTIONNELLE DE 1867 : À l'origine nommée *Acte de l'Amérique du Nord britannique* de 1867, et renommée *Loi constitutionnelle de 1867* lors du rapatriement constitutionnel de 1982, cette loi est une des principales lois constitutionnelles canadiennes par l'entremise de laquelle le Parlement britannique a établi le dominion du Canada. Cette loi décrit notamment le fonctionnement de la Chambre des communes, du Sénat et des systèmes judiciaires et de taxation. Elle établit également le partage des compétences constitutionnelles entre les paliers fédéral et provinciaux de gouvernement.

LOI CONSTITUTIONNELLE DE 1982 : Adoptée en 1982 sans le consentement du gouvernement du Québec, seule province à n'avoir toujours pas ratifié cette loi constitutionnelle canadienne, la *L.c. de 1982* prévoit notamment la *Charte canadienne des droits et libertés* et les dispositions prescrivant les formules d'amendement constitutionnel.

POUVOIR DÉCLARATOIRE : L'article 10(c) de la *Loi constitutionnelle de 1867* prévoit que les installations exécutées ou en voie d'exécution par un État provincial qui sont effectuées dans l'intérêt de plusieurs ou de tous les États provinciaux pourront relever de l'autorité du Parlement fédéral à la suite d'une « déclaration » expresse de ce dernier. Avant de tomber en désuétude en 1961, le pouvoir déclaratoire a été utilisé à 470 reprises par le Parlement

fédéral, principalement pour permettre l'extension des voies de communication (routes, chemins de fer, etc.).

POUVOIR DE DÉPENSER : Pratique du gouvernement fédéral qui n'a pas de caution constitutionnelle et que ce dernier invoque pour justifier son empiétement dans les compétences exclusivement attribuées aux États provinciaux. Le pouvoir de dépenser mine la division des pouvoirs entre ordres de gouvernement fédéral et provincial constitutive du fédéralisme. Ce « pouvoir » dépend du déséquilibre fiscal qui persiste dans la fédération canadienne depuis sa fondation, car l'ordre de gouvernement fédéral dispose de l'essentiel des ressources par son pouvoir de taxation illimitée, tandis que les compétences en pleine expansion et les plus coûteuses (éducation, santé, services sociaux) relèvent de l'ordre de gouvernement provincial. Le pouvoir de dépenser, qui s'exprime notamment par des subventions conditionnelles aux États provinciaux, est un des outils du gouvernement fédéral pour poursuivre la centralisation de la fédération.

POUVOIR D'URGENCE : En cas de conflits armés, d'insurrections appréhendées ou face à toute situation de crise, le Parlement fédéral invoque ce pouvoir nécessairement temporaire afin de légiférer sans restriction. Ce pouvoir d'urgence est implicite, puisqu'il n'est pas mentionné textuellement dans la *Loi constitutionnelle de 1867*. Pour déduire l'existence juridique d'un tel pouvoir, la jurisprudence s'est appuyée sur l'introduction de l'article 91 où il est spécifié qu'il relève de l'ordre de gouvernement fédéral « de faire des lois pour la paix, l'ordre et le bon gouvernement du Canada ».

POUVOIR RÉSIDUAIRE : Le paragraphe introductif de l'article 91 de la *Loi constitutionnelle* *de 1867* prévoit l'existence pour le Parlement fédéral d'un pouvoir général de légiférer qui n'est pas limité par la liste de compétences qui lui sont attribuées explicitement. Ainsi, toute nouvelle matière qui ne relève pas explicitement des parlements provinciaux, comme précisé à l'article 92, tombe dans la compétence fédérale.

PRIMAUTÉ DU DROIT : Principe de base au sein des régimes démocratiques découlant de l'adage : *Nul n'est au-dessus des lois* et en vertu duquel le droit étatique (par opposition à d'autres normes) s'applique également à toute personne présente sur le territoire d'un État donné.

SÉPARATION DES POUVOIRS : Principe voulant que les trois pouvoirs (législatif, exécutif et judiciaire) soient incarnés dans des organes étatiques différents, spécialisés dans leur fonction et qui agissent de manière autonome les uns des autres pour prévenir toute concentration de pouvoir qui pourrait mener, selon Montesquieu, à la tyrannie. Non précisée dans un texte constitutionnel, la séparation des pouvoirs au Canada découle du préambule de la *Loi constitutionnelle de 1867*, qui dit que la « Constitution repos[e] sur les mêmes principes que celle du Royaume-Uni » où la séparation des pouvoirs existe *de facto*. Au Canada, plutôt qu'à une séparation stricte des

pouvoirs, on assiste plutôt à une coopération, voire à une confusion de ceux-ci. Par exemple, en plus du fait qu'il nomme les sénateurs, lorsque l'exécutif fédéral s'appuie sur un parti majoritaire en Chambre, il contrôle le législatif. De plus, l'exécutif fédéral procède à la nomination des juges de la Cour suprême qui devront arbitrer des différends entre ordres de gouvernement sur des questions de partage des pouvoirs, ce qui mine deux principes fondamentaux : l'indépendance et l'impartialité de la magistrature.

SUPRALÉGISLATIF : Norme formelle enchâssée dans un texte constitutionnel et qui jouit d'une autorité supérieure à la loi ordinaire adoptée par un parlement. Au Canada, la Constitution a un tel statut supralégislatif.

SUPRÉMATIE CONSTITUTIONNELLE : Régime en fonction duquel le pouvoir législatif est soumis à un cadre constitutionnel strict permettant aux tribunaux de remettre en cause la validité de lois qui ne seraient pas conformes à ce même cadre constitutionnel.

SUPRÉMATIE PARLEMENTAIRE : Régime en fonction duquel le contenu du régime législatif dépend de la volonté du Parlement, sans que les tribunaux (ou quelque autre institution) puissent remettre en cause la validité des lois.

BIBLIOGRAPHIE

Abelson, D.E., P. James et M. Lusztig (dir.) (2002). *The Myth of the Sacred : The Charter, the Courts and the Politics of the Constitution in Canada*, Montréal et Kingston, McGill-Queen's University Press.

Association de la police montée de l'Ontario c. Canada (Procureur général), [2015] 1 R.C.S. 3.

Bakan, J.C. (1989). « Constitutional arguments : Interpretation and legitimacy in Canadian constitutional thought », *Osgoode Hall Law Journal*, vol. 27, n° 1, p. 123-184.

B.(R.) c. Children's Aid Society of Metropolitan Toronto, [1995] 1 R.C.S. 315.

Bastarache, M. (2005). « Section 33 and the relationship between legislatures and courts », *Constitutional Forum*, vol. 14, n°s 2-3, p. 1-5.

Beaudoin, G. (2000). *Le fédéralisme au Canada*, Montréal, Wilson et Lafleur.

Beaudoin, G. (2006). « Distribution of powers », *The Canadian Encyclopedia*, <http://www.thecanadianencyclopedia.com/articles/distribution-of-powers>.

Benyekhlef, K. (1993). « Démocratie et libertés : quelques propos sur le contrôle de constitutionnalité et l'hétéronomie du droit », *McGill Law Journal*, vol. 38, n° 1, p. 91-129.

Bernatchez, S. (2000). « La controverse doctrinale sur la légitimité du juge constitutionnel canadien », *Politique et Sociétés*, vol. 19, n°s 2-3, p. 89-113.

Bernatchez, S. (2005-2006). « Les traces du débat sur la légitimité de la justice constitutionnelle dans la jurisprudence de la Cour suprême du Canada », *Revue de droit de l'Université Sherbrooke*, vol. 36, n°s 1-2, p. 165-288.

Billingsley, B. (2002). « Section 33 : The charter's sleeping giant », *Windsor Year Book of Access to Justice*, vol. 21, p. 331-346.

Boisvert, Y. (2005). « Le tabou de la nomination des juges », *La Presse*, 27 avril.

Brouillet, E. (2004). « La dilution du principe fédératif et la jurisprudence de la Cour suprême du Canada », *Les cahiers de droit*, vol. 45, p. 7-67.

Brouillet, E. (2005). *La négation de la Nation : l'identité culturelle québécoise et le fédéralisme canadien*, Québec, Septentrion.

Brouillet, E. (2006). « The federal principle and the 2005 balance of powers in Canada », *Supreme Court Law Review*, vol. 34, n° 2, p. 307-333.

Brouillet, E. (2011). « Le rôle de la Cour suprême dans l'évolution de la fédération canadienne : quel équilibre des pouvoirs ? », *Revista catalana de dret públic*, vol. 43, p. 187-220.

Brouillet, E. et F.-A. Michaud (2011). « Les rapports entre les pouvoirs politique et judiciaire en droit constitutionnel canadien : dialogue ou monologue ? », dans *Actes de la XIXe Conférence des juristes de l'État*, Cowansville, Yvon Blais, p. 3-35.

Brun, H., G. Tremblay et E. Brouillet (2008). *Droit constitutionnel*, Cowansville, Yvon Blais.

Brun, H., G. Tremblay et E. Brouillet (2014). *Droit constitutionnel*, Cowansville, Yvon Blais.

Bureau du Conseil privé (2013) « Le partage constitutionnel des pouvoirs législatifs », dans *Affaires intergouvernementales*, <http://www.pco-bcp.gc.ca/aia/index.asp?lang=fra&page=federal&doc=legis-fra.htm#5>.

Bureau du Premier Ministre du Canada (2016). *Le premier ministre annonce un nouveau processus de nomination des juges de la Cour supreme du Canada*, <http://pm.gc.ca/fra/nouvelles/2016/08/02/premier-ministre-annonce-nouveau-processus-de-nomination-des-juges-de-la-cour>.

Cameron, A.M. (2009). *Power without Law : The Supreme Court of Canada, the Marshall Decisions and the Failure of Judicial Activism*, Montréal et Kingston, McGill-Queen's University Press.

Cameron, J. (2001). « Dialogue and hierarchy in charter interpretation : A comment on *R. v. Mills* », *Alberta Law Review*, vol. 38, n° 4, p. 1051-1068.

Canada (Procureur général) c. Bedford, [2013] 3 R.C.S. 1101.

Canadian Foundation for Children, Youth and the Law c. Canada (Procureur général), [2004] 1 R.C.S. 76, 2004 CSC 4.

Carter c. Canada (Procureur général), [2015] 1 R.C.S. 331.

Castonguay, A. (2005). « Le juge en chef du Québec ne veut pas de juges souverainistes », *Le Devoir*, 27 avril.

Chaoulli c. Québec (Procureur général), [2005] 1 R.C.S. 791, 2005 CSC 35.

Chevrier, M. (1996). *Le fédéralisme canadien et l'autonomie du Québec : perspective historique*, Québec, Ministère des Relations internationales.

Chevrier, M. (2006). « La genèse de l'idée fédérale chez les Pères fondateurs américains et canadiens », dans A.-G. Gagnon (dir.), *Le fédéralisme canadien contemporain : fondements, traditions, institutions*, Montréal, Les Presses de l'Université de Montréal, p. 19-61.

Chevrier, M. (2007). « Federalism in Canada : A world of competing definition and views », dans S. Tierney (dir.), *Multiculturalism and the Canadian Constitution*, Vancouver, UBC Press, p. 108-126.

Commissariat à la magistrature fédérale Canada, (2016). *Le comité consultatif indépendant sur la nomination des juges de la Cour suprême du Canada*, <http://www.fja-cmf.gc.ca/scc-csc/establishment-creation-fra.html>.

Conseil supérieur de la langue française (2010). *Avis sur l'accès à l'école anglaise à la suite du jugement de la Cour suprême du 22 octobre 2009*, Québec, Conseil supérieur de la langue française.

Cossette, M. (2011). *La relation entre les agendas médiatique, judiciaire et politique dans le processus d'élaboration des politiques publiques : le cas de l'affaire Chaoulli*, mémoire de maîtrise en science politique, Université Laval, Québec.

Côté, P. (1997). *Le bricolage idéologique des intérêts, des valeurs et des normes : la technocratie judiciaire*, Québec, Laboratoire d'études politiques de l'Université Laval.

Côté-Harper, G. (1998). « L'État de droit et l'indépendance judiciaire », *Revue québécoise de droit international*, vol. 11, n° 2, p. 151-154.

Cumyn, M. (2005). « Mode de nomination des juges – un tabou dans la communauté juridique », *Le Devoir*, 17 mai.

DeCoste, F.C. (1999). « The separation of state powers in liberal polity : *Vriend v. Alberta* », *McGill Law Journal*, vol. 44, n° 1, p. 231-254.

Des Rosiers, N. (2000). « Du dialogue au monologue – Un commentaire sur l'arrêt *R. c. Marshall* ». *Dalhousie Law Journal*, vol. 23, n° 1, p. 149-167.

Dixon, R. (2009). « The Supreme Court of Canada, charter dialogue, and deference », *Osgoode Hall Law Journal*, vol. 47, n° 2, p. 235-286.

Donnelly, J. (2003). *Universal Human Rights in Theory and in Practice*, Ithaca, Cornell University Press.

Fellous, G. (2010). *Les droits de l'Homme : une universalité menacée*, Paris, La Documentation française.

Ford c. Québec (procureur général), [1988] 2 R.C.S. 712.

Fraser, C. (2005). « Constitutional dialogues between courts and legislatures : Can we talk ? », *Constitutional Forum*, vol. 14, n°s 2-3, p. 7-14.

Gagnon, A.-G. (dir.) (2006). *Le fédéralisme canadien contemporain : fondements, traditions, institutions*, Montréal, Les Presses de l'Université de Montréal.

Gagnon, A.-G. et M. Keating (dir.) (2012). *Political Autonomy and Divided Societies : Imagining Democratic Alternatives in Complex Settings*, New York, Palgrave Macmillan.

Garant, P. (2010). *Droit administratif*, Cowansville, Yvon Blais.

Gardner Geyh, C. (dir.) (2011). *What's Law Got to Do with it ? : What Judges Do, Why They Do it, and What's at Stake*, Stanford, Stanford University Press.

Goodale, M. (dir.) (2012). *Human Rights at the Crossroads*, New York, Oxford University Press.

Gosselin c. Québec (Procureur général), [2002] 4 R.C.S. 429, 2002 CSC 84.

Greene, I. (2006). *The Courts*, Vancouver, UBC Press.

Haigh, R. et M. Sobkin (2007). « Does the observer have an effect ? : An analysis of the use of the dialogue metaphor in Canada's courts », *Osgoode Hall Law Journal*, vol. 45, n° 1, p. 67-90.

Health Services and Support – Facilities Subsector Bargaining Assn. c. Colombie-Britannique, [2007] 2 R.C.S. 391, 2007 CSC 27.

Hogg, P., A.A. Bushell Thornton et W.K. Wright (2007). « Charter dialogue revisited – Or "much ado about metaphors" », *Osgoode Hall Law Journal*, vol. 45, n° 1, p. 1-66.

Hogg, P.W. et A.A. Bushell (1997). « The charter dialogue between courts and legislatures (Or perhaps the charter of rights and freedoms isn't such a bad thing) », *Osgoode Hall Law Journal*, vol. 35, n° 1, p. 75-124.

Holt, J.C. (1992). *Magna Carta*, Cambridge, Cambridge University Press.

Hudon, M.-È. (2011). *Le bilinguisme dans les tribunaux fédéraux*, Ottawa, Bibliothèque du Parlement du Canada.

Huppé, L. (2000). *Le régime juridique du pouvoir judiciaire*, Montréal, Wilson et Lafleur.

Huppé, L. (2007). *Histoire des institutions judiciaires au Canada*, Montréal, Wilson et Lafleur.

Huscroft, G. (2007). « Constitutionalism from the top down », *Osgoode Hall Law Journal*, vol. 45, n° 1, p. 91-104.

Instruction publique (Loi sur l') (Qué.) (Re), [1990] R.J.Q. 2498 (C.A. Qc).

Irwin Toy Ltd. c. Québec (Procureur général), [1989] 1 R.C.S. 927.

Issalys, P. et D. Lemieux (2009). *L'action gouvernementale*, Cowansville, Yvon Blais.

James, P. (2010). *Constitutional Politics in Canada after the Charter : Liberalism, Communautarianism and Systemism*, Vancouver, UBC Press.

Kahana, T. (2001). « The notwithstanding mechanism and public discussion : Lesson from the ignored practice of section 33 of the charter », *Administration publique du Canada*, vol. 44, n° 3, p. 255-291.

Kahana, T. (2005). « Constitutional cosiness and legislative activism », *University of Toronto Law Journal*, vol. 55, n° 1, p. 129-154.

Kelly, J.B. (1999). « The charter of rights and freedoms and the rebalancing of liberal constitutionalism in Canada, 1982-1997 », *Osgoode Hall Law Journal*, vol. 37, n° 3, p. 625-696.

Kelly, J.B. (2006). *Governing with the Charter : Legislative and Judicial Activism and Framers' Intent*, Vancouver, UBC Press.

Kelly, J.B. et C. Manfredi (dir.) (2009). *Contested Constitutionalism : Reflections on the Canadian Charter of Rights and Freedoms*, Vancouver, UBC Press.

Kincaid, J. (2010). « Le paradoxe nord-américain », *L'idée fédérale*, <http://ideefederale.ca/wp/?p=818>.

Lajoie, A. (1997). *Jugements de valeurs : le discours judiciaire et le droit*, Paris, Les Presses universitaires de France.

Lajoie, A. (2006). « Le fédéralisme au Canada : provinces et minorités, même combat », dans A.-G. Gagnon (dir.), *Le fédéralisme canadien contemporain : fondements, traditions, institutions*, Montréal, Les Presses de l'Université de Montréal, p. 183-209.

Lajoie, A., P. Mulazzi et M. Gamache (1986). « Les idées politiques au Québec et le droit constitutionnel canadien », dans Y. Bernier et A. Lajoie (dir.), *La Cour suprême du Canada comme agent de changement politique*, Ottawa, Commission royale sur l'union économique et les perspectives de développement du Canada, p. 1-110.

Lambert, É. (2005). *Le gouvernement des juges et la lutte contre la législation sociale aux États-Unis*, Paris, Dalloz.

Leclair, J. (2003). « Réflexions critiques au sujet de la métaphore du dialogue en droit constitutionnel canadien », *Revue du Barreau*, vol. 63, n° 1, p. 379-420.

Leishman, R. (2006). *Against Judicial Activism : the Decline of Freedom and Democracy in Canada*, Montréal et Kingston, McGill-Queen's University Press.

Lemieux, P. (2006). *Droit administratif, doctrine et jurisprudence*, 4e éd., Sherbrooke, Revue de droit.

Lemieux, P. (2011). *Droit administratif*, Sherbrooke, Revue de droit.

Loungnarath, V. (1997). « Le rôle du pouvoir judiciaire dans la structuration politico-juridique de la fédération canadienne », *Revue du Barreau*, vol. 57, p. 1003.

Lui, A. (2012). *Why Canada Cares : Human Rights and Foreign Policy in Theory and Practice*, Montréal et Kingston, McGill-Queen's University Press.

Macfarlane, E. (2013). *Governing from the Bench : The Supreme Court of Canada and the Judicial Role*, Vancouver, UBC Press.

Mackay, P. (2006-2007). « Le fédéralisme et le partage des compétences législatives », dans *JUR2515 Droit constitutionnel – notes de cours*, chapitre 3, Montréal, Université du Québec à Montréal, <http://www.er.uqam.ca/nobel/r31400/jur2515/ndecours/jur2515chap3-2007.pdf>.

Mackay, W. (2001). « The Supreme Court and federalism : Does/should anyone care anymore ? », *Canadian Bar Review*, vol. 80, n°s 1-2, p. 241-280.

Mandel, M. (1996). *La Charte des droits et libertés et la judiciarisation du politique au Canada*, Montréal, Boréal.

Manfredi, C. (2001). *Judicial power and the Charter : Canada and the paradox of liberal constitutionalism*, Don Mills, Oxford University Press.

Manfredi, C. et J.B. Kelly (1999). « Six degrees of dialogue : A response to Hogg and Bushell », *Osgoode Hall Law Journal*, vol. 37, n° 3, p. 513-528.

Martin, R.I. (2003). *The Most Dangerous Branch : How the Supreme Court of Canada has Undermined our Law and our Democracy*, Montréal et Kingston, McGill-Queen's University Press.

Masson, G. (1977). *Les juges et le pouvoir*, Paris, Moreau-Syros.

Mathen, C. (2007). « Dialogue theory, judicial review, and judicial supremacy : A comment on "charter dialogue revisited" », *Osgoode Hall Law Journal*, vol. 45, n° 1, p. 125-146.

Monahan, P. (1987). *Politics and the Constitution : The Charter, Federalism and the Supreme Court of Canada*, Agincourt, Carswell.

Montesquieu (1838). *De l'esprit des lois*, Paris, P. Pourrat Frères.

Moor, P. (1999). « Le droit comme mise en scène », *Revue européenne des sciences sociales*, vol. 37, n° 113, p. 129-147.

Morin, J.-Y., (1965). « A constitutional court for Canada », *Revue du barreau canadien*, vol. 43, p. 545.

Morissette, Y.-M. (2000). « Le juge canadien et le rapport entre la légalité, la constitutionnalité et la légitimité », dans M.J. Mossman et G. Otis (dir.), *La montée en puissance des juges : ses manifestations, sa contestation*, Montréal, Thémis, p. 28.

Morton, F.L. (2002). *Law, Politics and the Judicial Process in Canada*, Calgary, University of Calgary Press.

Morton, F.L. et R. Knopff (1992). *Charter Politics*, Scarborough, Nelson.

Morton, F.L. et R. Knopff (2000). *The Charter Revolution and the Court Party*, Peterborough, Broadview Press.

Mossman, M.J. et G. Otis (dir.) (2000). *La montée en puissance des juges : ses manifestations, sa contestation*, Montréal, Thémis.

Nguyen c. Québec (Éducation, Loisir et Sport), 2009 CSC 47, [2009] 3 R.C.S. 208.

Ostberg, C.L. (2007). *Attidudinal decision making in the Supreme Court of Canada*, Vancouver, UBC Press.

P.G. du Québec c. P.G. du Canada, [1981] C.A. 80.

P.G. du Québec et P.G. du Canada (Dans l'affaire d'un renvoi à la Cour d'appel relatif à une), [1982] C.A. 33.

Parent, C. (2011). *Le concept d'État fédéral multinational : essai sur l'union des peuples*, Bruxelles, Peter Lang, coll. « Diversitas ».

Parlement du Canada (2011). *Étude générale : le bilinguisme dans les tribunaux fédéraux*, Ottawa, Parlement du Canada, Division des affaires juridiques et législatives, Bibliothèque du Parlement, no 2011-40-F, 30 septembre.

Parti Libéral du Québec (1980). *Une nouvelle fédération canadienne*, Montréal.

Patman, R.G. (2000). *Universal Human Rights ?*, Hampshire, Palgrave MacMillan.

Peacock, A.A. (dir.) (1996). *Rethinking the Constitution : Perspectives on Canadian Constitutional Reform, Interpretation and Theory*, Don Mills, Oxford University Press.

Pelletier, B. (2004). « Le fédéralisme asymétrique : un objectif à atteindre », allocution prononcée par le ministre des Affaires intergouvernementales canadiennes du Québec, Regina, <http://www.saic.gouv.qc.ca/centre_de_presse/discours/2004/saic_dis20040325.htm>.

Pelletier, B. (2007). « Federal asymetry : Let us unleash its potential », dans I. Peach (dir.), *Constructing Tomorrow's Federalism : New Perspectives on Canadian Governance*, Winnipeg, University of Manitoba Press, p. 219-229.

Pelletier, B. (2010). *Une certaine idée du Québec : parcours d'un fédéraliste, de la réflexion à l'action*, Québec, Presses de l'Université Laval.

Penner, R. (2003). « Janet Hiebert, charter conflicts : What is parliament's role ? », *Queen's Law Journal*, vol. 28, n° 2, p. 731-748.

Petter, A. (2007). « Taking dialogue theory much too seriously (or Perhaps charter dialogue isn't such a good thing after all) », *Osgoode Hall Law Journal*, vol. 45, n° 1, p. 147-168.

Petter, A. (2010). *The Politics of the Charter : The Illusive Promise of Constitutional Rights*, Toronto, University of Toronto Press.

Projet de loi fédéral relatif au Sénat (Re), 2013 QCCA 1807.

Québec (P.G.) c. Canada (P.G.), [2004] R.J.Q. 399 (C.A. Qc).

Québec (P.G.) c. Canada (P.G.), 2011 QCCA 591.

R. c. Conway, 2010 CSC 22, [2010] 1 R.C.S. 765.

Renvoi relatif à la Loi sur la Cour suprême, art. 5 et 6, [2014] 1 R.C.S. 433 [Renvoi sur la nomination du juge Marc Nadon].

Renvoi relatif à la Loi sur la procréation assistée, L.C. 2004, ch. 2, 2008 QCCA 1167.

Renvoi relatif à la sécession du Québec, [1998] 2 R.C.S. 217.

Renvoi : Résolution pour modifier la Constitution, [1981] 1 R.C.S. 753.

Renvoi sur l'article 98 de la L.c. de 1867, 2014 QCCA 2365.

Roach, K. (2001a). *The Supreme Court on Trial : Judicial Activism or Democratic Dialogue*, Toronto, Irwin Law.

Roach, K. (2001b). « Constitutional and common law dialogues between the Supreme Court and Canadian Legislatures », *Canadian Bar Review*, vol. 80, n°s 1-2, p. 481-533.

Roach, K. (2002). « Remedial consensus and dialogue under the charter : General declarations and delayed declarations of invalidity », *University of British Columbia Law Review*, vol. 35, n° 2, p. 211-270.

Roach, K. (2004). « Dialogic judicial review and its critics », *Supreme Court Law Review (2nd)*, vol. 23, p. 49-104.

Robert, M. (2003). *L'indépendance judiciaire de Valente à aujourd'hui : les zones claires et les zones grises*, Montréal, Thémis.

Robitaille, A. (2010). « Nomination par Ottawa des juges aux plus hautes cours – Comme si le Canadien nommait ses propres arbitres », *Le Devoir*, 4 décembre.

Rodriguez c. Colombie-Britannique (Procureur général), [1993] 3 R.C.S. 519.

Rousseau, G. (2016). *La disposition dérogatoire des Chartes des droits : de la théorie à la pratique, de l'identité au progrès social*, Montréal, IRQ, <http://irq.quebec/wp-content/uploads/2016/03/Recherche_ClauseDerogatoire_GRousseau_2016.pdf>.

Russell, P.H. (1987). *The Judiciary in Canada : The Third Branch of Government*, Toronto, McGraw-Hill Ryerson.

Russell, P.H. et D.M. O'Brien (dir.) (2001). *Judicial Independence in the Age of Democracy : Critical Perspectives from Around the World*, Charlottesville, University Press of Virginia.

Russell, P.H. et P. Howe (dir.) (2001). *Judicial Power and Canadian Democracy*, Montréal et Kingston, McGill-Queen's University Press.

Saskatchewan Federation of Labour c. Saskatchewan, [2015] 1 R.C.S. 245.

Savoie, D.J. (1999). *Governing form the Centre : The Concentration of Power in Canadian Politics*, Toronto, University of Toronto Press.

Saywell, J. (2002). *The Lawmakers : Judicial Power and the Shaping of Canadian Federalism*, Toronto, University of Toronto Press.

Scoffoni, G. (1999). « La légitimité du juge constitutionnel en droit comparé : les enseignements de l'expérience américaine », *Revue internationale de droit comparé*, vol. 51, nᵒ 2, p. 243-280.

Shetreet, S. et C. Forsyth (dir.) (2011). *Judicial Independence : Conceptual Foundations and Practical Challenges*, Leiden, Martinus Nijhoff Publishers.

Songer, D.R. (2008). *The Transformation of the Supreme Court of Canada : an Empirical Examination*, Toronto, University of Toronto Press.

Sossin, L. (1999). *Boundaries of Judicial Review : The Law of Justiciability in Canada*, Scarborough, Carswell.

Strayer, B.L. (1988). *The Canadian Constitution and the Courts : The Function and Scope of Judicial Review*, Toronto, Butterworths.

Sueur, J.-J. (2011). *Pour un droit politique : contribution à un débat*, Québec, Presses de l'Université Laval.

Telford, H. (2003). « The federal spending power in Canada : Nation building or Nation destroying ? », *Publius*, vol. 33, nᵒ 1, p. 23-44.

Tremblay c. Daigle, [1989] 2 R.C.S. 530.

Tremblay, G. (1999). *Les tribunaux et les questions politiques : les limites de la justiciabilité*, Montréal, Wilson et Lafleur.

Tremblay, L. (2005). « The legitimacy of judicial review : The Limits of dialogue between courts and legislatures », *International Journal of Constitutional Law*, vol. 3, nᵒ 4, p. 617-648.

Troper, M. (2006). *Le gouvernement des juges*, Québec, Presses de l'Université Laval.

Valente c. la Reine, [1985] 2 R.C.S. 673.

Valois Bastarache, M. (2011). *L'indépendance judiciaire : la justice entre droit et gouvernement*, Montréal, Thémis.

Vriend c. Alberta, [1998] 1 R.C.S. 493.

Weiler, P.C. (1986). « The evolution of the charter : A view from the outside », dans P. Weiler et E. Robin (dir.), *Litigating the Values of a Nation : The Canadian Charter of Rights and Freedoms*, Toronto, Carswell, p. 49-56.

Woehrling, J. (2010). « Loi 103 : démission du politique et "fétichisation" des droits et libertés », *La Presse*, 8 septembre, <http://www.lapresse.ca/opinions/201009/08/01-4313709-loi-103-demission-du-politique-et-fetichisation-des-droits-et-libertes.php>.

CHAPITRE 11

L'ÉVOLUTION DES RELATIONS FÉDÉRALES-PROVINCIALES AU CANADA

Xavier Dionne et Alain-G. Gagnon

Les relations intergouvernementales sont un des sujets de prédilection dans plusieurs États fédéraux ou en voie de fédéralisation. C'est le cas, par exemple, de la Belgique, de l'Espagne, de la Grande-Bretagne et, sans surprise, du Canada. Les thèses qui cherchent à décrire et analyser les transformations historiques du **fédéralisme**[1] canadien à partir des relations entre les ordres de gouvernement ont habituellement ciblé trois ensembles de facteurs permettant d'établir un tel récit. On identifie habituellement les facteurs économiques (le protectionnisme, la Grande Dépression, le consensus **keynésien**, la mondialisation des marchés, la **péréquation**, les disparités régionales), culturels et linguistiques (touchant plus particulièrement les relations Québec-Canada), et internationaux. Cela dit, le récit des transformations des relations intergouvernementales dépend également de l'ancrage théorique des chercheurs, et des différends interprétatifs ressortent quant à la capacité du régime fédéral canadien à répondre adéquatement aux revendications et aux aspirations globales des anglophones, des francophones et des Autochtones.

1. UN DIFFÉREND CONCEPTUEL

Le fédéralisme s'appuie sur les principes de la gouverne partagée (*shared rule*) et de l'autodétermination interne (*self rule*). Une **fédération** peut être plus ou moins décentralisée, mais doit reposer en principe sur une division des pouvoirs consentie entre les ordres de gouvernement. Il importe cependant que ces ordres (fédéral et fédérés) soient souverains à l'intérieur de leurs domaines de compétence et que les

....

1.   Les concepts en caractères gras sont définis dans le glossaire à la fin du chapitre.

États fédérés, égaux entre eux, soient sur le même pied que l'État central. Habituellement, l'État central est souverain en matière d'intérêts partagés par les États membres, alors que ces derniers sont souverains en ce qui concerne leur intérêt propre. L'existence de l'intérêt partagé dépend ainsi d'une représentation des États membres au sein de l'État central. Au Canada, l'institution censée incarner cette représentation est le Sénat, dont les pouvoirs sont graduellement tombés en désuétude en raison d'un manque de légitimité ; ses membres n'étant pas élus.

La décentralisation qu'implique le fédéralisme est différente d'une **déconcentration** ou d'une décentralisation administrative. Cette forme de décentralisation, plutôt que de reconnaître une souveraineté aux États membres, reconnaît la capacité à implanter les décisions prises par le centre sans reconnaître un pouvoir décisionnel autonome pour les États fédérés.

L'ensemble de ces conceptions se retrouvent généralement codifiées dans une constitution à laquelle les parties se réfèrent en cas de conflit d'interprétation. Une cour de justice est alors nécessaire afin de trancher sur la validité des interprétations et, s'il y a lieu, de combler les vides juridiques. Cette nécessité est redoublée dans le cas du Canada, où existe un ensemble de règles de droit non formelles qui structurent la vie politique, comme les conventions constitutionnelles. La Constitution statue également sur les règles présidant à son éventuelle modification afin que soit assuré l'accord entre les parties contractantes.

Si ces principes et règles du fédéralisme sont généralement acceptés dans la littérature, plusieurs conflits existent quant à leur interprétation. D'abord, les domaines de compétences respectifs des ordres de gouvernement peuvent s'entremêler. La compartimentation étanche devient difficile, particulièrement lorsqu'il s'agit d'enjeux qui traversent plusieurs compétences (p. ex. la question environnementale). Ensuite, si les États membres doivent être traités de façon

égale, le cas du Canada peut rendre ce principe litigieux en raison des obligations particulières des États membres ou des communautés dites nationales.

La mise en application de ces principes est au cœur d'un conflit qui révèle au moins deux grandes interprétations. Alors qu'il est habituellement admis au Canada hors Québec (CHQ) que la décentralisation doit tenir compte d'une idée du principe d'« efficacité », il est plutôt d'usage, au Québec, de tenir compte du principe de l'autonomie des provinces ou des communautés politiques (Rocher, 2006 ; Chevrier, 2007).

Les conceptions du fédéralisme ne sont cependant pas statiques. La version majoritaire canadienne du fédéralisme s'est par exemple déplacée du mantra de l'égalité des provinces à une version à tendance universaliste et individualiste, traduisant une conception de la communauté politique nationale canadienne. La version québécoise s'est quant à elle déplacée du respect de l'autonomie provinciale vers le dualisme et, plus récemment, vers le multinationalisme (Gagnon et Iacovino, 2007, p. 77-119).

Au Québec, c'est à travers la quête de l'**habilitation** qu'il est possible de regrouper les revendications au sujet du fédéralisme. En défendant l'autonomie provinciale, le Québec a trouvé des appuis au CHQ puisque divers acteurs provinciaux ont partagé cette vision. Les deux guerres mondiales ainsi que la crise économique des années 1930 ont cependant contribué à freiner les ardeurs autonomistes des autres provinces et à justifier une approche centralisatrice de la fédération. La vision québécoise du fédéralisme s'est alors retrouvée isolée au pays, pavant la voie à la conception binationale et, par la suite, multinationale du fédéralisme. En parallèle, au CHQ, les autres provinces se sont fréquemment opposées aux revendications québécoises visant la reconnaissance du Québec en tant que société distincte ou à la possibilité qu'il se sépare du Canada.

On reconnaît généralement qu'une dualité existe au Canada en ce qui concerne l'acception des principes du fédéralisme. Cette dualité ne s'est pourtant jusqu'à ce jour que peu incarnée dans la pratique du fédéralisme canadien. Dans les prochaines sections, notre objectif sera de rendre compte de l'étude du fédéralisme et des relations intergouvernementales, ainsi que de faire ressortir les différentes formes qu'a revêtues le régime fédéral depuis 1867. Pour ce faire, nous revisiterons en premier lieu l'interprétation classique de James R. Mallory de l'évolution du fédéralisme (Mallory, 1971), étant donné qu'elle a fait école dans le domaine des études sur le fédéralisme au Canada anglais. En deuxième lieu, nous tenterons de faire ressortir de cette interprétation quelques conceptions susceptibles d'être remises en question d'un point de vue québécois. En troisième lieu, nous jetterons un regard renouvelé sur le fédéralisme canadien en tenant compte des grands débats tenus dans le cadre des différentes commissions royales d'enquête. Les travaux de ces commissions permettront d'identifier les principaux ancrages idéologiques à partir desquels les débats canadiens sur le fédéralisme se sont développés depuis les années 1940. Cela permettra aussi d'exposer les fondements du fédéralisme canadien tel qu'il a été imaginé et mis en place.

POINTS CLÉS

> Le fédéralisme s'appuie sur les principes de la gouverne partagée (*shared rule*) et de l'auto-détermination interne (*self rule*).
> La décentralisation que suppose un régime fédéral doit être distinguée d'une décentralisation administrative ou déconcentration.
> Habituellement, le gouvernement central est responsable de prendre les décisions qui reposent sur l'intérêt partagé des membres, tandis que les États membres prennent les décisions qui concernent leurs intérêts propres ou locaux.
> Les paramètres d'une fédération sont nécessairement codifiés à l'intérieur d'une constitution

à laquelle les parties se réfèrent lorsqu'il y a un conflit quant à l'interprétation à donner au chapitre du partage des pouvoirs.
> D'une version faisant de l'égalité des provinces un mantra de première instance, la vision majoritaire s'est graduellement transformée pour adopter une conception centrée sur l'universalisme et l'individualisme.

2. CINQ GRANDES CONCEPTIONS DU FÉDÉRALISME : L'ÉCOLE CANADIENNE

L'école canadienne, que nous considérons comme fortement inspirée par les travaux de James Mallory, divise habituellement l'évolution du fédéralisme en plusieurs périodes correspondant à autant de «versions» du fédéralisme canadien adaptées chacune à leur contexte propre. Chez Mallory, l'histoire canadienne est marquée par cinq grandes conceptions du fédéralisme : 1) le quasi-fédéralisme; 2) le fédéralisme classique; 3) le fédéralisme d'urgence; 4) le fédéralisme coopératif; et 5) le fédéralisme dualiste. Si cette division de l'histoire par Mallory n'est pas intégralement et systématiquement reprise par la littérature au CHQ, on y retrouve plusieurs conceptions présentes au sein de cette même littérature (p. ex. Simeon et Robinson, 2009) qui méritent, en conséquence, qu'on y porte attention.

Plusieurs auteurs reprennent la première conception (quasi-fédéralisme) pour désigner une première phase du fédéralisme canadien (p. ex. Kenneth C. Wheare, (1964 [1946]) soit celle qui débute avec l'adoption de l'*Acte de l'Amérique du Nord britannique* (AANB) en 1867. Ce fédéralisme est en quelque sorte incomplet, selon Mallory, en raison de l'ampleur des compétences accordées par la Constitution à l'État central, qui jouit aussi de pouvoirs unilatéraux (pouvoir de dépenser, de réserve, déclaratoire, d'urgence, de désaveu) qui placent les provinces en état de subordination. Le régime politique canadien est alors au plus fort de sa centralisation, ce qui s'explique, selon Mallory, par l'attention accordée par l'élite canadienne aux événements de la guerre civile étasunienne et l'interprétation qu'elle en faisait. Cette élite cherchait à tempérer l'ardeur populaire en limitant les «excès» de la décentralisation et de la démocratie responsable, selon elle, de cette guerre civile. Si le choix d'un régime fédéral devait reconnaître la dualité culturelle, l'objectif ultime du régime politique canadien était plutôt de favoriser l'unité par la domination du centre sur les États membres.

L'émergence du deuxième type de fédéralisme (fédéralisme classique) aurait permis d'atténuer subséquemment certaines des tendances centralisatrices du régime politique canadien. Cette transformation du fédéralisme s'explique par le fait que dès les débuts de la fédération, plusieurs provinces ont cherché à s'imposer face au gouvernement central. C'est cependant le rôle exercé par les juges du Comité judiciaire du Conseil privé de Londres (CJCP)[2] et l'interprétation plus décentralisatrice qu'ils ont donnée du partage des compétences dans leurs arrêts qui ont été déterminants dans l'avènement du fédéralisme classique (Cairns, 1971; Rémillard, 1980; Russell, 2004). L'interprétation du CJCP s'appuyait, d'une part, sur l'étanchéité du partage de compétences et, d'autre part, sur la théorie du pacte fondateur (voir l'encadré «Le pacte fondateur») qui a eu cours pendant de nombreuses années[3]. Ce type d'interprétation perdurera jusqu'en 1949, moment où la Cour suprême du Canada prendra le relais comme tribunal d'appel de dernière instance, ce qui aura des répercussions majeures sur la centralisation des pouvoirs à Ottawa (Lajoie, 2006, p. 183-309).

Le troisième type de fédéralisme décrit par Mallory est le fédéralisme d'urgence. Comme son

LE PACTE FONDATEUR

Richard Arès est sans doute celui qui a le mieux synthétisé la notion de «pacte fondateur». Voici ce qu'il en retient dans *La Confédération : pacte ou loi ?*:

L'Acte de l'Amérique du Nord britannique est la ratification d'un pacte d'une nature nettement contractuelle. [...] Ce qu'il y a de certain, c'est qu'en 1867, un certain nombre d'États, appelés provinces, autonomes et souverains sous l'égide de la Couronne britannique, ayant décidé de se grouper ensemble, ont convenu de se former en une fédération et ont délibérément écarté le système d'une union législative parce que ce système, avec la centralisation des pouvoirs qu'il comporte, n'offrait aucune garantie pour les minorités. [...] En somme, la position que prend la province de Québec n'est ni compliquée ni ambiguë. À ses yeux, la Confédération est un pacte volontairement consenti et qui ne peut être modifié que du consentement de tous (Arès, 1967, p. 61-62).

nom l'indique, ce type de fédéralisme prévaut lorsque des situations exceptionnelles le justifient (p. ex. les Première et Seconde Guerres mondiales, la Grande Dépression). L'urgence justifie en ce sens la centralisation des pouvoirs afin de répondre aux crises qui se présentent. Si le CJCP limitait ce type de pouvoir (tout en lui donnant sa validité constitutionnelle), Mallory plaide en sa faveur, particulièrement dans des situations semblables à celles qui ont prévalu au moment de la crise économique de la fin des années trente.

Le quatrième type de fédéralisme décrit par Mallory, soit le fédéralisme de coopération, serait la conséquence de la nécessité de l'intervention étatique face aux problèmes liés à l'urbanisation et à l'industrialisation. Selon Mallory, dans cette version du fédéralisme, les ordres de gouvernement conservent leurs compétences, mais les ministres et fonctionnaires entrent plus régulièrement en

---

2. Qui fut le tribunal d'appel de dernière instance pour le Canada avant que ce rôle échoie à la Cour Suprême du Canada en 1949.

3. Voir le chapitre 5 d'Alain-G. Gagnon dans cet ouvrage.

contact afin que les changements législatifs soient le résultat de décisions conjointes (Mallory, 1971, p. 60-61). Cette exigence de coopération se justifie selon Mallory par le déséquilibre des ressources financières et des compétences attribuées constitutionnellement aux ordres de gouvernement : le gouvernement central dispose en effet d'imposants revenus et de la capacité d'agir sur tout le territoire, alors que ce sont les provinces qui disposent des compétences liées à la santé, à l'éducation et aux infrastructures qui nécessitent davantage de ressources. Pour Mallory, cet état de fait nécessite un assouplissement de l'étanchéité dans le partage des pouvoirs au profit du gouvernement central. Depuis la publication du texte de Mallory, il a été possible de constater que le gouvernement central a été en mesure de dicter ses volontés aux provinces sans qu'il y ait de changement formel au chapitre du partage des compétences, grâce surtout au **pouvoir de dépenser**.

Mallory reprend ici l'un des problèmes que nous avons identifiés quant à l'application des principes du fédéralisme, soit l'interpénétration des domaines de compétence. La coopération ainsi mise en place repose sur la faiblesse des provinces dans les relations intergouvernementales, celles-ci disposant de moins de moyens financiers que le gouvernement central. De plus, le principe de l'autonomie mis de l'avant par le Québec est simplement écarté.

LE POUVOIR DE DÉPENSER

En 1969, Pierre Elliott Trudeau affirmait sans détour que le gouvernement central pouvait intervenir dans les champs de compétence provinciale. Voici comment il concevait le pouvoir de dépenser du gouvernement central : « le pouvoir qu'a le Parlement de verser certaines sommes aux individus, aux organisations ou aux gouvernements, à des fins au sujet desquelles le Parlement canadien n'a pas nécessairement le pouvoir de légiférer » (Trudeau, 1969, p. 5).

Mallory envisage un cinquième type de fédéralisme qui prendrait en considération les tensions politiques canadiennes, soit le fédéralisme dualiste. Ce type de fédéralisme viserait le développement économique et culturel des francophones par la prise en compte de la dualité canadienne au sein des institutions centrales (p. ex. dans la représentation de cette dualité au sein de la Cour suprême).

Nous pouvons retenir que les revendications autonomistes des provinces et l'interprétation étanche des compétences provinciales ont été remises en cause sous la période du « fédéralisme d'urgence » et, comme nous le verrons, par la construction d'une communauté politique pancanadienne à la faveur de l'adoption de diverses politiques sociales. Au cours du dernier demi-siècle, c'est le Québec qui a davantage soutenu les revendications provinciales en s'opposant à l'intrusion du gouvernement central dans ses champs de compétence et en construisant lui-même sa propre version d'un État interventionniste (plus particulièrement à partir des années 1960), plus proche d'une conception binationale de la communauté politique.

POINTS CLÉS

> Le « quasi-fédéralisme » est une notion reprise par plusieurs auteurs pour désigner la première phase du fédéralisme au pays où le gouvernement central se voit accorder les compétences les plus importantes ainsi que des pouvoirs unilatéraux qui font des provinces des entités subordonnées.

> Grâce au rôle joué par le Comité judiciaire du Conseil privé et face à l'opposition de plusieurs provinces, on entre dans une nouvelle phase plus respectueuse de la division des pouvoirs et de l'autonomie gouvernementale, celle du « fédéralisme classique ».

> Durant les deux guerres mondiales et la Grande Dépression, le régime canadien atteint une phase de « fédéralisme d'urgence »

caractérisée par une centralisation majeure des pouvoirs autour du gouvernement central pour répondre à ces crises.

> L'intervention étatique accrue a conduit à l'avènement du « fédéralisme de coopération », où les autorités centrales évoquent la nécessité d'assouplir la division des pouvoirs pour permettre à l'État central d'utiliser ses ressources supérieures en vue de mettre en place des politiques sociales et économiques uniformisées.

> Le « fédéralisme dualiste », par la reconnaissance de la dualité canadienne au sein des institutions centrales, est une avenue possible pour permettre le développement d'un État national canadien sans miner la stabilité politique de la fédération.

3. LES PRINCIPALES LACUNES DE L'ÉCOLE CANADIENNE

La conception mise de l'avant par James Mallory, bien qu'elle repose sur des principes généralement reconnus du fédéralisme, se caractérise également par cinq lacunes.

1. L'historiographie canadienne a tendance à négliger la question des rapports de force et des tensions politiques entre les peuples fondateurs. L'adoption de l'AANB est en ce sens considérée comme une réponse pragmatique des Pères fondateurs aux excès de l'expérience américaine (Gagnon et Dionne, 2009, p. 10-50) et néglige de considérer qu'il s'agit aussi d'une réponse aux « excès » du Canada français. La conception de Mallory repose davantage sur les besoins d'*une* communauté plutôt que sur ceux *des* communautés canadiennes, rendant incongrue la version « classique » du fédéralisme. Quant aux discussions portant sur le fédéralisme coopératif, elles négligent de prendre en compte les conflits entre le gouvernement du Québec et le gouvernement central.

2. L'interprétation selon laquelle la crise économique des années 1930 rendait *nécessaire* une intervention publique dans l'économie qui soit centralisée et qui repose sur un certain biais pour favoriser l'efficacité du pouvoir central. Pourtant, mis à part le déséquilibre fiscal, rien n'empêche les gouvernements provinciaux de mettre en place leurs propres politiques keynésiennes. Ce déséquilibre fiscal peut aussi être remis en cause (p. ex. en critiquant le pouvoir de taxation illimitée et le pouvoir de dépenser du gouvernement central).

3. Si Mallory fait grand cas de l'inadéquation des décisions du CJCP relativement à la division des pouvoirs, il ne discute pas des transformations centralisatrices qu'a engendrées, en 1949, le remplacement du Comité judiciaire du Conseil privé par la Cour suprême du Canada comme tribunal d'appel de dernière instance (Lajoie, 2006). Le fédéralisme de coopération, qui impose la collaboration plus qu'il ne la négocie, n'a pourtant été possible que sous l'impulsion de ces transformations.

4. Mallory plaide, en clôture de son texte, pour une version dualiste du fédéralisme, tempérée par une version libérale et individualiste de la reconnaissance (incarnée, par exemple, par le modèle du **bilinguisme institutionnel**). Nous pouvons aujourd'hui mettre en doute cette ouverture au dualisme, ce qui a été relevé par une riche littérature en provenance du Québec[4].

5. La narration des transformations du fédéralisme canadien repose chez Mallory, comme chez beaucoup d'auteurs, sur la promotion d'une communauté politique unitaire.

4. Voir les travaux de James Tully (1999), Dimitrios Karmis (2006), Michel Seymour et Guy Laforest (2011).

L'omission du rapport de forces entre les communautés politiques (Canada français, peuples autochtones) et la promotion de l'efficacité et des avantages liés au fédéralisme de coopération reposent, en somme, sur une conception de l'intérêt général d'*une* communauté politique canadienne.

> L'historiographie canadienne-anglaise a tendance à négliger la question des rapports de force et des tensions politiques entre les peuples fondateurs.
> Elle a aussi tendance à mettre l'accent sur l'efficacité institutionnelle, représentée par le leadership du gouvernement central, plutôt que sur le respect de la division des pouvoirs et de l'autonomie gouvernementale au chapitre des relations fédérales-provinciales.
> Elle élude le fait que le « fédéralisme de coopération » n'a été rendu possible que grâce à la jurisprudence de la Cour suprême du Canada qui, dès 1949, est devenu le tribunal d'appel de dernière instance au pays.

4. LA CONFRONTATION ENTRE DEUX VERSIONS DU DUALISME : LE PARCOURS DES COMMISSIONS D'ENQUÊTE

Le récit des transformations du fédéralisme majoritaire, au Canada, a évidemment connu plusieurs contre-discours. Nous constaterons, par exemple, qu'une vive opposition entre deux grandes tendances traverse ces débats : l'une favorisant une décentralisation limitée, mais limitant l'émancipation des communautés politiques, et l'autre promouvant l'habilitation des communautés afin qu'elles puissent prendre part activement à la (re)définition du fédéralisme canadien. Trois grandes périodes peuvent être

identifiées quant à l'évolution du fédéralisme canadien. La première période est caractérisée par une version unitaire et elle s'appuie sur un discours fonctionnel (1867 à 1949). La deuxième période est traversée par des tensions politiques et mène à l'imposition d'un nouvel ordre constitutionnel (1949-1982). La troisième période, qui débute en 1982 et est toujours en cours, repose sur un nationalisme économique pancanadien – se rapprochant dès lors du discours fonctionnaliste de l'après-guerre – et la mise en échec du fédéralisme multinational.

4.1. Le fédéralisme unitaire et « efficace » : 1867 à 1949

Derrière le processus qui a mené à l'adoption d'un régime fédéral, en 1867, on retrouve la vision du régime qui a présidé aux relations entre ordres de gouvernement et entre les nations cohabitant au Canada. Les « intentions des Pères fondateurs » demeurent ambiguës et sujettes à débat : alors que le document de 1867 évoque une « confédération[5] », l'étendue des pouvoirs accordés au gouvernement central permet de remettre en cause la nature fédérale du régime. En effet, aucune section ne définit de mécanismes de négociations fédérales-provinciales, mis à part le Sénat, qui devait être à l'origine le gardien des intérêts régionaux. Cependant, étant donné que ses membres ne sont pas élus, le déficit de légitimité dont la deuxième chambre souffre lui interdit dans les faits d'obtenir les pouvoirs suffisants pour s'imposer face à la Chambre des communes (Robertson, 1985, p. 60).

Dès les premières décennies de la Confédération, l'expression du mécontentement de

----

5. Le caractère fédéral du Dominion du Canada n'est évoqué qu'à un seul endroit dans la *Loi constitutionnelle de 1867*, soit dans le préambule, où il est écrit « que les provinces du Canada, de la Nouvelle-Écosse et du Nouveau-Brunswick ont exprimé le désir de contracter une Union Fédérale ».

certaines provinces contribua à rétablir un équilibre un peu plus favorable à l'autonomie provinciale. Oliver Mowat, premier ministre de l'Ontario de 1872 à 1896, défia dès les années 1870 un certain consensus en faveur d'un État central fort promu par le premier premier ministre fédéral John A. Macdonald. Mowat fit ratifier respectivement en 1874 et en 1876 des lois sur les successions et sur le contrôle des boissons alcoolisées que le gouvernement de Macdonald contesta et tenta de faire invalider. Chaque fois, pourtant, le CJCP donna raison à Mowat et, par conséquent, aux provinces. En 1883, le gouvernement de Mowat réussit à faire reconnaître par le CJCP[6], après un conflit avec Macdonald à propos du pouvoir de désaveu, l'entière souveraineté des provinces à l'intérieur de leurs champs de compétence. Ce jugement sera l'un des premiers contribuant à « ralentir la politique centralisatrice d'Ottawa et à créer un véritable fédéralisme en reconnaissant aux provinces des pouvoirs étendus » (Lacoursière et al., 2001, p. 364).

Les deux guerres mondiales, au XXe siècle, favoriseront une centralisation des pouvoirs, entre autres par l'entremise de la Loi sur les mesures de guerre imposée en 1914 et en 1941 (et qui trouve sa validation constitutionnelle dans la jurisprudence du CJCP). L'affrontement avec le gouvernement central et la défense de l'autonomie provinciale seront par la suite menés par le Québec. Cela est d'ailleurs bien mis en évidence par la publication des rapports de la commission Rowell-Sirois (1937-1940) et de la commission Tremblay (1953-1956) (Rocher, 2006, p. 93-146) et qui sera discutée en amont. Alors que le CHQ tend à débattre du fédéralisme selon la forme d'une opposition entre dynamiques centralisatrice et décentralisatrice, le gouvernement du Québec s'intéresse davantage aux questions normatives sous-tendant l'idéal fédéral. Les tensions identifiées sont intimement liées à la crise économique des années 1930 et à la volonté d'une partie de la société civile canadienne-anglaise d'établir un État interventionniste et centralisé.

L'émergence d'une nouvelle gauche canadienne – et en particulier la présence de la Ligue pour la reconstruction sociale (LSR) et celle de la Co-operative Commonwealth Federation (CCF) – influença grandement le gouvernement central bien qu'elle aura peu d'influence chez les francophones du Québec (Horn, 1980). La commission Rowell-Sirois sur les relations fédérales-provinciales, mise sur pied en août 1937 par le gouvernement de Mackenzie King, s'inscrit dans ce sillon, cherchant à rallier les appuis régionaux derrière un fédéralisme de tutelle en vue d'instaurer des politiques sociales à l'échelle du pays. Son mandat consistait à « examiner de nouveau les bases sur lesquelles repose le pacte confédératif du point de vue financier et économique, ainsi que l'attribution des pouvoirs législatifs à la lumière des développements économiques et sociaux des derniers soixante-dix ans » (Rapport Rowell-Sirois, 1940a, p. 9). Les visées centralisatrices d'Ottawa rencontrèrent toutefois une vive opposition dans plusieurs provinces, et au premier chef en Alberta, en Ontario et au Québec (Mallory, 1954). Pour ne pas se mettre à dos ces acteurs politiques, le rapport faisait la promotion d'une déconcentration plutôt que d'une décentralisation des pouvoirs. Affirmant respecter l'autonomie des provinces, le rapport insiste sur plusieurs éléments favorisant une centralisation du fédéralisme fondé sur l'efficacité et une conception de l'unité nationale pancanadienne. On peut y lire que les recommandations formulées par la commission « ont pour objet d'améliorer l'efficacité de l'administration tout en faisant des économies ; de répondre aux besoins nationaux tout en faisant la promotion de l'unité nationale ; et de rendre plus harmonieux le fonctionnement du système fédératif » (Rapport Rowell-Sirois, 1940b, p. 13, nous soulignons et notre traduction).

....

6. Hodge c. la Reine, (1883-1884) 9 A.C. 117.

Cette version du fédéralisme canadien sera profondément remise en question par la Commission d'enquête sur les problèmes constitutionnels (la commission Tremblay), lancée par le premier ministre Duplessis, entre autres parce que cette vision néglige la prise en compte du pacte entre les peuples fondateurs et les principes au fondement même du régime fédéral au Canada (Brouillet, Gagnon, et Laforest, 2016). Le rapport de cette commission viendra d'ailleurs influencer les prochaines générations d'acteurs politiques quant à l'idéal fédéral fondé sur l'autonomie provinciale et la non-subordination des pouvoirs qui devrait inspirer les relations fédérales-provinciales au pays.

4.2. Des tensions politiques face à l'avènement d'un nouvel ordre constitutionnel : 1949-1982

L'idéologie anti-interventionniste du gouvernement Duplessis a été véritablement remise en question à partir du début des années 1950 au Québec. Puis, au cours de la période allant de 1940 à 1982, le Québec a été traversé de courants autonomiste, souverainiste et indépendantiste venus ébranler le régime politique canadien. Cette période a été fertile en débats, pensons par exemple à la commission Tremblay sur les problèmes constitutionnels, la commission Laurendeau-Dunton (1963-1968) sur le bilinguisme et le **biculturalisme**, et la commission Gendron (1968-1972) sur la situation de la langue française et des droits linguistiques au Québec[7]. Cette période a vu aussi s'implanter une véritable école québécoise du fédéralisme faisant siens les principes de l'autonomie, de la non-subordination des pouvoirs et du bilatéralisme, en rupture avec l'école canadienne dominante du fédéralisme.

4.2.1. Les années 1950 : la commission Tremblay

Le gouvernement de l'Union nationale de Maurice Duplessis[8], à l'origine de la commission Tremblay, était farouchement opposé au centralisme d'Ottawa et s'opposait aussi plus généralement à l'interventionnisme étatique (Angers, 1960). La commission Tremblay se voulait une réponse, quelques années plus tard, à la commission Rowell-Sirois[9]. Son rapport insiste sur l'autonomie fiscale (en tant que corollaire de l'autonomie politique) et le respect des domaines de compétence provinciale, et il encourage la décentralisation en faisant appel au principe de subsidiarité dans le but de protéger les communautés francophones sur l'ensemble du territoire canadien. En ce sens, le rapport Tremblay réintroduit la notion de « dualité » au fondement même du fédéralisme canadien.

> La fin première du fédéralisme canadien est de permettre aux deux grandes communautés culturelles dont la population est composée, a) de vivre et de se développer selon leur particularisme respectif, b) de collaborer à l'édification et au progrès d'une patrie commune. [...] La province de Québec assume seule, à l'égard de la culture canadienne-française, les responsabilités que les autres provinces assument en commun à l'égard de la culture anglo-canadienne (Rapport Tremblay, 1956, p. 299).

Le rapport réaffirme son attachement à une forme de fédéralisme favorisant la non-domination et définit le fédéralisme comme un

---

7. Voir le chapitre 18 de Marc Chevrier et David Sanschagrin dans cet ouvrage pour une analyse de la situation.

8. Selon Louis Balthazar (1994), c'est sous la pression des milieux d'affaires franco-québécois que Duplessis mit en place la commission Tremblay.

9. Le décalage s'explique par le fait que le gouvernement libéral d'Adélard Godbout (1939-1944) collaborait étroitement avec le gouvernement fédéral. La Seconde Guerre mondiale qui éclata ne fournissait pas non plus un contexte propice à une remise en cause des relations fédérales-provinciales.

« régime d'association entre États [...] non subordonnés entre eux » et dans lequel chaque ordre de gouvernement jouit « du pouvoir suprême dans la sphère d'activité que lui assigne la Constitution » (Rapport Tremblay, 1956, p. 98). Cette interprétation allait alors à l'encontre de la notion d'interdépendance entre les ordres de gouvernement réclamée par la commission Rowell-Sirois et reposait sur le principe de l'étanchéité des pouvoirs qui prévalait dans l'interprétation juridique qu'avait faite le CJCP de la Constitution. Le rapport Tremblay adhère ainsi à une version asymétrique du fédéralisme, précisant que le Québec n'est pas une province comme les autres et affirmant la nécessité de reconnaître le dualisme canadien. La publication du rapport de la commission Tremblay survient, cela dit, quelques années après que la Cour suprême fut devenue le tribunal de dernière instance et qu'elle eut commencé à transformer la jurisprudence héritée du CJCP de manière plus centralisatrice (Lajoie, 2006). Toutefois, le contexte était peut-être favorable, se disait-on à Québec, à une remise en cause du fédéralisme « classique ». Certains acteurs politiques à Québec voyaient émerger les conditions permettant d'instaurer un fédéralisme de nature « dualiste ». La fonction publique québécoise serait bientôt appelée à exercer un rôle important au chapitre des relations fédérales-provinciales. Le mouvement sur le plan institutionnel, correspondant à l'amorce de la Révolution tranquille, fournissait de nouvelles conditions lui permettant d'agir.

4.2.2. Les années 1960 : la commission Laurendeau-Dunton

La Révolution tranquille désigne la période qui s'ouvre avec les années 1960 et qui donne lieu à la modernisation rapide de l'État québécois. L'insertion de l'État québécois dans le marché américain se fait alors que les communautés anglophones jouissent d'une position économique dominante à la fois au CHQ et au Québec, ce qui contribue en partie à expliquer la montée du nationalisme québécois (Gagnon et Montcalm, 1982). La prise de conscience de cette infériorité économique mena les Québécois à imaginer divers scénarios visant à renverser cette condition. L'un des domaines où l'iniquité était flagrante était l'administration publique fédérale, où les francophones étaient sous-représentés, ce qui est relevé et bien documenté en 1962 par la Commission royale d'enquête sur l'organisation du gouvernement (commission Glassco) et longuement examiné au moment de la commission Laurendeau-Dunton.

Cette commission, instaurée par le gouvernement libéral minoritaire de Lester B. Pearson, à l'invitation d'André Laurendeau dans les pages du *Devoir*, visait à étudier la situation du bilinguisme et du biculturalisme au Canada afin de proposer des pistes de solution en vue de favoriser le bilinguisme au pays, de redresser les conditions de vie des francophones, mais également de créer de meilleures relations entre les deux peuples fondateurs (Rapport Laurendeau-Dunton, 1967, p. 179-80). La mise sur pied de cette commission est probablement le geste politique le plus fortement inspiré par le concept du « dualisme canadien ». Le fédéralisme est alors envisagé, pour une première fois, bien au-delà du principe de l'égalité entre les provinces.

La commission Laurendeau-Dunton prend en quelque sorte le relais de la commission Tremblay et insiste pour que la notion de « biculturalisme » soit discutée. André Laurendeau considère que les institutions jouent un rôle déterminant dans le développement d'une société et de sa culture, puisqu'elles lui donnent le cadre politique nécessaire à son autonomie : « Cette autonomie, elle la désire idéalement pour l'ensemble de la communauté, mais faute de pouvoir réaliser cet objectif, la minorité peut vouloir concentrer son effort sur un cadre politique plus restreint, mais dans lequel elle est majoritaire » (Rapport Laurendeau-Dunton, 1967, p. XXXVI). On constate chez Laurendeau une sensibilité aux demandes plus pressantes de ses concitoyens de voir les conditions de vie politique évoluer à l'intérieur ou à l'extérieur du cadre politique de l'époque.

L'année 1968 est celle qui marque le décès de Laurendeau. C'est l'année également où un changement de garde s'opère au sein du Parti libéral du Canada (PLC) et que Pierre Elliott Trudeau est choisi par son parti, à la faveur d'une course au leadership, pour remplacer Lester B. Pearson à la tête du pays.

4.2.3. Les années Trudeau et l'interlude de la commission Pepin-Robarts (1977-1979)

Vigoureusement opposé à une reconnaissance particulière du Québec dans la constitution canadienne, Trudeau adapte les conclusions du rapport de la commission Laurendeau-Dunton à ses objectifs politiques en cherchant à faire d'Ottawa l'unique point de référence pour l'ensemble des Canadiens. Il adopte, en 1969, la *Loi sur les langues officielles* et, en 1971, la *Loi sur le multiculturalisme*, dissociant ainsi la culture et la langue, contrairement à ce que voulait Laurendeau. Ce retournement de situation allait contribuer à donner une impulsion insoupçonnée au nationalisme québécois et mener, en 1976, à l'élection du Parti québécois (PQ), premier parti indépendantiste à obtenir une majorité parlementaire à l'Assemblée nationale du Québec (Cloutier, Guay et Latouche, 1992).

L'année suivante, le gouvernement central mettait sur pied le Groupe de travail sur l'unité canadienne (Commission Pepin-Robarts, 1977-1979) afin de répondre à l'élection d'un premier gouvernement indépendantiste au Québec. Or, si Ottawa cherchait des solutions centralisatrices, le rapport de la commission Pepin-Robarts reprend au contraire l'idée du dualisme

en affirmant que « les pouvoirs de l'État sont répartis entre deux ordres de gouvernement, à la fois souverains et associés sous une même constitution. Ce système répond à la présence des deux peuples fondateurs » (Rapport Pepin-Robarts, 1979, p. 149).

Au dualisme, le rapport ajoute la prise en compte des revendications autochtones, des francophones hors Québec et des anglophones au Québec, des minorités et des régions en vue de renouveler la Constitution. Le fédéralisme proposé est plus près d'une conception européenne, c'est-à-dire reposant sur la notion d'États associés. Les commissaires souhaitent de plus une réforme du fédéralisme qui doit être « fonctionnelle et méthodique » (Rapport Pepin-Robarts, 1979, p. 95), rappelant la rhétorique de l'efficacité du fédéralisme.

On constate cependant une certaine transformation du discours depuis l'époque de la commission Laurendeau-Dunton. Si, dans le cas de cette dernière, le dualisme constituait la pierre angulaire de toute réforme du fédéralisme, avec la commission Pepin-Robarts, le dualisme culturel et le régionalisme économique représentent les deux plus importants aspects. De plus, avec la commission Pepin-Robarts, l'idée d'un fédéralisme uniformisant refait surface. Ainsi, si le concept de « fédéralisme asymétrique » est repris, il repose paradoxalement sur l'égalité des provinces, le rapport proposant par exemple d'accorder le statut de société distincte à toute province qui en fait la demande. Malgré tout, prenant acte des résultats du référendum de 1980 qui rejette la souveraineté du Québec dans une proportion de 60 %, le gouvernement central s'oppose aux recommandations du rapport, jugées beaucoup trop décentralisatrices. Cette période ferme un chapitre de l'évolution du fédéralisme canadien et des relations entre les ordres de gouvernement : d'une ouverture à l'idée d'un dualisme respectant les revendications québécoises au cours des années 1960, le gouvernement central adopta, en 1982, la ligne dure en rapatriant la loi fondamentale du pays, la Constitution, et en y enchâssant une charte des droits et libertés sans l'accord du Québec, contrevenant à la convention constitutionnelle (soit l'unanimité des parlements fédéral et provinciaux) qui avait jusqu'alors réglé le processus d'amendement constitutionnel. Cet événement déboucha sur une décennie éprouvante de rondes constitutionnelles et, en 1995, à la tenue d'un deuxième référendum au Québec portant cette fois-ci sur la souveraineté-partenariat.

4.3. Le nationalisme économique et la mise en échec du fédéralisme multinational : de 1982 à aujourd'hui

Le gouvernement central, profitant du contexte politique favorable à sa position, met sur pied, en 1982, la Commission sur l'union économique et les perspectives de développement du Canada (commission Macdonald) dans le but de réduire les contraintes aux échanges commerciaux entre les provinces, tout en cherchant à consolider le marché canadien face aux entreprises américaines. Deux années plus tard, les Québécois jetèrent massivement leur dévolu sur le Parti progressiste-conservateur (PPC) dirigé par Brian Mulroney. Cela eut l'effet d'un baume en mettant fin pour plusieurs années au climat de tensions dans les relations intergouvernementales ayant caractérisé les années libérales pendant l'ère Trudeau.

4.3.1. *Les enjeux constitutionnels*

La réforme du fédéralisme pendant cette nouvelle période a été marquée par deux grandes tentatives infructueuses dont l'échec a freiné à nouveau le renouvellement du fédéralisme : les accords du Lac Meech (1987-1990) et de Charlottetown (1992). La situation qui a présidé

à ces deux tentatives infructueuses de réformer le fédéralisme est toujours existante : soit le fossé grandissant séparant les conceptions du fédéralisme du Québec et du CHQ, alors que l'existence même de ce fossé prouve la nécessité de raviver l'idéal fédéral au pays.

La situation était devenue intenable pour le gouvernement du Québec à la suite du rejet de l'accord du lac Meech. Sous le leadership de Robert Bourassa, le gouvernement québécois met sur pied la Commission sur l'avenir politique et constitutionnel du Québec (commission Bélanger-Campeau) au cours de l'été 1990[10]. La commission Bélanger-Campeau aura pour mandat : 1) « d'étudier et d'analyser toute question relative à l'accession du Québec à la pleine souveraineté » et 2) « d'apprécier toute offre d'un nouveau partenariat de nature constitutionnelle faite au gouvernement du Québec par le gouvernement du Canada et de formuler, à cet égard, des recommandations à l'Assemblée nationale » (Gagnon et Latouche, 1991, p. 560-570). Ces deux options ne se concrétisèrent pas et le gouvernement de Bourassa fut défait aux élections de 1994 et remplacé par le PQ, dirigé par Jacques Parizeau, qui proposera aux Québécois de suivre la première voie, soit celle de la souveraineté-partenariat. Les résultats furent extrêmement serrés (49,42 % pour le OUI et 50,68 % pour le NON). Ce nouvel échec eut pour conséquence de favoriser l'exclusion de la question de la réforme du fédéralisme des discussions ayant cours dans l'espace public québécois.

....

10. Rare moment d'entente entre les deux formations et les deux options politiques au Québec, celui où Jacques Parizeau traversa l'Assemblée nationale pour aller serrer la main de Robert Bourassa qui venait de déclarer à l'Assemblée nationale, à la suite de l'échec de l'accord du lac Meech, que « [l]e Canada anglais doit comprendre de façon très claire que, quoi qu'on dise et quoi qu'on fasse, le Québec est, aujourd'hui et pour toujours, une société distincte, libre et capable d'assumer son destin et son développement ». À la même période, un sondage Léger Marketing révélait que 62 % des répondants étaient en faveur de l'indépendance du Québec.

4.3.2. Les enjeux économiques (et sociaux)

Parallèlement aux rondes constitutionnelles, la décennie des années 1990 est aussi marquée par l'expansion et la redéfinition des marchés économiques. Le discours libre-échangiste trouvera ainsi au Canada des échos, notamment dans le milieu des affaires et au Parti conservateur. Au Québec, toutes les formations politiques y adhèrent, pour des raisons différentes (alors que le Parti libéral du Québec considère qu'il est un moteur de développement économique, le PQ croit que le libre-échange lui permettrait d'éviter les obstacles canadiens à un développement économique québécois autonome au sein de l'espace économique nord-américain).

Le rapport de la commission Macdonald signifiait un changement de cap de l'État fédéral en faveur du libre-échange économique, sans que ce nouveau paradigme gouvernemental soit discuté publiquement (Bradford, 1999). Ce rapport a aussi légitimé le dégagement de l'État (central et provincial) de plusieurs responsabilités, et ce, au nom de l'efficacité. Par ailleurs, en raison du pouvoir fédéral de dépenser, conjugué à la tendance à considérer tout enjeu comme étant lié au développement économique, le gouvernement central a réussi à augmenter son influence dans plusieurs champs de compétence provinciale. Au même moment, la crise fiscale des années 1980 et la mondialisation des marchés ont offert l'occasion au gouvernement central d'inclure dans sa stratégie économique de nouveaux domaines d'intervention. En ce sens, le politologue Raymond Hudon (1986) a souligné le parti pris idéologique de la commission Macdonald en faveur du libre marché. La majeure partie du rapport Macdonald insiste sur la non-interférence de l'État et se montre très sensible aux impératifs de l'économie de marché.

À la différence des États, qui sont géographiquement fixes et historiquement enracinés, l'économie de marché est hostile aux frontières nationales, elle crée constamment de nouveaux produits et elle va toujours de l'avant. Sa tendance naturelle est d'organiser et de répartir l'activité économique selon des critères indépendants de l'espace physique, et cette tendance est en contradiction avec l'immobilité des États et leur souci d'assurer la stabilité sociale de leurs citoyens (Rapport Macdonald, 1985, vol. 1, p. 72).

S'il y a bien quelques propos sur le fédéralisme dans le rapport, c'est le silence sur la tendance centralisatrice des dernières années, en plus de minimiser l'affrontement entre le Québec et le CHQ, faisant de la spécificité québécoise un élément « complémentaire » à l'ensemble canadien. Sous le couvert d'une réflexion portant sur l'économie, la commission marque un tournant en faisant d'Ottawa le maître d'œuvre du développement économique. On remarque la soumission de toute question politique au développement économique dans l'extrait suivant :

> Notre performance économique dépend des bonnes relations entre les gouvernements fédéral et provinciaux. Lorsque nous invoquons la nécessité de mieux gérer l'inévitable interdépendance des divers gouvernements, nous ne prétendons pas qu'une harmonie et une égalité parfaites devraient être les principaux objectifs du système fédéral. Les deux ordres de gouvernement sont des représentants légitimes d'intérêts et de préoccupations différents (Rapport Macdonald, 1985, vol. 3, p. 11).

Suivant l'objectif mentionné dans le rapport quant à la diminution des dépenses publiques, le gouvernement central, qui sous la direction du premier ministre Jean Chrétien arrivait à contrôler partiellement les dépenses publiques dans les programmes sociaux, par l'entremise du Transfert canadien en matière de santé et de programmes sociaux (TCSPS), réduisit considérablement le montant des transferts. Ces coupures révèlent l'immense influence que détient le gouvernement central quant aux programmes sociaux, qui sont pourtant de compétence provinciale. Les coupures accentuèrent le déséquilibre fiscal entre ordres de gouvernement et amenèrent le gouvernement québécois à mettre sur pied, en mai 2001, la Commission sur le déséquilibre fiscal (commission Séguin). Si le rapport repose sur une acceptation explicite du cadre constitutionnel imposé au Québec en 1982, il identifie de sérieux problèmes au chapitre de la gestion de la fiscalité.

La commission Séguin reproche au gouvernement central de contourner la structure fédérale canadienne de trois façons : « le déséquilibre entre les dépenses et l'accès aux sources de revenus, le caractère inadéquat des transferts intergouvernementaux effectués depuis le gouvernement fédéral vers les provinces et le "pouvoir fédéral de dépenser" » (Rapport Séguin, 2002, p. viii). En ce sens, le TCSPS est considéré comme une façon de contourner le partage des compétences et ainsi de contrevenir aux principes qui sous-tendent le fédéralisme. En bref,

Le déséquilibre fiscal constitue donc bien un dysfonctionnement du système fédéral. Pour y mettre fin, des transformations d'envergure devraient être apportées aux relations financières intergouvernementales, au sein du Canada. Les transformations identifiées par la Commission permettent de dessiner ce que devrait être une fédération canadienne respectant davantage les principes du fédéralisme, à court comme à moyen terme (Rapport Séguin, 2002, p. x).

5. LA QUESTION AUTOCHTONE : UN ENJEU NÉGLIGÉ DES RELATIONS FÉDÉRALES-PROVINCIALES

Aux réflexions des années 1990 et 2000 portant sur les questions constitutionnelles et économiques s'est enfin ajouté l'enjeu de la place des peuples autochtones dans le régime fédéral canadien.

En effet, le paradigme du **binationalisme** et la thèse des « deux peuples fondateurs » ont graduellement été remis en question au profit du paradigme du **multinationalisme** (Gagnon et Iacovino, 2007 ; Gagnon, 2008 ; Seymour et Laforest, 2011 ; Gagnon, 2011 ; Seymour et Gagnon, 2012). Nous pouvons en voir une manifestation en 1996 au moment de la publication du rapport de la Commission royale sur les peuples autochtones (commission Erasmus-Dussault) ainsi que dans les travaux publiés en 2004 par le gouvernement du Québec dans *L'Approche commune*.

Précisons tout d'abord que la commission Erasmus-Dussault, établie en 1991 par le gouvernement central dans le sillon des événements d'Oka, s'est vu confier un mandat très large. Cette commission a contribué à élargir le débat sur le fédéralisme en y insérant la question autochtone, question qui a été négligée par les acteurs politiques à Ottawa de même que dans la plupart des capitales provinciales[11].

Le rapport précise que si, dans le cadre de politiques colonisatrices, les peuples autochtones

n'ont pas eu la possibilité de participer à la création de l'union fédérale canadienne ; ils cherchent actuellement à y trouver la place qui leur revient. Le but est d'en arriver, pour tous les habitants du Canada, à une concrétisation des principes sur lesquels reposent la Constitution et les traités, c'est-à-dire à une société véritablement démocratique composée de peuples ayant librement choisi de se confédérer (Commission Erasmus-Dussault, vol. 1).

Le rapport de la commission invite la classe politique à renégocier les paramètres du fédéralisme afin de mieux refléter les besoins et les volontés des communautés en présence sur le territoire.

Ne voulant pas être en reste, le gouvernement du Québec a lancé en 2004 sa propre commission afin d'adopter sa politique de reconnaissance des

....

11. Voir le chapitre 3 de Nicolas Houde et Benjamin Pillet dans cet ouvrage.

Premières Nations. L'objectif de cette approche à court terme était de régulariser les relations entre les trois communautés innues et le gouvernement québécois en leur garantissant des droits de pêche, de chasse, de piégeage et de cueillette sur le territoire de même que sur les ressources naturelles (participation à la gestion du territoire, planification de l'exploitation forestière). De plus, l'entente prévoit le développement d'une autonomie gouvernementale par l'adoption, par les communautés, de constitutions internes respectant les paramètres de l'entente. Enfin, l'entente pourrait servir de canevas pour les négociations à venir avec d'autres communautés autochtones en établissant un cadre de référence politique à la fois symbolique et cohérent.

Si l'entente ne fut finalement pas entérinée, elle n'en constitue pas moins la mise en place d'un discours prônant l'autonomie gouvernementale des peuples autochtones de même que la reconnaissance de droits importants sur le territoire. On remarque aussi que, plutôt que d'insister sur l'autonomie culturelle des communautés autochtones, l'entente opère un déplacement qualitatif vers la question de l'autonomie politique comme nouveau fondement à partir duquel fonder les négociations à venir.

POINTS CLÉS

> La commission Rowell-Sirois légitime les visées centralisatrices d'Ottawa en vantant les bienfaits de politiques sociales uniformes, en situation de crise économique, qui justifient une plus grande flexibilité dans la division des pouvoirs.
> La commission Tremblay, en réponse à la commission Rowell-Sirois, insiste sur l'autonomie fiscale (corollaire de l'autonomie politique) et le respect strict des domaines de compétence provinciale, et encourage la décentralisation en faisant usage du principe de la subsidiarité dans le but de veiller à la protection des communautés francophones.

> La commission Laurendeau-Dunton devait répondre au problème de l'aliénation profonde des Québécois et de la discrimination vécue par les francophones au sein de la fédération, tout en identifiant des solutions à la crise de l'unité nationale.
> La commission Pepin-Robarts, créée par l'exécutif fédéral en réponse à l'élection du gouvernement péquiste, proposait comme solution au problème de l'unité du pays d'accepter l'idée du dualisme et, conséquemment, de revenir à un respect plus grand de la souveraineté de chaque ordre de gouvernement dans ses champs de compétence exclusifs.
> La commission Macdonald, au nom de l'efficacité, défendait un retrait de l'État et la libéralisation de l'économie, ce qui a pour conséquence que les luttes politiques doivent avant tout être soumises aux impératifs de l'économie de marché plutôt qu'aux principes fédéraux.
> Après l'échec du lac Meech, la commission Bélanger-Campeau est mise en place par le gouvernement du Québec pour explorer deux voies de sortie de la crise constitutionnelle, soit l'accession à la souveraineté ou une réforme en profondeur du fédéralisme.
> Le retrait de l'État fédéral se transpose dans une diminution des transferts de fonds aux provinces accentuant le déséquilibre fiscal, en réponse à laquelle le gouvernement québécois met sur pied la commission Séguin, qui dénoncera la subordination des choix provinciaux aux choix budgétaires du gouvernement central.

CONCLUSION

Nous retrouvons dans plusieurs textes l'hypothèse voulant que le Canada soit une fédération décentralisée et asymétrique (dont Simeon et Papillon, 2006, p. 92-122). L'examen que nous avons fait des relations fédérales-provinciales au Canada suggère plutôt une lecture d'une autre nature et établit que, bien que les États membres aient des pouvoirs importants, ces derniers sont influencés et limités par le pouvoir fédéral de dépenser. Nous remarquons également, au terme de cet exercice, que la dimension « flexible » du fédéralisme canadien permet à certains acteurs de la scène politique de s'approprier les institutions politiques afin de mettre l'accent sur une vision de l'efficacité qui n'est pas nécessairement partagée par tous les États membres.

Plus généralement, et en ce sens, nous avons fait le constat de l'existence de deux traditions du fédéralisme canadien. La vision dominante peut être présentée sous l'angle territorial et tend à proposer un traitement identique pour chacune des provinces canadiennes, et ce, sans égard aux besoins culturels et communautaires spécifiques des nations et des collectivités minoritaires donnant à la fédération sa pleine mesure (Gagnon, 2008 ; Brouillet et Lampron, 2013). La vision préférée au Québec et auprès des nations autochtones (Ladner, 2003) est celle qui adopte le fédéralisme multinational comme régime pouvant le plus adéquatement prendre en compte, avec justice et égalité, la diversité nationale[12]. La notion d'« habilitation » prend ici tout son sens alors que celle d'une décentralisation sous l'impulsion de l'autorité centrale apparaît plus problématique eu égard à l'instauration de l'idéal fédéral.

Nous avons accordé beaucoup d'importance à la place du Québec au sein de la fédération canadienne, au détriment des autres provinces. Il va de soi que les autres provinces sont évidemment parties prenantes du débat sur les enjeux constitutionnels. Cependant, l'histoire du Canada montre que les principaux conflits mettent en opposition le Québec et le Canada hors Québec, de même que les gouvernements à Ottawa et à Québec. Cette histoire montre aussi que les défis posés par le Québec et les nations autochtones accompagnent la construction du régime fédéral canadien, particulièrement au cours de la deuxième moitié du XXe siècle. Il y a donc lieu d'interroger sérieusement la conception du régime fédéral devant présider aux relations entre communautés politiques canadiennes si on veut comprendre la nature réelle du fédéralisme canadien.

....

12. Pour une discussion plus en profondeur sur ce point, voir le chapitre 5.

QUESTIONS

1. En vous basant sur le texte, définissez le fédéralisme. Le Canada peut-il être considéré comme un État valorisant les valeurs qui sous-tendent le fédéralisme ?

2. Expliquez le rôle du Comité judiciaire du Conseil privé de Londres et ses répercussions sur l'évolution du fédéralisme canadien.

3. Nommez et expliquez brièvement les différentes conceptions du fédéralisme avancées par James Mallory.

4. Quels sont les principaux facteurs qui ont contribué à la centralisation des pouvoirs dans la fédération canadienne ?

5. Décrivez les deux conceptions dominantes du fédéralisme canadien, soit celle étant la plus influente au Québec et celle étant la plus populaire au Canada hors Québec.

6. Expliquez ce que signifie «le pouvoir de dépenser» du gouvernement central et décrivez ses répercussions sur le fédéralisme.

7. Quelle commission d'enquête a justifié le virage favorable à l'économie de marché au Canada? Quel a été son effet sur les relations intergouvernementales?

8. Quelle commission d'enquête a cherché à justifier la centralisation des pouvoirs dans la fédération? Quels étaient ses arguments? Quelle a été la réponse du Québec?

LECTURES SUGGÉRÉES

Chevrier, M. (2007). «Federalism in Canada: A world of competing definitions and views», dans S. Tierney (dir.), *Multiculturalism and the Canadian Constitution*, Vancouver, UBC Press, p. 108-126.

Lajoie, A. (2006). «Le fédéralisme au Canada: provinces et minorités, même combat», dans A.-G. Gagnon (dir.), *Le fédéralisme canadien contemporain: fondements, traditions, institutions*, Montréal, Les Presses de l'Université de Montréal, p. 183-209.

Mallory, J. (1971). «The five faces of federalism», dans P. Meekison (dir.), *Canadian Federalism: Myth or Reality*, 2e éd., Toronto, Methuen, p. 55-65.

Paquin, S. (1999). *L'invention d'un mythe: le pacte entre deux peuples fondateurs*, Montréal, VLB.

Rapport de la Commission royale d'enquête sur le bilinguisme et le biculturalisme – Rapport Laurendeau-Dunton (1967). Volume 1, Ottawa, Imprimeur de la Reine.

Rapport de la Commission royale d'enquête sur les problèmes constitutionnels – Rapport Tremblay (1956). Volume 2, Québec, Commission royale d'enquête sur les problèmes constitutionnels.

Rapport de la Commission royale des relations entre le dominion et les provinces – Rapport Rowell-Sirois (1940). Volumes 1 et 2, Ottawa, Imprimeur du Roi.

Rapport préliminaire de la Commission royale d'enquête sur le bilinguisme et le biculturalisme – Rapport Laurendeau-Dunton (1965). *La crise canadienne*, Ottawa, Imprimeur de la Reine.

Rocher, F. et B. Pelletier (dir.) (2013). *Le nouvel ordre constitutionnel canadien: du rapatriement de 1982 à nos jours*, Québec, Presses de l'Université du Québec, coll. «Politeia».

GLOSSAIRE

BICULTURALISME: Le biculturalisme fait référence à l'existence de deux cultures nationales au sein d'un seul pays. La notion peut également être caractérisée par une dimension normative en ce qu'elle suppose le respect politique de ces deux cultures.

BILINGUISME INSTITUTIONNEL: Ensemble des dispositions législatives faisant référence à l'utilisation des deux langues officielles dans l'administration publique. Le modèle canadien de bilinguisme institutionnel favorise le bilinguisme des fonctionnaires plutôt que l'utilisation de la langue selon le lieu de travail ou encore selon les services offerts.

BINATIONALISME, MULTINATIONALISME : Le binationalisme fait référence à la conception de la fédération comme étant composée de deux nations – ou deux peuples fondateurs –, alors que le multinationalisme fait référence à la conception de la fédération comme étant composée d'au moins trois nations. Le multinationalisme est souvent évoqué pour inclure les peuples autochtones aux projets de redéfinition de l'entente fédérale.

DÉCONCENTRATION : Suppose une décentralisation des pouvoirs à certaines autorités locales qui demeurent cependant soumises à l'autorité centrale. On fait référence aussi parfois à la déconcentration comme étant une décentralisation administrative.

FÉDÉRALISME : Théorie énonçant les principes devant régir le fonctionnement d'une fédération, comme les principes devant présider au partage des compétences, aux relations entre ordres de gouvernement, à la définition de l'autonomie des États membres de la fédération et à la participation de ces États au gouvernement central. Dans le cas canadien, l'utilisation du terme *fédéralisme* fait également référence au régime politique canadien et peut être caractérisé par des épithètes telles que « asymétrique », « coopératif », « dualiste », « multinational », « unitaire ».

FÉDÉRATION : Ensemble d'un minimum de deux États qui mettent en commun et d'un commun accord un ensemble de pouvoirs relevant d'une autorité centrale. Les États membres de la fédération conservent l'entière souveraineté dans leurs domaines de compétence. La fédération suppose l'existence de plus d'un ordre de gouvernement, une formule de partage des pouvoirs et d'intérêts partagés par les États membres.

HABILITATION : Le fait d'accorder à une entité, qui en est dépourvue, des capacités à exercer des pouvoirs. L'habilitation politique suppose que l'entité en question sera pourvue d'un pouvoir d'initiative qui lui sera reconnu.

KEYNÉSIANISME, KEYNÉSIEN : Le keynésianisme fait référence à un ensemble de politiques sociales se réclamant des théories de John Maynard Keynes et favorisant un certain interventionnisme étatique et un activisme en matière de politiques sociales, entre autres.

PÉRÉQUATION : Modèle de redistribution des revenus de l'État central ou des États membres vers d'autres États membres en vue de favoriser, en principe, une plus grande égalité entre les États membres de la fédération. Le programme de péréquation canadien a cependant fait l'objet à maintes reprises de critiques en raison de son caractère politisé et arbitraire.

POUVOIR DE DÉPENSER : Le « pouvoir de dépenser » constitue l'un des pouvoirs exercés par le gouvernement central canadien sans que ce pouvoir ait été reconnu constitutionnellement.

BIBLIOGRAPHIE

Angers, F.-A. *et al.* (1960). *Essai sur la centralisation : analyse des principes et perspectives canadiennes*, Montréal, Les Presses de l'École des Hautes Études commerciales et Librairie Beauchemin.

Arès, R. (1967). *Dossier sur le pacte confédératif de 1867 : Confédération – pacte ou loi*, Montréal, Bellarmin.

Bickerton, J.P., S. Brooks et A.-G. Gagnon (dir.) (2003). *Six penseurs en quête de liberté, d'égalité et de communauté : Grant, Innis, Laurendeau, Rioux, Taylor et Trudeau*, Québec, Presses de l'Université Laval.

Bradford, N. (1999). « Innovation by commission : Policy paradigms and the Canadian political system », dans J. Bickerton et A.-G. Gagnon (dir.), *Canadian Politics*, 3e éd., Toronto, University of Toronto Press, p. 541-564.

Brouillet, E., A.-G. Gagnon et G. Laforest (dir.) (2016). *La Conférence de Québec de 1864 : 150 ans plus tard. Comprendre l'émergence de la fédération canadienne*, Québec, Presses de l'Université Laval.

Brouillet, E. et L.-P. Lampron (dir.) (2013). *La mobilisation du droit et la protection des collectivités minoritaires*, Québec, Presses de l'Université Laval.

Cairns, A.C. (1971). « The judicial committee and its critics », *Revue canadienne de science politique*, vol. 4, n° 3, p. 301-345.

Chevrier, M. (2007). « Federalism in Canada : A world of competing definitions and views », dans S. Tierney (dir.), *Multiculturalism and the Canadian Constitution*, Vancouver, UBC Press, p. 108-126.

Cloutier, É., J.H. Guay et D. Latouche (1992). *Le virage : l'évolution de l'opinion publique au Québec depuis 1960 ou comment le Québec est devenu souverainiste*, Montréal, Québec Amérique.

Commission Séguin sur le déséquilibre fiscal (2002). *Le « pouvoir fédéral de dépenser »*, rapport, annexe 2, Québec, Bibliothèque nationale du Québec.

Dion, S. (1997). « Belgique et Canada : une comparaison de leurs chances de survie », dans S. Jaumain (dir.), *La réforme de l'État... et après ? L'impact des débats institutionnels en Belgique et au Canada*, Bruxelles, Éditions de l'Université de Bruxelles, p. 131-159.

Fournier, P. (1990). *Autopsie du Lac Meech. La souveraineté est-elle inévitable ?*, Ville Saint-Laurent, VLB.

Gagnon, A.-G. (2008). *La raison du plus fort : plaidoyer pour le fédéralisme multinational*, Montréal, Québec Amérique, coll. « Débats ».

Gagnon, A.-G. (2011). *L'âge des incertitudes : essais sur le fédéralisme et la diversité nationale*, Québec, Presses de l'Université Laval.

Gagnon, A.-G. et X. Dionne (2009). « Historiographies et fédéralisme au Canada », *Revista d'Estudis Autonòmics i Federals*, vol. 9, p. 10-50.

Gagnon, A.-G. et R. Iacovino (2007). *De la nation à la multination : les rapports Québec-Canada*, Montréal, Boréal.

Gagnon, A.-G. et D. Latouche (1991). *Allaire, Bélanger, Campeau et les autres. Les Québécois s'interrogent sur leur avenir*, Montréal, Québec Amérique.

Gagnon, A.-G. et M.B. Montcalm (1982). « Economic peripheralization and Quebec unrest », *Revue d'études canadiennes*, vol. 17, n° 2, p. 32-43.

Gagnon, A.-G. et M.B. Montcalm (1992). *Québec : au-delà de la Révolution tranquille*, Montréal, VLB.

Gagnon, A.-G. et R. Simeon (2010). « Canada », dans L. Moreno et C. Colino (dir.), *Diversity and Unity in Federal Countries*, Montréal et Kingston, McGill-Queen's University Press, p. 109-138.

Horn, M. (1980). *The League for Social Reconstruction : Intellectual Origins of the Democratic Left in Canada 1930-1942*, Toronto, University of Toronto Press.

Hudon, R. (1986). « La commission Macdonald : principes et préceptes », *Politique*, vol. 9, p. 11-45.

Karmis, D. (2006). « Les multiples voix de la tradition fédérale et la tourmente du fédéralisme canadien », dans A.-G. Gagnon (dir.), *Le fédéralisme canadien contemporain : fondements, traditions, institutions*, Montréal, Les Presses de l'Université de Montréal, p. 63-91.

Lacoursière, J., J. Provencher et D. Vaugeois (2001). *Canada-Québec : synthèse historique, 1534-2000*, Québec, Septentrion.

Ladner, K. (2003). « Treaty federalism : An indigenous vision of Canadian federalism », dans F. Rocher et M. Smith (dir.), *New Trends in Canadian Federalism*, 2e éd., Peterborough, Broadview Press, p. 167-196.

Laforest, G. (2010). « The meaning of federalism in Quebec », *Revista d'Estudis Autonòmics i Federals*, vol. 11, p. 10-53.

Laforest, G., E. Brouillet et A.-G. Gagnon (dir.) (2014). *Ces constitutions qui nous ont façonnés. Anthologie historique sur les lois constitutionnelles antérieures à 1867*, Québec, Presses de l'Université Laval.

Lajoie, A. (2006). « Le fédéralisme au Canada : provinces et minorités, même combat », dans A.-G. Gagnon (dir.), *Le fédéralisme canadien contemporain : fondements, traditions, institutions*, Montréal, Les Presses de l'Université de Montréal, p. 183-209.

Mallory, J. (1954). *Social Credit and the Federal Power in Canada*, Toronto, University of Toronto Press.

Mallory, J. (1971). « The five faces of federalism », dans P. Meekison (dir.), *Canadian Federalism : Myth or Reality*, 2e éd., Toronto, Methuen, p. 55-65.

Owram, D. (1986). *The Government Generation. Canadian Intellectuals and the State, 1900-1945*, Toronto, University of Toronto Press.

Paquin, S. (1999). *L'invention d'un mythe. Le pacte entre deux peuples fondateurs*, Montréal, VLB.

Rapport de la Commission de l'unité canadienne. Se retrouver : Observations et recommandations – Rapport Pepin-Robarts (1979). Volume 1, Ottawa, Éditeur officiel.

Rapport de la Commission royale d'enquête sur le bilinguisme et le biculturalisme – Rapport Laurendeau-Dunton (1967). Ottawa, Imprimeur de la Reine.

Rapport de la Commission royale d'enquête sur les problèmes constitutionnels – Rapport Tremblay (1956). Volume 2, Québec, Éditeur officiel.

Rapport de la Commission royale des relations entre le Dominion et les provinces – Rapport Rowell-Sirois (1940a). Volume 1, Ottawa, Éditeur officiel.

Rapport de la Commission royale des relations entre le Dominion et les provinces – Rapport Rowell-Sirois (1940b). Volume 2, Ottawa, Éditeur officiel, <http://publications. gc.ca/collections/collection_2016/bcp-pco/Z1-1937-2-2-1-eng.pdf>.

Rapport de la Commission royale sur l'union économique et les perspectives de développement du Canada – Rapport Macdonald (1985). Volume I, Ottawa, Approvisionnements et Services Canada.

Rapport de la Commission royale sur les peuples autochtones – Commission Erasmus-Dussault (1996). Volume 1 – *Un passé, un avenir*, Ottawa, Ministre des Approvisionnements et Services, <http://publications.gc.ca/site/eng/ 9.679938/publication.html>.

Rapport de la Commission sur le déséquilibre fiscal – Rapport Séguin (2002). *Pour un nouveau partage des moyens financiers au Canada*, Québec, Bibliothèque nationale du Québec.

Rapport préliminaire de la Commission royale d'enquête sur le bilinguisme et le biculturalisme – Rapport Laurendeau-Dunton (1965). *La crise canadienne*, Ottawa, Imprimeur de la Reine.

Rémillard, G. (1980) *Le fédéralisme canadien : éléments constitutionnels de formation et d'évolution*, Montréal, Québec Amérique.

Robertson, G. (1985). « Le conflit fédéral-provincial au Canada : raisons et solutions », *Les cahiers de droit*, vol. 26, no 1, p. 57-67.

Rocher, F. (2006). « La dynamique Québec-Canada ou le refus de l'idéal fédéral », dans A.-G. Gagnon (dir.), *Le fédéralisme canadien contemporain : fondements, traditions, institutions*, Montréal, Les Presses de l'Université de Montréal, p. 93-146.

Rocher, F. et M. Smith (2003). « The four dimensions of Canadian federalism », dans F. Rocher et M. Smith (dir.), *New Trends in Canadian Federalism*, 2e éd., Peterborough, Broadview Press, p. 21-44.

Russell, P.H. (2003). « Bold statecraft, questionable jurisprudence », dans K. Banting et R. Simeon (dir.), *And No One Cheered : Federalism, Democracy and the Constitution*, Toronto, Methuen, p. 210-238.

Russell, P.H. (2004). *Constitutional Odyssey*, 3e éd., Toronto, University of Toronto Press.

Saint-Germain, M. (1973). *Une économie à libérer. Le Québec analysé dans ses structures économiques*, Montréal, Les Presses de l'Université de Montréal.

Seymour, M. et A.-G. Gagnon (2012). *Multinational Federalism : Problems and Prospects*, Basingstoke, Palgrave Macmillan.

Seymour, M. et G. Laforest (dir.) (2011). *Le fédéralisme multinational – Un modèle viable ?*, Bruxelles, Peter Lang, coll. « Diversitas ».

Simeon, R. et M. Papillon (2006). «Canada», dans A. Majeed, R.L. Watts et D.M. Brown (dir.), *A Global Dialogue on Federalism. Distribution of Powers and Responsibilities in Federal Countries*, vol. 2, Montréal et Kingston, McGill-Queen's University Press, p. 92-122.

Simeon, R. et I. Robinson (2009). «The dynamics of Canadian federalism», dans J. Bickerton et A.-G. Gagnon (dir.), *Canadian Politics*, 5ᵉ éd., Toronto, University of Toronto Press, p. 155-178.

Simeon, R. et L. Turgeon (2006). «Federalism, nationalism and regionalism in Canada», *Revista d'Estudis Autonòmics i Federals*, vol. 3, p. 11-39.

Smiley, D.V. (1983). «A dangerous deed: The Constitution Act, 1982», dans K. Banting et R. Simeon (dir.), *And No One Cheered: Federalism, Democracy and the Constitution*, Toronto, Methuen, p. 133-153.

Smiley, D.V. (dir.) (1963). *The Rowell-Sirois Report*, Livre I, Toronto, McClelland and Stewart Limited.

Smith, J. (2002). «Informal constitutional development: Change by other means», dans H. Bakvis et G. Skogstad (dir.), *Canadian Federalism: Performance, Effectiveness and Legitimacy*, Toronto, Oxford University Press, p. 40-58.

Smith, J. (2004). *Federalism*, Vancouver, UBC Press.

Trudeau, P.E. (1951). «Politique fonctionnelle II», *Cité libre*, vol. 2, p. 24-29.

Trudeau, P.E. (1967). *Le fédéralisme et la société canadienne-française*, Montréal, HMH.

Trudeau, P.E. (1969). *Les subventions fédérales-provinciales et le pouvoir de dépenser du Parlement canadien*, Ottawa, Gouvernement du Canada.

Tully, J. (1999). *Une étrange multiplicité: le constitutionnalisme à une époque de diversité*, Québec, Presses de l'Université Laval.

Turgeon, L. et A.-G. Gagnon (2013). «The representation of ethnic and linguistic groups in the federal civil service in Belgium and Canada», *Administration publique du Canada*, vol. 56, nᵒ 4, p. 565-583.

Wallot, J.-P. (dir.) (2002). *Le débat qui n'a pas eu lieu. La commission Pepin-Robarts, quelque vingt ans après*, Ottawa, Les Presses de l'Université d'Ottawa.

Wheare, K.C. (1964 [1946]). *Federal Government*, 4ᵉ éd., New York, Oxford University Press.

La troisième partie traite plus particulièrement de partis politiques, de mouvements sociaux et des groupes au Québec et au Canada, tout en proposant aux lecteurs une étude du nationalisme à partir d'une perspective comparée. Aussi, dans le chapitre 12, **Xavier Lafrance** étudie les systèmes partisans au Québec et au Canada. Il établit d'abord quelques bases théoriques permettant de caractériser les partis politiques et de comprendre comment les systèmes partisans conditionnent le rôle et le développement des partis dans une dynamique d'interaction compétitive. Plusieurs systèmes partisans – quatre ou cinq – se sont succédé en politique québécoise et fédérale, et ont soit accentué le bipartisme de ces régimes politiques de type Westminster ou l'ont mis en sourdine en favorisant un temps un certain multipartisme. L'auteur cherche aussi à expliquer la connexion entre les partis, les gouvernements, l'édification étatique et le nationalisme. Les partis politiques dominants au Canada, idéologiquement flexibles, tendent à exercer des fonctions de courtage politique pour mobiliser de larges pans de l'électorat et ainsi renforcer la toujours précaire unité nationale. Enfin, la concentration excessive du pouvoir dans les mains des chefs de partis et du premier ministre signifie un grave déficit démocratique – intrapartisan et sociétal – et nuit à la participation citoyenne au processus décisionnel.

Les mouvements sociaux viennent donner un ton particulier à l'analyse des phénomènes politiques. Dans le chapitre 13, **Francis Dupuis-Déri** montre dans quelle mesure et de quelle manière les mouvements sociaux influencent les sociétés contemporaines et représentent un espace de participation politique déterminant pour les citoyennes et les citoyens. Le Canada, et surtout le Québec, sont traversés par de nombreuses mobilisations qui prennent de l'ampleur depuis le début des années 2000. Mais pourquoi s'engage-t-on? Et comment? Dupuis-Déri signale que les sciences sociales et humaines offrent plusieurs cadres théoriques pour expliquer l'apparition et les mobilisations des mouvements sociaux, soit le pluralisme, le structuralisme et le post-structuralisme. L'auteur passe en revue et explique l'évolution des approches qui ont été développées au cours des ans afin de rendre compte de la montée des mouvements sociaux, en passant au crible les principales démarches, dont celles fondées sur la psychologie collective, les «nouveaux mouvements sociaux», la mobilisation des ressources, le processus politique et le cadrage. Enfin, l'auteur avance que la philosophie politique offre des outils pour penser les mouvements sociaux en s'inspirant, entre autres, des politiques de la reconnaissance, de la démocratie, et établit des critères pour évaluer la légitimité des moyens d'action (violente et non violente).

Dans le chapitre 14, **Alain Dieckhoff** traite du nationalisme et de son corollaire, la nation. L'auteur insiste sur l'idée que le nationalisme fait référence au phénomène «universalisable» d'auto-identification des groupes à une nation donnée qui les amène, ultimement, à chercher à se donner une fondation politique, un État. Il y brosse un tableau clair du phénomène national de manière diachronique (en utilisant une approche comparée) et chronologique (en remontant au XIXe siècle). Ce tableau permet d'illustrer l'expansion du phénomène national, mais aussi les modes et les contextes différents de mobilisation nationale et d'accession à l'auto-gouvernement pour les «petites nations» et les «nations sans État». Dieckhoff est d'avis que le fait de former une «société globale» pour une «petite nation», comme le Québec, renforce et légitime davantage sa mobilisation nationale. En situant le Québec dans cette constellation des nationalismes, l'auteur est en mesure de faire ressortir les spécificités et les divergences de cette étude de cas par rapport aux petites nations européennes aspirant elles aussi à se poser comme sujet politique.

Au chapitre 15, **Geneviève Pagé** soutient de façon convaincante dans son étude sur «La démocratie et les femmes au Québec et au Canada» que la science politique, à l'image de son objet – les institutions politiques – s'est surtout bâtie en se basant sur l'expérience des hommes. Cependant, les femmes et les féministes, à travers leurs critiques et leurs luttes, ont su remettre en question autant les assises théoriques de la science politique que les structures politiques dans le but d'obtenir une égalité complète *de jure* (formelle), si ce n'est *de facto* (de fait). Dans ce chapitre, l'auteure retrace les grands enjeux débattus par les femmes et les féministes du Québec et du Canada autour de la question de la démocratie. Questionnant d'abord les assises théoriques de la démocratie moderne, l'auteure discute ouvertement des enjeux autour de la démocratie représentative et de la démocratie participative. Pagé termine son chapitre en examinant les effets de plusieurs politiques publiques sur les femmes.

Dans le chapitre 16, **Pascale Dufour** aborde la question, négligée aujourd'hui, des perpétuels rapports conflictuels entre les syndicats et les gouvernements, qui sont réfractaires envers la mission sociale et le rôle politique de ces derniers. Si l'État a fini par reconnaître la légalité de l'association syndicale, c'est au prix de luttes, parfois violentes, au bout desquelles la reconnaissance acquise par les syndicats demeure encore partielle et précaire, comme le révèle le présent ressac du syndicalisme dans un contexte politique néolibéral défavorable à l'action collective. Pourtant, le syndicalisme a été un moteur social qui a permis l'adoption de législations sociales progressistes notamment, tout au long de l'histoire du Québec et du Canada. Les syndicats jouent aussi un rôle essentiel dans la défense collective des intérêts des travailleurs face au patronat et, dans un style néocorporatiste, sont souvent d'importants partenaires de l'État dans l'application des politiques publiques et dans l'atteinte de grands consensus sociétaux.

Dans le chapitre 17, **Allison Harrel** et **Philippe Duguay** s'intéressent à l'évolution et au fonctionnement des systèmes électoraux québécois et canadien, qui permettent la sélection des gouvernements dans le régime représentatif et qui y réglementent la participation des citoyens. Ils montrent que ces systèmes, d'exclusifs, sont devenus plus inclusifs à mesure que le suffrage s'est étendu. Cependant, le caractère démocratique de ces systèmes est limité par un mode de scrutin majoritaire uninominal à un tour qui, s'il permet de produire généralement des gouvernements stables, représente tout de même inadéquatement les choix des citoyens. Pourtant, les tentatives d'injecter des éléments de proportionnalité ont été vouées à l'échec dans l'histoire du pays. Cela affecte le comportement électoral de la population, qui tend davantage à voter de manière stratégique, mais cela ne limite toutefois pas la multiplicité des facteurs qui influencent le vote (identité partisane, valeurs, clivages régionaux, religion, origine ethnoculturelle, langue et genre).

CHAPITRE 12

LES SYSTÈMES PARTISANS ET L'ORGANISATION DES PARTIS POLITIQUES AU CANADA ET AU QUÉBEC

Xavier Lafrance

L'analyse de la politique canadienne et québécoise ne peut faire l'économie d'une étude des partis politiques. Ces derniers représentent des acteurs centraux des débats politiques qui traversent l'espace public. Les différents intérêts et perspectives mis en avant dans le cadre de ces débats sont portés vers l'État par ces mêmes partis lorsqu'ils investissent l'arène parlementaire ou sont appelés à former le gouvernement.

Dans ce qui suit, nous relèverons d'abord les différentes fonctions des partis. Reconnaissant la co-constitution des partis à travers leurs interactions compétitives, nous analyserons ensuite l'évolution des systèmes partisans canadiens d'abord, et québécois ensuite. Nous nous pencherons enfin sur l'évolution des modes d'organisation des partis relativement à l'enjeu de la participation citoyenne au processus démocratique.

1. DÉFINITIONS ET FONCTIONS DES PARTIS POLITIQUES

Définir ce qu'est un parti politique suppose un positionnement normatif (White, 2006). Une conception donnée des partis, de leurs objectifs et de leur rôle est en elle-même révélatrice d'une certaine compréhension du fonctionnement approprié du régime politique. En définissant les partis politiques, nous établissons à la fois ce qu'ils sont, ce qu'ils ne sont pas et ce qu'ils devraient ou pourraient être.

Il est d'abord possible de différencier les partis politiques des **groupes d'intérêts**[1]. Ces derniers promeuvent, dans la société et auprès

....

1. Les concepts en caractères gras sont définis dans le glossaire à la fin du chapitre.

des autorités publiques, un ou des intérêts spécifiques, sectoriels ou catégoriels (Delwit, 2015). Les partis politiques défendent quant à eux des intérêts particuliers ou mettent de l'avant une conception spécifique de l'intérêt général de différentes façons, y compris – et c'est ce qui fait leur spécificité – en participant aux élections et en y présentant des candidats. Associant les partis politiques au processus électoral et à l'objectif d'exercer le pouvoir, Joseph LaPalombara et Myron Weiner proposent une définition des organisations partisanes souvent citée selon laquelle elles impliquent « une organisation durable, c'est-à-dire une organisation dont l'espérance de vie politique est supérieure à celle de ses dirigeants en place ; une organisation locale bien établie et apparemment stable, entretenant des rapports réguliers et variés avec l'échelon national ; la volonté délibérée des dirigeants nationaux et locaux de l'organisation de prendre et exercer le pouvoir, seuls ou avec d'autres, et non pas – simplement – d'influencer le pouvoir ; le souci, enfin, de rechercher un soutien populaire à travers les élections ou de toute autre manière » (LaPalombara et Weiner, 1966, p. 6).

La définition de LaPalombara et Weiner est utile puisqu'elle permet de distinguer les partis des sectes politiques n'ayant ni les ramifications locales ni la stabilité organisationnelle permettant d'influer sur le **système partisan** (Offerlé, 2010, p. 8). Mais on pourrait aussi reprocher à cette définition d'être trop exclusive, dans la mesure où elle laisse aussi de côté des organisations partisanes dont la raison d'être est moins de « prendre et exercer le pouvoir » que de faire la promotion d'une conception du bien commun ou encore de l'intérêt d'un groupe social spécifique. Ainsi, est-ce qu'un parti devrait s'attacher et rester fidèle à son ancrage idéologique propre, ou devrait-il plutôt s'organiser de façon à prioriser l'élection de ses candidats et la prise du pouvoir ? Quel équilibre l'organisation partisane doit-elle dégager entre idéologie politique et pragmatisme électoral ? Comment le parti devrait-il

départager le pouvoir des membres et celui des dirigeants dans l'élaboration et l'atteinte de ces objectifs ? Il y a ici absence de consensus, et les définitions des partis politiques, tout en se recoupant sur certains points, demeurent multiples et offrent différentes réponses, explicites ou implicites, à ces questions et à d'autres (Delwit, 2015 ; Offerlé, 2010 ; White 2006). Comme nous aurons l'occasion de le voir, cette pluralité théorique renvoie à des joutes politiques et à des rapports de force concrets pouvant opposer les différents acteurs évoluant au sein des partis politiques.

Au-delà de leur définition, l'existence et la pertinence même des partis politiques ont longtemps été contestées au moment de l'émergence des régimes parlementaires dans le monde occidental. Les partis étaient donc au départ présentés comme des factions ; facteurs de division nuisibles au fonctionnement des régimes politiques, bien que très progressivement, et toujours loin de faire l'unanimité, les partis commencèrent à être plus acceptés au cours de la deuxième moitié du XIXe siècle. Encore au tournant du XXe siècle, notamment aux États-Unis, d'importantes mouvances politiques rejetaient rigoureusement les partis politiques en dénonçant leur corruption et en les associant à des tentatives d'usurper le pouvoir du peuple. C'est seulement à l'intérieur du XXe siècle, alors que s'imposa une conception pluraliste de la politique, que les partis, en tant qu'entités bénéfiques permettant la médiation des différentes demandes et intérêts des groupes et des individus, finirent par être largement acceptés (Scarrow, 2006 ; Katz, 2006). À partir de ce moment, l'idée que la démocratie moderne est impensable sans partis politiques (Schattschneider, 1942) fut l'objet d'un consensus croissant chez les politologues et plus généralement dans l'espace public.

Désormais perçus comme des institutions indispensables au bon fonctionnement de la vie politique des États, les partis se sont vu attribuer différentes fonctions clés par la théorie démocratique libérale. Les organisations partisanes fournissent ainsi les ressources et l'encadrement nécessaires pour mener des campagnes électorales. Elles sélectionnent des candidats aux élections et des leaders politiques. Les partis forment les gouvernements, s'assurent de leur bon fonctionnement et exercent le pouvoir (ou s'assurent qu'il soit bien exercé par le parti formant le gouvernement). En vue d'exercer le pouvoir, les partis élaborent des programmes et formulent les politiques qu'ils souhaitent mettre en place. Ce faisant, ils offrent des solutions aux électeurs et cadrent les débats politiques. Les partis exercent ainsi une fonction de représentation des différents intérêts et groupes sociaux. Les organisations partisanes jouent un rôle clé dans l'articulation et la coordination entre l'État et la société civile. En théorie (mais souvent moins en pratique, comme nous le verrons), les partis agissent comme vecteurs de la participation citoyenne à la vie politique.

Plusieurs auteurs ont noté l'importance toute particulière qu'ont prise les partis dans la vie politique canadienne (Carty et Cross, 2010 ; Meisel, 1963). En l'absence d'une identité commune fortement développée, l'une des fonctions cruciales des partis politiques canadiens a été de renforcer les bases d'une unité nationale. En s'appuyant sur leurs organisations partisanes, les dirigeants politiques ont ainsi eu à définir, à développer et à maintenir une communauté politique canadienne. Les partis ont joué un rôle clé dans le déploiement de l'État fédéral canadien, mais aussi dans le développement de la société et de l'économie sur lesquelles a été érigé cet État. Ce rôle particulier ressort clairement de l'analyse de l'évolution historique des systèmes partisans canadiens.

> POINTS CLÉS

> Définir les partis politiques représente toujours un exercice normatif.
> Les partis politiques se distinguent d'autres types d'organisations par leur promotion

d'intérêts précis ou d'une conception du bien commun par l'entremise de la participation au processus électoral. Au-delà de ces caractéristiques fondamentales, il existe une multitude de définitions des partis politiques.
> Les partis ont différentes fonctions liées à la sélection du personnel politique, à la formulation de l'offre politique, à l'exercice du pouvoir gouvernemental et à la représentation de la société civile et des intérêts divergents qui la traversent.

2. LES SYSTÈMES PARTISANS CANADIENS

Dans les démocraties libérales, les partis politiques n'existent jamais en vase clos. Ils se co-constituent à travers leurs interactions et dans la compétition à laquelle ils font face. La prise en considération de ces interactions et des systèmes partisans dans lesquels elles se déroulent est essentielle à l'analyse des partis (Epstein, 1975). L'analyse des systèmes partisans occupe donc une place importante au sein du champ d'étude des partis politiques. Tous les politologues n'approchent pas ces systèmes de la même façon, mais ce concept renvoie le plus souvent au nombre de partis se faisant concurrence dans un espace électoral donné ainsi qu'à leurs dynamiques compétitives et leurs modes de coopération.

Les systèmes partisans sont habituellement classés en différents types selon le nombre de partis en présence et leur poids relatif (Sartori, 1976). Dans l'éventualité où un parti est quasiment hégémonique et arrive à imposer sa domination électorale sur une période prolongée, on pourra parler de système à parti dominant. Un système bipartite implique une concurrence entre deux partis pouvant espérer former le gouvernement. Un système comportant un plus grand nombre d'organisations partisanes ayant un poids systémique substantiel sera considéré comme multipartite. Le nombre et le poids relatif des partis pourront aussi impliquer différents types de dynamiques compétitives, plus « modérées » ou « polarisées », qui pourront être « centripètes » (alors que les partis tendront à graviter autour du centre du spectre idéologique) ou « centrifuges » (les partis ayant ici tendance à évoluer vers les extrêmes).

À partir et au-delà de ces catégorisations abstraites des dynamiques compétitives, il est possible de dégager des analyses concrètes et détaillées des systèmes partisans, qui sont enrichies par une prise en compte de différents facteurs institutionnels, légaux ou idéologiques. Les chercheurs étudiant la politique canadienne ont régulièrement insisté sur la nécessité d'établir une définition approfondie de la nature des systèmes partisans et des différentes dynamiques qu'ils recoupent (Carty, 1992 ; Koop et Bitner, 2013 ; Patten, 2017 ; Walchuck, 2012). La considération de ces différents facteurs a permis à la science politique canadienne de produire une riche tradition d'analyse historique des systèmes partisans qui se sont succédé au Canada.

2.1. Les trois premiers systèmes partisans

L'approche des systèmes partisans – comme ensembles évoluant sur la base d'une dynamique compétitive spécifique et multidimensionnelle – permet de constater que différents systèmes se sont succédé dans l'histoire politique canadienne (Carty, 1992 ; Carty, Cross et Young, 2000). Le premier des systèmes partisans canadiens s'étend du début de la Confédération en 1867 à la fin de la Première Guerre mondiale. Essentiellement bipartite, ce premier système fut dominé par les conservateurs et les libéraux.

Tout comme les grands partis qui le constituaient, ce système mit cependant un certain temps à se stabiliser. Conservateurs et libéraux

formaient en fait, à l'époque, des coalitions relativement peu structurées (Patten, 2017, p. 6). Cette faible structuration des partis s'ancrait dans un contexte d'importantes restrictions des droits démocratiques des citoyens et citoyennes. Le droit de vote était limité à une classe d'hommes socio-économiquement privilégiés. Les femmes étaient privées de droits politiques. Le droit de vote de différentes communautés ethniques racisées et des autochtones était aussi limité ou inexistant. Alors que les partis étaient principalement financés par les grandes entreprises, l'encadrement légal de ce financement demeurait rudimentaire et faiblement mis en application. De plus, les partis et leurs dirigeants entretenaient un rapport de copinage avec les grands médias, qui étaient souvent complaisants à leur égard en échange de faveurs sous forme de contrats publicitaires ou d'impression (Carty, 1992 ; Walchuck, 2012, p. 20).

Dans les circonscriptions locales à travers le pays, la compétition électorale ne se faisait que rarement sur la base d'affrontements idéologiques ou programmatiques. À ce niveau, la concurrence entre candidats était plutôt fortement personnalisée et teintée de **clientélisme**. Elle représentait une joute entre notables locaux cherchant à s'intégrer ou à maintenir leur appartenance aux élites politiques fédérales. Pour autant, les oppositions programmatiques entre partis n'étaient pas inexistantes. L'antagonisme entre francophones et anglophones formait un axe structurant pour ces oppositions, tout comme l'enjeu des échanges commerciaux avec les États-Unis et celui de l'insertion de l'État canadien au sein de l'Empire britannique. Ainsi, les libéraux, qui bénéficiaient d'appuis solides au Québec et chez les catholiques, étaient plus favorables à l'intégration économique avec les États-Unis, alors que les conservateurs, plus protectionnistes, se posaient comme fervents défenseurs du lien impérial avec la métropole britannique.

C'est à partir des années 1880 que ces partis se constituèrent en tant qu'organisations réellement pancanadiennes (Patten, 2017, p. 5). Au cours de cette période, autant pour John A. Macdonald (le chef conservateur) que pour Wilfrid Laurier (le chef libéral), le développement de leur parti fut intrinsèquement lié à la construction de l'État canadien (Carty, 1992). Ce projet de construction étatique s'attela à l'élaboration d'une « Politique nationale », d'abord mise en avant par les conservateurs en 1879, et qui visait à développer et à articuler une économie canadienne autonome tout en préservant des liens culturels et politiques forts avec le Royaume-Uni. Cette politique incluait, entre autres, la mise en place de tarifs douaniers soutenant l'investissement domestique et protégeant l'industrie nationale, la construction d'un chemin de fer ainsi qu'un plan de colonisation et de peuplement de l'Ouest canadien (Brodie, 1990). Opposés à cette formulation initiale, les libéraux proposèrent leur propre version de cette Politique nationale.

En élaborant cet ambitieux programme de construction étatique, les deux grands partis canadiens jetaient les bases d'une **politique de courtage**. Le courtage politique impliquait l'articulation, par un leader fort, d'une vision nationale unificatrice permettant de dépasser les divisions sociales et régionales afin de faire appel à l'ensemble de l'électorat canadien (Patten, 2007, p. 7). Comme nous le verrons, cette stratégie de courtage allait par la suite représenter une dimension marquante du fonctionnement des systèmes partisans canadiens.

Le premier système partisan prit fin avec la Première Guerre mondiale et laissa place à de nouvelles dynamiques plus ouvertement marquées par les **clivages** régionaux et de classes. Le deuxième système partisan émergea dans la foulée de l'élection de 1921, la première qui fut réalisée au suffrage (quasi) universel, car les femmes avaient obtenu le droit de vote en 1919 et les barrières socioéconomiques au vote (le cens électoral) avaient été abolies en 1920 (il fallut cependant attendre 1960 pour que ce droit soit étendu aux populations autochtones à l'échelle canadienne). Cette élection fut déterminante

dans la mesure où elle permit au Parti progressiste (PP) – formation portevoix d'un mouvement de protestation agraire ancré dans l'Ouest canadien et opposé à la Politique nationale – d'obtenir davantage de sièges que le Parti conservateur à la Chambre des communes. Cette ascension (éphémère) des progressistes annonça la fin du bipartisme, qui fut confirmée par l'arrivée subséquente aux Communes d'autres **tiers partis** issus des Prairies, notamment la Fédération du Commonwealth coopératif (FCC), un parti social-démocrate, et le Crédit social, un parti rural, populiste et conservateur.

C'est le Parti libéral du Canada (PLC) qui arriva le mieux à tirer son épingle du jeu dans ce nouveau contexte, imposant son hégémonie et reléguant le Parti conservateur du Canada (PCC) au statut d'opposition officielle, et ce, pour la majorité de la durée de ce deuxième système partisan. Tout en s'appuyant sur des chefs forts, le PLC octroya un pouvoir substantiel à des ministres jouissant d'une indépendance organisationnelle considérable au sein de leur région respective, dont ils faisaient valoir les intérêts au sein du Cabinet ministériel. Il s'agissait là d'une tentative d'endiguer l'expression des clivages régionaux et de classes qui étaient mis en exergue par l'arrivée nouvelle de tiers partis. Les libéraux réussirent à s'affirmer comme « parti naturel de gouvernement » (Whitaker, 1977) en mettant en avant une politique de courtage s'appuyant sur un programme idéologique souple.

La longue domination libérale prit fin avec la prise du pouvoir, en 1957, par le gouvernement formé par le Parti progressiste-conservateur (PPC) de John Diefenbaker, dont la défaite, en 1963, ouvrit la porte au troisième système partisan de l'histoire canadienne. Sous ce nouveau système, le PLC, dirigé par Lester B. Pearson, puis par Pierre Elliott Trudeau, demeura dominant et conserva le pouvoir de manière ininterrompue, exception faite du gouvernement progressiste-conservateur de Joe Clark en 1979-1980. Cette domination libérale fut cependant substantiellement atténuée relativement au système antérieur. Après 1958, les progressistes-conservateurs dominèrent les Prairies canadiennes et parvinrent à plusieurs occasions à obtenir une majorité de sièges hors du Québec. Pour se maintenir au pouvoir, les libéraux durent donc compter sur leur hégémonie au Québec (et chez les catholiques hors Québec), qui fut toutefois remise en cause par une percée du Crédit social dans cette province de 1958 à 1979.

Le PLC fut aussi menacé sur sa gauche, alors que la FCC formalisa son alliance avec le mouvement syndical canadien afin de mettre sur pied le Nouveau parti démocratique (NPD) en 1961. Face à l'arrivée de ce nouveau joueur, le PLC, en bon parti de courtage près à s'adapter idéologiquement pour se maintenir au pouvoir, évolua vers le centre-gauche du spectre politique, ce qui lui permit d'éviter d'être débordé par la gauche – sort qui fut historiquement réservé à plusieurs partis centristes occidentaux et qui entraîna souvent leur disparition (Wiseman, 2017, p. 121). Ces changements contribuèrent à mettre en place un cadre idéologique caractérisé par un cadre keynésien favorable au développement d'importants programmes sociaux (Patten, 2017, p. 13). Sur le plan programmatique, la promotion du bilinguisme et du multiculturalisme fut aussi une caractéristique marquante de ce troisième système.

Par ailleurs, les partis politiques développèrent, modernisèrent et professionnalisèrent de manière importante leurs organisations extraparlementaires au cours de cette période (Walchuck, 2012, p. 421). Ces transformations prirent place dans un contexte législatif changeant. La *Loi sur les dépenses d'élection* fut notamment adoptée en 1974, établissant des limites aux dépenses électorales tout en instaurant l'obligation de dévoiler le nom des donateurs des partis. Cette loi introduisit aussi les premières formes de financement public des partis.

Aucun des trois principaux partis (PLC, PPC et NPD) n'étant véritablement en mesure d'être

compétitif sur l'ensemble du territoire canadien, l'éventualité d'un gouvernement minoritaire demeura constante – et se concrétisa en plusieurs occasions – sous ce système. Paradoxalement, le troisième système de parti fut aussi celui qui mit de l'avant une politique qualifiée de « pancanadienne » (Carty, Cross et Young, 2000, p. 21). En effet, chacun des trois principaux partis proposait un programme politique ayant une portée nationale et aspirait sur cette base à obtenir l'appui de l'ensemble de l'électorat canadien, plutôt que de tenter de s'ancrer dans une région précise du pays. Cette politique pancanadienne allait cependant faire l'objet d'une profonde remise en question avec l'arrivée d'un nouveau et quatrième système partisan.

2.2. Le quatrième système partisan et l'essor d'un cinquième système

Il existe un large consensus en ce qui a trait à la périodisation des trois premiers systèmes partisans canadiens (Carty, 1992 ; Koop et Bittner, 2013). Les chercheurs divergent cependant dans leur interprétation de l'évolution subséquente des dynamiques partisanes et sur l'apparition possible d'un cinquième système au cours de la période actuelle. Le fait que des changements importants se soient opérés avec la chute du troisième système partisan, mais aussi avec le déploiement du quatrième (depuis les années 1990), semble en tous cas être un constat universellement partagé.

Le raz-de-marée électoral de 1984, qui porta les progressistes-conservateurs de Brian Mulroney au pouvoir, ouvrit une période de transition qui déboucha sur l'essor d'un quatrième système lors de la défaite, tout aussi spectaculaire, de ce gouvernement en 1993 (Carty, Cross et Young, 2000). Le PPC avait réussi à prendre le pouvoir en s'appuyant sur une coalition qui rassemblait les électeurs du Québec et de l'Ouest canadien (Wiseman, 2017, p. 122). En éclatant, cette coalition instable – représentant des intérêts régionaux distincts et antagoniques sous différents aspects – céda la place à deux nouvelles formations, le Bloc québécois (BQ) et le Parti réformiste (PR). Obtenant chacune plus de 50 sièges aux Communes, ces formations devinrent les principaux partis d'opposition du système émergeant. Elles formèrent même l'Opposition officielle – le BQ en 1993, suivi par le PR en 1997. En contrepartie, le PPC et le NPD furent pratiquement rayés de la carte électorale, obtenant respectivement deux et neufs sièges lors de l'élection de 1993, avant de connaître un modeste regain lors des rendez-vous électoraux suivants. Au sein de ce nouveau système, les libéraux surent tirer profit de l'éclatement de la scène politique fédérale et furent à nouveau dominants.

Le quatrième système partisan comporta donc un nombre accru de partis en compétition (cinq plutôt que trois ou quatre lors du système précédent). Son déploiement impliqua aussi une rupture sérieuse – bien qu'incomplète – avec la politique de courtage, qui avait traditionnellement visé la mise en place d'un consensus national en tentant de rejoindre l'ensemble de l'électorat (Koop et Bittner, 2013, p. 311). La caractéristique principale du nouveau système fut ainsi une forte régionalisation de la compétition politique et de l'ancrage électoral des partis ; un contraste marqué par rapport à la politique pancanadienne du troisième système. R. Kenneth Carty, William Cross et Lisa Young (2002, p. 27) vont même jusqu'à parler de « balkanisation » de la compétition partisane, alors qu'aucun parti ne semblait capable de faire campagne sur la base d'un seul et même discours dans l'ensemble des régions canadiennes. Au sein de ce système, le BQ fut dominant au Québec, alors que le PR (qui muta pour former l'Alliance canadienne réformiste conservatrice canadienne [ARCC] en 2000) fut bien campé dans les provinces de l'Ouest. Ces deux formations mirent par ailleurs explicitement en avant la défense d'intérêts régionaux (ou nationaux dans le cas du BQ) spécifiques. Le PLC se maintint au pouvoir de 1993 à 2006 grâce à sa prépondérance outrageuse en Ontario. Alors que les faibles appuis au NPD se manifestèrent dans les différentes provinces et territoires canadiens à l'extérieur du Québec, le PPC fut quant à lui pratiquement confiné aux provinces atlantiques.

Si d'importants clivages régionaux opposèrent les différents partis, ceux-ci convergèrent de plus en plus vers la droite du spectre idéologique sur les enjeux de nature socioéconomique et favorisèrent désormais davantage la libéralisation des marchés, l'effritement des programmes sociaux ou encore les privatisations d'entreprises publiques. L'écart entre les formations plus à gauche (NPD) et celles plus campées à droite (PLC, PPC, PR) fut ainsi considérablement réduit, alors que l'ensemble des partis firent la promotion d'un modèle de gouverne qui, malgré des nuances de ton, tendait vers le **néolibéralisme** (Koop et Bittner, 2013, p. 319-323 ; Patten, 2017, p. 15). Cette convergence vers un programme néolibéral avait été amorcée à la fin du troisième système, dans la foulée des travaux de la commission Macdonald[2] mise sur pied par le gouvernement de Pierre Elliott Trudeau. Elle s'accéléra avec l'essor de l'influence des *blue tories* (les conservateurs « bleus », plus néolibéraux que les conservateurs dits « rouges », attachés à un certain filet de sécurité sociale) sous le gouvernement Mulroney. La convergence néolibérale s'affirma encore davantage avec l'arrivée du PR (puis de l'ARCC), qui contribua à repousser le centre gravitationnel idéologique vers la droite avec, notamment, l'adoption de budgets résolument néolibéraux par Paul Martin, ministre des Finances du gouvernement libéral de Jean Chrétien (Dobrowolsky, 2004 ;

....

2. De son nom officiel, Commission royale d'enquête sur l'union économique et les perspectives de développement du Canada, dont le rapport a été déposé en 1985 et légitimait le virage néolibéral de l'État fédéral.

Wiseman, 2017). Enfin, la fusion en 2003 entre l'ARCC et le PPC donna naissance au Parti conservateur du Canada (PCC), une nouvelle formation aux aspirations pancanadiennes plus positionnée à droite que le PPC.

Ce quatrième système prit-il fin au cours de la première décennie du XXIe siècle, ou est-il à peine en train de se consolider, comme le soutien par exemple Lisa Young (2017) ? La question demeure ouverte et est actuellement l'enjeu de débats entre chercheurs. Amanda Koop et Royce Bittner (2013) ont lancé l'hypothèse voulant que le quatrième système partisan ait pris fin en 2006, avec l'élection d'un gouvernement conservateur minoritaire, alors qu'un cinquième aurait émergé avec l'élection de 2011. Cette dernière élection donna une majorité stable au gouvernement de Stephen Harper après deux mandats minoritaires (2006 et 2008). Mais l'élection de 2011 fut un choc sismique encore plus important que celui de 1993, selon Koop et Bittner (2013, p. 309). En effet, pour la première fois de son histoire, le NPD était appelé à former l'Opposition officielle et récoltait un nombre record de 103 sièges. Avec seulement 34 sièges, le PLC semblait quant à lui être relégué au statut de tiers parti, et ce, potentiellement pour une période prolongée. De plus, toujours lors de l'élection de 2011, le dernier parti régionaliste toujours en scène, le BQ, ne put arracher que quatre sièges, alors qu'il avait dominé la compétition fédérale au Québec depuis sa création. D'après Koop et Bittner, ces transformations annonçaient la fin de la régionalisation qui avait caractérisé la politique canadienne sous le quatrième système partisan. Peut-être le système de partis canadien allait-il finalement évoluer vers un modèle bipartite opposant un parti de gauche (le NPD) à un autre de droite (le PCC), comme c'est le cas dans de nombreux pays (comme l'Australie) dont les institutions correspondent au **système de Westminster**.

La configuration politique qui avait émergé en 2011 se révéla cependant éphémère. En effet, la plus récente élection fédérale, celle de 2015, a reporté les libéraux au pouvoir et ramené les néo-démocrates à leur rôle historique de tiers parti, alors que les conservateurs forment maintenant l'Opposition officielle. Avec 10 sièges, le poids du BQ demeure limité, alors que, comme ce fut le cas en 2011, le Parti vert est seulement parvenu à faire réélire sa chef, Elizabeth May, à la Chambre des communes. Nous dirigeons-nous dès lors vers un retour au tripartisme du troisième système partisan ? Il semble que non, dans la mesure où les dynamiques de compétition entre partis ont fortement évolué, ce qui semble bel et bien nous autoriser à parler de l'émergence d'un cinquième système partisan (Patten, 2017 ; Walchuck, 2012).

Selon Steve Patten (2017, p. 17), la fusion de l'ARCC et du PPC, pour former le PCC, ouvrit en 2003 une période de transition vers ce nouveau système. L'entrée du PCC sur la scène électorale contribua à consolider la convergence néolibérale du discours partisan qui était résolument amorcée sous le quatrième système (Koot et Bittner, 2011, p. 319-323 ; Patten, 2017, p. 18). Malgré cette convergence discursive et programmatique, la compétition partisane s'est cependant intensifiée. Sous le troisième système partisan, les trois principaux partis (NPD, PLC, PPC) ont pu agir de façon concertée en diverses occasions ; par exemple lors de la révision des règles électorales ou encore des normes encadrant le financement des partis. Ce n'est plus le cas sous le cinquième système. La réforme légale du financement des partis, lancée en 2003 par les libéraux, interdisait les contributions des entreprises et des organisations syndicales. Celle qui fut mise en place par les conservateurs, en 2011, avait pour effet de réduire considérablement les subsides publics versés aux partis. Ces deux réformes furent ainsi toutes deux développées et adoptées en l'absence d'une démarche visant à dégager un consensus minimal entre les principales formations politiques. Il s'agit là d'une rupture considérable avec les dynamiques de compétition et de coopération qui prévalurent jusqu'au tournant des années 1990 (Young, 2017).

Cette compétition plus acrimonieuse s'appuie sur l'usage d'un marketing politique qui mobilise les technologies de pointe de collecte et d'analyse de données permettant de développer des campagnes publicitaires ciblées par l'entremise des médias traditionnels et des nouveaux médias sociaux. Selon Patten (2017, p. 18-20), il s'agit là de la caractéristique la plus novatrice et la plus importante du nouveau système partisan. L'usage de ces technologies – lié à l'essor de nouvelles stratégies de communication politique – tout comme le nouveau cadre législatif – forçant les partis à s'appuyer sur de petites contributions versées par des particuliers – contribuent grandement au caractère continu des efforts de campagne et de financement qui définit les dynamiques systémiques émergentes. Par ailleurs – et c'est là un aspect innovateur fondamental –, Patten suggère aussi que la forme contemporaine de marketing politique – désormais adoptée par l'ensemble des principaux partis politiques – s'arrime à un nouveau mode de stratégie électorale qui rompt avec celles du passé. Cette nouvelle stratégie mobilise des technologies permettant à des professionnels engagés par les partis de collecter et d'analyser un ensemble de « mégadonnées » (*big data*) numériques de façon à identifier et à cibler des grappes d'électeurs qu'on tente ensuite de rassembler au sein d'une coalition électorale gagnante (Marland et Giasson, 2017).

Alors que le régionalisme exacerbé du quatrième système partisan semble s'être résorbé, cette nouvelle stratégie de communication annoncerait, selon Patten, un abandon décisif de la politique de courtage depuis longtemps déployée par les formations partisanes, qui avaient pour objectif de courtiser l'ensemble de l'électorat canadien. Pour bien comprendre l'ampleur de ces transformations, un retour analytique sur les tendances au régionalisme et au

courtage politique, en lien avec le caractère multipartite des systèmes partisans canadiens, est nécessaire.

2.3. Les tiers partis, le poids des régions, le courtage politique... et sa fin ?

Le Canada est souvent perçu comme une exception parmi les pays ayant un système politique comparable. Cette exception découle du fait que, bien que seulement deux partis se soient succédé au pouvoir depuis 1867, les tiers partis ont historiquement joué un rôle important au sein des systèmes partisans canadiens (Bickerton, 2017). Cette présence constante de tiers partis est reliée à l'importance des régions dans l'espace politique canadien, mais aussi à la politique de courtage mise en avant par les formations partisanes dans ce contexte.

Afin de bien saisir ces enjeux, il est nécessaire d'intégrer le concept de **clivage** à notre analyse. C'est-à-dire que l'étude des formations partisanes implique de reconnaître que les partis « naissent à la suite de conflits qui divisent la société et qui sont repris par des groupes politiques » (Pelletier, 2013, p. 201). Dans une contribution majeure et très influente pour l'étude des systèmes partisans, Seymour Martin Lipset et Stein Rokkan (1967) expliquent comment ces systèmes et les partis qui les composent ont été érigés sur la base de clivages qui structurent les dynamiques compétitives et les oppositions partisanes. Selon ces auteurs, de la modernisation des sociétés occidentales ont découlé deux grandes révolutions menant chacune à l'essor de deux clivages fondamentaux. La première révolution est nationale. Elle provoqua un clivage opposant, d'une part, le centre – engagé dans la construction d'un État-nation et d'une culture unifiés – et, d'autre part, la périphérie – qui y résiste et sur une base ethnique, linguistique ou religieuse. Un deuxième clivage émerge aussi, qui oppose un État en voie de sécularisation aux Églises représentant différentes communautés religieuses. La deuxième révolution est industrielle. Un premier clivage y étant rattaché oppose, d'un côté, le monde rural et les paysans ou fermiers, et, de l'autre, la société industrielle émergente et les grands capitalistes. Le dernier clivage, identifié par Lipset et Rokkan, oppose les employeurs et propriétaires aux travailleurs salariés.

Ces clivages fondamentaux se superposent de façon hiérarchique et de manière différente selon les contextes nationaux, et les partis et systèmes partisans en sont l'expression. Selon Lipset (1960, p. 220-221), les partis politiques représentent des « manifestations démocratiques de la lutte des classes ». En effet, selon lui, bien qu'il puisse être teinté par des clivages religieux, ethniques ou territoriaux, le clivage de classe aura tendance à être prépondérant au sein des différents contextes nationaux et systèmes de partis. Il est en tout cas clair que le clivage de classe trouve une expression dominante dans le système partisan des régimes politiques apparentés au système de Westminster (Johnston, 2010, p. 212).

Pourtant, bien que des rapports de classes divisent la société canadienne, l'expression politique de ce clivage coexiste avec de profonds clivages ethnoculturels et régionaux qui tendent à l'occulter (Bickerton, Smith et Gagnon, 2002, p. 18). Le clivage de classe s'est bien sûr manifesté de diverses façons au sein des dynamiques compétitives entre partis politiques canadiens. Le Parti progressiste, par exemple, a pu être l'expression des intérêts d'une classe rassemblant les petits producteurs agricoles indépendants. De façon similaire, la FCC et le NPD ont agi comme représentants des intérêts des fermiers, puis des travailleurs face au capital. Plus encore, les partis courtiers, conservateur et libéral, ont eux aussi intégré les clivages de classe à leurs discours et à leurs programmes, trouvant ainsi une manière de les exprimer de façon à atténuer le conflit de classe et son expression

(Panitch, 1990). Ce dernier point permet aussi de constater que les partis et systèmes partisans ne font pas qu'exprimer mécaniquement les clivages sur la base desquels ils se constituent ; ils participent aussi *activement* à l'expression de certains clivages et donc aussi à la mise en veilleuse de certains autres (Mair, 2004). Au Canada, les partis (libéral et conservateur) s'étant historiquement échangé le pouvoir gouvernemental ont articulé leurs programmes et leurs discours à certains clivages (ethnique, national, etc.), et ce, au détriment de l'expression explicite d'un conflit de classe (Brodie et Jenson, 2007).

Reste que le clivage central ayant trouvé l'expression la plus forte au sein de la politique partisane canadienne est de nature territoriale. Comme l'explique Réjean Pelletier (2013, p. 200-201), ce clivage territorial recouvre deux dimensions : ethno-nationale et économique-industrielle. La première dimension s'est fortement exprimée en politique provinciale québécoise par l'entremise de différents partis, dont le Parti québécois (PQ) et la Coalition Avenir Québec (CAQ) à l'heure actuelle. Dans le système fédéral, mobilisant une stratégie de courtage, le PLC a historiquement insisté sur l'importance d'établir une collaboration entre francophones et anglophones au sein d'un même parti de façon à atténuer les conflits ethno-nationaux. Conservateurs et libéraux ont aussi souvent opté pour des chefs canadiens-français, de façon à éviter que la dimension ethnique-nationale de ce clivage ne trouve à s'exprimer par la formation d'un nouveau parti. Leurs efforts ont porté leurs fruits jusqu'au tournant des années 1990, alors que la formation du BQ en a permis l'affirmation explicite.

La deuxième dimension de ce clivage territorial, de nature économique, s'est d'abord et avant tout développée dans l'Ouest canadien, « où l'aliénation politique s'ajoutait au ressentiment économique » (Pelletier, 2013, p. 200). Historiquement, le PP a été le premier parti à exprimer les griefs régionaux des Prairies, suivi, brièvement, par le parti des Fermiers unis, puis par le Crédit social (qui, de façon assez surprenante, a aussi plus tard pu traduire certains intérêts régionaux québécois) et, enfin, par la FCC. Plus près de nous, le PR à partir de 1993, puis l'ARCC de 2000 à 2003, se sont fait les porte-voix des intérêts de l'Ouest à Ottawa.

Sur la base d'un agencement hiérarchique de clivages au sein duquel l'aspect territorial (recoupant des dimensions ethnoculturelles, religieuses et économiques) a joué un rôle prépondérant donc, la présence de tiers partis a marqué la politique canadienne. Alors que les partis européens ont souvent été ancrés dans des communautés (de classe, religieuse ou linguistique) dont ils défendaient les intérêts, les partis canadiens aspirant au pouvoir ont plutôt tenté d'amortir l'effet des clivages en mettant une insistance toute particulière sur l'importance de rassembler la communauté nationale. Il importe de ne pas exagérer l'opportunisme électoraliste des partis canadiens. Ces derniers, y compris libéraux et conservateurs, ne sont pas et ne peuvent être complètement désincarnés (Bickerton, Smith et Gagnon, 2002, p. 11 ; Carty et Cross, 2010, p. 193). Leur ancrage social au sein de certaines communautés d'électeurs est bien réel, comme en fait montre l'appui historique des catholiques au PLC ou la forte implantation des conservateurs dans l'Ouest canadien. Il n'en demeure pas moins que les principales formations partisanes canadiennes ont pu souvent se démarquer par leur plus forte propension à vouloir rejoindre l'ensemble de l'électorat, et ce, par-delà les divisions géographiques, sociales et culturelles en place. Comme nous l'avons vu, la politique de courtage, si déterminante au cours de l'histoire politique canadienne, a amené les élus à former des coalitions enjambant les clivages, de façon à définir un intérêt national se voulant rassembleur (Carty, 2011).

Avant 1921, un système bipartite et les efforts de construction d'un espace national intégré ont permis de contenir le régionalisme canadien, mais aussi d'endiguer l'essor de tiers partis. Cependant, ainsi que l'affirme James Bickerton, Patrick Smith et Alain-G. Gagnon (2002, p. 29), « depuis les élections fédérales de 1921, des tiers partis reposant sur des bases régionales occupent [...] le paysage politique canadien, ce qui complique la tâche des chercheurs en science politique s'efforçant d'analyser le système de partis hybrides en vigueur au pays et trompe les attentes de ceux qui cherchent à prévoir un éventuel retour à la "normale" (c'est-à-dire, dans ce cas-ci, au modèle de bipartisme anglo-américain) ».

Comment expliquer cette « divergence » canadienne et cette incapacité des libéraux et des conservateurs à maintenir en place le bipartisme, ainsi qu'à contenir les effets du régionalisme sur le système partisan[3] ? Bickerton, Smith et Gagnon (2002, p. 29-31) voient dans cette incapacité l'effet combiné de différentes défaillances des institutions politiques canadiennes, ne parvenant pas à opérer une représentation adéquate des intérêts régionaux qui traversent le pays. Un premier facteur institutionnel à considérer est dans la nature du système parlementaire canadien, qui implique la préséance du premier ministre maintenue grâce à une discipline de parti stricte et au principe de solidarité ministérielle. Ce mode d'organisation de la vie parlementaire et gouvernementale mine la capacité des députés à représenter leurs électeurs et, par le fait même, les intérêts des régions dont ils sont issus. Sous les deux premiers systèmes partisans canadiens, l'organisation des partis s'appuyait encore sur des ministres possédant un pouvoir et des fonctions considérables, ce qui contribuait à faire du Cabinet ministériel un lieu de concertation interrégionale important. La concentration du pouvoir au sein de l'entourage du premier ministre, sous Lester B. Pearson, et encore davantage depuis la gouverne de

---

3. Pour une revue de la littérature et des différents débats théoriques autour de cette question, se référer à Bickerton (2017).

Pierre Elliott Trudeau, a cependant rendu ce mécanisme de concertation largement inopérant (Savoie, 1999).

Le système électoral représente un autre facteur institutionnel à considérer. Sous le **système majoritaire uninominal à un tour**, les tiers partis qui bénéficient d'un soutien diffus à l'échelle du pays tendent à être désavantagés, obtenant une proportion de sièges plus faible que la proportion d'électeurs leur ayant accordé leur voix. À l'inverse, les partis dont les appuis électoraux sont géographiquement concentrés auront tendance à obtenir un nombre de sièges disproportionnellement plus élevé par rapport aux votes obtenus. Les partis pancanadiens ayant peu de sièges dans certaines régions courent par la suite un plus grand risque de s'aliéner les électeurs qui s'y trouvent, car ils pourront se sentir trop peu représentés et avoir ainsi le réflexe d'appuyer un parti régionaliste. C'est ce qui amène certains auteurs à affirmer que maintenir le système électoral existant contribue à exacerber les tendances régionalistes (Cairns, 1968).

Le troisième facteur à considérer concerne le Sénat canadien. Nommés par le premier ministre, les sénateurs ne sont pas rattachés à des segments précis de l'électorat et, non élus, ils n'ont pas la légitimité nécessaire à une participation au processus législatif qui pourrait leur permettre de prendre en charge une certaine représentation régionale. Contrairement aux Chambres hautes d'autres États fédéraux (par exemple les États-Unis, l'Australie ou l'Allemagne), le Sénat canadien n'a jamais pu agir comme mécanisme de représentation des régions et de médiation de leurs intérêts respectifs (Sayers, 2002 ; Bickerton, 2017). Enfin, il faut prendre en compte la nature fédérale de l'État canadien, qui tend à favoriser la mise en place de gouvernements provinciaux puissants qui peuvent s'ériger en porte-étendard d'intérêts régionaux. Ce rôle de porte-étendard est favorisé par le fédéralisme canadien, car il s'appuie sur un mode de gouverne qui laisse une place à des

structures et des pratiques de collaboration intergouvernementale qui donnent un pouvoir important aux gouvernements provinciaux (Bickerton, Smith et Gagnon, 2002, p. 29).

Parallèlement à ces facteurs institutionnels, la dynamique compétitive des systèmes partisans peut aussi contribuer au régionalisme et à l'essor de tiers partis, comme le soutient Richard Johnston (2010 et 2017). Ce dernier rappelle d'abord que la loi proposée par Maurice Duverger (1951) – voulant qu'un mode de scrutin uninominal majoritaire à un tour produira un système partisan bipartite – ne semble pas s'appliquer au cas canadien. Pour expliquer cela, Johnston affirme qu'il faut dépasser les explications qui se limitent à considérer la mécanique et les effets du mode de scrutin. Dans la foulée de Johnston, nous pouvons d'abord noter avec Denis Pilon (2017, p. 220-221) que – bien que ce système électoral ait effectivement tendance à limiter le nombre de partis se faisant compétition (et donc à limiter l'essor de tiers partis) – plusieurs pays dotés d'un système uninominal majoritaire à un tour possèdent néanmoins des systèmes partisans multipartites. Suivant les travaux de Mair (1992, p. 85), Pilon souligne que les effets des différents modes de scrutin sur les systèmes partisans produisent des tendances qui sont toujours influencées par une variété de facteurs institutionnels – dont certains, dans le cas canadien, viennent d'être évoqués précédemment[4].

Pour expliquer l'essor et la survivance de tiers partis, Johnston met l'accent sur les dynamiques compétitives des systèmes partisans et reprend la typologie mise de l'avant par Giovanni Sartori (1976). Johnston affirme donc que cette compétition prend la forme d'un «pluralisme polarisé» au Canada. Ce type de compétition partisane est caractérisé par la présence d'un parti fort qui

....

4. Comme mentionné précédemment, dans le contexte canadien, certains auteurs maintiennent que le mode de scrutin majoritaire uninominal à un tour tend en fait à favoriser l'essor de tiers partis ayant un ancrage régional fort.

contrôle le centre du spectre idéologique. Dans le cas canadien, le PLC représente ce parti centriste dominant. Dans la mesure où il monopolise le centre et le rend inaccessible, des partis auront tendance à pratiquer une politique de surenchère, à s'éloigner du centre et à refuser les règles du système partisan en place. Le PP, le PR ou encore le BQ représentent des exemples de tels partis.

Selon Johnston, le facteur clé qui a permis aux libéraux de contrôler le centre de l'échiquier politique est lié au fait qu'ils ont historiquement formé le parti le plus à même de concilier les clivages régionaux, mais aussi à apaiser les tensions qui émanent du caractère multinational de l'État canadien. C'est donc le succès du courtage politique déployé par les libéraux – qui ont dominé les systèmes partisans canadiens successifs depuis le début des années 1920 –, qui explique paradoxalement les tendances centrifuges de ces systèmes et leur propension à produire des tiers partis régionalement ancrés. Johnston (2017, p. 72) maintient cependant aussi que ces mêmes forces centrifuges, à la longue, affaibliront le centre, ce qui peut mener, à terme, à l'éclatement du système.

C'est ce qui semble s'être produit au tournant des années 1990, alors qu'émergea un nouveau système partisan qui, comme nous l'avons vu, fut très fortement régionalisé. À tel point que Carty (2011) se demanda si la politique de courtage avait pris fin au Canada. Au tournant du millénaire, il était en tous les cas clair que «les "partis-courtiers" [avaient] de plus en plus de mal à mettre en place des coalitions électorales qui soient vraiment pancanadiennes» (Bickerton, Smith et Gagnon, 2002, p. 18). Au moment où semble émerger un cinquième système partisan, il apparaît maintenant que le régionalisme exacerbé du quatrième système s'est en bonne partie résorbé, alors que le nombre de partis a diminué. La politique de courtage traditionnellement adoptée par les partis canadiens ne semble pas pour autant en voie de retrouver sa place d'antan.

L'adoption d'un nouveau marketing politique par les partis du cinquième système partisan remet en cause des aspects fondamentaux de la politique de courtage, notamment la recherche de médiation des différents intérêts régionaux à travers une conception unifiée de l'intérêt national (Patten, 2017, p. 19). La stratégie électorale découlant du marketing politique, comme pratiquée par les grands partis canadiens, annonce une rupture avec les pratiques de courtage. En effet, cette stratégie ne vise plus l'élaboration de politiques permettant de s'assurer de l'appui de secteurs clés et larges de l'électorat, mais cherche plutôt à s'appuyer sur une coalition minimale d'électeurs, dont l'appui est indéfectible, afin de prendre le pouvoir (Patten, 2017, p. 20).

Nouvelles technologies et nouvelles stratégies électorales annoncent donc des changements importants qui ont le potentiel de transformer radicalement les dynamiques du système partisan canadien. Il semble en tous cas clair que la période de transition, dans laquelle sont plongés les partis politiques canadiens depuis le tournant des années 1990, se poursuivra dans un avenir rapproché (Gagnon et Tanguay, 2017). Un même constat peut ressortir d'une analyse de l'évolution historique et contemporaine du système partisan québécois.

POINTS CLÉS

> Les partis politiques n'évoluent pas en vase clos et sont placés en compétition les uns avec les autres. Leur analyse exige donc une compréhension de la nature des systèmes partisans dans lesquels ils sont plongés.

> Le premier système partisan de l'histoire canadienne était bipartite. Il opposait libéraux et conservateurs, des partis encore peu structurés qui se bâtirent en même temps qu'ils proposèrent des projets de construction de l'État-nation canadien visant à constituer de larges coalitions électorales.

> Le second système partisan émergea au cours des années 1920 et fut dominé par les libéraux, qui mirent de l'avant une politique de courtage visant à accommoder les différents intérêts qui divisent l'électorat canadien sur une base régionale, linguistique et de classe.

> Toujours dominé par le PLC, le troisième système partisan émergea au tournant des années 1960 et fut caractérisé par la prépondérance d'une politique pancanadienne. Bien que n'arrivant pas à développer d'assises dans chacune des régions, les trois principaux partis (PLC, PPC et NPD) y aspiraient et adoptèrent conséquemment une politique se voulant pancanadienne.

> Le quatrième système partisan, qui vit le jour au début des années 1990, amena la fin de la politique pancanadienne et mit en place une compétition partisane très fortement régionalisée. Une convergence programmatique néolibérale accompagna cette régionalisation prononcée du système partisan.

> La présence de tiers partis est un fait caractéristique des systèmes partisans canadiens et découle de l'effet du clivage territorial et du régionalisme qui y est rattaché. La tendance à la régionalisation de la politique canadienne provient de facteurs institutionnels propres à l'État canadien ainsi que de la présence d'un système partisan « pluraliste polarisé », historiquement dominé par un parti centriste (le PLC).

> Des débats ont lieu sur la possible émergence d'un cinquième système partisan durant les dernières années. Ce système serait marqué par l'essor d'une compétition partisane plus tendue qui s'appuie sur un nouveau marketing politique ayant pour effet d'éroder la politique de courtage qui avait jusqu'ici joué un rôle de premier plan dans la politique partisane canadienne.

3. LES SYSTÈMES PARTISANS QUÉBÉCOIS

Au cours des premières décennies de la Confédération, partis fédéraux et provinciaux partageaient une même structure organisationnelle intégrée. Au cours du XXe siècle, parallèlement au développement des institutions et des programmes des gouvernements provinciaux, les partis provinciaux se sont progressivement autonomisés et ont développé des dynamiques compétitives autour d'enjeux leur étant propres. Certains partis sont aujourd'hui présents dans une seule sphère électorale (fédérale ou provinciale) et, à l'exception du NPD, les partis fédéraux et provinciaux qui portent le même nom (libéraux et conservateurs) agissent, en pratique, comme des entités indépendantes. Fait rare au sein des États fédéraux, les dynamiques systémiques qui agissent sur les partis diffèrent donc largement d'un ordre de gouvernement à l'autre (Carty et Cross, 2010, p. 197-198).

Le Québec possède aujourd'hui un système partisan qui a ses dynamiques propres. Le caractère multinational de l'État canadien, ainsi que les enjeux politiques et constitutionnels liés au statut constitutionnel du Québec dans le Canada, ont historiquement été et continuent d'être structurants pour la politique partisane québécoise. Bien que d'une façon qui leur est spécifique, les trois systèmes partisans qui se sont succédé au Québec, depuis 1867, ont été marqués par ces enjeux. Chacun de ces systèmes a été pour l'essentiel bipartite (Pelletier, 2012), car chaque fois, le passage à un nouveau système s'opéra lorsqu'un des deux partis dominants fut remplacé par un nouveau parti ascendant – l'Union nationale (UN) dans les années 1930, puis le PQ dans les années 1970. Seul le Parti libéral du Québec (PLQ) a réussi à se maintenir au sein des systèmes bipartites successifs, alors que les partis susmentionnés – dont la progression annonçait l'avènement d'un nouveau système – sont à chaque occasion issus d'une scission dans les rangs libéraux (Lemieux, 2008). Au cours des dernières années, l'évolution du système partisan laisse par contre planer la possibilité d'un passage au multipartisme. Avant de considérer cet enjeu, il importe de retracer l'évolution historique des systèmes partisans québécois.

3.1. Les trois systèmes partisans québécois

Le premier système partisan québécois couvre la période allant de 1867 à 1936. Les partis politiques québécois, conservateur et libéral, dont les structures organisationnelles étaient faiblement développées, agirent au cours de cette période comme bras provinciaux des formations partisanes fédérales portant le même nom. Tout comme leurs équivalents fédéraux, les structures extraparlementaires des partis étaient très faiblement développées. Le suffrage masculin était limité par un cens qui ne fut éliminé qu'avec la Première Guerre mondiale. Les Autochtones se voyaient refuser le droit de vote (qu'ils n'obtinrent qu'en 1969) et les femmes ne purent voter qu'à partir de 1940 (Linteau *et al.*, 1989a, p. 658-659 ; 1989b, p. 703). Des mesures législatives visant à contrôler les dépenses électorales furent adoptées dans le dernier quart du XIXᵉ siècle, mais ont été ensuite éliminées au début du XXᵉ siècle par les libéraux, qui retouchèrent aussi la carte électorale, à cette époque, à leur avantage (Linteau *et al.*, 1989a, p. 658-661).

Le bipartisme opposant conservateurs et libéraux ne fut que très faiblement et brièvement remis en question par la Ligue nationaliste canadienne, parti qui fit élire trois candidats en 1908 et un seul en 1912. Un Parti ouvrier vit aussi le jour au cours de la première décennie du XXᵉ siècle, mais il ne réussit à faire élire qu'un seul candidat, en 1910, puis déclina rapidement par la suite (Linteau *et al.*, 1989a, p. 655-657). Les conservateurs furent dominants au

XIXᵉ siècle, alors que les libéraux n'arrivèrent à former un gouvernement stable qu'une seule fois, de 1887 à 1891, sous la direction d'Honoré Mercier. Après une phase de construction qui s'étendit jusqu'au milieu des années 1890, le PLQ devint à son tour hégémonique au cours du premier tiers du XXᵉ siècle, en se maintenant au pouvoir sans interruption de 1897 à 1936 (Lamoureux, 2014, p. 426 ; Pelletier, 2012, p. 21).

Sous ce premier système, les deux grands partis en présence s'appuyèrent sur un programme de développement économique libéral. Les gouvernements mirent en place les infrastructures nécessaires à un développement économique qui était essentiellement pris en charge par l'entreprise privée. L'Église catholique joua quant à elle un rôle prépondérant dans la gouverne des institutions sociales et d'enseignement.

Déjà sous le gouvernement Mercier, des influences nationalistes se firent sentir (à la suite de la répression des Métis et de la pendaison de leur chef Louis Riel, les libéraux se renommèrent brièvement « Parti national » au cours des années 1880) et se portèrent à la défense d'une politique autonomiste qui ambitionnait de redéfinir le fédéralisme canadien (Lamoureux, 2014, p. 425). C'est cependant au XXᵉ siècle, et particulièrement à partir des années 1920, que les revendications autonomistes devinrent plus appuyées et systématiques. Ce fut le cas sous le gouvernement de Lomer Gouin – qui réclama une plus grande autonomie financière face à Ottawa – et particulièrement sous le gouvernement de Louis-Alexandre Taschereau – qui défendit la compétence provinciale sur les ressources naturelles (Linteau *et al.*, 1989a, p. 683-685 ; Pelletier, 2012, p. 22). Par ailleurs, ces visées autonomistes s'accompagnèrent de la recherche d'une plus grande indépendance des chefs de parti québécois face à leurs homologues fédéraux. Bien que les partis fédéraux et provinciaux demeurèrent des organisations liées, les chefs québécois arrivèrent à exercer un plus grand pouvoir sur leur caucus parlementaire (Pelletier, 2012, p. 23).

Ce premier système partisan québécois laissa place à un deuxième avec l'apparition de l'UN, en 1935 et sa victoire électorale en 1936. Ce parti, dirigé par Maurice Duplessis, avait été le résultat d'une fusion du Parti conservateur du Québec (PCQ) et de l'Action libérale nationale, cette dernière ayant été formée par des membres dissidents du PLQ en 1934. L'arrivée de l'UN, parti provincial sans attache à une formation partisane fédérale, entraîna donc la disparition du PCQ, ce qui maintint le caractère bipartite du système partisan. Ce deuxième système, qui s'étira jusqu'au tournant des années 1970, vit l'émergence d'une série de petits tiers partis, dont le poids politique demeura toutefois faible, voire négligeable, dans certains cas (Lamoureux, 2014, p. 429).

Le système émergeant fut caractérisé par un bipartisme à parti dominant. La détention du pouvoir de l'UN fut quasiment ininterrompue de 1936 à 1960. Le seul gouvernement libéral, sous la direction d'Adélard Godbout, fut formé de 1939 à 1944. Malgré les oppositions fréquentes de l'Église catholique, le PLQ au pouvoir engagea diverses réformes annonciatrices de la Révolution tranquille, qui allait véritablement s'enclencher quelque quinze ans plus tard (Linteau *et al.*, 1989b, p. 52-53 et 153-155). Dans l'intervalle, dirigeant son parti d'une main de fer, Duplessis poursuivit un programme politique mélangeant libéralisme économique, antisyndicalisme, opposition aux programmes sociaux étatiques et conservatisme social et religieux. Un clivage important de ce système partisan s'articulait donc à une «opposition sur la conception du rôle de l'État québécois entre, d'un côté, l'Union nationale et un État clientéliste et, de l'autre, le Parti libéral et un État interventionniste» (Pelletier, 2012, p. 31).

L'autre clivage majeur de ce système fut lié aux rapports du Québec avec le gouvernement fédéral. Alors que Godbout adopta une posture conciliante face à Ottawa dont il accepta la prépondérance, l'UN adopta une position résolument autonomiste (Linteau *et al.*, 1989b, p. 52, 162-165). Duplessis s'opposa fortement aux programmes fédéraux qui empiétaient sur les compétences provinciales. En plus de mettre sur pied, en 1953, la Commission royale d'enquête sur les problèmes constitutionnels, l'UN arrivera aussi à instaurer un impôt provincial sur les revenus des particuliers après d'âpres négociations avec Ottawa (Pelletier, 1989, p. 56 ; 2012, p. 26).

Le PLQ de Jean Lesage se renouvela et gagna son autonomie face au PLC à partir de 1955, puis parvint à arracher le pouvoir des mains de l'UN en 1960 et à lancer la Révolution tranquille, qui marqua les dernières années du deuxième système partisan (Linteau *et al.*, 1989b, p. 714 ; Pelletier, 2012, p. 28). Intense période de modernisation de l'État et de la société québécoise, les années 1960 amenèrent un assainissement des pratiques électorales, notamment par l'adoption d'un nouveau cadre légal qui limita les dépenses électorales et par l'introduction d'un financement partiel des partis politiques (Linteau *et al.*, 1989b, p. 703-704).

Marquées par d'importantes mobilisations populaires et syndicales, les années 1960 virent aussi l'apparition de partis indépendantistes, dont le Rassemblement pour l'indépendance nationale (RIN), de gauche et formé en 1960, ainsi que le Ralliement national (RN), campé à droite et fondé en 1966. Le Mouvement souveraineté-association (MSA) fut fondé en 1967 par René Lévesque, un ancien ministre et député démissionnaire du PLQ. Le MSA fusionna avec le RN pour fonder le PQ en 1968. Boudé par Lévesque qui le jugea trop radical, le RIN se dissout et la majorité de ses membres allèrent rejoindre le PQ.

La fondation du PQ amorça la transition vers un troisième système partisan. Au cours de cette phase, le Ralliement créditiste – exprimant une aliénation du monde rural face au rapide mouvement de modernisation en cours – arriva à faire élire 12 députés, avant de péricliter rapidement au cours des élections suivantes. L'UN, aussi en chute libre, fit quant à elle élire ses derniers députés en 1976 et fut remplacée, par la suite, par le PQ au sein d'un troisième système partisan, qui était à nouveau bipartite et stabilisé à partir de 1981 (Linteau *et al.*, 1989a, p. 702-703).

Avec l'essor de ce troisième système, on assista à une alternance au pouvoir du PLQ et du PQ. Pour autant, on n'observa pas une simple continuité du bipartisme où un nouveau parti en remplaçait tout simplement un autre après sa chute. Il y eut d'importantes transformations dans les dynamiques de compétition partisanes. Première transformation d'importance : le PQ se développa comme parti de masse. Depuis la fin des années 1950, le PLQ avait lui aussi entamé des réformes organisationnelles importantes visant à le démocratiser, réformes sur lesquelles nous reviendrons plus loin.

Notons aussi qu'une loi adoptée par le PQ en 1977 affecta les dynamiques partisanes en interdisant les contributions d'entreprises privées ou d'organisations et en limitant le montant des contributions individuelles aux partis (Linteau *et al.*, 1989b, p. 701). Perçu comme une avancée par plusieurs, ce nouveau cadre vit toutefois les partis développer des stratagèmes de contournement des règles en place et de pratiques de collusion pour assurer leur financement. Ces pratiques furent notamment révélées par la commission Charbonneau sur l'octroi et la gestion des contrats publics dans l'industrie de la construction, mise sur pied en 2011. Les libéraux furent particulièrement entachés par ce processus d'enquête. Afin d'assainir les pratiques de financement, le PQ fit adopter une nouvelle loi en 2012 qui limita les contributions individuelles (le maximum passant de 1 000 $ à 100 $) et augmenta le financement public des partis.

La transformation fondamentale apportée par le troisième système partisan québécois résida dans un nouvel agencement des clivages sous-tendant ce système. L'entrée du Parti québécois eut un effet retentissant sur la scène politique québécoise (et fédérale canadienne). Le PQ dépassa la posture autonomiste adoptée par des formations politiques l'ayant précédé et proposa un programme visant une profonde refonte du régime constitutionnel. Ainsi, le PQ mit de l'avant une option souverainiste, qu'il opposa à l'option fédéraliste défendue par le PLQ. Entre ces deux options, il ne sembla plus y avoir de place pour la proposition autonomiste. Le clivage principal structurant la compétition partisane fit désormais « référence à la place que doit occuper l'État québécois au sein même ou à l'extérieur de la fédération canadienne » (Pelletier, 2012, p. 31).

À ce clivage principal vint se subordonner un clivage secondaire, opposant les partis sur le rôle approprié de l'État québécois en matière de régulation économique et de redistribution de la richesse. Ainsi, à l'origine, le PQ se présenta comme parti souverainiste, plus à gauche, interventionniste et prompt à répartir la richesse à travers divers programmes sociaux, alors que le PLQ, fédéraliste, se situa davantage à droite sur les enjeux socioéconomiques (Pelletier, 2012, p. 32). Une convergence néolibérale put cependant être observée au sein du système partisan québécois au cours des dernières décennies. Le virage néolibéral du PLQ fut amorcé dès les années 1980 par le gouvernement de Robert Bourassa. Le PQ emboîta rapidement le pas. Après la défaite référendaire de 1995, le gouvernement de Lucien Bouchard entreprit notamment un intense programme d'austérité, impliquant d'importantes compressions en santé et en éducation, afin d'éliminer les déficits gouvernementaux. Cet alignement programmatique, qui s'est confirmé sous les différents gouvernements péquistes et libéraux qui ont suivi depuis, est une cause importante des remous que le système partisan québécois a connus au cours des dernières années.

3.2. Vers la fin du bipartisme ?

La convergence programmatique du PLQ et du PQ a été notée par Éric Bélanger et Richard Nadeau (2009). Elle se fit autour du centre de l'échiquier politique, devenu de plus en plus néolibéral, et permit, depuis le milieu des années 1990, l'essor de formations partisanes plus axées sur un clivage gauche-droite plutôt que sur la question nationale, un clivage qui tendait à devenir moins structurant. Dans ce contexte de convergence programmatique, l'attachement partisan des électeurs et la participation électorale déclinèrent à partir de 1994 (Blais, Galais et Gélineau, 2013 ; Allan et Vengroff, 2015). Ce déclin contribua à créer un espace politique qui a été comblé à la droite du PLQ par l'Action démocratique du Québec (ADQ), à partir de 1994 – un parti créé par des libéraux dissidents –, dont le travail a été poursuivi par la Coalition Avenir Québec (CAQ) depuis 2012. L'arrivée de ces deux partis annonça aussi le retour d'une position autonomiste sur les enjeux constitutionnels et la question nationale. À la gauche du PQ, l'espace émergeant fut principalement occupé par Québec solidaire (QS), depuis sa fondation en 2005, ainsi que, dans une moindre mesure, par Option nationale (ON). Sur la question nationale, ces deux partis adoptèrent une position indépendantiste.

La fondation de l'ADQ n'entraîna certes pas un réalignement de la politique partisane comparable à celui causé par l'arrivée de l'UN en 1935 et par celui du PQ en 1968. Mais la création de ce nouveau parti semble toutefois avoir été l'expression d'une tendance lourde, pour un temps latente et aujourd'hui de plus en plus proéminente, poussant à un tripartisme, voire à un multipartisme québécois. En effet, après la stabilisation du troisième système partisan au cours des années 1980, des tiers partis intégrèrent l'Assemblée nationale lors de chaque élection depuis 1994. Le nombre de sièges récoltés par l'ADQ demeura modeste lors de ses trois premières participations aux élections, le parti n'obtenant qu'un siège en 1994 et en 1998 avant d'en remporter quatre en 2003. La croissance du pourcentage de votes recueilli par cette formation crut cependant de façon plus impressionnante au cours de cette période, passant de 6,5 % en 1994 à 18,2 % en 2003 (Godbout, 2013, p. 24-25).

La véritable et spectaculaire percée de l'ADQ eut lieu en 2007, alors que le parti se mérita 30,8 % des votes exprimés et réussit à faire élire 41 députés. Afin d'obtenir ce résultat, l'ADQ s'appuya sur un programme économique très fortement néolibéral, jumelé à un discours à caractère identitaire dénonçant les « accommodements raisonnables ». Ce discours a par la suite été repris par le PQ, alors que ce parti évolua davantage vers un nationalisme identitaire et conservateur pour chercher à attirer les électeurs adéquistes (Pelletier, 2012, p. 4). Le succès adéquiste de 2007 permit à ce parti de devancer le PQ, relégué au troisième rang. La percée adéquiste contribua aussi à la formation du premier gouvernement minoritaire québécois depuis 1878 (formé par le PLQ). Après une piètre performance comme Opposition officielle, l'ADQ encaissa un fort recul en nombre de sièges, n'en récoltant que sept lors de l'élection de 2008. Toutefois, seulement un faible nombre d'électeurs qui s'étaient détournés de l'ADQ reportèrent leur voix vers le PLQ et le PQ lors de cette même élection. De plus, les sondages réalisés depuis 2009 eurent tendance à révéler un déclin des appuis dont bénéficiaient ces deux derniers partis (Allan et Vengroff, 2015, p. 4). L'espace politique occupé par l'ADQ depuis 2007 semblait donc demeurer ouvert et fut effectivement comblé par la fondation de la CAQ en 2012. Cette dernière réussit à faire élire 19 de ses candidats en 2012, puis 22 en 2014, talonnant ainsi le PQ et ses 30 députés.

Si le poids de QS pèse moins dans la balance du système partisan actuel, il n'est pas pour autant complètement négligeable. Après l'élection de 2014, QS compte maintenant trois députés à l'Assemblée nationale. L'effet combiné de la compétition menée par QS et ON pour l'électorat situé à la gauche du PQ a aussi eu comme conséquence de réduire le nombre de votes, et potentiellement de candidats, remportés par le PQ lors des élections de 2012 et de 2014 (pertes qui furent toutefois largement compensées, à l'échelle provinciale, par le nombre de votes arrachés au PLQ par la CAQ) (Godbout, 2013). Enfin, notons que la proportion de votes recueillis par l'ensemble des petits partis dépassa pour la première fois le seuil des 10 % en 2014, alors que la proportion de votes obtenus par les trois principaux partis (CAQ, PLQ et PQ) est passée de 98,2 % en 1998 à 89,9 % en 2014 (Allan et Vengroff, 2015, p. 14).

La domination bipartite du PLQ et du PQ semble donc remise en question. De plus, la présence de tiers partis est pour l'instant une donnée incontournable pour qui veut comprendre le système partisan du Québec contemporain. La volatilité électorale s'est aussi considérablement intensifiée, notamment depuis l'élection de 2008. Dans ce contexte volatile et plus fortement compétitif, les partis québécois sont en voie d'adopter les nouvelles stratégies de marketing politique déjà déployées par leurs homologues fédéraux (Castonguay, 2015). L'adoption de ces nouvelles pratiques aura assurément pour conséquence d'accélérer les changements organisationnels en cours au sein des partis politiques au Canada et au Québec, enjeux vers lequel nous nous tournons à présent.

POINTS CLÉS

> Alors que partis fédéraux et provinciaux étaient intégrés au XIXe siècle et pendant une partie du XXe siècle, les systèmes partisans de ces deux sphères de gouvernement sont aujourd'hui autonomes.
> Les trois systèmes partisans québécois ont historiquement été bipartites et fortement

marqués par la question nationale. Le PLQ est la seule formation partisane présente au sein de ces trois systèmes.
> Le premier système partisan vit se succéder une période dominée par le Parti conservateur, de 1867 à la fin du XIXe siècle, puis une période d'hégémonie libérale au cours du premier tiers du XXe siècle.
> L'UN remplaça le Parti conservateur au milieu des années trente au sein d'un deuxième système partisan, lui aussi bipartite. Ce nouveau système fut dominé par l'UN, parti fortement conservateur qui adopta une posture autonomiste sur les enjeux liés à l'intégration du Québec au fédéralisme canadien.
> Le mouvement nationaliste québécois qui émergea dans les années 1960 déboucha sur la formation du PQ. Ce parti éclipsa l'UN au sein d'un troisième système partisan, lui aussi bipartite, au sein duquel le clivage opposant fédéralisme et souverainisme est prépondérant.
> Depuis le milieu des années 1990, le bipartisme du système partisan québécois semble être remis en question – à droite par l'ADQ et la CAQ, et à gauche par QS et ON.

4. L'ENJEU DE L'ORGANISATION DES PARTIS

Les principaux partis politiques canadiens et québécois partagent des structures organisationnelles plutôt similaires (Pelletier, 2013, p. 232-233). Les partis s'appuient d'abord sur des associations locales, idéalement dans chacune des circonscriptions électorales. Chaque parti possède aussi une instance suprême, le congrès national, par l'entremise de laquelle les membres (par l'entremise de leurs délégués) pourront en théorie contrôler les grandes orientations programmatiques du parti et élire ses dirigeants. Le congrès national est habituellement tenu tous les deux ans (quoique la fréquence des congrès puisse varier d'un parti à l'autre et dans l'histoire d'un même parti). Entre les congrès, des instances intermédiaires – appelées, par exemple, conseil national d'administration au PLC, conseil national au PQ ou conseil du parti fédéral au NPD – réunissent des délégués de une à quatre fois par année selon le parti. Les partis mettent aussi sur pied différents comités et commissions qui sont redevables à ces instances intermédiaires. Ce sont ces dernières qui prennent en charge le fonctionnement routinier des partis (Pelletier, 2013, p. 234).

Au-delà des structures formelles, les pratiques organisationnelles des partis et la répartition du pouvoir qu'elles impliquent doivent cependant aussi être considérées. Depuis la publication des travaux de V.O. Jey Jr. (1942) sur la question, nombreux sont les politologues qui ont trouvé utile d'étudier les partis comme structures sociales subdivisées en trois sections : le parti dans le gouvernement, qui fait référence aux élus parlementaires et pourra être appelé à former un gouvernement ; le parti comme organisation, qui, en tant que structure extraparlementaire, regroupe différentes instances (congrès, comités, etc.), les élus qui y siègent et des employés ; le parti dans l'électorat, qui renvoie aux électeurs qui appuient régulièrement le parti et ses candidats. Les partis ne sont donc pas des blocs homogènes et ils ne doivent pas être réifiés[5]. Il s'agit de rapports sociaux institutionnalisés qui évoluent dans le temps. Avec Michel Offerlé (2010, p. 14), on doit donc concevoir les partis comme des « champs de luttes » au sein desquels différents agents se font concurrence pour contrôler l'organisation et son fonctionnement, fixer ses orientations et parler en son nom.

Des tensions qui opposent la base d'un parti (ses membres) et ses dirigeants pour le contrôle de l'organisation peuvent ainsi émerger. L'aile parlementaire du parti tend à avoir un fort ascendant sur le parti comme organisation. Au sein de l'aile parlementaire, le chef et son entourage ont une position dominante. Les principes de gouvernement responsable et de discipline de parti garantissent au chef un contrôle serré sur son caucus parlementaire (regroupant les députés de son parti). Des réunions hebdomadaires du caucus offrent une occasion aux députés de faire valoir leurs points de vue, mais restent le plus souvent sans effet réel sur les politiques des partis, qui sont déterminées ailleurs. Dans le cas d'un parti détenant le pouvoir gouvernemental, le Cabinet ministériel a longtemps eu un poids décisif dans la mise en place de ces politiques. Cependant, comme nous le verrons, le parti au gouvernement est de plus en plus fortement placé sous le contrôle du bureau du premier ministre.

La prépondérance du chef au sein du parti (comme organisation et au gouvernement) réduit grandement la capacité des membres à se faire entendre par l'entremise des canaux formels de l'organisation du parti. Au sein des principaux partis canadiens et québécois, c'est sans conteste le chef qui détient les pouvoirs les plus importants. C'est lui qui contrôle l'élaboration du programme réellement proposé par le parti lors des élections et une fois au gouvernement. Il procède aux nominations à des postes clés au sein du parti et possède un droit de regard concernant la plupart des décisions importantes touchant l'organisation. Épaulé par son entourage, le chef dirige aussi les campagnes électorales et conserve une mainmise sur l'utilisation des ressources de sa formation (Pelletier, 2013, p. 234-235).

Un certain contrôle des membres peut cependant s'exercer sur l'aile parlementaire du parti par l'entremise de l'élection du chef et la procédure du vote de confiance tenu lors des congrès des partis et qui est devenu pratique courante.

---

5. La réification consiste à transformer ou à concevoir un phénomène dynamique en objet statique.

Par ailleurs, la sélection des candidats dans les circonscriptions par les associations locales est l'aspect du fonctionnement des partis sur lequel les membres arrivent généralement à exercer un réel contrôle. Cependant, au cours des dernières années, les directions des partis ont de plus en plus fait preuve d'interférence dans ces processus de sélection des candidats et candidates en imposant des candidatures vedettes (Cross, 2004, p. 107).

La très forte concentration du pouvoir au sein des partis canadiens et québécois autour de la figure du chef ou de la chef semble confirmer les thèses de Robert Michels (2015). Ce dernier affirme l'existence d'une « loi d'airain de l'oligarchie » voulant que, pour être efficaces, les formations partisanes devront tôt ou tard concentrer le pouvoir au sommet de leur organisation et limiter le contrôle exercé par les membres. La loi de Michels est critiquable dans sa formulation théorique[6]. De plus, un survol de l'évolution des modes d'organisation des partis politiques au Canada et au Québec permet de saisir que la concentration actuelle du pouvoir par les chefs des partis et leur garde rapprochée, si elle découle de tendances historiques lourdes, ne peut pour autant être associée à un phénomène inévitable. Cette concentration du pouvoir au sommet a en fait découlé de processus historiques en partie contingents qui ont pu être contestés à l'occasion.

4.1. Un survol de l'évolution organisationnelle des partis au Canada et au Québec

Émergeant de l'intérieur ou de l'extérieur du Parlement (Duverger, 1951), les partis adoptent des formes organisationnelles qui ont été classées au sein d'une typologie évolutive largement acceptée et mobilisée dans le champ d'étude des formations partisanes (Krouwel, 2006). Au sein des démocraties occidentales, les formations auraient ainsi d'abord pris la forme de partis de cadres, issus de l'intérieur des parlements au courant du XIXe siècle et contrôlés par les notables y siégeant. Suivirent, au tournant du XXe siècle, les partis de masse, provenant de l'extérieur des parlements et qui s'appuyaient sur un effectif massif, idéologiquement cohésif et impliqué dans la vie organisationnelle du parti. Dans ce type de parti, l'organisation extra-parlementaire (et les membres à travers elle) exerce théoriquement un contrôle plus serré sur une aile parlementaire censée mettre en application le programme adopté par les membres.

Au cours de la période d'après-guerre, les partis attrape-tout succédèrent aux partis de masses. Il s'agit de partis qui priorisent les gains électoraux (plutôt que la promotion et la mise en application d'un programme et d'une idéologie). Ils s'appuient sur un leader détenant d'importants pouvoirs et sur une structure organisationnelle faiblement démocratique[7]. Notons enfin que certains auteurs ont affirmé que les partis évoluant sur la scène fédérale canadienne sont d'un type particulier : le parti de courtage. Ce dernier, cherchant à rejoindre l'ensemble de l'électorat, serait idéologiquement encore plus flexible que le parti attrape-tout. Donnant aussi davantage de pouvoir au leader (le « courtier en chef »), il se présenterait comme un « parti par

---

6. Pour une critique de Michels, voir entre autres Colin Barker (2001) et Jodi Dean (2016).

7. Richard Katz et Peter Mair (1995) ont lancé un débat autour de l'émergence d'un nouveau type d'organisation : le parti cartel. Ce dernier est caractérisé par son détachement de la société civile, l'effritement de son effectif et son recours accru à des ressources financières publiques, dont il tente de se garantir l'accès en formant un « cartel » avec d'autres partis dominants. Alors que Heather MacIvor (1996) a suggéré que les partis canadiens avaient amorcé une transition vers ce mode organisationnel, Lisa Young (2017) défend de façon convaincante que ce n'est plus le cas aujourd'hui.

concession », où chacune des associations jouirait d'une certaine liberté dans le choix des candidats, tout en ayant à suivre les directives du sommet quant aux politiques à promouvoir (Carty et Cross, 2010 ; Carty, 2013).

Historiquement, les formations politiques canadiennes ont adopté différents traits associés à tous ces types de partis. Conservateurs et libéraux émergèrent d'abord comme partis de cadres ancrés dans le Parlement et s'appuyant sur de faibles charpentes organisationnelles. Les leaders des partis étaient choisis par leur caucus, et la base partisane des partis qu'ils dirigeaient était très faiblement organisée. Ces partis ne détenaient, au départ, ni effectif organisé ni structure extra-parlementaire ou associations de circonscription structurées (Patten, 2017, p. 6). La vie organisationnelle de ces partis de cadres s'appuyait sur un clientélisme pris en charge par leurs dirigeants, qui étaient des notables. Les partis dépendaient de ces pratiques de patronage qui permettaient aux députés, dans chacune de leurs circonscriptions, d'obtenir les ressources et de développer les réseaux nécessaires à leur élection.

Les partis libéral et conservateur se dotèrent d'organisations extra-parlementaires sous le deuxième système partisan. Les conservateurs mirent sur pied la *Dominion Liberal-Conservative Association*[8], qui les aida à prendre le pouvoir en 1930. Rétrogradés au rang d'Opposition officielle, les libéraux fondèrent quant à eux la *National Liberal Federation* en 1932. Cependant, au sein des deux partis, le pouvoir demeurait aux mains des ailes parlementaires. De plus, lorsqu'un parti était au pouvoir, ce qui fut le plus souvent le cas des libéraux, un contrôle serré était exercé par les ministres les plus puissants des cabinets, qui faisaient toujours usage de clientélisme pour tirer les ficelles du parti. Sous contrôle des ministres, l'État et ses appareils bureaucratiques prenaient alors en charge les affaires du parti, de sorte que le PLC de cette période peut être décrit comme un « parti-gouvernement » (Whitaker, 1977). En ce sens, les partis libéral et conservateur demeuraient largement des partis de cadres dont les dirigeants misaient sur une politique de courtage afin de s'élever et de se maintenir au pouvoir. Ces partis, essentiellement parlementaires, reposaient sur une organisation émaciée, un mode de fonctionnement hiérarchique et autoritaire ainsi qu'un recours systématique au clientélisme (Azoulay, 1999, p. 41).

L'essor de la FCC (1932), puis du NPD (1961), vint diversifier le paysage organisationnel du champ partisan canadien. Bien que hiérarchique, la structure organisationnelle de la FCC était autrement plus décentralisée que celle de ses principaux adversaires. La vie organisationnelle y était aussi davantage prise en charge par les membres, par leur implication dans les associations locales de circonscription, les comités et les clubs politiques rattachés au parti. Mises sur pied par des associations de fermiers et des coopératives agricoles (FCC), puis formellement rattachées au mouvement syndical (NPD), ces formations, au fonctionnement plus démocratique s'appuyant sur l'engagement des membres et leurs convictions idéologiques, s'apparentaient alors à des partis de masse (Azoulay, 1999, p. 39 et 41).

Au cours des années 1960 et 1970, malgré une croissance substantielle de leurs effectifs, libéraux et conservateurs donnèrent aussi des signes d'une évolution du modèle du parti de cadres à celui du parti de masse en développant leur aile extra-parlementaire (Azoulay, 1999, p. 31). Bien qu'il persistât, le recours au clientélisme fut officiellement remis en question, et d'autres modes d'intégration organisationnelle et mécanismes

....

8. Les conservateurs donnèrent à leur formation le nom de Parti libéral-conservateur à partir de 1922. Le nom de Parti progressiste-conservateur fut par la suite adopté en 1942. La Dominion Liberal-Conservative Association disparu rapidement avant de réapparaître à deux reprises au cours des années suivantes, chaque fois sous un nouveau nom (Azoulay, 1999, p. 32-36).

d'implication des membres furent mis de l'avant. Les associations de circonscription furent consolidées et participèrent à la sélection des candidats. Les congrès accueillant un nombre significativement plus large de délégués prirent aussi en charge l'élection des leaders des partis et la pratique du vote de confiance fut enchâssée dans les règles de procédure des partis (Patten, 2017, p. 12 ; Walchuck, 2012, p. 421).

C'est toutefois aussi à partir de cette période que les libéraux et les conservateurs, mais aussi les néo-démocrates, commencèrent à avoir recours à des sondeurs et autres professionnels des communications afin de diriger et d'organiser leurs campagnes électorales. Les nouvelles stratégies de marketing électorales utilisées par les partis mirent à l'avant-scène la figure du chef charismatique. Dans la foulée, les leaders des partis acquièrent un pouvoir considérable. Les membres jouèrent un rôle décroissant dans l'organisation des campagnes électorales, la formulation du discours et la dissémination des positions de leur parti auprès de l'électorat, ces fonctions étant davantage prises en charge par une « supra-organisation » formée de consultants professionnels. Par ailleurs, et comme mentionné précédemment, à partir des années 1960, d'abord sous Pearson, puis sous Trudeau père, le Cabinet ministériel fut de plus en plus dépossédé de ses pouvoirs. Ceux-ci furent appropriés par le bureau du premier ministre, un phénomène qui continua de prendre de l'ampleur sous les premiers ministres qui suivirent (Savoie, 1999). Encore une fois, le pouvoir du chef s'en trouva renforcé.

Sous le quatrième système partisan, afin d'élire leur chef, les différents partis eurent tendance à élargir le droit de vote à tous les membres, qui votent désormais directement dans le cadre de primaires. Bien que permettant une plus large participation des membres, le caractère démocratique de cette nouvelle façon de faire peut aussi être mis en doute, dans la mesure où elle tend à avantager les candidats à la chefferie ayant

davantage de ressources financières (Patten, 2017, p. 14). C'est aussi sous ce système partisan que se consolidèrent ce que Reg Whitaker (2001) nomme les « partis virtuels ». Selon ce politologue, les partis canadiens s'apparenteraient aujourd'hui à des coquilles vides, sur le plan idéologique et programmatique, qui entretiennent des liens de plus en plus ténus avec la société civile. Le caractère des partis se résume ainsi à l'image d'un chef, et le programme politique déployé est hautement malléable et constamment modifié par des professionnels des communications selon les analyses des sondeurs.

Bien qu'il ait pu susciter des espoirs en ce sens, l'usage des nouvelles technologies du numérique, d'Internet et des médias sociaux n'a pas réellement contribué à rendre les partis plus ouverts et plus démocratiques en offrant aux membres de nouvelles possibilités de participation (Small, 2017). L'usage par les partis de ces nouvelles technologies et leur arrimage au nouveau marketing politique ont en fait contribué à accentuer l'attention portée aux chefs et à accroître le contrôle exercé par leur entourage. Le cas du PCC – premier parti canadien à avoir mobilisé ces nouvelles technologies afin de procéder à l'analyse de « mégadonnées » permettant de cibler des groupes de l'électorat – illustre ce phénomène d'accentuation du pouvoir du chef. En effet, usant de ce nouveau mode de marketing électoral afin de se hisser et de se maintenir au pouvoir de 2006 à 2015, Stephen Harper a développé un contrôle très serré sur le message et les positionnements politiques de son parti. Une structure organisationnelle hautement centralisée a découlé de cette façon de faire (Woolstencroft, 2017).

Un jugement similaire peut être porté sur le PLC. Mais c'est peut-être le cas du NPD, un parti de masse à l'origine, qui est le plus révélateur sur cet enjeu. La tendance à la professionnalisation des campagnes électorales menées par ce parti s'est faite progressivement au cours des dernières décennies, avant de s'accélérer lors des récentes campagnes menées sous le leadership de Jack Layton, puis de Tom Mulcair. Auparavant, à l'approche d'une élection, un comité de planification électorale était formé par le parti. Ce comité laissait un rôle important aux militants et militantes du parti et s'appuyait sur une certaine participation des membres ordinaires. Après l'élection fédérale de 2008, ce comité fut laissé de côté et ses fonctions furent désormais assurées par l'exécutif du parti lors des élections suivantes. Alors que cet exécutif établit certains objectifs généraux, le bureau du chef de parti, appuyé par une équipe de professionnels du marketing politique, a pris en charge l'organisation de la campagne électorale en exerçant un contrôle serré qui limite grandement l'implication de la base militante du parti (McGrane, 2017, p. 176-178).

Un tel mouvement d'accaparement du pouvoir par le chef peut aussi être observé dans le cas québécois. Jusqu'aux abords de la Révolution tranquille, les partis politiques québécois s'organisèrent selon le modèle du parti de cadres, ne possédant pas d'effectif organisé et s'appuyant sur de très faibles structures extraparlementaires (Pelletier, 2012, p. 21). L'UN ne commença à accueillir des membres au sein de son organisation que dans les années 1960, avant de péricliter dans les années 1970 (Pelletier, 2012, p. 28).

Le PLQ s'autonomisa formellement du PLC dans la foulée de la création de la Fédération libérale du Québec, en 1955. Ce fut aussi l'occasion pour ce parti de se doter de structures extraparlementaires plus décentralisées, plus démocratiques et ouvertes à la présence de membres (Comeau, 1982). Malgré cette décentralisation partielle qui continua de s'opérer au cours des années 1960, les dirigeants de l'aile parlementaire du parti préservèrent un fort ascendant sur le fonctionnement de l'organisation et avaient notamment leur mot à dire quant à la sélection des candidats se présentant sous la bannière libérale.

La Fédération libérale disparut au cours des années 1970, ce qui enclencha un processus de recentralisation du pouvoir aux mains des dirigeants du PLQ. Ce processus de centralisation s'accéléra dans les années 1990 sous les leaderships de Daniel Johnson, puis de Jean Charest, et impliqua un resserrement du contrôle exercé par le chef sur la commission jeunesse du parti ainsi que sur le déroulement de ses congrès et conseils nationaux (Lemieux, 2012, p. 255 ; Lemieux, 2008). Le pouvoir détenu par la direction du PLQ est aujourd'hui très important et le chef, entouré de sa garde rapprochée, joue un rôle déterminant dans l'élaboration du programme de ce parti. Des façons de faire similaires existaient au sein de l'ADQ et s'observent maintenant au sein de la CAQ (Montigny, 2012, p. 287). Plus électoralistes et conférant de grands pouvoirs au chef, ces partis se rapprochent du modèle du parti attrape-tout.

À son apparition, le PQ apporta des innovations organisationnelles substantielles à l'échelle québécoise et s'apparenta à un parti de masse, s'appuyant sur un large effectif (atteignant la barre des 300 000 membres au début des années 1980) et sur des structures (congrès, conseils nationaux réguliers, associations locales dynamiques) permettant une vie démocratique substantielle (Barberis et Drouilly, 1981, p. 201). Les débats sur le programme du parti s'opéraient alors sur un mode laissant place à une décentralisation qui permettait une participation non négligeable des membres. Cependant, alors que le parti s'institutionnalisa et prit le pouvoir en 1976, des stratèges « technocrates » rattachés à la direction du parti et privilégiant les gains électoraux à la promotion du programme exercèrent un contrôle de plus en plus grand sur les orientations du parti (Montigny, 2012, p. 281). De plus, alors que les membres continuèrent de s'impliquer dans l'élaboration du programme, le chef garda le contrôle sur la plateforme électorale du PQ.

Il n'en demeure pas moins que cette implication des membres dans les différentes instances du parti pouvait à l'occasion contraindre le pouvoir du chef. Les membres du PQ élisent leur chef dans le cadre de primaires fermées permettant à chaque membre de voter directement. L'usage du vote de confiance envers le chef représente aussi un outil de contrôle important qui a pu permettre d'envoyer des messages forts aux chefs du PQ ou même les amener à démissionner, comme ce fut le cas de Bernard Landry en 2005.

C'est aussi lors de son congrès de 2005 que le PQ amorça un tournant favorable aux éléments plus électoralistes en son sein et, ce faisant, s'engagea dans un processus de «dé-démocratisation» (Montigny, 2012). Un mécanisme de contrôle plus serré du processus de révision du programme par l'aile parlementaire fut notamment adopté, et le nombre de conseils nationaux annuels fut réduit. Un renforcement des pouvoirs de la chef eut aussi lieu sous la direction de Pauline Marois à partir de 2007. Celle-ci eut ainsi tendance à modifier les orientations du parti en marge des canaux formels et s'immisça dans le processus de sélection des candidats, normalement pris en charge par les associations de circonscription (Montigny, 2012, p. 286 et 294). Cette évolution du PQ l'amène également à se rapprocher aujourd'hui du modèle du parti attrape-tout. En ce sens, malgré son effectif plus modeste, QS est le dernier parti représenté à l'Assemblée nationale à privilégier un modèle d'organisation démocratique de parti de masse (Dufour, 2012).

4.2. L'organisation des partis et la participation citoyenne

L'évolution organisationnelle des partis au cours des dernières décennies a peu contribué, et a même souvent pu nuire, à une prise en charge effective de leur rôle de représentation de la société civile et de vecteur de participation citoyenne. Notons d'abord que les membres des partis tendent à être faiblement représentatifs de la diversité qui caractérise la population des sociétés canadienne et québécoise. Environ les deux tiers des membres sont des hommes dont la moyenne d'âge est de 59 ans. La vaste majorité des membres des partis est d'ascendance européenne et 90 % des membres sont nés au Canada (Cross, 2004, p. 20-21). Les femmes sont sous-représentées parmi les membres, mais aussi au sein des directions et des ailes parlementaires des partis autant au Québec qu'au Canada. Malgré quelques avancées, la progression de la place des femmes au sein des partis a été plutôt lente au cours des trois dernières décennies (Everitt, 2017 ; Tardy, 2003).

Par ailleurs, la prédominance des ailes parlementaires, du chef et de son entourage limite grandement la capacité des membres de la base à se faire entendre et à participer de façon significative à la vie partisane. Les citoyens tendent conséquemment à percevoir les partis comme des institutions trop fortement hiérarchiques et élitistes. Ainsi, 90 % des membres des partis canadiens croient que les associations locales devraient jouer un rôle plus important dans l'élaboration des programmes, alors que 70 % des membres soutiennent qu'ils devraient être davantage consultés lors de la préparation des plateformes électorales des partis – processus le plus souvent fortement sous contrôle du chef. Étant donné ces possibilités de participation trop restreintes, peu de gens perçoivent les partis politiques comme des vecteurs leur permettant réellement de se faire entendre et seulement 1 à 2 % des Canadiens sont membres d'un parti entre les périodes électorales. Par ailleurs, les citoyens qui adhèrent à un parti demeurent dans la majorité des cas très passifs et consacrent très peu de temps et d'énergie aux activités partisanes. Notons enfin qu'environ 75 % des citoyens canadiens croient que la participation à un groupe d'intérêt ou à un mouvement social est plus efficace que l'adhésion à un parti pour avoir un effet politique (Cross, 2004, p. 20, 28 et 31).

Alors que les politiques mises en place par les partis au pouvoir convergent, la participation électorale a aussi eu tendance à chuter au cours des dernières décennies (Amyot, 2017). Si le taux de participation (68,3 %) a connu une remontée lors des élections fédérales de 2015, ce même taux avait auparavant chuté de 75,3 % en 1988 à 61,1 % en 2011 (Élection Canada, 2017). Le taux de participation aux élections québécoises est quant à lui passé de 81,6 % en 1994 à 71,4 % en 2014 (Blais, Galais et Gélineau, 2013, p. 180 ; Allan et Vengroff, p. 17). Parallèlement, la confiance des citoyens canadiens envers leurs représentants parlementaires a chuté de façon radicale au cours des dernières décennies. Les sondages demandant aux citoyens d'évaluer leur satisfaction envers les élus, sur une échelle allant de 1 à 100, révèlent une chute de près de 50 % de 1968 à 2000 (Carty, Cross et Young, 2000, p. 29). De même, au début des années 2010, seulement 44 % des Québécois affirmaient croire que les partis politiques font un bon travail (Kanji et Tannahill, 2013 p. 81). Ces données semblent indiquer certains problèmes de représentation politique. L'évolution des systèmes partisans et de leurs composantes n'est pas étrangère à ces problèmes.

POINTS CLÉS

> Les partis sont divisés en trois sections : le parti au gouvernement, le parti comme organisation et le parti dans l'électorat. Les partis sont des champs de lutte au sein desquels différents acteurs tentent d'exercer un contrôle sur l'organisation partisane.

> Les partis politiques canadiens et québécois possèdent des structures organisationnelles formelles similaires. Leurs pratiques organisationnelles et la répartition du pouvoir qu'elles impliquent ont cependant pu varier historiquement.

> L'aile parlementaire (le parti au gouvernement) tend à avoir un ascendant sur le parti comme organisation. Le chef du parti tend à détenir d'importants pouvoirs et à exercer un contrôle serré sur ses orientations.

> Les partis politiques au Canada et au Québec ont d'abord émergé comme partis de cadres qui possédaient des structures organisationnelles faiblement structurées. Des partis de masse (la FCC, puis le NPD au niveau fédéral ; le PQ et QS au niveau provincial) faisant une place plus importante aux membres ont aussi vu le jour. Les principaux partis ont évolué vers les modèles du parti attrape-tout et du parti de courtage, qui confèrent des pouvoirs très importants aux chefs et privilégient les gains électoraux au détriment de la promotion du programme.

> Les pouvoirs importants des chefs et le recours à des consultants professionnels pour prendre en charge l'organisation et les activités des partis (notamment lors des campagnes électorales) tendent à limiter le contrôle exercé par les membres et leur implication au sein des partis.

CONCLUSION

À la lumière de l'évolution historique des systèmes partisans offerte dans le présent chapitre, il apparaît que des transformations importantes de ces systèmes ont eu lieu au cours des deux dernières décennies. Nous avons vu comment des caractéristiques marquantes des dynamiques des systèmes partisans – la politique de courtage au niveau fédéral et le bipartisme au Québec – ont ainsi récemment été remises en question. De nouvelles dynamiques de compétition partisane sont mises en application. Les systèmes partisans font face à des turbulences importantes, auxquelles sont liés une plus grande volatilité électorale ainsi qu'un plus faible sentiment d'appartenance des électeurs aux partis. Cela découle, au moins en partie, de l'incapacité grandissante des partis politiques à prendre en charge certaines fonctions de représentation que leur a assignées la théorie libérale de la démocratie.

Les partis politiques continuent de jouer un rôle central dans la sélection du personnel politique et dans la prise en charge des fonctions gouvernementales. La formulation des options politiques offertes aux électeurs semble cependant être délaissée par les partis, alors que ceux-ci relèguent maintenant largement cette fonction à des consultants professionnels du marketing politique. Comme nous l'avons vu, ce recours à des professionnels tend du même coup à renforcer le pouvoir des chefs. Ce phénomène contribue à son tour à l'effritement de la capacité des partis à assurer une autre de leur fonction théoriquement et historiquement importante : faire le pont entre l'État et la société civile en représentant les différents intérêts présents au sein de cette dernière. Alors que les formations partisanes canadiennes et québécoises convergent dans leur adoption de programmes néolibéraux, il ne semble pas échapper au phénomène plus largement répandu du désintérêt croissant des citoyens envers les partis et envers le processus électoral (Dalton et Wattenberg, 2002 ; Mair, 2013). Il est cependant pertinent de noter que la proportion de citoyens canadiens adhérant à un parti est significativement plus faible, comparée à la plupart des pays européens (Cross, 2004).

Les partis politiques continuent d'assumer des fonctions fondamentales au sein des États canadiens et québécois et ne sont pas près de disparaître. Les citoyens continuent de concevoir la politique comme processus de compétition entre partis politiques. Ainsi, les trois quarts des Canadiens continuent de croire que les partis politiques sont essentiels au fonctionnement démocratique de l'État (Cross, 2004, p. 4). Cela dit, il semble aussi évident que les partis politiques canadiens et québécois ont d'importants défis à relever afin de mieux permettre aux citoyens de faire entendre leur voix et ainsi participer pleinement à la vie démocratique.

QUESTIONS

1. Pourquoi peut-on dire que l'exercice de définition des partis politiques est de nature normative ?

2. Quelles sont les différentes fonctions des partis politiques ?

3. Pourquoi est-il utile d'analyser les partis politiques (canadiens et québécois) en les replaçant au sein de systèmes partisans ?

4. Qu'est-ce qui fait la spécificité du quatrième système partisan canadien ? Selon vous, ce quatrième système a-t-il été remplacé par un cinquième système partisan ? Pourquoi ?

5. Comment expliquer qu'un si grand nombre de tiers partis aient vu le jour au Canada, alors que seulement deux partis ont historiquement exercé le pouvoir ?

6. En quoi l'arrivée du PQ sur la scène politique québécoise représente-t-elle un changement majeur pour le système partisan et pour le mode d'organisation des partis ?

7. Assiste-t-on à l'effritement du bipartisme qui a caractérisé les systèmes partisans québécois? Dans quelle mesure et pourquoi?

8. Quelles sont les principales différences entre les partis de cadres et les partis de masse?

9. Le NPD et le PQ sont-ils encore aujourd'hui des partis de masse? Pourquoi? Malgré son effectif relativement modeste, QS est-il un parti de masse? Pourquoi?

10. Qu'est-ce qui explique la prépondérance de l'aile parlementaire et du chef sur le parti comme organisation? Cette prépondérance est-elle inévitable et nécessaire? Pourquoi?

11. Les partis arrivent-ils encore à assumer leur fonction de représentation de la société civile?

12. Quelles transformations de l'organisation et du fonctionnement des partis permettraient une plus grande participation citoyenne à la vie démocratique?

LECTURES SUGGÉRÉES

Bélanger, E. et R. Nadeau (2009). *Le comportement électoral des Québécois*, Montréal, Les Presses de l'Université de Montréal.

Bickerton, J., A.-G. Gagnon et P. Smith (2002). *Partis politiques et comportement électoral au Canada. Filiations et affiliations*, Montréal, Boréal.

Cross, W. (2004). *Political Parties*, Vancouver, UBC Press.

Duverger, M. (1951). *Les partis politiques*, Paris, A. Colin.

Gagnon, A.-G. et A.B. Tanguay (dir.) (2017). *Canadian Parties in Transition. Recent Trends and New Paths for Research*, 4e éd., Toronto, University of Toronto Press.

Lemieux, V. (2008). *Le Parti libéral du Québec. Alliance, rivalités et neutralités*, 2e éd., Québec, Presses de l'Université Laval.

Mair, P. (2013). *Ruling the Void. The Hollowing of Western Democracy*, New York, Verso.

Pelletier, R. (dir.) (2012). *Les partis politiques québécois dans la tourmente. Mieux comprendre et évaluer leur rôle*, Québec, Presses de l'Université Laval.

Savoie, D. (1999). *Governing From the Centre : The Concentration of Power in Canadian Politics*, Toronto, University of Toronto Press.

GLOSSAIRE

CLIENTÉLISME : Pratique par laquelle des politiciens récompensent leurs partisans à partir de leur contrôle des ressources publiques (postes, adoption de législations, contrats publics, etc.) en échange de leur soutien électoral ou financier.

CLIVAGES : Oppositions, de natures idéologique et programmatique, formulées par les partis politiques et qui trouvent leurs racines profondes dans les structures sociales d'un État donné. Les clivages sont les pierres d'assises sur lesquelles reposent et évoluent les systèmes partisans. En cela, les clivages s'inscrivent dans la longue durée et sont moins éphémères que les systèmes partisans, les partis et les débats qui émergent dans leur sillon.

GROUPE D'INTÉRÊT : Ensemble de citoyens qui s'organisent pour tenter de faire valoir un intérêt social particulier sans participer aux élections ou tenter de former le gouvernement. Les groupes d'intérêt mènent des campagnes ou s'engagent dans une pratique de démarchage afin d'influer sur les politiques gouvernementales.

NÉOLIBÉRALISME : Idéologie qui prône une régulation de la vie sociale, économique et politique par les mécanismes compétitifs du marché. L'influence de cette idéologie a crû de façon importante en réponse à la crise de profitabilité des entreprises privées des années 1970 et au cours des décennies qui suivirent. Le néolibéralisme favorise l'individualisme au détriment des solidarités sociales, qui sont institutionnalisées par l'entremise des programmes sociaux et des régulations des marchés administrées par l'État.

POLITIQUE DE COURTAGE : Politique visant à concilier les différents intérêts (de classes, régionaux, linguistiques, etc.) des groupes qui forment la société et l'électorat canadiens. Le courtage politique amène les partis à adopter un pragmatisme électoraliste et à faire preuve d'une grande flexibilité idéologique de façon à former une coalition électorale gagnante. La politique de courtage a joué un rôle central dans la politique partisane canadienne.

SYSTÈME DE WESTMINSTER : Expression faisant référence au système parlementaire du Royaume-Uni, qui tire son nom du palais de Westminster, siège du Parlement britannique. Le système de Westminster se retrouve dans les pays membres ou qui ont été membres du Commonwealth britannique (Australie, Canada, Inde, Jamaïque, Nouvelle-Zélande, etc.). Ce système parlementaire possède certaines caractéristiques précises. Le chef d'État (au Canada, le gouverneur général, représentant la Reine), dont les pouvoirs exécutifs et législatifs sont strictement limités au plan constitutionnel, n'est pas le chef du gouvernement (le premier ministre). Le premier ministre – chef du parti détenant une majorité à la Chambre basse (au Canada, la Chambre des communes) – dirige un gouvernement formé de ministres qui siègent au Cabinet ministériel et à la Chambre basse en tant que députés. Le pouvoir législatif est détenu par le Parlement, composé d'une ou deux chambres (au Canada, la Chambre haute est le Sénat, dont les pouvoirs sont restreints et les membres ne sont pas élus). Cependant, le principe de gouvernement responsable et la discipline de parti (particulièrement bien ancrés au Canada) font en sorte que le chef du gouvernement exerce un contrôle très serré sur l'exercice du pouvoir législatif.

SYSTÈME MAJORITAIRE UNINOMINAL À UN TOUR : Mode de scrutin en vigueur au Canada et au sein duquel le candidat qui recueille le plus grand nombre de votes dans une circonscription donnée est l'unique vainqueur. Pour être élu, le candidat n'a pas l'obligation d'obtenir la majorité absolue des votes (50 % plus un).

SYSTÈME PARTISAN : Ensemble caractérisé par un nombre de partis donné et des dynamiques spécifiques de compétition (et de collaboration) entre les formations partisanes qui cherchent à obtenir l'appui des électeurs au sein d'un même espace électoral.

TIERS PARTI : Tout parti obtenant moins de voix que les deux principaux partis en place (formant le gouvernement et l'opposition officielle). Dans la sphère fédérale, les tiers partis ont constamment fait sentir leur présence au sein des systèmes partisans depuis l'élection de 1921. Ils ont le plus souvent été relativement petits et ont souvent eu tendance à émerger sur une base régionale. Les tiers partis ont eu une influence moins grande dans l'histoire partisane québécoise, mais ont gagné en importance au cours des dernières années.

Bibliographie

Allan, J. et R. Vengroff (2015). « Party system change in Québec : Evidence from recent elections », *Southern Journal of Canadian Studies*, vol. 6, n° 1, p. 2-20.

Amyot, G. (2017). « The waning of political parties », dans A.-G. Gagnon et A.B. Tanguay (dir.), *Canadian Parties in Transition. Recent Trends and New Paths for Research*, 4ᵉ éd., Toronto, University of Toronto Press, p. 84-106.

Azoulay, D. (1999). « The evolution of party organization in Canada, 1900-1984 », dans *Canadian Political Parties : Historical Readings*, Toronto, Irwin Publishing, p. 27-49.

Barberis, R. et P. Drouilly (1981). *Les illusions du pouvoir. Les erreurs stratégiques du gouvernement Lévesque*, Montréal, Sélect.

Barker, C. (2001). « Colin Barker and "The Cruel Game" », dans C. Barker, A. Johnson, M. Lavalette (dir.), *Leadership in Social Movements*, Manchester, Manchester University Press, p. 24-43.

Bélanger, E. et R. Nadeau (2009). *Le comportement électoral des Québécois*, Montréal, Les Presses de l'Université de Montréal.

Bickerton, J. (2017). « Parties and regions : Representation and resistance », dans A.-G. Gagnon et A.B. Tanguay (dir.), *Canadian Parties in Transition. Recent Trends and New Paths for Research*, 4ᵉ éd., Toronto, University of Toronto Press, p. 44-63.

Bickerton, J., A.-G. Gagnon et P. Smith (2002). *Partis politiques et comportement électoral au Canada. Filiations et affiliations*, Montréal, Boréal.

Blais, A., C. Galais et F. Gélineau (2013). « La participation électorale », dans F. Bastien, E. Bélanger et F. Gélineau (dir.), *Les Québécois aux urnes. Les partis, les médias et les citoyens en campagne*, Montréal, Les Presses de l'Université de Montréal, p. 179-189.

Brodie, J. (1990). *The Political Economy of Canadian Regionalism*, Toronto, Harcourt Brace Jovanovitch.

Brodie, J. et J. Jenson (2007). « Piercing the smokescreen : Stability and change in brokerage politics » dans A.-G. Gagnon et A.B. Tanguay (dir.), *Canadian Parties in Transition*, 3ᵉ éd., Peterborough, Broadview Press, p. 33-53.

Cairns, A.C. (1968). « The electoral system and the party system in Canada, 1921-1965 », *Revue canadienne de science politique*, vol. 1, n° 1, p. 55-80.

Carty, R.K. (1992). « Three Canadian party systems », dans R.K. Carty (dir.), *Canadian Political Party System, 1978-1984*, Peterborough, Broadview Press, p. 563-586.

Carty, R.K. (2013). « Has brokerage politics ended ? », dans A. Bittner et R. Koop (dir.), *Parties, Elections, and the Future of Canadian Politics*, Vancouver, UBC Press, p. 10-23.

Carty, R.K. et W. Cross (2010). « Political parties and the practice of brokerage politics », dans J.C. Courtney et D.E. Smith (dir.), *The Oxford Handbook of Canadian Politics*, New York, Oxford University Press, p. 191-207.

Carty, R.K., W. Cross et L. Young (2000). *Rebuilding Canadian Party Politics*, Vancouver, UBC Press.

Carty, R.K., W. Cross et L. Young (2002). « A new Canadian party system », dans W. Cross (dir.), *Political Parties, and Electoral Democracy in Canada*, Toronto, Oxford University Press, p. 15-36.

Castonguay, A. (2015). « Les partis politiques vous espionnent », *L'actualité*, 14 septembre.

Comeau, P.-A. (1982). « La transformation du Parti libéral québécois », dans V. Lemieux (dir.), *Personnel et partis politiques au Québec*, Montréal, Boréal, p. 141-154.

Cross, W. (2004). *Political Parties*, Vancouver, UBC Press.

Dalton, R.J. et M.P. Wattenberg (2002). *Parties Without Partisans : Political Change in Advanced Industrial Democracies*, New York, Oxford University Press.

Dean, J. (2016). *Crowds and Party. How Do Mass Protest Become an Organized Activist Collective ?*, New York, Verso.

Delwit, P. (2015). *Introduction à la science politique*, Bruxelles, Éditions de l'Université de Bruxelles.

Dobrowolsky, A. (2004). « Political parties : Teletubby politics, the third way, and democratic challenge(r)s », dans M. Whittington et G. Williams (dir.), *Canadian Politics in the 21st Century*, Toronto, Thomson Nelson, p. 167-198.

Dufour, P. (2012). « Québec solidaire : Au-delà du tiers parti, une transformation majeure du paysage politique québécois », dans R. Pelletier (dir.), *Les partis politiques québécois dans la tourmente. Mieux comprendre et évaluer leur rôle*, Québec, Presses de l'Université Laval, p. 333-360.

Duverger, M. (1951). *Les partis politiques*, Paris, A. Colin.

Élection Canada (2017). *Taux de participation aux élections et aux référendums fédéraux*, <http://www.elections.ca/content.aspx?dir=turn&document=index&lang=f&section=ele>.

Epstein, L. (1975). « Political parties », dans N.W. Polsby et F.I. Greenstein (dir.), *The Handbook of Political Science*, vol. 4, Lexington, Addison-Wesley, p. 229-277.

Everitt, J. (2017). « Where are the women in Canadian political parties ? », dans A.-G. Gagnon et A.B. Tanguay (dir.), *Canadian Parties in Transition. Recent Trends and New Paths for Research*, 4e éd., Toronto, University of Toronto Press, p. 296-315.

Gagnon, A.-G. et A.B. Tanguay (dir.) (2017). *Canadian Parties in Transition. Recent Trends and New Paths for Research*, 4e éd., Toronto, University of Toronto Press.

Godbout, J.-F. (2013). « Les élection au Québec de 1973 à 2012 », dans F. Bastien, E. Bélanger et F. Gélineau (dir.), *Les Québécois aux urnes. Les partis, les médias et les citoyens en campagne*, Montréal, Les Presses de l'Université de Montréal, p. 23-43.

Jey, Jr., V.O. (1942). *Politics, Parties, and Pressure Groups*, New York, Crowell.

Johnston, R. (2010). « Political parties and the electoral system », dans J.C. Courtney et D.E. Smith (dir.), *The Oxford Handbook of Canadian Politics*, New York, Oxford University Press, p. 208-225.

Johnston, R. (2017). « Polarized pluralism in the Canadian party system », dans A.-G. Gagnon et A.B. Tanguay (dir.), *Canadian Parties in Transition. Recent Trends and New Paths for Research*, 4e éd., Toronto, University of Toronto Press, p. 64-83.

Kanji, M. et K. Tannahill (2013). « Le malaise des Québécois : la confiance envers les institutions gouvernementales », dans R. Pelletier (dir.), *Les partis politiques québécois dans la tourmente. Mieux comprendre et évaluer leur rôle*, Québec, Presses de l'Université Laval, p. 75-87.

Katz, R. (2006). « Party in democratic theory », dans R. Katz et W. Crotty (dir.), *Handbook of Party Politics*, Londres, Sage Publications, p. 34-46.

Koop, R. et A. Bittner (2013). « Parties and elections after 2011 : The fifth Canadian party system ? », dans A. Bittner et R. Koop (dir.), *Parties, Elections, and the Future of Canadian Politics*, Vancouver, UBC Press, p. 308-331.

Krouwel, A. (2006). « Party models », dans R. Katz et W. Crotty (dir.), *Handbook of Party Politics*, Londres, Sage Publications, p. 249-269.

Lamoureux, A. (2014). « Le système partisan au Québec », dans A.-G. Gagnon (dir.), *La politique québécoise et canadienne. Une approche pluraliste*, Québec, Presses de l'Université du Québec.

LaPalombra, J. et M. Weiner (1966). *Political Parties and Political Development*, Princeton, Princeton University Press.

Lemieux, V. (2008). *Le Parti libéral du Québec. Alliance, rivalités et neutralités*, 2e éd., Québec, Presses de l'Université Laval.

Lemieux, V. (2012). « Le parti libéral du Québec et la formulation des politiques », dans R. Pelletier (dir.), *Les partis politiques québécois dans la tourmente. Mieux comprendre et évaluer leur rôle*, Québec, Presses de l'Université Laval, p. 249-271.

Linteau, P.-A., R. Durocher et J.-C. Robert (1989a). *Histoire du Québec contemporain. De la Confédération à la crise (1867-1929)*, tome I, Montréal, Boréal.

Linteau, P.-A., R. Durocher, J.-C. Robert et F. Ricard (1989b). *Histoire du Québec contemporain. Le Québec depuis 1930*, tome II, Montréal, Boréal.

Lipset, S.M. (1960). *Political Man. The Social Bases of Politics*, Garden City, Anchor Books.

Lipset, S.M. et S. Rokkan (dir.) (1967). *Party System and Voter Alignments. Cross National Perspectives*, New York, Free Press.

MacIvor, H. (1996). « Do Canadian political parties form a cartel ? », *Revue canadienne de science politique*, vol. 29, n° 2, p. 317-333.

Mair, P. (1992). « The question of electoral reform », *New Left Review*, vol. I, n° 194, p. 75-97.

Mair, P. (2006). « Cleavages », dans R. Katz et W. Crotty (dir.), *Handbook of Party Politics*, Londres, Sage Publications, p. 371-375.

Mair, P. (2013). *Ruling the Void. The Hollowing of Western Democracy*, New York, Verso.

Marland, A. et T. Giasson (2017). « From brokerage to boutique politics : Political marketing and the changing nature of party politics in Canada », dans A.-G. Gagnon et A.B. Tanguay (dir.), *Canadian Parties in Transition. Recent Trends and New Paths for Research*, 4e éd., Toronto, University of Toronto Press, p. 343-363.

McGrane, D. (2017). « Ideological moderation and professionalization : The NDP under Jack Layton and Tom Mulcair », dans A.-G. Gagnon et A.B. Tanguay (dir.), *Canadian Parties in Transition. Recent Trends and New Paths for Research*, 4e éd., Toronto, University of Toronto Press, p. 168-184.

Meisel, J. (1963). « The Stalled Omnibus : Canadian parties in the 1960s », *Social Research*, vol. 30, n° 3, p. 367-390.

Michels, R. (2015). *Sociologie du parti dans la démocratie moderne. Enquête sur les tendances oligarchiques de la vie des groupes*, Paris, Gallimard.

Montigny, E. (2012). « Le Parti québécois : vers une "dédémocratisation" », dans R. Pelletier (dir.), *Les partis politiques québécois dans la tourmente. Mieux comprendre et évaluer leur rôle*, Québec, Presses de l'Université Laval, p. 273-300.

Morton, W. (1950). *The Progressive Party in Canada*, Toronto, University of Toronto Press.

Offerlé, M. (2010). *Les partis politiques*, 7e éd., Paris, Presses universitaires de France.

Panitch, L. (1990). « Elites, classes, and power in Canada », dans M. Whittington et G. Williams (dir.), *Canadian Politics in the 1990s*, Scarborough, Thomson Nelson, p. 182-207.

Patten, S. (2017). « The evolution of the Canadian party system : From brokerage to marketing-oriented politics », dans A.-G. Gagnon et A.B. Tanguay (dir.), *Canadian Parties in Transition. Recent Trends and New Paths for Research*, 4e éd., Toronto, University of Toronto Press, p. 3-27.

Pelletier, R. (1989). *Partis politiques et société québécoise. De Duplessis à Bourassa, 1944-1970*, Montréal, Québec Amérique.

Pelletier, R. (2012). « L'évolution du système de partis au Québec : un bipartisme tenace », dans R. Pelletier (dir.), *Les partis politiques québécois dans la tourmente. Mieux comprendre et évaluer leur rôle*, Québec, Presses de l'Université Laval, p. 19-40.

Pelletier, R. (2013). « Les partis politiques fédéraux et québécois », dans R. Pelletier et M. Tremblay (dir.), *Le parlementarisme canadien*, 5e éd., Québec, Presses de l'Université Laval, p. 195-250.

Pilon, D. (2017). « Party politics and voting systems in Canada », dans A.-G. Gagnon et A.B. Tanguay (dir.), *Canadian Parties in Transition. Recent Trends and New Paths for Research*, 4e éd., Toronto, University of Toronto Press, p. 217-249.

Sartori, G. (1976). *Parties and Party Systems a Framework for Analysis*, Cambridge, Cambridge University Press.

Savoie, D. (1999). *Governing From the Centre : The Concentration of Power in Canadian Politics*, Toronto, University of Toronto Press.

Sayers, A. (2002). « Regionalism, political parties, and parliamentary politics in Canada and Australia », dans L. Young et K. Archer (dir.), *Regionalism and Party Politics in Canada*, Toronto, Oxford University Press, p. 209-221.

Scarrow, S.E. (2006). « The Nineteenth-century origins of modern political parties : The unwanted emergence of party-based politics », dans R. Katz et W. Crotty (dir.), *Handbook of Party Politics*, Londres, Sage Publications, p. 16-24.

Schattschneider, E.E. (1942). *Party Government*, New York, Holt, Rinehart & Winston.

Small, T.A. (2017). « Two decades of digital party politics in Canada : An assesment », dans A.-G. Gagnon et A.B. Tanguay (dir.), *Canadian Parties in Transition. Recent Trends and New Paths for Research*, 4ᵉ éd., Toronto, University of Toronto Press, p. 388-408.

Tardy, E. (2003). *Égalité hommes-femmes ? Le militantisme au Québec : le PQ et le PLQ*, Montréal, Hurtubise.

Walchuck, B. (2012). « A whole new ballgame : The rise of Canada's fifth party system », *American Review of Canadian Studies*, vol. 42, nº 3, p. 418-434.

Whitaker, R. (1977). *The Government Party : Organizing and Financing the Liberal Party of Canada 1930-1958*, Toronto, University of Toronto Press.

Whitaker, R. (2001). « Virtual political parties and the decline of democracy », *Policy Options*, 1ᵉʳ juin, p. 16-22.

White, J.K. (2006). « What is a political party ? », dans R. Katz et W. Crotty (dir.), *Handbook of Party Politics*, Londres, Sage Publications, p. 5-15.

Wiseman, N. (2017). « Ideological competition in the Canadian party system », dans A.-G. Gagnon et A.B. Tanguay (dir.), *Canadian Parties in Transition. Recent Trends and New Paths for Research*, 4ᵉ éd., Toronto, University of Toronto Press, p. 109-126.

Woolstencroft, P. (2017). « The Conservative : Rebuilding and rebranding, yet again », dans A.-G. Gagnon et A.B. Tanguay (dir.), *Canadian Parties in Transition. Recent Trends and New Paths for Research*, 4ᵉ éd., Toronto, University of Toronto Press, p. 146-167.

Young, L. (2017). « Money, politics, and the Canadian party system », dans A.-G. Gagnon et A.B. Tanguay (dir.), *Canadian Parties in Transition. Recent Trends and New Paths for Research*, 4ᵉ éd., Toronto, University of Toronto Press, p. 28-43.

CHAPITRE 13

LES MOUVEMENTS SOCIAUX AU QUÉBEC ET AU CANADA

Francis Dupuis-Déri

Il existe au Canada et au Québec une grande diversité de mouvements sociaux, surtout associés aux forces progressistes, comme les mouvements syndical, féministe, étudiant, écologiste et pacifiste, mais aussi parfois à des forces conservatrices ou réactionnaires, comme le mouvement antiféministe qui compte une tendance pro-vie, laquelle s'oppose au choix des femmes d'avorter, et une tendance masculiniste qui prétend que les hommes sont dominés par les femmes. La scène politique des dernières années a été marquée par des mobilisations aussi spectaculaires qu'importantes, en particulier depuis l'émergence de l'**altermondialisme**[1] à la fin des années 1990. Retenons, parmi d'autres, la marche Des pains et des roses lancée par des féministes du Québec en 1995, qui inspirera la

Marche mondiale des femmes (MMF) en 2000, la mobilisation contre le projet de Zone de libre-échange nord-américaine (ZLÉA) discuté par 34 chefs d'État au Sommet des Amériques à Québec en avril 2001, les rassemblements devant le Parlement à Ottawa, en 2006, de milliers de personnes favorables à la guerre en Afghanistan et les manifestations des pacifistes contre des défilés militaires dans les rues de Québec en 2007 et 2008. Il y a eu aussi la mobilisation contre le Sommet du G20 à Toronto en juin 2010, le rassemblement pro-vie contre l'avortement à Ottawa le 10 mai 2012, la plus importante et la plus longue grève étudiante de l'histoire du Québec en 2012 (on a alors parlé du « Printemps érable » ou « Printemps québécois »), ponctuée de centaines de manifestations et de quelques émeutes, et la campagne pancanadienne *Idle No More* des Autochtones en 2013. Les dernières années ont aussi été marquées par les plus grandes manifestations de l'histoire canadienne,

---

1. Les concepts en caractères gras sont définis dans le glossaire à la fin du chapitre.

qui se sont toutes déroulées à Montréal et comptaient de 150 000 à 250 000 personnes : contre la guerre en Irak (février 2003), contre la hausse des droits de scolarité (22 mars 2012) et pour la protection de l'environnement (22 avril 2012). Des mobilisations transnationales font des émules au Québec. Le mouvement Occupy, par exemple, est né à New York, en s'inspirant du mouvement des Indignés en Espagne, qui lui-même s'inspirait du Printemps arabe de Tunisie et d'Égypte. Occupy proposait d'établir des campements militants temporaires dans les centres-villes pour protester contre le capitalisme financier, formule qui a été reprise à l'automne 2011 à Montréal et à Québec. La répression policière à caractère politique a atteint un sommet lors de la grève étudiante de 2012, avec plus de 3 500 arrestations pendant ce « printemps de la matraque », et plus de 1 500 autres à Montréal seulement en 2013. En 2014, des milliers de femmes au Canada participent sur le Web à la campagne Agression non dénoncée, et des manifestations et des rassemblements ont lieu dans les années qui suivent pour dénoncer la « culture du viol » et rappeler l'importance du « consentement ». En 2015, des étudiantes et des étudiants lancent la campagne Printemps 2015 pour la gratuité scolaire et contre les hydrocarbures, plusieurs espérant relancer le mouvement de 2012 et encourager les syndicats à déclencher une grève sociale : le mouvement est brutalement réprimé, en particulier à l'UQAM. Alors que des mobilisations ont été organisées ces dernières années pour défendre les « valeurs québécoises », sous l'influence du débat sur l'identité et l'immigration musulmane lancé et entretenu par l'Action démocratique du Québec (ADQ) et le Parti québécois (PQ) depuis au moins 2007, et que des groupes d'extrême droite se sont mobilisés contre l'immigration et l'Islam, des milliers de personnes se sont rassemblées à Montréal et à Québec à la mémoire des victimes de l'attentat contre une mosquée à Québec, qui a fait six morts en janvier 2017.

TABLEAU 13.1.
Le Canada protestataire (en 2000)
84 % des Canadiens ont signé au moins une pétition
25 % des Canadiens ont participé à au moins un boycottage
22 % des Canadiens ont pris part à au moins une manifestation

Source : Élections Canada (2000).

Les pratiques contestatrices ont changé, au Canada, en une trentaine d'années. Le sociologue Nick Scott (2008) a constaté, en étudiant plusieurs sondages et en analysant les années 1981 à 2000, que huit fois plus de Canadiennes et de Canadiens avaient signé une pétition (11 % en 1981 ; 84 % en 2000), que cinq fois plus avaient participé à un boycottage (5,5 % en 1981 ; 25 % en 2000) et que presque quatre fois plus avaient participé à au moins une manifestation (6 % en 1981 ; 22 % en 2000). En 2006, 29 % des Canadiennes et Canadiens avaient participé à au moins une de ces actions politiques : pétition, boycottage, manifestation, grève non officielle, occupation d'un bâtiment pour des raisons politiques.

Au Canada, la génération Y (les personnes nées entre 1976 et 1985) se mobilise plus que la génération X (personnes nées entre 1966 et 1975), mais la génération des baby-boomers (personnes nées avant 1965) reste celle qui a le plus d'expérience politique. Cela dit, les écarts entre les générations ne sont pas si importants. En effet, le niveau de scolarité est l'un des principaux facteurs influençant favorablement l'engagement politique (50 % des diplômés universitaires sont des « protestataires »), l'autre facteur clé étant l'identification politique à gauche, avec un taux de participation presque deux fois plus élevé (48 %) qu'à droite (27 %), et plus de trois fois plus élevé que pour ceux et celles qui ne savent pas où se situer sur le spectre politique gauche-droite (13 %). Les personnes issues des « minorités visibles » ont moins participé à des actions de protestation, mais cette variable peut être contre-balancée par une éducation supérieure. Le processus de mobilisation est quelque peu différent selon le sexe, même si les deux sexes participent tout autant à la contestation : les hommes s'engagent par des canaux formels et des liens organisationnels, et ils sont plus nombreux à occuper des postes de prestige et de pouvoir dans les mouvements sociaux. Les femmes s'engagent par des liens personnels familiaux ou amicaux, jouent des rôles plus discrets ou occupent des fonctions moins prestigieuses (bien que très importantes) de liaison et de cohésion. On peut donc parler de « mouvements sociaux sexués » (Elsa Galerand, 2012 ; Xavier Dunezat et Elsa Galerand, 2010), puisqu'ils représentent des espaces politiques où se reconfigurent les rapports sociaux inégalitaires entre les sexes. Cela dit, les femmes sont majoritaires dans certains mouvements, comme le féminisme (évidemment !), mais aussi au sein de certains syndicats (surtout ceux de la fonction publique) et très influentes dans les mobilisations des mouvements autochtones et anarchistes.

Selon les mobilisations spécifiques, des facteurs peuvent influencer l'engagement. Par exemple, lors de la grève étudiante de 2012, 50 % des grévistes à l'université étudiaient en arts, lettres et sciences humaines (disciplines qui ne représentent que 9 % de l'ensemble du corps étudiant universitaire), 40 % en sciences sociales (61 % du corps étudiant), 10 % en sciences de la santé, pures et appliquées (30 % du corps étudiant) (Warren, 2013). Cela dit, il semble que des variables économiques aient exercé une forte influence sur l'opposition à la hausse des droits de scolarité (et donc l'appui à la grève). Une étude auprès de 15 000 étudiantes et étudiants a révélé que plus une personne avait des contraintes financières (loyer, dettes, travail salarié, etc.), plus forte était la probabilité qu'elle ait participé à au moins une manifestation contre la hausse, alors que les personnes favorables à la hausse avaient moins de contraintes financières

(situation économique des parents plus aisée, moins de dettes, etc.) (Stolle *et al.*, 2013).

Plus une personne milite, plus elle a des possibilités de militer. L'image caricaturée et péjorative du « militant professionnel » n'est donc pas tout à fait fausse. Il y a deux explications sociopolitiques à ce phénomène : une personne très politisée sera interpellée à la fois par plusieurs causes, et voudra militer dans plusieurs mouvements sociaux (il n'est pas incohérent de défendre plusieurs causes au nom de la justice, de la liberté ou de l'égalité) ; de plus, les mouvements sociaux fonctionnant en réseau, l'engagement dans un mouvement ouvre souvent la porte à l'engagement dans d'autres mouvements, où peuvent se transférer par ailleurs l'expérience et les compétences militantes. En fait, des mouvements sociaux sont parfois imbriqués les uns dans les autres : le mouvement féministe, par exemple, participe aussi au mouvement pacifiste, tout comme le mouvement étudiant.

Plusieurs partis politiques sont liés de près ou de loin à des mouvements sociaux, comme le Parti conservateur du Canada (PCC) qui a des liens avec le mouvement anti-choix (contre l'avortement) et les forces antiféministes ; le Nouveau Parti démocratique (NPD) qui est proche des syndicats canadiens et le PQ qui fraternise avec des syndicats québécois et compte dans ses rangs plusieurs anciens militants du mouvement étudiant ; les Partis verts qui représentent le mouvement environnementaliste ; le PQ propose aussi des discours sur l'identité, l'immigration musulmane et les musulmanes portant le foulard qui font écho à ceux de groupes mobilisés pour défendre l'identité québécoise et pour dénoncer l'influence de l'Islam au Québec (Jean-François Lisée, alors candidat à la direction du PQ, a même justifié, à l'automne 2016, sa proposition d'interdire la burqa dans l'espace public en suggérant qu'une femme pouvait s'en servir pour dissimuler une mitraillette). Dans certains cas, les positions fluctuent : par exemple, Claude Patry a été député fédéral de Jonquière sous la bannière du NPD, puis il a migré vers le Bloc québécois, pour finalement se présenter, à la mi-février 2017, comme le nouveau chef de la section du Saguenay–Lac-Saint-Jean de La Meute, un groupe identifié à l'extrême droite anti-islamiste. Enfin, les mouvements sociaux au Québec ont clairement une plus grande capacité de mobilisation que dans le reste du Canada (les plus grandes manifestations de rue, les plus longues grèves étudiantes, etc.), sauf en ce qui a trait aux mouvements autochtones et anti-choix (contre l'avortement).

POINTS CLÉS

> Les mouvements sociaux constituent un élément dynamique de la vie politique canadienne, en particulier au Québec.
> Depuis le début des années 2000 (mouvement altermondialiste), les mouvements sociaux semblent de plus en plus dynamiques.
> Plusieurs facteurs favorisent l'engagement militant et la participation à des mouvements sociaux, dont le degré d'éducation et les expériences militantes antérieures.
> Les mouvements sociaux peuvent être progressistes, conservateurs ou réactionnaires, mais les individus s'identifiant à la « gauche » ont le plus tendance à participer à des mobilisations.

1. QU'EST-CE QU'UN MOUVEMENT SOCIAL ?

Les spécialistes qui étudient les mouvements sociaux distinguent en général sept composantes nécessaires pour les identifier : 1) des *militants* et *militantes* (sans compter les sympathisantes et sympathisants) qui peuvent être salariés ou bénévoles et qui œuvrent activement aux mobilisations ; 2) des *organisations*, soit des comités, associations, fédérations, journaux, etc. ; 3) une

identité collective que le mouvement affirme représenter : les femmes, les étudiantes et les étudiants, les pacifistes, etc. ; 4) une *cause* défendue par les mobilisations (il peut y avoir des luttes internes au sujet de la cause commune : le mouvement étudiant doit-il se mobiliser pour la gratuité scolaire ou simplement pour bloquer les hausses de droits de scolarité ?) ; 5) un *conflit*, puisqu'un mouvement social agit sur le mode de la contestation et de la confrontation avec un adversaire (le gouvernement, le patronat, le patriarcat) ; 6) une posture *contestataire*, voire perturbatrice, puisque les mobilisations et les actions d'un mouvement social prennent lieu en général à l'extérieur des institutions officielles, comme le Parlement ou les commissions parlementaires ; 7) une volonté d'influencer l'évolution des *rapports sociaux*, soit de les changer pour qu'ils soient plus égalitaires si le mouvement est progressiste, ou d'entretenir ou renforcer la hiérarchie sociale si le mouvement est conservateur ou réactionnaire.

À noter qu'une seule action collective, comme une occupation, une manifestation ou une campagne d'affichage, ne constitue pas en soi un mouvement social, qui est une force politique caractérisée par une certaine permanence dans le temps et une multiplicité d'organisations et d'actions collectives. Ainsi, qu'il y ait eu une manifestation à Ottawa en 2006 en appui à l'armée et à la guerre en Afghanistan ne signifie pas qu'il y a un mouvement social militariste, pas plus que le rassemblement « *Love-in* » qui a réuni des dizaines de milliers de fédéralistes canadiens à Montréal, quelques jours avant le référendum de 1995, ne signifie qu'il y a un mouvement social fédéraliste (même si le fédéralisme est une force politique, au Canada, avec ses partis politiques, ses groupes de pression, ses médias, etc.). Il convient donc de distinguer les mouvements sociaux des actions militantes (comme une occupation d'un bureau de ministre ou le déroulement d'une bannière sur une structure urbaine), des manifestations (une journée) et des mobilisations (quelques jours, semaines ou mois) qu'un mouvement social organise. Il convient aussi de distinguer d'un mouvement les organisations qui le composent ou qui lui sont alliées. Le mouvement environnementaliste au Canada, par exemple, compte entre autres l'association Greenpeace, un groupe de pression fondé à Vancouver en 1971, le Sierra Club, le World Wildlife Fund, Équiterre et des groupes moins institutionnalisés, plus petits ou simplement locaux. En outre, les gouvernements ont maintenant des ministères de l'Environnement. Il y a par ailleurs l'action d'activistes qui commettent des attentats à la bombe contre des pipelines sur la côte Ouest. Le mouvement féministe au Québec, pour sa part, compte des instances publiques et parapubliques (on parlera de « féminisme d'État »), comme le ministère de la Condition féminine, le Conseil du statut de la femme et le Secrétariat à la condition féminine, des organisations de représentation politique comme la Fédération des femmes du Québec (FFQ), des réseaux provinciaux de services (L'R des centres de femmes du Québec, le Regroupement des maisons pour femmes victimes de violence conjugale), des institutions universitaires (l'Institut de recherche et d'études féministes de l'Université du Québec à Montréal – UQAM), des maisons d'édition (Éditions du remue-ménage) et une librairie (L'Euguélionne, à Montréal), des plateformes Web (Je suis féministe ; Je suis indestructible ; Hyènes en jupons ; etc.), des collectifs intégrés à d'autres instances (les comités de femmes dans des associations étudiantes et des syndicats) ou autonomes (Montreal Sisterhood, Les Sorcièrès) et des intellectuelles organiques, qui prennent position dans les médias.

Sur le plan individuel, une personne peut s'impliquer dans un mouvement social de diverses manières ou être engagée dans plusieurs mouvements sociaux. Par exemple, une étudiante en science politique à l'UQAM peut être élue au comité exécutif de son association étudiante et planifier la prochaine grève étudiante (mouvement étudiant), s'impliquer dans le comité-femmes de cette association en réaction à des propos misogynes d'un professeur ou à un cas d'agression sexuelle lors d'une fête étudiante (mouvement étudiant et féministe), être membre du Syndicat des étudiant-e-s employé-e-s de l'UQAM (SÉtuE) en tant que correctrice pour un professeur qui donne le cours de baccalauréat « Politique Québec-Canada » et se mobiliser à ce titre pour de meilleures conditions de travail (mouvement syndical). Cette même étudiante pourra par ailleurs, pendant ses temps libres, militer dans un collectif anarchiste (mouvement anarchiste) qui participe aux manifestations annuelles contre la brutalité policière, le 15 mars à Montréal (mouvement contre la brutalité policière), où elle retrouvera dans la rue d'autres étudiantes et étudiants qui ont conscience que le mouvement étudiant est le mouvement social institutionnalisé le plus réprimé au Québec.

L'étude des mouvements sociaux est très développée dans certains pays (aux États-Unis et en France), et se pratique surtout en sociologie, mais aussi en science politique et un peu en anthropologie, en travail social, en criminologie et en histoire. Malheureusement, ce champ de recherche reste trop peu important au Canada et au Québec (au Québec, y œuvrent parmi d'autres Marcos Ancelovici, Leila Celis, Pascale Dufour, Pierre Hamel, Anna Kruzynski, Ève Lamoureux et Geneviève Pagé) (pour des livres collectifs proposant un survol des mobilisations au Québec, voir Brady et Paquin, 2017 et Dupuis-Déri, 2008). L'étude des mouvements sociaux peut avoir pour objectif de comprendre les raisons d'émergence d'un mouvement, son organisation interne et ses modes d'action, sa signification politique. Elle peut permettre d'en analyser les discours et les formes d'expression (musiques, films, etc.), la composition (à quelles catégories sociales appartiennent ses militantes et militants ?) ou encore les effets (succès, échecs, répercussions) sur les institutions politiques

TABLEAU 13.2.

Quelques actions et mobilisations (2000-2017) – liste non exhaustive

[0 = moins de 100 personnes ; 1 = quelques centaines ; 2 = quelques milliers ; 3 = de dix à cinquante mille ;
4 = de cinquante à cent mille ; 5 = plus de cent mille]

2000	Manifestation à Calgary contre le Congrès mondial du pétrole (juin) [1] ; Marche mondiale des femmes (MMF) (mars-octobre) [3] ; émeute devant le Parlement ontarien à Toronto, lors d'une manifestation pour le droit au logement organisée par l'Ontario Coalition Against Poverty (OCAP) [2] ; manifestation contre une descente policière dans un sauna lesbien, Toronto (septembre) [1] ; manifestation contre le G20 à Montréal (octobre) [1] ; manifestation contre la *Loi sur les fusions municipales*, à Pointe-Claire au Québec (novembre) [2] ; occupation du cinéma Berri, à Montréal, par le Comité des sans-emploi (décembre) [0].
2001	Manifestations contre le Sommet des Amériques, Québec (avril) [4] ; manifestation et occupation d'un squat à Montréal, organisé par le Comité des sans-emploi (juillet-août) [1] ; manifestation « Defeat Harris ! », dans le centre financier de Toronto, organisée par OCAP (octobre) [3] ; manifestations contre le Fonds monétaire international (FMI) et la Banque mondiale à Ottawa (novembre) [3].
2002	Manifestation (encerclée avec arrestation de masse avant son départ) de la Convergence des luttes anticapitalistes (CLAC) contre une réunion préparatoire pour le G8, à Montréal (avril) [1] ; manifestation à Montréal contre le passage du Front national au 2ᵉ tour des élections présidentielles, en France (avril) [0] ; Semaine nationale d'occupations de terrains et de bâtiments, pour le droit au logement, au Québec (mai) [3] ; mobilisations à Calgary et à Ottawa contre le Sommet du G8 à Kananaskis (juin) [3] ; manifestation féministe « La rue, la nuit, femmes sans peur ! », Antigonish (NÉ), Calgary, Fredericton, Ottawa, Québec, Winnipeg (septembre) [2] ; mobilisation du mouvement communautaire autonome, à Québec (octobre) [3].
2003	Manifestations contre la guerre en Irak (février, mars) [5] ; occupation du bureau du ministre de l'Immigration, à Ottawa, contre l'expulsion de réfugiés algériens (mai) [0] ; manifestation contre la réunion ministérielle de l'Organisation mondiale du commerce (OMC), à Montréal (juin) [2] ; mobilisation provinciale contre le gouvernement libéral de Jean Charest, au Québec (décembre) [4].
2004	Manifestation devant les bureaux d'Hydro-Québec à Montréal contre le projet du Suroît, soit la construction d'une centrale thermique (février) [3] ; manifestations à Edmonton et Toronto contre la libération d'Ernst Zundel, un néonazi négationniste de la Shoah emprisonné au Canada (mars) [0] ; grande manifestation syndicale à Montréal pour le 1ᵉʳ Mai, contre le gouvernement du PLQ [4] ; manifestation pour CHOI-FM (Radio Liberté), à Québec (juin) [4] ; marche non mixte féministe « La rue, la nuit, femmes sans peur ! », Québec (septembre) [1] ; attaque à la bombe contre un pylône d'Hydro-Québec en Estrie, revendiquée par le groupe Résistance internationaliste (décembre).
2005	Grève étudiante au Québec (février-avril) [5] ; Marche mondiale des femmes (mai) [2] ; manifestation contre le mariage homosexuel, à Ottawa (avril) [3] ; manifestation de la Coalition antimasculiniste contre le congrès Parole d'homme, à l'Université de Montréal (avril) [1] ; actions du groupe masculiniste Fathers-4-Justice sur le pont Jacques-Cartier, Montréal (mai et septembre) [0] ; Marche sur Ottawa, en partance de Montréal, organisée par Solidarité sans frontières, en faveur des réfugiés (juin) [2] ; lock-out à Radio-Canada (août-octobre) ; marche non mixte féministe « La rue, la nuit, femmes sans peur ! », Montréal (septembre) [1] ; manifestation contre l'implantation d'un casino à Pointe-Saint-Charles, à Montréal (octobre) [1] ; manifestation féministe Avortons leur congrès, contre un rassemblement pro-vie à Montréal (novembre) [1].

2006   Occupation autochtone et barricades, Caledonia, Ontario (mai) ; manifestation contre le Grand Prix de la F1 à Montréal (juin) [1] ; incendie de la voiture du vice-président de l'Institut canadien des produits pétroliers, revendiqué par le groupe Résistance internationaliste (août) ; manifestation, à Montréal, au sujet de l'offensive israélienne contre le Liban (août) [3].

2007   Manifestation contre la privatisation du mont Orford, au Québec (mars) [1] ; occupation par des « anarchistes » du bureau du président de la FTQ, 1er mai, Montréal [0] ; manifestation à Halifax contre le projet de zone économique Atlantica (juin) [1] ; manifestation contre le défilé du 22e Régiment, en partance pour l'Afghanistan, à Québec (juin) [1] ; campagne pancanadienne « Day of Action » des Autochtones, avec blocage de voies ferrées et d'autoroutes (juin) ; manifestation contre le sommet Partenariat sécurité et prospérité, à Montebello (août) [2] ; Forum social québécois, à Montréal (août) [2].

2008   Attaque à la bombe à Calgary contre la maison de deux militants antiracistes (février) ; manifestation contre un rassemblement du groupe de suprémacistes blancs « Aryan Guard », à Calgary (mars) [1] ; manifestations pro et anti-Israël, pour le 50e anniversaire de la fondation d'Israël, à Montréal (mai) [2] ; manifestation contre le défilé militaire lors des festivités du 400e anniversaire de la Ville de Québec (juillet) [1] ; émeute à Montréal-Nord et manifestation en réaction à la mort de Freddy Villanueva, tué par un policier du Service de police de la Ville de Montréal (SPVM) (août) [1] ; plusieurs attaques à la bombe contre des pipelines liés à l'exploitation des sables bitumineux, en Colombie-Britannique (octobre et suiv.) ; rassemblement pancanadien de jeunes féministes Toujours rebELLEs, à Montréal (octobre) [1] ; manifestation contre l'invasion israélienne contre Gaza, à Montréal, Ottawa, Toronto (décembre) [2].

2009   Plusieurs attaques à la bombe contre des pipelines liés aux sables bitumineux, en Colombie-Britannique (la Gendarmerie royale du Canada [GRC] parle de « terrorisme intérieur ») ; grève du Syndicat des professeures et professeurs de l'UQAM (SPUQ) (mars-avril) [1] ; manifestation de sympathisants des Tigres tamouls, du Sri Lanka, à Toronto (février et mai) [0] ; mobilisation féministe du 20e anniversaire de l'attentat antiféministe contre les femmes de l'École polytechnique, Montréal (6 décembre) [1].

2010   Campagne « Pas de Jeux olympiques sur les terres autochtones volées », Vancouver (février) [1] ; manifestation pro-Israël, Montréal (avril) [1] ; incendie d'une banque à Ottawa, revendiqué par des anarchistes (mai) ; manifestations et émeute contre le Sommet du G20 à Toronto (juin) [4] ; attaque à la bombe incendiaire d'un centre de recrutement des Forces canadiennes, à Trois-Rivières, revendiquée par le groupe Résistance internationaliste (juin) ; marche non mixte féministe « La rue, la nuit, femmes sans peur ! », Montréal (septembre) [1] ; rassemblement de la Marche mondiale des femmes (MMF), Rimouski [3] et occupation par des féministes du bureau de la ministre de la Condition féminine à Montréal (octobre) [0] ; manifestation des policiers de Montréal, dénonçant un sous-financement (octobre) [2].

2011   Fin d'un lock-out de deux ans au *Journal de Montréal* (février) ; « marche des salopes » de féministes dénonçant les propos d'un policier, Toronto (avril) [1] – cette forme de manifestation sera reprise ailleurs dans le monde ; blocage du bureau de la ministre responsable du Conseil du trésor du gouvernement du PLQ, en Estrie, par la coalition contre la tarification et la privatisation des services publics (avril) ; manifestation à Calgary pour le maintien du secteur public (mai) [1] ; rassemblement pancanadien de jeunes féministes Toujours rebELLEs, à Winnipeg (mai) [1] ; marche de Vancouver à Ottawa pour dénoncer les disparitions de femmes autochtones (été) [1] ; le mouvement « Occupy » installe des campements dans plusieurs centres-villes canadiens, pendant l'été et l'automne [2] ; manifestation à Ottawa contre l'exploitation des sables bitumineux – 117 arrestations (septembre) [1] ; manifestation à Moncton contre l'exploitation des gaz de schiste (septembre) [1] ; manifestations à Ottawa, Toronto et Winnipeg de ressortissants congolais concernant des irrégularités électorales au Congo (décembre) [1].

(suite)

TABLEAU 13.2. (*suite*)

Quelques actions et mobilisations (2000-2017) – liste non exhaustive

2012	Manifestation contre la construction d'un pipeline, à Victoria [1] ; grève étudiante au Québec (février-septembre) [5] ; manifestation par la voie d'un blocage de la Tour de la Bourse à Montréal, par la coalition contre la tarification et la privatisation des services publics (février) [2] ; manifestation à Calgary d'Autochtones Achuar contre la minière Talisman (mai) [0] ; « Marche pour la vie » contre l'avortement, devant le Parlement à Ottawa (mai) [3] ; manifestations de casseroles en solidarité avec la grève étudiante au Québec, à Calgary, Halifax, St. John's à Terre-Neuve, Toronto, Vancouver, ainsi que Londres, New York, Paris (30 mai) [1] ; manifestation de scientifiques en sarraus blancs contre les compressions du gouvernement conservateur, Ottawa (juillet) [1] ; manifestation à Calgary contre la cruauté envers les animaux lors du rodéo (juillet) [0] ; manifestation à Saskatoon pour dénoncer la suspension de services de santé pour les demandeurs du statut de réfugié (juin et octobre) [0] ; manifestation contre la réforme de l'assurance-emploi, à Thetford Mines (octobre) [2] ; manifestation à Halifax contre la tenue du Forum sur la sécurité internationale (novembre) [1] ; manifestations autochtones, entre autres devant le Parlement au Manitoba, en opposition au projet de loi C-45 modifiant la *Loi sur les Indiens* et ouvrant la voie à la privatisation de cours d'eau protégés (décembre) [1].
2013	Manifestation en solidarité avec Gaza, à Montréal (janvier) [1] ; manifestations dans plusieurs villes du Canada du mouvement autochtone Idle No More (janvier) [2] ; manifestation contre le Plan Nord, à Montréal (plus de 30 arrestations) (février) [1] ; plusieurs manifestations à Montréal pour dénoncer les nouvelles réglementations limitant le droit de manifester (plusieurs centaines d'arrestations) (hiver) [1] ; manifestation contre le Sommet sur l'enseignement supérieur, à Montréal (février) [1] ; manifestation contre l'indexation des frais de scolarité, à Montréal (45 arrestations) (mai) [1] ; manifestation contre la réforme de l'assurance-emploi, à Montréal (juin) [3] ; manifestations contre et pour la « Charte des valeurs québécoises » proposée par le gouvernement du Parti québécois (PQ), à Montréal (septembre) [2] [1] ; manifestation contre les pipelines, à Ottawa (novembre) [1].
2014	Manifestation contre une conférence antiféministe à l'Université d'Ottawa (avril) [0] ; manifestation à Toronto pour la légalisation de la marijuana (mai) [0] ; manifestation contre des pipelines à Vancouver (mai) [2] ; actions de blocages de chemins de fer pour exiger une commission d'enquête au sujet des femmes autochtones disparues et assassinées (mars) [1] ; manifestations à Montréal et Toronto en solidarité avec Gaza [1] (juillet) ; manifestation anti-choix (avortement) et contre-manifestation pro-choix, à Halifax (août) [0] ; manifestation syndicale devant et dans l'hôtel de ville de Montréal (août) [1] ; manifestation en solidarité avec les manifestations de Ferguson, aux États-Unis (après l'assassinat par la police d'un Africain-Américain), à Montréal et Toronto (novembre) [1] ; manifestation contre l'austérité, à Québec (novembre) [3] ; manifestation de syndiqués municipaux, à Québec (novembre) [1] ; manifestation « Black Lives Matter » (mouvement initié aux États-Unis) à Toronto contre le racisme et la brutalité policière (décembre) [1].
2015	Manifestations devant le bureau du premier ministre, contre la *Loi antiterroriste* (C-51) (Ottawa) (avril) [1] ; mobilisation étudiante Printemps 2015, pour la gratuité scolaire et contre les hydrocarbures, violemment réprimée, en particulier à l'UQAM (intervention policière sur le campus, 22 arrestations) (mars-avril) ; manifestation contre la déportation d'immigrants, à Saint-Michel à Montréal (mai) [1] ; manifestation antimilitariste contre la foire d'armement Cansec (Ottawa) (mai) [0] ; manifestations à Ottawa contre le mauvais traitement des animaux par le cirque Shrine (août) [0] ; manifestation du groupe anti-islamiste Pégida, et contre-manifestation à Montréal (septembre) [0] ; manifestation à Ottawa de chauffeurs de taxi, contre Uber (septembre) [1] ; manifestation à Ottawa en appui aux réfugiés de Syrie (septembre) [1] ; manifestation d'agriculteurs (avec tracteurs et vaches) sur la colline parlementaire à Ottawa, pour protester contre le Traité transpacifique [1] ; manifestation à Montréal à la mémoire des femmes autochtones disparues et assassinées (octobre) [1] ; manifestation pour l'accueil de plus de réfugiés syriens, à Montréal (octobre) [1] ; rassemblement à Montréal en solidarité avec les victimes des attentats islamistes à Paris (novembre) [1].

2016	Manifestation de 800 voitures de taxi pour protester contre Uber, à l'aéroport de Montréal (février) [1]; manifestation du mouvement «Nuit Debout» (lancé en France) à Montréal (avril) [1]; action directe (vandalisme) contre une épicerie à Saint-Henri (Montréal) pour dénoncer l'embourgeoisement (mai) [0]; manifestations contre les impacts de l'austérité sur les femmes, à Montréal (juin) [2]; manifestation devant la Cour du Banc de la Reine (Calgary) après la découverte du corps d'une femme autochtone assassinée (juillet) [1]; manifestation contre une réglementation anti-pitbulls à Montréal (septembre) [0]; manifestation à Montréal contre la fraude électorale au Gabon (septembre) [0]; manifestation de chauffeurs de taxi à Québec, contre Uber (septembre) [1]; manifestation à Québec pour un registre des délinquants sexuels (septembre) [0]; rassemblement à Calgary, à la mémoire des femmes autochtones disparues ou assassinées et rassemblements ou manifestations sur le même thème à Régina, Saskatoon, Vancouver, Winnipeg, etc. (octobre) [2]; manifestations dans six villes du Québec contre la culture du viol (octobre) [1]; manifestation anti-immigration musulmane à Québec, et contre-manifestation (octobre) [0]; action directe (vandalisme) contre un commerce à Hochelaga-Maisonneuve, pour dénoncer l'embourgeoisement (novembre) [0]; rassemblements et manifestations en solidarité avec la mobilisation des Autochtones de Standing Rock, aux États-Unis (Oka, Toronto, etc.) (novembre) [2]; manifestation à Montréal contre un pipeline au Dakota (novembre) [1]; manifestation anti-Donald Trump à Montréal (novembre) [0]; manifestation contre les pipelines, à Vancouver (novembre) [2]; manifestation de camionneurs à Québec (novembre) [1]; manifestation à Montréal pour réclamer un réinvestissement financier dans les garderies (décembre) [1].
2017 (début de l'année)	Plusieurs manifestations dans plusieurs villes canadiennes contre l'élection et l'entrée en fonction comme président de Donald Trump, aux États-Unis (janvier) [2]; attentat contre une mosquée à Québec par un homme armé: six musulmans tués (janvier) [0]; rassemblements et manifestations à Montréal, Québec et ailleurs, à la mémoire des victimes de l'attentat contre la mosquée et pour dénoncer l'islamophobie [2]; manifestations à Montréal et à Toronto, contre les décrets anti-immigration du président Donald Trump [1]; manifestations d'extrême droite et contre manifestations, à Montréal (hiver et printemps) [1].

Note: Cette liste ne comprend pas les mobilisations récurrentes et annuelles, dont les manifestations du 8 mars, qui se déroulent dans plusieurs villes («Journée internationale des femmes»), du 15 mars à Montréal (organisée à Montréal par le Collectif opposé à la brutalité policière – COBP), la vigile «pour la vie» (contre l'avortement) devant la clinique du Dr Morgentaler à Montréal, pendant le carême (avril); ni celles du 1er Mai (fête des Travailleurs) qui se déroulent dans plusieurs villes; les rassemblements à la mémoire des patriotes, le 21 mai; la marche «Take back the night» («La rue, la nuit, femmes sans peur») des féministes à Toronto (automne) – 30e édition en 2012; les rassemblements du 6 décembre dans plusieurs villes, devant les monuments à la mémoire des 14 femmes tuées à l'École polytechnique en 1989, la vigile des Palestiniens et Juifs Unis (PAJU) tenue toutes les semaines devant le Consulat israélien à Montréal, ou encore le Salon du livre anarchiste et le Festival de théâtre anarchiste, qui se déroulent chaque année à Montréal au mois de mai.

(changements de lois, politiques publiques et sociales), sur les normes sociales, sur la culture. Elle peut aussi chercher à saisir les dynamiques internes d'un mouvement social, entre autres, les rapports de force et les jeux de pouvoir, la structure du processus de prise de décisions, les critères d'inclusion et d'exclusion, les émotions qui habitent les militantes et militants, etc. L'interaction entre les mouvements sociaux et la répression policière est un sujet d'étude en soi, mais encore peu prisé au Canada et au Québec. L'étude des raisons de la disparition d'un mouvement social ou encore de l'engagement et du désengagement des militantes et militants reste également très peu développée.

Souvent, car c'est la manière la plus simple de procéder, l'étude des mouvements sociaux se limite à ce qu'en disent les médias. Les médias peuvent même être identifiés comme un espace politique où luttent les mouvements sociaux pour se faire entendre (Blais, 2009). Il est souvent plus intéressant d'explorer les mouvements sociaux de l'intérieur, soit en étudiant leurs documents (archives, programmes, déclarations, etc.) et leur organigramme, en distribuant des questionnaires et en menant des entrevues auprès des militantes et des militants, ou en pratiquant l'« **observation participante[2]** ». Moins souvent pratiquée, l'étude des adversaires des mouvements sociaux est aussi riche d'enseignements, par exemple en portant attention à la police qui réprime un mouvement social (par une observation de la police, des entrevues avec des policiers ou en obtenant des documents internes, par la *Loi d'accès à l'information*) (Dupuis-Déri, 2013a), ou encore en réalisant des entrevues avec des féministes qui peuvent témoigner des actions antiféministes qui les ciblent personnellement et l'ensemble de leur mouvement (Blais, 2012). En général, les études

des mouvements sociaux portent sur les forces progressistes, alors qu'il y a un réel déficit de connaissances et d'analyses des forces conservatrices et réactionnaires (mobilisations antiféministes, xénophobes et islamophobes, etc.). Enfin, l'analyse des mouvements sociaux est souvent **qualitative**, bien que l'analyse **quantitative** soit parfois nécessaire pour mettre en lumière certains phénomènes importants : quantifier et répartir dans le temps et l'espace le nombre de manifestations, préciser les fluctuations quant au nombre de membres dans des organisations militantes, ou encore déterminer le nombre des arrestations à caractère politique fait partie des outils disponibles pour valider ou invalider les hypothèses de recherche.

POINTS CLÉS

> Un mouvement social est composé de plusieurs éléments : des militantes et militants, des organisations, une identité collective, une cause, un conflit, une posture contestataire, une volonté d'influencer les rapports sociaux.
> Il ne faut pas confondre un mouvement social et une simple action militante, ou une mobilisation organisée par un mouvement social.
> Un mouvement social se maintient dans le temps.
> Un individu peut participer à plusieurs mouvements sociaux.
> Il existe plusieurs manières d'étudier les mouvements sociaux, même si c'est un champ encore négligé au Québec et au Canada.

2. LA MOBILISATION DE LA CONTESTATION

Pourquoi se mobiliser et pourquoi protester ? En fait, il s'agit là d'un geste « anormal » ou hors-norme. En effet, même dans nos sociétés libérales où nous nous croyions libres et autonomes,

---

2. Voir, entre autres, Delisle-L'Heureux et Sarrasin (2013) ; Ancelovici, (2016).

l'obéissance aux lois et aux figures d'autorité reste la norme (Beauvois, 1994). Déjà au XVIe siècle, sous une monarchie absolue, le Français Étienne de La Boétie (1993) s'étonnait, dans son *Discours de la servitude volontaire*, qu'un seul homme (le roi) parvienne à tenir sous son autorité l'ensemble de ses sujets. Il avançait quatre explications pour rendre compte du phénomène : 1) l'habitude de la domination qui nous semble naturelle (ce que répète aujourd'hui le **darwinisme vulgaire**) ; 2) l'influence de la religion qui fait croire au peuple que le régime est juste et bon (aujourd'hui, les clercs ont été remplacés par des universitaires et des chroniqueurs) ; 3) le divertissement, soit le pain et les jeux (aujourd'hui : les sports, les festivals, les feux d'artifice, Loto-Québec, les jeux vidéo, la pornographie, etc.) ; 4) la hiérarchie pyramidale qui nous assure le plus souvent que, même si on est dominé, on domine nous aussi des subalternes (aujourd'hui : les gérants face à leur personnel, les hommes face aux femmes, les parents face aux enfants, etc.). Gene Sharp (2015 [1973]), politologue américain et spécialiste des mouvements sociaux des années 1960-1970 et lui-même partisan de la désobéissance civile non violente, a identifié à son tour plusieurs facteurs qui expliquent notre tendance à obéir : l'habitude (traditions, coutumes, éducation et **socialisation**), l'obligation morale, la peur des sanctions, l'identification au supérieur, l'intérêt symbolique ou matériel (très important pour assurer l'obéissance des auxiliaires du pouvoir, comme les policiers, les soldats, les juges), l'indifférence, le manque de confiance en soi (« la situation est inacceptable et injuste, mais je ne peux rien y faire »), sans oublier la force du conformisme et de l'inertie.

Mais cette apathie ou ce consentement des personnes dominées et subalternes n'est qu'une apparence. Le politologue James Scott (2008) a démontré, en étudiant entre autres l'histoire des esclaves afro-américains aux États-Unis, que les dominés et les subalternes partagent un « discours caché » (où l'humour sarcastique envers l'élite est bien présent) qu'ils n'expriment que lorsque le dominant n'est pas là. Ce discours caché exprime la critique de leur domination et des inégalités et il se révèle publiquement lors d'insubordinations et de révoltes individuelles et collectives. L'anthropologue féministe française Nicole-Claude Mathieu (1991) a expliqué pour sa part que la question du consentement obsède avant tout les dominants, alors que les subalternes qui prennent conscience des rouages du système ont tendance non pas à se dire qu'il faut consentir à la domination, mais plutôt à se demander comment une telle situation a pu être acceptée si longtemps (« céder n'est pas consentir », selon Mathieu). Voilà pourquoi les militantes et militants cherchent souvent à « révéler » la domination ou l'injustice, pour provoquer une prise de conscience et un passage à l'action politique. C'est ce que des politologues comme Jane Mansbridge et Naomi Braine (2001) nomment la « conscience oppositionnelle » des mouvements sociaux, qui se développe le plus souvent dans des espaces autonomes où l'on se retrouve entre soi (réunions syndicales, groupes non mixtes de femmes ou d'Autochtones, cafés étudiants, journaux militants, etc.) et à travers des pratiques culturelles comme la musique, l'humour, etc. À cet égard, la politologue américaine Nancy Fraser (2001) parle de « contre publics subalternes » et le sociologue allemand Oskar Negt (2007) d'« espace public oppositionnel » pour désigner ces phénomènes culturels qui permettent le développement d'une culture contestatrice au sein de certaines catégories ou classes sociales. Mais comment expliquer le passage d'une culture oppositionnelle à la constitution et à la mobilisation d'un mouvement social ? Et comment résoudre le problème théorique et politique du « passager clandestin » (*free rider*) identifié par Mancur Olson (1978), soit cet individu qui est peut-être conscient qu'il y a des problèmes dans sa société, mais qui se demande pourquoi il perdrait son temps et son énergie à lutter alors qu'il peut regarder les autres agir, sans subir lui-même les conséquences négatives de la mobilisation, tout en sachant qu'il pourra en tirer les bénéfices si le mouvement social l'emporte.

POINTS CLÉS

> Même si l'on se croit libre, on a surtout tendance à obéir à l'autorité, aux règlements et aux normes.
> Les mouvements sociaux représentent souvent une manière collective de désobéir et de contester.

3. LES PRINCIPALES THÉORIES

Les mobilisations des mouvements sociaux peuvent s'expliquer dans le cadre de théories générales des sciences humaines et sociales, en particulier le pluralisme et le néopluralisme, le structuralisme (marxisme et néomarxisme, féminisme) et le poststructuralisme.

3.1. Le pluralisme et le néopluralisme

La théorie pluraliste (proche d'une conception libérale) considère que la société est divisée en plusieurs catégories d'individus qui ont toutes des intérêts distincts, chaque individu étant lui-même aux prises avec des intérêts parfois divergents sinon incompatibles. En plus des catégories classiques identifiées aux sociétés libérales, comme le sexe, la classe économique et l'âge, on insistera aussi, dans le cas du Canada et du Québec, sur la langue, la religion, l'origine ethnique et la province de résidence. Les mouvements sociaux ne sont qu'une forme parmi d'autres (partis politiques, groupes de pression) d'expression et de représentation de la pluralité des intérêts qui composent la société, dont les rapports de force déterminent les décisions de l'État et les politiques publiques et sociales. Tous

les intérêts n'ont pas la même importance, mais il semble improbable qu'un intérêt parvienne à toujours primer sur tous les autres. D'ailleurs, une société pluraliste saura habituellement se doter de moyens pour éviter pareil blocage, le Canada étant, en ce sens, un très bon exemple avec son fédéralisme englobant 10 provinces et 2 territoires, ses 2 chambres (Chambre des communes et Sénat), son multipartisme et sa *Charte canadienne des droits et libertés* et les protections accordées – en principe – aux libertés d'association et d'expression.

Le néopluralisme (Lukes, 1974) s'est développé devant le constat empirique que certains intérêts restaient toujours marginalisés, alors que d'autres semblaient toujours influents, et même institutionnalisés. Au Canada, par exemple, le patronat dispose d'entrées directes auprès des gouvernements, dont plusieurs ministres sont issus du monde des affaires (ou y retournent), il exerce un contrôle privé de la plupart des médias et il finance les caisses des partis (y compris de manière illégale, par le recours à des prête-noms, par exemple, pour contourner la loi limitant les cotisations partisanes). La bourgeoisie a aussi ses groupes de pression, comme le Conseil canadien des chefs d'entreprises, qui représente les entreprises les plus riches du Canada, l'Association des manufacturiers et exportateurs du Canada, la Fédération canadienne des entreprises indépendantes qui dit représenter plus de 100 000 petites et moyennes entreprises, l'Association des banquiers canadiens, pour ne nommer que quelques organismes, et sans oublier les diverses chambres de commerce et regroupements de notables (le Club Richelieu, par exemple). Cette proximité et cette capacité d'influence de la part des plus riches expliquent en partie pourquoi la bourgeoisie ne se mobilise que très rarement sous la forme d'un mouvement social. Cela dit, en avril 1849, l'élite anglophone montréalaise, offusquée par la décision des parlementaires d'indemniser des Canadiens français victimes de la répression contre le mouvement patriote, a manifesté et même incendié le parlement canadien, qui se trouvait alors à Montréal, puis a saboté le matériel des pompiers et attaqué un cortège du gouverneur ainsi que la résidence du premier ministre à deux reprises, de même que l'hôtel Cyrus où avait lieu l'enquête sur l'incendie du parlement. Plus près de nous, au Québec en 2000, les populations de municipalités aisées se sont mobilisées sous forme de manifestations au nom de la préservation de leur identité, contre leur fusion avec des municipalités plus pauvres (Drouilly et Gagnon, 2004).

À l'inverse, les plus pauvres, comme les personnes en situation d'itinérance, les toxicomanes et les prostituées, disposent de peu de ressources pour se mobiliser et constituer un mouvement social, ont peu accès aux lieux de pouvoir et leurs intérêts sont rarement pris en compte par l'élite politique. Selon le néopluralisme, il s'agit alors d'identifier les canaux privilégiés qui facilitent la prise en compte de certains intérêts ou les obstacles qui limitent l'influence des autres. De plus, l'État n'est plus considéré comme un simple lieu où s'expriment des demandes, mais comme une institution qui influence l'identité des catégories sociales, les stratégies et les intérêts des groupes, de même que la manière dont ils expriment leurs revendications. Le gouvernement et l'État sont aussi perçus par le néopluralisme comme des acteurs collectifs qui ont leurs propres intérêts, souvent incompatibles avec les intérêts des plus défavorisés ou marginalisés, sans compter les biais parfois sexistes et racistes qui caractérisent l'élite au pouvoir, même si elle se perçoit elle-même comme tolérante et pluraliste, et qu'elle est donc aveugle à son propre sexisme et son racisme potentiel. Cela dit, l'État peut coopter certains éléments des mouvements sociaux, en créant, par exemple, un Conseil du statut de la femme (pour intégrer des féministes au sein des institutions étatiques) ou un ministère de l'Environnement (pour plaire aux environnementalistes).

3.2. Le structuralisme (marxisme et néomarxisme, féminisme)

D'inspiration marxiste, l'approche structuraliste considère que les sociétés sont constituées autour d'un conflit central qui les divise en deux classes aux intérêts antagoniques. La mobilisation de la classe subalterne, sous forme d'un mouvement social, est une expression de cette lutte des classes. Comme l'a montré l'historien Stanley Ryerson dans un ouvrage classique (*Le capitalisme et la Confédération – Aux sources du conflit Canada-Québec, 1760-1873*), le Canada a été fondé par une élite politique qui cherchait à promouvoir les intérêts de la bourgeoisie anglo-protestante en favorisant le commerce intérieur et extérieur, le développement du chemin de fer et la prise de contrôle, par des intérêts privés, du territoire et des ressources naturelles. Si l'on considère aujourd'hui les 100 patrons les plus riches au Canada, on voit qu'ils appartiennent encore aux secteurs traditionnels de l'économie capitaliste, soit l'industrie automobile, les mines, l'énergie, les banques, les télécommunications et les médias (Clancy, 2009). Même si les conditions économiques des pauvres s'améliorent quelque peu au Canada, la concentration des richesses dans les mains des 10 % les plus riches au pays s'est accentuée, creusant d'autant le fossé des inégalités (Ancelovici, 2012). L'écart des richesses a des conséquences importantes. Entre les quartiers de Westmount et d'Hochelaga-Maisonneuve, par exemple, il y a environ dix ans d'écart au chapitre de l'espérance de vie, au bénéfice de Westmount (Directeur de la santé publique, 2011). Comme le problème est collectif, il est logique que la classe dominée et exploitée s'organise collectivement. D'où les partis sociaux-démocrates qui disent représenter les intérêts des travailleuses et des travailleurs, les syndicats et les mouvements des chômeurs ou anti-pauvreté.

Aujourd'hui, les mobilisations syndicales sont encore influencées fortement par le pacte social de la fin de la Seconde Guerre mondiale et du début de la guerre froide, alors que les syndicats ont accepté de fonctionner dans le cadre du libéralisme politique et économique, en échange duquel l'État et le patronat leur reconnaissaient certains droits. Au Canada, il s'agit de la reconnaissance de l'ancienneté, des vacances payées, des pensions de retraite, de la formule Rand qui stipule que tout salarié (syndiqué ou non) doit cotiser au syndicat de son unité de travail, des lois anti-briseurs de grève, etc. Mais avec ces acquis venaient des contraintes : sont interdites les grèves en dehors de la période de négociation pour le renouvellement des conventions collectives (y compris les grèves sociales ou politiques d'appuis à d'autres syndicats ou à d'autres mouvements sociaux), et les négociations et les griefs doivent passer par des canaux bureaucratiques et être portés par des représentants syndicaux dûment élus et accrédités. Il s'est donc développé une élite et une bureaucratie syndicales, ce qui a accru la compétence syndicale, mais a miné la démocratie interne et la radicalisation de l'action syndicale.

Avec la fin de la guerre froide et l'effondrement du Bloc soviétique, le rapport entre le patronat et le salariat en Occident a été déstabilisé, au profit du premier. Le « consensus de Washington », qui a marqué un virage idéologique néolibéral, a mis l'accent – avec l'assentiment de certains syndicats – sur la déréglementation de l'économie et l'ouverture de marchés communs libéralisés, la « flexibilisation » du travail (travail à forfait et à temps partiel) et la production « juste à temps » (*just in time*), des politiques d'austérité, la privatisation ou l'augmentation de la tarification de services sociaux, la lutte au déficit et à la dette (Piotte, 2008). Au Québec, par exemple, les syndicats comme la FTQ et la CSN ont participé en 1996 au Sommet sur l'économie et l'emploi, présidé par Lucien Bouchard, alors premier ministre péquiste, qui a débouché sur la politique du « déficit zéro ». Les directions syndicales cherchaient en même temps à préserver les emplois

de leurs membres (aux dépens, trop souvent, des jeunes soumis à d'inégalitaires « clauses de disparité de traitement »), mais aussi à assurer les profits des fonds de pension ou des fonds de solidarité contrôlés par les syndicats, intégrés à la fois au capitalisme productif (actions dans des entreprises privées) et financier (spéculation). Les syndicats sont aussi la cible d'un discours antisyndicaliste (p. ex. l'essai *Libérez-nous des syndicats !* d'Éric Duhaime, alors chroniqueur au *Journal de Montréal*), et les gouvernements du PLQ ou du PQ ont de plus en plus souvent recours à des lois spéciales très dures pour casser les grèves (Petitclerc et Robert, 2013 et 2016), alors qu'il est démontré qu'ils permettent à leurs membres, dans la mesure du possible, d'avoir des salaires plus élevés et de meilleures conditions de travail.

Les conflits de travail (grèves, lock-out) ne sont pas comme tels des « mouvements sociaux », mais ils participent à l'histoire et aux mobilisations du mouvement syndical. Quelques conflits de travail importants ont marqué l'actualité québécoise au cours des dernières années : grève des infirmières (1999), lock-out à Radio-Canada (2005), lock-out du *Journal de Montréal* (2009-2011), grève du Syndicat des professeures et professeurs de l'UQAM – SPUQ (2009), grèves dans les centres de la petite enfance – CPE (2012), grève à Rio Tinto Alcan (2012), grève des avocats et notaires de l'État québécois (2016-2017). Quelques journées de mobilisation ont dépassé le cadre restreint d'un conflit de travail, soit la mobilisation contre le gouvernement libéral de Jean Charest, au Québec, en décembre 2003. Le 14 avril 2004, de très grandes manifestations ont été organisées un peu partout au Québec pour marquer le premier anniversaire du gouvernement libéral.

Les syndicats restent, parmi toutes les organisations de mouvements sociaux, ceux qui ont encore le plus de ressources et la plus grande capacité de mobilisation (les contingents syndicaux forment le gros des troupes lors des grandes manifestations altermondialistes). Les syndicats considèrent aussi qu'il est dans l'intérêt de leurs membres qu'ils prennent position sur divers enjeux sociaux et politiques, comme la question nationale, les luttes autochtones, l'environnement, l'égalité entre les sexes, la guerre et la paix. D'ailleurs, en 1968 au Québec, les syndicalistes Pierre Vadeboncœur et Marcel Pépin (1970) avaient proposé la «politique du deuxième front», qui consistait pour les syndicats à ne plus se consacrer uniquement à la défense des intérêts de leurs membres sur les lieux de travail salarié (le premier front), mais à élargir leurs mobilisations et à s'engager dans des luttes pour le logement, l'éducation, le transport en commun, etc. (le deuxième front). Les syndicats peuvent aussi donner un coup de pouce pour la défense des droits de salariés qui ne peuvent se syndiquer, comme le fait la FTQ depuis le milieu des années 2000 pour les travailleurs saisonniers agricoles étrangers qui viennent du Mexique et du Guatemala pour cueillir des fruits et des légumes sur les propriétés agricoles au Québec.

Il y a aussi au Canada des mouvements sociaux qui défendent les plus démunis, comme le mouvement pour le droit au logement ou encore le mouvement anti-pauvreté, auxquels participent des organisations comme la Coalition contre la tarification et la privatisation des services publics et le Collectif pour un Québec sans pauvreté. Au Canada et au Québec, les mobilisations envers les instances politiques fédérales et provinciales ont eu relativement peu de succès, si ce n'est d'influer sur le débat public en publiant, par exemple, des «budgets alternatifs». De même, la stratégie de la National Anti-Poverty Organisation (NAPO), qui consiste à faire pression sur le Canada en s'adressant à des institutions internationales, n'a pas eu beaucoup d'effets, bien que l'ONU ait exprimé son inquiétude quant aux piètres conditions de vie de millions d'enfants qui grandissent dans la pauvreté, des sans-abri et des communautés autochtones au Canada. Certains groupes,

comme la Ontario Coalition Against Poverty (OCAP), organisent des manifestations (dont l'«émeute de Queen's Park» en 2000, un rassemblement devant l'Assemblée législative de l'Ontario, violemment réprimé par la police), mais aussi la défense de cas individuels, par exemple en accompagnant devant les tribunaux des personnes itinérantes criminalisées. Même s'il s'agit de beaucoup d'efforts pour aider une ou deux personnes à la fois, ces mobilisations ont une portée sociale importante.

L'analyse structuraliste des mouvements sociaux peut être reprise pour étudier d'autres luttes, comme celle des féministes, comme le propose le féminisme matérialiste qui identifie dans le système patriarcal deux «classes de sexe» (Guillaumin, 1992; Delphy, 1998, p. 50). Le Canada et le Québec sont encore des sociétés patriarcales[3]. D'où l'importance pour tant de féministes de se mobiliser au nom d'un «Nous femmes», même si des féministes québécoises sont aussi mobilisées pour d'autres causes, dont la souveraineté du Québec et le pacifisme. De même, une analyse postcolonialiste peut permettre d'interpréter de manière structuraliste les mobilisations des Autochtones contre les élites d'origine européenne[4].

À noter que les forces conservatrices ou réactionnaires tendent, dans leurs discours, à renverser l'analyse structuraliste: les patrons laisseront entendre que le Québec est contrôlé par les syndicats, ou encore les antiféministes «masculinistes» déploreront que le Québec soit sous l'emprise des femmes en général, et des féministes en particulier. Il s'agit là d'une stratégie classique des groupes dominants qui se présentent publiquement comme des victimes pour attirer la sympathie à leur cause et dénigrer leurs

....

3. Voir le chapitre 15 de Geneviève Pagé dans cet ouvrage.
4. Voir le chapitre 3 de Nicolas Houde et Benjamin Pillet dans cet ouvrage.

adversaires qui cherchent à s'émanciper de leur domination.

3.3. Le poststructuralisme

Selon le poststructuralisme (Angermüller, 2007), il importe de concevoir la société comme un assemblage complexe d'identités fluctuantes et de réseaux. Il n'y a donc plus de centre de décision unique ni de structure qui placerait certains individus en haut et d'autres en bas, ou qui déterminerait un monopole du pouvoir par une catégorie ou une classe sociale aux dépens des autres. Cette description de la société est aussi identifiée au postmodernisme (et on verra que cela fait écho à l'approche des « nouveaux mouvements sociaux »). Plutôt que de lutter contre les inégalités, les mouvements sociaux devraient lutter contre les exclusions, donc pour la défense de la diversité et de l'inclusion. Il importe alors de porter attention aux spécificités, aux marginalités et aux « déviances » qui sont autant de potentialités de remise en question des normes dominantes et aliénantes. Du côté féministe, ces considérations s'expriment par le développement des revendications homosexuelles, puis transgenres et transsexes, identifiées au mouvement *queer*, qui provoquent parfois des remises en question du « Nous femmes » et de l'importance politique d'espace de non-mixité entre femmes.

Des sociologues québécois comme Jacques Beauchemin (2004) et Michel Freitag (2002) vont reprocher aux nouveaux mouvements sociaux, en particulier le féminisme, d'être responsables en partie de la fragmentation de la société et d'une dépolitisation des luttes (au profit, disent-ils, de l'éthique, du juridique ou de l'identitaire) qui empêcheraient la constitution d'un sujet politique défendant le « bien commun ». Pourtant, au Québec, les mouvements « identitaires » savent bien converger pour défendre ensemble le projet souverainiste, à

l'occasion de référendum, ou encore se mobiliser contre le capitalisme et le néolibéralisme à l'occasion d'un grand sommet comme celui du G20 à Toronto, en 2010.

POINTS CLÉS

> Les spécialistes qui étudient les mouvements sociaux peuvent avoir recours aux grandes théories en sciences sociales et humaines pour tenter d'expliquer les phénomènes qui les interpellent.
> Selon les théories pluralistes et néopluralistes, les mouvements sociaux sont un moyen collectif de représenter des intérêts d'une catégorie particulière de la société.
> Selon les théories structuralistes, d'inspiration marxiste, la société est divisée en fonction d'un conflit central, et les mouvements sociaux représentent un moyen collectif de lutte pour la classe dominée et exploitée (les personnes salariées, les femmes, etc.).
> Selon la théorie poststructuraliste, la société est composée d'un ensemble d'identités collectives et individuelles, et les mouvements sociaux doivent œuvrer à la reconnaissance et à l'inclusion des identités exclues et subalternes.

4. Les principales approches

Au-delà des théories générales, la science politique et la sociologie ont développé des approches précises pour expliquer les dynamiques propres aux mouvements sociaux, soit l'approche de la psychologie collective, l'approche des « nouveaux mouvements sociaux » et celle de la mobilisation des ressources, qui a mené aux approches du processus politique et du cadrage. La philosophie politique propose aussi quelques réflexions pertinentes pour la compréhension des mouvements sociaux.

4.1. La psychologie collective

Cette approche est liée à des auteurs comme Gustave Le Bon, qui a signé, à la fin du XIXᵉ siècle, un livre intitulé *La psychologie des foules*, ou plus récemment à l'école de Chicago des années 1920, représentée dans les années 1950 par des sociologues qui ont développé l'«interactionnisme symbolique» (Killian, 1994 ; Lang et Lang, 1961). Selon la théorie générale de la psychologie collective, une société dite «normale» reste stable et les mouvements sociaux n'apparaîtraient qu'en période de crise, alors qu'une société est déstructurée en raison de changements rapides et qu'elle n'a plus la capacité d'intégrer tous ses éléments à son mode de fonctionnement «normal». Les mobilisations sociales (aussi nommées «comportements collectifs») sont les symptômes d'une crise politique, sociale, culturelle ou économique marquée par la difficulté des institutions de garantir la cohésion sociale.

L'approche de l'interactionnisme symbolique s'intéresse surtout à la formation de nouvelles normes et significations sociales qui aident les acteurs à guider leurs actions. Cette formation a lieu à travers des interactions sociales, y compris au sein des mouvements sociaux, dont les mobilisations collectives peuvent provoquer l'émergence de nouvelles normes sociales par leurs interactions avec d'autres acteurs collectifs, dont les médias, le public, les autorités. Cette approche offre donc des explications souvent psychologisantes, et la mobilisation est présentée ici comme opérant par mode de «contagion» ; les masses déstabilisées étant perçues comme particulièrement sensibles à la manipulation.

Dans *Why Men Rebel?*, Ted Gurr (1970) a développé la notion de «privation relative» pour expliquer pourquoi les gens se rebellent. Cette notion désigne les situations où des classes ou des catégories sociales en apparence privilégiées par rapport à d'autres, plus démunies, se sentent victimes d'une «privation relative», c'est-à-dire

qu'elles n'ont pas ce à quoi elles pensent avoir droit, que ce soit en termes symboliques ou matériels. Il serait alors possible d'expliquer pourquoi le mouvement étudiant au Québec est le plus dynamique en Amérique du Nord, alors que les droits de scolarité y sont très bas en comparaison avec ceux du reste du continent. Puisque l'accessibilité à l'éducation est un droit collectif acquis au Québec depuis la Révolution tranquille et le Rapport Parent, toute hausse des droits de scolarité peut alors être perçue comme une «privation relative» de ce droit. De même, les hommes au Québec restent aujourd'hui encore privilégiés, en général, face aux femmes en matière d'accès aux institutions de pouvoir et en matière de salaire et de partage des tâches domestiques et parentales, mais ils peuvent considérer que leur situation d'homme s'est dégradée *relativement* à ce qu'ils croient leur être dû en tant qu'homme, s'ils se comparent à l'image traditionnelle du patriarche et s'ils pensent que la masculinité est, par définition, supérieure à la féminité.

Plusieurs critiques (Gurney et Tierney, 1982 ; Jenkins, 1981) ont été adressées à cette approche en raison de sa confusion conceptuelle et de son aspect trop mécaniste, alors que plusieurs crises n'entraînent pas de mobilisation collective, que des mouvements sociaux se maintiennent dans des sociétés «normales» et qu'ils sont même souvent devenus une composante permanente de la vie politique moderne. De même, ce ne sont pas tant des personnalités aliénées, irrationnelles ou fanatiques qui se mobilisent le plus souvent, mais des individus bien intégrés dans des processus de socialisation, des réseaux et des institutions. Quant à la thèse de la «privation relative», elle n'est pas si utile pour expliquer le militantisme, car le sentiment d'injustice n'est souvent pas suffisant pour qu'un individu s'engage politiquement, et ce sont souvent les mouvements sociaux qui tentent de convaincre, par leurs discours, qu'il y a injustice.

4.2. Les nouveaux mouvements sociaux

Cette approche s'intéresse aux conséquences des transformations en Occident de la société industrielle vers une société postindustrielle sur les mouvements sociaux. Elle cherche aussi à expliquer le recul en importance de la classe ouvrière domestiquée par le libéralisme, tout comme ses principales organisations (partis communistes et socialistes, syndicats), et à identifier le nouvel acteur principal porteur de revendications et de contestation. Les sociologues Jürgen Habermas (1981) et Claus Offe (1994) expliquent que l'émergence, pendant les années 1960-1970, de « nouveaux mouvements sociaux » – mouvements de la jeunesse radicale, féministe, homosexuel, écologiste – s'explique parce que le système postindustriel est miné par une crise de légitimité en raison de sa bureaucratisation excessive et de l'infiltration de l'État et du capital dans la vie privée (marchandisation de la culture, consommation, mode de vie, etc.).

Alors que le vieux mouvement social (le mouvement ouvrier) était surtout préoccupé par des questions matérielles (salaire et gestion de la production économique), les nouveaux mouvements sociaux (Hamel *et al.*, 1983) seraient surtout intéressés par des questions symboliques et culturelles relevant des modes de vie et de l'identité individuelle et collective. Les études de sociologues comme Alain Touraine, auprès des ouvriers (Wievorka et Dubet, 1984), montrent toutefois une réalité plus complexe que ne le laisse entendre la simple dichotomie entre les nouveaux mouvements sociaux et l'ancien mouvement ouvrier qui a, lui aussi, lutté pour défendre des valeurs, une identité et un mode de vie, par exemple lors des mobilisations pour la journée de 8 heures (contrôle du temps), pour l'éducation, pour des conditions de travail décentes et sécuritaires, contre le travail des enfants, etc. Au Québec, l'historien Martin Petitclerc (2007) a fait ressortir la diversité des engagements sociaux et culturels des sociétés de secours mutuel mises sur pied par les ouvriers à la fin du XIXe siècle. Touraine note aussi que les ouvriers ont milité pour des enjeux comme les droits (de vote, d'association, d'assemblée, etc.) et contre la guerre, entre autres choses, mais que la base de ce militantisme restait l'entreprise, le lieu de travail et le quartier ouvrier.

Les années 1970 et 1980, dans plusieurs pays en Occident, ont été marquées par des transformations importantes de la classe ouvrière (informatisation de la production, flexibilisation du travail, délocalisations, précarisation), alors que le secteur tertiaire (services, recherche et développement) a pris le pas sur les autres secteurs (production industrielle et ressources naturelles). Au Canada, le secteur des ressources naturelles reste très important et la classe moyenne urbaine est plus diversifiée. Dans un nouveau type de société où prime la production des biens symboliques et où domine le secteur des services, ce qui marque une nouvelle période historique, les nouveaux mouvements sociaux sont porteurs d'une critique métapolitique : ils veulent redéfinir les frontières du politique (le « privé est politique », disaient les féministes dès les années 1960) et son organisation, privilégiant le fonctionnement non hiérarchique (horizontal) et non autoritaire, en réseau. D'ailleurs, les décisions politiques ne se prennent plus en un seul lieu, mais par un processus complexe dans lequel interagissent plusieurs lieux de décision diffus : parlement, bureaucratie et administration, système d'éducation, information, etc. Cet éclatement du processus politique décisionnel entraîne une fragmentation des luttes sociales. Ainsi donc, les mouvements-réseaux actuels sont engagés pour tester les codes, le savoir et le langage dominants, soit pour démasquer le pouvoir dominant et pour influencer la vie quotidienne. En fait, les mouvements sociaux eux-mêmes sont des « signes » (Melucci, 1983).

La lutte pour l'approfondissement de la démocratie ne signifie plus seulement de lutter pour prendre le pouvoir, mais aussi pour définir et moduler son identité au sein de la société civile. Cette lutte identitaire présuppose des espaces publics indépendants des institutions gouvernementales et des partis politiques. Ces espaces publics permettent l'expression libre des mouvements sociaux et leur évitent d'être institutionnalisés.

Cette approche, qui fait écho aux théories poststructuralistes, est marquée par quelques erreurs historiques importantes. Ainsi, le mouvement féministe existe depuis la fin du XIXᵉ siècle, et le mouvement contre la guerre depuis le début du XXᵉ siècle. Et les mouvements contemporains sont encore interpellés par des enjeux matériels et financiers, comme l'a révélé en 2011 le mouvement Occupy qui critiquait les défaillances du capitalisme financier et qui a réussi à attirer l'attention des médias avec le slogan « Nous sommes les 99 % ». Parfois, d'autres mouvements sociaux prennent position contre la pauvreté, comme le mouvement féministe québécois avec la marche Du pain et des roses, ou contre le capitalisme, comme une partie du mouvement étudiant au moment de la grève étudiante de 2012, alors que plusieurs slogans anticapitalistes étaient scandés lors des manifestations.

4.3. La mobilisation des ressources et le processus politique

Cette approche a été développée en grande partie par des sociologues (voir les nombreux travaux de Mayer Zald, John McCarthy et Charles Tilly) qui étaient insatisfaits des théories avancées dans les années 1960 pour expliquer les nouvelles mobilisations d'alors, en particulier aux États-Unis. L'approche de la mobilisation des ressources s'intéresse à la rationalité stratégique de l'action collective en s'appuyant sur le constat qu'on ne peut expliquer les mobilisations par des sentiments de frustration face à un contexte

donné. Les mouvements sociaux doivent donc être étudiés comme des organisations qui sont créées et structurées pour répondre à des objectifs politiques et dont les succès ou les échecs dépendent des ressources, du mode d'organisation et des opportunités politiques disponibles. Les mouvements sociaux sont l'affaire d'une élite citoyenne – les « entrepreneurs » des « industries de mouvements sociaux » – qui défend ses intérêts ou ceux des personnes qu'elle dit représenter. Les « entrepreneurs » ont la capacité de mobiliser les ressources et de canaliser le mécontentement sous une forme institutionnalisée. Ces ressources peuvent être humaines (des sympathisants et des militants), matérielles (de l'argent, des locaux, des moyens de communication, des véhicules, etc.), culturelles (des compétences, des répertoires tactiques d'actions), sociales (des contacts – avec des journalistes, des politiciens – et des réseaux, des alliances) et morales (la légitimité). Ces mouvements ont d'autant plus de chances de perdurer qu'ils disposent de beaucoup de ressources, y compris des organisations structurées et formelles. Cependant, un mouvement a plus de chances d'innover et de réagir rapidement s'il est moins structuré formellement.

Selon cette approche, le succès d'un mouvement est souvent évalué à l'aune des politiques publiques et des modifications apportées aux législations, c'est-à-dire en termes de réactions de l'État aux revendications des mouvements sociaux. D'ailleurs, l'approche de la mobilisation des ressources a été complétée par celle dite du « processus politique », qui évalue en quoi les « structures d'opportunité politique » favorisent ou non l'émergence et la mobilisation d'un mouvement social, et la prise en compte de ses revendications par l'État. Peter Eisinger est le premier à avoir utilisé l'expression de « structure d'opportunité politique » en 1973, reprise par Charles Tilly (1978) qui l'intègre à son modèle de « mobilisation des ressources ». Sidney Tarrow (1998) dégage quatre éléments propres à une structure d'opportunité : 1) ouverture ou fermeture des institutions politiques ; 2) stabilité ou instabilité des alignements politiques ; 3) présence ou absence d'alliés influents ; 4) élite unifiée ou divisée. Ainsi, on prendra en considération pour l'analyse le type d'État, soit fédéral (un mouvement peut revendiquer auprès de l'État fédéral, provincial ou même municipal, selon les compétences de chacun des ordres de gouvernement) ou unitaire, l'alignement du gouvernement (à droite ou à gauche, fédéraliste ou souverainiste, etc.), les partis politiques (présence ou non de partis d'extrême droite ou d'extrême gauche, etc.), le système électoral (bipartisme, multipartisme, majoritaire ou proportionnel, possibilité ou non de tenir des référendums d'initiative populaire), le système juridique (y a-t-il ou non une charte des droits), la nature des forces policières (très répressives ou plutôt tolérantes).

Étant des acteurs collectifs rationnels, les mouvements sociaux sont perçus comme adaptant leurs tactiques et leurs stratégies en fonction de la structure d'opportunité politique, qui peut être plus ou moins ouverte ou fermée. De plus, les auteurs associés à cette approche, dont Sidney Tarrow, ont identifié des cycles de protestation, soit des périodes de turbulence sociale où plusieurs mouvements sociaux se mobilisent en même temps. Il s'agit d'événements relativement rares dans une société. Pour le Québec, on peut penser aux années 1960 et 1970, qui ont vu une confluence de mobilisations des forces nationalistes, socialistes, féministes et des mouvements « de la jeunesse ». Plus près de nous, le mouvement altermondialiste a été associé à un cycle de protestation transnational. Le phénomène des cycles procède généralement en plusieurs étapes : 1) vague initiée par des opposants traditionnels au pouvoir (p. ex. syndicats) ; 2) s'il y a des succès, les autres acteurs déduisent qu'il y a des opportunités d'accélérer et d'élargir la mobilisation ; 3) de nouveaux acteurs (éventuellement plus radicaux) entrent en scène ; 4) il y a démobilisation soit parce que *a)* les

revendications ont été satisfaites (au moins en partie) ou *b)* il y a répression par l'État.

Quelques critiques ont été formulées à l'égard de cette approche de la mobilisation des ressources et du processus politique. On lui reproche d'oublier les causes systémiques et structurelles des conflits sociaux (les rapports de classe, les injustices réelles, etc.), mais aussi d'être marquée par un biais politique pour l'État et les partis officiels, les mouvements sociaux n'ayant de sens que dans la mesure où ils influencent les acteurs principaux du système politique. Or, des sociologues ont constaté que les mouvements sociaux ne devraient pas être étudiés en prenant uniquement en compte leurs rapports à l'État, et qu'il importe aussi de considérer, entre autres, les dynamiques politiques à l'intérieur d'un mouvement social, ou entre mouvements sociaux (Ancelovici et Rousseau, 2009). En cela, l'enjeu de la rationalité n'a pas été entièrement résolu : les mouvements qui orientent leurs mobilisations et leurs revendications en direction de l'État sont souvent perçus comme plus rationnels que ceux qui ne le font pas, qui apparaissent anormaux et voués à l'insignifiance. Pourtant, Frances Fox Piven et Richard A. Cloward (1978) ont bien montré, dans leurs études sur les mouvements des pauvres aux États-Unis, que les « entrepreneurs » dirigeants les mouvements sociaux ne servent pas toujours les pauvres quand ils tendent à vouloir maximiser l'accumulation de ressources pour maintenir leurs organisations, ce qui les porte presque inexorablement vers des élites, y compris gouvernementales, qui peuvent leur fournir de l'aide matérielle et symbolique, mais à la condition qu'ils disciplinent leur mouvement et qu'ils renoncent à des tactiques perturbatrices. Or, ces auteurs constatent que pour des catégories marginales et exclues, comme les pauvres, la manifestation et même l'émeute sont souvent la seule ressource politique dont ils disposent pour se faire entendre. C'est le cas, par exemple, des jeunes marginaux de Montréal, identifiés comme punks et itinérants, qui se mobilisent lors de la manifestation annuelle contre la brutalité policière du 15 mars parce qu'ils sont la cible au quotidien du harcèlement des policiers (phénomène du profilage social) au centre-ville et qu'ils ont peu de moyens pour se défendre individuellement. Enfin, à trop vouloir démontrer que les mouvements sociaux sont rationnels, l'approche de la mobilisation des ressources et du processus politique occulte l'importance des émotions pour comprendre les mobilisations, mais aussi celle du discours et des idéologies (pour le Québec, voir les travaux d'Ève Lamoureux [2009] sur l'art et la politique dans les mouvements sociaux).

Pour résoudre certains problèmes, des sociologues (Snow *et al.*, 1986) ont développé la théorie du « cadrage », en s'inspirant des travaux d'Erving Goffman (*Les cadres de l'expérience*). Les cadres font référence à un processus cognitif par lequel nous donnons, grâce à des typologies et des catégories, un sens à nos expériences et à nos actions sociales liées à différentes situations. En termes militants, un cadre compte trois éléments : 1) un diagnostic sur la situation ; 2) une proposition de solution ; 3) une motivation pour l'action. Les groupes militants manœuvrent par le discours public avec leurs cadres pour mobiliser leurs troupes et leurs sympathisants selon divers processus et diverses logiques de mobilisation.

L'alignement permet, pour une organisation, d'inscrire son discours et ses revendications dans des références culturelles, nationales et officielles (histoire, héros, tradition militante), et de mobiliser des gens qui partagent son cadre d'analyse. La connexion des cadres consiste à établir des liens entre des enjeux séparés (p. ex. capitalisme et patriarcat, éducation et guerre, femmes et environnement) pour les intégrer au même cadre, souvent dans le diagnostic même (si les problèmes différents ont la même cause) ou dans la proposition de solution (plus de participation populaire, multipartisme, révolution).

L'amplification du cadre consiste à faire appel à certains concepts ou valeurs chez les individus pour encourager la mobilisation, par exemple, en identifiant un enjeu plus important (la mobilisation pour la défense de la langue française peut mener à une mobilisation pour l'indépendance du Québec ; la lutte contre l'avortement est une lutte pour la vie et pour Dieu ; la lutte des masculinistes n'est plus simplement une lutte contre les féministes, ou pour la défense des intérêts des pères séparés et divorcés, mais un combat pour « le bien des enfants »). Le recadrage consiste à abandonner un discours pour un autre, par exemple ne plus utiliser de référence à la « lutte des classes » pour parler plutôt de lutte contre le « néolibéralisme ». Il y a aussi, dans toutes les sociétés, des cadres dominants, par exemple le cadrage en fonction des « droits et libertés », en Amérique du Nord, auxquels plusieurs mouvements sociaux doivent faire référence pour apparaître crédibles et légitimes et pour cadrer leurs revendications (p. ex. les féministes, les homosexuels, les défenseurs des droits des fœtus ou des animaux, les individus contre la grève étudiante qui revendiquent un droit individuel d'accès à leur classe, etc.).

Mais il a été reproché à cette approche de penser de manière simpliste que l'engagement et la mobilisation ne relèvent que des idées et des discours, alors que le processus est plus complexe et que des individus peuvent participer à un mouvement social même sans bien en comprendre les enjeux (c'est vrai aussi pour d'autres activités sociales : une personne peut accepter un travail salarié, même si elle ne comprend pas bien le capitalisme). À noter que l'approche du cadrage rejoint parfois, quoique dans une perspective quelque peu différente, les problématiques soulevées par l'approche des « nouveaux mouvements sociaux », ou les travaux d'autres auteurs comme Ernesto Laclau et Chantal Mouffe (2009), pour qui la lutte pour l'hégémonie politique porte principalement sur les concepts et leurs définitions, dont des termes tels que *démocratie*, *liberté*, *égalité*, *justice*, *peuple*, *nation*, *femme*, etc.

4.4. La philosophie politique

Même si ce travail est rarement reconnu par la littérature sociologique sur les mouvements sociaux, la philosophie politique s'intéresse elle aussi à la signification des mouvements sociaux et à leurs actions et mobilisations. Plutôt que de chercher à expliquer les effets des structures et des organisations en termes sociologiques, les philosophes se questionnent surtout en termes d'enjeux moraux (obligations morales) et de principes normatifs (la démocratie, la justice, etc.). Il s'agit donc, avant tout, d'un travail d'interprétation (quel sens donner à tel événement ou à telle mobilisation, du point de vue de la démocratie, de la liberté, etc.), plutôt que d'un exercice de démonstration (prouver que telle cause produit tel effet, etc.). Quelques auteurs (Camus, 1985 ; Bensaïd, 2001 ; Proust, 1997) qui adoptent une approche plutôt philosophique présentent la rébellion et la résistance face aux autorités comme une posture existentielle : « Je résiste, donc je suis » (Bensaïd, 2001, p. 31). Aux États-Unis, le philosophe Michael Walzer (1967) parle même d'une « obligation de désobéir », constatant que la désobéissance civile à l'égard de l'État s'explique souvent par un sentiment d'obligation envers une association secondaire à laquelle nous appartenons (congrégations religieuses, syndicats, catégories sociales – femmes, étudiantes et étudiants, etc.). À l'inverse, le membre qui obéit à l'État et se ligue contre sa communauté apparaît au mieux comme un collaborateur, au pire comme un traître.

La philosophie politique a également intégré les mouvements sociaux dans ses réflexions sur les politiques de la reconnaissance et la question de l'identité (individuelle et collective). Axel Honneth (2000) et Estelle Ferrarese (2009) rappellent que si les sciences sociales ont plutôt parlé d'intérêts matériels et de moyens d'existence, les mouvements sociaux seraient fondés en fait sur trois expériences, à savoir l'amour (de soi, des autres), le droit et la solidarité. Les luttes sociales sont donc des actions collectives qui tirent leur énergie des expériences individuelles de mépris et qui sont interprétées comme des expériences que partagent tous les membres d'un groupe méprisé. Cette approche peut permettre d'éclairer, dans le cadre du Canada et du Québec, les mobilisations des Autochtones, des femmes ou encore du mouvement souverainiste. La politologue féministe Nancy Fraser (2011) reproche au modèle identitaire d'oublier les liens entre les revendications identitaires et les enjeux économiques. Elle rappelle que les luttes sociales portent souvent sur des enjeux de statut, puisque la reconnaissance identitaire détermine les statuts qui, à leur tour, donnent accès aux institutions et aux ressources. On peut donc lier la dimension de la reconnaissance et la dimension de la redistribution.

Plusieurs philosophes discutent aussi des mouvements sociaux liés aux théories de la démocratie, considérant parfois que les mobilisations sociales sont le résultat de conflits au sujet de définitions distinctes de la démocratie. En ce sens, il a été possible d'expliquer la longue grève étudiante de 2012, au Québec, comme un débat entre conceptions contradictoires de la démocratie[5]. La philosophie politique du PLQ associait la démocratie au respect de l'élite élue et représentative, à celui de la loi et de l'ordre ainsi qu'au droit individuel, alors que toute désobéissance civile était identifiée négativement comme de la « violence » illégitime. Du côté du mouvement étudiant, notamment pour l'Association pour une solidarité syndicale étudiante (ASSÉ), il s'agissait d'incarner par la pratique une conception participative de la démocratie,

....

5.   Voir à ce sujet les dossiers spéciaux dans la revue *Argument*, vol. 15, n° 2, 2013, et dans la revue *Theory and Event*, vol. 15, n° 3, 2012.

voire directe par les assemblées étudiantes et, en marge de la grève, par les assemblées populaires autonomes de quartier (APAQ), en plus de rappeler que la désobéissance civile collective peut être légitime contre un gouvernement si ses politiques et ses décisions contreviennent à des principes fondamentaux, comme ceux de justice, de liberté et d'égalité. Désobéir à une injustice ou face à un gouvernement injuste peut donc être nécessaire pour rétablir la justice[6].

Certains philosophes politiques, comme Cornelius Castoriadis, considèrent même que l'État est en fait incompatible avec la démocratie (gouvernement du peuple par le peuple) et que la démocratie « représentative » est en fait un mensonge. La démocratie est donc nécessairement associée aux mouvements sociaux, soit à leurs mobilisations, à leurs manifestations et à leurs assemblées délibératives. C'est lorsqu'il se mobilise sous forme de mouvement social que le peuple s'institue réellement comme un sujet politique. Il y aurait donc un lien politique entre le *demos* (ou le peuple assemblé pour délibérer) et la plèbe (soit la foule qui manifeste). Le politologue Martin Breaugh (2007) évoque l'« expérience plébéienne » pour discuter de la pratique de l'émeute et de l'insurrection, qui représentent une « brèche » dans l'ordre social constitué par des dominants et des dominés, l'action plébéienne étant l'expression d'un refus (momentané ou de longue durée) de la domination et des inégalités.

À noter d'ailleurs que la philosophie politique semble mieux équipée que la sociologie politique pour réfléchir au recours à la force par les mouvements sociaux, car l'approche sociologique est incapable de déterminer ou de prédire si la « violence » d'un mouvement social sera « efficace » (les spécialistes des médias s'entendent pour dire que le recours à la force par des

mouvements sociaux est garant d'une grande visibilité médiatique à connotation négative, alors que la non-violence réduit la probabilité d'être mentionné dans les médias). Même si cela semble *a priori* contradictoire, le recours à la force n'est pas nécessairement incompatible avec la démocratie dite « représentative ». En effet, les actions de perturbation des mouvements sociaux peuvent forcer les élites à : 1) lancer un débat ou une délibération sur un sujet jusque-là ignoré ; 2) forcer l'intégration de nouvelles voix dans un débat ou une délibération ; 3) imposer la prise en compte de nouvelles informations ou de nouvelles idées dans le débat ou la délibération ; 4) contraindre les élites à cesser de discuter et à passer à l'action ; 5) bloquer une décision considérée comme injuste et relancer un débat à son sujet (Dupuis-Déri, 2012a, 2012b).

Une chose est certaine, et contrairement au sens commun et au discours des élites politiques et médiatiques, la « violence » est très régulièrement utilisée par les mouvements sociaux ; les plus importants ont tous eu recours à la force à un moment ou un autre de leur histoire (y compris le mouvement des suffragettes avec, en Grande-Bretagne au début du XXe siècle, plusieurs émeutes, des dizaines d'actions de vandalisme, des centaines d'incendies et d'attentats à la bombe). La philosophie politique offre des outils conceptuels pour évaluer la légitimité de l'option de la « violence » ou de la « non-violence ». La question peut être discutée selon une approche de la vertu, soit en affirmant qu'il est plus vertueux d'être non violent, ou au contraire qu'un vrai militant n'a pas peur d'un peu d'action. L'approche déontologique consiste à identifier des règles et des normes strictes, et l'acte est juste s'il concorde avec ce cadre (c'est généralement le choix des adeptes de la non-violence). L'approche conséquentialiste consiste à évaluer les effets de la non-violence et de la violence, mais il faut s'entendre sur les conséquences, à court, moyen et long termes, sur les élites politiques, les médias, les autres éléments

------

6. Voir le philosophe John Rawls (1999, p. 319-343) ou l'historien Howard Zinn (2010).

du mouvement social et les forces policières. Enfin, l'approche politique consiste à déterminer qui a l'autorité de décider dans un mouvement de la meilleure tactique à utiliser, mais aussi de la définition de ce qui est efficace (d'où le débat récurrent au sujet du « respect de la diversité des tactiques » à l'ASSÉ, concept développé à Montréal en 2000 par la Convergence des luttes anticapitalistes – CLAC). Même si au Québec la société et les mouvements sociaux sont en général très préoccupés par la question de la « violence », les mouvements sociaux se limitent à une violence symbolique et de très faible amplitude (quelques vitrines cassées, par exemple), à l'exception de l'attaque meurtrière contre une mosquée à Québec, au début de l'année 2017 (c'est sans doute le geste d'un individu isolé, mais qui s'inscrivait dans un courant islamophobe auquel participent des partis politiques officiels, et surtout – dans ce cas – des groupes d'extrême droite). Même si la « non-violence » semble aller de soi, quelques théoriciens considèrent qu'elle doit aussi être justifiée philosophiquement et politiquement. Par exemple, le théoricien et militant autochtone Ward Churchill (2007) parle d'une « pathologie du pacifisme », qui consiste, pour les adeptes de la non-violence, de se convaincre qu'une vigile à la chandelle, par exemple, est une action efficace pour stopper une guerre.

POINTS CLÉS

> L'approche de la psychologie collective considère que les mouvements sociaux apparaissent lorsqu'une société est en crise et que les individus s'y sentent mal intégrés.
> L'approche des nouveaux mouvements sociaux considère que la civilisation postmatérialiste détermine l'apparition de nouvelles forces (féministes, homosexuelles, écologistes) qui se préoccupent surtout d'enjeux symboliques et identitaires, et rejette la politique conventionnelle (élections et représentation, partis politiques).

> L'approche de la mobilisation des ressources considère les mouvements sociaux comme des forces qui sont gérées de manière à maximiser les ressources (militantes, financières, etc.) disponibles pour maximiser les chances d'influer sur l'État et ses politiques publiques.
> L'approche de la philosophie politique considère que les mouvements sociaux incarnent des valeurs et des principes (liberté, égalité, démocratie, etc.) au nom desquels les individus s'engagent dans des luttes collectives, parfois par le recours à la force (p. ex. les émeutes).

CONCLUSION

D'autres phénomènes sont associés aux mouvements sociaux. Les contre-mouvements sont ainsi des mouvements sociaux qui se forment en réaction à un mouvement social initial. Au Canada, on peut penser au mouvement antichoix, qui s'oppose à la revendication des féministes au droit des femmes à disposer de leur corps, mais aussi au « masculinisme » qui, semblant défendre les intérêts des pères séparés et divorcés et des enfants, cible les féministes et leurs organisations (menaces de mort, intimidation, perturbation d'événements féministes, harcèlement administratif, etc.) (Blais, 2012). Les rapports entre alliés ne sont pas toujours simples dans les mouvements sociaux. La sociologue Judith Taylor (2007), de l'Université de Toronto, a développé le concept de « tirs amis » pour désigner les effets négatifs sur le mouvement féministe d'hommes d'autres mouvements (syndicalisme, nationalisme, etc.) qui se disent bien intentionnés face aux féministes, mais nuisent en fait à leur mobilisation en parlant à leur place, en remettant en cause leurs priorités, en récupérant leurs luttes au profit de leur cause ou encore en harcelant et agressant des femmes.

La répression policière est aussi un phénomène complexe. Dans les grandes villes du

Canada (Montréal, Toronto, Vancouver), environ 15 % des manifestations sont la cible des forces policières (arrestations, brutalité). Quelques événements malheureux ont marqué l'actualité : environ 1 200 arrestations à Toronto lors du Sommet du G20 (mais 96 % des accusations abandonnées), plus de 3 500 arrestations pendant la grève étudiante de 2012 (Dupuis-Déri, 2013a), et plus de 1 500 à Montréal seulement, en 2013. Au Québec, la police pratique le « profilage politique » et cible surtout le mouvement étudiant et le mouvement anticapitaliste (« anarchiste »). Or, les études révèlent que c'est avant tout l'identité politique et non ce que font les manifestantes et manifestants qui engendre la répression policière (Dupuis-Déri, 2013b) : c'est parce que, jugés « anormaux » et « dangereux », les policiers méprisent les étudiantes et les étudiants et les anticapitalistes qu'ils répriment. D'autres mouvements qui organisent des actions de perturbation illégales ne subissent aucune répression, ou très exceptionnellement. C'est le cas, par exemple, des syndicats (Hall et De Lint, 2003), que la police perçoit comme des mouvements raisonnables et légitimes, même si les gouvernements n'hésitent pas à voter des lois spéciales de plus en plus dures pour casser les mobilisations syndicales (Petitclerc et Robert, 2013 et 2016). Fait intéressant, cela dit : la répression et la criminalisation de la dissidence peuvent, à leur tour, provoquer de nouvelles mobilisations, y compris dans l'arène juridique (Dufour, 2016).

Souvent, les détracteurs ou les critiques bien intentionnés d'un mouvement social déplorent qu'il ne parle pas d'une seule voix, n'ait pas une revendication unique clairement exprimée et n'ait pas recours à une seule forme d'action collective, si possible légale et pacifique. Or, par définition, un mouvement social est hétérogène, c'est-à-dire qu'il n'a pas un seul chef ni un seul centre de direction, même si des personnalités publiques ou des organisations peuvent prétendre parler au nom de tout un mouvement social et définir pour l'ensemble son identité, sa cause, ses revendications, ses stratégies et ses tactiques. Dans les faits, un mouvement social est nécessairement ouvert (sans critères ni procédures d'inclusion et d'exclusion formelle), segmenté (composé de plusieurs organisations, groupes et tendances) et décentralisé (organisé en réseaux, même si certaines organisations du mouvement peuvent être centralisées et hiérarchisées). De plus, un mouvement social est en lui-même un espace de luttes politiques et sociales, mais aussi un lieu où s'articulent à nouveau les rapports sociaux et les divisions sociales entre les sexes, les « races » et les classes. En cela, l'étude des mouvements sociaux relève bel et bien de la science politique, mais elle nous encourage également à penser autrement la et le politique qu'en rapport simple avec la politique « officielle » et l'instauration de politiques publiques.

QUESTIONS

1. Qu'est-ce qu'un mouvement social ?

2. Votre association étudiante constitue-t-elle, en elle-même, un mouvement social ? Pourquoi ?

3. Les mouvements sociaux sont-ils tous de « gauche » ?

4. Quelles sont les diverses thèses expliquant qu'un individu s'engage dans un mouvement social ?

5. Quelle est la différence entre des théories et des approches explicatives des mouvements sociaux ?

6. Peut-on penser qu'une approche marxiste soit encore pertinente, aujourd'hui, pour comprendre les mobilisations de certains mouvements sociaux ?

7. En quoi l'étude des mouvements sociaux relève-t-elle de la science politique ?

8. La représentation des mouvements sociaux que proposent les médias au Québec correspond-elle, selon vous, à la réalité sociopolitique ?

9. Identifiez, dans l'actualité, la mobilisation d'un mouvement social. Quelle approche, selon vous, explique le mieux cet événement ?

10. A-t-on raison de prétendre que le recours à la « violence » nuit nécessairement à un mouvement social ?

LECTURES SUGGÉRÉES

Ancelovici, M. et F. Dupuis-Déri (dir.) (2014). *Un printemps rouge et noir. Regards croisés sur la grève étudiante de 2012*, Montréal, Écosociété.

Blais, M. et F. Dupuis-Déri (dir.) (2015). *Le mouvement masculiniste au Québec : l'antiféminisme démasqué*, 2ᵉ éd., Montréal, Remue-ménage.

Brady, J.-P. et S. Paquin (dir.) (2017). *Groupes d'intérêt et mouvements sociaux*, Québec, Presses de l'Université Laval.

Commission populaire sur la répression politique – CPRP (2016). *Étouffer la dissidence : Vingt-cinq ans de répression politique au Québec*, Montréal, Lux.

Denis, S. (2005). *L'action politique des mouvements sociaux d'aujourd'hui : le déclin du politique comme processus de politisation ?*, Québec, Presses de l'Université Laval.

Dupuis-Déri, F. (dir.) (2008). *Québec en mouvements. Idées et pratiques militantes contemporaines*, Montréal, Lux.

Dupuis-Déri, F. (2009). *L'altermondialisme*, Montréal, Boréal.

Fillieule, O., L. Mathieu et C. Péchu (dir.) (2009). *Dictionnaire des mouvements sociaux*, Paris, Presses de Science Po.

Guay, L., P. Hamel, D. Masson et J.-G. Vaillancourt (dir.) (2005). *Mouvements sociaux et changements institutionnels. L'action collective à l'ère de la mondialisation*, Québec, Presses de l'Université du Québec.

Mathieu, L. (2004). *Comment lutter ? Sociologie et mouvements sociaux*, Paris, Textuel.

Staggenborg, S. (2012). *Social Movements*, 2ᵉ éd., Oxford, Oxford University Press.

Sommier, I. (2003). *Le renouveau des mouvements contestataires à l'heure de la mondialisation*, Paris, Champs-Flammarion.

Pour des articles de fond au sujet des mouvements sociaux et de leurs mobilisations au Québec, voir les revues *À Babord !*, *Nouveaux cahiers du socialisme* et *Possibles*.

GLOSSAIRE

ALTERMONDIALISME : Mouvement transnational qui apparaît au milieu des années 1990 en réaction à l'idéologie néolibérale et aux projets de grandes zones de libre-échange du capital.

ANALYSE QUALITATIVE : Analyse qui essaie de comprendre l'étude des représentations et de l'observation des pratiques, l'origine historique, le fonctionnement d'une organisation ou d'une pratique collective et la signification d'un phénomène, comme la démocratie directe dans les assemblées générales du mouvement étudiant ou l'influence que le féminisme y exerce, ou encore le recours à la tactique anarchiste du Black Bloc (Dupuis-Déri, 2016) dans des manifestations de rue.

ANALYSE QUANTITATIVE : Analyse qui se fonde sur des données chiffrées et sur des manœuvres mathématiques et statistiques pour dégager des variables qui permettraient d'expliquer et même de prédire des phénomènes (qui participe à des manifestations de rue ?, qui adhère à une organisation non gouvernementale ?, qui vote ou ne vote pas ?, etc.).

DARWINISME VULGAIRE : Compréhension limitée (et en accord avec l'idéologie libérale) de la théorie de l'évolution qui la réduit à une apologie de la lutte permanente de tous contre tous pour le pouvoir et les ressources, alors que l'entraide est également un facteur de l'évolution des plus importants, ce que Charles Darwin lui-même avait reconnu.

OBSERVATION PARTICIPANTE : Méthode de recherche qui consiste à s'insérer dans un mouvement social (dans un comité, par exemple, ou en participant aux actions collectives) pour l'observer de l'intérieur et mieux le comprendre en y participant.

SOCIALISATION : Processus par lequel nous intégrons des normes et des attitudes.

BIBLIOGRAPHIE

Ancelovici, M. (2012). «Le mouvement Occupy et la question des inégalités. Ce que le slogan "Nous sommes les 99 %" dit et ne dit pas», dans F. Dupuis-Déri (dir.), *Par-dessus le marché ! Réflexions critiques sur le capitalisme*, Montréal, Écosociété, p. 15-48.

Ancelovici, M. (2016). «Occupy Montreal and the politics of horizontalism», dans M. Ancelovici, P. Dufour et H. Nez (dir.), *Street Politics in the Age of Austerity : From the Indignados to Occupy*, Amsterdam, Amsterdam University Press.

Ancelovici, M. et S. Rousseau (dir.) (2009). «Les mouvements sociaux au-delà de l'État», dossier spécial, *Sociologie et Sociétés*, vol. XLI, n° 2.

Angermüller, J. (2007). «Qu'est-ce que le poststructuralisme français ? À propos de la notion de discours d'un pays à l'autre», *Langue et société*, vol. 2, n° 120, p. 17-34.

Beauchemin, J. (2004). *La société des identités. Éthique et politique dans le monde contemporain*, Outremont, Athéna.

Beauvois, J.-L. (1994). *Traité de la servitude libérale. Analyse de la soumission*, Paris, Dunod.

Bensaïd, D. (2001). *Résistances. Essai de taupologie générale*, Paris, Fayard.

Blais, M. (2009). *«J'haïs les féministes». Le 6 décembre 1989 et ses suites*, Montréal, Remue-ménage.

Blais, M. (2012). « Y a-t-il un "cycle de la violence antiféministe" ? Les effets de l'antiféminisme selon les féministes québécoises », *Recherches féministes / Cahiers du genre*, vol. 25, n⁰ 1, p. 127-149.

Brady, J.-P. et S. Paquin (dir.) (2017). *Groupes d'intérêt et mouvements sociaux*, Québec, Presses de l'Université Laval.

Breaugh, M. (2007). *L'expérience plébéienne : une histoire discontinue de la liberté politique*, Paris, Payot.

Camus, A. (1985). *L'homme révolté*, Paris, Gallimard.

Churchill, W. (2007). *Pacifism as Pathology : Reflections on the Role of Armed Struggle in North America*, Oakland et Édimbourg, AK Press.

Clancy, P. (2009). « Business interest and civil society in Canada », dans M. Smith (dir.), *Group Politics and Social Movements in Canada*, Toronto, University of Toronto Press, p. 35-60.

De La Boétie, É. (1993). *Discours de la servitude volontaire*, Paris, GF-Flammarion.

Delisle-L'Heureux, N. et R. Sarrasin (2013). « La fourmilière antiautoritaire », dans R. Bellemare-Caron, É. Breton, M.-A. Cyr, F. Dupuis-Déri et A. Kruzynski (dir.), *Nous sommes ingouvernables. Les anarchistes au Québec aujourd'hui*, Montréal, Lux, p. 63-75.

Delphy, C. (1998). « L'ennemi principal », dans C. Delphy, *L'ennemi principal. Tome I – Économie politique du patriarcat*, Paris, Syllepse, p. 31-56.

Directeur de santé publique (2011). *Les inégalités sociales de santé à Montréal : Le chemin parcouru – Rapport du directeur de santé publique 2011*, Montréal, Agence de la santé et des services sociaux de Montréal.

Drouilly, P. et A.-G. Gagnon (2004). « Tout ça, pour ça : la stratégie de l'autruche – Fusions-défusions », *Le Devoir*, 2 juillet.

Dufour, P. (2016). « Mobilisation du droit dans le conflit étudiant de 2012 au Québec : quand le juridique se mêle de la contestation politique », dans D. Lamoureux et F. Dupuis-Déri (dir.), *Au nom de la sécurité ! Criminalisation de la contestation et pathologisation des marges*, Montréal, M éditeur, p. 15-38.

Dunezat, X. et E. Galerand (2010). « Un regard sur le monde social », dans X. Dunezat, J. Heinen, H. Hirata et R. Pfefferkorn (dir.), *Travail et rapports sociaux de sexe. Rencontre autour de Danièle Kergoat*, Paris, L'Harmattan, p. 23-33.

Dupuis-Déri, F. (dir.) (2008). *Québec en mouvements. Idées et pratiques militantes contemporaines*, Montréal, Lux.

Dupuis-Déri, F. (2012a). « Contestation internationale contre élites mondiales : l'action directe et la politique délibérative sont-elles conciliables ? », *Ateliers de l'éthique / The Ethics Forum*, vol. 7, n⁰ 1, p. 50-75.

Dupuis-Déri, F. (2012b). « "L'argument de la vitrine cassée est le meilleur du monde moderne" : reconsidérer les rapports entre l'action directe et la politique délibérative », *Ateliers de l'éthique / The Ethics Forum*, vol. 7, n⁰ 1, p. 127-140.

Dupuis-Déri, F. (2013a). « Broyer du noir : la répression policière de la "déviance politique" au Québec », dans F. Dupuis-Déri (dir.), *À qui la rue ? Répression policière et mouvements sociaux*, Montréal, Écosociété, p. 122-158.

Dupuis-Déri, F. (2013b). « Printemps érable ou Printemps de la matraque : profilage politique et répression sélective pendant la grève étudiante de 2012 », dans F. Dupuis-Déri (dir.), *À qui la rue ? Répression policière et mouvements sociaux*, Montréal, Écosociété, p. 198-241.

Dupuis-Déri, F. (2016). *Les Black Blocs*, 4ᵉ éd., Montréal, Lux.

Élections Canada (2000). « Le Canada protestataire », *Étude électorale canadienne*, Ottawa, Élections Canada.

Ferrarese, E. (2009). « Qu'est-ce qu'une lutte pour la reconnaissance ? Réflexion sur l'antagonisme dans les théories contemporaines de la reconnaissance », *Politique et Sociétés*, vol. 28, n⁰ 3, p. 101-116.

Fraser, N. (2001). « Repenser la sphère publique : une contribution à la critique de la démocratie telle qu'elle existe réellement », *Hermès*, vol. 31, p. 125-156.

Fraser, N. (2011). *Qu'est-ce que la justice sociale ? Reconnaissance et redistribution*, Paris, La Découverte.

Freitag, M. (2002). *L'oubli de la société. Pour une théorie critique de la postmodernité*, Québec, Presses de l'Université Laval.

Galerand, E. (2012). «Mouvements féministes et articulation des rapports sociaux – Entretien avec Elsa Galerand, sociologue», Institut de recherche, d'étude et de formation sur le syndicalisme et les mouvements sociaux – IRESMO, <http://iresmo.jimdo.com/2012/06/14/mouvements-féministes-et-articulation-des-rapports-sociaux/>.

Guillaumin, C. (1992). *Sexe, race et pratique du pouvoir*, Paris, Côté-femmes.

Gurney, J.N. et K.J. Tierney (1982). «Relative deprivation and social movements : A critical look at twenty years of theory and research», *Sociological Quarterly*, vol. 23, n° 1, p. 33-47.

Gurr, T. (1970). *Why Men Rebel ?*, Princeton, Princeton University Press.

Habermas, J. (1981). «New social movements», *Telos*, n° 49, p. 33-37.

Hall, A. et W. De Lint (2003) «Policing labour in Canada», *Policing and Society*, vol. 13, n° 3, p. 219-234.

Hamel, P., M. Lesage et L. Maheu (1983). «Nouveaux mouvements sociaux et action collective», *Revue internationale d'action communautaire*, vol. 10, n° 50, p. 31-39.

Honneth, A. (2000). *La lutte pour la reconnaissance*, Paris, Cerf.

Jenkins, J.C. (1981). «Sociopolitical movements», dans S.L. Long (dir.), *Handbook of Political Behavior*, New York, Plenum, p. 81-154.

Killian, L. (1994). «Are social movements irrational or are they collective behavior ?», dans R.R. Dynesm et K.J. Tierney (dir.), *Disasters, Collective Behavior, and Social Organisation*, Newark, University of Delaware Press, p. 273-280.

Laclau, E. et C. Mouffe (2009). *Hégémonie et stratégie socialiste. Vers une politique démocratique radicale*, Paris, Solitaires intempestifs.

Lamoureux, E. (2009). *Art et politique. Nouvelles formes d'engagement artistique au Québec*, Montréal, Écosociété.

Lang, K. et G. Lang (1961). *Collective Dynamics*, New York, Thomas Y. Crowell.

Lukes, S. (1974). *Power : A Radical View*, Londres, Macmillan.

Mansbridge, J. et N. Braine (2001). «Social movements and oppositional consciousness», dans J. Mansbridge et A. Morris (dir.), *Oppositional Consciousness : The Subjective Roots of Social Protest*, Chicago, University of Chicago Press, p. 20-37.

Mathieu, N.-C. (1991). «Quand céder n'est pas consentir», dans *L'anatomie politique. Catégorisations et idéologies du sexe*, Paris, Côté-femmes, p. 131-227.

Melucci, A. (1983). «Mouvements sociaux, mouvements postpolitiques», *Revue internationale d'action communautaire*, vol. 10, n° 50, p. 13-30.

Negt, O. (2007). *L'espace public oppositionnel*, Paris, Payot.

Offe, C. (1994). «Les nouveaux mouvements sociaux : un défi aux limites de la politique institutionnelle», *Futur antérieur*, vol. 22, n° 2, p. 1-16.

Olson, M. (1978). *Logique de l'action collective*, Paris, Presses universitaires de France.

Pepin, M. et P. Vadeboncœur (1970). *Le deuxième front. Pour une société bâtie pour l'homme*, Montréal, Confédération des syndicats nationaux – CSN.

Petitclerc, M. (2007). *Nous protégeons l'infortune. Les origines populaires de l'économie sociale au Québec*, Montréal, VLB.

Petitclerc, M. et M. Robert (2013). «*Loi spéciale dans la construction* – La désinvolture du gouvernement quant au droit de grève», *Le Devoir*, 5 juillet.

Petitclerc, M. et M. Robert (2016). «La répression du droit de grève, ou comment nos gouvernements ont appris à ne plus s'en faire et à aimer la législation atomique», dans D. Lamoureux et F. Dupuis-Déri (dir.), *Au nom de la sécurité ! Criminalisation de la contestation et pathologisation des marges*, Montréal, M éditeur, p. 39-64.

Piotte, J.-M. (2008). «Les syndicats : le dos au mur», dans F. Dupuis-Déri (dir.), *Québec en mouvements : idées et pratiques militantes contemporaines*, Montréal, Lux, p. 97-110.

Piven, F.F. et R.A. Cloward (1978). *Poor People's Movements : Why They Succeed, How They Fail*, New York, Vintage Book.

Proust, F. (1997). *De la résistance*, Paris, Cerf.

Rawls, J. (1998). *A Theory of Justice*, nouvelle édition, Cambridge, Belknap Press.

Ryerson, S. (1972). *Le capitalisme et la Confédération – Aux sources du conflit Canada-Québec, 1760-1873*, Montréal, Parti Pris.

Scott, J. (2008). *La domination et les arts de la résistance. Fragments du discours subalterne*, Paris, Éditions Amsterdam.

Sharp, G. (2015 [1973]). *La lutte non violente. Pratiques pour le XXIᵉ siècle*, Montréal, Écosociété.

Snow, D., E. Burke Rochford Jr., S.K. Worden et R.D. Benford (1986). « Frame alignement processes, micromobilization, and movement participation », *American Sociological Review*, vol. 51, nᵒ 4, p. 464-481.

Stolle, D., A. Harell, E.F. Pedersen et P. Dufour (2013). « Maple spring up close : The role of self-interest and socio-economic resources for youth protest », conférence présentée au Congrès annuel de l'Association canadienne de science politique, 4-6 juin, Université de Victoria, Victoria.

Tarrow, S. (1998). *Power in Movement : Social Movements and Contentious Politics*, Cambridge, Cambridge University Press.

Taylor, J. (2007). « Les tactiques féministes confrontées aux "tirs amis" dans le mouvement des femmes en Irlande », *Politix*, vol. 2, nᵒ 78, p. 65-86.

Tilly, C. (1978). *From Mobilization to Revolution*, Reading, Addison-Wesley.

Walzer, M. (1967) « The obligation to disobey », *Ethics*, vol. 77, nᵒ 3, p. 163-175.

Warren, J.-P. (2013). « Liberté, gratuité, révolution : les facteurs scolaires de la révolte étudiante », *Argument*, vol. 15, nᵒ 2, p. 28-38.

Wievorka, M. et F. Dubet (1984). *Le mouvement ouvrier*, Paris, Fayard.

Zinn, H. (2010). *Désobéissance civile et démocratie : sur la justice et la guerre*, Marseille, Agone.

CHAPITRE 14

LE NATIONALISME QUÉBÉCOIS DANS UNE PERSPECTIVE COMPARÉE[1]

Alain Dieckhoff

La force d'attraction du **nationalisme**[2] tient du postulat simple, mais profondément révolutionnaire, sur lequel il se fonde : chaque **nation** doit pouvoir bénéficier d'un développement politique autonome, ce qui justifie ultimement sa volonté de se doter d'un État qui lui soit propre. Ce **principe des nationalités**, devenu par la suite droit des peuples à disposer d'eux-mêmes, a eu, depuis le XIXe siècle, de profondes répercussions sur l'ordre international. À la **légitimité dynastique «verticale»**, profondément conservatrice, il a substitué une légitimité nationale «horizontale» qui exige de regrouper au sein d'un même territoire les populations appartenant à la même nation. Mais à la question

formulée par Ernest Renan dans sa fameuse conférence à la Sorbonne en 1882 *Qu'est-ce qu'une nation ?* (1997), aucune réponse pleinement satisfaisante n'a jamais pu être apportée à cette interrogation faussement simple, et ce, en dépit de la somme considérable de travaux qui lui ont été consacrés. Si, en effet, il est possible d'isoler des « marqueurs de spécificité » (langue, religion, passé commun, lien politique, territoire), ces éléments ne permettent pas de définir *a priori*, objectivement, les nations, donc de déterminer les peuples qui pourraient réclamer l'**autodétermination** nationale. Dès lors, puisque le principe d'autodétermination est de nature générale, il peut être revendiqué en théorie par tous les groupes humains qui se mobilisent sur une base nationale. En ce sens, comme l'anthropologue britannique Ernest Gellner l'avait noté, « il n'est possible de définir les nations qu'en fonction de la période nationaliste », ce qui signifie qu'ultimement « c'est le

---

1. Ce chapitre est basé en partie sur des développements contenus dans le chapitre quatre de mon livre *La nation dans tous ses États. Les identités nationales en mouvement* (2012).

2. Les concepts en caractères gras sont définis dans le glossaire à la fin du chapitre.

nationalisme qui crée les nations et non pas le contraire » (Gellner, 1983, p. 86).

Un rapide tour d'horizon atteste que le **droit à l'autodétermination** a connu depuis deux siècles une application de plus en plus large. Les premiers à bénéficier de cette émancipation, souvent à l'issue d'une guerre de libération victorieuse, furent les « nations historiques », c'est-à-dire celles qui pouvaient se prévaloir d'une institutionnalisation politique suffisante, même lointaine (Grèce, Serbie, Italie). La première moitié du XIXe siècle vit aussi, avec l'accession à l'indépendance des États d'Amérique latine au sein des empires coloniaux espagnol et portugais, les prodromes de la **décolonisation** qui allait connaître un essor prodigieux après la Seconde Guerre mondiale.

Mais avant cela, c'est sur le continent européen qu'en vertu du principe des nationalités, mis en avant par le président américain Woodrow Wilson, d'autres nations historiques (Pologne, pays tchèques), mais aussi des peuples qui n'avaient jamais disposé d'entités politiques propres (Estoniens, Lettons) purent se doter d'un État. Cette nouvelle extension du **principe d'autodétermination**, après la Première Guerre mondiale, attestait que l'idéalisme wilsonien ne pouvait pas être réservé *a priori* à certains peuples, même si les vainqueurs (France, Grande-Bretagne) des puissances centrales (Allemagne et Autriche-Hongrie) considéraient qu'il n'avait pas été conçu pour s'appliquer à l'Asie et à l'Afrique, ni, en Europe, aux « nations périphériques » (Catalans, Écossais) qui avaient été intégrées, souvent depuis des siècles, dans de puissants États. Comme le principe des nationalités renfermait un axiome général, il était néanmoins par définition « universalisable ». Les peuples asservis d'Afrique et d'Asie s'emparèrent tout naturellement de cette grammaire émancipatrice après la Seconde Guerre mondiale et la retournèrent contre les puissances coloniales afin de mener à bien leur combat pour l'indépendance, contribuant ainsi à la diffusion de la figure de l'**État-nation** à l'échelle de la planète.

Dans les années 1990, la dissolution de 3 **États fédéraux** (Union soviétique, Tchécoslovaquie, Yougoslavie) a conduit à une nouvelle extension du droit à l'autodétermination avec la création de 22 nouveaux États (Dieckhoff, 2012a). Des circonstances exceptionnelles, au premier chef l'effondrement du pouvoir central, peuvent donc justifier qu'un État jusqu'alors reconnu par la communauté internationale soit divisé sur la base de démarcations administratives préexistantes, permettant ainsi aux promoteurs des « **nationalismes de dissociation** » de faire en sorte que le groupe national dont ils se réclament quitte l'État dans lequel il était jusqu'alors inclus (Slovaques, Croates, Ukrainiens). Cette règle des circonstances exceptionnelles a été invoquée par la suite à deux reprises par la communauté internationale : de façon consensuelle, pour mettre fin à un conflit de plus de vingt ans au Soudan (accession du Soudan du Sud à l'indépendance en juillet 2011) ; de façon beaucoup moins consensuelle, pour solder les guerres de l'ex-Yougoslavie (déclaration d'indépendance du Kosovo en février 2008).

La multiplication des États et, dans la foulée, la production de frontières internationales ne donnent toutefois qu'une image parcellaire de dynamiques nationalistes beaucoup plus larges qui s'expriment dans bien des coins du globe (Tibet, régions kurdes d'Irak et de Turquie, Casamance sénégalaise), y compris en Occident. Ne voit-on pas, après les Catalans et les Flamands dont les prétentions nationales sont déjà fort anciennes, les « Lombards » s'agiter dans le nord de l'Italie au moment même où le Parti national écossais, qui réclame l'indépendance de l'Écosse, obtient la majorité absolue au Parlement à Édimbourg ? Le Québec se range bien entendu dans la constellation des « nationalismes de disjonction », comme ceux qui se sont développés en Europe, dans des États libéraux et démocratiques. Ces nationalismes sont typiques des «**petites nations**» ou des «**nations sans État**[3]» qui, à l'intérieur d'un ensemble étatique donné, fonctionnent comme une société distincte. Il se révèle donc pertinent d'examiner le cas québécois à la lumière de cas européens similaires pour tenter de saisir les logiques de convergence, comme de divergence, à l'œuvre.

1. UNE SOCIÉTÉ COMPLÈTE

Un trait sociologique majeur unit Québec, Catalogne, Pays basque, Écosse et Flandre, et explique la persistance du nationalisme : ces pays sont des **sociétés globales**[4]. Qu'est-ce à dire ? Que ces sociétés sont dotées d'une structure sociale complète, d'institutions propres, d'un territoire précis et d'une culture particulière. Parce que de telles sociétés ont une forte densité, leurs membres se situent davantage par rapport à elles que par rapport au cadre étatique général, à savoir le Canada, l'Espagne, la Grande-Bretagne ou la Belgique. Pour beaucoup de citoyens, la société globale devient même le point de référence prioritaire, voire exclusif.

....

3. Pour une discussion approfondie de ces notions, voir Linda Cardinal et Martin Papillon (2011). Aucune de ces deux notions n'est pleinement satisfaisante. «Petite nation» fait intervenir un critère de taille essentiellement démographique, mais sur la mesure duquel il est difficile de s'entendre. Le terme a aussi l'inconvénient de gommer la différence, essentielle, entre les petites nations dépourvues d'État et celles qui en sont dotées (Luxembourg, Estonie, Lettonie). L'expression *nation sans État* ne va pas non plus sans problème. D'abord parce que ces nations sont bien incluses dans un État, mais dans un État que de nombreux membres de ces nations ne tiennent pas pour leur (Espagne, Canada, Belgique, Grande-Bretagne). Ensuite parce que ces nations disposent d'un appareil institutionnel, parfois fort abouti (un État régional), qui leur donne de véritables moyens d'action. Toutefois, même si nous utiliserons aussi l'expression *petites nations*, le terme *nation sans État* a notre faveur, car il met l'accent sur ce qui manque à ces nations, et ce à quoi les acteurs nationalistes aspirent : un État qui leur soit propre et indépendant.

4. Je reprends ici le terme de «société globale» à Simon Langlois (1991) qui l'a utilisé pour caractériser les rapports entre le Québec et le Canada.

Dans ce contexte, le nationalisme conservera nécessairement une masse critique constante. Il peut bien entendu connaître des variations. À des périodes de reflux relatif succèdent des phases d'expansion qui peuvent s'achever par la rupture de la société globale avec l'État dans lequel elle a été incluse et par la constitution d'un État spécifique. Si une pareille perspective n'a rien d'inéluctable, il est à l'inverse douteux que le nationalisme puisse perdre à jamais tout pouvoir d'attraction. Dans une société globale, le nationalisme ne descendra pas en dessous d'un certain seuil, il restera toujours une force politique avec laquelle il faudra compter.

Reprenons les caractéristiques principales de ce type de sociétés. D'abord, leur complétude sociale. Parce qu'elle recouvre tout l'éventail des couches sociales (agriculteurs, ouvriers, employés, commerçants, financiers, industriels), une société globale constitue un ensemble largement autonome. L'existence d'une forte différenciation sociale interne en fait une collectivité complète. Cela n'implique nullement qu'il n'y ait pas de lignes de clivage horizontales (entre, par exemple, possédants et ouvriers), mais celles-ci sont contenues pour l'essentiel à l'intérieur de la société globale. De plus, elles sont secondaires par rapport à la coupure verticale entre cette société globale et les ensembles sociaux voisins.

Second élément déterminant : une telle société est liée à une culture particulière suffisamment riche et diversifiée qui lui confère une forte spécificité. Et il ne s'agit pas là d'une culture diffuse, résiduelle, «faible», mais bien d'une culture sociétale, «c'est-à-dire d'une culture qui offre à ses membres des modes de vie porteurs de sens qui modulent l'ensemble des activités humaines, au niveau de la société, de l'éducation, de la religion, des loisirs et de la vie économique, dans les sphères publique et privée» (Kymlicka, 2001, p. 115). Cette culture englobante bénéficie pour sa transmission de canaux relativement nombreux et structurés (écoles, médias, institutions, associations). De ce point de vue, la Catalogne abrite incontestablement une culture sociétale à part entière différente de celle de la Castille et présente dans le système scolaire et universitaire, la production médiatique, l'administration publique, le monde de l'entreprise. À l'inverse, la Bretagne a perdu sa culture sociétale dont il ne subsiste plus que des bribes, malgré les efforts entretenus par une pléiade d'artistes et d'éducateurs pour la faire revivre. Le Québec, à l'inverse, est bien arrimé à une culture sociétale propre qu'il put préserver, en dépit de la Conquête anglaise, par la reconnaissance du catholicisme, de la langue française, du droit civil français, du régime seigneurial, toutes choses qui le maintinrent comme société distincte. Précisons que si culture sociétale rime souvent avec langue particulière, cette correspondance n'est pas nécessaire. Ainsi, bien que ni le scots ni le gaélique ne soient en usage en Écosse, la persistance de trois institutions (Église presbytérienne, système d'enseignement indépendant, droit écrit et magistrature) fonctionnant à l'intérieur d'un territoire, dont la frontière avec l'Angleterre a été fixée par le traité d'York en 1237, suffit à donner à la culture écossaise une forte compacité[5].

La culture joue, dans la constitution d'une pareille société, un rôle d'intégration essentiel. Elle institue, pour reprendre la formule de Gellner, « un ordre global unique », profondément différent de l'éclatement en petites communautés séparées qui caractérise les sociétés traditionnelles du passé. Dès lors qu'une pareille culture innerve ainsi une collectivité, cette dernière constitue une nation, qu'elle dispose ou non d'un « toit politique ». On peut donc parfaitement parler de « nations sans État » dès lors qu'à l'intérieur d'un ensemble étatique donné existe une société complète, distincte, dotée d'une culture propre.

Cette société globale est tout à la fois civile et civique, dans la mesure où elle comporte un espace social autonome dans lequel les individus poursuivent leurs intérêts privés et un espace politique propre où ils participent au gouvernement de la cité[6].

1.1. Une société civile spécifique

Comme société civile, la société globale repose sur deux piliers, un tissu associatif et un réseau d'entreprises. Ainsi, la densité exceptionnelle d'associations culturelles, sportives et de loisirs, d'ordres professionnels, d'instituts et de fondations contribue à l'existence, en Catalogne, d'une société civile à part entière qui n'est pas une simple variante régionale de la société civile espagnole. Le même constat doit être fait dans le cas québécois : les écoles, les hôpitaux et les associations culturelles, encadrés par le clergé, ont indéniablement contribué à la préservation d'une société à part au sein du Canada. La plupart de ces sociétés globales (à l'exception de l'Écosse) sont situées dans des zones de tradition catholique où l'Église fut longtemps l'agent principal d'un maillage serré d'institutions éducatives, sociales et culturelles. Sa présence a été très forte, parfois jusqu'à récemment comme au Québec ; dans d'autres cas elle a été réelle bien qu'extrêmement contestée, comme en Catalogne où l'anarchisme fut puissant dans l'entre-deux-guerres. Toutefois, cette imprégnation chrétienne a été tangible dans les différents cas de figure. Elle a entretenu une sociabilité intense fondée sur un *ethos* de solidarité qui insistait sur la coopération entre les classes et sur l'entraide mutuelle. Elle a valorisé la complémentarité et la coopération entre les groupes, par-delà leurs

---

5. Pour le cas écossais, voir Leruez (1983) et Keating (2009).

6. J'emprunte cette distinction civile/civique à Jean Leca (1986, p. 174).

intérêts divergents à court terme. Or, cette perspective « interclassiste » est aussi celle à laquelle aspire le nationalisme.

Ce fondement commun explique que ces sociétés déjà fortement marquées par un sentiment communautaire aient été particulièrement réceptives au nationalisme. Cette corrélation a d'ailleurs une traduction politique assez nette. Lorsqu'il existe, comme en Belgique ou en Catalogne, de véritables partis démocrates chrétiens, ceux-ci adoptent également une ligne nationaliste. On pourrait dire que la communauté catholique y est d'emblée présentée comme nationale. En l'absence de démocratie chrétienne, les formations nationalistes assument parfois directement cette fonction, comme le Parti nationaliste basque dont le programme originel était d'ailleurs fondé sur la défense d'un organicisme national catholique. Cette capacité de substitution atteste sans doute le plus nettement combien la **communautarisation** par le catholicisme facilite le passage au nationalisme.

Le réseau des entrepreneurs – second versant de la société civile – dote la plupart de ces régions d'une base économique particulière propice au maintien d'un esprit communautaire. Le tissu économique y est en effet constitué de petites et moyennes entreprises (PME) de nature familiale qui partagent un même esprit d'initiative individuelle. Cette structuration en unités à « taille humaine » permet une adaptation plus rapide à la modernité technologique tout en préservant une certaine proximité des relations sociales, qui ne sont que marginalement affectées par les conflits de classes. Les PME n'occupent pas à elles seules tout l'espace économique ; leur implantation dans les petites villes et la campagne urbanisée va, par exemple en Flandre, de pair avec une importante présence des multinationales. Néanmoins, même dans les grandes entreprises, la culture du compromis et de la coopération sociale reste très présente.

Au Québec, le nationalisme n'a pu se construire sur un pareil réseau de petits entrepreneurs dans la mesure où le pouvoir économique était presque tout entier aux mains des élites anglophones. Toutefois, la constitution au début du XXe siècle, sous l'impulsion d'Alphonse Desjardins, d'un nouveau modèle de coopérative d'épargne et de crédit ayant avant tout pour vocation de servir les intérêts de la classe laborieuse francophone contribua à la doter d'une base financière autonome et d'un précieux outil d'organisation économique (Bélanger, 1998).

Souvent, les divers pouvoirs régionaux encouragent d'ailleurs la coopération entre les différents acteurs. Le phénomène est très net au Québec, où l'État provincial a établi un réseau serré de relations entre le gouvernement, les syndicats, les agences de développement et les entreprises. Le but est de financer et de coordonner les activités économiques en favorisant le plus possible l'interpénétration entre organisations syndicales, patronales, professionnelles et structures étatiques. Ce néocorporatisme libéral, qui régule les rapports entre les divers acteurs de la scène économique, sert l'objectif politique de l'intégration nationale (Montpetit, 2003). Son application dépend toutefois étroitement des pouvoirs dévolus aux autorités régionales. Bénéficiant de compétences économiques limitées, la Généralité de Catalogne ne peut à l'évidence qu'agir avec prudence, alors que le Québec et la Flandre disposent d'attributs suffisants pour s'engager dans une pareille logique.

Parce que ces sociétés civiles sont marquées par une aspiration à l'harmonie sociale encouragée par le catholicisme, le nationalisme sera de façon prééminente « bourgeois[7] ». Il ne cherchera pas à bouleverser de fond en comble la société et privilégiera une approche pragmatique et

....

7. Pour des études sur le sujet au Québec, voir Yves Vaillancourt (1983), Gilles Bourque et Anne Légaré (1979), Gilles Bourque et Gilles Dostaler (1980), Centre de formation populaire (1982) et Pierre Fournier (1981).

légaliste de la question nationale. Certes, il y a le cas du Pays basque où l'ETA s'engagea durant plus d'un demi-siècle dans l'action « armée » (essentiellement des attentats et des assassinats), option qui bénéficiait d'un soutien non négligeable puisque Batasuna, vitrine politique de l'ETA avant son interdiction en 2003, obtenait environ 18 % des voix aux élections régionales. C'est toutefois l'exception qui confirme la règle : dans les autres « régions nationalistes », soit la tentation de la violence n'a jamais existé, soit elle fut de courte durée et limitée à une frange étroite d'activistes, comme au Québec. Le Front de libération du Québec, fondé en 1963, calqué sur les mouvements de libération du tiers-monde, notamment les Tupamaros en Uruguay, fit exploser des bombes à plusieurs reprises dans des lieux symboliques du gouvernement fédéral. Mais l'assassinat du vice-premier ministre du Québec, Pierre Laporte, lors de la crise d'octobre 1970, invalida définitivement l'option « militaire », laissant la voie libre au nationalisme centriste, modéré et intégrateur du Parti québécois (PQ).

1.2. Une société civique spécifique

Si une société globale est une société civile complète (pluralisme associatif, vie économique intense), elle est aussi une société civique disposant d'un espace d'expression politique particulier. Cette sphère publique s'inscrit toujours dans un territoire déterminé, borné par des limites précises : province de Québec, Région flamande, communauté autonome de Catalogne, Écosse. Sa matérialisation passe par l'institutionnalisation d'un système de pouvoir particulier avec, en général, une assemblée législative élue au suffrage universel, un gouvernement et une administration publique. Sans doute peut-il y avoir une scène politique intérieure sans que celle-ci soit dotée d'institutions politiques propres (le cas de l'Écosse jusqu'à la refondation du Parlement en 1999). Toutefois, dans cette hypothèse,

il apparaît clairement que, privée d'une représentation politique spécifique, la nation n'a qu'une capacité d'action limitée et souffre d'un déficit de visibilité. L'institutionnalisation du pouvoir a en effet une double vertu.

Elle permet la formation d'un espace démocratique particulier : l'élection par les Flamands, Catalans et Québécois d'un Parlement « régional » crée un champ politique à part, avec des discussions, des débats internes particuliers. Cette spécificité est également soulignée avec force par l'existence de partis « nationalistes régionaux », c'est-à-dire de formations politiques qui concentrent ou limitent leur activité au territoire de la nation sans État au nom de laquelle elles entendent agir[8]. La scène politique interne est souvent occupée par plusieurs partis représentant deux sensibilités nationalistes[9]. L'une, dominante en termes d'audience électorale, est portée par la bourgeoisie nationale et prône fréquemment l'autonomie plus que l'indépendance. L'autre, plus minoritaire, est plus soutenue par les milieux populaires et défend toujours l'indépendance. Ainsi, en Espagne, la première tendance est représentée par la fédération Convergence et Union (CiU) en Catalogne[10] et le Parti nationaliste basque (PNB) ; la seconde tendance étant incarnée par la Gauche républicaine de Catalogne et Batasuna, Aralar, Eusko Alkartasuna au Pays basque. Le Québec s'est longtemps singularisé, comme l'Écosse avec le Scottish National Party, par l'existence d'une seule formation nationaliste, le PQ. Cette situation fut modifiée au cours des années 2000 avec la montée spectaculaire

....

8. Pour une présentation très complète des formations régionalistes, voir Daniel-Louis Seiler (1994).

9. Nous ne prenons en compte ici que les partis ayant bénéficié d'une représentation parlementaire.

10. En 2015, l'alliance électorale entre Convergence démocratique de Catalogne et Union démocratique de Catalogne, d'inspiration démocrate-chrétienne, a été rompue, la première ayant choisi d'opter pour une stratégie indépendantiste.

de l'Action démocratique du Québec (ADQ) : en 2007, avec 41 députés, l'ADQ devançait même le PQ. Plus que cette victoire retentissante, autant qu'éphémère, il est surtout intéressant de souligner l'offre politique à contre-courant que l'ADQ représentait. En général, en effet, le parti nationaliste dominant est concurrencé par des formations nationalistes à la fois ancrées à gauche quant à leur projet de société et clairement indépendantistes (comme dans le cas espagnol évoqué plus haut). Rien de tel avec l'ADQ et son prolongement la Coalition Avenir Québec (CAQ), qui défendent des options socioéconomiques néolibérales (réduction de l'aide sociale, diminution de la pression fiscale...) et optent pour une approche autonomiste pour sortir de l'impasse constitutionnelle canadienne. La scène politique québécoise a toutefois fini par voir émerger, au début des années 2010, deux partis, Option nationale et Québec solidaire, qui défendent précisément un nationalisme de gauche liant indépendantisme et social-démocratie.

Le cas belge est sans aucun doute celui où la régionalisation partisane est allée le plus loin : outre les formations régionalistes (Nouvelle Alliance flamande, Fédéralistes démocrates francophones), les trois familles politiques offrent en effet la particularité d'être divisées sur une base linguistique. Socialistes, démocrates-chrétiens, libéraux sont donc représentés par deux partis, l'un au nord du pays (la Flandre), l'autre au sud (la Wallonie). Quand de nouveaux courants politiques, comme l'écologie et l'extrême droite, sont apparus dans les années 1980, ils se sont matérialisés par des formations distinctes, les unes chez les néerlandophones, les autres chez les francophones.

Les formations régionalistes pèsent en général lourdement dans le système politique régional ; elles assument souvent la responsabilité des affaires publiques et sont même parfois, de façon continue, la force dominante, comme Convergència i Unió (CiU), qui a détenu le pouvoir en

Catalogne sans interruption entre 1980 et 2003, avant de le retrouver en 2010. La même chose vaut au Pays basque, où le titre de chef de gouvernement n'a échappé qu'une seule fois depuis 1980 au PNB, entre 2009 et 2012. La situation est beaucoup plus contrastée au Québec, où le PQ et le Parti libéral du Québec (PLQ), fédéraliste, se sont partagé le pouvoir de façon presque égale entre 1976, date de la première victoire du PQ, et le retour au pouvoir des libéraux en 2014. Cette alternance régulière montre qu'au Québec, le camp nationaliste ne bénéficie pas électoralement de la suprématie qui est la sienne dans les deux communautés autonomes espagnoles.

Si ces partis régionalistes n'ont pas, par définition, d'assise nationale à l'échelle de l'État, ils s'emploient par contre de plus en plus souvent à peser sur le gouvernement central afin d'obtenir des avantages politiques supplémentaires. Cette stratégie peut prendre des formes variées. En Espagne, les partis régionalistes (en particulier CiU[11]) ont choisi de tirer profit de conjonctures particulières, dans le système politique central, pour obtenir des gains sur le plan régional. Mais, étant donné la faiblesse parlementaire de ces formations (en moyenne une vingtaine de sièges sur les 350 que compte le Congrès des députés), cette possibilité n'existe que lorsque les gouvernements centraux à Madrid sont dépourvus de majorité absolue. Ce fut le cas entre 1993 et 2000. Entre 1993 et 1995, la formation catalane obtint ainsi, pour le prix de son appui au premier ministre socialiste Felipe Gonzalez, la cession automatique de 15 % de l'impôt sur le revenu aux communautés autonomes. Après la victoire du Parti populaire de José Maria Aznar en 1996, Jordi Pujol, le président de la Généralité de Catalogne, reprit la même tactique et parvint, cette fois-ci, à doubler le taux de transfert aux

....

11. Les autres partis régionalistes présents au Parlement espagnol sont la Gauche républicaine de Catalogne, le Parti nationaliste basque, le Bloc nationaliste galicien et d'autres petites formations (basques, canariens...).

communautés. Il y a là, à l'évidence, un puissant paradoxe : voir un gouvernement central, dirigé par un parti de droite très « espagnoliste », renoncer à une fraction de ses ressources au profit des communautés autonomes parce qu'il a besoin de l'appui des formations régionalistes au Parlement espagnol, les Cortes Generales ! Enfin, en Belgique, la Volksunie, organisation nationaliste flamande, choisira de participer à deux reprises au gouvernement belge pour accélérer la réalisation de la **fédéralisation** de l'État, jadis unitaire.

Au Canada, les souverainistes québécois choisirent au début des années 1990 de créer le Bloc québécois (BQ), dont la vocation était de porter le débat sur l'indépendance de la Belle Province au cœur même du système politique fédéral, au Parlement du Canada. C'est en étroite liaison avec le PQ, à Québec, que le BQ engagea la campagne référendaire de 1995, mais la courte victoire des partisans du maintien du Québec dans la fédération mit en échec cette stratégie. Pendant les quinze ans qui suivirent, le BQ obtint en général une quarantaine de députés au Parlement, mais s'il put obtenir des avantages ponctuels pour le Québec, en particulier sous le gouvernement minoritaire conservateur de Stephen Harper (2006-2011), il ne fut pas en mesure d'arracher de véritables concessions favorisant une plus grande autonomie politique de la province. Il apparut dès lors pour plusieurs comme un rouage du *statu quo* fédéraliste. C'est aussi cette impasse prolongée que les électeurs sanctionnèrent en 2011 en réduisant la représentation parlementaire du BQ à 4 députés (10 en 2015).

Dans une société globale, le nationalisme n'est toutefois pas limité aux seules formations qui se réclament explicitement d'un projet nationalitaire : il traverse tout le spectre politique. Même les partis stato-nationaux sont obligés de tenir compte du poids du régionalisme et, sinon de l'intégrer, du moins de se positionner par rapport à lui. Le parti socialiste de Catalogne, fédéré au Parti socialiste ouvrier espagnol, ne récuse pas un nationalisme catalan modéré, tandis que l'avatar local du Parti communiste espagnol, Initiative pour la Catalogne, affiche clairement un nationalisme de gauche sans fard en demandant la systématisation de l'usage du catalan dans la vie publique. Au Québec, si le PLQ n'adhère pas à la stratégie de rupture défendue par le PQ, il n'en est pas moins attaché à la préservation du caractère distinct de la société québécoise dans un fédéralisme transformé. N'oublions pas que le **néonationalisme** des années 1960 vit le jour dans le camp libéral et que René Lévesque, le leader souverainiste, était issu de ses rangs.

En Flandre également, le phénomène de diffusion du nationalisme s'est amplifié. Alors que le nationalisme fut pendant longtemps contenu dans une frange assez étroite de la société, la consolidation progressive d'un espace public flamand homogène (législation linguistique, néerlandisation de l'enseignement) conduisit les forces politiques belges (unitaires) à une série d'ajustements qui devaient les amener à adopter, avec des nuances, un programme lui-même nationaliste. Le parti catholique très présent dans les campagnes et les petites villes fut le premier à reprendre certaines revendications flamingantes, mais libéraux et socialistes lui emboîtèrent le pas. Le nationalisme a ainsi fini par se généraliser, il transcende désormais les différences partisanes. Tandis qu'au départ il était seulement porté par un parti politique nationaliste représentant, par définition, une fraction du corps social, il est devenu un horizon commun dans lequel toutes les forces politiques s'inscrivent désormais. À ce stade, on peut dire que le nationalisme est pleinement accompli, car il s'est transformé en un phénomène transversal, ni précisément de droite, ni précisément de gauche, mais les deux à la fois.

> Un trait sociologique majeur unit Québec, Catalogne, Pays basque, Écosse et Flandre, et explique la persistance du nationalisme : ces pays sont des sociétés globales.
> Une société globale implique une structure sociale complète, des institutions propres, un territoire précis et une culture particulière qui peut devenir le point de référence prioritaire, voire exclusif, des citoyens.
> Dans une société globale, le nationalisme ne descendra pas en dessous d'un certain seuil, il restera toujours une force politique avec laquelle il faudra compter.
> Cette société globale est tout à la fois civile et civique dans la mesure où elle comporte un espace social autonome dans lequel les individus poursuivent leurs intérêts privés et un espace politique propre où ils participent au gouvernement de la cité.
> La plupart de ces sociétés globales sont situées dans des zones de tradition catholique où l'Église fut longtemps l'agent principal d'un maillage serré d'institutions éducatives, sociales, culturelles.
> Cette imprégnation chrétienne a entretenu une sociabilité intense fondée sur un *ethos* de solidarité qui insistait sur la coopération entre les classes et sur l'entraide mutuelle, par-delà leurs intérêts divergents à court terme.
> Parce que ces sociétés civiles sont marquées par une aspiration à l'harmonie sociale encouragée par le catholicisme, le nationalisme sera de façon prééminente « bourgeois ».
> La matérialisation de l'espace civique passe par l'institutionnalisation d'un système de pouvoir spécifique avec, en général, une assemblée législative élue au suffrage universel et un gouvernement créant un champ politique à part, avec des débats internes particuliers.

2. UN QUASI-ÉTAT

L'établissement de structures délibératives n'est qu'une facette d'une institutionnalisation beaucoup plus large. Du Parlement procède un exécutif dirigé par un chef de gouvernement[12] qui est à la tête d'une équipe composée d'un certain nombre de ministres ou de chefs de département. Le nombre de ministères, variable, tient plus de l'organisation interne du gouvernement que de l'étendue des pouvoirs dont bénéficient les entités subétatiques. Ainsi, le gouvernement flamand comprend 9 membres et son homologue écossais 13, alors que le premier possède des compétences beaucoup plus larges que le second. Avec 18 ministres de plein exercice, le Québec dispose d'un gouvernement important, mais proportionné au champ d'intervention non négligeable qui est le sien. Cet exécutif coiffe une administration régionale dont la taille est, en général, fortement corrélée avec la démographie et les compétences détenues.

Incontestablement, ces « petites nations » disposent d'un véritable appareil paraétatique que l'on peut qualifier d'**État régional**[13], qui joue un rôle important dans la vie des citoyens. Que les nationalismes périphériques adoptent une posture de protestation contre l'État central n'implique en effet aucunement qu'ils rejettent l'État comme principe d'organisation politique. Simplement, ils entendent créer à leur profit une structure étatique de remplacement. Cette soif d'État est présente dans tous les nationalismes de contestation politique, même si elle apparaît avec une intensité variable.

....

12. Son appellation peut varier : « premier ministre » au Québec et en Écosse, « ministre-président » en Flandre, « président du conseil » en Catalogne et au Pays basque.
13. Michael Keating définit l'État régional comme « une unité territoriale disposant de sa propre autonomie, mais sans toute la panoplie des pouvoirs souverains » (2003, p. 444).

L'exemple québécois est toutefois particuliè-rement topique et mérite que nous nous y attar-dions quelque peu. Après l'*Acte d'Union* de 1840, qui donna naissance au Canada-Uni et chercha à assimiler les Canadiens français, le nationa-lisme s'exprima dans le Bas-Canada francophone sur le mode défensif[14]. Sous l'impulsion de l'Église catholique, alors toute-puissante, fut instaurée une stratégie de survivance conçue pour préserver l'ordre établi : fidélité à la reli-gion, à la « race » et à la langue, maintien des structures familiales et paroissiales, résistance à l'industrialisation. Ce nationalisme traditionnel visait à préserver l'unité des Canadiens français, c'est-à-dire d'un ensemble humain pancanadien, concentré au Québec, mais présent, de façon minoritaire, dans les autres provinces du pays. Du coup, cette cohésion passait nécessairement par des liens immatériels comme la religion et la culture. Elle réclamait aussi un retrait du poli-tique, d'autant plus aisé que l'État était considéré comme celui de l'adversaire : le Britannique. Ce nationalisme de la survivance sera balayé avec une étonnante rapidité au cours des années 1960 pour laisser la place à un nationalisme moderne dans lequel un « État du Québec » modernisé devient désormais l'acteur majeur.

Cette consolidation du pouvoir d'État s'affir-mera contre deux adversaires. En premier lieu, l'Église, qui est dépossédée de son rôle en matière d'éducation, d'assistance sociale et de culture ; ces secteurs étant désormais pris en charge par des départements ministériels. En second lieu, pour faire contrepoids aux grands trusts privés, détenus par les anglophones, l'État du Québec s'est lui-même transformé en entrepreneur économique, en particulier dans le domaine de l'hydroélectricité (création d'Hydro-Québec) et de la finance (mise sur pied de la Caisse de dépôt et placement). Au Québec, le nationalisme sera

donc porté, non par une bourgeoisie franco-phone presque inexistante, mais par la techno-cratie d'État convaincue que « l'État national devenait le grand instrument d'émancipation de la nation canadienne-française » (Balthazar, 1986, p. 133). Cette prééminence de l'État passait inéluctablement par l'affirmation de son pouvoir politique sur une base territoriale précise, en l'occurrence celle de la province du Québec.

Les « petites nations » veulent moins d'État central, mais aspirent à plus d'État régional. Ce dernier cherche en effet à s'arroger le maximum de prérogatives tout en réduisant parallèlement les sphères d'intervention de l'État central. Si cette extension est évidemment contrainte par les dispositions constitutionnelles et les lois réglementant les attributions de compétences, les institutions régionales, dans une stratégie consciente d'affermissement nationaliste, cher-cheront à accumuler le maximum de pouvoir. En Flandre, les compétences à caractère écono-mique de la région et celles à dominante cultu-relle ont été regroupées au sein des mêmes organes (Parlement et gouvernement), alors qu'elles sont exercées par des organes différents du côté francophone. En Catalogne, la Généralité a utilisé les ambiguïtés et les silences de la Constitution espagnole et du statut d'autonomie pour accroître le plus possible son champ de compétence, ce qui n'a fait que gonfler le conten-tieux avec l'État devant le tribunal constitu-tionnel à Madrid. Elle a aussi instauré, pour sa propre administration, une nouvelle division territoriale (les *comarcas*) en lieu et place de la traditionnelle division en provinces.

L'existence d'une structure politique paraéta-tique facilite, à l'évidence, l'approfondissement du travail de construction nationale. Si tous les domaines d'intervention, y compris les plus techniques (transport, logement...), sont poten-tiellement utiles dans cette perspective, il en est trois qui méritent une attention particulière dans la mesure où ils contribuent à solidifier l'affirmation nationale de ces États régionaux.

----

14. Dans l'analyse du nationalisme au Québec, je suis les dévelop-pements de Louis Balthazar (1986).

> Les «petites nations» disposent d'un véritable appareil paraétatique que l'on peut qualifier d'État régional et qui joue un rôle important dans la vie des citoyens.

> Les «petites nations» veulent moins d'État central, mais aspirent à plus d'État régional.

> Les États régionaux ont obtenu des compétences en matière culturelle et éducative, ce qui soulève la question de la langue qui permet de mettre en avant une identité spécifique et de marquer une différenciation forte d'avec les autres territoires inclus dans l'État central.

3. TROIS DOMAINES D'INTERVENTION PRIVILÉGIÉS

3.1. La culture et la langue

Les États régionaux ont obtenu des compétences en matière culturelle et éducative (de façon exclusive ou partagée, selon les cas), ce qui soulève presque toujours la question de la langue. La langue permet en effet de mettre en avant une identité spécifique et de marquer une différenciation forte d'avec les autres territoires inclus dans l'État central. Le « nationalisme linguistique » a toutefois, selon les contextes, des possibilités de déploiement éminemment variables. Il est le plus accompli en Flandre puisque la fixation de la frontière linguistique, en 1962, l'a rendu totalement unilingue, comme la Wallonie par ailleurs, seule la région de Bruxelles étant officiellement bilingue[15]. Il a obtenu de beaux

succès au Québec et en Catalogne où ont été adoptées des lois linguistiques qui visent à l'affirmation du français et du catalan comme langues spécifiques de ces territoires. Ces dispositifs législatifs garantissent et encouragent l'usage de ces langues dans tous les domaines (éducation, travail, moyens de communication). Le bilan est toutefois bien plus positif au Québec qu'en Catalogne. Dans le premier cas, en effet, la loi 101 a mis en œuvre une logique territoriale qui fait du français la langue officielle du Québec. Cette suprématie du français est promue non seulement dans l'administration publique et les organismes parapublics, mais aussi dans les entreprises. Le résultat est patent : « Il est maintenant pratiquement impossible d'évoluer dans l'univers social québécois, à quelque niveau que ce soit, sans une connaissance minimale de la langue française » (Balthazar, 1986, p. 194). Dans le second cas, le bilan est plus mitigé. Sans doute, les deux lois de normalisation linguistique (1983, 1998) ont-elles permis un développement considérable de la connaissance du catalan. Trente années de politique linguistique ont produit des effets. En 1986, 79,8 % de la population catalane comprenait le catalan, 64,2 % pouvait le parler, 60,7 % le lire et 31,6 % l'écrire. En 2013, 94,3 % de la population catalane comprend le catalan, 82,4 % peut le parler, 80,4 % le lire et 65 % l'écrire. Toutefois, malgré ces progrès, le castillan demeure la langue usuelle de la majorité de la population (50,7 % en 2014 contre 36,3 % pour le catalan et 6 % pour d'autres langues ; 6,8 % déclarent utiliser indifféremment castillan et catalan)[16]. Cette situation découle du fait que, bien que le catalan ait été reconnu comme langue propre de la Catalogne, elle demeure langue officielle à parité avec le castillan.

---

15. Les seules exceptions à l'unilinguisme concernent les communes dites à facilités situées administrativement dans une région unilingue, mais où les droits de la minorité linguistique sont protégés. Ces communes sont répertoriées de façon stricte : dans 12 d'entre elles, en Flandre, des facilités sont accordées aux

francophones ; dans 4 autres, sises en Wallonie, les facilités bénéficient aux néerlandophones.

16. Données tirées de Generalitat de Catalunya (2015).

Au Pays basque, les efforts pour promouvoir l'usage du basque ont été constants, mais ils ne permettent qu'une croissance lente du nombre de locuteurs. En 2011, 32 % des personnes (de plus de 16 ans) de la Communauté autonome basque étaient bilingues ; elles étaient 24,1 % vingt ans plus tôt. Les non-bascophones (pour l'essentiel des castillophones) constituent la moitié de la population. La troisième catégorie correspond aux bilingues passifs qui comprennent le basque sans le parler[17]. Bien que la politique linguistique ait des effets très graduels, le gouvernement basque la poursuit avec obstination, non seulement pour endiguer une hispanisation sinon inéluctable, mais aussi parce que, même si la langue basque est minoritaire en termes de locuteurs, elle demeure un emblème identitaire extrêmement puissant. La même chose ne saurait être dite du gaélique en Écosse qui, au recensement de 2001, n'était plus parlé que par quelque 58 000 personnes, soit à peine 1,2 % de la population. Cela n'a pas empêché le gouvernement écossais d'adopter, en 2005, une loi sur la langue et un plan de planification linguistique en 2010. Ces dispositions n'ont pas pour objectif de conduire à une récupération linguistique de grande ampleur, mais plutôt de préserver une ultra-minorité gaélique afin de marquer symboliquement la différence par rapport à l'Angleterre voisine. On se trouve ici dans une logique de préservation proche de celle qui préside à l'action du gouvernement irlandais avec l'Autorité du Gaeltacht, l'agence régionale responsable du développement économique, social et culturel des zones gaéliques (regroupant 80 000 personnes).

La culture (et en son cœur la langue) sert donc à forger un lien identitaire, mais les « nations sans État » ont aussi besoin, pour s'affirmer, de ressources plus matérielles, de nature

économique, et elles ont déployé beaucoup d'énergie pour en acquérir au fil des décennies.

3.2. L'économie

Sur le plan économique, le contexte historique de départ différencie fortement les « petites nations ». Ainsi la Flandre avait-elle été marginalisée dans l'État belge de 1830, tandis que la Catalogne connaissait un développement industriel remarquable dans une Espagne encore largement rurale. Toutefois, qu'elles aient été de longue date le fer de lance de l'industrialisation du pays (comme la Catalogne et le Pays basque) ou qu'elles soient parvenues à un décollage économique plus récent (Flandre, Écosse), ces régions veillent à préserver une solide base économique, parfois au prix d'une reconversion spectaculaire, comme le Pays basque, à compter des années 1990, après la grave crise industrielle qui l'avait frappé en 1970-1980 (Fernandez, 2007). L'existence d'une économie régionale dynamique permet d'envisager plus sereinement un éventuel découplage avec le reste du pays, surtout si l'État central est perçu comme ponctionnant de façon indue des richesses produites dans une région prospère pour les ventiler vers des zones défavorisées... sans que celles-ci parviennent pourtant à (re)décoller économiquement (comme la Wallonie en Belgique).

Le Québec a, avec d'inévitables nuances, une certaine proximité avec les cas évoqués à l'instant. Du fait de l'abondance des ressources naturelles, l'industrialisation démarra de façon précoce, dès le début du XXe siècle, mais, contrairement à la Catalogne, les capitaux ne provenaient pas d'une bourgeoisie locale issue de la population culturellement majoritaire, mais des hommes d'affaires et des financiers anglophones, les francophones constituant, eux, le gros de la classe ouvrière. C'est uniquement avec la Révolution tranquille qu'une bourgeoisie d'affaires francophone commença à prospérer

....

17. Données tirées de Vice Ministry for Language Policy (2012).

sous l'action volontariste de l'État. Si, dans un premier temps, l'État régional prit directement les choses en mains (création d'Hydro-Québec), il s'attacha surtout, dans un espace nord-américain placé sous le signe de la libre entreprise, à consolider, par une action multiforme, le monde des affaires francophone avec la création de la Caisse de dépôt et placement ou de la Société générale de financement (SGF), destinées à soutenir les entreprises québécoises[18]. L'objectif, ce faisant, n'est pas directement de « convertir » ces dirigeants à la cause nationaliste. Il est, dans le fond, plus stratégique : renforcer la base économique du Québec de façon à lui permettre de s'autonomiser et de faciliter, éventuellement, la séparation d'avec le reste du Canada. Globalement, l'objectif a été atteint : avec un produit intérieur brut (production totale de biens et services) d'environ 300 milliards de dollars canadiens par an, le Québec dispose d'une base économique solide qui représente 20 % de l'économie canadienne.

Un autre élément favorise la logique d'autonomisation : la mondialisation. En effet, l'émergence d'un marché mondial favorise l'adoption par les acteurs économiques de politiques d'investissements moins ciblées sur les États-nations, mais davantage sur les « États-régions ». Ces zones économiques aux contours variables, qui peuvent être entièrement incluses dans des États (Kansai autour d'Osaka, au Japon, ou Bade-Wurtemberg, en Allemagne) ou bien à cheval sur plusieurs pays comme le « triangle de croissance » Singapour/Johore (Malaisie)/Batam (Indonésie) (Ohmae, 1996). De telles régions sont considérées par un nombre grandissant d'investisseurs comme les unités opérationnelles de l'économie planétaire, parce que leur taille relativement modeste leur donne une compacité suffisante tout en les obligeant à

s'adapter en permanence aux évolutions de la compétition internationale. Avec un marché intérieur étroit, les régions n'ont en effet pas d'autres choix que celui d'avoir une économie ouverte, pleinement intégrée dans les échanges mondiaux[19]. Afin d'attirer les capitaux étrangers, les élites économiques, mais aussi politiques, de ces « États-régions » ont tout intérêt à valoriser les atouts régionaux et à s'émanciper au maximum de la tutelle du centre politique. Grâce à cette insertion dans l'économie-monde (Wallerstein, 2006), elles peuvent désormais obtenir directement des ressources qui leur permettent de se passer, au moins partiellement, du marché national tout en consolidant une base économique autonome.

Si cette situation n'a pas de conséquences politiques directes pour nombre d'« États-régions » (Sao Paulo, Tokyo), elle donne incontestablement à ceux qui ont un fort « différentiel identitaire », comme la Catalogne ou la Flandre, des ressources supplémentaires dans leurs stratégies d'affirmation nationale. Ainsi, le gouvernement de la Flandre met-il systématiquement en avant, pour attirer les entreprises étrangères dans la région, de multiples attraits : infrastructures modernes, main-d'œuvre qualifiée, *ethos* du travail, arguments qui, visiblement, n'ont pas laissé insensibles une kyrielle de sociétés internationales (Mazda, Volvo, Philip Morris, Pioneer), lesquelles préfèrent s'installer dans le Nord de la Belgique plutôt qu'en Wallonie. Ce faisant, la Flandre cimente sa base économique internationalisée et en fait un atout dans sa stratégie d'affirmation nationale (Paquin, 2001).

Le Québec s'inscrit pleinement dans cette logique. Si l'on considère, par exemple, les exportations du Québec, force est de constater que celles vers les autres provinces ont baissé de

---

18. La SGF a fusionné en 2011 avec Investissement Québec, société d'État fondée en 1998, qui avait des objectifs voisins.

19. Les avantages structurels des petits pays dans la compétition internationale (forte capacité d'ajustement économique, incitations à l'exportation, etc.) ont été soigneusement analysés par Peter Katzenstein (1985).

55 % en 1983 à 33 % en 2000. Même si, par la suite, elles ont remonté, oscillant entre 37 % (2005) et 43 % (2009), la part du commerce international y est aujourd'hui dominante. Cette ouverture vers l'extérieur a été facilitée par la conclusion de l'Accord de libre-échange nord-américain, qui a transformé les États-Unis en partenaire principal du Québec (en 2009, près de 70 % des exportations de marchandises vers l'étranger se faisaient avec son voisin du Sud). Cette autonomisation économique croissante constitue pour les nationalistes québécois un atout dans la mesure où elle réduit les coûts objectifs d'une éventuelle sécession (Holitscher et Suter, 1999).

Comme agent actif du processus de mobilisation nationale, un pouvoir régional autonome ne fonctionne pas différemment de l'État dans lequel il est inclus : il cherche à structurer toujours davantage la société qu'il coiffe. Et cette affirmation de soi passe non seulement par la scène intérieure, mais aussi de plus en plus par la scène internationale.

3.3. La projection dans le monde

Les nations sans État tendent de plus en plus à montrer qu'elles existent en se présentant comme des acteurs internationaux à part entière et en s'évertuant à se comporter comme des États souverains grâce à une véritable **paradiplomatie** (Aldecoa et Keating, 1999 ; Paquin, 2004). Le but de l'opération est aussi de s'appuyer sur cette reconnaissance internationale pour s'émanciper davantage de l'État dans lequel ces nations sans État sont intégrées. Cette capacité d'action internationale est, à l'évidence, variable : alors qu'un État reconnu, ayant son siège à l'ONU, peut nouer ou rompre des relations diplomatiques avec les pays de son choix, en fonction de ses intérêts politiques de l'heure, les nations sans État ont évidemment une marge de manœuvre qui est fortement balisée par l'étendue des compétences dont elles bénéficient en vertu de la constitution.

Ainsi, le gouvernement écossais, qui a des pouvoirs limités, dispose d'une capacité de projection restreinte qui se ramène à des « voyages promotionnels » à l'étranger du chef du gouvernement pour faire connaître le commerce, la culture et... l'indépendance de l'Écosse[20]. Le Pays basque et la Catalogne sont incontestablement mieux lotis[21]. Bien que la Constitution espagnole précise que l'État central possède seul des compétences internationales, les pouvoirs accordés aux communautés autonomes (développement économique, culture) leur permettent néanmoins d'agir, dans une certaine mesure, sur la scène internationale. Elles interviennent à un double niveau. D'un côté, leur paradiplomatie a surtout des effets concrets en matière de coopération interrégionale ou transfrontalière. Ainsi les deux communautés autonomes sont-elles membres de la Communauté de travail des Pyrénées à laquelle participent deux autres communautés autonomes espagnoles (Aragon, Navarre), trois régions françaises (Aquitaine, Midi-Pyrénées, Languedoc-Roussillon) et un État indépendant (Andorre). Elles ont aussi constitué des eurorégions, l'Euskadi avec l'Aquitaine, la Catalogne avec le Languedoc-Roussillon, et participent à des réseaux de coopération « multilatérale », comme l'Arc atlantique pour le Pays basque et l'Arc latin pour la Catalogne. La Catalogne a aussi constitué un « club des régions riches » avec le Bade-Wurtemberg, la Lombardie et Rhône-Alpes, formant le réseau des « quatre moteurs de l'Europe ».

D'autre part, les communautés autonomes développent leur présence à l'extérieur en multipliant les bureaux et délégations à l'étranger,

....

20. Lors du référendum, à la mi-septembre 2014, 55 % des votants se sont prononcés contre l'indépendance de l'Écosse.

21. Pour la Catalogne, voir Stéphane Paquin (2003). Sur le Pays basque, voir André Lecours et Luis Moreno (2001).

au tout premier chef en Europe. Avec l'approfondissement de la construction politique de l'Europe, cette dernière est en effet devenue un enjeu majeur pour cette paradiplomatie. Alors que les nationalistes centralistes, du Front national en France au « parti libéral » autrichien en passant par le parti du peuple danois, sont volontiers antieuropéens, les nationalistes régionalistes modérés se présentent généralement comme d'ardents défenseurs de l'Europe. Nicola Sturgeon, Premier ministre de l'Écosse, comme Carles Puigdemont, président de la Généralité de Catalogne, tous font étalage de proclamations européennes convaincues. Leur motivation est transparente : ils voient dans l'intégration européenne le meilleur moyen de réduire les compétences de l'État central et de renforcer celles des régions.

Cet espoir est entretenu par la légitimité institutionnelle que le niveau régional a obtenue à l'échelle européenne à partir du milieu des années 1970 avec la création du Fonds européen de développement régional, puis en 1988 avec la mise en place de la réforme des fonds structurels destinés aux régions les plus défavorisées. Cette politique, dite de cohésion, a multiplié les liens directs entre la Commission européenne et les autorités régionales. Mais la région n'a pas seulement été promue comme un espace technocratique, elle a obtenu, avec le traité de Maastricht[22], un début de reconnaissance quasi politique avec la création d'une instance consultative, le comité des régions, dans lequel siège un aréopage impressionnant de présidents des grandes régions et d'édiles des métropoles. Enfin, le traité de Maastricht a aussi ouvert la possibilité pour les gouvernements nationaux d'être représentés au Conseil des ministres de l'Union européenne par des ministres régionaux

dès lors que les discussions touchent des matières qui leur ont été transférées sur le plan interne. Cette nouvelle procédure ne profite toutefois vraiment qu'aux régions disposant déjà d'une grande autonomie à l'intérieur des États fédéraux (Quermonne, 1997 ; Hooghe et Marks, 1996). Dans les autres pays, le jeu continue d'être contrôlé avant tout, bien qu'à des degrés divers, par l'État central, les États unitaires étant les plus rétifs à tout interventionnisme régional.

La Flandre joue elle aussi la carte européenne et fait preuve d'un activisme diplomatique très grand. Elle n'est pas obligée de se contenter de signer seulement des accords bilatéraux avec d'autres régions, elle peut, comme les autres entités fédérées qui composent désormais la Belgique, conclure directement des arrangements internationaux. Elle a pleinement utilisé cette nouvelle compétence pour signer des accords de coopération et des traités avec une pléiade d'États souverains (Chili, Pays-Bas, Pologne, Russie) comme avec des organisations internationales, avec l'objectif clairement affiché de doter la Flandre de sa propre politique étrangère.

Le Québec se trouve, dans le domaine de l'action internationale, dans une situation proche de la Flandre. S'il ne dispose pas, en Amérique du Nord, d'un espace de déploiement comme celui dont bénéficie la Flandre et d'autres avec l'Union européenne, la francophonie joue, pour le Québec, un rôle assez similaire. L'Organisation internationale de la Francophonie (OIF) est un lieu d'affirmation politique particulièrement précieux pour le Québec[23]. Sur le plan bilatéral, le Québec a conclu, entre 1962 et 1992, près de 150 ententes internationales avec des États souverains, en premier lieu la France et les États africains, mais pour l'essentiel dans le domaine de l'éducation et de la science (Bélanger, 1995).

----

22. Ce traité signé par les 12 pays membres de la Communauté européenne en 1992 fonde l'Union européenne, qui donne plus de profondeur politique à ce qui était auparavant davantage une simple union économique.

----

23. Le Québec est, avec le Nouveau-Brunswick et la fédération Wallonie-Bruxelles, la seule entité subétatique membre de l'OIF.

Entre 1993 et 2016, 138 ententes internationales, toujours en vigueur, ont été conclues avec des États (dont 42 avec la France)[24]. À l'évidence, le Québec est bien un acteur international.

POINTS CLÉS

> La culture (et en son cœur la langue) sert donc à forger un lien identitaire, mais les « nations sans État » ont aussi besoin, pour s'affirmer, de ressources plus matérielles, de nature économique, et elles ont déployé beaucoup d'énergie pour en acquérir au fil des décennies.

> Qu'elles aient été de longue date le fer de lance de l'industrialisation du pays ou qu'elles soient parvenues à un décollage économique plus récent, ces régions veillent à préserver une solide base économique.

> L'existence d'une économie régionale dynamique permet d'envisager plus sereinement un éventuel découplage avec le reste du pays, surtout si l'État central est perçu comme ponctionnant de façon indue des richesses produites dans une région prospère pour les ventiler vers des zones défavorisées.

> L'émergence d'un marché mondial favorise l'adoption par les opérateurs économiques de politiques d'investissement moins ciblées sur les États-nations, mais davantage sur les « États-régions », plus flexibles, contribuant à créer une base économique autonome nourrissant sa stratégie d'affirmation nationale.

> Un pouvoir régional autonome ne fonctionne pas différemment de l'État dans lequel il est inclus : il cherche à structurer toujours davantage la société qu'il coiffe.

> Les nations sans État tendent de plus en plus à montrer qu'elles existent en se présentant comme des acteurs internationaux à part entière et en s'évertuant à se comporter comme des États souverains grâce à une véritable paradiplomatie.

CONCLUSION

Pour conclure brièvement, l'existence d'une société complète, d'une culture sociétale, est une condition nécessaire à l'essor de l'affirmation politique pour les « petites nations ». Mais ce n'est pas une condition suffisante. Pour se renforcer durablement, elles doivent pouvoir compter sur la puissance d'un État régional qui pourra les encourager à travers son action au quotidien. Ce n'est donc pas par hasard que là où cet État régional est le plus fort, en Flandre comme au Québec, le nationalisme dispose de potentialités plus grandes pour aller jusqu'au bout de sa logique : celle de la souveraineté pleine et entière.

24. Voir <http://www.mrifce.gouv.qc.ca/fr/ententes-et-engagements/ententes-internationales>, consulté le 13 juin 2017.

QUESTIONS

1. Le Québec est-il une société globale ? Pourquoi ?

2. En quoi une mobilisation nationale, qui s'appuie sur une société globale, est-elle favorisée quant à son projet d'autodétermination ?

3. Définissez et distinguez les concepts de « nation sans État » et de « petite nation ». Est-ce que ces concepts sont adéquats pour expliquer la situation du Québec ? Pourquoi ?

4. Quelles sont les « nations sans État » européennes qui ont une situation similaire à celle du Québec en ce qui a trait à la culture, à l'économie et à la stratégie d'accession à l'indépendance ?

5. Quel est le lien entre catholicisme et nationalisme ?

6. Comment expliquer que le nationalisme tend à étouffer les clivages au sein de la société ? Et qu'il tend à n'être ni de droite ni de gauche ?

7. Est-ce que la mondialisation est favorable aux projets d'affirmation nationale des « petites nations » ?

8. Pourquoi les élites souverainistes au Québec ont-elles défendu le projet de libre-échange entre le Canada et les États-Unis ?

9. Pourquoi les élites souverainistes au Québec mettent-elles autant l'accent sur le développement économique et l'équilibre budgétaire plutôt que sur le développement d'une culture québécoise propre et sur la protection de la langue française ?

10. En quoi le développement d'une paradiplomatie constitue-t-il un avantage stratégique pour les « petites nations » qui aspirent à se donner un État indépendant ?

LECTURES SUGGÉRÉES

Balthazar, L. (2013). *Nouveau bilan du nationalisme au Québec*, Montréal, VLB.

Dieckhoff, A. (2012). *La nation dans tous ses États. Les identités nationales en mouvement*, Paris, Flammarion.

Gellner, E. (1983). *Nations et nationalisme*, Paris, Payot.

Keating, M. (2003). « Nations sans État ou États régionaux ? Le débat sur la territorialité et le pouvoir à l'heure de la mondialisation », dans A.-G. Gagnon (dir.), *Québec : État et société*, tome 2, Montréal, Québec Amérique, p. 439-454.

Langlois, S. (1991). « Le choc de deux sociétés globales », dans L. Balthazar, G. Laforest et V. Lemieux (dir.), *Le Québec et la restructuration du Canada, 1980-1992*, Québec, Septentrion, p. 95-108.

Paquin, S. (2004). *Paradiplomatie et relations internationales. Théorie des stratégies internationales des régions face à la mondialisation*, Bruxelles, Peter Lang.

GLOSSAIRE

AUTODÉTERMINATION : Principe voulant que les peuples doivent pouvoir disposer d'eux-mêmes en organisant leur vie collective de manière indépendante. Ce principe constitue un fondement majeur du droit international contemporain.

COMMUNAUTARISATION : Devenir et faire communauté, c'est-à-dire chercher à tisser des liens d'identité d'appartenance et de solidarité entre les membres d'un groupe donné en leur transmettant, par exemple, une langue commune et une culture particulière en tant qu'éléments d'un même récit national.

DÉCOLONISATION : Large mouvement politique d'émancipation des anciennes colonies européennes de la tutelle et du contrôle direct de leur métropole. Ce mouvement politique, qui a souvent entraîné de violents affrontements entre les forces émancipatrices et les armées des pays européens cherchant à préserver leur emprise sur leurs colonies, a commencé d'abord au XIXe siècle en Amérique latine, puis a pris son essor après la Seconde Guerre mondiale, notamment en Afrique et en Asie du Sud-Est. À la décolonisation politique (accès à l'indépendance du territoire) a succédé une longue (et toujours en cours) décolonisation culturelle (développement de sa propre culture et des langues locales sans passer par les codes culturels occidentaux), et dans une certaine mesure économique (mise en place d'une économie nationale qui ne soit pas à la remorque du capitalisme).

DROIT À L'AUTODÉTERMINATION : Voir Autodétermination.

ÉTAT FÉDÉRAL : État où la souveraineté est divisée entre deux ordres de gouvernement qui disposent chacun d'une liste de pouvoirs exclusifs, où chaque ordre jouit de l'autonomie dans ses sphères de compétence et où les entités fédérées peuvent participer, dans les matières partagées, aux décisions communes au sein des institutions étatiques centrales. Dans la pratique, les fédérations divergent de manière plus ou moins importante avec ce modèle.

ÉTAT-NATION : État qui, comme la France, considère que l'ensemble des citoyens constitue une seule et même communauté politique. Dans la pratique, cette unification se fait aussi autour de la culture du groupe majoritaire,

donc dominant, qui contrôle les institutions centrales. Aussi synonyme d'État unitaire.

ÉTAT RÉGIONAL : État qui jouit d'une souveraineté limitée au sein d'un État englobant, qu'il s'agisse d'une fédération (comme la Belgique) ou d'un régime qui se fédéralise, appelé quasi-fédération (comme l'Espagne). Ce type d'État peut jouir de pouvoirs exclusifs plus ou moins importants, peut être reconnu comme membre à part égale (ou État fédéré) d'une fédération, peut développer ses propres relations internationales (ou paradiplomatie) et a souvent comme point d'appui une minorité nationale (comme le Québec).

FÉDÉRALISATION : On parle de fédéralisation d'une structure politique lorsqu'un État unitaire, ne s'appuyant que sur une nation majoritaire pour gouverner (ou État-nation), entreprend un transfert des pouvoirs vers les États régionaux où se trouvent fréquemment une ou des minorités nationales.

LÉGITIMITÉ (DYNASTIQUE ET VERTICALE, NATIONALE ET HORIZONTALE) : Notion politique incontournable, mais difficile à définir en science politique, car demandant une nécessaire évaluation subjective de l'autorité morale d'un gouvernement à imposer à l'ensemble d'une population et d'un territoire des normes valables pour tous. La légitimité d'un État démocratique dépend de multiples facteurs qui sont, du moins dans la pratique, hiérarchisés, comme son caractère démocratique, son efficacité à mettre en place des politiques publiques, sa capacité à assurer le bien-être de sa population, sa conformité avec les normes encadrant la vie publique. Si la légitimité était auparavant plus verticale ou dynastique, depuis le XIXe siècle et l'âge des nationalismes, la légitimité dépend pour beaucoup du consentement implicite ou explicite des peuples envers leur gouvernement.

NATION : Construit social, qui n'est pas synonyme d'artifice, sociologiquement reconnaissable par le partage par un groupe donné de traits communs (une langue, un territoire, une culture, des institutions) et qui concrétise son existence à la suite de mobilisations nationalistes. On utilise souvent le terme de « peuple » pour parler de nation et inversement.

NATION SANS ÉTAT : Nation minoritaire qui jouit d'une souveraineté limitée (p. ex. la Catalogne) au sein d'un État plus large qui est contrôlé par une majorité nationale ou encore une nation minoritaire qui ne dispose d'aucun levier étatique qui lui soit propre (p. ex. le Tibet).

NATIONALISME : Idéologie et mouvement politique enclenché en vue de former un État indépendant ou un État régional et porté par l'*intelligentsia* d'un groupe en raison d'injustices subies au sein d'un État contrôlé par une majorité nationale oppressive. C'est par ces mobilisations politiques que se développe et se concrétise l'existence d'une nation.

NATIONALISME DE DISSOCIATION : Mobilisation nationaliste qui ne vise pas qu'à obtenir une souveraineté limitée, ou autonomie, pour un groupe national, mais qui aspire à la sécession de ce dernier de l'État englobant au sein duquel il se trouve pour former un État à part entière doté de la pleine souveraineté. Au sein d'une même nation, on peut retrouver à la fois un nationalisme de dissociation et un nationalisme modéré. Par exemple, au Québec, le mouvement souverainiste aspire à faire du Québec un État indépendant et les forces fédéralistes, groupées autour du Parti libéral du Québec, tentent quant à elles d'obtenir une plus grande autonomie pour l'État provincial au sein de la fédération canadienne.

NÉONATIONALISME : Mobilisation politique au Québec qui se met en branle dès les années 1950 et qui vise à doter le Québec d'un État moderne qui occupe pleinement ses champs de compétence, notamment dans le domaine socioéconomique. Ce nationalisme vise aussi à moderniser l'identité nationale pour que, de canadienne-française et catholique, elle devienne québécoise et francophone. Du référent national de la race et d'une logique de survivance et de repli national, on passe désormais au référent de la langue et à une logique d'affirmation nationale et d'ouverture sur le monde.

PARADIPLOMATIE : Relations internationales (signature de traités, rencontres de dirigeants, mise en place de représentations dans d'autres États, etc.) entretenues par des États régionaux (ou des entités politiques aspirant à le devenir) avec d'autres États régionaux, avec des États pleinement indépendants et avec des organisations internationales, comme celle de la francophonie. Par cette pratique, les États régionaux se donnent une légitimité accrue face à leur État central et face à leur propre population. Elle vise aussi à accroître le rayon d'action des États régionaux et à assurer un meilleur respect, à l'international, de leurs domaines de compétence propres.

PETITE NATION : Terme faisant référence aux groupes nationaux de petite taille notamment au plan démographique, mais qui a l'inconvénient de ne pas différencier les nations jouissant d'une souveraineté totale (État indépendant) ou limitée (au sein d'un État régional) et celles auxquelles aucune forme d'autodétermination n'a été reconnue.

PRINCIPE D'AUTODÉTERMINATION : Voir Autodétermination et Principe des nationalités.

PRINCIPE DES NATIONALITÉS : Développé au XIXᵉ siècle à l'époque du printemps des peuples où de nombreuses nations ont accédé à l'indépendance ou, du moins, ont enclenché une mobilisation politique allant dans ce sens, ce principe veut que les nations aient droit à leur autodétermination. Il a été formalisé au XXᵉ siècle en droit international comme droit des peuples à disposer d'eux-mêmes ou droit à l'autodétermination.

SOCIÉTÉ GLOBALE : Il s'agit d'une société complète, c'est-à-dire d'une société qui est dotée d'une culture et d'une identité particulières, d'une langue propre, d'un territoire délimité, d'une économie diversifiée et d'institutions civiles (écoles, hôpitaux, etc.) et politiques (une assemblée législative, une administration publique, etc.). Le sentiment d'appartenance des membres d'une telle communauté va généralement d'abord à la société globale plutôt qu'à l'ensemble étatique dans lequel ils sont inclus. Une telle société est mieux à même de maintenir vivant et dynamique un mouvement nationaliste et peut légitimement aspirer à davantage de souveraineté au sein de l'État qui l'englobe, jusqu'à vouloir former un État indépendant.

BIBLIOGRAPHIE

Aldecoa, F. et M. Keating (dir.) (1999). *Paradiplomacy in Action. The Foreign Relations of Subnational Governments*, Londres, Frank Cass.

Balthazar, L. (1986). *Bilan du nationalisme au Québec*, Montréal, L'Hexagone.

Bélanger, L. (1995). « L'espace international de l'État québécois dans l'après-guerre froide : vers une compression ? », dans A.-G. Gagnon et A. Noël (dir.), *L'espace québécois*, Montréal, Québec Amérique, p. 71-102.

Bélanger, Y. (1998). *Québec inc. : l'entreprise québécoise à la croisée des chemins*, Montréal, Hurtubise HMH.

Bourque, G. et G. Dostaler (1980). *Socialisme et indépendance*, Montréal, Boréal.

Bourque, G. et A. Légaré (1979). *Le Québec. La question nationale*, Paris, Maspéro.

Cardinal, L. et M. Papillon (2011). « Le Québec et l'analyse comparée des petites nations », *Politique et Sociétés*, vol. 30, nᵒ 1, p. 75-93.

Centre de formation populaire (1982). *Au-delà du Parti québécois. Lutte nationale et classes populaires*, Montréal, Éditions Nouvelle Optique.

Dieckhoff, A. (2012a). « Dynamiques nationalistes et division d'États en Europe », dans S. Pierré-Caps et J.-D. Mouton (dir.), *États fragmentés*, Nancy, PUN-Éditions universitaires de Lorraine, p. 7-21.

Dieckhoff, A. (2012b). *La nation dans tous ses États. Les identités nationales en mouvement*, Paris, Flammarion.

Fernandez, A. (2007). « L'économie basque à la fin du XXᵉ siècle. Entre crise industrielle et marché européen », *XXᵉ Siècle. Revue d'histoire*, vol. 3, nᵒ 95, p. 167-180.

Fournier, P. (dir.) (1981). *Capitalisme et politique au Québec. Un bilan critique du Parti québécois au pouvoir*, Laval, Albert Saint-Martin.

Gellner, E. (1983). *Nations et nationalisme*, Paris, Payot.

Generalitat de Catalunya (2015). *Informe de política lingüística 2015*, Barcelone, Generalitat de Catalunya, <http://llengua.gencat.cat/web/.content/documents/informepl/arxius/IPL-2015.pdf>.

Holitscher, M. et R. Suter (1999). « The paradox of economic globalisation and political fragmentation : Secessionist movements in Quebec and Scotland », *Global Society*, vol. 13, nᵒ 3, p. 257-286.

Hooghe, L. et G. Marks (1996). « Restructuration territoriale au sein de l'Union européenne : les pressions régionales », dans V. Wright et S. Cassese (dir.), *La recomposition de l'État en Europe*, Paris, La Découverte, p. 207-226.

Katzenstein, P. (1985). *Small States in World Markets. Industrial Policy in Europe*, Ithaca et Londres, Cornell University Press.

Keating, M. (2003). « Nations sans État ou États régionaux ? Le débat sur la territorialité et le pouvoir à l'heure de la mondialisation », dans A.-G. Gagnon (dir.), *Québec : État et société*, tome 2, Montréal, Québec Amérique, p. 439-454.

Keating, M. (2009). *The Independence of Scotland : Self-Government and the Shifting Politics of Union*, Oxford, Oxford University Press.

Kymlicka, W. (2001). *La citoyenneté multiculturelle. Une théorie libérale du droit des minorités*, Montréal, Boréal.

Langlois, S. (1991). « Le choc de deux sociétés globales », dans L. Balthazar, G. Laforest et V. Lemieux (dir.), *Le Québec et la restructuration du Canada, 1980-1992*, Québec, Septentrion, p. 95-108.

Leca, J. (1986). « Individualisme et citoyenneté », dans P. Birnbaum et J. Leca (dir.), *Sur l'individualisme : théories et méthodes*, Paris, Presses de Sciences Po, p. 159-209.

Lecours, A. et L. Moreno (2001). « Paradiplomacy and stateless nations : A reference to the basque country », Unidad de Políticas Comparadas (CSIC), Working Paper 01-06, <http://www.ipp.csic.es/sites/default/files/IPP/documento_trabajo/pdf/dt-0106.pdf>.

Leruez, J. (1983). *L'Écosse, une nation sans État*, Lille, Presses universitaires de Lille.

Montpetit, É. (2003). « Le néocorporatisme québécois à l'épreuve du fédéralisme et de l'internationalisation », dans A.-G. Gagnon (dir.), *Québec : État et société*, tome 2, Montréal, Québec Amérique, p. 191-208.

Ohmae, K. (1996). *De l'État-nation aux États-régions*, Paris, Dunod.

Paquin, S. (2001). *La revanche des petites nations. Le Québec, l'Écosse et la Catalogne face à la mondialisation*, Montréal, VLB.

Paquin, S. (2003). *Paradiplomatie identitaire en Catalogne*, Québec, Presses de l'Université Laval.

Paquin, S. (2004). *Paradiplomatie et relations internationales. Théorie des stratégies internationales des régions face à la mondialisation*, Bruxelles, Peter Lang.

Quermonne, J.-L. (1997). « L'Union européenne : générateur ou catalyseur de la recomposition territoriale ? », dans C. Bidégaray (dir.), *Europe occidentale. Le mirage séparatiste*, Paris, Economica, p. 299-305.

Renan, E. (1997). *Qu'est-ce qu'une nation ?*, Paris, Mille et une nuits.

Seiler, D.-L. (1994). *Les partis autonomistes*, Paris, Presses universitaires de France.

Vaillancourt, Y. (1983). *Le PQ et le social. Éléments de bilan des politiques sociales du gouvernement du Parti québécois, 1976-1982*, Montréal, Albert Saint-Martin.

Vice Ministry for Language Policy (2012). *Basque Government : Fifth Sociolinguistic Survey, 2012*, <http://www.euskara.euskadi.net/r59-738/en/contenidos/informacion/sociolinguistic_research2011/en_2011/adjuntos/Euskal%20Herria%20inkesta%20soziolinguistikoa%202011_ingelesez.pdf>.

Wallerstein, I. (2006). *Comprendre le monde. Introduction à l'analyse des systèmes-monde*, Paris, La Découverte.

CHAPITRE 15

LA DÉMOCRATIE ET LES FEMMES AU QUÉBEC ET AU CANADA

Geneviève Pagé

Le « mythe de l'égalité-déjà-là » (entre les femmes et les hommes) est bien présent aujourd'hui au Québec et au Canada, remettant en question le mouvement féministe et la pertinence de porter une attention particulière aux femmes dans un manuel de science politique. Cependant, malgré un taux de participation électorale supérieur à celui des hommes (Directeur général des élections du Québec 2014 ; Élection Canada, 2015), les femmes ne forment pas tout à fait le tiers de la députation à l'Assemblée nationale et pas même le quart des personnes élues à la Chambre des communes. Malgré un taux de diplomation supérieur à presque tous les niveaux d'études[1], elles gagnent, en 2015, 85,9 % du salaire des hommes (Conseil du statut de la femme – CSF, 2016, p. 20). Les diplômées récentes amorcent leur premier emploi (en 2013) avec un salaire hebdomadaire brut inférieur à celui des hommes de leur cohorte, soit 880 $ pour les diplômées du baccalauréat et 1 149 $ pour celles possédant une maîtrise, comparativement à 995 $ et 1 272 $ pour les hommes (CSF, 2016, p. 12). De plus, elles occupent seulement 19,8 % des sièges dans les conseils d'administration des plus grandes sociétés québécoises (CSF, 2016, p. 32). Toujours en 2013, les femmes sont à la tête de 76 % des familles monoparentales et elles constituent près de 60 % des personnes travaillant au salaire minimum. Selon les recherches menées par la sociologue Marie-Ève Surprenant (2009), les jeunes couples continuent d'avoir un partage inégal des tâches ménagères, inégalités accentuées lors de la venue d'un ou de plusieurs enfants, et ce, bien que les hommes comme les femmes se disent en faveur d'un partage équitable. Les femmes représentent 78,5 % des

[1]. Sauf au doctorat, où elles représentent seulement 46,3 % des personnes qui complètent ce diplôme.

victimes d'agression dans le cadre conjugal (CSF, 2016, p. 25) et 86,5 % des victimes d'agression sexuelle (Ministère de la Sécurité publique du Québec, 2016, p. 19). On estime qu'une femme sur quatre a subi un viol ou une agression sexuelle au cours de sa vie (Regroupement québécois des centres d'aide et de lutte contre les agressions à caractère sexuel, 2000).

Comme ces quelques statistiques l'indiquent, nous sommes loin d'être dans une société où l'**égalité de jure**[2] entre les femmes et les hommes est atteinte. Quand un système politique est caractérisé par une dominance masculine dans presque toutes les institutions et les sphères de pouvoir, on qualifie ce système de **patriarcat**. Le patriarcat ne signifie pas que toutes les femmes sont soumises à tous les hommes, mais bien que le groupe des hommes, de manière générale, domine le groupe des femmes. Ainsi, ce n'est pas parce qu'une femme a eu beaucoup de pouvoir – par exemple l'ancienne première ministre Pauline Marois – que nous ne vivons plus dans une société patriarcale. Comme nous l'avons vu, dans la majorité des institutions de pouvoir et dans les relations sociales, dans la sphère publique comme dans la sphère privée, les hommes en tant que groupe détiennent le pouvoir.

Pourquoi devrait-on se préoccuper de la relation entre les femmes et la politique ? Pour deux raisons : les femmes font partie de la société – elles représentent en fait un peu plus de la moitié de la population – et elles sont touchées par la politique. De plus, comme le soulignent nombre de politologues féministes, les questions posées par les femmes remettent en cause les concepts de base de la science politique. On peut penser notamment aux questionnements formulés autour des notions de « citoyenneté » (Young, 1990 ; Glenn, 2002) ; des théories des mouvements sociaux (Staggenborg et Taylor, 1984 ; Staggenborg, 1998 ; Taylor, 1998) ; des notions de « pouvoir » (Allen, 1996 et 1998 ; Fraser, 1989) ; des notions de « liberté » ; des théories des relations internationales (Peterson, 1992 ; D'Aoust, 2010, 2012) ou du champ de la science politique lui-même (Vickers, 1997 ; Lamoureux et de Sève, 1993). Il est donc important – autant pour les femmes que pour assurer la justesse et la rigueur scientifique – que les théories et concepts que nous utilisons décrivent, expliquent et analysent réellement l'ensemble (et non la moitié) de la population et de la société dans laquelle nous vivons. C'est aussi parce que la science politique s'intéresse au phénomène du pouvoir et à ses corollaires, l'inégalité, la domination et l'exclusion, que la question des rapports hommes-femmes demeure une interrogation importante pour la science politique. Dans ce chapitre, c'est principalement par la notion de « démocratie » que nous abordons certaines des questions posées par les féministes.

Ce chapitre vise à survoler plusieurs aspects de la relation entre les femmes et le politique. Dans un premier temps, nous abordons certaines critiques formulées par les politologues féministes sur le caractère **androcentriste** (centré sur les hommes) de la construction même de l'État moderne et de la démocratie. Par la suite, nous précisons quelle est la place réservée aux femmes dans la démocratie représentative. Nous voyons d'abord dans cette section l'histoire de l'accès au suffrage et aux postes de représentation, puis nous dressons un portrait de la réalité contemporaine. Ensuite, nous examinons les éléments de notre démocratie qui sont plus participatifs. Nous voyons les effets des mouvements sociaux et des groupes de pression sur les instances, notamment en étudiant le cas de la lutte pour l'avortement libre et gratuit. Nous voyons ainsi différents types d'interactions que

---

2. Les concepts en caractères gras sont définis dans le glossaire à la fin du chapitre.

les femmes et les féministes entretiennent avec l'État et la politique à travers différentes **activités politiques**. Dans la dernière section, nous nous penchons sur la portée des politiques publiques sur les femmes en examinant comment certaines de ces politiques présentent la possibilité de redéfinir la relation entre les femmes et l'État.

1. L'ÉTAT MODERNE DÉMOCRATIQUE OCCIDENTAL : UN PROJET D'HOMMES ?

L'une des tensions qui traversent les échanges entre féministes réside dans la réticence de certaines à s'investir dans une structure – l'État démocratique moderne occidental – qui est, dans ses fondements mêmes, androcentrique. L'État démocratique moderne, dès sa conception au XVIIe siècle, a institutionnalisé une division entre le privé et le public et une division sexuelle du travail qui relègue les femmes dans l'espace privé, au foyer. Cette division sexuelle, qui justifie le confinement des femmes à la sphère privée, sera au centre des revendications et des luttes féministes pour l'égalité au Québec et au Canada, notamment avec le slogan « Le privé est politique ». Mais quelles sont donc les conséquences de cette division sur l'organisation sociale et étatique ? Dans cette section, nous dressons un panorama succinct des théories à partir desquelles sont érigées nos institutions démocratiques.

Le théoricien britannique Thomas Hobbes (1588-1679), dans son livre *Léviathan*, a identifié comme élément fondateur de la société moderne le rassemblement d'individus rationnels pour défendre leurs intérêts. L'État, selon Hobbes, résulte ainsi d'un contrat social entre des individus libres et égaux qui acceptent rationnellement de déléguer leur pouvoir (y compris celui de tuer) à un corps de gouvernement qui garantit leur sécurité et leur propriété, en échange de restrictions sévères sur leurs libertés individuelles.

L'idée du contrat social est ensuite reprise, entre autres par John Locke (1632-1704) et Jean-Jacques Rousseau (1712-1778), et plus récemment par John Rawls (1921-2002). Cependant, aucun de ces penseurs ne s'attarde à la prémisse soutenant la théorie du contrat social, qui tient pour acquis que ce contrat ne peut s'opérer qu'entre *hommes*. En fait, même si tous ces théoriciens prétendent avoir une idée abstraite et désincarnée de l'« individu », ils s'appuient tout de même sur la présomption que cet individu est nécessairement un homme et même, dans le cas de Rawls, un « chef de famille » (1971, p. 128). Cette conception est loin d'être désincarnée, puisqu'elle présuppose l'existence d'une famille (probablement composée d'une femme et d'enfants). Selon la philosophe Carole Pateman, le contrat social se fonde sur une hiérarchie *a priori* entre les hommes et les femmes en dehors de l'espace politique. Locke le dit clairement quand il précise que les femmes sont « exclues du statut d'"individu" dans la condition naturelle » (cité dans Pateman, 1988, p. 52), leur déniant ainsi la possibilité de participer au contrat social.

De même, Pateman met en évidence l'exclusion *de facto* des femmes de la notion de « fraternité », qui structure le patriarcat moderne occidental et justifie de remplacer le règne du père (le roi) par un pacte entre frères. Ainsi, une « confrérie » basée sur des relations mutuelles est substituée à une distribution du pouvoir aléatoire à un individu (le roi). Toutefois, cette substitution est limitée dans l'espace, soit au nouvel espace défini comme public – par opposition au privé, au foyer, où l'autorité arbitraire d'un homme continue de régir la vie des membres de la famille. Ainsi, la **dichotomie public-privé** est non seulement essentielle à la définition d'un nouvel espace pour le politique, mais également au cœur de la subjugation des femmes à leur mari[3]. La philosophe française Geneviève Fraisse (2000) va encore plus loin dans son analyse des philosophes de la République française, penseurs de la démocratie, en précisant avec quelle véhémence ces derniers se sont assurés que les principes démocratiques qu'ils proposaient pour la sphère publique ne devaient pas « contaminer » le domaine privé. Ces philosophes niaient ainsi la possibilité que la relation entre les hommes et les femmes soit une association ou un contrat entre deux personnes égales ; elle devait plutôt se limiter à une « union » fusionnelle où la femme se fond juridiquement, politiquement et économiquement dans l'homme (Fraisse, 2000).

Cette séparation entre le privé et le public – qui permet de limiter à la moitié seulement de la société, soit la sphère publique, la portée de la démocratie et de l'idée de l'autonomie des individus – est au centre des questions soulevées par les féministes au milieu du XXe siècle. On peut donc lire le slogan « Le privé est politique » comme allant bien au-delà de la simple affirmation que certaines sphères de la vie privée sont nécessairement régies par les institutions politiques – qu'il s'agisse des lois sur le mariage, la violence conjugale, la filiation ou l'héritage. Ce slogan peut également souligner que la construction même de ces deux sphères est arbitraire et politique – représentant une excuse pour ne pas avoir à partager le pouvoir dans certaines sphères de la vie de ces messieurs – indépendamment de la contradiction interne de leur logique.

Bref, c'est la conception même de l'État moderne – celui où la famille est subsumée au chef de famille, et l'idéal de société restreint par la dichotomie public-privé – qui est problématique. Comme nous le verrons dans les sections suivantes, cette dichotomie public-privé est au centre des revendications féministes au Québec et au Canada : de l'inclusion des femmes dans la sphère publique par l'obtention du droit de vote et de la participation aux instances, allant jusqu'à la renégociation des contrats de mariage afin d'étendre la démocratie – la négociation du pouvoir entre des individus considérés comme rationnels et égaux – à la sphère privée. La lenteur, la résistance et les obstacles à ces changements nous incitent à encadrer nos réflexions par les questions suivantes : puisque la division public-privé est si centrale, peut-on réformer l'État pour y inclure les femmes ? Faut-il remettre en question son existence même et, par conséquent, cette division entre le privé et le public, afin de construire des relations égalitaires entre les sexes et de libérer les femmes de la domination masculine ?

POINTS CLÉS

> L'État démocratique moderne a instauré une division entre la sphère publique et la sphère privée.
> De grands penseurs comme Rousseau ont volontairement limité l'extension de la démocratie et de l'association entre êtres égaux à la sphère publique, laissant ainsi l'idée d'une hiérarchie et de l'inégalité s'imposer dans la sphère privée.

2. LA DÉMOCRATIE REPRÉSENTATIVE ET LES FEMMES

La démocratie représentative repose sur deux principes : d'une part, « *un principe représentatif* en vertu duquel le peuple, réputé souverain, délègue à un petit nombre le soin d'exprimer sa volonté ; d'autre part, un *principe libéral* qui privilégie la libre confrontation des opinions, donc

---

3. Au Moyen Âge et dans l'Ancien Régime, certaines femmes peuvent gouverner dans quelques pays, Élisabeth Ire d'Angleterre (1533-1603) par exemple, une prérogative qu'elles perdront dans les régimes modernes républicains et libéraux. De plus, la cellule économique à cette époque est le plus souvent la ferme ou la boutique, où la distinction entre le privé et le public est très ambiguë.

la libre compétition des candidats à la représentation. De sorte que son critère principal est bien l'élection de dirigeants au suffrage universel à travers des élections compétitives, disputées à intervalles réguliers » (Braud, 2002, p. 205-206, nous soulignons). C'est donc sur ces deux axes que les féministes se sont battues : la possibilité de déléguer le pouvoir à un petit nombre (le vote) et la possibilité de confronter ses opinions, notamment en participant à la « libre compétition » entre les candidats et candidates.

2.1. L'historique du droit de vote

La bataille pour l'extension du suffrage aux femmes est peut-être la lutte féministe la plus connue en Occident. Il est cependant important de noter que cette bataille fut loin d'avoir une progression linéaire. En effet, au Bas-Canada, les femmes qui répondaient aux autres critères d'éligibilité (propriété foncière, âge, etc.) pouvaient voter en vertu de l'*Acte constitutionnel de 1791* qui créait cette colonie. L'Acte constitutionnel ne spécifiait pas le sexe de l'électorat ; cependant, le droit coutumier anglais (Common Law) interdisait aux femmes de voter. Ainsi, puisque le droit coutumier n'était pas appliqué dans le Bas-Canada, qui avait pu conserver son droit civil, les quelques femmes qui répondaient aux critères de citoyenneté, d'âge et de possession de biens eurent le droit de voter entre 1791 et 1849[4], moment où les lois électorales furent uniformisées entre le Haut et le Bas-Canada[5]. Cette

modification sera préservée en 1867 dans le Dominion du Canada.

À partir de ce moment, les luttes pour l'obtention de droits politiques et juridiques ont été, pour presque toutes les associations et les groupes de femmes, au centre de leurs préoccupations, bien qu'elle ne furent pas les seules. L'accès au suffrage est vu autant comme un moyen que comme une fin. Au-delà de la reconnaissance des femmes comme citoyennes, le vote est aussi un moyen important pour faire pression sur les politiciens afin qu'ils adoptent les réformes sociales que les femmes jugeaient pertinentes, telles que des politiques de tempérance (prohibition de l'alcool, souvent dans l'espoir de réduire la violence conjugale et la misère ouvrière), des programmes d'aide aux mères pauvres et des mesures de protection des travailleuses. Ainsi, dès la fin du XIXe siècle, c'est par un discours de responsabilité sociale comme mère – aux sens propre et figuré – que certaines femmes, comme les membres de la Société nationale Saint-Jean-Baptiste, revendiquent le droit de vote[6]. D'autres femmes, notamment la militante féministe Idola Saint-Jean, revendiquent le droit de vote par principe (Lamoureux, 1991).

Les militantes du Canada anglais réussiront tour à tour à obtenir le suffrage aux élections provinciales et aux élections fédérales (la figure 15.1 indique les dates pour chaque province et territoire). Entre 1916 et 1925, le gouvernement fédéral ainsi que tous les gouvernements provinciaux – sauf celui du Québec – plieront sous la pression des mouvements féministes et accorderont à la plupart des femmes le droit de vote. Ce dernier

....

4. L'historienne Catherine L. Clevedon (1974) souligne que le droit de vote des femmes du Bas-Canada fut retiré l'année qui suivit la célèbre rencontre de Seneca Falls aux États-Unis, où les femmes se dotèrent d'un plan d'action qui incluait la revendication de l'extension du suffrage aux femmes.

5. On attribue souvent la perte du droit de vote des femmes au Bas-Canada à Louis-Joseph Papineau. Ce dernier s'est bel et bien battu pour faire adopter une loi en 1834 retirant le droit de vote aux femmes. Cependant, Londres a répudié la loi de 1834 et les femmes ont conservé leur droit de vote jusqu'à la réforme de 1849.

....

6. On reproche d'ailleurs à certaines femmes renommées pour leur militance pour le droit de vote, comme Nellie McClung et Emily Murphy, d'utiliser un discours raciste pour faire valoir leur revendication. En effet, comme le documente l'historienne Mariana Valverde (1992), c'est à travers la peur des « immigrants », notamment des Chinois (le « péril jaune »), et contre la « dégénérescence de la race blanche » qu'Emily Murphy développe sa justification pour le vote des femmes blanches.

FIGURE 15.1.

Obtention du droit de vote par la plupart des femmes par province et territoire, et au gouvernement fédéral

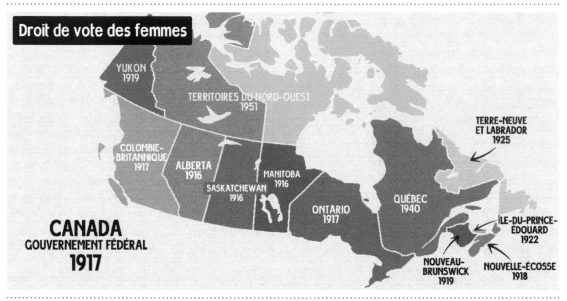

Droit de vote des femmes

YUKON 1919

TERRITOIRES DU NORD-OUEST 1951

TERRE-NEUVE ET LABRADOR 1925

COLOMBIE-BRITANNIQUE 1917

ALBERTA 1916

SASKATCHEWAN 1916

MANITOBA 1916

ONTARIO 1917

QUÉBEC 1940

ÎLE-DU-PRINCE-EDOUARD 1922

CANADA
GOUVERNEMENT FÉDÉRAL
1917

NOUVEAU-BRUNSWICK 1919

NOUVELLE-ÉCOSSE 1918

ne devient pas pour autant réellement universel pour toutes les personnes adultes et citoyennes : les femmes québécoises devront attendre 1940 pour obtenir le droit de vote au provincial (alors qu'elles pouvaient voter aux élections fédérales depuis 1918) ; les restrictions appliquées à l'ensemble des Canadiens et Canadiennes d'origines chinoise et japonaise sont levées respectivement en 1947 et en 1949 ; les Autochtones n'obtiennent le droit de voter qu'en 1969, les itinérantes et itinérants en 2000 et l'ensemble des détenus, hommes et femmes, en 2002.

2.2. Le cas de la « personne » et la nomination au Sénat : les femmes sont-elles des personnes ?

À première vue, l'acquisition du droit de vote, tant au fédéral que dans la plupart des provinces,

semble cristalliser l'idée que les femmes sont des êtres rationnels, autonomes et libres de prendre des décisions. Cependant, il en va tout autrement dans la réalité. Comme nous le verrons, l'abolition progressive de toutes les lois qui infantilisent les femmes sera le résultat d'une longue série de luttes.

En 1929, on voit le dénouement d'une de ces batailles communément appelée « *person's case* » (cas de la personne). En 1928, la plupart des femmes peuvent voter partout au Canada (sauf aux élections provinciales du Québec) et se présenter comme candidates. Cependant, elles ne peuvent se faire nommer au Sénat. Cinq femmes – Nellie McClung, Emily Murphy, Irene Parlby, Louise McKinney et Henrietta Muir Edwards – soutiennent que, les femmes étant des « personnes », elles sont admissibles à la nomination, conformément à l'article 24 de l'*Acte de l'Amérique du Nord britannique* qui stipule que « seulement les personnes qualifiées » peuvent être

QUELQUES CITATIONS DE « GRANDS HOMMES » SUR LE SUFFRAGE FÉMININ ET LA REPRÉSENTATION POLITIQUE

Louis-Joseph Papineau et la raison chez les femmes
Je reçois ce matin ta bonne et aimable lettre. Quoiqu'elle respire un peu trop d'esprit d'indépendance contre l'autorité légitime de ton mari, je n'en suis pas aussi surpris qu'affligé. Je vois que cette funeste philosophie gâtes [sic] toutes les têtes et le contrat social de Rousseau te fait oublier l'Évangile de St-Paul [sic]. « Femmes soyez soumises à vos maris. »

Louis-Joseph Papineau
à sa femme Julie Bruneau, 1830

Henri Bourassa – Réaction à l'adoption du suffrage féminin par le gouvernement fédéral – 1918
L'introduction du féminisme sous sa forme la plus nocive ; la femme-électeur, qui engendrera bientôt la *femme-cabaleur*, la *femme-télégraphe*, la *femme-*

souteneur d'élections, puis la femme-député, la femme-sénateur, la femme-avocat, enfin, pour tout dire en un mot : la femme-homme, le monstre hybride et répugnant qui tuera la femme-mère et la *femme-femme*.

Henri Bourassa, *Le Devoir*, le 28 mars 1918

Thomas Chapais – La virilité de l'homme français
Que Dieu soit loué que la France est un des seuls pays où les femmes n'ont aucun droit politique. Ceci démontre que nous sommes moins barbares que les autres peuples et que les Français sont toujours conscients de leurs rôles d'hommes et des devoirs liés à leur nature virile.

Thomas Chapais, conseiller législatif, 1940
(cité dans Augerot-Arendt, 1991, p. 139)

nommées au Sénat. Elles feront pression sur le gouvernement fédéral pour que ce dernier demande à la Cour suprême de se prononcer sur cette question, ce que la Cour fit dans le renvoi *Edwards c. Canada* (1928) où elle stipula que « les femmes ne sont pas des personnes » au sens de la loi lors de la rédaction de l'Acte. Non satisfaites de cette décision, celles que l'on nommera les « Cinq Fameuses » (*Famous five*) en appelleront au Comité judiciaire du Conseil privé de Londres – instance judiciaire suprême qui régissait encore les lois canadiennes à cette époque. En 1929, dans l'affaire *Edwards c. Canada* (1929), Lord Sankey répondra « oui, les femmes sont des personnes », garantissant ainsi l'accès des femmes à toutes les positions, y compris au Sénat[7]. Au Québec cependant, les femmes ne pourront toujours pas faire

partie d'un jury, jusqu'à l'action « du banc des jurées » où certaines féministes prendront d'assaut un banc de jurés lors d'une audience pour protester contre l'idée que les femmes puissent être jugées et tenues responsables pour leurs infractions, mais ne peuvent siéger comme membres d'un jury (Péloquin, 2007).

LORD SANKEY EN RÉPONSE À LA QUESTION « LES FEMMES SONT-ELLES DES PERSONNES ? »

Yes, women are persons... and eligible to be summoned and may become Members of the Senate of Canada. The exclusion of women from all public offices is a relic of days more barbarous than ours. And to those who would ask why the word « persons » should include females, the obvious answer is, why should it not ?

Lord Sankey, 1929

----

7. Mais pas encore dans certains domaines, comme dans l'armée et la police.

2.3. Les enjeux propres au Québec

Au Québec, les femmes utilisèrent des stratégies différentes pour tenter d'obtenir des droits politiques et juridiques. On discerne souvent deux grandes tendances qui guident la justification pour les droits des femmes. Comme chez les Anglo-Saxonnes, certaines Canadiennes françaises utilisaient leur rôle de mère de la nation afin de justifier leur accès aux droits juridiques.

En contrepartie, d'autres féministes, comme Idola Saint-Jean, ancraient leur argumentaire dans une vision libérale classique d'égalité entre les individus indépendamment de leur sexe. Selon les recherches faites par la politologue Diane Lamoureux, Idola Saint-Jean maintint un discours qui parle « d'égalité entre les sexes dans les termes du droit naturel, du gouvernement responsable, dans la tradition républicaine du XIXᵉ siècle, de la volonté générale en termes rousseauistes » (Lamoureux, 1991, p. 46). Ainsi, s'inscrivant dans une autre mouvance féministe que ses consœurs anglophones et que les organisations comme la Fédération nationale Saint-Jean-Baptiste, Idola Saint-Jean représente le recours à la raison et aux droits naturels pour exiger l'extension des droits politiques et juridiques aux femmes, ce qui incluait bien sûr le droit de vote.

On attribue souvent à l'influence disproportionnée de l'Église sur l'État québécois le retard de vingt-deux ans dans l'attribution du droit de vote aux femmes. L'Église québécoise utilisa des arguments similaires à ceux des conservateurs anglo-saxons des décennies précédentes afin de se battre contre les droits des femmes. Ces arguments peuvent être résumés comme suit :

1. La politique est sale et violente ; elle n'est donc pas appropriée pour les femmes. Elle « expose la femme à toutes les passions et [aux] *aventures* de l'électoralisme » (Collectif Clio, 1992, p. 364).

2. L'implication en politique interfère avec les responsabilités familiales.
3. Le droit de vote des femmes va à l'encontre de l'unité et de la hiérarchie familiale ; il remet en question l'autorité du mari.
4. Les femmes ne feront qu'annuler le vote de leur mari en votant contre lui.
5. C'est contre la nature des femmes.
6. Les femmes ont déjà les moyens d'influencer la société à travers les organisations charitables ; le droit de vote n'est donc pas nécessaire pour accomplir les réformes sociales qui leur tiennent tant à cœur.

Ces mêmes arguments firent partie du rapport de la commission Dorion. En effet, en 1929, pour essayer de faire taire la grogne des femmes, le premier ministre du Québec, Alexandre Taschereau, met sur pied la commission Dorion chargée d'évaluer les demandes de droits des femmes. Parmi les multiples revendications, les groupes de femmes exigent à l'unanimité pour les femmes de :

1. pouvoir toucher leurs propres salaires ;
2. limiter le droit du mari de pouvoir disposer des biens communs sans le consentement de son épouse (p. ex. la maison familiale) ;
3. pouvoir être tuteures des enfants mineurs ;
4. pouvoir hériter des biens de leur mari sans testament.

PREMIER RAPPORT DE LA COMMISSION DORION – 1930

La théorie des « droits égaux » est absurde parce que la fonction de la femme est spéciale et différente de celle de l'homme. Les femmes doivent se sacrifier au bien général de la famille.

La commission Dorion remet en 1930 un rapport jugé très conservateur et méprisant à l'égard des femmes de la province. Elle accorde cependant aux femmes, mais sans grande conviction, le droit de toucher leur salaire et d'exclure les biens qu'elles possédaient avant le mariage de la communauté de biens. Elle permet également aux femmes de devenir tutrices, si elles sont nommées conjointement avec leur mari (Collectif Clio, 1992, p. 354).

En 1940, le premier ministre libéral Adélard Godbout tient sa promesse électorale et accorde finalement le droit de vote aux femmes, malgré les protestations du clergé, réalisant ainsi le premier pas vers la reconnaissance juridique des femmes au Québec. Il faudra attendre la première femme députée, Marie-Claire Kirkland-Casgrain, élue en 1961, pour voir l'adoption de la *Loi sur la capacité juridique des femmes* en 1964, qui octroyait aux femmes une reconnaissance presque totale de leur personne juridique et civile, même lorsqu'elles étaient mariées (la capacité de signer un contrat, de faire une plainte en justice, etc.)[8]. Et ce n'est qu'en 2012 qu'une femme, Pauline Marois, à est élue première ministre du Québec, alors que l'Assemblée nationale n'est composée que de 41 femmes députées sur 125.

2.4. La représentation des femmes

2.4.1. *Les femmes participent*

Au Québec, depuis que les femmes ont acquis le droit de vote, leur participation aux élections semble se maintenir au même taux que celle des hommes. Réfutant l'idée d'un abstentionnisme féminin, Chantal Maillé (1990) compare les données des taux de participation des hommes et des femmes du Québec aux élections fédérales

depuis 1921 et aux élections provinciales depuis 1944. Elle conclut que, du moment où les Québécoises ont obtenu ce droit, elles s'en sont prévalues largement et dans des proportions similaires à leurs homologues masculins ; certaines recherches démontrent même que leur taux de participation est légèrement supérieur à celui des hommes (Harell, 2009).

Si on élargit la lunette de la participation politique à l'intérêt général pour la politique, il semble que les femmes canadiennes s'intéressent moins à la politique et soient moins confiantes en leurs habiletés politiques que leur contrepartie masculine (Gidengil *et al.*, 2010, p. 99). Elles portent moins d'attention aux nouvelles ayant pour sujet la politique et en savent moins sur le sujet que les hommes canadiens. Toujours selon Gidengil *et al.* (2010), ces données sont relativement stables à travers le temps et indépendantes des très importantes avancées que les femmes ont réalisées dans les quarante dernières années. Il semble aussi que ces différences entre les sexes dans les attitudes à l'égard de la politique ne peuvent être expliquées seulement par la féminisation de la pauvreté et par la double tâche liée à la combinaison de leur emploi salarié et des tâches domestiques. Certains auteurs expliquent cette différence par la perception répandue selon laquelle la politique est loin des préoccupations quotidiennes des femmes, par le manque de femmes élues et par le fait que les médias mettent perpétuellement l'accent sur les querelles de partis. En contrepartie, la thèse du « manque d'intérêt » des femmes est contrebalancée par les données exposant le sens de responsabilité citoyenne plus développé chez les femmes canadiennes et un plus grand engagement de ces dernières dans différentes organisations sociales ou religieuses (Harell, 2009, p. 3). En fin de compte, leur taux de participation similaire ou supérieur à celui des hommes, autant en ce qui a trait au vote qu'à la participation à des manifestations ou à des groupes d'intérêt (Gidengil *et al.*, 2010, p. 99), laisse

----

8. Certains droits juridiques ne seront octroyés que quelques années plus tard, notamment le droit d'être membre d'un jury (et donc d'être jugée par un jury composé de ses pairs) en 1971 (Péloquin, 2007).

croire qu'il ne faut pas conclure trop vite à un désintérêt des femmes vis-à-vis de la politique.

En fait, les femmes paraissent diriger davantage leur engagement politique et civil vers les organisations communautaires et les groupes d'intérêt qui se veulent plus égalitaires et moins « partisans » (Cross, 2010, p. 149). Ainsi, il semble que les écarts dans l'engagement des hommes et des femmes en politique aient plus à voir avec la manière dont la politique se fait au Québec et au Canada, et avec la façon dont les femmes conçoivent la politique (Harell, 2009), qu'avec un intérêt réel et un désir d'implication des femmes dans leur milieu de vie. Ces données nous mènent à remettre en question la pertinence de défendre simplement un plus grand engagement des femmes en politique. Ne serait-il pas mieux de réfléchir à un changement des institutions pour qu'elles permettent à toutes sortes de personnes de s'engager et qu'elles favorisent la prise de décisions collectives ?

2.4.2. Les femmes comme représentantes : soutenir les femmes ou les féministes ?

La participation politique ne se limite évidemment pas à l'acquisition et à l'exercice du droit de vote ; la possibilité de se représenter et de représenter ses pairs est également au centre de la participation. Ainsi, une fois le droit de vote acquis, nombre de féministes se sont engagées dans une longue marche vers l'élection de femmes aux postes de représentantes. Dans tous les pays occidentaux postindustriels, le constat est le même : l'augmentation de la représentation des femmes se fait à pas de tortue. Selon l'organisation de l'Union interparlementaire et les Nations Unies, un taux minimal de 30 % de femmes représentantes serait nécessaire pour assurer une masse critique leur permettant d'avoir une influence. Selon les taux mis à jour au 1er novembre 2016 par l'Union interparlementaire, les 26 % de députées à la Chambre des communes placent le Canada au 63e rang mondial, loin derrière certains pays d'Afrique (p. ex. Rwanda : 63,8 % ; Sénégal : 42,7 %), d'Amérique latine (p. ex. Bolivie : 53,10 % ; Cuba : 48,9 %) et d'Europe (p. ex. Suède : 43,6 % ; Finlande : 41,5 %). Au Canada, dans les vingt dernières années, la proportion de députées a lentement augmenté de 6,7 %, passant de 18 % en 1993 à 24,7 % en 2013, puis à 26 % en 2015. À ce rythme, il faudra attendre les années 2090 pour dépasser la barre des 50 %. Cette lente progression pousse certaines organisations à militer activement pour augmenter la représentation des femmes (p. ex. le groupe Femmes, politique et démocratie) et certaines intellectuelles à défendre l'utilisation de mesures incitatives, tels les quotas, afin de se rapprocher d'une parité de représentation entre les hommes et les femmes.

Mais la revendication de la représentation ne fait pas l'unanimité chez les féministes. En effet, l'élection et le règne de Margaret Thatcher, comme première ministre conservatrice du Royaume-Uni pendant les années 1980, ont confirmé que ce n'est pas parce qu'on est une femme qu'on défend les intérêts des femmes. Sabrant dans les programmes sociaux, privatisant les services publics et déréglementant le marché, faisant la guerre aux syndicats, la « dame de fer » prônait un individualisme pur et dur et ne voulait d'aucune façon être associée à ce « poison » qu'est le féminisme. Ainsi, les débats sur la **représentation « descriptive »** – l'idée que les individus sont typiquement représentatifs des groupes ou classes de personnes auxquels ils ou elles appartiennent[9] – font encore rage au sein des écrits féministes[10]. C'est notamment ce qui a poussé certaines féministes à mettre sur pied le Parti féministe du Canada, maintenant défunt,

....

9. Par exemple, les femmes représentent nécessairement les intérêts des femmes, les Autochtones ceux des Autochtones, etc. (Mansbridge, 1999, p. 629).

10. Voir entre autres Bherer (2004) ; Gould (1996) ; Mansbridge (1999, 2001) ; Mouffe (1996) ; Phillips (1995, 1998).

qui ne représentait pas seulement les femmes, mais une vision féministe de la politique (O'Brien, 1999 ; voir aussi Zaborsky, 1987).

En fait, peu de femmes politiciennes s'associent ouvertement au mouvement féministe, considéré comme défendant des intérêts trop particularistes ou associé à un radicalisme de mauvais goût pour la politique électorale (Dumont, 2011). C'est même le cas de certaines politiciennes responsables des dossiers sur l'égalité, comme ce fut le cas de Lise Thériault qui, lors de sa nomination comme ministre de la Condition féminine en 2016, a déclaré aux journalistes qu'elle n'était pas féministe (Richer, 2016). Dans leur étude sur la culture masculine de la politique, Manon Tremblay et Édith Garneau concluent que les femmes en politique cherchent à éviter l'étiquette de féministe, « soit par crainte de susciter l'hostilité des collègues, soit en raison d'une conception faussée du féminisme (c'est-à-dire [qu'elles cherchent à] évacuer l'image de la radicalité) » (Tremblay et Garneau, 1997, p. 77). Cependant, sans pour autant s'affubler de l'étiquette féministe, il semble que les femmes élues soient conscientes d'une responsabilité particulière à défendre les intérêts des femmes comme groupe social (Tremblay, 1992).

2.4.3. Députées, membres du Cabinet et premières ministres : un pouvoir réel ?

Nombre d'analyses politiques s'accordent sur le fait que le pouvoir réel ne se trouve pas tant dans la chambre législative, mais bien au sein du cercle restreint du Cabinet des ministres (Tremblay, 2005, 2010). Ainsi, il importe de se demander, au-delà des femmes élues comme députées, comment s'exerce la participation des femmes dans les hauts cercles du pouvoir. Robert Putnam a formulé, au milieu des années 1970, la loi de la « **disparité progressive** » qui veut que plus un poste est élevé dans la hiérarchie politique, plus les femmes y soient rares (Putnam,

1976, p. 33). On peut donc s'attendre à retrouver une proportion moins grande de femmes dans le Cabinet des ministres qu'à l'Assemblée législative. Certaines études démontrent en effet que les femmes sont surreprésentées dans les postes « inférieurs », dotées de peu de pouvoir, et sous-représentées dans les postes « supérieurs », dans lesquels on détient plus de pouvoir (Bashevkin, 1993 ; Young et Cross, 2003). Mais les résultats des études se penchant précisément sur la représentation au sein des cabinets sont plus ambigus et indiquent, au contraire, qu'au Canada et au Québec, la proportion de femmes au sein des Conseils des ministres est plus élevée que la proportion de femmes élues au Parlement, et ce, de manière assez constante dans le temps (Tremblay et Andrews, 2010 ; Paquin, 2010). Selon les études de Manon Tremblay et Sarah Andrews, il semble également que « le pourcentage de députées du parti au pouvoir constitue la variable la plus déterminante de la proportion de femmes nommées ministres, quoique le pourcentage global de députées exerce aussi une influence significative sur l'importance de l'espace occupé par les femmes dans les cabinets » (Tremblay et Andrews, 2010, p. 152). Des études portant sur le Québec entre 1970 et 2008 confirment que la **loi de la disparité progressive** ne semble pas s'y appliquer : la proportion de femmes dans les cabinets reste généralement supérieure à celle des femmes élues dans le parti au pouvoir et à l'Assemblée nationale (Paquin, 2010, p. 125).

Cependant, en y regardant de plus près, on voit que les responsabilités ne sont pas distribuées également à l'intérieur des cabinets. Au fédéral, seulement 15 % des portefeuilles liés aux fonctions régaliennes de l'État (la défense, la justice, les relations internationales) sont confiés à des femmes[11]. Cette proportion diminue à

----

11. Ces données sont basées sur les titres de ministres attribués aux femmes entre 1921 et 2007.

LES FEMMES CHEFS DE GOUVERNEMENT – QUÉBEC ET CANADA

Pauline Marois – première ministre du Québec (septembre 2012 à avril 2014)

L'élection du 4 septembre 2012 permit à une femme, Pauline Marois, d'accéder au poste de premier ministre du Québec pendant un court laps de temps (vingt mois), après que celle-ci eut œuvré en politique depuis plus de trente ans. Malgré plusieurs revers et difficultés – notamment sa deuxième place à la course à la chefferie du Parti québécois de 2005 –, Pauline Marois a persisté dans son ascension vers le pouvoir. Même si Mme Marois a par le passé soutenu des causes chères aux féministes – telles les garderies à 5 $ –, son engagement pour la défense des droits des femmes ne semble pas acquis (voir Porter, 2012).

Kim Campbell – première ministre du Canada (juin à novembre 1993)

La première et seule femme à avoir occupé la position de chef du gouvernement canadien fut Kim Campbell. C'est en remportant la course à la chefferie du Parti progressiste-conservateur (contre son rival Jean Charest) qu'elle accède au pouvoir à la suite de la démission de Brian Mulroney. Sa popularité d'abord inattendue et généralisée se détériorera brutalement lors de la campagne électorale, quelques mois après son accession au pouvoir. Sa chute est généralement attribuée à son incapacité à réparer les pots cassés laissés par son prédécesseur, ainsi qu'à la couverture médiatique négative dont elle a été la cible (voir Mendelsohn et Nadeau, 1999).

---

moins de 7 % pour les provinces[12]. Si l'on ajoute l'autre secteur important du pouvoir au sein des cabinets – les fonctions économiques (le Conseil du trésor, les finances, l'énergie et les ressources naturelles, le revenu, l'industrie et le commerce) –, les femmes ont reçu 35 % des affectations ministérielles dans ces deux domaines au gouvernement fédéral et moins de 20 % dans les provinces (Tremblay et Andrew, 2010). En contrepartie, dans 75 % des cas au provincial, et moins de 60 % au fédéral, les portefeuilles des ministères socioéconomiques (l'éducation, l'emploi, l'immigration, le tourisme et le loisir) ou socioculturels (citoyenneté, condition féminine, culture, famille, santé et services sociaux, identité et multiculturalisme) ont été gérés par une femme. On peut donc conclure que, si la loi de la disparité progressive ne s'observe pas dans la participation au Conseil des ministres, elle semble néanmoins expliquer une partie de la réalité dans l'attribution des rôles de pouvoir à l'intérieur de ce dernier.

POINTS CLÉS

> Plusieurs types d'arguments sont utilisés pour revendiquer le droit de vote des femmes, notamment des arguments maternalistes (reposant sur le rôle social des mères) et des arguments égalitaristes (reposant sur l'égalité des femmes comme individus).

> L'influence disproportionnée de l'Église sur le gouvernement du Québec peut expliquer en partie le retard dans l'obtention du droit de vote aux élections provinciales, ainsi que la nature conservatrice du rapport de la commission Dorion, qui n'amène que peu de changements.

> L'implication politique et civique des femmes se fait par des canaux différents de ceux des

---

....

12. Selon Tremblay et Andrew (2010), les différences dans les écarts entre les gouvernements provinciaux et fédéral peuvent être expliquées en partie par la répartition des pouvoirs entre les deux ordres de gouvernement, changeant l'importance mutuelle des différents ministères et le nombre de ministères disponibles dans chacune de ces catégories. Par exemple, la plupart des provinces n'ont pas de ministère de la Défense ni de ministères dédiés aux relations internationales.

hommes ; il ne faut donc pas conclure à un désintérêt des femmes envers la politique.

> La représentation des femmes aux gouvernements est encore inégale. La proportion de femmes élues augmente à un rythme de tortue ; cependant, leur présence aux conseils des ministres et dans les cabinets est tout de même significative.

3. LA DÉMOCRATIE PARTICIPATIVE : L'INFLUENCE DU MOUVEMENT FÉMINISTE SUR L'ÉTAT

La démocratie participative est ancrée dans une citoyenneté active et informée où les individus et les groupes s'inscrivent dans un processus d'identification et de résolution de leurs problèmes, en participant aux prises de décisions plutôt qu'en s'en remettant aux représentants (Bacqué, Rey et Sintomer, 2005). Reposant sur une critique de la représentation comme délégation des pouvoirs du peuple, ou encore comme aliénation de la souveraineté (Talpin, 2009, p. 389), la démocratie participative inclut notamment une série de processus dans lesquels les citoyens, citoyennes et groupes discutent des enjeux qui les touchent (Bherer, 2006). Ainsi, cette section porte sur les différents moyens qu'ont empruntés les femmes et les organisations féministes pour influencer les politiques gouvernementales en dehors de l'exercice du droit de vote. Cette section se base donc sur une notion de la politique qui dépasse les structures officielles du gouvernement et des partis, pour s'intéresser à une vision plus large de la politique, incluant notamment les débats entre les mouvements sociaux et le gouvernement, de même que les débats internes aux mouvements sociaux (Vickers, 1997). Puisqu'il serait impossible de parcourir tous ces moyens, nous en avons sélectionné deux. Nous considérons d'abord la Commission royale d'enquête sur la situation des femmes. Finalement, nous nous penchons sur un exemple de lutte où la participation de milliers de femmes et d'hommes à un mouvement social a permis le changement des pratiques sociales, des lois et des politiques : le combat pour le contrôle des femmes sur leur corps et pour le libre accès à l'avortement.

3.1. La Commission royale d'enquête sur la situation de la femme au Canada

En 1967, sous la pression de plusieurs groupes de femmes, le gouvernement libéral fédéral de Lester B. Pearson mit sur pied la Commission royale d'enquête sur la situation de la femme au Canada (commission Bird), la première commission dans l'histoire présidée par une femme, la journaliste Florence B. Bird. La commission avait pour mission de « faire enquête et rapport sur le statut des femmes au Canada, et de présenter des recommandations quant aux mesures pouvant être adoptées par le gouvernement fédéral afin d'assurer aux femmes des chances égales à celles des hommes dans toutes les sphères de la société canadienne » (Commission royale d'enquête sur la situation de la femme au Canada, 1970, p. vii). Outre le fait d'être présidée par une femme, cette enquête publique représente une avancée majeure en ce qui a trait à la participation des femmes aux processus de consultations : les commissaires sont majoritairement des femmes, plus de 468 mémoires et plus de 1 000 lettres ont été envoyés et lus, six mois d'audiences publiques se tinrent dans 14 grandes villes des 10 provinces, en plus d'audiences à Yellowknife et à Whitehorse. En tout, près de 900 personnes ont témoigné. Les commissaires, constatant le manque flagrant d'information disponible, ont également commandé plus de 40 études spéciales. Se basant sur le principe d'égalité des droits et libertés de tous les êtres humains, la commission Bird a remis au gouvernement en 1970, par le biais d'un document de près de 500 pages, 167 recommandations portant sur des sujets aussi disparates que l'équité salariale, les moyens contraceptifs et la *Loi sur les Indiens*.

En plus d'inviter formellement les femmes à participer à l'identification de leurs problèmes et à la recherche de solutions, le rapport de la commission Bird fut une source importante d'information et une base sur laquelle les mouvements féministes allaient pouvoir s'appuyer afin de revendiquer de nombreux changements. Cette commission permit à beaucoup de femmes de mettre leur expérience personnelle en perspective avec celle de l'ensemble des femmes du pays et de rendre politiques des enjeux qu'elles croyaient personnels.

3.2. La lutte pour l'avortement libre et gratuit et la politique de rue

Contrairement aux luttes que nous avons considérées jusqu'à maintenant, la lutte pour la décriminalisation et l'accès libre et gratuit à l'avortement ne s'est pas gagnée par l'action de féministes d'État ou par l'action lobbyiste. Au Québec, le premier groupe à s'engager dans la lutte, le Comité de lutte pour la contraception et l'avortement libres et gratuits, est un groupe autonome de femmes souvent qualifiées de radicales (Dumont et Toupin, 2003, p. 367) qui, tout en menant la lutte politique dans les espaces publics et populaires, offre des services clandestins. Le *Bill Omnibus*[13] du gouvernement fédéral avait permis en 1969 de créer une exception légale pour l'avortement, avec la permission d'un comité thérapeutique[14], si l'interruption de

grossesse s'avérait nécessaire pour la santé des femmes. La revendication des féministes était donc simple : le corps des femmes leur appartient ; elles sont les seules à pouvoir décider de ce qui le concerne. C'est donc le droit à leur intégrité physique qu'elles revendiquent, lorsqu'elles crient dans les rues « Ni curé ni médecin, notre corps nous appartient ». En fait, cette lutte s'est menée simultanément sur trois fronts : 1) le front juridique, principalement à travers les procès du Dr Henry Morgentaler ; 2) le front « sanitaire », avec la pratique d'avortements illégaux dans les centres locaux de services communautaires (CLSC) à la grandeur de la province[15] ; et 3) le front politique et idéologique.

En 1978, le Comité de lutte s'élargit et devient la Coalition pour le droit à l'avortement. Les membres utilisent une diversité de tactiques : des manifestations du 8 mars à celles lors de la fête des Mères, des messages sur les murs de l'oratoire Saint-Joseph à une déclaration de plus de 100 femmes s'inculpant volontairement reproduite dans une page complète du *Devoir* (Desmarais, 1999, p. 187). Elles vont même défier directement la loi en mettant sur pied des cliniques qui pratiquent des avortements illégaux dans les CLSC, ainsi que lorsqu'elles accompagnent illégalement Chantal Daigle aux États-Unis pour qu'elle s'y fasse avorter, et ce, contre l'injonction obtenue par son ex-conjoint[16]. Les

. . . .

former des comités thérapeutiques, d'autres comités refusaient systématiquement les demandes alors que quelques-uns étaient un peu plus souples. Bref, les décisions semblaient davantage se fonder sur les croyances personnelles des médecins que sur la question de la santé des femmes (Desmarais, 1999).

15. Il semble que, même quand l'information est devenue de nature publique (première page du *Devoir*), le gouvernement n'ait pas entamé de poursuites, tolérant ainsi la pratique et permettant qu'elle s'étende à l'ensemble de la province (Desmarais, 1999, p. 212).

16. Le cas de Chantal Daigle fut la deuxième bataille autour de l'avortement portée devant la Cour suprême du Canada, lorsque cette dernière en appela de l'injonction obtenue par son ex-conjoint Jean-Guy Tremblay afin de l'empêcher de se faire avorter, en revendiquant son droit de veto en tant «père en puissance » et

. . . .

13. *Loi de 1968-1969 modifiant le droit pénal* (S.C. 1968-1969, c. 38).

14. Les hôpitaux devaient former des comités thérapeutiques composés de trois médecins enregistrés. Les comités recevaient les demandes des femmes et décidaient si leurs raisons étaient valables. Certains hôpitaux n'ont même pas pris la peine de

féministes actives dans cette lutte ne demandaient pas l'aval des institutions politiques avant d'agir dans l'espace public et privé afin de défendre leurs revendications et de convaincre la population de leur bien-fondé (Bessaïh et Desmarais, 2008).

L'obtention de la décriminalisation de l'avortement, à la suite de l'arrêt Morgentaler (1988) de la Cour suprême, vient donc confirmer une pratique déjà répandue au Québec, mais tout de même illégale. C'est donc un exemple que la politique et les lois sont parfois à la remorque de la société et que la politique peut se jouer à l'extérieur des institutions prévues à cet effet. Au-delà des moyens utilisés pour « faire de la politique », cette lutte pour l'acquisition du contrôle de leur corps peut être considérée, pour les femmes, comme la dernière étape nécessaire au plein accès à la participation politique et à la citoyenneté réelle. Ainsi, et contrairement aux stratégies utilisées par certaines suffragettes, la condition « impérative » de l'accès des femmes à la pleine citoyenneté est, selon Marie-Blanche Tahon, « la disjonction entre femme et mère » (Tahon, 1997, p. 27).

POINT CLÉ

> En dehors des structures officielles, les femmes influencent la politique par leur implication dans les instances paragouvernementales, comme la commission Bird ; leur implication dans les mouvements sociaux, comme le mouvement féministe et la lutte pour la décriminalisation et l'accessibilité de l'avortement.

---

en citant le droit du fœtus à la vie. La grossesse avançant durant les procédures judiciaires, Chantal Daigle décida d'aller se faire avorter aux États-Unis, contrevenant ainsi à l'injonction de la Cour supérieure du Québec, injonction maintenue en Cour d'appel. Le verdict de la Cour suprême du Canada lui donna cependant raison en réaffirmant, d'une part, que le fœtus n'a pas de personnalité juridique, et donc n'a pas un « droit à la vie » et, d'autre part, que le « père en devenir » n'avait aucun droit de veto sur le sort du fœtus (*Tremblay c. Daigle*, [1989] 2 R.C.S. 530).

4. L'INFLUENCE DES POLITIQUES PUBLIQUES SUR LES FEMMES

Le lieu commun voulant que l'appartenance à une couche inférieure de la société se traduise par une moins grande participation à la politique est bien documenté. Entre autres, Gidengil et ses collègues confirment que les inégalités structurelles font en sorte que les voix de certaines personnes sont moins entendues et que leurs préférences comptent moins (Gidengil *et al.*, 2010, p. 111). Dans cette perspective, il est donc important d'aller au-delà du droit de vote et de la participation aux partis politiques pour comprendre les relations entre les femmes et la politique. Ce n'est bien sûr pas directement et réellement pour permettre aux femmes de participer au processus démocratique que l'**État-providence** s'est développé. Cependant, l'accès des femmes à davantage de ressources est également le corollaire d'une plus grande participation de ces dernières à la politique. Nous nous attardons donc, dans cette section, aux mesures sociales qui ont permis à certaines femmes – comme individus ou comme mères – d'améliorer leur situation et celle de leur famille.

4.1. L'État-providence : l'influence des mesures sociales sur les femmes

On tend souvent à définir l'État-providence comme un État qui prône l'intervention dans certains secteurs, comme le soutien au revenu, la santé, l'éducation et le soutien aux familles afin d'assurer un bien-être minimal à l'ensemble de la population. Pour certains, il est une extension de l'État protecteur, chargé non seulement de garantir l'intégrité physique et la propriété privée – comme l'État moderne du contrat social –, mais également un minimum de sécurité financière (Rosanvallon, 1981, p. 20).

Dans la mesure où, comme nous l'avons vu, le contrat social a été « signé » entre hommes – représentant la famille aux yeux de l'État –, il est difficile de considérer les femmes comme étant des bénéficiaires légitimes de cette garantie. En fait, les premiers filets sociaux mis en place par l'État viseront les femmes, mais au cœur d'une relation où l'État se substitue au mari absent ou décédé. C'est le cas pour les premières rentes allouées par le gouvernement fédéral aux veuves de guerre à partir de 1919 (Gauthier, 1985, p. 307) et des allocations offertes par le gouvernement du Québec à partir de 1937 aux « mères nécessiteuses », qui ne visaient que les femmes mariées dont le mari était décédé, invalide, interné ou avait abandonné le foyer depuis plus de cinq ans. Afin de se prévaloir de cette prestation, les femmes devaient non seulement prouver leur pauvreté, mais également leurs bonnes mœurs, en fournissant un certificat attesté par un ministre du culte (Baillargeon, 1996, p. 23 ; Collectif Clio, 1992, p. 282)[17]. Même si la loi sur les mères nécessiteuses peut difficilement être considérée comme progressiste, considérant que des lois similaires, mais moins exigeantes, existaient aux États-Unis depuis 1911 et dans d'autres provinces canadiennes depuis 1916, elle marque tout de même un tournant dans la reconnaissance de la possibilité, pour certaines femmes, d'être chefs de famille. Les femmes se positionnent ainsi, d'une certaine manière, comme étant des interlocutrices crédibles pouvant réclamer une aide particulière de l'État.

La loi sur l'aide sociale de 1969 permit d'augmenter l'autonomie financière des femmes, celles-ci ayant accès à une certaine sécurité financière en tant qu'individus et non plus seulement en tant que mères responsables de l'éducation des enfants. Cette loi est donc venue consolider la nouvelle relation des femmes à l'État en tant qu'individus à part entière dignes de droits et de responsabilités en dehors de leur rôle maternel, principes déjà établis dans la *Loi sur la capacité juridique de la femme* de 1964.

4.2. La responsabilité des enfants

L'autre aspect des relations entre les femmes et l'État qui sera grandement modifié grâce aux luttes d'émancipation des femmes est la responsabilité de l'État dans l'éducation des enfants. Si les premières mesures de soutien financier visent les mères méritantes, c'est parce que leur objectif est de permettre aux mères de bien accomplir leur rôle dans la société : celui de la reproduction et de l'éducation des enfants. C'est donc principalement à travers le prisme du rôle maternel que l'État accepte de se substituer au père.

Avec l'augmentation de la participation des femmes au marché du travail dans les années 1960 et suivantes, l'assignation de la responsabilité unique des femmes dans l'éducation des enfants est remise en question. Le rapport de la commission Bird a bien repris cette revendication des groupes de femmes, mais l'instauration d'un système de garderies accessibles (autant sur le plan financier qu'en termes de proximité et de disponibilité des places) ne viendra que très tard dans le cas du Québec, et demeure toujours absent du reste du Canada. L'idée que l'État a une part de responsabilité dans la prise en charge des enfants fait son chemin tranquillement. Malgré la mise sur pied de garderies populaires au début des années 1960 et de quelques garderies en milieu de travail au milieu des années 1970 (Roy, 2010), et malgré la promesse du Parti québécois (dans son programme de 1975) d'instaurer un programme universel et gratuit de garderies, ce n'est que vers la fin des années 1970 que le gouvernement du Québec commence à

....

17. Ces « mères nécessiteuses » devaient aussi vivre au Québec depuis sept ans et être sujets britanniques depuis au moins quinze ans, ce qui exclut les mères immigrantes. Ces femmes devaient avoir au moins deux enfants de moins de seize ans. En plus de la lettre du curé de la paroisse, une deuxième lettre d'une personne « désintéressée » était exigée.

reconnaître la nécessité des services de garde pour assurer le plein droit des femmes au travail et au loisir (Desjardins, 1984). Les modifications apportées par la *Loi sur les services de garde à l'enfance* de 1979, même si celle-ci présente des améliorations substantielles, ne sauront régler le problème du manque de places disponibles et le prix exorbitant des garderies pour les enfants en bas âge. Le réel changement ne se fera qu'avec l'instauration graduelle du réseau des garderies à 5 $ par jour en 1997 et celle d'un plan de création d'un nombre substantiel de places (de 80 000 en 1997 à 200 000 en 2006) (Tremblay, 2010), qui sera en bonne partie mis en application. Ces quelques mesures, bien qu'encore insuffisantes, témoignent néanmoins du réel partage de la responsabilité des enfants dans la société avec le gouvernement du Québec. Pour revenir aux propos de Marie-Blanche Tahon cités plus haut, il semble que ce ne soit pas seulement l'accès au contrôle de leur corps qui permette aux femmes d'accéder pleinement à la citoyenneté et de réellement participer au processus politique, mais également la dissociation entre femme et mère, et la possibilité d'être femme et mère en partageant les responsabilités liées à la prise en charge des jeunes enfants.

POINTS CLÉS

> Les politiques sociales visaient d'abord à faire en sorte que l'État se substitue au mari absent.
> Ce n'est que lorsque l'État a réellement partagé la responsabilité de l'éducation et de la garde des enfants que les femmes ont pu devenir des actrices à part entière dans la société.

CONCLUSION

Le mouvement féministe d'aujourd'hui, malgré les immenses gains qui ont été obtenus, semble conserver une certaine ambiguïté dans sa relation à la politique. Bien conscientes des effets de certaines politiques publiques sur les femmes, certaines féministes continuent d'encourager les femmes à s'impliquer dans la politique officielle et à obtenir des positions de pouvoir qui leur permettront d'opérer des changements dans l'intérêt de la moitié délaissée de la population. D'autres, toujours aussi sceptiques quant à la réelle possibilité de changer les choses de l'intérieur, préfèrent s'engager dans des groupes de pression, militer dans des luttes particulières ou s'investir dans une organisation autonome locale. Résultat : le mouvement féministe au Québec et au Canada demeure un mouvement extrêmement dynamique et diversifié, qui se préoccupe de la politique, des structures et des relations de pouvoir dans la société. Sa diversité est bien représentée par la multiplicité de ses organisations – des organisations plus établies comme la Fédération des femmes du Québec, le Conseil du statut de la femme ou la Fédération du Québec pour le planning des naissances aux nouvelles organisations et collectifs autonomes comme le Rassemblement pancanadien Toujours RebElles, Les Sorcières et le Montreal Sisterhood. Certaines organisations sont officielles et utilisent des structures représentatives, comme les organisations féministes dans les associations étudiantes, les instituts de recherche (Institut de recherches et d'études féministes de l'Université du Québec à Montréal, Institut Simone de Beauvoir de Concordia) ou l'Intersyndicale des femmes. Certaines organisations visent une population spécifique, comme Femmes autochtones du Québec ou la Maison des femmes sourdes, alors que d'autres se préoccupent d'une problématique en particulier, comme le Regroupement québécois des Centres d'aide et de luttes contre les agressions à caractère sexuel (RQCALACS) ou SOS-grossesse. Certaines organisations se préoccupent des enjeux locaux (Table de concertation des groupes de femmes de Montréal, le Collectif du 18 août au Saguenay, etc.) alors que d'autres sont tournées vers le monde (Marche mondiale des femmes, Femmes et démocratie). Le mouvement féministe a ainsi évolué au cours de son histoire, parfois faite de victoires, de même qu'en fonction des besoins de la diversité des femmes. On y discute d'une panoplie d'enjeux comme la précarité et la pauvreté des femmes, les institutions politiques, la marchandisation et le contrôle du corps des femmes, la médicalisation du corps des femmes, la diversité des femmes (identités, genres, sexes), les inégalités entre ces dernières et l'intersection des oppressions, les solidarités à construire et consolider avec les femmes autochtones et les stratégies à adopter pour le mouvement et ses liens et alliances avec d'autres mouvements sociaux. Ainsi, les défis sont nombreux, hétéroclites et parfois contentieux. Un constat semble cependant se dessiner : les femmes ne sont pas près d'arrêter de revendiquer et d'investir la politique au sens large. Il ne reste qu'à espérer que la politique saura s'adapter.

QUESTIONS

1. Comment la dichotomie public-privé structure-t-elle l'État canadien et l'État québécois ?

2. Afin d'obtenir une représentation plus égalitaire, les femmes devraient-elles s'adapter à la politique et s'investir dans les structures existantes ? Devraient-elles changer les structures pour qu'elles représentent mieux leurs manières de faire de la politique ?

3. En quoi serait-il plus efficace pour les femmes d'influencer les politiques publiques de l'extérieur (par les groupes de pression et les mobilisations populaires) ? En quoi serait-il plus efficace de se faire élire et de changer la politique de l'intérieur ?

4. Décrivez comment la relation entre les femmes et l'État s'est transformée au fil du temps au Québec et au Canada.

LECTURES SUGGÉRÉES

Collectif Clio (1992). *L'histoire des femmes au Québec depuis quatre siècles*, 2ᵉ éd., Montréal, Remue-ménage.

Commission royale d'enquête sur la situation de la femme au Canada (1970). *Rapport de la Commission royale d'enquête sur la situation de la femme au Canada* – Rapport Bird, Ottawa, Information Canada.

Fraser, N. (1989). *Unruly Practices : Power, Discourse and Gender in Contemporary Social Theory*, Minneapolis, University of Minnesota Press.

Harell, A. (2009). « Equal participation but separate paths ? : Women, social capital and turnout », *Journal of Women, Politics and Policy*, vol. 30, p. 1-22.

Mansbridge, J. (2001). « The descriptive political representation of gender : An anti-essentialist argument », dans J. Klausen et C.S. Maier (dir.), *Has Liberalism Failed Women ?*, New York, Palgrave, p. 19-38.

Pateman, C. (1988). *The Sexual Contract*, Cambridge, Polity Press.

Tremblay, M. et S. Andrews (2010). « Les femmes nommées ministres au Canada pendant la période 1921-2007 : la loi de la disparité progressive est-elle dépassée ? », *Recherches féministes*, vol. 23, n° 1, p. 143-163.

Vickers, J. (1997). *Reinventing Political Science. A Feminist Approach*, Halifax, Fernwood Press.

Glossaire

ACTIVITÉ POLITIQUE : Une activité est dite politique si elle traduit un effort collectif pour changer les relations de pouvoir dans la société, ses communautés ou ses institutions (Vickers, 1997, p. 16, traduction libre).

ANDROCENTRISME, ANDROCENTRISTE : Du grec *andros, andro-* (« homme, mâle »), mode de pensée qui consiste à mettre au centre l'expérience et le point de vue des hommes, dans un processus conscient ou non.

DICHOTOMIE PUBLIC-PRIVÉ : Division selon laquelle la production de la vie ou la reproduction correspond à la sphère privée et où le gouvernement correspond à la sphère publique. Cette dichotomie ne représente pas qu'une différenciation entre les deux sphères, elle induit également une hiérarchie ; la sphère publique relève de l'homme, ce qui l'élève au-dessus des animaux ; la sphère privée est associée à la femme, à ce qui est naturel et animal, non civilisé. L'existence même de cette dichotomie est remise en question par les politologues féministes.

ÉGALITÉ *DE JURE* : Fait référence à l'égalité formelle ou à l'égalité inscrite dans la loi. L'égalité *de facto* est une égalité qui se traduit dans les faits. Il est souvent nécessaire de mettre en place des mesures transitoires afin que l'égalité *de jure* se transforme en égalité de fait.

ÉTAT-PROVIDENCE : État qui prône l'intervention dans certains secteurs, comme le soutien au revenu, la santé, l'éducation et le soutien aux familles, afin d'assurer un bien-être minimal à l'ensemble de la population.

LOI DE LA DISPARITÉ PROGRESSIVE : Plus un poste est élevé dans la hiérarchie politique, moins il y a de femmes qui l'occupent (Putnam, 1976, p. 33).

PATRIARCAT : Système politique caractérisé par une dominance masculine institutionnalisée dans lequel les hommes sont dominants dans toutes les institutions étatiques et favorisés par le rapport de pouvoir dans les autres institutions sociales d'importance. Le patriarcat est historique, c'est-à-dire [...] qu'il prend des formes différentes selon le temps et le lieu (Vickers, 1997, p. 13, traduction libre).

REPRÉSENTATION DESCRIPTIVE : Idée selon laquelle les individus sont typiquement représentatifs des groupes ou classes de personnes auxquels ils appartiennent ; les femmes représentent les intérêts des femmes, les Autochtones représentent les intérêts des Autochtones, etc. (Mansbridge, 1999, p. 629).

Bibliographie

Allen, A. (1996). « Foucault on power : A theory for feminists », dans S. Hekman (dir.), *Feminist Interpretations of Michel Foucault*, University Park, Penn State Press, p. 265-282.

Allen, A. (1998). « Rethinking power », *Hypatia*, vol. 13, p. 21-40.

Augerot-Arend, S. d' (1991). « Why so late ? : Cultural and institutional factors in the granting of Quebec and French Women's Political Rights », *Journal of Canadian Studies*, vol. 26, p. 138-165.

Bacqué, M.-H., H. Rey et Y. Sintomer (2005). *Gestion de proximité et démocratie participative. Une perspective comparative*, Paris, La Découverte.

Baillargeon, D. (1996). « Les politiques familiales au Québec. Une perspective historique », *Lien social et Politiques*, vol. 36, p. 21-32.

Bashevkin, S. (1993). *Toeing the Line : Women and Party Politics in English Canada*, 2e éd., Toronto, Oxford University Press.

Bessaïh, N. et L. Desmarais (2008). « Le droit à l'avortement, une lutte exemplaire », *À babord !*, <http://www.ababord.org/spip. php?article195>.

Bherer, L. (2006). « La démocratie participative et la qualification citoyenne : à la frontière de la société civile et de l'État », *Nouvelles pratiques sociales*, vol. 18, n° 2, p. 24-38.

Bourassa, H. (1918). « Désarroi des cerveaux – triomphe de la démocratie », *Le Devoir*, 28 mars, <http://faculty. marianopolis.edu/c.belanger/quebechistory/docs/LevotedesfemmesduQuebec-HenriBourassa1.html>.

Braud, P. (2002). *Sociologie politique*, Paris, Librairie générale de droit et de jurisprudence.

Cleverdon, C.L. (1974). *The Women's Suffrage Movement in Canada*, 2e éd., Toronto, University of Toronto Press.

Collectif Clio (1992). *L'histoire des femmes au Québec depuis quatre siècles*, 2e éd., Montréal, Remue-ménage.

Commission royale d'enquête sur la situation de la femme au Canada (1970). *Rapport de la Commission royale d'enquête sur la situation de la femme au Canada* – Rapport Bird, Ottawa, Information Canada.

Conseil du statut de la femme (2016). *Portrait des Québécoises en 8 temps*, Québec, Publications du Québec, <https://www.csf.gouv.qc.ca/wp-content/uploads/portrait_des_quebecoises_en_8_temps_web.pdf>.

Cross, W. (2010). *Auditing Canadian Democracy*, Vancouver, UBC Press.

D'Aoust, A.-M. (2010). « Les approches féministes des relations internationales », dans A. Macleod et D. O'Meara (dir.), *Contestations et résistances. Les théories des relations internationales depuis la fin de la guerre froide*, 2e éd., Outremont, Athéna, p. 339-364.

D'Aoust, A.-M. (2012). « Feminist perspectives on foreign policy », dans R. Denemark (dir.), *The International Studies Compendium Project*, Oxford, Wiley-Blackwell, <http://www.blackwellreference.com/public/tocnode?id=g9781444336597_yr2012_chunk_g978144433 65978_ss1-31>.

Delli Carpini, M.X. et S. Keeter (1996). *What Americans Know About Politics and Why it Matters*, New Haven, Yale University Press.

Desjardins, G. (1984). *Histoire des garderies au Québec entre 1968 et 1980*, Québec, Office des services de garde à l'enfance, Publication du Québec.

Desmarais, L. (1999). *Mémoires d'une bataille inachevée : la lutte pour l'avortement au Québec*, Montréal, Trait d'union.

Directeur général des élections du Québec (2014). *Participation à l'élection générale du 7 avril 2014 – Stabilisation du taux de participation au Québec*, Gouvernement du Québec, Québec, 29 octobre, <http://www.electionsquebec.qc.ca/francais/actualite-detail.php?id=5789>.

Dumont, M. (2011). « Politique active et féminisme. Les députées de l'Assemblée nationale », *Bulletin d'histoire politique*, vol. 20, n° 2, p. 46-60.

Dumont, M. et L. Toupin (2003). *La pensée féministe au Québec. Anthologie (1900-1985)*, Montréal, Les éditions du remue-ménage.

Edwards c. Canada (Procureur général du Canada), [1928] S.C.R. 276.

Edwards c. Canada (Procureur général du Canada), [1929] U.K.P. C. 86, <http://www.bailii.org/uk/cases/UKPC/1929/1929_86.html>.

Élections Canada (2012). *L'histoire du vote au Canada*, Ottawa, Gouvernement du Canada, <http://www.elections.ca/content.aspx?section=res&dir=his&document=chap1&lang=f>.

Élections Canada (2015). *Estimation du taux de participation par groupe d'âge et par sexe à l'élection générale de 2015*, Ottawa, Gouvernement du Canada, <http://www.elections.ca/content.aspx?section=res&dir=rec/part/estim/42ge&document=p1&lang=f>.

Fraisse, G. (2000). *Les deux gouvernements : la famille et la cité*, Paris, Gallimard.

Fraser, N. (1989). *Unruly Practices : Power, Discourse and Gender in Contemporary Social Theory*, Minneapolis, University of Minnesota Press.

Gauthier, A. (1985). « État-mari, État-papa. Les politiques sociales et le travail domestique », dans L. Vandelac (dir.), *Du travail et de l'amour. Les dessous de la production domestique*, Montréal, Saint-Martin, p. 257-311.

Gidengil, E., R. Nadeau, N. Nevitte et A. Blais (2010). « Citizens », dans W. Cross (dir.), *Auditing Canadian Democracy*, Vancouver, UBC Press, p. 93-117.

Glenn, E.N. (2002). *Unequal Freedom : How Race and Gender Shaped American Citizenship and Labor*, Cambridge, Harvard University Press.

Gould, C. (1996). « Diversity and democracy : Representing differences », dans S. Benhabib (dir.), *Democracy and Difference*, Princeton, Princeton University Press, p. 171-186.

Harell, A. (2009). « Equal participation but separate paths ? : Women, social capital and turnout », *Journal of Women, Politics and Policy*, vol. 30, p. 1-22.

Lamoureux, D. (1991). « Idola Saint-Jean et le radicalisme féministe de l'entre-deux-guerres », *Recherches féministes*, vol. 4, n° 2, p. 45-60.

Lamoureux, D. et M. de Sève (1993). « La science politique a-t-elle un sexe ? », dans R. Mura (dir.), *Un savoir à notre image ? Critiques féministes des disciplines*, vol. 1, Paris, Côté-femmes, p. 135-149.

Maillé, C. (1990). « Le vote des Québécoises aux élections fédérales et provinciales depuis 1921 : une assiduité insoupçonnée », *Recherches féministes*, vol. 3, n° 1, p. 83-95.

Mansbridge, J. (1999). « Should Blacks represent Blacks and women represent women ? A contingent "Yes" », *Journal of Politics*, vol. 61, n° 3, p. 628-657.

Mansbridge, J. (2001). « The Descriptive political representation of gender : An anti-essentialist argument », dans J. Klausen et C.S. Maier (dir.), *Has Liberalism Failed Women ?*, New York, Palgrave, p. 19-38.

Mendelsohn, M. et R. Nadeau (1999). « The rise and fall of candidates in Canadian election campaigns », *The International Journal of Press/Politics*, vol. 4, n° 2, p. 63-76.

Ministère de la Sécurité publique (2016). *Infractions sexuelles au Québec. Faits saillants 2014*, Québec, Gouvernement du Québec, <http://www.securitepublique.gouv.qc.ca/fileadmin/Documents/police/statistiques/infractions_sexuelles/infractions_sexuelles_2014.pdf>.

Mouffe, C. (1996). « Democracy, power, and the "political" », dans S. Benhabib (dir.), *Democracy and Difference*, Princeton, Princeton University Press, p. 245-256.

O'Brien, M. (1999 [1979]). « Why feminism, why women, why now : The Feminist Party of Canada », *Canadian Woman Studies / Les cahiers de la femme*, vol. 18, n° 4, p. 105-107.

Paquin, M. (2010). « Le profil sociodémographique des ministres québécois : une analyse comparée entre les sexes », *Femmes et pouvoir politique*, vol. 23, n° 1, p. 123-141.

Pateman, C. (1988). *The Sexual Contract*, Cambridge, Polity Press.

Paxton, P. et M.M. Hugues (2007). *Women, Politics, and Power. A Global Perspective*, Los Angeles, Pine Forge Press.

Péloquin, M. (2007). *En prison pour la cause des femmes : la conquête du banc des jurés*, Montréal, Remue-Ménage.

Peterson, V.S. (1992). « Security and sovereign States : What is at stake in taking feminism seriously ? », dans V.S. Peterson (dir.), *Gendered States : Feminist (Re) Visions of International Relations Theory*, Boulder et Londres, Lynne Rienner, p. 31-64.

Phillips, A. (1995). « Des mouvements féministes entre spécificité et universalité », dans EPHESIA, *La place des femmes, les enjeux de l'identité et de l'égalité au regard des sciences sociales*, Paris, La Découverte, p. 328-336.

Phillips, A. (1998). « Democracy and representation : Or, why should it matter who our representatives are ? », dans A. Phillips (dir.), *Feminism and Politics*, Oxford, Oxford University Press, p. 224-241.

Porter, I. (2012). « Une femme investie d'une mission », *Le Devoir*, 8 septembre.

Putnam, R.D. (1976). *The Comparative Study of Political Elites*, Englewood Cliffs, Prentice-Hall.

Rawls, J. (1971). *A Theory of Justice*, Cambridge, Harvard University Press.

R. c. Morgentaler, [1988] 1 R.C.S. 30.

Regroupement québécois des centres d'aide et de lutte contre les agressions à caractère sexuel (2000). *Les agressions sexuelles : Ça suffit !*, Montréal, Regroupement québécois des centres d'aide et de lutte contre les agressions à caractère sexuel, <http://www.rqcalacs.qc.ca/publicfiles/acs/casuffi.html>.

Richer, J. (2016). « Lise Thériault ne se dit pas féministe », *Le Devoir*, 29 février, <http://www.ledevoir.com/politique/quebec/464201/lise-theriault-ne-se-dit-pas-feministe>.

Rosanvallon, P. (1981). *La crise de l'État-providence*, Paris, Seuil.

Roy, M. (2010). « Paroles d'acteurs : garde des enfants, congés parentaux et services aux personnes. Alternatives ou complémentarité des mesures », *Intervention économique*, vol. 41, <http://interventionseconomiques.revues.org/451>.

Staggenborg, S. (1998). « Social movement communities and cycles of protest : The emergence and maintenance of a local women's movement », *Social Problems*, vol. 45, n° 2, p. 180-203.

Staggenborg, S. et V. Taylor (1984). « Whatever happened to the women's movement ? », *Mobilization : An International Journal*, vol. 10, n° 1, p. 37-52.

Surprenant, M.-È. (2009). *Jeunes couples en quête d'égalité*, Montréal, Sisyphe.

Tahon, M.-B. (1997). « La maternité comme opérateur de l'exclusion politique des femmes », dans M. Tremblay et C. Andrew (dir.), *Femmes et représentation politique au Québec et au Canada*, Montréal, Remue-ménage, p. 19-32.

Talpin, J. (2009). « Démocratie participative, démocratie délibérative », dans A. Cohen, B. Lacroix et P. Riutort (dir.), *Nouveau manuel de science politique*, Paris, La Découverte, p. 389-390.

Taylor, V. (1998). « Feminist methodology in social mouvements research », *Qualitative Sociology*, vol. 21, n° 4, p. 357-379.

Tremblay c. Daigle, [1989] 2 R.C.S. 530.

Tremblay, D.-G. (2010). « Viser la conciliation emploi-famille au Québec : des politiques pour les enfants et/ou les mères ? », *Informations sociales*, vol. 4, n° 160, p. 106-113.

Tremblay, M. (1992). « Quand les femmes se distinguent : féminisme et représentation politique au Québec », *Revue canadienne de science politique*, vol. XXV, n° 1, p. 55-68.

Tremblay, M. (2005). *Québécoises et représentation parlementaire*, Québec, Presses de l'Université Laval.

Tremblay, M. et S. Andrews (2010). « Les femmes nommées ministres au Canada pendant la période 1921-2007 : la loi de la disparité progressive est-elle dépassée ? », *Recherches féministes*, vol. 23, vol. 1, p. 143-163.

Tremblay, M. et É. Garneau (1997). « La voie(x) d'une "démasculinisation" du style parlementaire », dans M. Tremblay et C. Andrews (dir.), *Femmes et représentation politique au Québec et au Canada*, Montréal, Remue-ménage, p. 69-101.

Union Interparlementaire (2016). « Les femmes dans les parlements nationaux », <http://www.ipu.org/wmn-f/classif.htm>.

Valverde, M. (1992). « When the mother of the race is free : Race, reproduction, and sexuality in first-wave feminism », dans F. Iacovetta et M. Valverde (dir.), *Gender Conflicts : New Essays in Women's History*, Toronto, University of Toronto Press, p. 3-26.

Vickers, J. (1997). *Reinventing Political Science. A Feminist Approach*, Halifax, Fernwood Press.

Young, I.M. (1990). *Justice and the Politics of Difference*, Princeton, Princeton University Press.

Young, L. et W. Cross (2003). « Women's involvement in Canadian political parties », dans M. Tremblay et L. Trimble (dir.), *Women and Electoral Politics in Canada*, Toronto, Oxford University Press, p. 92-109.

Zaborszky, D. (1987). « Feminist politics : The Feminist Party of Canada », *Women's Studies International Forum*, vol. 10, n° 6, p. 613-621.

CHAPITRE 16

SYNDICALISME ET POLITIQUE

À la recherche de la force perdue ?

Pascale Dufour

Depuis la décennie 1980, une controverse traverse les démocraties représentatives en Amérique du Nord et en Europe à propos du syndicalisme et de son rôle politique. Pour les gouvernements en place, ces **acteurs collectifs**[1], intervenant dans le débat public sont des empêcheurs de tourner en rond, des freins au changement politique alors que les centrales syndicales se présentent comme des organisations travaillant à la protection des travailleurs et travailleuses et au progrès social. Cette controverse a pris une tonalité particulière au Québec à partir de l'élection, en 2003, du gouvernement libéral de Jean Charest, particulièrement hostile aux syndicats. Cependant, elle ne date pas de la période contemporaine. La syndicalisation de la main-d'œuvre au sein des économies capitalistes s'est construite

de manière conflictuelle et la présence des syndicats dans la vie politique des démocraties s'est imposée par la force. Les travailleurs et les travailleuses se sont constitués en acteurs collectifs d'abord illégalement, puis ont dû négocier, par la création d'un rapport de force, un statut légitime au sein de l'entreprise et au sein des sphères économique et politique. L'histoire du syndicalisme n'est pas une histoire linéaire, mais une histoire chaotique, parfois violente, construite autour des conflits et des luttes sociales. Ainsi, les syndicats ne sont pas des acteurs politiques comme les autres, dans la mesure où ils interviennent généralement en dehors de l'**arène** électorale, c'est-à-dire en dehors de l'Assemblée nationale du Québec et des élections générales, et avec des moyens d'action distincts, plutôt situés du côté de la contestation sociale. En même temps, les syndicats ont été amenés à jouer un rôle de régulation dans la sphère de la production et du travail, ce qui les place aussi en

----

1. Les concepts en caractères gras sont définis dans le glossaire à la fin du chapitre.

situation constante de négociation avec le patronat et les pouvoirs publics (pour le salaire minimum, le droit du travail, la santé et la sécurité, ou la formation professionnelle, ou parce que l'État est leur employeur). Ils occupent donc une place à part dans nos démocraties capitalistes, remplissant des rôles complexes, répondant à des attentes parfois contradictoires (p. ex., négocier de meilleures conditions de travail tout en protestant contre certaines politiques d'austérité mises en place) (Collombat, 2014a).

Ce chapitre revient sur le rôle politique (et social) du syndicalisme au Québec, qui dépend à la fois des règles et normes entourant la régulation des syndicats et de la syndicalisation, de l'organisation interne des syndicats, des relations intersyndicales, des liens avec les autres acteurs de la société civile et des relations avec le pouvoir politique en place. Finalement, le syndicalisme a joué un rôle de moteur social dans l'histoire du Québec, contribuant fortement à l'adoption de législations qui améliorent le sort des travailleurs et travailleuses (comme les congés de maladie). Aujourd'hui, les syndicats sont confrontés à des défis majeurs, qui remettent en question non seulement leur pouvoir d'action, mais qui ont également des répercussions sur l'organisation, la régulation et la médiation des intérêts et des identités politiques des travailleurs et des travailleuses dans les démocraties représentatives.

1. L'ÉTAT DES LIEUX : QUELLE EST LA FORCE DU SYNDICALISME AUJOURD'HUI ?

Dans le contexte nord-américain, le Québec est la seule juridiction où la pluralité de la représentation syndicale existe depuis le début du XXᵉ siècle (Rouillard, 2004). En 2017, on compte trois principaux joueurs. La centrale syndicale la plus importante est la Fédération des travailleurs du Québec (FTQ), affiliée au Congrès du travail du Canada (CTC) et plus implantée dans le secteur privé et dans le personel des municipalités. La Confédération des syndicats nationaux (CSN) est la deuxième fédération en importance. Anciennement un syndicat catholique, la plupart des syndiqués se retrouvent aujourd'hui dans le secteur public. La Centrale des syndicats du Québec (CSQ), aussi anciennement catholique, représente surtout le personnel enseignant du primaire et du secondaire. Ces trois centrales syndicales constituent l'essentiel de la force du syndicalisme. Comment cette force se compare-t-elle à d'autres réalités canadiennes et étrangères ?

1.1. Un taux de syndicalisation enviable

Le taux de syndicalisation au Québec est particulièrement élevé, par comparaison avec les autres sociétés d'Amérique du Nord, puisqu'il se situe autour de 40 % (figure 16.1). Le Québec est l'une des provinces du Canada les plus syndiquées depuis les dernières décennies (Collombat, 2014a). La majorité des syndiqués appartiennent au secteur public (environ 50 %), comme ailleurs dans les sociétés industrialisées, même si le secteur public ne représente que 25 % de l'ensemble des travailleurs. Environ 80 % du personnel du secteur public est syndiqué (figure 16.2).

La présence syndicale varie fortement d'un secteur à l'autre. Par exemple, dans le secteur tertiaire, le commerce a un taux global de présence syndicale de 20,3 % en 2015 (et représente 17 % de la part de l'emploi), les services d'hébergement et de restauration ont une présence syndicale de 9,5 % (et représentent 7,3 % de l'emploi) alors que les services d'enseignement sont syndiqués à presque 80 % (pour une part d'emploi de 7,6 %). Néanmoins, dans tous les secteurs, la présence syndicale au Québec est plus forte que dans les autres provinces canadiennes (et non seulement dans le secteur public).

FIGURE 16.1.

Taux de présence syndicale, Québec, Ontario, reste du Canada et États-Unis, 2006 à 2015

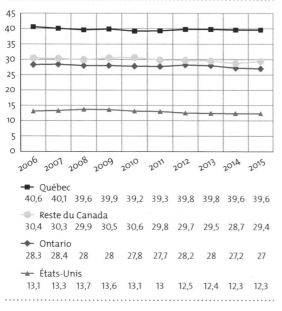

■ Québec
40,6 40,1 39,6 39,9 39,2 39,3 39,8 39,8 39,6 39,6

Reste du Canada
30,4 30,3 29,9 30,5 30,6 29,8 29,7 29,5 28,7 29,4

◆ Ontario
28,3 28,4 28 28 27,8 27,7 28,2 28 27,2 27

▲ États-Unis
13,1 13,3 13,7 13,6 13,1 13 12,5 12,4 12,3 12,3

Note : Les chiffres concernant le secteur agricole ne sont
        pas inclus.
Source : Enquête sur la population active, Statistique Canada, 2016.

FIGURE 16.2.

Taux (%) de présence syndicale selon les secteurs privé et public, Québec, Ontario, reste du Canada et États-Unis, 2006 et 2015

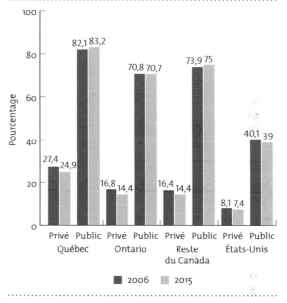

Note : Les chiffres concernant le secteur agricole ne sont
        pas inclus.
Source : Enquête sur la population active, Statistique Canada, 2016.

1.2. Le pouvoir d'action des syndicats : un droit syndical généreux, mais un droit de grève limité

Le *Code du travail* du Québec est réputé particulièrement propice au développement du syndicalisme. En 1944, la *Loi sur les relations ouvrières*, qui précède le premier *Code du travail* adopté en 1964, reconnaît l'accréditation syndicale basée sur la signature d'une carte (et non le vote). Pour que la reconnaissance prenne effet, il est nécessaire que 50 % du personnel d'une entreprise signe cette carte. Cette procédure facilite l'implantation des syndicats dans les entreprises et évite, partiellement, les tactiques

patronales visant à empêcher qu'une majorité de travailleurs vote pour la syndicalisation (Gagnon et Collombat, 2009, p. 100). De plus, les lois du travail au Québec assurent des ressources financières importantes aux syndicats implantés. En effet, selon le nom du juge de la Cour suprême du Canada qui l'a défendue en 1946 (Ivan Rand), la formule Rand assure que toute personne employée d'une entreprise syndiquée et qui est couverte par une convention collective contribuera, par le biais de cotisations syndicales obligatoires, au financement de son syndicat, même si cette personne n'est pas membre du syndicat. Finalement, depuis 1977, les employeurs et employeuses ne peuvent avoir recours à des briseurs de grève en cas de conflit de travail, ce qui assure une certaine force à la grève comme moyen d'action lorsque celle-ci est utilisée. Ces trois caractéristiques constituent le socle sur lequel la syndicalisation de l'emploi au Québec s'est construite et qui la démarque des trajectoires dans les autres provinces et aux États-Unis (Jenson et Mahon, 1993).

C'est surtout à partir des années 1960 que le droit syndical a connu une progression importante dans la province. En 1965, les salariés du secteur public accèdent au droit à la grève et à la négociation et viennent grossir les rangs de la CSN. Le taux de syndicalisation augmente de 30 % en 1961 à 39 % en 1985 (Rouillard, 2004) et demeure relativement stable depuis, comme nous l'avons souligné précédemment. Plusieurs mesures en faveur du droit des travailleurs et travailleuses et du droit du travail ont été adoptées durant ces décennies – notamment par le Parti québécois –, dont la loi anti-briseurs de grève en 1977, le régime de santé et de sécurité au travail en 1979, l'équité salariale en 1996 et un programme généreux de congés parentaux en 2001.

En même temps, ces gains majeurs masquent un faible pouvoir d'action des syndicats. Sur le plan juridique, l'action contestataire des syndicats est hautement régulée : ils ne peuvent faire grève qu'en période de négociation collective, limitant fortement la possibilité du recours à ce moyen d'action et rendant illégale, sous peine d'amendes sévères, toute grève sociale. À la différence de ce qui se passe aux États-Unis, « la législation canadienne et québécoise impose une période obligatoire de conciliation et d'arbitrage avant le déclenchement d'une grève, et interdit tout arrêt de travail pendant la durée de la convention collective » (Petitclerc et Robert, 2016, p. 39).

Dès la Deuxième Guerre mondiale, le droit de grève devient conditionnel à l'obtention préalable de l'accréditation syndicale. Comme le soulignent Martin Petitclerc et Martin Robert

(2016, p. 43), « la naissance du droit du travail contemporain s'accompagne d'une privation du droit de grève pour la majorité des travailleurs et travailleuses qui ne sont pas syndiqués ». Le *Code du travail* de 1964, parfois présenté comme une législation très progressiste sur le plan de la syndicalisation, ne remet pas en cause cette limitation très forte du droit de grève. Même l'adoption obligatoire de la formule Rand, en 1977, qui encadre le financement des syndicats, s'accompagne de mesures visant à discipliner l'usage de la grève par les syndicats et les syndiqués (amendes pour les travailleurs et travailleuses, perte d'ancienneté en cas de grève illégale et possibilité de perte du prélèvement automatique pour les syndicats)[2]. Cette structure de base des relations de travail, qui à la fois favorise un taux de syndicalisation élevé sur le plan comparatif et un pouvoir d'action restreint sur le plan de l'utilisation de la grève comme moyen légitime de contestation, va progressivement se durcir. Le mécanisme le plus commun de ce durcissement dans la législation canadienne et québécoise est l'utilisation, par les gouvernements, des lois spéciales.

1.3. Les lois spéciales : la gestion *ad hoc* du syndicalisme

L'histoire des lois spéciales au Québec est très instructive, bien que peu documentée. Les lois spéciales sont des lois d'exception qui se caractérisent par une durée déterminée d'application et qui sont adoptées selon des procédures expéditives (séance extraordinaire de l'Assemblée nationale et adoption forcée sous le bâillon du parti gouvernemental). Elles ont pour principal

....

2. La formule Rand devient une obligation légale en 1977 à la suite de son introduction dans le *Code du travail*. Auparavant, elle devait être négociée pour être introduite dans la convention collective, ce qui générait des conflits importants avec les employeurs qui refusaient de l'octroyer.

objectif de mettre fin à un conflit de travail en suspendant, temporairement, le droit de grève. Petitclerc et Robert (2016) montrent qu'entre 1960 et 1980, le Parlement du Québec adopte la grande majorité des lois spéciales (et non le gouvernement fédéral), qui touchent essentiellement les services publics et parapublics ainsi que le secteur de la construction. Ces lois mettent un terme à des grèves légales. Par exemple, en 1967, la *Loi assurant le droit de l'enfant à l'éducation et instituant un nouveau régime de convention collective dans le secteur scolaire* (loi 25) suspend le droit de grève des enseignants et enseignantes, mettant fin à une grève d'environ 15 000 salariés. À la suite de cet épisode, les syndicats se préparent sur un mode plus combatif. Plusieurs centrales développent un volet conséquent de formation et d'action politiques. Ainsi, la CSN s'engage dans la formation de comités d'action politique autonomes dans l'ensemble du Québec. Ces comités vont jouer un rôle de premier plan dans la radicalisation des mouvements sociaux dans les années 1970. C'est l'époque dite du « deuxième front » (terme évoqué par Marcel Pépin, alors président de la CSN), qui fait référence à la volonté des centrales de bâtir une lutte politique débordant la négociation collective encadrée par le droit du travail (Rouillard, 2004, p. 177).

La période de 1970 à 1976, sous le gouvernement libéral de Robert Bourassa, est particulièrement répressive pour le mouvement syndical. En 1972, le projet de loi 19 vise à mettre fin à la grève dans les services publics et parapublics qui touche plus de 200 000 syndiqués réunis autour de la demande d'un salaire plancher de 100 $ par semaine, de la réduction des écarts entre les salariés, de l'indexation des salaires à l'inflation et d'une plus grande sécurité d'emploi. Cette grève générale illimitée légale est déclenchée le 11 avril 1972. La Cour suprême ordonne par injonction le retour au travail de plusieurs grévistes, notamment dans les hôpitaux. Plusieurs refusent de se soumettre à l'injonction, ce qui

les rend passibles d'un outrage au tribunal pouvant les conduire à des peines d'emprisonnement. Le gouvernement Bourassa convoque l'Assemblée nationale devant cette désobéissance civile pour faire adopter une loi spéciale forçant le retour au travail de l'ensemble des grévistes, même ceux et celles qui n'étaient pas concernés par l'injonction de la Cour. Cette nouvelle loi fixe temporairement les conditions de travail, établit un mécanisme de résolution de conflit et prévoit l'imposition des conventions collectives si les parties ne parviennent pas à s'entendre. De plus, les montants des amendes sont doublés pour les membres des syndicats qui ne se soumettraient pas à la loi. La direction du Front commun recommande le retour au travail. Néanmoins, le 8 mai 1972, la Cour supérieure condamne les dirigeants syndicaux (Marcel Pépin de la CSN, Yvon Charbonneau de la CSQ et Louis Laberge de la FTQ) et une dizaine d'autres personnes représentantes à un an de prison pour avoir recommandé la désobéissance aux injonctions. Ces condamnations provoquent aussitôt une nouvelle vague de grèves illégales regroupant environ 300 000 personnes des secteurs publics et privés. Cette première grève générale de solidarité de l'histoire du Québec aura permis la libération des personnes emprisonnées et des gains substantiels par rapport aux revendications initiales. Cependant, elle marque également un tournant dans l'histoire des lois spéciales, qui visent de plus en plus à mettre fin à des moyens de pression légaux, contraignant fortement la possibilité même des syndicats de créer un rapport de force favorable. Cette tendance va s'accentuer au cours des années suivantes.

Le syndicalisme au Québec jouit d'une position paradoxale dans le jeu politique. D'un côté, les syndicats sont forts et détiennent des ressources importantes, ils sont donc des interlocuteurs incontournables pour les responsables patronaux et pour les pouvoirs publics. En même temps, ils sont limités dans leur capacité de créer un rapport de force avec leurs vis-à-vis, alors même que ce type d'action protestataire est traditionnellement celui qu'ils utilisent le plus.

POINTS CLÉS

> La société québécoise détient un record de syndicalisation en Amérique du Nord, dont le taux avoisine les 40 %.
> La manière plus libérale dont les relations de travail sont réglementées explique en grande partie cette performance.
> La forte syndicalisation repose sur trois piliers : accréditation syndicale par carte, financement obligatoire des syndicats, loi anti-briseurs de grève.
> Le pouvoir d'action des syndicats est limité parce que le recours à la grève est très contraint par la législation et que les gouvernements successifs ont eu recours à l'adoption de lois spéciales pour en suspendre temporairement l'application.

2. D'OÙ VIENNENT LES SYNDICATS ET QUELS SONT LEURS RÔLES IMPOSÉS OU CONQUIS ?

Comme le souligne justement Mona-Josée Gagnon (2003, p. 16), les grandes figures de la gauche révolutionnaire (Lénine, Gramsci, Trotski) ne percevaient pas les syndicats comme les principaux acteurs de la révolution. C'est plutôt le projet de la démocratie sociale révolutionnaire, telle que développée par les auteurs suédois comme Walter Korpi (1983), qui attribuait aux syndicats un rôle quasi équivalent à la classe ouvrière chez Karl Marx. Le discrédit progressif du projet social-démocrate à l'échelle européenne, couplé à la montée des autres acteurs sociaux protestataires, en particulier les mouvements sociaux (mouvement environnemental, mouvement des femmes), a relégué les

syndicats à un objet d'étude peu prisé en sciences sociales.

Néanmoins, l'analyse contemporaine du syndicalisme prend plusieurs directions selon les disciplines considérées. En relations industrielles, la littérature portant sur les syndicats traite surtout de ces acteurs dans le cadre des relations de travail et de la régulation des rapports de production au sein des démocraties. En sociologie, les syndicats sont considérés comme des agents de transformations sociales et plutôt analysés du côté de la littérature sur l'action collective et les mouvements sociaux. En science politique, le syndicalisme est replacé dans son rapport à l'État et aux autres acteurs politiques. Comme nous traitons dans ce chapitre du rôle politique des syndicats et de leur rapport au politique, c'est vers cette dernière littérature que nous nous tournons. À la fois acteurs collectifs du changement social et de la négociation, les syndicats interviennent au sein de différentes arènes, se pliant donc à des règles de jeux distinctes.

2.1. Le syndicalisme dans la littérature en science politique : **pluralisme, corporatisme, néocorporatisme**

2.1.1. *Le pluralisme*

Les syndicats se sont historiquement organisés autour d'un conflit majeur qui oppose les travailleurs et travailleuses aux responsables patronaux. Plusieurs perspectives théoriques existent pour appréhender ce conflit. Pour simplifier, nous pouvons opposer les théories inspirées du pluralisme aux théories inspirées du **marxisme**. Dans la tradition pluraliste, les conflits sociaux sont multiples et ne se résument pas au seul conflit qui concerne le travail, alors que dans la perspective marxiste, ce rapport conflictuel, appelé lutte des classes, est prédominant et constitue le moteur même de la transformation des sociétés capitalistes.

C'est aux États-Unis que se trouve élaborée la première défense du pluralisme (notamment James Madison, un des pères de la Constitution américaine). Le pluralisme est explicitement conçu comme un instrument de défense de la liberté favorisant l'autogouvernement du peuple tout en évitant l'apparition d'un pouvoir politique unique ayant la prétention de régenter toutes les sphères de la société. Dans une société pluraliste, une multiplicité de groupes s'affrontent pour tenter d'influencer les décisions publiques. Les syndicats en font partie, mais ils sont en compétition avec différents groupes défendant d'autres causes. Selon cette perspective, c'est sur la base de leurs intérêts communs que des individus se regroupent afin de défendre leur cause. Comme la diversité de ces intérêts est *a priori* illimitée, une société donnée produira toujours assez de contre-pouvoirs pour éviter la domination d'un groupe sur les autres. Dans les années 1950, David Truman (1951) formalise cette approche. Pour Courty, le pluralisme consiste alors en « une pluralité de groupes dans une société (qui) impose ses conceptions [...] aux pouvoirs publics. L'issue de cette concurrence – l'emporter en imposant sa conception aux autorités politiques – caractérise ce processus de gouvernement de la société américaine » tel que décrit par Truman (Courty, 2011, p. 4). En 1961, le politologue Robert Dahl (1971) décrit la polyarchie (par définition, plusieurs pouvoirs) comme modèle de gouvernance d'une société pluraliste, répondant aux premières critiques du pluralisme. Dans cette version, les élites et les groupes sont placés en situation de concurrence. Les polyarchies sont dirigées par des élites multiples et concurrentielles qui négocient entre elles lors du processus de prise de décisions. Ce pluralisme politique implique, selon Dahl, l'existence préalable d'un fort pluralisme social, c'est-à-dire de nombreuses organisations sociales bénéficiant d'une forte autonomie. Leur compétition favorise la formation de dirigeants, à la fois rivaux et associés, car tous et toutes dépendent du bon fonctionnement du système pour conserver leur place. Pour Dahl, « dans cette meilleure approximation de la démocratie », les citoyens ordinaires contrôlent leurs leaders immédiats et sont contrôlés par eux, les leaders se contrôlent entre eux et finissent par contrôler la politique du gouvernement.

Le marchandage et la recherche du compromis entre ces élites multiples deviennent dès lors cruciaux, car le consensus repose sur un processus permanent de négociation mené sous les yeux du peuple. Cette théorie (pluraliste ou néopluraliste) des groupes d'intérêts a été largement critiquée parce qu'elle fait fi des différences de ressources auxquels les groupes ont accès, niant les rapports de pouvoir qui peuvent exister entre eux et le fait que les intérêts du milieu des affaires, notamment, aient plus de facilité à se faire entendre que les autres. Autrement dit, tous les intérêts ne sont pas égaux, certains joueurs étant (structurellement) favorisés dans le processus de négociation.

2.1.2. *Le corporatisme et le néocorporatisme*

Le corporatisme, pour sa part, est un terme créé par référence aux corporations de métiers du Moyen Âge. Il définit un système de représentation des intérêts dont les unités constituantes s'intègrent au sein d'un petit nombre d'organisations hiérarchisées, réglementées, obligatoires et généralement reconnues par l'État. Le corporatisme a été expérimenté dans l'Italie mussolinienne, le Portugal salazariste et l'Espagne franquiste. Les groupes d'intérêt se voyaient reconnaître par l'État un monopole de représentation ; il était obligatoire pour les travailleurs et travailleuses et les responsables patronaux d'une même spécialité professionnelle de s'affilier à une organisation unique.

Dans les années d'après-guerre, le corporatisme ayant disparu comme forme d'organisation de la vie économique et politique, s'est développée une réflexion sur la signification globale de l'interpénétration croissante des institutions de la démocratie représentative et des organisations professionnelles, sociales ou culturelles. Pour les principaux théoriciens d'un nouveau courant appelé néocorporatisme, tels que Philip Schmitter et Gerhard Lehmbruch (1992), il s'agissait de rendre compte d'une forme spécifique de représentation des intérêts au sein des démocraties contemporaines. La différence fondamentale avec le corporatisme classique est que le néocorporatisme ne prétend pas constituer un substitut à la démocratie. Le modèle néocorporatiste met plutôt l'accent sur l'importance des partenariats entre l'État et les groupes d'intérêt dans la mise en place des politiques publiques, en ménageant une place spécifique pour les regroupements défendant les intérêts collectifs des travailleurs et travailleuses (ce que ne fait pas le pluralisme, qui considère que tous les intérêts sont des intérêts particuliers et sont égaux). Le néocorporatisme tente d'expliquer les relations récurrentes entre société civile et État en prenant en compte le rôle des structures formelles de concertation institutionnelle ou les contacts réguliers entre membres des cabinets ministériels et responsables des organisations professionnelles, patronales ou syndicales dans le processus politique. Le concept a souvent été critiqué[3]. Selon l'acception qu'on lui donne, toutes les sociétés industrielles sont néocorporatistes ou, si on lui donne une définition rigoureuse, aucune ne l'est vraiment. Pour pallier cette critique, plusieurs auteurs ont choisi de l'appliquer à des niveaux d'analyse différents. On parle alors de microcorporatisme au niveau de la firme, de mésocorporatisme dans certains secteurs (agriculture, santé) et de macrocorporatisme quand il s'agit de décrire la régulation globale des équilibres économiques et sociaux effectués par

l'État, le patronat et les organisations de salariés, comme en Suède et en Autriche.

Au Québec, l'appellation « néocorporatisme » est souvent utilisée par les analystes des syndicats, parce que ceux-ci ont accédé, avec le patronat, à un statut de consultant récurrent sur les grands enjeux socioéconomiques (Gagnon, 1991). Considérés comme des « partenaires sociaux », une situation relativement unique au Canada, cette position n'en est pas moins fragile parce que cette reconnaissance dépend du bon vouloir de l'État d'orchestrer ces consultations. Ainsi, le statut de « partenaire » peut-être retiré à tout moment par le gouvernement du jour. Ce néocorporatisme consiste davantage en une politique informelle et (relativement) récurrente de consultation, mais n'est pas inscrit dans la loi (sauf pour le secteur agricole) ; il s'agit plutôt « d'une manière de faire de la politique » (Dufour, 2004).

D'autres auteurs proposent de sortir l'analyse des syndicats des relations de travail et de production. Certes, il s'agit du lieu privilégié de leurs interventions, mais celles-ci ne peuvent s'y réduire. Ces auteurs définissent alors différents lieux de production du politique : ils parlent d'arènes ou de **champs**, dans lesquels les acteurs sociaux et politiques interagissent selon des modalités distinctes. Par exemple, Érik Neveu (2015) distingue différentes arènes, dont celles des mouvements sociaux et de l'arène parlementaire. Pierre Bourdieu traite – entre autres – de champ politique partisan et de champ juridique (Bourdieu, 1982), alors que nous analysons différents pôles d'action politique. En suivant cette tradition, plus sociologique, il est possible de bien saisir la multipositionnalité des syndicats, qui peuvent intervenir à différents lieux en même temps : à la fois comme acteurs de la contestation et comme acteurs de la négociation. De la même façon, les syndicats défendent parfois uniquement les intérêts de leurs membres (par la négociation des conventions collectives), mais parfois aussi les intérêts généraux de l'ensemble

....

3. Voir Hassenteufel (2011).

des travailleurs (par des mesures sociales comme l'augmentation du salaire minimum ou l'équité salariale). Ce découpage de l'espace politique en zones régies chacune par des règles de jeux précises permet de mettre en relief les tensions, paradoxes et dynamiques qui traversent le mouvement syndical et ses interactions avec son environnement, et ainsi de rendre compte du caractère profondément contradictoire du syndicalisme (Gagnon, 2003, p. 23).

2.2. Un rôle majeur dans les luttes sociales

Comme le souligne une étude de 2012 de l'Institut de recherche et d'informations socio-économiques (IRIS), plus la présence syndicale est élevée dans une société, plus le coefficient de Gini[4] est faible. Par exemple, de 1983 à 2012, la présence syndicale a diminué de 9 % aux États-Unis, alors que le coefficient de Gini a augmenté de 15,7 % (Hurteau, 2012, p. 24). Ces tendances lourdes valent également pour le Canada (Fortin *et al.*, 2012). Cette corrélation statistique s'explique aisément : les syndicats ont, historiquement, participé à la normalisation des rapports entre salariés et responsables patronaux ; ils ont activement pris part au développement des politiques publiques de redistribution des richesses (notamment par l'impôt sur le revenu) ; et ils ont contribué à créer une réglementation plus juste du marché du travail. Dans tous les pays membres de l'Organisation de coopération et de développement économique (OCDE), où la présence syndicale s'est affaiblie, les conditions de travail se sont dégradées, autant en ce qui touche les salaires que les lois du travail.

....

4. Le coefficient de Gini est un nombre entre 0 et 1 qui mesure les écarts de richesse entre les plus riches et les plus pauvres. Plus ce nombre est faible, plus une société est égalitaire et inversement.

Les syndicats, parfois en coalition avec les autres acteurs sociaux, comme les groupes communautaires, ont participé à des luttes sociales de taille, qui dépassent les seuls intérêts des travailleurs et travailleuses d'un secteur et qui ont permis de faire pression sur les gouvernements pour qu'ils adoptent des lois sociales (l'équité salariale, le salaire minimum, les congés parentaux) concernant l'ensemble de la force de travail, syndiquée ou non. Au Québec, c'est au début des années 1970 que l'action syndicale s'intensifie, avec la mise en place de fronts communs des syndiqués des secteurs public et parapublic qui réunissent les trois principales centrales (CEQ, CSN, FTQ). Les conflits de travail prolifèrent également dans le secteur privé. Cette radicalisation de l'action syndicale se traduit par une augmentation de 25 % du salaire réel au cours de la décennie 1970 (Rouillard, 2004). Mais les luttes ne sont pas que salariales. Les organisations syndicales concourent aux débats publics sur des enjeux globaux.

Ainsi, une des grandes coalitions à laquelle ont participé les syndicats québécois est la coalition Solidarité populaire Québec, qui rassemblait l'ensemble des centrales syndicales, le mouvement étudiant et ses fédérations, le mouvement des femmes et ses principales organisations ainsi que la plupart des organismes populaires et communautaires. Née au milieu des années 1980, cette coalition a contribué à la vie politique québécoise durant deux décennies, en organisant notamment deux commissions itinérantes permettant à la population de s'exprimer sur un ensemble d'enjeux (en répondant par exemple à la question « Quel est le Québec que nous voulons ? »). Elle publie en 1995 un document dans le cadre de la campagne référendaire sur le statut constitutionnel du Québec, *Une charte pour un Québec populaire*, qui présente un véritable projet de société.

Malgré un certain essoufflement, les syndicats ont également été parties prenantes de tous les conflits majeurs des décennies 1990 et 2000 :

luttes contre la mondialisation néolibérale dans le cadre des contre-sommets et des forums sociaux mondiaux ; soutiens aux grèves étudiantes en 2005 et 2012 ; mobilisations contre les gouvernements libéraux depuis 2003. En 2016, les principales centrales ont lancé la campagne pour un salaire minimum à 15 $/heure. Une coalition pancanadienne de groupes sociaux et de partis politiques est en formation pour défendre publiquement cet enjeu.

Au final, les syndicats ont été et demeurent des acteurs majeurs de la vie politique au Québec. Néanmoins, le travail syndical ne se limite pas à la sphère de la contestation. Une grande partie du travail syndical se déroule à la table des négociations, avec l'État-employeur ou avec les représentants et représentantes du patronat, mais aussi pour discuter des grandes orientations socioéconomiques du Québec.

2.3. Une place à la table des négociations

Trois grandes positions de négociation sont remplies par les syndicats : à l'intérieur de l'entreprise, avec l'État sur de grands enjeux politiques, et avec l'État et le patronat au sein de structures de concertation.

À l'intérieur des entreprises, la présence syndicale assure un nombre important de fonctions : pression à la hausse sur les salaires et sur l'équité entre les travailleurs et travailleuses ; diminution de l'arbitraire patronal ; et introduction d'une certaine dose de démocratie dans les relations de travail. Comme le soulignent Mona-Josée Gagnon et Thomas Collombat (2009, p. 100), l'entreprise, dans un système capitaliste, est un des seuls lieux où les règles de la démocratie ne s'appliquent pas. En effet, le syndicat et l'employeur ou l'employeuse n'ont pas un accès égal aux travailleurs et travailleuses, parce qu'ils et elles demeurent les seuls maîtres à bord, avec ses cadres. Par exemple, les syndicats

ne sont pas associés systématiquement à toutes les décisions qui concernent le personnel : promotion ou destitution ; congédiement ; relations de travail quotidiennes, etc. Des décisions arbitraires peuvent donc être prises sans que les personnes employées concernées soient consultées et sans que les syndicats soient impliqués. Néanmoins, la présence des syndicats crée une zone de régulation de cet arbitraire, démocratisant partiellement les relations entre les responsables patronaux et le personnel.

La pratique des sommets socioéconomiques appelés par le gouvernement du Québec à quelques reprises dans l'histoire fait clairement sortir les syndicats des milieux de travail pour les faire entrer dans la vie politique. Le dernier en date remonte à 1996. Convoqué par le premier ministre péquiste Lucien Bouchard, il visait la formation d'un consensus avec les « partenaires sociaux » en vue d'atteindre l'objectif de déficit zéro (du budget de l'État). À côté des représentants et représentantes patronaux et syndicaux, s'ajoutaient les leaders des groupes communautaires, qui accédaient à ce statut pour la première fois de leur histoire. Cet épisode a été particulièrement traumatique pour le mouvement syndical. En effet, le prix à payer pour leur participation à la formulation d'un consensus politico-économique fut très élevé en termes de reculs sociaux : non seulement ils ont été perçus comme des « traîtres » par leurs alliés du secteur communautaire – qui ont claqué la porte du sommet (Dufour, 2007) –, mais aussi les politiques budgétaires qui s'ensuivirent ont conduit à la suppression de milliers de postes d'infirmières. Pour Peter Graefe (2007), ce sommet marque le début de la fin du mouvement syndical québécois comme acteur politique. À partir de cette date, les décisions syndicales suivent de près les reculs des gouvernements. Ils ont certes gagné par le rapport de force (et des orientations plutôt nationalistes) une « oreille attentive » des gouvernements (surtout le PQ), qui les oblige à jouer le jeu institutionnel et donc à participer à ces grandes messes collectives de construction de consensus ; mais cette position les amène à prendre des décisions qui vont à l'encontre des intérêts de leurs membres et contre les intérêts des travailleurs et travailleuses en général. Pour certains alliés et observateurs, les syndicats sont ainsi progressivement devenus des partenaires du gouvernement dans la gestion néolibérale de l'État, acceptant des reculs comme la diminution ou stagnation salariale ou des modifications aux régimes de retraite. Cette accusation doit néanmoins être mise en perspective. En effet, la période 1996-2017 a été une période de reculs sociaux, alors que les gouvernements libéraux ont pratiquement cessé de « consulter » les centrales syndicales sur les grands enjeux depuis 2003. Néanmoins, certains gains ont tout de même été obtenus, notamment le régime de congés parentaux, qui est l'un des plus généreux dans les pays de l'OCDE.

Finalement, les centrales syndicales siègent à certaines instances gouvernementales de concertation. Par exemple, la Commission des partenaires du marché du travail (CPMT) rassemble des représentants et représentantes du patronat et des syndicats (les centrales syndicales et l'Union des producteurs agricoles), des organismes communautaires actifs en développement de la main-d'œuvre et en employabilité, des représentants du milieu de l'enseignement secondaire et collégial et des représentants des principaux ministères concernés. Son mandat est double : s'assurer de l'adéquation entre formation et emploi ainsi que s'occuper du développement et de la reconnaissance des compétences de la main-d'œuvre. Créée en 1997, elle fait suite au rapatriement des compétences en matière de formation professionnelle (CPMT, 2016). Ce type de fonction de concertation renforce la position de partenaire des centrales syndicales dans les instances publiques et contribue à faire du syndicalisme une activité politique qui dépasse la négociation de conventions collectives au sein des entreprises. Ces instances

concernent en effet l'ensemble des résidents du Québec et pas seulement les syndiqués.

Le terreau syndical est donc fertile ; le Québec fait partie des sociétés les plus syndiquées au monde. La législation favorise la syndicalisation et les pratiques syndicales sont bien ancrées, qu'il s'agisse de la contestation, de la concertation ou de la négociation avec l'État. Pourtant, comme nous l'avons vu, les syndicats n'ont pas beaucoup de « dents ». Depuis le milieu des années 1990, placés en position défensive, ils ont perdu à la fois la confiance de leurs alliés des autres mouvements sociaux et ont été relégués au simple rôle « d'opposants » par des gouvernements libéraux antipathiques au syndicalisme.

POINTS CLÉS

> Le syndicalisme est la réponse collective des travailleurs et travailleuses à un conflit social majeur, le conflit opposant les responsables patronaux à leur personnel.
> Dans la tradition pluraliste, les intérêts des travailleurs et travailleuses sont considérés comme de simples intérêts particuliers en compétition avec d'autres groupes d'intérêt.
> La société québécoise fonctionne selon certaines logiques du néocorporatisme, mais celui-ci n'est pas inscrit dans la loi et dépend du bon vouloir de l'État.

3. DE NOMBREUSES TURBULENCES DEPUIS LES ANNÉES 1980

Plusieurs dimensions entrent en ligne de compte dans l'érosion progressive du pouvoir syndical depuis les années 1980. Premièrement, les syndicats ont été confrontés à une fermeture de l'État, de moins en moins à l'écoute de leurs revendications et de plus en plus agressif vis-à-vis du droit du travail. Deuxièmement, les relations intersyndicales ont joué contre la constitution d'une force collective commune. Troisièmement, les modes de fonctionnement interne des centrales syndicales l'éloignent de son rôle politique d'acteur contestataire.

3.1. L'érosion du pouvoir syndical

Comme le souligne Jacques Rouillard (2004), les décennies 1980 et 1990 sont marquées par deux récessions économiques (1982-1983 et 1990-1991) qui affectent la capacité de l'action syndicale. Les centrales vont progressivement adoucir leur critique du gouvernement et travailler à diminuer les répercussions de ces crises (comme de chercher à préserver les emplois), plutôt que de faire de nouveaux gains (surtout sur le plan salarial). Cette posture plus défensive diminue le rapport de force entre les syndicats et les responsables patronaux et ne permet pas de contrer ni la précarisation croissante des emplois ni la privatisation progressive des services publics.

Parallèlement, l'érosion du pouvoir syndical passe aussi par la législation. Dans la sphère politique fédérale, le Canada a été influencé par la situation américaine où l'on a remis au goût du jour l'application de la doctrine antisyndicale du droit au travail[5] (*Right-to-Work*), dont le principe consiste à limiter « par voie législative, la capacité des organisations syndicales à collecter de façon automatique les cotisations des travailleurs qu'elles représentent » (Collombat, 2014b, p. 19). Or, on le sait, les cotisations représentent l'essentiel des ressources financières des syndicats. Cette pratique n'est pas encore appliquée comme telle au Canada, mais la position des organisations syndicales s'est nettement affaiblie sous le règne du gouvernement conservateur dirigé par Stephen Harper (2006-2015). Notamment, la *Loi modifiant la Loi de l'impôt sur le revenu* (loi C-377), adoptée en 2015 (abrogée en 2016 par le nouveau gouvernement libéral), instaurait une distinction pour les syndicats entre le travail de représentation politique dans le cadre de la convention collective et le travail politique plus large. Ce premier pas aurait pu conduire à une réforme importante du financement des syndicats au Canada inspirée de l'expérience américaine (Collombat, 2014b, p. 27).

Dans les États provinciaux, les lois spéciales adoptées durant la période 1980-1990 se sont considérablement durcies. Celles-ci ne s'attaquent plus seulement aux grèves illégales, c'est-à-dire déclenchées en dehors du cadre de la négociation collective, mais répriment aussi les grèves légales et pénalisent individuellement les grévistes. À cet égard, Petitclerc et Robert (2016, p. 59) soulignent notamment la *Loi assurant la reprise des services dans les collèges et les écoles du secteur public* (loi 111) adoptée sous le gouvernement péquiste de René Lévesque, en février 1983, qui est la loi spéciale la plus répressive de l'histoire du Canada. Celle-ci marque un tournant dans l'histoire des législations d'exception, parce qu'elle s'attaque aux grévistes individuellement (amende, menace de congédiement et de perte d'ancienneté) et cherche « à provoquer une fracture entre les individus membres et l'organisation syndicale ». Cette logique sera reprise en 1998 par le gouvernement Bouchard dans la *Loi assurant le maintien des services essentiels dans le secteur de la santé et des services sociaux* (loi 160), encore en vigueur aujourd'hui, ainsi qu'en 2012 par le gouvernement Charest dans la *Loi permettant aux étudiants de recevoir l'enseignement dispensé par les établissements de niveau postsecondaire qu'ils fréquentent* (loi 12), adoptée dans le contexte de la grève étudiante. Celle-ci, outre les amendes journalières individuelles salées prévues (une somme pouvant aller jusqu'à 5000 $

---

5. Opposé au principe du prélèvement automatique (la formule Rand au Canada), le « droit au travail » invoque la « liberté de choix » des employés de ne pas payer les cotisations au syndicat de leur lieu de travail. Le « droit au travail » est donc une stratégie patronale pour affaiblir le pouvoir des syndicats en les privant de ressources.

et doubler en cas de récidive), limite pour la première fois le droit de manifester dans l'espace public (Dufour, 2016).

Le 30 janvier 2015, une décision[6] de la Cour suprême du Canada pourrait cependant modifier la donne (Fudge and Jensen, 2016). La Cour a statué que le droit de grève est protégé par l'article 2(d) de la *Charte canadienne des droits et libertés* qui garantit la liberté d'association. Ce jugement, qui concernait un conflit entre la *Saskatchewan Federation of Labour* et le gouvernement de la Saskatchewan, pourrait servir de levier pour les prochains conflits de travail assortis d'une loi spéciale votée par les gouvernements provinciaux. En effet, l'enjeu devant la Cour concernait la constitutionnalité d'une loi provinciale qui désignait unilatéralement les tâches des travailleurs du secteur public comme « essentielles », leur interdisant, de la sorte, de faire la grève. En concluant que le droit de grève était constitutionnellement protégé et une composante essentielle du pouvoir de négociation collective, le juge Abella obligeait le gouvernement provincial à prendre les mesures les moins dommageables possible pour ce droit, même au nom des services essentiels à la population. Il est encore trop tôt pour mesurer l'incidence de ce jugement, mais il constitue sans aucun doute une arme de choix dans la boîte à outils des syndicats pour l'avenir.

3.2. Des luttes fratricides qui limitent la construction des solidarités

Le *maraudage*, en droit du travail au Québec, désigne l'action d'une organisation syndicale qui tente de ravir à un autre syndicat le droit de représenter les travailleurs et travailleuses d'une entreprise donnée. Le maraudage intervient uniquement au moment de la réouverture des conventions collectives. Il s'agit d'une activité qui détourne les ressources syndicales de leur cible première (le patronat) et qui place les syndicats en compétition. Ce contexte est peu propice à la construction de solidarités intersyndicales. Or, dès le début de son premier mandat, en 2003, le gouvernement Charest a rouvert les accréditations syndicales dans le domaine de la santé, un des secteurs d'emploi les plus syndiqués. La campagne de syndicalisation qui a suivi fut la plus longue de l'histoire (Collombat, 2014a), mais elle a aussi été extrêmement coûteuse en temps, en énergie et en ressources. En plaçant les syndicats en compétition (Collombat, 2005), la campagne a affaibli le mouvement à un moment où les énergies syndicales auraient dû être tournées vers la résistance aux politiques néolibérales mises en place par le Parti libéral du Québec (PLQ).

C'est d'ailleurs durant la même période que les centrales syndicales ont freiné la contestation populaire, alors que les conditions semblaient sur le point de se créer pour lancer une grève sociale. Le programme de « réingénierie de l'État » du gouvernement Charest prévoyait notamment une diminution du secteur public, l'introduction de partenariats public-privé et des politiques fiscales plus favorables au capital (Boismenu, Dufour et Saint-Martin, 2004). Une des tactiques prévues pour faciliter l'instauration de ces politiques était de diminuer le pouvoir des syndicats dans les entreprises et les services publics. Par exemple, la réforme de l'article 45 prévoyait la disparition d'une clause du *Code du travail* qui protège les syndicats contre la perte de leur accréditation en cas d'utilisation de sous-traitants par l'entreprise. Tous les ingrédients étaient ainsi réunis pour permettre la constitution d'une coalition large réunissant les syndicats (qui réagirent fortement aux réformes proposées) et les groupes communautaires. Cette coalition était très mobilisée et favorable à l'utilisation de moyens d'action forts, comme

---

6. *Saskatchewan Federation of Labour c. Saskatchewan*, 2015 CSC 4, [2015] 1 R.C.S. 245.

la grève sociale. Malgré les pressions de la base syndicale, la présidence de la FTQ n'a pas voulu aller de l'avant, minant de la sorte le rapport de force qui était en train de se créer (Dufour, à paraître). Plusieurs alliés dans le mouvement communautaire ont été extrêmement déçus de cette issue, convaincus qu'ils étaient de la possibilité concrète de faire reculer en bloc le gouvernement à ce moment-là.

L'histoire s'est répétée en 2012. Collombat (2014a) a montré comment les directions des centrales syndicales avaient choisi des stratégies très éloignées de celles des étudiants et étudiantes et de la vague de protestation qui a porté le printemps 2012 à une autre échelle de contestation. En effet, alors qu'une partie importante de la population organisée et non organisée faisait le choix de la désobéissance civile pour contester l'iniquité de la *Loi permettant aux étudiants de recevoir l'enseignement dispensé par les établissements de niveau postsecondaire qu'ils fréquentent*, les syndicats maintenaient leur approche légaliste : contester la loi publiquement, mais ne pas enclencher d'actions illégales. Si le scénario d'une grève sociale a été évoqué, Collombat (2014a) souligne qu'il s'agit davantage d'une rumeur que d'une discussion ayant réellement eu cours à l'intérieur du mouvement syndical. Certaines unités syndicales ont effectivement discuté de la grève sociale et même pris des positions publiquement, mais les directions (en particulier la FTQ) ont plutôt freiné l'idée de transformer le mouvement étudiant en une lutte plus globale (contre l'austérité, par exemple). Il ne s'agit pas juste d'une question de stratégie de leur part, mais bien d'une incapacité à percevoir un horizon politique de transformation sociale qui aille plus loin que la négociation des conventions collectives. Pour Collombat (2014a, p. 152), la perte de puissance du mouvement syndical comme moteur de transformation sociale est directement liée à la difficulté, pour le syndicalisme québécois, de développer un projet social qui ne soit pas

attaché trop étroitement au projet national. Dans le cas de gouvernements mettant en place des mesures d'austérité, la relation privilégiée des centrales syndicales à l'État devient aussi préoccupante. Collombat (2014a) parle de cooptation et d'incorporation pour décrire cette relation. Ce qui pouvait être une force dans certains contextes devient ici une forme de paralysie. Comme le souligne Graefe (2012, p. 69), le risque de demeurer coincé dans le contexte des années 1990 est grand pour le mouvement syndical ; non seulement du point de vue de sa relation à l'État, mais aussi par rapport à sa fonction de représentation des identités et des intérêts des travailleurs et travailleuses, qui forment une force de travail de plus en plus diversifiée (Collombat, 2014a, p. 155).

3.3. Un fonctionnement interne à réformer

Les organisations formelles, telles que les partis politiques, les syndicats et les groupes communautaires, sont de plus en plus critiquées par les mouvements de contestation, comme le mouvement Occupy en Amérique du Nord ou le mouvement des Indignés en Espagne (Ancelovici, Dufour, Nez, 2016 ; Nez et Dufour, 2017). Considérées comme trop pyramidales et ne faisant pas assez de place aux membres de la base dans le processus de décision, ces organisations souffriraient d'un manque de démocratie interne qui limiterait les initiatives locales, voire les étoufferait, et qui éloignerait aussi les vocations militantes, ne faisant qu'accentuer l'enjeu réel de la relève. Pour une partie des syndiqués, le syndicat représente un service pour lequel on paie des cotisations et non la possibilité d'un engagement militant (Denis, 2005). Cette perte d'horizon politique est d'ailleurs souvent évoquée pour expliquer la désertion (partielle) des syndiqués des partis sociaux-démocrates au profit des partis défendant un ultralibéralisme ou un conservatisme moral et qui adoptent des positions contre l'immigration (Skocpol, 2016).

Comme le soutient Philippe Grosbois (2017, p. 171), des réformes sont possibles – et en cours – : « Il faut valoriser l'autonomie des syndicats locaux et de leurs assemblées, de même que leur capacité à se coaliser de manière indépendante selon la conjoncture. Des mandats sur la base de planchers, tel celui lancé par les professeurs du Cégep de Sherbrooke en vue de la grève sociale du 1er mai 2015, ainsi que des alliances construites au fil des luttes, comme la Coalition main rouge, font sentir aux membres qu'elles et ils ont une emprise réelle sur la direction que prendra le mouvement. » Autrement dit, en redonnant du pouvoir politique aux membres, les centrales syndicales auraient la possibilité de se reconnecter avec leurs bases ; celles-ci auraient la possibilité d'intervenir sur les orientations politiques de leurs centrales, d'en débattre collectivement, rapprochant *in fine* les fonctions de représentation et d'action politiques que peuvent jouer les syndicats.

POINTS CLÉS

> L'érosion du pouvoir syndical est liée à plusieurs facteurs : économiques, politiques, organisationnels, stratégiques.
> Les actions des syndicats sont fortement dépendantes de l'encadrement légal des relations de travail, qui devient de plus en plus répressif.
> La compétition intersyndicale est un frein à la solidarité et à la construction de coalitions larges avec les autres mouvements sociaux.
> Les contestations sociales de 2003 et 2012 ont été des rendez-vous manqués pour le syndicalisme québécois.
> Le fonctionnement interne des centrales syndicales est fortement remis en question afin de laisser plus de place et de pouvoir aux membres.

Conclusion

Le syndicalisme constitue un contre-pouvoir nécessaire et salutaire : sans l'action syndicale, il n'y a pas d'amélioration des conditions de travail. D'ailleurs, la plupart des mesures sociales au Québec ont été gagnées par les syndicats. De ce point de vue, le fait que le Québec avoisine les 40 % de taux de syndicalisation n'est pas inoffensif : la présence syndicale forte dans la province participe clairement de son développement économique, politique et social. De plus, les syndicats assurent une fonction importante de représentation des identités et des intérêts des travailleurs et travailleuses dans le système politique. Ils jouent aussi un rôle central d'éducation politique auprès de leurs membres, qui ne peut être remplacé par des initiatives ponctuelles ou des réseaux informels. Si les syndicats ne jouent plus ce rôle, soit pour cause de dysfonctionnement interne, soit par perte d'influence dans le système politique, et comme la nature sociale a horreur du vide, ce seront d'autres acteurs qui vont les remplacer. Aux États-Unis, ce sont les institutions religieuses (surtout évangélistes) qui ont pris cette place d'encadrement et d'éducation (Skocpol, 2016) avec des conséquences tangibles dans l'arène électorale, dont la présence du *Tea Party* au sein du Parti républicain. Finalement, ils occupent une place à part dans les mouvements sociaux : parce qu'ils ont plus de ressources que les autres organisations, parce qu'ils touchent plus de monde et parce qu'ils sont en relation directe (et obligée) avec les détenteurs du pouvoir économique et politique. Pour tout cela, ils détiennent aussi une grande responsabilité de défense des droits et de vigilance face aux pouvoirs.

QUESTIONS

1. En quoi le syndicalisme au Québec se démarque-t-il de celui des autres sociétés en Amérique du Nord ?

2. En quoi l'utilisation des lois spéciales est-elle un danger pour le droit de grève au Québec ?

3. Peut-on parler de néocorporatisme dans le cas du Québec ?

4. Quelle est la particularité des luttes sociales qui concernent le travail ?

5. Quels sont les principaux gains issus des luttes syndicales au Québec ?

6. Pourquoi la perte d'influence du syndicalisme est-elle un enjeu pour les droits sociaux dans les sociétés contemporaines ?

7. Que signifie être un « partenaire » de l'État ?

8. Depuis les années 2000, les centrales syndicales donnent l'impression d'avoir manqué quelques grands rendez-vous avec leurs alliés des autres mouvements sociaux. Quels sont-ils et quelles sont les conséquences de cette attitude moins combative ?

9. Quelles seraient les avenues permettant de redonner de la force au syndicalisme aujourd'hui ?

10. Peut-on se passer du syndicalisme ?

LECTURES SUGGÉRÉES

Denis, S. (2005). *L'action politique des mouvements sociaux aujourd'hui. Le déclin du politique comme processus de politisation*, Québec, Presses de l'Université Laval.

Gagnon, M.-J. (1994). *Le syndicalisme : état des lieux et enjeux*, Québec, Institut québécois de recherche sur la culture.

Rouillard, J. (2008). *L'expérience syndicale au Québec. Ses rapports avec l'État, la Nation et l'opinion publique*, Montréal, VLB.

GLOSSAIRE

ACTEUR COLLECTIF : Terme générique qui désigne un ensemble de personnes regroupées – formellement ou informellement – dans la défense d'une cause ou d'intérêts (partis politiques, syndicats, groupes sociaux).

ARÈNE : Système organisé d'institutions, de procédures et d'acteurs dans lequel des forces sociales peuvent se faire entendre et utiliser leurs ressources pour obtenir des réponses.

CHAMP : Espace, relativement autonome, de relations qui fonctionnent selon des règles et normes précises, et qui peut se distinguer d'autres champs. À l'intérieur d'un champ, les individus sont en compétition pour occuper une position d'autorité et la conserver. Leurs comportements sont contraints par les règles et normes qui régissent le champ en question.

CORPORATISME : Doctrine socioéconomique qui propose l'organisation de la société en corporations limitées, regroupant le patronat et les personnes salariées d'une même profession et jouant un rôle dans l'élaboration des politiques.

MARXISME : Idéologie politique développée par Karl Marx au XIXe siècle et qui critique le fonctionnement du capitalisme comme un système économique organisant la domination d'une classe de propriétaires des moyens de production sur une autre, la classe ouvrière. Cette domination économique se traduit par une domination politique ; l'État étant au service de la classe dominante. Le marxisme prévoit la fin du capitalisme et son remplacement par une société alternative fondée sur le communisme.

NÉOCORPORATISME : Théorie politique qui décrit la concertation entre les partenaires de l'État (représentants des travailleurs et travailleuses et du patronat) pour la prise de décisions dans certains secteurs ou au niveau de l'organisation plus globale de la société (comme en Allemagne).

PLURALISME : Théorie politique qui perçoit les démocraties représentatives comme des régimes politiques reposant sur des processus de sélection pacifiques des élites gouvernantes et d'ajustement des intérêts en fonction des demandes faites par des groupes qui sont en concurrence.

BIBLIOGRAPHIE

Ancelovici, M., P. Dufour et H. Nez (dir.) (2016). *Street Politics in the Age of Austerity. From Indignados to Occupy*, Amsterdam, Amsterdam University Press.

Boismenu, G., P. Dufour et D. Saint-Martin (2004). *Ambitions libérales et écueils politiques. Réalisations et promesses du gouvernement Charest*, Montréal, Athéna.

Bourdieu, P. (1982). *Leçon sur la leçon*, Paris, Minuit.

Collombat, T. (2005). « Des syndicats ébranlés », dans M. Venne and A. Robitaille (dir.), *L'annuaire du Québec 2006*, Montréal, Fides, p. 249-60.

Collombat, T. (2014a). « Labor and austerity in Québec : Lessons from the Maple Spring », *Labor Studies Journal*, vol. 39, n° 2, p. 140-159.

Collombat, T. (2014b). « Le projet de loi C-377 : transparence financière ou programme antisyndical ? », *Chronique internationale de l'IRES*, n° 145, mars.

Courty, G. (2011). « Les groupes d'intérêt font-ils la loi ? Les critiques du pluralisme dans la science politique », dans L. Boy, J.-B. Racine et J.-J. Sueur (dir.), *Pluralisme juridique et effectivité du droit économique*, Bruxelles, Larcier, p. 205-222.

Commission des partenaires du marché du travail – CPMT (2016). *Brochure*, Québec, Direction des communications, Ministère du Travail, de l'Emploi et de la Solidarité sociale, <http://www.cpmt.gouv.qc.ca/publications/pdf/CPMT_brochure.pdf>.

Dahl, R. (1971). *Polyarchy : Participation and Opposition*, New Haven, Yale University Press.

Denis, S. (2005). *L'action politique des mouvements sociaux aujourd'hui. Le déclin du politique comme processus de politisation*, Québec, Presses de l'Université Laval.

Dufour, P. (2004). « Le projet de loi 112 au Québec : le produit d'une mobilisation ou une simple question de conjoncture politique ? », *Politique et Sociétés*, vol. 23, nᵒˢ 2-3, p. 159-182.

Dufour, P. (2007). « La politisation du milieu communautaire au Québec : vers une redéfinition des pratiques de la citoyenneté ? », dans J. Jenson, B. Marques-Pereira et É. Remacle (dir.), *La citoyenneté dans tous ses états*, Montréal, Les Presses de l'Université de Montréal, p. 243-266.

Dufour, P. (2013). *Trois espaces de protestation. France, Canada, Québec*, Montréal, Les Presses de l'Université de Montréal.

Dufour, P. (2016). « Mobilisation du droit dans le conflit étudiant de 2012 au Québec : quand le juridique se mêle de la contestation politique », dans D. Lamoureux et F. Dupuis-Déri (dir.), *Au nom de la sécurité ! Criminalisation de la contestation et pathologisation des marges*, Montréal, Méditeur, p. 15-38.

Dufour, P. (à paraître). *La posture. Trajectoire militante de Lorraine Guay*, Montréal, Boréal.

Fortin, N., D.A. Green, T. Lemieux et K. Milligan et W.C. Riddel (2012). « Canadian inequality : Recent developments and policy options », *Canadian Public Policy*, vol. 38, nᵒ 2, p. 121-145.

Fudge J. et H. Jensen (2016). « The right to strike : The Supreme Court of Canada, the Charter of Rights and Freedoms and the arc of workplace justice », *King's Law Journal*, vol. 27, nᵒ 1, p. 89-109.

Gagnon, M.-J. (1991). « La participation institutionnelle du syndicalisme québécois : variations sur les formes du rapport à l'État », dans J. Godbout (dir.), *La participation politique : leçons des dernières décennies*, Québec, Institut québécois de recherche sur la culture, p. 173-204.

Gagnon, M.-J. (2003). « Syndicalisme et classe ouvrière. Histoire et évolution d'un malentendu », *Lien social et Politiques*, nᵒ 49, printemps, p. 15-33.

Gagnon, M.-J. et T. Collombat (2009). « The Quebec case : Is there a secret ? », *Just Labour : A Canadian Journal of Work and Society*, vol. 15, novembre, p. 99-103.

Graefe, P. (2007). « State restructuring and the failure of competitive nationalism : Trying times for Quebec labour », dans M. Murphy (dir.), *Canada : The State of the Federation 2005. Quebec and Canada in the New Century. New Dynamics, New Opportunities*, Kingston, Institute of Intergovernmental Relations, p. 153-176.

Graefe, P. (2012). « Québec labour : Days of glory or the same old story ? », dans S. Ross et L. Savage (dir.), *Rethinking the Politics of Labour in Canada*, Halifax et Winnipeg, Fernwood, p. 62-74.

Grosbois, P. (2017). « Retrouver la force démocratisante du syndicalisme », *Nouveaux cahiers du socialisme*, nᵒ 17, p. 171-172.

Hassenteufel, P. (2011). « Les acteurs non-étatiques : des mouvements sociaux aux intérêts organisés », dans *Sociologie politique : l'action publique*, Paris, Armand Colin, p. 187-212.

Hurteau, P. (2012). *Les syndicats nuisent-ils au Québec ? Comment répondre à 10 questions sur les syndicats et l'économie*, Montréal, Institut de recherche et d'informations socio-économiques.

Jenson, J. et R. Mahon (1993). « North American labour : Divergent trajectories », dans J. Jenson et R. Mahon (dir.), *The Challenge of Restructuring. North American Labor Movements Respond*, Philadelphia, Temple University Press, p. 3-18.

Korpi, W. (1983). *The Democratic Class Struggle*, Londres, Routledge.

Labrosse, A. (2016). *La présence syndicale au Québec en 2015*, Québec, Direction de l'information sur le travail, Ministère du Travail, de l'Emploi et de la Solidarité sociale.

Neveu, É. (2015). *Sociologie des mouvements sociaux*, Paris, La Découverte.

Nez, H. et P. Dufour (2017). « Un renouvellement de la démocratie par le bas ? Les mouvements Indignés et Occupy », *Politique étrangère*, vol. 1, p. 1-12.

Petitclerc, M. et M. Robert (2016). « La répression du droit de grève, ou comment nos gouvernements ont appris à ne plus s'en faire et à aimer la législation atomique », dans D. Lamoureux et F. Dupuis-Déri (dir.), *Au nom de la sécurité ! Criminalisation de la contestation et pathologisation des marges*, Montréal, Méditeur, p. 39-64.

Rouillard, J. (2004). *Le syndicalisme québécois. Deux siècles d'histoire*, Montréal, Boréal.

Schmitter, P. et G. Lehmbruch (1992). *Patterns of Corporatist Policy Making*, Londres, Sage.

Skocpol, T. (2016). «Changes in American civil society and the rise of political extremism», communication présentée à la conférence de l'*International Society for Third Sector Research*, Stockholm, Suède, 29 juin.

Truman, D. (1951). *The Governmental Process. Political Interest and Public Opinion*, New York, A.A. Knopf.

CHAPITRE 17

LES ÉLECTIONS
AU QUÉBEC ET AU CANADA

Allison Harell et Philippe Duguay

Dans une démocratie représentative, il est essentiel que les citoyens participent à la sélection des personnes qui les représentent. Le **système électoral**[1] définit qui peut voter et qui peut poser sa candidature ainsi que les mécanismes qui permettent de traduire les votes exprimés en sièges. Les citoyens, de leur côté, ont la responsabilité de s'informer et de participer à ce processus de sélection.

Ce chapitre porte, dans un premier temps, sur le système électoral en place au Québec et au Canada et considère particulièrement son évolution et ses défis. Dans un deuxième temps, nous passons en revue les facteurs permettant d'expliquer les comportements électoraux dans ce système.

1. LE SYSTÈME ÉLECTORAL

L'ensemble des règles encadrant une élection constitue le système électoral, incluant entre autres les critères d'éligibilité pour voter et pour se porter candidat, ainsi que le mode de scrutin utilisé pour transformer les votes exprimés en sièges au parlement.

1.1. L'éligibilité

Le droit de vote a connu une évolution importante au Québec et au Canada qui se caractérise par une extension progressive du suffrage. Au début de la Confédération, le droit de vote fut restreint aux sujets britanniques masculins qui avaient 21 ans ou plus. De plus, il y avait de nombreuses autres restrictions, selon la province, qui étaient liées principalement à la propriété et au revenu (vote censitaire), ainsi que des restrictions

....

1. Les concepts en caractères gras sont définis dans le glossaire à la fin du chapitre.

TABLEAU 17.1.

L'évolution du droit de vote au Canada

1867-1885	Vote limité aux sujets britanniques de sexe masculin de 21 ans ou plus. D'autres conditions s'appliquent selon la province, surtout en fonction de la propriété ou du revenu.
1885	L'*Acte du cens électoral* de 1885 de Macdonald prend le contrôle du cens électoral au niveau fédéral et impose des conditions pour les propriétaires et les locataires, selon leur lieu de résidence (urbain ou rural), qui sont similaires pour tout le pays.
1898	Laurier redonne le contrôle des listes électorales aux provinces.
1916	Les femmes du Manitoba, de l'Alberta et de la Saskatchewan sont les premières à obtenir le droit de vote aux élections provinciales.
1917	Les femmes de l'Ontario et de la Colombie-Britannique obtiennent le droit de vote aux élections provinciales. La *Loi des électeurs militaires* donne le droit de vote au niveau fédéral aux femmes membres des forces armées.
1918	Suffrage aux femmes au niveau fédéral si elles remplissent les conditions suivantes : être âgée de 21 ans ou plus, être née au Canada et satisfaire aux critères provinciaux de propriété. Suffrage des femmes au niveau provincial en Nouvelle-Écosse.
1919-1925	Suffrage aux femmes au niveau provincial au Nouveau-Brunswick (1919), à l'Île-du-Prince-Édouard, (1922) et à Terre-Neuve (1925).
1920	Suffrage aux femmes au niveau fédéral.
1940	Suffrage aux femmes au niveau provincial au Québec.
1948	Élimination des exclusions raciales.
1960	Suffrage aux membres des Premières Nations, sans une exigence de renoncer à leur statut d'« Indien ».
1970	Diminution de l'âge minimal pour voter de 21 à 18 ans.
2002	La Cour suprême du Canada enlève les interdictions aux électeurs incarcérés.

Note : Pour plus d'information, voir Élections Canada (2007) « L'histoire du droit de vote au Canada ».

de nature raciale (ciblant surtout les Autochtones et, en Colombie-Britannique, les immigrants d'origine asiatique). Les élections au début de la Confédération canadienne ont donc surtout permis l'expression politique d'une partie non représentative de la population. La résultante était un système électoral discriminatoire sur la base de nombreux critères tels que les classes socioéconomiques, le genre et la race, tant dans le système provincial que fédéral[2].

L'accès aux urnes était donc loin d'être universel au moment de la fondation du Canada. Le tableau 17.1 illustre l'ouverture progressive du droit de vote au Canada. Il faut noter que le suffrage universel n'est atteint qu'en 1960, lorsque les dernières restrictions discriminatoires ont été levées, pour ne garder que les critères de l'âge et de la citoyenneté.

1.2. Le mode de scrutin majoritaire

Il y a deux principales familles de systèmes électoraux, soit les modes de scrutin majoritaire et les modes de scrutin proportionnel. Dans les

---

2. De 1867 à 1920 (sauf de 1885 à 1898 quand le gouvernement Macdonald a pris le contrôle au fédéral), le droit de vote aux élections fédérales fut contrôlé par les provinces. Le droit de vote au fédéral a été dépendant des règles d'accès au vote provincial.

TABLEAU 17.2.

Les circonscriptions électorales au Québec et au Canada

Pouvez-vous trouver la vôtre ?

Les cartes électorales en ligne :

Fédéral : <http://www.elections.ca/content.aspx?section=res&dir=cir&maps&document=index&lang=f»>.

Québec : <http://www.electionsquebec.qc.ca/francais/provincial/carte-electorale/cartotheque-2011.php>.

Liens utiles

L'information sur la redistribution des sièges de 2012 : <http://www.redecoupage-federal-redistribution.ca/>.

Un historique des circonscriptions aux parlements fédéral et québécois : <http://www.parl.gc.ca/About/Parliament/FederalRidingsHistory> ; <http://www.electionsquebec.qc.ca/francais/provincial/carte-electorale/historique-de-la-carte-electorale-du-quebec-depuis-1792.php>.

---

premiers, les candidats sont élus par une règle majoritaire. Au Québec et au Canada, les élections se déroulent dans un **système majoritaire uninominal à un tour (SMUT)**. Le SMUT est un mode de scrutin majoritaire où les candidats sont élus par une majorité simple dans les circonscriptions qui contiennent un seul et unique siège et pour lesquelles les électeurs n'expriment qu'un seul vote. Une circonscription est la région dans laquelle les votes sont comptabilisés et débouchent sur l'élection d'un député à majorité simple. Dans le système électoral fédéral, il y a un total de 338 circonscriptions à travers le Canada et autant de députés à la Chambre des communes. Dans le système provincial, le territoire québécois est divisé en 125 circonscriptions fournissant la députation à l'Assemblée nationale du Québec (tableau 17.2).

Le SMUT se distingue d'autres systèmes majoritaires principalement parce qu'il exige une majorité simple. Par contraste, le système majoritaire à deux tours, utilisé notamment dans les élections présidentielles françaises, exige qu'un candidat ou une candidate reçoive une majorité absolue des voix exprimées. Si aucun candidat ne reçoit plus de 50 % du vote dans un premier tour, les deux candidats ayant reçu le plus de votes participent à un deuxième tour.

Les systèmes proportionnels se distinguent des systèmes majoritaires principalement dans les mécanismes d'attribution de sièges. Chaque circonscription compte plusieurs sièges et ceux-ci sont attribués en fonction de la proportion du vote reçu par chaque parti politique. C'est-à-dire que si un parti gagne 60 % du vote dans une circonscription à 10 sièges, celui-ci remportera 6 sièges. Dans un système proportionnel pur, comme l'État d'Israël, tout le territoire est considéré comme une seule gigantesque circonscription. Il existe également des systèmes « mixtes », comme l'État allemand, qui empruntent des caractéristiques aux deux systèmes, notamment des super-circonscriptions en même temps qu'une liste de candidats pour chaque parti[3]. Le tableau 17.3 résume les trois principaux systèmes électoraux.

POINTS CLÉS

> Un système électoral est défini par toutes les règles concernant une élection, incluant le mode de scrutin et les normes régissant l'éligibilité.
> Le Québec et le Canada utilisent un système majoritaire uninominal à un tour (SMUT) dans lequel un seul représentant est sélectionné par circonscription par une majorité simple.

....

3. Voir Harell (2012a).

TABLEAU 17.3.

Les différences entre les principaux types de systèmes électoraux

	Majoritaire	Mixte	Proportionnel
Nombre de votes par personne et nombre de sièges	Un vote par siège disponible.	Deux votes : un vote pour le siège disponible dans la circonscription, l'autre pour une liste des candidats.	Un vote pour une liste qui inclut autant de candidats qu'il y a de sièges dans la circonscription.
Distribution des sièges	Le siège est gagné par celui ou celle qui ramasse soit la majorité simple, soit une majorité absolue des votes exprimés.	Certains sièges sont distribués selon les principes du système majoritaire, et d'autres selon un calcul proportionnel.	Les sièges sont distribués selon le pourcentage du vote reçu pour la liste du parti.
Principaux types	**Système majoritaire uninominal à un tour (SMUT) :** Siège attribué par une majorité simple.

Système majoritaire à deux tours : Siège attribué par une majorité absolue.

Vote préférentiel : Les électeurs mettent en ordre de préférence les candidats listés. Si aucun candidat n'obtient la majorité absolue des premiers choix des électeurs, les deuxièmes choix des électeurs choisissant les candidats les moins populaires sont redistribués, jusqu'à ce qu'un candidat ait la majorité absolue | **Scrutin majoritaire mixte parallèle (SMMP) :** Les électeurs votent deux fois : une fois pour un candidat élu par le SMUT, l'autre fois pour une liste de candidats élus selon les règles du système proportionnel dans une circonscription plurinominale.

Scrutin majoritaire mixte complémentaire (SMMC) : Les électeurs ne votent qu'une fois pour un candidat selon les règles du système majoritaire, mais un certain nombre de sièges sont distribués à partir des listes des partis afin de corriger des inégalités entre le nombre de votes obtenus et le nombre de sièges. | **Scrutin de liste ouverte :** Les électeurs peuvent exprimer leurs préférences de candidats sur la liste.

Scrutin de liste fermée : Sièges attribués dans l'ordre de priorité établi dans la liste par parti. |

Note : Ce tableau est une version modifiée reproduite de Harell (2012a).

> Les choix électoraux au Canada peuvent s'expliquer par des facteurs sociodémographiques, les valeurs des électeurs, l'**identité partisane** et les évaluations faites des chefs.
> Au Québec, le clivage identitaire joue un rôle important dans le choix de vote et représente un des clivages régionaux qui caractérisent la division du vote au Canada.

2. LES AVANTAGES ET LES DÉFIS DU SYSTÈME ÉLECTORAL MAJORITAIRE À UN TOUR

Le système uninominal majoritaire à un tour se démarque par sa simplicité autant lors de l'acte de voter que lors du dépouillement. Pour les électeurs, une simple croix devant le candidat favorisé suffit. Pour le dépouillement, après avoir additionné les voix, le candidat ayant obtenu le plus de votes est déclaré élu dans la circonscription. Le fait d'exprimer un vote directement pour un député dans une circonscription délimitée géographiquement est souvent énoncé comme un avantage important du SMUT en renforçant le lien de représentation et en rendant le député responsable auprès de sa circonscription. De façon générale, les systèmes majoritaires uninominaux à un tour débouchent sur un système partisan où deux partis politiques dominent (Duverger, 1958). Bien que la situation canadienne soit complexifiée par les éléments vus au chapitre 12[4], il n'en demeure pas moins que le SMUT contribue généralement à la formation d'un gouvernement majoritaire stable. Cette stabilité est due, d'une part, à des gouvernements majoritaires qui perdurent jusqu'à la prochaine échéance électorale, mais aussi, d'autre part, à des gouvernements issus de partis centristes qui embrassent de larges pans de l'électorat, laissant ainsi peu de place aux partis dont les positions politiques sont plus extrêmes. De plus, cette propension à former des gouvernements majoritaires contribue à la simplicité du système en permettant aux électeurs de voter pour ou contre un gouvernement formé d'un seul parti, plutôt que de devoir démêler la responsabilité des politiques dans le cadre d'un gouvernement de coalition.

Cependant, l'une des principales critiques faites au SMUT vise la façon dont les votes exprimés sont traduits en sièges. En effet, il arrive pour un gouvernement d'obtenir la majorité des sièges à la Chambre des communes avec bien en deçà de la moitié des votes exprimés. Potentiellement plus problématique, l'opposition officielle a occasionnellement obtenu une plus grande part du vote populaire, qui s'est traduit en une plus faible députation. Ce fut le cas en 1979 lorsque le Parti libéral du Canada (PLC) sous Pierre Elliott Trudeau forma l'opposition officielle à la

Chambre des communes avec 40,1 % des suffrages exprimés, alors que le Parti conservateur du Canada (PCC), sous Joe Clark, constitua le gouvernement avec seulement 35,89 % du vote populaire[5]. Ainsi, le degré de proportionnalité – c'est-à-dire la correspondance entre la distribution des voix exprimées et le nombre de sièges – tend à être altéré par le SMUT, surtout dans un système partisan comme le Canada où il y a plus que deux partis politiques[6]. Ces situations créent parfois le sentiment d'un déficit de représentativité au sein de l'électorat.

Le SMUT donne un avantage important aux partis politiques bien implantés au niveau régional. De la même façon, il est courant pour un parti plus marginal d'obtenir un pourcentage respectable des votes exprimés à l'échelle nationale tout en n'ayant aucune représentation à la Chambre des communes où à l'Assemblée nationale. De plus, à l'échelle d'une circonscription – puisqu'il est possible de gagner avec seulement 25 % des votes plus 1 dans une course à quatre –, les électeurs des candidats défaits peuvent ressentir un déficit de représentativité, tout particulièrement lorsque, par exemple, trois partis de gauche se disputent les votes d'une circonscription majoritairement progressistes et que le parti de droite l'emporte ou *vice versa* lorsque ce sont les partis de droite qui divisent le vote. Cette distorsion, lors de la traduction des votes en sièges, peut ainsi entraîner des changements radicaux dans la députation, sans pour autant que des transformations majeures aient eu lieu quant au vote exprimé à l'échelle nationale ou au niveau des circonscriptions.

De façon structurelle, le SMUT complique toute forme de recherche active d'une parité parfaite de la députation ou encore d'une

----

4. Voir aussi Carty *et al.* (2000) ; Johnston (2008).

5. Parlement du Canada, *Résultats électoraux par parti*, récupéré le 9 mars 2017 de <http://www.lop.parl.gc.ca/ParlInfo/compilations/ElectionsAndRidings/ResultsParty.aspx?Language=F>.

6. Voir Carty *et al.* (2000) ; Johnston (2008).

représentation proportionnelle de certaines minorités, telles que les communautés autochtones, comparativement aux systèmes proportionnels utilisant une liste. En effet, les systèmes proportionnels peuvent assurer la parité en alternant le genre des candidats ou en incluant des candidats issus de minorités à intervalle régulier sur les listes. *A contrario*, dans le SMUT, l'unique siège à combler dans chaque circonscription, tout comme les considérations multiples de l'électorat, minimise les considérations de genre et d'appartenance ethnique ou autres.

Depuis le début de la Confédération, de nombreuses tentatives de réforme électorale ont eu lieu, surtout dans les systèmes électoraux provinciaux, afin de compenser les faiblesses du SMUT (Milner, 2004 ; Cross, 2005 ; Kanji et Bilodeau, 2006).

Notons d'abord les réformes des systèmes électoraux du Manitoba et de l'Alberta qui, bien qu'utilisant initialement le SMUT, eurent jusqu'à la fin des années cinquante, des systèmes électoraux avec des composantes du vote préférentiel et proportionnel[7]. En effet, au Manitoba, la ville de Winnipeg est divisée en super-circonscriptions permettant l'élection de plusieurs députés par vote préférentiel, et ce, dès 1914. Vers 1927, les circonscriptions rurales vont, à leur tour, délaisser le SMUT pour un système préférentiel jusqu'en 1958 lorsque le Manitoba adopta à nouveau le SMUT dans l'ensemble de la province. En Alberta, dans la première moitié du siècle dernier, Edmonton, Calgary et, pendant un certain temps, Medecine Hat, adoptèrent un système de votes multiples dans des circonscriptions à plusieurs sièges,

puis un système de votes transférables[8], et ce, jusqu'en 1958, lorsque le SMUT fut appliqué à l'ensemble de la province. Ces retours vers le SMUT s'expliquent notamment par des luttes à l'intérieur du système partisan, mais également par l'absence d'uniformité sur l'ensemble du territoire, compliquant les systèmes électoraux pour les électeurs et créant parfois un déficit de représentativité entre deux classes d'électeurs.

Depuis lors, de nombreuses tentatives de réformes ont été suggérées dans le cadre de commissions ou d'assemblées citoyennes provinciales (Milner, 2004 ; Kanji et Bilodeau, 2006 ; Barnes *et al.*, 2009). En 2004, la Colombie-Britannique, qui a également eu deux élections dans un système à votes transférables dans les années 1950, a créé une assemblée citoyenne qui recommanda, dans son rapport, après de nombreuses consultations, l'adoption du scrutin à vote unique transférable (Carty *et al.*, 2008). Par l'entremise d'un référendum durant les élections de 2005, la proposition fut soumise au vote populaire et, pour être adoptée, elle nécessitait 60 % d'appuis populaire à travers la province et au moins 50 % d'appuis dans 60 % des circonscriptions. L'option fut battue de justesse avec 58 % d'appuis en 2005, puis de nouveau une seconde fois en 2009 avec 39 % du soutien populaire. Dans le cadre d'une démarche similaire, une assemblée citoyenne en Ontario recommanda, en 2007, l'adoption d'un système proportionnel mixte. L'option fut rejetée à 63 % par référendum en octobre 2007.

Au Nouveau-Brunswick, la Commission sur la démocratie législative a recommandé, dans

....

7. Elections Manitoba, *History of Electoral Process From 1870 to 2011*, récupéré le 9 mars 2017 de <http://www.electionsmanitoba. ca/en/resources/History>. Voir Jansen (2004).

Parliament of Canada, *Electoral Reform Initiatives in Canadian Provinces*, récupéré le 9 mars 2017 de <http://www.lop.parl.gc.ca/content/lop/researchpublications/prb0417-e.htm>.

....

8. Les systèmes de votes transférables sont des systèmes proportionnels où les circonscriptions comptent plusieurs sièges et où les électeurs classent les candidats par ordre de préférence sur leur bulletin. Comme dans les systèmes de vote préférentiel, les candidats ayant obtenu le moins de votes de premiers choix sont éliminés et les bulletins redistribués en fonction des deuxièmes choix. Les bulletins sont ainsi redistribués jusqu'à ce qu'un candidat obtienne un quota de voix exprimés établi à l'avance. Une fois le quota atteint, le candidat est élu et les votes supplémentaires sont également redistribués pour combler les autres sièges.

son rapport en 2005, l'adoption, ici aussi, d'un système électoral proportionnel mixte (Cross, 2007). L'option, qui devait être soumise à un référendum, est restée lettre morte depuis. Après qu'en 2003 le commissaire à la réforme électorale ait recommandé l'ajout d'éléments proportionnels au système électoral, les électeurs de l'Île-du-Prince-Édouard ont voté contre une telle réforme lors d'un plébiscite en 2005. Cependant, en novembre 2016, dans un référendum à scrutin préférentiel favorisant l'établissement d'une majorité, 52,4 % des électeurs de l'île ont choisi un système proportionnel mixte. Lors des prochaines élections provinciales, la proposition devrait être soumise de nouveau à un référendum avant d'être adoptée.

Au Québec, en 2003, le rapport des États généraux sur la réforme des institutions démocratiques recommanda l'adoption d'un système proportionnel mixte (Comité directeur sur la réforme des institutions démocratiques, 2003). Malgré l'existence d'un ministre responsable de la réforme des institutions démocratiques, aucune réforme n'est en voie d'adoption ou ne fait l'objet d'une consultation populaire à l'heure actuelle.

Quant au système fédéral, le premier ministre Justin Trudeau avait déclaré en campagne électorale que le scrutin de 2015 serait le dernier se déroulant sous le SMUT. Malgré la recommandation d'un comité parlementaire multipartite de questionner la population canadienne par référendum sur la nécessité de réformer le mode de scrutin pour y intégrer des éléments de proportionnalité, le gouvernement Trudeau, jugeant qu'il y a absence de consensus, a retiré sa promesse en 2017. Cependant, il est clair qu'il y a un certain intérêt, depuis au moins quinze ans, à l'égard des alternatives au SMUT afin de répondre à certains défis auxquels fait face le SMUT dans le contexte canadien, notamment la difficile correspondance entre le vote populaire et la distribution des sièges. Par contre, en dépit de nombreuses démarches, aucune réforme n'a été mise en place, tant dans les systèmes provinciaux que fédéral.

3. LE CHOIX ÉLECTORAL AU QUÉBEC ET AU CANADA

Les choix des électeurs et électrices dépendent en bonne partie du système structurant les élections. Dans la figure 17.1, nous présentons les résultats des élections fédérales récentes[9]. La distorsion apparaît clairement entre le pourcentage de votes obtenu par chaque parti et l'attribution des sièges. Dans chaque élection, le parti gagnant le plus de votes reçoit aussi le plus de sièges, mais le pourcentage de sièges est toujours supérieur à son soutien populaire, variant entre 9 et 15 points de pourcentage de différence. Le parti ayant le deuxième plus grand nombre de votes a obtenu un pourcentage de sièges semblable à son appui populaire. Les tiers partis sont par contre désavantagés. Le Nouveau Parti démocratique (NPD) a été désavantagé par un écart de 6 à 7 points de pourcentage en 2008 et 2015, entre le vote populaire et sa députation. Le PLC a eu 8 points de pourcentage de moins en sièges comparativement à son appui populaire en 2011.

Le Bloc québécois (BQ) constitue un cas particulièrement intéressant. Le BQ est un parti qui présente des candidats seulement dans la province du Québec. Rappelons que le système majoritaire privilégie la concentration de votes par région (et plus particulièrement par circonscription) et la représentation géographique. Donc, un parti avec un soutien diffus à travers le pays, comme le Parti vert, aura plus de difficulté qu'un parti avec des concentrations d'appuis régionales. À l'élection de 2008, le BQ a reçu 10 %

---

9. Le Parlement du Canada maintient les détails sur les résultats électoraux fédéraux depuis la Confédération au site du Parlement : <http://www.bdp.parl.gc.ca/>.

FIGURE 17.1.

Distribution du vote et des sièges, 2008-2015

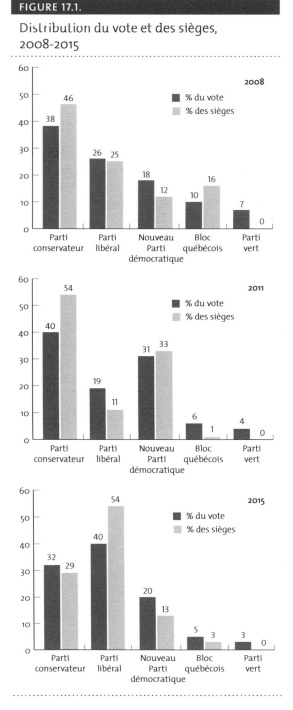

du vote contre 16 % des sièges (ou 49 élus). En contrepartie, le Parti vert a reçu 7 % du vote, mais n'a remporté aucun siège. Plus notable encore est le fait que le NPD a reçu un appui populaire de 18 %, mais seulement 12 % des sièges (ou 37 élus). Il faut noter par contre que le BQ a été désavantagé dans la traduction des votes en sièges en 2011 et 2015. Le système actuel tend à privilégier (en matière de sièges) le parti gagnant de l'élection et à pénaliser les tiers partis, même si les concentrations géographiques peuvent faciliter la capture de sièges.

Sachant que le système joue un rôle indéniable, le choix des électeurs peut être influencé par des considérations stratégiques. Si un électeur ou une électrice pense que son parti préféré n'a aucune chance de gagner dans sa circonscription, il ou elle peut choisir de voter pour son deuxième choix. En général, les études suggèrent qu'entre 6 et 8 % de la population vote de façon stratégique (Blais et Nadeau, 1996 ; Daoust, 2015).

Cela dit, les études électorales, depuis le début du siècle dernier, nous montrent qu'au-delà des considérations structurelles et stratégiques, d'autres facteurs nous permettent de prédire et d'expliquer de façon significative le choix de vote des électeurs. Depuis les toutes premières études électorales, de nombreuses écoles et courants de pensée se sont succédé pour expliquer le vote par certains facteurs et variables – ou groupe de variables et facteurs – plutôt que d'autres. Dans le contexte américain, Warren E. Miller et J. Merrill Shanks (1996) ont développé un modèle – celui des **blocs récursifs** – qui englobe l'ensemble de ces différents types d'explications, afin d'analyser la façon dont votent les individus. Ce modèle, qui a été repris par plusieurs auteurs dans le contexte canadien (Blais *et al.*, 2002) et québécois (Bélanger et Nadeau, 2009), considère la multiplicité des pistes explicatives, en passant par les facteurs à long terme déterminant les préférences politiques (telles que les variables sociodémographiques, les valeurs et l'identité

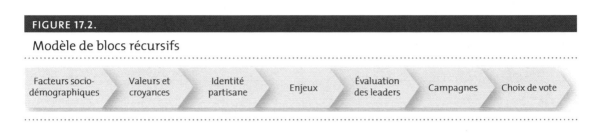

FIGURE 17.2.

Modèle de blocs récursifs

Facteurs socio-démographiques → Valeurs et croyances → Identité partisane → Enjeux → Évaluation des leaders → Campagnes → Choix de vote

partisane), les facteurs à moyen terme (telles les perceptions économiques, les opinions à l'égard des enjeux ainsi que l'évaluation du gouvernement) et, finalement, les facteurs à court terme (tels que l'évaluation des partis et des chefs ainsi que les considérations stratégiques). La figure 17.2 présente les blocs principaux du modèle.

Cette approche est inspirée de l'« entonnoir de causalité » (*funnel of causality*) du célèbre modèle psychosociologique d'Angus Campbell et de ses collaborateurs (1960), selon lequel des facteurs à long terme ont des effets *directs* et *indirects* sur le choix de vote. Autrement dit, les facteurs à long terme, issus de la socialisation politique en jeune âge, tendent à influencer directement les choix des citoyens, mais ils ont également une influence indirecte sur les facteurs à court terme, dans le cadre d'une élection spécifique. Par exemple, l'identité partisane dépend des caractéristiques sociodémographiques de l'individu et a un effet puissant sur le choix électoral. Cependant, l'identité partisane influence également notre compréhension des enjeux de la campagne et notre interprétation de la performance des leaders. Dans la section qui suit, nous passons en revue chaque bloc afin d'expliquer la façon dont ils structurent les choix électoraux.

La toute première étude scientifique basée sur des sondages électoraux a constaté qu'« une personne pense politiquement, comme elle est socialement » (Lazarsfeld, Berelson et Gaudet, 1944, p. 27). Dans *The People's Choice*, ces chercheurs américains parviennent à prédire correctement la majorité des votes de leurs répondants en observant la classe sociale de chacun, sa religion et le fait qu'il réside en zone rurale ou urbaine (Lazarsfeld, Berelson et Gaudet, 1944). Dans ce qui deviendra le corpus de l'école de Columbia, ces auteurs considèrent que les choix électoraux et les préférences politiques sont hérités de la famille et notent que l'homogénéité idéologique des réseaux sociaux augmente fortement la propension à se présenter aux urnes. Dans ce contexte, les électeurs sont peu intéressés par la campagne électorale ou par sa couverture médiatique – puisque pour la grande majorité, leur choix est déjà fait avant même le début de la campagne électorale –, mais vont plutôt entretenir des conversations de nature politique avec des membres de leurs réseaux sociaux avec lesquels ils ont en commun des préférences politiques. En bref, selon l'école de Columbia, le vote est déterminé par le milieu social et les relations interpersonnelles beaucoup plus que par les campagnes électorales.

Au-delà des nuances à apporter quant au déterminisme social d'un tel modèle, il n'en demeure pas moins qu'au Canada, la religion et l'origine ethnique constituent des prédicteurs importants du vote (Lijphart, 1979 ; Blais, 2005 ; Harell, 2012b ; Bélanger et Eagles, 2006). En effet, les catholiques et les Canadiens d'origine non européenne constituent une base électorale forte du PLC, expliquant en partie son succès historique (Blais, 2005). Le clivage urbain-rural est de moindre importance, mais il n'en demeure pas moins que les électeurs ruraux votent plus souvent pour les partis de droite. Un autre facteur historiquement important, soit le clivage lié aux classes sociales, est presque absent au Canada (Alford, 1963 ; Archer, 1985 ; Bélanger et Eagles, 2006 ;

TABLEAU 17.4.

Les facteurs sociodémographiques et le choix de vote à l'élection fédérale de 2015 (% par parti)

	PLC	PCC	NPD	BQ	Vert
Total	42	29	22	4	4
Religion					
Catholique	45	25	21	7	2
Autre chrétien	35	45	16	0	3
Religions non chrétiennes	66	11	22	0	1
Aucune religion	43	17	30	4	7
Origine ethnique					
Anglo-saxon	43	34	19	0	5
Français	40	13	32	14	1
Autre européen	42	39	16	0	3
Non européen	57	17	23	1	3
Langue					
Anglophone	42	34	20	0	5
Francophone	40	13	31	14	1
Allophone	46	35	17	1	2
Genre					
Homme	38	32	22	4	4
Femme	46	25	23	3	4

Note : Les données sont pondérées.
Source : Fournier *et al.* (2015).

Gidengil, 1992). De plus, parmi les facteurs classiques de l'école de Columbia, le genre est aussi un facteur associé au vote dans le contexte canadien. Traditionnellement, les femmes eurent tendance à voter pour les partis plus conservateurs après avoir gagné l'accès au vote, mais cette tendance s'est renversée au Canada, et ailleurs, pendant la deuxième moitié du XXe siècle, créant l'écart de genre moderne (Inglehart et Norris, 2003). Dans le système fédéral, les femmes ont tendance à voter davantage pour le NPD, alors que les hommes ont plutôt tendance à voter pour les partis de droite (Erickson et O'Neill, 2002 ; Gidengil *et al.*, 2005).

À cela s'ajoutent des clivages régionaux bien documentés, tels que l'appui aux partis indépendantistes au Québec, l'appui aux partis conservateurs dans l'Ouest canadien et l'appui important pour le Parti libéral dans les Maritimes (Blais, 2005). Le tableau 17.4 présente les

FIGURE 17.3.

Vote par région, élection fédérale de 2015

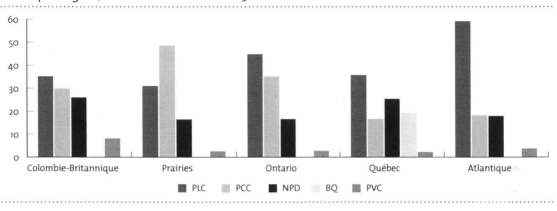

Source : Données tirées de divers documents d'Élection Canada.

quatre clivages dans le contexte de l'élection fédérale de 2015[10]. L'avantage libéral est clair chez les catholiques. Environ 45 % de ceux-ci ont voté pour le PLC, contre seulement 25 % pour le PCC et 22 % pour le NPD. Comparativement, les dénominations chrétiennes autres que catholiques ont préféré le PCC (45 %). L'avantage libéral chez les minorités ethnoculturelles est encore plus grand : 66 % des personnes ayant une religion non chrétienne ont voté libéral, et 57 % des personnes d'origine ethnique non européenne.

Le genre semble également influencer le vote, avec les hommes qui sont plus susceptibles de voter pour les partis de droite (comme le PCC). Comparativement aux élections précédentes, pendant celle de 2015, les femmes n'ont pas de tendance particulière à voter NPD, mais elles ont clairement préféré le PLC plutôt que le PCC. Ce changement de l'écart classique entre genres (Gidengil *et al.*, 2005) n'est pas surprenant, étant donné le mouvement du PLC vers la gauche de l'échiquier politique et le recentrage inhabituel

effectué par le chef du NPD, Thomas Mulcair, lors de la campagne électorale de 2015.

Le clivage régional est également présent lors de l'élection fédérale de 2015. Comme nous le voyons dans la figure 17.3, le PLC domine l'Est du pays, avec un soutien important pour le PCC dans l'Ouest. Au Québec, le vote fédéral et provincial est fortement influencé par les questions de la souveraineté (Bélanger et Nadeau, 2009), avec la présence des partis souverainistes au sein des systèmes provincial (historiquement le Parti québécois, et plus récemment s'ajoutent Québec solidaire et Option nationale) et fédéral (Bloc québécois). Deux autres variables sociodémographiques agissent comme prédicteurs importants du choix électoral, particulièrement dans le cas du Québec, soit la langue et l'âge. En effet, l'appui au mouvement souverainiste est essentiellement l'affaire des francophones et, historiquement, le Parti québécois et le Bloc québécois jouissaient de l'appui des jeunes qui y voyaient des véhicules de changement, un appui qui s'effrite significativement de nos jours alors que ces partis sont perçus comme étant plus conservateurs (Hamilton et Pinard, 1976 ; Clarke, 1983 ; Saint-Germain et Grenier, 1994 ; Blais *et al.*, 1995 ; Bélanger et Pedersen, 2015). On note

---

10. Les résultats ne correspondent pas exactement aux résultats officiels, car ils sont basés sur les réponses au sondage. Les résultats officiels sont : 39,5 % pour le PLC, 31,9 % pour le PCC, 19,7 % pour le NPD, 4,7 % pour le BQ et 3,4 % pour le Parti vert.

cependant que l'appui à un parti souverainiste est plus fort en région rurale. Bien que les femmes se positionnent généralement plus à gauche lors des élections, on ne note pas de clivage important lié au genre au Québec lors des élections fédérales (Erickson et O'Neill, 2002). Dans le système provincial, l'effet de genre est également absent (Bélanger et Nadeau, 2009), sauf en 2012 où une différence importante a émergé entre le Parti québécois, préféré par les femmes, et la Coalition Avenir Québec, préférée par les hommes (Gidengil et Harell, 2013).

Les facteurs démographiques sont importants, mais loin d'être déterminants. Ils sont aussi reliés aux valeurs et aux croyances des individus. L'idéologie est définie comme un système de valeurs qui contraint les attitudes des citoyens (Converse, 1964). Quand nous parlons d'une idéologie de gauche (favorable à l'intervention de l'État et à la justice sociale) ou de droite (promoteur du libre marché et de la responsabilité individuelle), nous parlons de la façon dont les attitudes envers une multiplicité d'enjeux correspondent les uns avec les autres de manière plutôt cohérente dans un système politique particulier (Cochrane, 2010). Même si les citoyens n'ont pas une compréhension très sophistiquée de leur idéologie et de celles des autres (Converse, 1964), au Québec et au Canada, les considérations idéologiques semblent influencer le choix de vote. La partisanerie libérale ou conservatrice, les attitudes envers les minorités, un sens d'aliénation envers le système politique et le conservatisme social sont autant de dimensions qui déterminent comment les citoyens réagissent face aux offres électorales. Au Québec, l'orientation des citoyens envers la question de la souveraineté et la place du Québec dans le Canada peuvent aussi être comprises comme des valeurs importantes qui influencent le vote (Gidengil *et al.*, 1999 ; Nevitte *et al.*, 2000 ; Scotto *et al.*, 2004).

L'identité partisane joue un rôle également dans le choix des électeurs (Clark *et al.*, 1996).

L'« identité partisane » est un concept développé par Campbell *et al.* (1960) à l'Université du Michigan. Leur modèle psychologique définit l'identité partisane comme un attachement émotionnel à un parti politique. L'identité partisane émane pour l'essentiel du milieu social et des relations interpersonnelles. Elle joue le rôle de filtre dans la perception des objets politiques et teinte la lecture des enjeux politiques et des campagnes, entraînant un vote qui est la plupart du temps conforme à l'identité partisane. Ainsi, les individus ne s'identifiant pas à un parti politique, ou dont l'identité partisane serait plus faible, seraient également moins intéressés par la politique, moins informés et moins portés à voter le jour des élections. Bien qu'au cours des dernières décennies, le pourcentage d'individus qui s'identifient fortement à un parti politique eut diminué, l'identité partisane demeure un filtre puissant et un prédicteur important du vote.

Dans le contexte canadien, l'identité partisane explique partiellement le succès électoral du PLC, qui bénéficie de l'identification partisane d'une plus grande proportion d'électeurs (Clarke et Stewart, 1987). Même si, traditionnellement, l'identité partisane a été considérée comme étant plus flexible, voire instable, dans le contexte canadien (Jenson, 1975 ; Clark *et al.*, 1979 ; Leduc *et al.*, 1984), elle reste déterminante pour une bonne partie des électeurs. En effet, environ 30 % des Canadiens déclarent s'identifier à un parti politique en particulier à l'échelle fédérale. Le PLC est cependant *ex æquo* avec le BQ au Québec, car chacun obtient l'appui de près de 25 % des électeurs qui affirment s'identifier à ces partis, alors qu'en Alberta, par exemple, plus de 50 % des électeurs s'identifient au seul PCC (Fournier *et al.*, 2015). Ainsi, au Canada, l'identité partisane reflète les clivages régionaux, mais demeure un des facteurs incontournables pour expliquer le vote[11].

....

11. Voir Blais *et al.* (2002).

Même en considérant l'influence des facteurs de socialisation à long et moyen termes – telle que les variables sociodémographiques, l'idéologie et l'identité partisane –, des facteurs à court terme – tels que les enjeux électoraux – sont réputés influencer le choix des électeurs. Par exemple, Gidengil *et al.* (2006) attribuent en partie la quasi-défaite libérale de 2004 au scandale des commandites, qui a miné la confiance à l'égard du parti de Paul Martin, et ce, même auprès des catholiques et des minorités visibles, sans pour autant diminuer considérablement leur base partisane. D'une élection à l'autre, les enjeux préoccupant les électeurs, ou ceux qui sont mis de l'avant par les partis politiques, varient considérablement. De plus, l'influence des enjeux sur le vote varie tout autant en fonction de l'importance que les électeurs leur accordent et de leur appropriation par les partis. De façon similaire, l'évaluation que fait chaque électeur de la situation économique canadienne peut avoir une incidence sur son vote, particulièrement dans son appréciation du gouvernement sortant. Cependant, il est certain que cette appréciation de l'état de l'économie est teintée par des circonstances locales, voire individuelles, qui peuvent donner l'impression que la situation économique canadienne est plus ou moins préoccupante.

Finalement, en excluant les considérations stratégiques du vote, la dernière variable du modèle des blocs récursifs est l'évaluation des chefs, elle aussi soumise à l'influence des variables précédentes, mais qui contribue également à prédire le vote des électeurs (Bittner, 2011). Ainsi, par l'entremise de ce qu'ils disent et de ce qu'ils font, mais parfois aussi comment ils sont vêtus, les chefs de parti sont évalués et comparés entre eux par l'électorat au cours des campagnes électorales. Dépendantes de la couverture médiatique, ces appréciations de performance atteignent leur apogée dans le cadre des débats des chefs. Les études électorales cherchent à capter ces évaluations en questionnant les électeurs sur certains traits de caractère que l'on peut attribuer aux chefs, tels que l'honnêteté, la capacité ou l'expérience liées à la gouverne et au leadership. Bien que ces évaluations soient souvent liées au choix de vote, il arrive que d'autres considérations le réorientent significativement. Par exemple, bien que la co-porte-parole de Québec Solidaire, Françoise David, se fut positivement démarquée auprès des électeurs lors des débats des chefs durant les élections de 2014, son parti politique n'a fait élire que trois députés, démontrant les limites de l'évaluation des chefs comme explication du choix électoral.

CONCLUSION

Le système électoral canadien a fait l'objet de nombreuses réformes et amendements depuis le début de la Confédération, plus précisément en ce qui a trait à l'éligibilité et à l'accès aux urnes. Dans le système provincial, le mode de scrutin a également été réformé dans l'Ouest canadien et, à ce jour, l'enjeu de la réforme électorale demeure d'actualité d'un océan à l'autre. Or, il est clair que le mode de scrutin dans sa forme actuelle a un effet structurant sur les résultats électoraux et même les choix de vote. Par sa nature, le SMUT favorise les partis ayant une assise régionale forte, comparativement à ceux dont la base électorale est plus diffuse, renforçant de la sorte les clivages politiques régionaux et pouvant encourager les considérations stratégiques des électeurs. Cependant, les études électorales et la littérature portant sur les comportements politiques nous enseignent que ces considérations stratégiques ne sont pas les seuls prédicteurs du choix de vote. En effet, aux clivages régionaux s'ajoutent d'autres considérations sociodémographiques, dont la religion, l'origine ethnoculturelle, la langue et le genre, qui contribuent aussi à expliquer le vote à l'échelle canadienne. Malgré le fait que nous votions comme nous sommes, pour paraphraser Paul Lazarsfeld et ses collaborateurs (1944), l'identité partisane et les valeurs, comme la façon dont celles-ci filtrent et orientent l'interprétation des enjeux et des candidatures, sont tout aussi essentielles à l'explication du choix de vote des Canadiens. Considérées seules, les variables à long, moyen et court termes ne parviennent pas expliquer le choix électoral de l'ensemble des Canadiens, mais prises en compte simultanément, elles permettent d'expliquer le succès historique du PLC, mais aussi les résultats électoraux plus récents, tels que l'élection fédérale de 2015.

QUESTIONS

1. Quelles sont les principales caractéristiques du système uninominal majoritaire à un tour (SMUT) ?

2. Quels sont les principaux types de systèmes électoraux ?

3. Quelles variables sociodémographiques expliquent le mieux les choix électoraux au Canada ?

4. De quelle façon le régionalisme influence-t-il les résultats électoraux au Canada ?

5. Comment l'identité partisane intervient-elle sur la perception des enjeux et des candidats ?

6. Quelle est l'influence de la question nationale québécoise sur les résultats électoraux aux niveaux provincial et fédéral ?

7. Comment expliquer le succès historique du Parti libéral du Canada ?

LECTURES SUGGÉRÉES

Bélanger, É. et R. Nadeau (2009). *Le comportement électoral des Québécois*, Montréal, Les Presses de l'Université de Montréal.

Blais, A. (1999). « Critères d'évaluation des systèmes électoraux », *Perspectives électorales*, vol. 1, n° 1, p. 3-6.

Fournier, P., F. Cutler, S. Soroka, D. Stolle et E. Bélanger (2014). « Riding the orange wave : Leadership, values, issues, and the 2011 Canadian Election », *Canadian Journal of Political Science*, vol. 46, n° 4, p. 863-897.

Scotto, T.J., L.B. Stephenson et A. Kornberg (2004). « From a two-party-plus to a one-party-plus ? Ideology, vote choice, and prospects for a competitive party system in Canada », *Electoral Studies*, vol. 23, n° 3, p. 463-483.

GLOSSAIRE

BLOCS RÉCURSIFS : La théorie des blocs récursifs est un modèle d'analyse statistique des comportements politiques incluant et prenant en considération différentes théories et approches qui, seules, ne parviennent pas à expliquer le choix électoral de l'ensemble de la population. Le modèle considère différents blocs de variables de façon incrémentale allant de facteurs influençant à long terme les choix électoraux, tels que les variables sociodémographiques et l'identité partisane, aux variables à plus court terme, telles que celles liées aux perceptions de la campagne électorale.

IDENTITÉ PARTISANE : Concept décrivant l'identification individuelle et la loyauté à un parti politique telles qu'établies tôt dans le processus de socialisation politique. L'identité partisane change rarement et filtre les perceptions des enjeux politiques et des campagnes électorales.

SYSTÈME ÉLECTORAL : Système de règles et de normes régissant le mode de scrutin et les conditions d'éligibilité.

SYSTÈME MAJORITAIRE UNINOMINAL À UN TOUR (SMUT) : Système électoral le plus courant à travers les démocraties contemporaines, le système majoritaire uninominal à un tour se démarque par la division du territoire en de nombreuses circonscriptions servant chacune à élire un seul député à majorité simple.

BIBLIOGRAPHIE

Alford, R.R. (1963). *Party and Society : Class Voting in Anglo-American Democracies*, New York, Rand McNally.

Archer, K. (1985). « The failure of the New Democratic Party : Unions, unionists, and politics in Canada », *Canadian Journal of Political Science*, vol. 18, n° 2, p. 353-366.

Assemblée des citoyens sur la réforme électorale de la Colombie-Britannique (2004). *Afin que chaque vote compte. Arguments pour la réforme électorale de la Colombie-Britannique*, rapport final, <http://www.citizensassembly.bc.ca/resources/FinalRep_French.pdf>.

Assemblée des citoyens sur la réforme électorale de l'Ontario (2007). *Un bulletin, deux votes. Une nouvelle façon de voter en Ontario*, rapport final, <http://www.citizensassembly.gov.on.ca/assets/Un%20bulletin,%20deux%20votes.pdf>.

Barnes, A. et J. Robertson (2009). *Les projets de réforme électorale dans diverses provinces du Canada*, PBR 04-17F, Ottawa, Bibliothèque du parlement, <http://www.lop.parl.gc.ca/content/lop/researchpublications/prb0417-f.htm>.

Bélanger, P. et M. Eagles (2006). « The geography of class and religion in Canadian elections revisited », *Canadian Journal of Political Science*, vol. 39, n° 3, p. 591-609.

Bélanger, É. et R. Nadeau (2009). *Le comportement électoral des Québécois*, Montréal, Les Presses de l'Université de Montréal.

Bélanger, É. et E.F. Pedersen (2015). « The 2014 provincial election in Quebec », *Canadian Political Science Review*, vol. 9, n° 2, p. 112-120.

Bilodeau, A. (1999). « L'impact mécanique du vote alternatif au Canada : une simulation des élections », *Revue canadienne de science politique*, vol. 32, n° 4, p. 745-761.

Bittner, A. (2011). *Platform or Personality ? The Role of Party Leaders in Elections*, Oxford, Oxford University Press.

Blais, A. (1999). « Critères d'évaluation des systèmes électoraux », *Perspectives électorales*, vol. 1, n° 1, p. 3-6.

Blais, A. (2005). « Accounting for the electoral success of the Liberal Party in Canada presidential address to the Canadian Political Science Association London, Ontario June 3, 2005 », *Canadian Journal of Political Science*, vol. 38, n° 4, p. 821-840.

Blais, A. et E. Gidengil (1991). *La démocratie représentative : perceptions des Canadiens et Canadiennes*, Ottawa, Collection d'études : Commission royale sur la réforme électorale et le financement des partis.

Blais, A., E. Gidengil, R. Nadeau et N. Nevitte (2002). *Anatomy of a Liberal Victory : Making Sense of the Vote un the 2000 Canadian Election*, Toronto, University of Toronto Press.

Blais, A. et R. Nadeau (1996). « Measuring strategic voting : A two-step procedure », *Electoral Studies*, vol. 15, p. 39-52.

Blais, A., N. Nevitte, E. Gidengil, H. Brady et R. Johnston (1995). « L'élection fédérale de 1993 : le comportement électoral des Québécois », *Revue québécoise de science politique*, nº 27, p. 15-49.

Campbell, A., P.E. Converse, W.E. Miller et D.E. Stokes (1960). *The American Voter*, New York, John Wiley & Sons.

Carty, R.K., A. Blais et P. Fournier (2008). « When citizens choose to reform SMP : The British Columbia Citizens' Assembly on electoral reform », dans *To Keep or To Change First Past The Post ? The Politics of Electoral Reform*, p. 140-162.

Carty, R.K., W. Cross et L. Young (2000). *Rebuilding Canadian Party Politics*, Vancouver, UBC Press.

Clarke, H. (1983). « The Parti Québécois and sources of partisan realignment in contemporary Quebec », *The Journal of Politics*, vol. 45, nº 1, p. 64-85.

Clarke, H.D., J. Jenson, L. LeDuc et J.H. Pammett (1979). *Political Choice in Canada*, Toronto, McGraw-Hill Ryerson.

Clarke, H.D. et M.C. Stewart (1987). « Partisan inconsistency and partisan change in federal states : The case of Canada », *American Journal of Political Science*, vol. 31, noº 2, p. 383-407.

Cochrane, C. (2010). « Left/right ideology and Canadian politics », *Canadian Journal of Political Science*, vol. 43, nº 3, p. 583-605.

Comité directeur sur la réforme des institutions démocratiques (2003). *Prenez votre place ! La participation citoyenne au cœur des institutions démocratiques québécoises*, rapport, Québec, Gouvernement du Québec.

Commission du droit du Canada (2004). *Un vote qui compte : la réforme électorale au Canada*, Ottawa, <http://publications.gc.ca/collections/Collection/J31-61-2004F.pdf>.

Commission royale sur la réforme électorale et le financement des partis – Commission Lortie (1991). *Pour une démocratie électorale renouvelée : rapport final de la Commission royale sur la réforme électorale et le financement des partis*, vol. 1, Ottawa.

Converse, P.E. (1964). « The nature of belief systems in mass publics », dans D.E. Apter (dir.), *Ideology and Discontent*, New York, Free Press.

Courtney, J.C. (1999). *Les systèmes électoraux à scrutin majoritaire : un examen*, rapport présenté au Comité consultatif des partis politiques, Élections Canada, Ottawa, <http://publications.gc.ca/collections/Collection/SE3-54-1999F.pdf>.

Cross, W. (2005). « The rush to electoral reform in the Canadian provinces : Why now ? », *Representation*, vol. 41, nº 2, p. 75-84.

Cross, W.P. (dir.) (2007). *Democratic Reform in New Brunswick*, Toronto, Canadian Scholars' Press.

Dahl, R. (1989). *Democracy and its Critics*, New Haven, Yale University Press.

Daoust, J.-F. (2015). « Le vote stratégique au Québec : analyse de l'élection de 2012 », *Politique et Sociétés*, vol. 34, nº 2, p. 3-15.

Directeur général des élections du Canada (2007). *Le système électoral du Canada*, 2e éd., Ottawa, Élections Canada, <http://www.elections.ca/res/canelecsys_f.pdf>.

Duverger, M. (1958). *Les partis politiques*, 3e éd., Paris, Armand Colin.

Élections Canada (2007). *L'histoire du vote au Canada*, Ottawa, Élections Canada, <http://www.elections.ca/content.aspx?section=res&dir=his&document=indexpdf&lang=f>.

Erickson, L. et B. O'Neill (2002). « The gender gap and the changing woman voter in Canada », *International Political Science Review*, vol. 23, nº 4, p. 373-392.

Fournier, P., F. Cutler, S. Soroka et D. Stolle (2015). *L'étude électorale canadienne* [base de données], <http://ces-eec.arts.ubc.ca/french-section/accueil/>.

Fournier, P., H. van der Kolk, R.K. Carty, A. Blais et J. Rose (2011). *When Citizens Decide : Lessons from Citizen Assemblies on Electoral Reform*, Oxford, Oxford University Press.

Gidengil, E. (1992). « Canada votes : A quarter century of Canadian national election studies », *Canadian Journal of Political Science*, vol. 25, n° 2, p. 219-248.

Gidengil, E., A. Blais, J. Everitt, P. Fournier et N. Nevitte (2006). « Back to the future ? Making sense of the 2004 Canadian election outside Quebec », *Canadian Journal of Political Science*, vol. 39, n° 1, p. 1-25.

Gidengil, E. et A. Harell (2012). « L'appui des Québécoises aux partis politiques provinciaux », dans F. Bastien, É. Bélanger et F. Gélineau (dir.), *Élection québécoise*, Montréal, Les Presses de l'Université de Montréal, p. 205-218.

Gidengil, E., M. Hennigar, A. Blais et N. Nevitte (2005). « Explaining the gender gap in support for the new right : The case of Canada », *Comparative Political Studies*, vol. 38, n° 10, p. 1171-1195.

Golder, M. (2005). « Democratic electoral systems around the world, 1946-2000 », *Electoral Studies*, vol. 24, p. 103-121.

Hamilton, R. et M. Pinard (1976). « The bases of Parti Québécois support in recent Quebec elections », *Canadian Journal of Political Science / Revue canadienne de science politique*, vol. 9, n° 1, p. 3-26.

Harell, A. (2012a). « L'administration de la démocratie », dans Pierre Tremblay (dir.), *L'administration contemporaine de l'État : une perspective canadienne et québécoise*, Québec, Presses de l'Université du Québec.

Harell, A. (2012b). « Revisiting the ethnic vote : Liberal allegiance and vote choice among racialized minorities », dans A. Bittner et R. Koop (dir.), *Change and Continuity in Canadian Parties and Elections*, Vancouver, UBC Press, p. 140-160.

Inglehart, R. et P. Norris (2003). « Rising tide : Gender equality and cultural change around the world », New York, Cambridge University Press.

Jansen, H. (2004). « The political consequences of the alternative vote : Lessons from Western Canada », *Canadian Journal of Political Science / Revue canadienne de science politique*, vol. 37, n° 3, p. 647-669.

Jenson, J. (1975). « Party loyalty in Canada : The question of party identification », *Canadian Journal of Political Science / Revue canadienne de science politique*, vol. 8, n° 4, p. 543-553.

Johnston, R. (2008). « Polarized pluralism in the Canadian party system : Presidential address to the Canadian Political Science Association, June 5, 2008 », *Canadian Journal of Political Science / Revue canadienne de science politique*, vol. 41, n° 4, p. 815-834.

Kanji, M. et A. Bilodeau (2006). « Value diversity and support for electoral reform in Canada », *PS : Political Science and Politics*, vol. 39, n° 4, p. 829-836.

Lazarsfeld, P.F., B. Berelson et H. Gaudet (1944). *The People's Choice : How the Voter Makes up his Mind in a Presidential Campaign*, Columbia, Columbia University Press.

LeDuc, L., H.D. Clarke, J. Jenson et J.H. Pammett (1984). « Partisan instability in Canada : Evidence from a new panel study », *American Political Science Review*, vol. 78, n° 2, p. 470-84.

Lemieux, V. et M. Lavoie (1984). « La réforme du système électoral », *Politique*, n° 6, p. 33-50.

Lijphart, A. (1979). « Religious vs. linguistic vs. class voting : the "crucial experiment" of comparing Belgium, Canada, South Africa, and Switzerland », *American Political Science Review*, vol. 73, n° 2, p. 442-458.

Martin, P. (2006). *Les systèmes électoraux et les modes de scrutin*, 3e éd., Paris, Montchrestien.

Massicotte, L. et A. Blais (1999). « Mixed electoral systems : Conceptual and empirical survey », *Electoral Studies*, n° 18, p. 341-366.

Miller, W.E. et J. Merrill Shanks (1996). *The New American Voter*, Cambridge, Harvard University Press.

Milner, H. (2004). *Steps Toward Making Every Vote Count : Electoral System Reform in Canada and its Provinces*, Peterborough, Broadview.

Nevitte, N., A. Blais, E. Gidengil et R. Nadeau (2000). *Unsteady State : The 1997 Canadian Federal Election*, Don Mills, Oxford University Press.

Saint-Germain, M. et G. Grenier (1994). « Le Parti québécois, le "non" à Charlottetown et le Bloc québécois : est-ce le même électorat ? », *Revue québécoise de science politique*, vol. 26, p. 161-178.

Scotto, T.J., L.B. Stephenson et A. Kornberg (2004). « From a two-party-plus to a one-party-plus ? Ideology, vote choice, and prospects for a competitive party system in Canada », *Electoral Studies*, vol. 23, n° 3, p. 463-483.

PARTIE IV

POLITIQUES PUBLIQUES

Après avoir discuté des acteurs, des institutions politiques et des sociétés en interaction dans les trois premières parties de ce manuel, la dernière se concentre spécifiquement sur un certain nombre de politiques publiques ayant contribué à transformer le Québec et le Canada de même que la dynamique Québec-Canada de façon appréciable au cours du dernier demi-siècle. Il s'agit, en l'occurrence, de la politique linguistique, des enjeux de redistribution, de la politique migratoire et de la politique étrangère canadienne.

Dans le chapitre 18, **Marc Chevrier** et **David Sanschagrin** retracent de manière comparée la genèse des politiques linguistiques québécoise et fédérale depuis la Nouvelle-France jusqu'à aujourd'hui en passant par la réforme constitutionnelle de 1982. Dans un deuxième temps, les auteurs passent en revue les effets appréciables de ces politiques sur l'identité, la démographie et la condition socioéconomique de la population francophone au Québec et ailleurs au Canada. Dans un troisième temps, ils analysent les limites de ces politiques linguistiques qui, chacune à leur façon, obtiennent des résultats contrastés dans des conditions juridiques et politiques fort différentes.

Dans le chapitre 19, **Alain Noël** souligne que derrière le principe de l'égalité formelle entre tous, on trouve des disparités de revenu croissantes, qui mettent à mal l'idéal démocratique d'une égale participation citoyenne. Les politiques de redistribution de la richesse doivent donc chercher à contrer un des effets structurels de l'économie capitaliste, soit la production continue d'inégalités socioéconomiques et catégorielles (les femmes, les Autochtones, etc.). Mais dans la fédération canadienne, la redistribution doit aussi prendre en compte les inégalités territoriales, car certains États provinciaux sont plus riches que d'autres et se pose alors le problème d'offrir à tous des services publics comparables. Si le Canada fait bien dans l'ensemble, grâce à sa volonté redistributrice modérée, on note, ici comme ailleurs, une recrudescence des inégalités de revenu depuis le milieu des années 1990, alors que les mesures de redistribution, moins généreuses dans un contexte de retrait de l'État social, ne parviennent plus à contrer les effets inégalitaires du marché. Toutefois, dans la fédération, on observe que le Québec a su faire mieux en limitant les effets inégalitaires du marché.

Dans le chapitre 20, **Mireille Paquet** analyse les politiques migratoires au Québec et au Canada. Elle rappelle que l'étude des politiques migratoires est paradoxalement un phénomène récent, et ce, malgré l'importance cruciale pour l'État moderne de contrôler ses frontières et en dépit du caractère continu et constant de l'immigration dans l'histoire, qui a pris certes des traits différents selon les époques. Plusieurs théories existent pour analyser le phénomène et les politiques migratoires ainsi que les facteurs qui agissent sur lui (normes internationales, institutions, forces sociales). Pour analyser adéquatement les dynamiques propres des politiques migratoires, il est toutefois important de bien les distinguer d'autres phénomènes avec lesquels ces dynamiques sont souvent amalgamées, comme les politiques d'intégration, de la gestion de la diversité ou encore de lutte à la discrimination. Cependant, l'état actuel du champ d'étude n'a pas encore permis de fournir une théorie unifiée de l'immigration internationale, même si les théories existantes s'avèrent compatibles. Enfin, au Canada, à cause notamment de sa position géographique stratégique, l'immigration économique représente la principale catégorie d'immigrants.

Dans le dernier chapitre de l'ouvrage, **Justin Massie** et **Stéphane Roussel** traitent de la politique étrangère du Canada et ciblent les répercussions des facteurs structurants. Comme on le sait, la politique étrangère se situe au carrefour des relations internationales et des politiques publiques intérieures. En conséquence, l'étude de ce domaine de spécialisation doit nécessairement prendre en considération l'influence de facteurs émanant des deux niveaux d'analyse. Parmi les facteurs structurant la politique étrangère du Canada, les auteurs identifient cinq éléments clés : la position géostratégique du pays en Amérique du Nord comme voisin de la superpuissance américaine ; son rang de puissance « moyenne » ; la pluralité des intérêts en jeu, dont la quête de prospérité, de sécurité et d'unité nationale ; l'autonomie considérable dont jouit le premier ministre par rapport aux pressions des parlementaires, des bureaucrates et de la société civile ; ainsi que l'influence déterminante du caractère plurinational du Canada, notamment par le fait de l'existence d'une paradiplomatie québécoise. Cette paradiplomatie alimente, comme d'autres auteurs le font ressortir dans le présent manuel, le mouvement souverainiste québécois et incite le gouvernement fédéral à adopter une politique étrangère qui cherche à la fois à affirmer l'unité nationale et à consolider la présence internationale du Canada.

CHAPITRE 18

LA POLITIQUE DES LANGUES AU QUÉBEC ET AU CANADA

Genèse et évolution de deux projets concurrents

Marc Chevrier et David Sanschagrin

Depuis longtemps un facteur de distinction entre communautés humaines, la langue est devenue assez tard un enjeu politique qui intéresse l'État et la construction des nations en Occident. Avec l'émergence de l'État entre les XVe et XVIIIe siècles, la langue a servi à exprimer le pouvoir et à délimiter le territoire, au prix de l'inclusion de communautés et de nations forcées d'adopter la langue dominante. Par exemple, la Grande-Bretagne s'est édifiée par la conquête de l'Irlande, du pays de Galles et par l'incorporation de l'Écosse, en introduisant l'anglais dans l'État et en poussant à l'anglicisation des populations celtes. Le français était déjà devenu la langue de l'État français avant la Révolution de 1789, mais celle-ci accéléra le processus d'unification linguistique au nom d'une nation souveraine formée de citoyens égaux. La nation devenant un acteur historique, la souveraineté s'exercerait désormais dans un territoire défini, habité par des citoyens partageant un horizon culturel et une langue communs. D'où d'inévitables conflits au sein des États où cohabitent différentes communautés linguistiques poursuivant chacune leur propre projet national.

Depuis la Conquête de 1763, la langue est un enjeu politique au Canada: le conquérant a tenté à diverses reprises d'angliciser les Canadiens par l'éducation et par l'imposition de l'anglais comme langue du pouvoir. Mais ces mesures ne constituaient pas une politique linguistique. Une fois les Canadiens français dotés de leur entité fédérée en 1867, ils s'accommodèrent d'un certain laisser-faire linguistique, s'en remettant plutôt à l'Église, vue comme la gardienne d'une nation catholique canadienne-française. L'intervention politique systématique pour aménager l'usage public des langues remonte à 1963, avec la Commission royale d'enquête sur le bilinguisme et le biculturalisme (commission B-B), présidée par André Laurendeau[1] et Davidson Dunton, qui, constatant l'infériorité socioéconomique systémique des Canadiens français, recommanda l'adoption de mesures pour redresser la situation.

L'État central canadien et l'État québécois mirent dès lors chacun en place une politique linguistique pour répondre à la crise du fait français constatée par la commission B-B. Ces deux politiques ont visé chacune à renforcer l'autorité de l'État – central ou québécois – à l'égard de sa population, sur la base d'un projet politique commun qui intègre la langue et la culture. Chacune de ces politiques promeut ainsi son projet d'édification nationale. D'un côté, on est passé d'une volonté assimilatrice, justifiée par la suprématie anglo-saxonne, à une intégration plus flexible à la société canadienne-anglaise, sur la base du bilinguisme institutionnel, de la primauté des droits individuels et de la liberté apparente de choisir sa culture (ou le multiculturalisme) au sein d'un État fonctionnel. De l'autre côté, après la ghettoïsation ethnique des Canadiens français, confortée par l'idéologie de la survivance[2] et le régime canadien lui-même, s'est affirmé, depuis la Révolution tranquille, le projet d'une communauté politique québécoise qui intègre la population immigrante sur la base du principe de territorialité, d'un meilleur équilibre entre droits individuels et primauté du fait français ainsi que d'une culture publique commune (ou interculturalisme).

Ces deux projets concurrents ont produit des résultats mitigés. La politique canadienne, qui devait garantir le statut et l'usage du français dans les institutions fédérales et défendre les minorités francophones hors Québec[3], n'a que ralenti leur anglicisation[4]. La politique québécoise a certes renforcé la place du français dans l'espace public et contribué à maintenir quelque peu le poids démographique des francophones au Québec, mais au prix d'une contestation devant les tribunaux qui en a restreint la portée. Les effets inégaux de ces politiques s'expliqueraient par le fait que la politique canadienne tente d'agir sur des petites communautés dispersées, alors que la politique québécoise table sur une population francophone suffisamment concentrée (McRoberts, 2002). Pour éviter l'assimilation des langues minoritaires en contact permanent avec une langue dominante, la stratégie la plus efficace consisterait à les concentrer géographiquement (Laponce, 2006).

Dans ce texte, nous verrons la genèse, les effets et les limites des politiques linguistiques fédérale et québécoise, et notamment qu'en raison de leurs intérêts et de leurs situations propres, les francophones du Canada, du Québec et d'ailleurs privilégient désormais des moyens d'action différents, sinon contradictoires. Nous

----

1. André Laurendeau (1912-1968) fut notamment rédacteur en chef du *Devoir* (1958-1968). Ses éditoriaux, révélant l'infériorité socioéconomique des Canadiens français, menèrent à la création de la commission B-B en 1963. Il rejeta le nationalisme traditionnel en prônant l'intervention de l'État et le développement économique pour sortir les Canadiens français de leur infériorité. Opposant du régime duplessiste, il se fit le défenseur d'une plus grande autonomie du Québec au sein du Canada. Il mourut sans voir la fin de la commission B-B, sans illusions sur la possibilité que le Canada en vienne à donner satisfaction aux aspirations du Québec, que la commission avait décrit comme une « société francophone distincte » au sein du pays.

2. Cette idéologie, qui prit son essor à la suite de la répression des Patriotes en 1837-1838, défendait la foi catholique, la nation canadienne-française et la langue. Elle se distinguait par la mission spirituelle attribuée au Canada français (par opposition au matérialisme anglo-saxon), un antiétatisme ultramontain (soit

l'autorité de l'Église romaine sur la société et l'État) et un mode de vie rural qui éviterait le contact permanent avec l'anglais dans les villes (Guindon, 1990).

3. Un francophone est une personne dont la langue maternelle (la première langue apprise et encore comprise) est le français. Cependant, cette catégorisation a ses limites inhérentes, car elle préfère la langue maternelle à la langue d'usage des individus, lesquelles ne coïncident pas toujours.

4. En excluant le cas des Acadiens du Nouveau-Brunswick, dont le poids démographique se maintient (30%).

traiterons ensemble les politiques culturelles et linguistiques du Québec[5] et de l'État central[6] puisqu'elles sont complémentaires.

1. LA GENÈSE DES POLITIQUES LINGUISTIQUES QUÉBÉCOISE ET FÉDÉRALE

1.1. Les origines de l'inquiétude linguistique

La Conquête de 1763 livra au pouvoir anglais une population affaiblie par la guerre de Sept Ans, qui perdit ses élites et fut coupée de la France. À la merci du pouvoir britannique, les Canadiens connurent, jusqu'en 1867, quatre régimes coloniaux successifs, dont celui de l'Union de 1840, qui devait accélérer l'anglicisation des habitants français de la vallée laurentienne, après que la déportation de 1755 eut dispersé la population française de l'Acadie conquise en 1714. Dès 1763, les marchands anglo-écossais s'emparèrent du commerce et développèrent la colonie, alors que les Canadiens, confinés à l'agriculture et aux professions libérales pour les plus instruits, offraient une force de travail bon marché. Cette division linguistique du travail s'est maintenue jusqu'à la Révolution tranquille.

Sous le régime français, une certaine unité linguistique s'était réalisée, car une majorité de colons parlaient déjà français à leur arrivée, issus de régions où abondaient les petites écoles ; une tradition importée puis maintenue en Nouvelle-France (Wolf, 2008). Avec la Conquête, le système scolaire s'écroula ; en 1779, l'analphabétisme dépassait les 80 % (Galarneau, 2008). Un écart béant apparut entre la langue parlée et la langue écrite (Corbeil, 2007). De plus, en 1836, le veto du gouverneur colonial provoqua l'effondrement du réseau scolaire public que les Patriotes avaient instauré en 1829, d'où un taux d'analphabétisme de 70 % en 1850 (Galarneau, 2008).

Avant l'*Acte de Québec* (1774), l'administration coloniale fut réservée aux protestants et l'anglais s'imposa comme langue du pouvoir. La population anglo-écossaise, trop faible en nombre pour assimiler les Canadiens, les exposa néanmoins au contact permanent avec l'anglais, qui avait pénétré leur parler et nourri les premières inquiétudes sur l'avenir du français. En divisant la *Province of Quebec*, créée en 1763, en deux provinces, le Haut et le Bas-Canada, la *Loi constitutionnelle de 1791* institua une Assemblée où les Canadiens étaient majoritaires. Dès 1792, ils purent faire entrer le français au Parlement, mais sans échapper ni à leur infériorité socio-économique ni à la tutelle coloniale de Londres.

À la fin des guerres napoléoniennes, une émigration massive du Royaume-Uni porta la population anglophone[7] du Bas-Canada de 30 000 personnes, en 1815, à 200 000 en 1851. Les centres urbains s'anglicisèrent rapidement, comme Montréal où les Britanniques furent majoritaires jusque vers 1860 et d'où ils dirigeaient l'économie.

À la suite des rébellions des patriotes (1837-1838)[8], Londres suspendit la loi de 1791, imposa un régime martial et mandata Lord Durham pour enquêter sur ces événements. Il proposa l'union des deux colonies, où les Canadiens français, pourtant majoritaires dans la colonie, seraient mis à égalité au Parlement avec l'ancien

---

5. Soit le modèle de l'interculturalisme et la loi 101 ou *Charte de la langue française*.
6. Soit la *Loi sur le multiculturalisme canadien*, la *Loi sur les langues officielles* et la *Charte canadienne des droits et libertés*.

7. Un anglophone est une personne dont la langue maternelle est l'anglais.
8. Cette révolte eut son équivalent et un sort similaire dans le Haut-Canada où une élite réformiste tenta de renverser par les armes le pouvoir politique d'une petite et richissime élite coloniale appelée le «*family compact*», qui avait son pendant au Bas-Canada, la Clique du Château.

Haut-Canada[9]. Selon Durham, l'anglicisation des Canadiens, un peuple, à ses yeux, arriéré, sans culture ni histoire, leur donnerait accès à la modernité libérale. L'Acte d'Union fit ainsi de l'anglais la seule langue officielle du Canada-Uni[10], ce qui ne fit pas disparaître le français des usages parlementaires pour autant ; il retrouva droit de cité d'ailleurs en 1848. Puisque la menace faite à la langue des Canadiens français venait de l'État colonial, c'était la « nation qui [devait] dorénavant assurer les conditions de la survivance par un combat sans relâche » (Martel et Pâquet, 2011, p. 57). L'Église devint ainsi gardienne de la foi et de la langue, et son emprise sur la société canadienne-française s'accrut considérablement.

Vers 1850, l'industrialisation anglo-saxonne a accentué encore plus l'anglicisation. L'exode rural massif des Canadiens, sans travail et peu éduqués, vers les centres urbains du Canada-Uni et de la Nouvelle-Angleterre, hâta leur assimilation, d'autant mieux que les hauts clergés catholiques américain et canadien-anglais encourageaient l'assimilation des francophones à la langue continentale. Les campagnes ont fini aussi par s'angliciser, sous l'influence des produits et des idées diffusés par le chemin de fer et la poste. Le capitalisme anglo-saxon arriva aussi en région, dans les exploitations et les usines où travaillaient les Canadiens.

Dans ce contexte, le *Manuel des difficultés les plus communes de la langue française*, de Thomas Maguire (1841), lança les débats sur la qualité de la langue. Dès lors, deux clans s'affrontent

périodiquement : « les tenants de l'orthodoxie parisienne » contre « les partisans d'une norme adaptée au contexte nord-américain » (Poirier, 2008, p. 173). Les défenseurs de la qualité de la langue française au Canada ont souvent prôné une langue « épurée » sans considérer les facteurs socioéconomiques expliquant l'anglicisation. Il faut dire aussi que des partisans britanniques de l'assimilation des Canadiens français prenaient prétexte de ce qu'à leurs yeux, ceux-ci parlaient un « patois » de la France prérévolutionnaire pour justifier leur anglicisation.

1.2. Le pacte de 1867

L'*Acte de l'Amérique du Nord britannique* (AANB), créant le Canada, procéda d'une entente implicite entre l'élite économique anglophone et l'élite cléricale canadienne-française : la première se réserverait la politique économique et les grandes prérogatives de la souveraineté (armée, monnaie, droit criminel) confiées à l'État central dominé par l'élément britannique, la seconde garderait sa mainmise sur les Canadiens français, sous l'autorité d'un État provincial compétent en matière de santé, d'éducation, de langue, bref de tout ce qui touche à la reproduction culturelle (Guindon, 1990). Cela dit, en matière d'éducation, l'AANB ne protégeait pas la langue comme telle, mais seulement l'accès aux écoles confessionnelles (art. 93), catholiques de l'Ontario et protestantes du Québec. Il imposait en plus à l'État du Québec, comme à l'État central, le bilinguisme de leurs institutions législatives et judiciaires (art. 133). Ce qui supposait que, majoritaires au Québec, les Canadiens français y jouiraient d'une certaine autonomie, alors que les autres populations francophones seraient laissées sans protection linguistique. D'ailleurs, l'Ontario et le Nouveau-Brunswick finirent par supprimer l'accès à l'école catholique française sous l'œil indifférent d'Ottawa. Devenu un État

....

9. En 1840, si la population du Bas-Canada (650 000) était plus importante que celle du Haut-Canada (450 000), ils se virent pourtant accorder chacun le même nombre de sièges (42). L'Union forcée de 1840 obligea également le Bas-Canada à éponger les dettes du Haut-Canada, beaucoup plus endetté que lui.

10. Après l'octroi du gouvernement responsable en 1848, Londres abrogea l'article de l'*Acte d'Union* qui imposait l'unilinguisme anglais au Parlement du Canada-Uni.

provincial en 1870, le Manitoba, dont la population était alors à moitié francophone, fut aussi assujetti au bilinguisme institutionnel. Toutefois, la révolte des Métis écrasée et l'immigration britannique dans les Prairies aidant, le gouvernement manitobain imposa l'unilinguisme anglais à ses institutions politiques et scolaires en 1890[11]. Alors que les États anglophones menaient des politiques d'anglicisation, l'État du Québec, incapable de se doter d'un ministère de l'Instruction publique avant 1964, laissa, d'un côté, la riche communauté anglophone gérer ses propres établissements d'enseignement et y accueillir les nouveaux arrivants et, de l'autre, l'Église pourvoir à l'éducation des catholiques francophones[12].

1.3. La territorialité et la personnalité linguistiques

Dans les années 1950, le bilinguisme concurrentiel en enseignement[13] et la division ethnolinguistique du travail cessèrent d'aller de soi. On fit « le constat que la langue française, langue minoritaire en Amérique du Nord et au Canada, est trop fragile pour se développer sans le soutien de l'État » (Chevrier, 1997, p. 5). Des intellectuels, comme le journaliste Jean-Marc Léger (1963), estimaient que le problème de la langue était structurel et nécessitait une approche globale touchant la société plutôt que l'octroi de garanties légales faites aux seuls individus.

D'autres, tel André D'Allemagne (1959), développèrent alors le concept d'« unilinguisme » qui « n'apparaît qu'au terme de décennies d'un bilinguisme jugé aussi aliénant au Québec qu'irréalisable dans le reste du Canada » (Larose, 2004, p. 181). La libre concurrence de l'anglais et du français confortait la domination globale de l'anglais (langue du pouvoir et de la réussite). Le projet d'unilinguisme territorial s'appuyait sur le principe des nationalités selon lequel « dans un territoire donné, les locuteurs d'une langue devraient avoir pleine souveraineté sur le territoire qu'ils habitent afin d'échapper le plus possible aux rapports de domination » (Larose, 2004, p. 187). Le débat sur le parler populaire québécois, le joual, lancé au tournant des années 1960 par les chroniques du frère Untel, révélait un malaise à l'égard du français québécois et « un problème de civilisation » (Desbiens, 1960, p. 26). Devant l'ampleur du débat, le premier ministre Jean Lesage lança en 1961 une commission d'enquête sur l'enseignement, la commission Parent[14], qui conclut aussi que les facteurs socioéconomiques étaient prépondérants dans le choix de l'anglais ou du français. Ce débat sur l'avenir du français au Québec et au Canada mettait à mal l'idée répandue chez les Canadiens français que l'AANB était le fruit d'un pacte entre deux peuples fondateurs (ou dualisme) et mettait au jour l'incurie du gouvernement fédéral dans la défense des minorités francophones, incapable d'enrayer leur anglicisation rapide.

Ce fut donc dans ce contexte que la commission B-B, instituée en 1963, étudia les rapports ethnolinguistiques à l'aune du dualisme. Elle encouragea la promotion des droits scolaires des minorités francophones, tout en prônant le

---

11. Le Manitoba fut sommé par la Cour suprême en 1985 de traduire en français toute la législation adoptée en anglais uniquement depuis 1890 en violation de sa loi constitutive (*Renvoi : Droits linguistiques au Manitoba*, 1985).

12. Le Québec rendit l'instruction obligatoire seulement en 1943 et créa un ministère de l'Éducation en 1964, après des tentatives infructueuses à la fin du XIXe siècle.

13. Le bilinguisme concurrentiel en enseignement signifie que l'État laisse le libre choix aux parents d'inscrire leurs enfants dans l'un des deux réseaux d'éducation complets, l'anglais et le français, qui sont tous deux financés à même les fonds publics.

---

14. Les travaux de la commission Parent proposèrent de hausser la scolarité des francophones, notamment par la création d'un ministère de l'Éducation, la scolarité obligatoire jusqu'à 16 ans, l'accessibilité aux études pour tous et la mise sur pied d'un système d'enseignement public complet pour augmenter l'offre scolaire à tous les niveaux.

bilinguisme concurrentiel. Elle souligna la difficulté des francophones à obtenir des services fédéraux en français, et leur sous-représentation dans la fonction publique fédérale, et constata aussi l'infériorité socioéconomique systématique des Canadiens français[15]. Il fallait donc, selon elle, favoriser la mobilité et l'épanouissement du fait français à la grandeur du Canada. Formée d'une élite instruite parfaitement bilingue, la commission a toutefois préféré le principe de personnalité et le bilinguisme institutionnel au principe territorial.

Le principe de personnalité signifie une politique fondée sur l'octroi aux individus de droits linguistiques transportables sur tout le territoire de l'État, même si leurs titulaires se trouvent en minorité. Outre le Canada, certains empires historiques ont suivi cette politique (p. ex. l'Autriche-Hongrie). Cette approche est privilégiée dans le cas de groupes minoritaires nationaux peu concentrés (p. ex. Estonie). Le principe de territorialité consiste plutôt en une formule d'aménagement qui confère aux groupes linguistiques la possibilité de faire prévaloir leur langue sur le territoire où ils sont majoritaires ou concentrés. Cette formule prévaut en Belgique et dans la majorité des cantons suisses.

Bien que sensible aux aspirations québécoises qui ébranlaient la légitimité du régime fédéral, la commission B-B fit la promotion de solutions qui desservaient l'affirmation du français au Québec. Elle omit d'aborder les facteurs à l'origine de l'infériorité socioéconomique et de l'anglicisation des francophones, et négligea les études linguistiques démontrant alors déjà l'importance de la territorialité dans la protection des langues minoritaires. Les commissaires s'en tinrent ainsi à leur idéal administratif irréaliste

d'un Canada bilingue[16] (Guindon, 1990). Cependant, elle greffa le biculturalisme à la dualité linguistique, incitant l'État central à favoriser l'essor de deux cultures nationales principales.

En réponse aux travaux de la commission B-B, le premier ministre Pierre Elliott Trudeau fit alors adopter en 1969 la *Loi sur les langues officielles* devant assurer l'accès aux services fédéraux en français, augmenter la proportion de francophones dans la fonction publique et créer le poste de Commissaire aux langues officielles. Il écarta toutefois le biculturalisme au profit du multiculturalisme. Il cherchait ainsi à contrecarrer les revendications nationales du Québec et à s'allier les Canadiens d'origine tierce en promouvant un Canada postnational. Cependant, en dissociant langue et culture, la commission réduisait la langue à « un simple outil de communication, choisi librement par l'individu, qui n'est pas porteur en soi d'une culture ni porté par elle » (Chevrier, 1997, p. 31). Ce légalisme libéral absolutise le libre choix de l'individu, sans égard à la dimension collective de la langue, dont la vitalité est inséparable d'une culture et du projet politique porté par une collectivité. Or, « la plupart des droits présentent des dimensions à la fois individuelles et collectives et [...], même s'il est possible de cerner un aspect individuel ou collectif prédominant, cet aspect à lui seul ne permet pas habituellement de hiérarchiser les droits revendiqués de façon concurrente » (Woehrling, 2005, p. 348). De plus, cette vision semblait ignorer les contraintes socioéconomiques concourant à l'anglicisation des immigrants en milieux francophones. La politique fédérale illustre le fait que les majorités nationales ont tendance à ne pas se concevoir comme telles, ne subissant pas les mêmes contraintes

---

15. Cette discrimination favorisant les anglophones existait à la fois dans le secteur privé et au sein de l'État fédéral, et davantage même au Québec, où un unilingue anglophone gagnait 35 % de plus qu'un unilingue francophone.

16. La norme linguistique est l'unilinguisme, car le bilinguisme est le propre des classes éduquées et de ceux qui, dans leur milieu de travail, doivent intégrer le réseau de communication de la langue dominante (Laponce, 2006).

TABLEAU 18.1.

Bilinguisme et biculturalisme : définitions et distinctions

Bilinguisme institutionnel	Garantie linguistique qui prévoit l'usage de deux langues obligatoires pour la législation et la réglementation, ainsi que leur liberté d'usage au profit des parlementaires et des acteurs des tribunaux (juges, avocats, justiciables). L'art. 133 de la *Loi constitutionnelle de 1867* prévoit que le français et l'anglais ont un statut équivalent pour l'État central et celui du Québec. Le bilinguisme institutionnel n'instaure toutefois pas un système de bilinguisme global ; sa portée se limite aux institutions centrales de l'État et à certaines catégories restreintes de personnes.
Bilinguisme concurrentiel	Système éducatif formé de deux réseaux linguistiques (anglophone et francophone) distincts et complets (de la maternelle à l'université), subventionnés par l'État et qui entrent en concurrence sur un même territoire, en raison de la liberté laissée aux parents d'inscrire leurs enfants au réseau de leur choix. Il a prévalu au Québec jusqu'à l'adoption de la loi 101 pour les cycles primaire et secondaire. Il a été conservé pour l'éducation collégiale et universitaire.
Biculturalisme	Idée popularisée par la commission B-B, qui voyait le Canada se composer de deux cultures principales et fondatrices qui seraient adéquatement représentées dans les institutions fédérales. Le biculturalisme devait compléter une politique de bilinguisme et garantir aux deux groupes linguistiques un environnement propice à l'épanouissement de leur culture, dans la société comme dans l'administration étatique. Cette vision dualiste fut largement rejetée par les Néo-Canadiens et buta sur l'opposition de Trudeau qui préféra une politique de multiculturalisme séparant langue et culture.

que les minorités, d'où leur propension à se voir comme des sociétés d'«individus» choisissant «librement» leur culture et leur langue. Ainsi, elles tendent à retenir des solutions uniformes aveugles aux besoins différents des minorités nationales au risque de nier la volonté démocratique de ces dernières et d'imposer leurs intérêts majoritaires au nom de la neutralité culturelle de l'État (Keating, 2001).

Avec la chute de la natalité franco-québécoise dès les années 1960 (tableaux 18.4 à 18.7), l'anglicisation massive des immigrants inquiéta l'opinion publique québécoise. On remit en question le bilinguisme concurrentiel en enseignement, car près de 80 % des élèves allophones[17] fréquentaient l'école anglaise. On déplorait le peu d'attraction exercée par le français et craignait même la minorisation des francophones au Québec,

notamment à Montréal. En 1968, à la suite de la crise déclenchée par l'abolition des cours bilingues de la Commission scolaire de Saint-Léonard[18], le premier ministre Jean-Jacques Bertrand se résigna à créer la Commission d'enquête sur la situation du français au Québec (commission Gendron), et fit adopter, en 1969, la très critiquée *Loi pour promouvoir la langue française au Québec* (loi 63)[19], qui reconduisait le bilinguisme concurrentiel en enseignement.

---

17. Un allophone, du grec ancien *allos* qui veut dire «autre», est une personne de langue maternelle autre que le français et l'anglais.

18. Créés en 1963, les cours bilingues devaient encourager la francisation des élèves allophones. Constatant qu'ils servaient plutôt à leur anglicisation, les commissaires scolaires les abolirent, ce qui causa le mécontentement des Italo-Québécois de Saint-Léonard qui affrontèrent des partisans de l'école française, lors d'une manifestation qui vira à l'émeute et nécessita l'intervention des forces policières.

19. La loi 63 confirma le *statu quo* linguistique séculaire. Pour ne pas trop s'aliéner le vote francophone, on proposa de promouvoir la connaissance d'usage du français chez les élèves du réseau scolaire anglophone.

1.4. La restriction du bilinguisme concurrentiel

La loi 63 contribua à la défaite de l'Union nationale (UN) en 1970 aux mains du Parti libéral du Québec (PLQ) de Robert Bourassa qui préféra atermoyer. Le dépôt du rapport Gendron[20] en 1972 lui força la main, et il fit adopter, en 1974, la *Loi sur la langue officielle* (loi 22), qui déclara le français langue officielle du Québec et conditionna l'accès à l'enseignement en anglais à la réussite d'un examen. Les milieux nationalistes déplorèrent ses insuffisances et les anglophones la violation de leurs droits historiques. La loi restreignait le bilinguisme concurrentiel et érodait la tradition d'accommodements entre élites qui « accordait à la communauté anglophone un droit de *veto* sur les lois touchant leurs [*sic*] intérêts fondamentaux » (Stevenson, 2003, p. 378). Cette communauté comptait sur l'intégration des immigrants pour compenser son faible taux de natalité et l'émigration constante, depuis les années 1860, d'une partie de ses membres pour des raisons économiques. Moins puissants que jadis, les Anglo-Québécois ne purent dès lors bloquer la *Loi sur la langue officielle* (loi 22).

En boudant le PLQ, l'électorat anglophone pava la voie à la victoire du PQ aux élections de 1976. Pour la première fois de son histoire, « le Québec pouvait être gouverné de manière effective sans aucune participation des anglophones » (Stevenson, 1999, p. 135, traduction libre). Le PQ proposa alors une politique linguistique plus ambitieuse. Épaulés par le gouvernement fédéral, les Anglo-Québécois se constituèrent en opposition extraparlementaire, sous la forme de groupes d'intérêt comme Alliance Québec, et saisirent les tribunaux. Leur situation devenait ainsi, à leurs yeux, comparable à celle des minorités francophones qui optèrent aussi pour la stratégie judiciaire avec l'aide fédérale, grâce, notamment, à la création, dès 1978, du *Programme de contestation judiciaire* conçu pour financer ce type de litige.

1.5. Le choc des chartes[21]

À l'instigation du ministre d'État au Développement culturel, Camille Laurin, la *Charte de la langue française* (loi 101) est adoptée le 26 août 1977. Elle s'appuie sur quatre principes : le français est un milieu de vie à protéger ; le respect des minorités est un enrichissement culturel ; l'importance d'acquérir une deuxième langue ; le lien entre le statut du français et la justice sociale. L'accès à l'école publique anglaise est restreint aux seuls Anglo-Québécois et aux immigrants qui y sont déjà inscrits lors de l'adoption de la loi.

La loi 101 cherchait à faire du français la langue normale de la vie sociale et politique, une langue publique commune, sans toucher à l'usage privé de la langue ni au réseau institutionnel complet des Anglo-Québécois. Elle pénétrait néanmoins dans le fonctionnement même des entreprises, en imposant aux plus importantes la francisation du milieu de travail. En complément, le gouvernement ébaucha une politique de l'interculturalisme qui, contrairement au multiculturalisme, supposait l'existence d'une majorité nationale et d'une langue publique commune, sans toutefois lui donner la forme d'une loi ou d'un programme particulier.

Le gouvernement fédéral, relayé par le lobby anglo-québécois, tenta de contrer la loi 101. Après la victoire du « Non » au référendum de 1980, le

20. Il recommanda de prendre les mesures pour faire du français la langue publique commune et franciser l'économie. Il souligna que l'attrait disproportionné de l'anglais découle de facteurs socio-économiques ainsi que de la fermeture du réseau francophone aux immigrants. Enfin, il ne proposa pas d'abolir le bilinguisme institutionnel et concurrentiel, mais préconisa la consécration législative du français comme langue officielle du Québec, et du français et de l'anglais comme langues nationales.

21. Ce titre provient de l'article éponyme de Jean-Pierre Proulx (1989).

TABLEAU 18.2.

Politiques culturelles québécoise et canadienne

Interculturalisme	Politique d'intégration québécoise qui incite les immigrants à s'intégrer à la culture de convergence qui s'est affirmée sur le territoire du Québec, dont le français est la langue publique commune. Conçue pour ne pas diluer le Québec dans la mosaïque multiculturelle canadienne, cette politique cherche à favoriser la bonne entente entre la majorité francophone et les communautés ethnoculturelles, qui n'ont pas à renoncer à leur héritage culturel. L'interculturalisme prend en considération la diversité ethnoculturelle dans le contexte d'une nation minoritaire qui cherche elle-même à devenir un creuset d'intégration sur des bases démocratiques et pluralistes.
Multiculturalisme	Au nom de l'idéal libéral individualiste de la neutralité culturelle de l'État, cette politique d'intégration fédérale, au lieu de faire la promotion active d'une ou plusieurs cultures nationales communes, renvoie immigrants et ressortissants nationaux à leur communauté et culture d'origine au sein d'une société de droit où les appartenances sont censées évoluer au gré des préférences individuelles. Cette neutralité se conjugue avec la reconnaissance de langues officielles, qui jouent le rôle d'instruments de communication au sein d'une société homogénéisée par la technologie, les médias et l'économie. Au contraire de l'interculturalisme, le multiculturalisme a été érigé au Canada en politique d'État, exprimée dans la législation et la Constitution. Si cette politique a connu un certain succès au Canada anglais, elle a soulevé en Europe de vifs débats.

gouvernement fédéral profita de la faiblesse du Québec pour entreprendre le rapatriement de la Constitution, de façon unilatérale s'il le fallait, et y enchâsser une charte des droits incluant une clause relative à la langue d'enseignement (art. 23). Cet article, qui envisageait le Canada comme une société de libre circulation linguistique, garantissait aux minorités de langues officielles le droit de recevoir un enseignement primaire et secondaire dans leur langue, voire la gestion de leurs établissements là où le nombre le justifiait. On libella cet article de telle manière que l'accès à l'école publique anglaise au Québec soit élargi aux enfants de tous les parents anglophones, de quelque endroit du Canada qu'ils proviennent. Malgré la réélection du PQ, et son opposition au projet d'Ottawa, Trudeau isola le Québec en novembre 1981, fort du consentement des États provinciaux anglophones. L'article 23, comme toute la Charte, ouvrait la voie à la contestation de la loi 101 devant les tribunaux ; ce qui fut fait à plusieurs reprises.

POINTS CLÉS

> À partir des années 1950, on fit le constat que le français nécessitait le soutien de l'État, car la libre coexistence des langues confortait la domination de l'anglais.
> Durant les années 1960, l'intégration massive des allophones à l'école anglaise et la baisse de la natalité québécoise firent craindre la minorisation des francophones au Québec.
> La loi 22 fait du français en 1974 la langue officielle du Québec.
> La loi 101 cherche à franciser la vie publique et l'économie sans toucher à l'emploi privé de la langue.
> L'article 23 de la *Charte canadienne des droits et libertés* fut conçu de manière à restreindre la portée de la loi 101.

2. Les effets des politiques linguistiques

À l'aide de politiques linguistiques et culturelles, l'État central canadien et l'État provincial québécois ont chacun tenté de raffermir leur projet national, si bien que se posent les questions suivantes : 1) Ont-ils su développer le sentiment d'appartenance auprès des groupes visés ? ; 2) Ont-ils fait la promotion des groupes visés ? ; 3) Enfin, ont-ils assuré le maintien de l'équilibre démographique de ces groupes ?

2.1. Les francophones et l'État du Québec

Depuis la Révolution tranquille, les élites politiques québécoises ont travaillé à l'édification d'un État fédéré moderne assurant l'ascension sociale des francophones, notamment de sa nouvelle classe moyenne urbaine et scolarisée. Depuis lors, les francophones ont eu tendance à voir leur État provincial comme leur État national et l'artisan des grands programmes sociaux. Ailleurs au Canada, c'est l'État central qui joue un tel rôle et les identités provinciales y paraissent des régionalismes exprimés à l'intérieur d'une grande nation canadienne. Selon une étude faite au Québec en 2015, 58 % des répondants s'identifient comme « Québécois d'abord », un pourcentage s'établissant à 67 % pour les seuls francophones et à 22 % pour les non-francophones (CROP, 2015). L'adhésion à l'idée d'une nation québécoise à laquelle tous s'identifieraient spontanément est faible en dehors du noyau francophone. Cela peut être attribuable au fait que le modèle interculturel est encore en chantier, à l'insuffisance des moyens consacrés à l'intégration des immigrants[22] et à la concurrence

de la politique fédérale, qui « réduit grandement les chances du gouvernement du Québec de réaliser l'attachement de tous les Québécois autour d'une langue commune ouverte à toutes les cultures, ce que, déjà, la forte pression de l'anglais sur le continent rend difficile » (Bariteau, 2008, p. 437).

2.2. Les minorités linguistiques et l'État central

Le bilinguisme personnel et le multiculturalisme semblent avoir peu contribué à créer une identité pancanadienne soudant les deux grandes communautés linguistiques. Sous Trudeau, le gouvernement fédéral misa sur la disparition des récriminations constitutionnelles des Québécois francophones grâce à la consécration des droits linguistiques dans la Charte canadienne. Comme pour l'AANB, la réforme constitutionnelle de 1982 émana principalement d'un compromis entre élites parlementaires, sans recevoir l'aval référendaire de la population. De plus, elle a attisé les tensions entre les groupes linguistiques en concevant le Québec francophone comme une majorité dominante, bien qu'il forme au sein du Canada une minorité nationale à l'autonomie restreinte. De même, elle fait des francophones hors Québec et des Anglo-Québécois des minorités équivalentes, alors que ces derniers jouissent depuis longtemps au Québec d'un traitement très favorable et appartiennent au groupe linguistique dominant au Canada et en Amérique du Nord. Ainsi, cette réforme animée d'une logique libérale individualiste fait peu de cas de la dimension fédérale du pays et s'avère déstabilisatrice, car elle ne reconnaît pas le droit à l'autodétermination des nations minoritaires (francophones et autochtones) et leur égalité face à la nation canadienne majoritaire (Seymour, 2008).

....

22. Par exemple, en 2012, le délai d'attente des immigrants pour l'accès à des cours de français a été rallongé de plusieurs mois par

le gouvernement du Québec (Paillé, 2012).

L'objectif de la Charte canadienne était de susciter un patriotisme civique ancré dans des valeurs universelles. Or, « [l]e nationalisme civique est trop souvent l'alibi que se donnent ceux qui favorisent au fond l'assimilation des minorités » (Seymour, 2006, p. 187). Ainsi, loin de rejeter les droits individuels[23], le Québec s'opposait à la Charte canadienne en raison justement du projet nationaliste canadien qu'elle portait (Keating, 2001).

Par contre, la politique fédérale a alimenté le sentiment d'appartenance nationale des citoyens issus de l'immigration (par le multiculturalisme) (Banting et Kymlicka, 2010), des francophones hors Québec et des anglophones du Québec (Terrien et Nolet, 2008), ainsi que des Canadiens d'origine britannique dont la proportion décline au Canada (en leur donnant une nouvelle identité distincte de l'américaine) (McRoberts, 2002). En somme, la politique fédérale emporte la faveur de la majorité du Canada hors Québec ainsi que celle des minorités immigrantes et des communautés minoritaires de langue officielle, mais sans reconnaître, par son approche symétrique et individualiste, l'autonomie des nations minoritaires.

2.3. La promotion socioéconomique des francophones au Québec

La politique linguistique québécoise visait entre autres à franciser la langue du travail, de l'économie et des services ainsi que celle de l'affichage. Depuis 1971, le français en milieu de travail a connu une progression constante et importante, tant au Québec que dans la région métropolitaine de Montréal (RM), alors que respectivement 64 % et 42 % des personnes disaient pouvoir travailler principalement en français. En

1989, sous le régime de la loi 101, ces pourcentages s'élèvent à 73 % et 56 %. Dans la RM, on note toutefois une baisse des personnes disant pouvoir travailler principalement en français de 72,2 % en 2001 à 71,6 % en 2011. À l'opposé, dans l'ensemble du Québec on observe une hausse de 81,4 % en 2001 à 81,6 % en 2011 (Conseil supérieur de la langue française, 1994 ; Office québécois de la langue française, 2006 et 2012 ; Statistique Canada, 2007c et 2011).

L'action de l'État visait la francisation de l'économie, dans le but de fournir des débouchés professionnels à la nouvelle classe moyenne scolarisée, sous-représentée dans le secteur privé et l'administration fédérale. Pour y arriver, le Québec modernisa son administration, nationalisa l'hydroélectricité et développa le secteur financier francophone pour épauler la bourgeoisie d'affaires francophone et offrir de meilleurs emplois aux travailleurs francophones. En outre, l'État imposa aux entreprises de 50 employés ou plus l'obligation d'assurer un milieu de travail francophone, sous supervision de l'Office québécois de la langue française (OQLF)[24]. Des entreprises visées, 40,8 % en 1984, 71,2 % en 1998, 80,7 % en 2007 et 84,7 % en 2011 (OQLF, 2008a et 2011a) obtinrent leur certificat de francisation. En 2001, on note aussi que 60,8 % des conseils d'administration des grandes entreprises québécoises se sont francisés (Moffet, Béland et Delisle, 2008), contre 43 % en 1993 et 13 % en 1976 (Conseil supérieur de la langue française, 1994). Par contre, l'influence du « capital anglophone, et par conséquent l'influence de l'anglais, demeure toujours très visible au sommet

....

23. La *Charte des droits et libertés de la personne* du Québec a été adoptée en 1975.

....

24. Le gouvernement de Pauline Marois a déposé, le 5 décembre 2012, un projet de loi (n° 14) de réforme de la loi 101 qui prévoyait, entre autres, la francisation des entreprises comptant de 26 à 49 employés. En contexte minoritaire, le gouvernement Marois n'a cependant pas réussi à faire adopter le principe du projet de loi, rejeté par un vote de 67 contre 42 le 30 mai 2013. Voir *Loi modifiant la Charte de la langue française, la Charte des droits et libertés de la personne et d'autres dispositions législatives*, 40e législature, 1re session, Assemblée nationale de l'État du Québec.

de l'économie de Montréal » (Levine, 1997, p. 322). De plus, l'ascension sociale étant liée à la scolarisation, l'État chercha à combler le retard universitaire des francophones en créant le réseau de l'Université du Québec, au lieu de donner suite au mouvement McGill français[25]. Le réseau universitaire anglophone demeure toutefois encore surfinancé[26] par rapport au poids réel de la communauté anglo-québécoise (Chevrier, 2012). En somme, les inégalités socio-économiques des années 1960 se sont atténuées[27], et puisque l'attrait d'une langue est lié en partie aux avantages qu'elle apporte à ses locuteurs, il semble qu'une économie francisée a pu croître au Québec en dépit du prestige de l'anglais.

Pour ce qui est de l'affichage et des services, l'intervention de l'État québécois et la croissance de la demande francophone ont produit des résultats visibles : en 1971, à Montréal, 70 % des clients sondés peinaient à recevoir des services en français, contre 21 % en 1988 (Levine, 1997), mais ce pourcentage a augmenté à 27 % en 2010 (Presnukhina, 2012). Si, en 1970, seulement 35 % de l'affichage commercial se faisait en français uniquement, ce pourcentage s'éleva à 78,5 % en 1984 (Levine, 1997). Par contre, à la suite de l'arrêt *Ford* (1988), une modification de la loi 101 autorise l'affichage bilingue, pourvu que le

français soit nettement prédominant. Cet assouplissement n'a pas empêché le recul du nombre de commerces montréalais conformes à la loi (72 % en 2010) (Bouchard, 2012). Recul explicable par l'exode des familles francophones de Montréal (Termote, 2011), diminuant la demande francophone, par la concentration de l'immigration sur l'île de Montréal, par le peu de volonté politique d'appliquer rigoureusement la loi (Pagé, 2005) et par un certain désintérêt de la population en raison de l'institutionnalisation de la défense de la langue (Corbeil, 2007). Ces facteurs et la puissance d'attraction de l'anglais affaiblissent le visage français de Montréal.

2.4. Une certaine amélioration du statut des francophones hors Québec

Fort d'une charte garantissant le bilinguisme des institutions fédérales et les droits à l'instruction des minorités linguistiques, l'État central s'est investi du rôle de protéger les francophones hors Québec, souvent contre l'inaction des gouvernements provinciaux. Ce qui ne minait pas la domination des anglophones « [constituant] la majorité absolue de la population du Canada [et qui] sont assurés de conserver le pouvoir politique ultime, grâce aux instances nationales (Parlement, Cour suprême) » (Dieckhoff, 2007, p. 61). Il y a donc un écart entre le pays légal, où le statut juridique des francophones hors Québec fut rehaussé, et le pays réel qui n'a pas mis fin à leur anglicisation (tableau 18.3), si bien qu'environ 50 % d'entre eux fréquentent l'école française sans pouvoir toujours gérer leurs propres établissements scolaires. De même, à peine 30 % des fonctionnaires fédéraux seraient bilingues (Corbeil, Grenier et Lafrenière, 2007 ; Hudon, 2009). D'ailleurs, malgré les entorses à la *Loi sur les langues officielles* relevées constamment par le Commissaire, l'État central renâcle toujours au respect de la loi et à la promotion du français

---

25. En 1969, 10 000 étudiants et syndiqués marchent vers l'Université McGill pour réclamer qu'elle devienne une institution francophone.

26. La communauté de langue maternelle anglaise compose 8 % de la population, mais les universités anglophones du Québec touchent environ 29 % des fonds publics québécois et 35 % des subventions fédérales (Chevrier, 2012). En 2011, les universités anglophones du Québec ont touché 50 % des sommes versées au réseau universitaire pour le financement des chaires fédérales de recherche (Lecavalier, 2011).

27. En 2001, le taux de chômage est le plus bas chez les francophones avec 7,7 %, contre 8,6 % pour les anglophones (OQLF, 2006). En 2012, ces pourcentages sont respectivement de 8,7 %, 8,4 % (Lepage, 2012). Par contre, on note qu'un écart persiste toujours en 2007 entre le revenu annuel moyen des anglophones (37 275 $) et des francophones (33 126 $) (Jean, 2010).

en situation minoritaire (Bourgault-Côté, 2010). De plus, le fait que l'État central ait privatisé ou délégué aux États provinciaux certaines de ses activités a contribué à fragiliser la protection des droits linguistiques des francophones hors Québec. Enfin, les inégalités salariales révélées par la commission B-B, qui s'amenuisent au Québec à partir de 1995, persistent ailleurs au Canada (Martel et Pâquet, 2011).

Longtemps, la religion catholique et le mode de vie rural ont préservé les communautés francophones minoritaires des effets de la modernité, mais la baisse soudaine de la natalité (tableau 18.4), l'exode rural des jeunes et l'influence grandissante de la technologie ont brisé ce cocon protecteur et accéléré l'assimilation des francophones (Guindon, 1990). Les États provinciaux anglophones ont été généralement indifférents sinon hostiles à leur sort. Seul le Nouveau-Brunswick, où les Acadiens constituent le tiers de la population, a reconnu l'égalité de ses deux communautés linguistiques et l'a enchâssée dans la Constitution en 1993. Refusant le bilinguisme officiel, l'Ontario a néanmoins

TABLEAU 18.3.

Indice de continuité linguistique de la population francophone*

	Qc	N.-B.	Ont.	N.-É.	Man.	Alb.	C.-B.	Sask.	Î.-P.-É.	T.-N.-L.	ROC
2011	1,035	0,900	0,606	0,522	0,452	0,399	0,345	0,293	0,486	0,475	0,623
2001	1,020	0,910	0,603	0,559	0,455	0,332	0,287	0,258	0,479	0,420	0,625
1991	1,012	0,916	0,633	0,593	0,493	0,356	0,282	0,328	0,530	0,469	0,652
1971	1,001	0,923	0,731	0,692	0,654	0,488	0,302	0,504	0,599	0,630	0,730

* Un indice de 1,00 signifie l'équilibre démographique, de moins de 1,00 une décroissance et de plus de 1,00 une croissance.
Source : Recensement canadien (2011) ; Tableau statistique canadien (2012, vol. 10, n° 2 et 2007, vol. 5, n° 1).

TABLEAU 18.4.

Indice synthétique de fécondité selon la langue maternelle

	Québec				Canada hors Québec		
	Anglais	Français	Autre		Anglais	Français	Autre
2006 à 2011	1,46	1,67	2,11	2006 à 2011	1,59	1,67	1,85
2001 à 2006	1,44	1,48	1,86	2001 à 2006	1,57	1,49	1,73
1996 à 2001	1,48	1,48	1,86	1996 à 2001	1,57	1,46	1,74
1986 à 1991	1,54	1,49	1,78	1986 à 1991	1,68	1,56	1,79
1976 à 1981	1,46	1,71	2,04	1976 à 1981	1,69	1,76	2,12
1966 à 1971	2,09	2,27	2,58	1966 à 1971	2,48	2,87	2,89
1956 à 1961	3,26	4,22	2,58	1956 à 1961	3,26	4,22	2,79

Source : Lachapelle et Lepage (2010) ; Houle et Corbeil (2017).

instauré des services publics pour sa minorité francophone, qui dut batailler pour défendre ses droits – comme le maintien de l'hôpital bilingue Montfort à Ottawa. Le rêve ancien d'une grande nation canadienne-française a cessé de souder ensemble les minorités francophones et le Québec, si bien que celles-là ont souvent mené leurs luttes sans l'appui du Québec, et ont trouvé dans l'État central leur protecteur naturel, nouant avec lui des liens proches du clientélisme. On trouve d'ailleurs davantage de francophones dans l'administration publique fédérale (de 21 % en 1961 à 31,6 % en 2015, en légère baisse par rapport à 31,7 % en 2010), mais la langue du travail, notamment dans les échelons supérieurs, demeure l'anglais (Secrétariat du Conseil du trésor du Canada, 2011 et 2015).

La Charte canadienne a certes muni ces minorités de l'arme judiciaire pour obliger les États provinciaux à leur fournir l'enseignement en français, là où le nombre le justifiait, voire la gestion de leurs écoles (Cour suprême du Canada, 1990). Cependant, l'État central, en finançant un tel recours aux tribunaux, se concilia ainsi l'appui des francophones hors Québec pour contrer la politique linguistique québécoise. En effet, en portant leur cause devant les tribunaux, «elles entrent constamment en conflit avec le Québec francophone dont les intérêts requièrent la promotion active de [la] langue [française majoritaire sur le territoire québécois]» (Cardinal, 1999, p. 77, traduction libre), car leurs gains profitaient aussi aux Anglo-Québécois. On perdait ainsi de vue l'asymétrie de la situation du français au Canada et celle de l'anglais au Québec, présentées toutes deux comme menacées, mais aussi que «la *Loi sur les langues officielles* encourage plus la protection de l'anglais que du français» (Cardinal, 2008, p. 194). La judiciarisation de la question linguistique a limité les moyens d'action des minorités francophones et accru leur dépendance au gouvernement fédéral et à la Cour suprême (Cardinal, 1999). Tout compte fait, la politique fédérale répondait à peu de frais à la crise révélée par la commission B-B et visait surtout à entraver l'approche territoriale défendue par le Québec, qui semblait menacer l'unité nationale (Guindon, 1990).

2.5. Le maintien du poids des francophones au Québec

La loi 101 visait, d'une part, à contrer la minorisation éventuelle du français au Québec (surtout à Montréal) et, d'autre part, à faire progresser la qualité et l'usage de la langue française. Désormais, une majorité d'élèves allophones fréquentent l'école française, inversant la tendance observée jusqu'en 1977[28]. Par contre, une part croissante des élèves inscrits à l'école anglaise dans les cycles primaire et secondaire est de langue maternelle française, cette part ayant presque doublé de 11,2 % en 1971 à 20,3 % en 1995 (OQLF, 2017a). Toutefois, la scolarisation des allophones en français n'a pas assuré la poursuite de leurs études postsecondaires en français ni leur intégration à la communauté francophone. En effet, si 72,9 % des étudiants allophones ayant fréquenté l'école française s'inscrivirent au cégep en français en 1990, ils sont 56,2 % en 2000 et 68,7 % en 2015 (Ministère de l'Éducation, 2012 ; OQLF, 2017a). En fait, la proportion des étudiants d'abord scolarisés en français qui se sont ensuite inscrits dans un cégep anglophone a plus que doublé entre 1993 et 2015, passant de 4,9 % à 10,1 %, au point d'ailleurs que les étudiants francophones et allophones forment ensemble la majorité des nouveaux inscrits dans les institutions collégiales anglophones (OQLF, 2017b). Par

---

28. Si 92,1 % des élèves allophones fréquentaient l'école anglaise sur l'île de Montréal en 1970-1971, ils ont été 78,5 % à intégrer le réseau français en 1994-1995 (Levine, 1997) et 79,5 % en 2003-2004 (OQLF, 2008b), pour atteindre 86,2 % en 2012-2013 (Ministère de l'Éducation, 2013), puis 89,4 % en 2015 dans l'ensemble du Québec (OQLF, 2017a).

TABLEAU 18.5.

Région de Montréal : répartition langue maternelle et langue d'usage (%)

	Langue maternelle			Langue d'usage		
	Français	Anglais	Autre	Français	Anglais	Autre
2011	64,3	12,7	23,0	67,9	17,8	14,3
2001	68,3	12,7	19,0	70,9	17,3	11,9
1991	68,7	14,5	16,8	69,2	19,5	11,3
1981	68,7	18,2	13,0	68,3	22,5	9,2
1971	66,3	21,7	12,0	66,3	24,9	8,8

Source : Données tirées de Statistique Canada (1993, 1994, 2002, 2003, 2007a, 2007b, 2007c, 2007d, 2008, 2009, 2012a, 2012b, 2012c) et de l'Office québécois de la langue française (2005).

contre, très peu d'étudiants scolarisés en anglais poursuivent leurs études collégiales en français. Au niveau universitaire, on observe deux phénomènes contrastés : 1) si 42,9 % des allophones optaient pour l'université française en 1990, en 2000 ils étaient 47,6 %, et en 2010, 57,3 % (Ministère de l'Éducation, 2012) ; 2) les universités anglophones sont de plus en plus populaires auprès des étudiants de langue maternelle française, les deux plus importantes, McGill et Concordia, recrutaient en 2015 respectivement 19,8 % et 23,3 % de leurs étudiants parmi eux (Meloche-Holubowski, 2016). En réalité, plus on monte dans l'échelle des études, des cycles primaire et secondaire jusqu'à l'université, plus l'offre de cours en anglais financée par l'État québécois augmente, au point qu'on peut se demander si l'anglais n'est pas traité au Québec comme une langue nationale au même titre que le français (Chevrier, 2016).

Il n'empêche que la francisation des allophones[29] a connu une progression significative au Québec entre 1971 (27,4 %) et 2011 (51,8 %) (Castonguay, 2002 ; OQLF, 2011b ; Statistique Canada, 2012c). Ces proportions sont plus basses dans la RM – de 15,5 % avant 1976 à 21,6 % en 2006 –, où le français exerce un pouvoir intégrateur encore faible ; après 1976, les transferts linguistiques vers le français ont été toutefois plus importants que ceux vers l'anglais par plus de 13 points de pourcentage (OQLF, 2011b).

La scolarisation en français a aussi ses limites intégratrices, car « la proportion des élèves allophones est devenue suffisamment importante dans certaines écoles de langue française de la métropole pour faire perdre à celles-ci leur capacité d'intégration des nouveaux arrivants » (Woehrling, 2005, p. 265). L'intégration des allophones semble dépendre plutôt de la sélection d'immigrants[30] francophones ou francotropes[31] que de la loi 101. Aussi, le maintien du bilinguisme concurrentiel au cégep et le premier

....

29. La francisation, ou transfert linguistique vers le français, signifie l'adoption du français comme langue d'usage.

....

30. Par l'entente administrative Cullen-Couture de 1978, le Québec obtint le pouvoir de sélectionner les immigrants indépendants, alors que les réfugiés et les personnes réunies à leur famille sont demeurés de compétence fédérale. D'autres ententes avec Ottawa ont par la suite confirmé et élargi la compétence du Québec en matière de sélection des immigrants.

31. Des immigrants « que la langue maternelle latine ou l'histoire de leur pays d'origine oriente plutôt vers le français que vers l'anglais » (Castonguay, 2002, p. 154).

TABLEAU 18.6.

Ville de Montréal : répartition langue maternelle et langue d'usage (%)

	Langue maternelle			Langue d'usage		
	Français	Anglais	Autre	Français	Anglais	Autre
2011	51,7	14,0	34,3	56,9	20,9	22,2
2001	53,2	17,7	29,1	56,4	25,0	18,6
1991	55,9	19,4	24,7	57,4	26,0	16,6
1981	59,9	22,3	17,7	59,9	27,0	13,1
1971	61,2	23,7	15,1	61,2	27,4	11,4

Source : Données tirées de Statistique Canada (1993, 1994, 2002, 2003, 2007a, 2007b, 2007c, 2007d, 2008, 2009, 2012a, 2012b, 2012c) et de l'Office québécois de la langue française (2005).

TABLEAU 18.7.

État du Québec : répartition des langues (%)

	Langue maternelle			Langue d'usage		
	Français	Anglais	Autre	Français	Anglais	Autre
2011	78,9	8,3	12,8	81,2	10,7	8,1
2001	81,4	8,3	10,3	83,1	10,5	6,4
1991	82,0	9,2	8,8	83,0	11,2	5,8
1981	82,4	11,0	6,6	82,8	12,3	4,9
1971	80,7	13,1	6,2	80,8	14,7	4,5

Source : Données tirées de Statistique Canada (1993, 1994, 2002, 2003, 2007a, 2007b, 2007c, 2007d, 2008, 2009, 2012a, 2012b, 2012c) et de l'Office québécois de la langue française (2005).

emploi en anglais infléchissent « l'élan donné au primaire et au secondaire à la francisation relative des jeunes allophones, mais imprime aussi une impulsion certaine à l'anglicisation des jeunes francophones[32] dans la région métropolitaine » (Castonguay, 2002, p. 164).

Selon le statisticien Charles Castonguay (2002, p. 175), malgré l'intégration grandissante des allophones, le groupe franco-québécois ne parvient pas à maintenir son poids démographique. D'autant plus qu'avec une immigration internationale grandissante et de plus en plus diversifiée, le poids des allophones augmentera (Termote, 2011). Si la population francophone décline légèrement, cela est surtout attribuable à la situation de la ville et de la région de Montréal (tableaux 18.5 à 18.7) où s'établit 90 %

....

32. En effet, l'anglicisation nette des francophones de 0,5 % a disparu au Québec en 1996, mais se maintient à Montréal à 0,6 % (Castonguay, 2002).

de l'immigration au Québec, et où l'on peut s'attendre à ce que les francophones deviennent minoritaires en 2031 (Termote, 2011). Déjà, sur l'île de Montréal, le poids des francophones était tombé à 49 % de la population insulaire en 2011, et celui des écoliers francophones à 45 % de nombre total des écoliers sur l'île. Il est certes possible que la population francophone se stabilise, puisqu'« il se produit davantage de substitutions vers le français que l'anglais chez les allophones dans l'ensemble du Québec [compensant] en partie le déficit des années antérieures » (Pagé, 2005, p. 194-195). De plus, la légère hausse des francophones dans la ville de Montréal dans le recensement de 2011 semble indiquer que l'exode des francophones vers la banlieue s'est ralenti, alors que les départs des anglophones semblent s'être accrus.

On comprend dès lors que les débats sur la qualité de la langue française demeurent toujours aussi vifs[33]. Or, tout jugement sur la qualité de la langue renvoie à une norme : parisienne ou adaptée au contexte québécois. Constatant une « désanglicisation » de la langue quotidienne et une scolarisation accrue des francophones, Chantal Bouchard (2005, p. 388) avance que les inquiétudes persistantes à propos de la qualité de la langue découlent d'une confusion entre une norme parisienne dépassée, qui masque les progrès accomplis dans la maîtrise du français au Québec, et une norme moderne[34] acceptée par les spécialistes, qui ne s'est pas encore imposée. Elle observe toutefois des reculs, notamment dans la langue médiatique où, « par désir de proximité avec le public cible », s'impose un parler populaire familier qui « relève souvent de la plus pure démagogie » (Bouchard, 2005, p. 394). Cela entretient une confusion sur la norme moderne de référence auprès de la population (Corbeil, 2007) et influe sur les réticences (et les capacités) des futurs enseignants à utiliser un français soutenu en salle de classe (Ostiguy, 2005). De plus, le bilinguisme accru chez les francophones expliquerait un usage grandissant des anglicismes (Bouchard, 2005, p. 395) et serait peut-être aussi un signe que le français a cessé, aux yeux de plusieurs Québécois, d'être un outil apte à exprimer les subtilités du réel (Chevrier, 2010).

En plus du fait que l'imaginaire social néolibéral véhicule une vision instrumentale de la langue comme vecteur d'intégration au marché (Cardinal et Denault, 2008), la promotion du bilinguisme public dans l'affichage et l'administration par le gouvernement québécois envoie des signaux contradictoires aux allophones et aux francophones (Braën, 2012). Enfin, si l'attrait d'une langue est lié à la puissance politique de l'État qui la porte, la force du français dépend dès lors du statut politique du Québec ; pour plusieurs, un Québec indépendant serait mieux à même de contrer la force d'attraction de l'anglais (Laponce, 2006). Le prestige du français dépend aussi de celui de la France et de sa langue. Or, selon le linguiste Claude Hagège (2012), une bonne part des élites françaises ont abandonné la défense du français au profit de l'anglais, et l'emploi d'une langue hégémonique entraîne la diffusion d'une pensée unique qui réduit la créativité des langues qu'elle supplante ou marginalise. Certains estiment ainsi que devant la prédominance mondiale de l'anglais, il importe alors « de circonscrire des espaces d'unilinguisme – et de bilinguisme – afin de protéger les langues minoritaires des effets destructeurs de la langue dominante » (Cardinal et Denault, 2008, p. 174).

....

33. Notamment avec la parution, en 1996, du livre très critique de Georges Dor, *Anna braillé ène shot*, où l'auteur doute des progrès accomplis au Québec malgré les investissements étatiques massifs en culture et en éducation.

34. Cette norme moderne admet des québécismes, soit des emprunts à l'anglais et aux langues amérindiennes, des expressions passées de mode en France, et des mots nés en Nouvelle-France. Elle inclut un vocabulaire féminisé et des néologismes adaptés aux nouvelles réalités (comme l'Internet), et un souci, plus accentué au Québec qu'en France, d'éviter l'usage d'anglicismes (Bouchard, 2005 ; Corbeil, 2007 ; De Villers, 2005).

TABLEAU 18.8.

Canada : répartition des langues depuis 1871*

	Langue maternelle (%)			Langue d'usage (%)		
	Français	Anglais	Autre	Français	Anglais	Autre
2011	21,7	57,8	20,6	21,0	66,3	12,6
2001	22,9	59,1	18,0	22,0	67,5	10,5
1991	24,3	60,4	15,3	23,3	68,3	8,4
1981	25,7	61,4	12,9	24,6	68,2	7,2
1971	26,9	60,1	13,0	25,7	67,0	7,3
1961	28,1	58,5	15,7	**	**	**
1951	29,0	59,0	22,0			
1941	29,2	56,4	14,4			
1931	27,3	57,0	15,7			

	Origine ethnique (%)		
	Français	Britannique	Autre
1921	27,9	55,4	16,7
1911	28,6	55,5	15,9
1901	30,7	57,0	12,3
1881	30,0	58,9	11,1
1871	31,1	60,5	8,3

* Le critère de la langue maternelle n'est enregistré que depuis le recensement de 1931. Avant cette date, on doit déduire la langue maternelle de l'origine ethnique.
** Le critère de la langue d'usage ne vient qu'avec le recensement de 1971.
Source : Données tirées de Statistique Canada (1947, 2007a, 2007b, 2007c, 2007d, 2008, 2009, 2012a, 2012b, 2012c) et de Termote (2001).

2.6. L'anglicisation des francophones hors Québec

La politique linguistique fédérale a bonifié le statut juridique des communautés francophones hors Québec, mais en ne faisant que freiner leur anglicisation. Malgré l'idéal canadien d'un pays bilingue, le français demeure concentré géographiquement au Québec et le long de ses frontières ontariennes ainsi que dans le nord du Nouveau-Brunswick ; le reste du Canada demeure surtout anglophone (tableaux 18.8 et 18.9). D'ailleurs, le bilinguisme au Canada a peu progressé entre 1971 et 1996, passant de 13 % à 17 % (McRoberts, 2002), pour atteindre 17,5 % en 2011 (Statistique Canada, 2012a). Cette hausse est due en grande partie au bilinguisme accru des Québécois francophones (Lepage et Corbeil, 2013, p. 1). L'idéal du citoyen canadien bilingue demeure circonscrit à certains milieux scolarisés

TABLEAU 18.9.

Concentration des francophones au Canada (%)

	Langue maternelle				Langue d'usage			
	Qc	Ont.	N.-B.	Total	Qc	Ont.	N.-B.	Total
2011	85,4	7,7	3,3	96,4	90,7	4,8	3,0	98,5
2001	85,6	7,5	3,5	96,6	90,6	4,7	3,3	98,6
1991	85,1	7,7	3,7	96,5	89,9	5,1	3,6	98,6
1981	85,0	7,5	3,8	96,3	88,7	5,6	3,7	98,0
1971	84,0	8,3	3,7	96,0	87,8	6,4	3,6	97,8

Source : Données tirées de Statistique Canada (2012a, 2012b, 2012c) et de l'Institut de la statistique du Québec (2007, vol. 5, n° 1 et 2012, vol. 10, n° 2).

et favorisés (McRoberts, 2002). De plus, les communautés francophones ne peuvent s'appuyer sur l'immigration pour se renouveler, car la francisation des allophones hors Québec est presque nulle, et elles subissent l'exode constant de leur jeunesse vers la ville où elle s'anglicise (Castonguay, 2002, 2005). Ainsi, on observe une croissance des locuteurs de langue maternelle française hors Québec n'ayant pas le français comme langue d'usage à la maison : de 29,6 % en 1971 à 37,7 % en 2011 (Statistique Canada, 2007a et 2012b). Quant au poids des francophones dans le reste du Canada, il a constamment diminué : de 6 % en 1971 à 4,2 % en 2011 (Institut de la statistique du Québec[35], 2007, 2012 ; Statistique Canada, 2012b). Qui plus est, si de 1971 à 2011, l'indice de continuité du français fut stable au Québec (avec une légère hausse constante) et au Nouveau-Brunswick (avec une légère baisse constante), il a chuté dans le reste du pays, même en Ontario, signe d'une hausse de l'anglicisation des francophones hors Québec (tableau 18.3) (Castonguay, 2002). Cependant, on doit nuancer ce portrait sombre, car en 2011

l'indice de vitalité du français connaissait une légère hausse dans certains États provinciaux tels l'Ontario et l'Alberta (tableau 18.3) (Statistique Canada, 2012b).

POINTS CLÉS

> La modernisation de l'État du Québec a favorisé l'ascension sociale des francophones et leur identification à ce dernier.
> La puissance d'attraction de l'anglais continue à faire du visage français de Montréal une réalité précaire et mouvante.
> Un écart persiste entre le statut légal bonifié des minorités francophones et la pression à l'anglicisation, toujours puissante.
> Les minorités francophones et le Québec ont des intérêts divergents sur les questions linguistiques.
> Les élèves allophones fréquentent majoritairement l'école française au Québec, mais cela n'est pas garant de la poursuite de leurs études en français au niveau postsecondaire ni de leur intégration à la communauté francophone.

....

35. L'Institut de la statistique du Québec fut créé en 1999, et il est le pendant québécois de Statistique Canada.

3. Les limites des politiques linguistiques

3.1. Les limites de la *Charte de la langue française*

La Charte canadienne, qui consacre les droits à l'instruction des minorités, la liberté d'expression et le multiculturalisme, a restreint la portée de la loi 101 et de l'interculturalisme et donc réduit la compétence du Québec à l'égard de l'éducation, de la langue et de la culture. Le gouvernement canadien a propagé auprès des immigrants installés au Québec une vision de leur rapport à la langue et à la culture fort différente de celle que le Québec a tenté de promouvoir, vision qui s'est trouvée renforcée au fil des arrêts de la Cour suprême du Canada qui ont invalidé des portions névralgiques de la loi 101[36].

Les arrêts *Blaikie* (1979 et 1981), les premiers jugements de la Cour à entraver la loi 101, invalidèrent les dispositions prévoyant le français comme seule langue des lois, des règlements et des jugements, jugées contraires au bilinguisme institutionnel protégé par l'AANB (art. 133). Le Québec était donc ironiquement astreint à affirmer son caractère français dans les deux langues (Seymour, 2008).

Dans l'arrêt *Quebec Protestant School Boards* (1984), la Cour déclara inopérant l'article 73 de la loi 101, limitant aux seuls enfants des Québécois ayant fait leurs études en anglais le droit d'accéder à l'école publique anglaise, pour étendre ce droit aux enfants de tous les citoyens canadiens. Bien que les juges soulignent que l'État québécois respecte sa « minorité », l'article 23 a été rédigé à dessein de faire invalider l'article 73 et doit donc prévaloir sur lui.

Dans les arrêts *Ford* (1988) et *Devine* (1988), la Cour décida que l'Assemblée nationale ne pouvait prescrire l'unilinguisme français pour l'affichage public, la publicité commerciale et les raisons sociales, car cela violerait la liberté d'expression, même s'il s'agit d'une société commerciale, ainsi que les droits à l'égalité reconnus par la *Charte des droits et libertés de la personne* du Québec. Si la Cour a reconnu qu'il était légitime pour le législateur de s'assurer que le « *visage linguistique* » du Québec reflète la prédominance du français, elle a cependant jugé que l'unilinguisme dans l'affichage était une mesure disproportionnée. Le gouvernement Bourassa, pressé par l'opinion publique, dut réagir et adopter en 1988 la loi 178 qui maintenait l'unilinguisme à l'extérieur des commerces, mais autorisait une autre langue avec prépondérance du français à l'intérieur. Puis, en 1993, à la suite d'une décision du Comité des droits de l'Homme de l'ONU, qui jugeait cette loi contraire au droit international, Bourassa fit adopter la loi 86 pour autoriser aussi l'affichage dans une autre langue à l'extérieur des commerces, pourvu que le français soit la langue prédominante.

Avec l'arrêt *Solski* (2005), la Cour nuançait l'interprétation de l'article 73, amendé en 1993, qui prévoit que les frères et sœurs d'un élève ayant fréquenté l'école anglaise ont aussi accès à celle-ci, pourvu que la « majeure partie » de son éducation ait été faite en anglais. La « majeure partie » devait reposer sur des critères plus « qualitatifs » et tenir compte du « cheminement authentique » de l'élève, facilitant ainsi l'accès à l'école anglaise.

En 2002, la loi 104 fut adoptée pour empêcher le recours au stratagème croissant des écoles passerelles[37]. Dans l'arrêt *Nguyen* (2009), la Cour

------

36. Voir à ce sujet Brouillet (2008) et Woehrling (2005).

37. Soit des écoles anglophones entièrement privées hors du champ d'application de la loi 101, où des parents québécois envoyaient un de leurs enfants en première année du primaire, pour ensuite l'inscrire lui et tous ses frères et sœurs à l'école publique anglaise. De 1998 à 2002, c'est 4 950 enfants qui ont bénéficié de cette faille dans la loi 101 (Woehrling, 2005).

jugea que la loi violait l'article 23 de la Charte canadienne de façon disproportionnée. L'invalidation de la loi 104 constitue une autre « brèche à la loi 101 », mais « témoigne [aussi] d'un autre glissement important, soit celui des droits conçus comme marchandise » (Martel et Pâquet, 2011, p. 232-233). Les juges créaient deux catégories de droits individuels, les uns dérivés de la Constitution, les autres acquis par l'argent. Le gouvernement de Jean Charest répliqua par l'ajout dans la loi 101 du critère du « parcours authentique » pour admettre les enfants issus des écoles passerelles. Dans une autre décision, la Cour a décidé que l'article 23 n'a pas été conçu pour donner aux parents francophones du Québec le droit d'envoyer leurs enfants à l'école publique anglaise (*Gosselin*, 2005). Dans l'ensemble, estime le juriste Éric Poirier (2016), les tribunaux, plutôt que d'interpréter de façon généreuse et libérale les droits consacrés par la *Charte de la langue française* pour l'avancement de cette langue, ont préféré s'en tenir à une approche restrictive, au nom de la préservation des principes dominants du système juridique canadien.

3.2. Les limites de la politique linguistique fédérale

Le bilinguisme officiel et le multiculturalisme semblent avoir répondu à des impératifs politiques plus qu'à la réalité d'une fédération multinationale. Derrière la politique fédérale se dessine la pensée de son architecte, Pierre Elliott Trudeau (1967 et 2010), pour qui l'unilinguisme territorial condamnait les Québécois au renfermement ethnique, alors qu'une société libérale doit garantir à l'individu la faculté de s'émanciper des appartenances reçues. Mais la distance est grande entre le pays légal rêvé par Trudeau et le pays réel, où jouent des déterminismes puissants qui conditionnent la vitalité d'une langue indépendamment des choix individuels. À défaut d'endiguer l'anglicisation des francophones en situation minoritaire, les garanties du pays légal leur offrent finalement une compensation symbolique pour leur marginalisation dans l'espace canadien et minent, par ricochet, le projet linguistique et national concurrent du Québec.

> La Charte canadienne, en restreignant la portée de la loi 101 et de l'interculturalisme, a réduit la compétence du Québec à l'égard de l'éducation, de la langue et de la culture.
> L'action fédérale à l'égard des minorités francophones semble avoir plus répondu à la volonté de contenir le projet linguistique et national du Québec qu'à celle de freiner leur minorisation linguistique.

CONCLUSION

L'intervention systématique de l'État dans le domaine linguistique est récente, dans l'histoire, et a suivi la montée du nationalisme à la fin du XVIIIe siècle ; tant au Québec qu'au Canada, elle remonte aux années 1960. Avant cette intervention, le français, langue d'un peuple conquis et intégré dans un ensemble colonial, puis accédant à une certaine autonomie en 1867, a côtoyé, dans un rapport de concurrence asymétrique, la langue d'un peuple en expansion, façonnant le pays à son image et faisant porter sur les francophones le poids du bilinguisme. Sans accréditer la thèse des deux peuples fondateurs, la politique fédérale a tenté d'établir une certaine égalité entre les deux communautés linguistiques, mais en écartant la solution territoriale au profit d'une approche personnelle fondée sur le choix et la mobilité de l'individu, qui dispensait Ottawa de s'attaquer aux facteurs socioéconomiques et démographiques de la précarité du français. La réforme de 1982 a projeté l'image d'une grande nation canadienne bilingue et multiculturelle vouée aux libertés et à l'égalité des droits, mais sans parvenir à corriger substantiellement la profonde inégalité de traitement, par leurs États provinciaux respectifs, entre les Anglo-Québécois et les francophones hors Québec. Devant le mur légal dressé par la politique fédérale, la politique linguistique québécoise, axée sur la territorialité, la dimension collective de la culture et un projet national distinct, souleva controverses et oppositions, et vit sa portée restreinte au fil des décisions des tribunaux. Pendant ce temps, la présence du français hors Québec est allée diminuant, comme le poids total des francophones dans l'ensemble canadien. Malgré ces embûches légales, la loi 101 a su, notamment à Montréal, assurer une certaine présence du français dans l'espace public, rediriger les allophones vers l'école publique française, accroître l'emploi du français dans le monde du travail et contribuer à amoindrir l'infériorité économique des francophones. Ces acquis demeurent fragiles, et la loi 101, victime de son succès relatif, paraît aujourd'hui moins nécessaire auprès des francophones eux-mêmes. On en veut pour preuve l'échec en 2012 de la tentative d'étendre la portée de la loi 101 à l'enseignement postsecondaire et aux petites entreprises sous le gouvernement de Pauline Marois, et ce, malgré la main tendue aux partis d'opposition.

Le paradoxe de la concurrence de ces deux politiques est que le Canada hors Québec est devenu, en proportion, plus anglophone encore, et que le Québec a préservé le poids de sa population francophone, qui a certes légèrement fléchi, et a vu croître le bilinguisme de sa population. À sa manière, le Québec a tenté de susciter l'adhésion au projet d'une nation démocratique et pluraliste dont le français porterait une culture publique commune. Sans parvenir encore à exercer la force symbolique et la cohérence de son équivalent fédéral, le multiculturalisme, l'approche interculturelle semble plus adaptée à la réalité plurielle du Québec actuel, où se pose avec acuité la question de l'intégration d'immigrants de toutes provenances et toutes croyances à une nation minoritaire dans un continent où l'anglais exerce une puissance d'attraction mondiale démultipliée par les nouvelles technologies.

Le débat est loin d'être clos sur le bien-fondé et la réforme des politiques linguistiques au Canada, même si aucune grande réforme constitutionnelle ne semble en vue et que la contestation judiciaire de la loi 101 semble avoir atteint sa limite. Les francophones hors Québec se rendent compte des limites de l'approche personnelle fédérale ; la Cour suprême du Canada a d'ailleurs rappelé aux francophones de la Colombie-Britannique qu'en vertu d'une loi britannique de 1731 la langue des tribunaux est l'anglais uniquement[38]. Au Québec, il en est qui voudraient étendre le domaine d'application de la loi 101 – à l'éducation collégiale, aux petites entreprises ou aux entreprises fédérales – ou qui lient l'extension de l'autonomie linguistique du Québec à l'obtention d'un nouveau statut politique. Deux avenues qui semblent par contre hors de portée dans le contexte politique actuel, où la défense d'un espace commun au sein d'une nation minoritaire paraît buter sur les exigences de l'économie mondialisée et sur l'indifférence d'un individualisme libéral très présent.

....

38. *Conseil scolaire francophone de la Colombie-Britannique c. Colombie-Britannique*, 2013 CSC 42.

1.	Quels ont été les effets de la Conquête de la Nouvelle-France sur la langue française ?

2.	Quels sont les facteurs qui favorisent la langue anglaise par rapport à la langue française ?

3.	Quels sont les moyens possibles de remédier à cette situation ?

4.	Quels étaient les objectifs de la loi 101 ? Ont-ils été atteints ?

5.	Quels motifs ont présidé à la conception de la *Charte canadienne des droits et libertés* et plus précisément de l'article 23 garantissant les droits linguistiques ?

6.	La politique linguistique fédérale a-t-elle su répondre aux besoins des communautés francophones hors Québec ?

LECTURES SUGGÉRÉES

Corbeil, J.-C. (2007). *L'embarras des langues. Origine, conception et évolution de la politique linguistique québécoise*, Montréal, Québec Amérique.

Laponce, J. (2006). *Loi de Babel et autres régularités des rapports entre langue et politique*, Québec, Presses de l'Université Laval.

Martel, M. et M. Pâquet (2011). *Langue et politique au Canada et au Québec. Une synthèse historique*, Montréal, Boréal.

Plourde, M. et P. Georgeault (dir.) (2008). *Le français au Québec. 400 ans d'histoire et de vie*, Montréal, Fides.

BIBLIOGRAPHIE

Banting, K. et W. Kymlicka (2010). « Canadian multiculturalism : Global anxieties and local debates », *British Journal of Canadian Studies*, vol. 23, n° 1, p. 43-71.

Bariteau, C. (2008). « Langue et dynamiques identitaires au Québec », dans M. Plourde et P. Georgeault (dir.), *Le français au Québec. 400 ans d'histoire et de vie*, Montréal, Fides, p. 433-439.

Bouchard, C. (2005). « La question de la qualité de la langue aujourd'hui », dans A. Stefanescu et P. Georgeault (dir.), *Le français au Québec. Les nouveaux défis*, Montréal, Fides et Conseil supérieur de la langue française, p. 387-397.

Bouchard, P. (2012). *La langue de l'affichage commercial sur l'île de Montréal en 2010*, Montréal, Office québécois de la langue française.

Bourgault-Côté, G. (2010). « Langues officielles – La loi reste bafouée, dit Fraser », *Le Devoir*, 3 novembre.

Braën, A. (2012). « "Avancez vers l'arrière", ou les vicissitudes de la loi 101 », *Le Monde diplomatique*, juillet.

Brouillet, E. (2008). « La *Charte de la langue française* et la *Charte canadienne des droits et libertés* : la difficile conciliation des logiques majoritaire et minoritaire », dans M. Martel et M. Pâquet (dir.), *Légiférer en matière linguistique*, Québec, Presses de l'Université Laval, p. 359-388.

Canada (1967-1970). *Rapport de la Commission royale d'enquête sur le bilinguisme et le biculturalisme*, 5 vol., Ottawa, Imprimeur de la Reine.

Cardinal, L. (1999). « Linguistic rights, minority rights and national rights : some clarifications », *Inroads : A Journal of Opinion*, vol. 8, p. 77-86.

Cardinal, L. et A.-A. Denault (2008). « Les lois linguistiques du Canada et du Québec à l'ère de la mondialisation : pour un changement de paradigme », dans L. Cardinal (dir.), *Le fédéralisme asymétrique et les minorités linguistiques et nationales*, Sudbury, Prise de parole, p. 168-197.

Castonguay, C. (2002). « Assimilation linguistique et remplacement des générations francophones et anglophones au Québec et au Canada », *Recherches sociographiques*, vol. 43, n° 1, p. 149-182.

Castonguay, C. (2005). « La cassure linguistique et identitaire du Canada français », *Recherches sociographiques*, vol. 46, n° 3, p. 473-494.

Charte de la langue française, L.R.Q., c. C-11.

Chevrier, M. (1997). *Des lois et des langues au Québec. Principes et moyens de la politique linguistique québécoise*, Québec, Ministère des Relations internationales.

Chevrier, M. (2008). « Les disparités du système québécois de financement des universités », *Encyclopédie de la francophonie*, <http://agora-2.org/francophonie.nsf/Documents/Universite--Les_disparites_du_systeme_quebecois_de_financement_des_universites_par_Marc_Chevrier>.

Chevrier, M. (2010). « Les français imaginaires (et le réel franglais) », *Encyclopédie de la Francophonie*, <http://agora-2.org/francophonie.nsf/Documents/Anglicisme--Les_francais_imaginaires_et_le_reel_franglais_par_Marc_Chevrier>.

Chevrier, M. (2012). « Des universités anglo-québécoises plutôt choyées », *Encyclopédie de l'Agora*, septembre.

Chevrier, M. (2016). « L'anglais, langue nationale du Québec et de la... France », *Encyclopédie de l'Agora*, <http://agora.qc.ca/documents/langlais_langue_nationale_du_quebec_et_de_la_france>.

Commission d'enquête sur la situation de la langue française et sur les droits linguistiques au Québec (1972-1973). *La situation de la langue française au Québec* – Rapport Gendron, 3 vol., Québec, Éditeur officiel du Québec.

Commission royale d'enquête sur l'enseignement dans la province de Québec (1965-1966). *Rapport de la Commission royale d'enquête sur l'enseignement dans la province de Québec* – Rapport Parent, 5 vol., Québec, Commission royale d'enquête sur l'enseignement dans la province de Québec.

Conseil scolaire francophone de la Colombie-Britannique c. Colombie-Britannique, 2013 CSC 42.

Conseil supérieur de la langue française (1994). *Indicateurs de la langue du travail au Québec : édition 1994*, Québec, Conseil supérieur de la langue française.

Corbeil, J.-C. (2007). *L'embarras des langues. Origine, conception et évolution de la politique linguistique québécoise*, Montréal, Québec Amérique.

Corbeil, J.-P., C. Grenier et S. Lafrenière (2007). *Les minorités prennent la parole : résultats de l'Enquête sur la vitalité des minorités de langue officielle (2006)*, n° 91-548-X, Ottawa, Statistique Canada.

Cour suprême du Canada. *Proc. Gén. du Québec c. Blaikie et autres*, [1979] 2 R.C.S. 1016.

Cour suprême du Canada. *Procureur général du Québec c. Blaikie et autres*, [1981] 1 R.C.S. 312.

Cour suprême du Canada. *P.G. (Qué) c. Quebec Association of Protestant School Boards*, [1984] 2 R.C.S. 66.

Cour suprême du Canada. *Ford c. Québec (procureur général)*, [1988] 2 R.C.S. 712.

Cour suprême du Canada. *Devine c. Québec (procureur général)*, [1988] 2 R.C.S. 790.

Cour suprême du Canada. *Mahé c. Alberta*, [1990] 1 R.C.S. 342.

Cour suprême du Canada. *Solski (Tuteur de) c. Québec (Procureur général)*, [2005] 1 R.C.S. 201, 2005 CSC 14.

Cour suprême du Canada. *Gosselin (Tuteur de) c. Québec (Procureur général)*, [2005] 1 R.C.S. 238, 2005 CSC 15.

Cour suprême du Canada. *Nguyen c. Québec (Éducation, Loisir et Sport)*, 2009 CSC 47, [2009] 3 R.C.S. 208.

CROP (2015). *Les 20 ans du référendum de 1995. Rapport présenté à la Chaire de recherche sur la démocratie et les institutions de l'Université Laval*, octobre, <http://www.ledevoir.com/documents/pdf/sondage_souverainete.pdf>.

D'Allemagne, A. (1959). « Le mythe du bilinguisme », *Laurentie*, vol. 106, p. 349-356.

Desbiens, J.-P. (1960). *Les insolences du Frère Untel*, Montréal, Éditions de l'Homme.

De Villers, M.-É. (2005). « La norme réelle du français québécois », dans A. Stefanescu et P. Georgeault (dir.), *Le français au Québec. Les nouveaux défis*, Montréal, Fides et Conseil supérieur de la langue française, p. 399-420.

Dieckhoff, A. (2007). « Rapprochement et différence : le paradoxe du nationalisme contemporain », dans A.-G. Gagnon, A. Lecours et G. Nootens (dir.), *Les nationalismes majoritaires contemporains : identité, mémoire, pouvoir*, Montréal, Québec Amérique, coll. « Débats », p. 49-79.

Dor, G. (1996). *Anna braillé ène shot (Elle a beaucoup pleuré)*, Montréal, Lanctôt.

Ford c. Québec (Procureur général), [1988] 2 R.C.S. 712.

Galarneau, C. (2008). « L'école gardienne de la langue », dans M. Plourde et P. Georgeault (dir.), *Le français au Québec. 400 ans d'histoire et de vie*, Montréal, Fides, p. 148-152.

Gosselin (Tuteur de) c. Québec (Procureur général), [2005] 1 R.C.S. 238.

Guindon, H. (1990). *Tradition, modernité et aspiration nationale de la société québécoise*, Montréal, Saint-Martin.

Hagège, C. (2012). *Contre la pensée unique*, Paris, Odile Jacob.

Harrison, B. et L. Marmen (1994). *Les langues au Canada. Recensement de 1991*, Ottawa, Patrimoine canadien.

Houle, R. et J.-P. Corbeil (2017). *Projections linguistiques pour le Canada, 2011 à 2036. Série thématique sur l'ethnicité, la langue et l'immigration*, Ottawa, Statistique Canada.

Hudon, M.-È. (2009). *Les langues officielles dans la fonction publique : de 1973 à aujourd'hui*, n° PRB 02-56F, Ottawa, Bibliothèque du Parlement.

Institut de la statistique du Québec – ISQ (2007). « Tableau statistique canadien », *Institut de la statistique du Québec*, vol. 5, n° 1.

Institut de la statistique du Québec – ISQ (2012). « Tableau statistique canadien », *Institut de la statistique du Québec*, vol. 10, n° 2.

Jean, S. (2010). « Le revenu », dans S. Rheault (dir.), *Portrait social du Québec. Données et analyses. Édition 2010*, Québec, Institut de la statistique du Québec, p. 167-189.

Keating, M. (2001). « Par-delà la souveraineté. La démocratie plurinationale dans un monde postsouverain », dans J. Maclure et A.-G. Gagnon (dir.), *Repères en mutation. Identité et citoyenneté dans le Québec contemporain*, Montréal, Québec Amérique, coll. « Débats », p. 67-105.

Lachapelle, R. et J.-F. Lepage (2010). *Les langues au Canada. Recensement de 2006*, Gatineau, Patrimoine canadien.

Lecavalier, C. (2011). « Les universités francophones reçoivent moins », *TVA nouvelles.ca*, <http://www.tvanouvelles.ca/2011/10/12/les-universites-francophones-recoivent-moins>.

Laponce, J. (2006). *Loi de Babel et autres régularités des rapports entre langue et politique*, Québec, Presses de l'Université Laval.

Larose, K. (2004). « L'émergence du projet d'unilinguisme. Archéologie de la question linguistique québécoise », *Globe*, vol. 7, n° 2, p. 177-194.

Léger, J.-M. (1963). « Pour l'unilinguisme », *La Presse*, 20 juin.

Lepage, J.F. (2012). *Situation des minorités de langue officielle sur le marché du travail*, n° 89-651-X2012001, Ottawa, Statistique Canada.

Lepage, J.-F. et J.-P. Corbeil (2013). *L'évolution du bilinguisme français-anglais au Canada de 1961 à 2011*, n° 75-006-X, Ottawa, Statistique Canada.

Levine, M. (1997). *La reconquête de Montréal*, Montréal, VLB.

Linteau, P.-A. (2008). « La nouvelle organisation économique et sociale », dans M. Plourde et P. Georgeault (dir.), *Le français au Québec. 400 ans d'histoire et de vie*, Montréal, Fides, p. 209-218.

Loi sur le multiculturalisme canadien, L.R.C. 1985, c. 24.

Loi sur les langues officielles, L.R.C. 1985, c. 31.

Maguire, T. (1841). *Manuel des difficultés les plus communes de la langue française, adapté au jeune âge, et suivi d'un Recueil de locutions vicieuses*, Québec, Fréchette & Cie.

Marmen, L. et J.-P. Corbeil (1999). *Les langues au Canada. Recensement de 1996*, Ottawa, Patrimoine canadien.

Martel, M. et M. Pâquet (2011). *Langue et politique au Canada et au Québec. Une synthèse historique*, Montréal, Boréal.

McRoberts, K. (2002). « Les politiques de la langue au Canada : un combat contre la territorialisation », dans D. Lacorne et T. Judt (dir.), *La politique de Babel*, Paris, Karthala, p. 155-190.

Meloche-Holubowski, M. (2016). « Pourquoi choisir d'étudier en anglais ? », *Ici.Radio-Canada.ca*, 25 août, <http://ici.radio-canada.ca/nouvelle/798827/francophones-ecole-cegep-universite-anglophone-langue-maternelle>.

Ministère de l'Éducation, du Loisir et du Sport – MELS (2012). *Indicateurs linguistiques dans le secteur de l'éducation (2011)*, Québec, Gouvernement du Québec.

Ministère de l'Éducation, du Loisir et du Sport – MELS (2013). *Indicateurs linguistiques. Secteur de l'éducation*, Québec, Gouvernement du Québec.

Moffet, V., N. Béland et R. Delisle (2008). *Langue de travail dans les grandes entreprises du Québec. Quelle place pour le français ?*, Montréal, Office québécois de la langue française.

Mougeon, R. (2008). « Le français s'impose en Nouvelle-France », dans M. Plourde et P. Georgeault (dir.), *Le français au Québec. 400 ans d'histoire et de vie*, Montréal, Fides, p. 74-81.

Office québécois de la langue française (2005). *Les caractéristiques linguistiques de la population du Québec : profil et tendances 1991-2001*, Montréal, Office québécois de la langue française.

Office québécois de la langue française – OQLF (2006). *Langue du travail : indicateurs relatifs à l'évolution de la population active et à l'utilisation des langues au travail en 2001*, Montréal, Office québécois de la langue française.

Office québécois de la langue française – OQLF (2008a). *Rapport sur l'évolution de la situation linguistique au Québec : 2002-2007*, Montréal, Office québécois de la langue française.

Office québécois de la langue française – OQLF (2008b). *La langue de l'enseignement : indicateurs pour l'éducation préscolaire, l'enseignement primaire et secondaire, le collégial et l'université*, Montréal, Office québécois de la langue française.

Office québécois de la langue française – OQLF (2011a). *Rapport annuel de gestion 2010-2011*, Montréal, Office québécois de la langue française.

Office québécois de la langue française – OQLF (2011b). *Rapport sur l'évolution de la situation linguistique au Québec : suivi démolinguistique*, Montréal, Office québécois de la langue française.

Office québécois de la langue française – OQLF (2012). *Rapport sur l'évolution de la situation linguistique, langue de travail*, Montréal, Office québécois de la langue française.

Office québécois de la langue française – OQLF (2017a). *Langue et éducation au Québec. Éducation préscolaire et enseignement primaire et secondaire*, étude réalisée par C.-É. Olivier, Montréal, Office québécois de la langue française.

Office québécois de la langue française – OQLF (2017b). *Langue et éducation au Québec. Enseignement collégial*, étude réalisée par C.-É. Olivier, Montréal, Office québécois de la langue française.

Ostiguy, L. (2005). « La maîtrise de la norme du français parlé dans l'enseignement et les médias. Constats et perspectives », dans A. Stefanescu et P. Georgeault (dir.), *Le français au Québec. Les nouveaux défis*, Montréal, Fides et Conseil supérieur de la langue française, p. 471-487.

Pagé, M. (2005). « La francisation des immigrants au Québec en 2005 et après », dans A. Stefanescu et P. Georgeault (dir.), *Le français au Québec. Les nouveaux défis*, Montréal, Fides et Conseil supérieur de la langue française, p. 191-231.

Paillé, M. (2012). « Immigration – Recherche francisation désespérément », *Le Devoir*, 25 avril.

P. G. (Qué.) c. Quebec Protestant School Boards, [1984] 2 R.C.S. 66.

Poirier, C. (2008). « Une langue qui se définit dans l'adversité », dans M. Plourde et P. Georgeault (dir.), *Le français au Québec. 400 ans d'histoire et de vie*, Montréal, Fides, p. 161-174.

Poirier, É. (2014). *La Charte de la langue française et l'abandon des moyens pour atteindre son objectif*, Montréal, Institut de recherche sur le Québec.

Poirier, É. (2016). *La Charte de la langue française. Ce qu'il reste de la loi 101 quarante ans après son adoption*, Québec, Septentrion.

Presnukhina, Y. (2012). *La langue d'accueil et de service dans les établissements commerciaux en 2010*, Montréal, Office québécois de la langue française.

Presse canadienne (2010). « La loi sur les écoles passerelles est adoptée après une nuit de débat », *Le Devoir*, 20 octobre.

Proc. Gén. du Québec c. Blaikie et autres, [1979] 2 R.C.S. 1016.

Procureur général du Québec c. Blaikie et autres, [1981] 1 R.C.S. 312.

Proulx, J.-P. (1989). « Le choc des chartes : histoire des régimes juridiques québécois et canadien en matière de langue et d'enseignement », *Revue juridique Thémis*, vol. 23, p. 67-172.

R. c. Oakes, [1986] 1 R.C.S. 103.

Renvoi : Droits linguistiques au Manitoba, [1985] 1 R.C.S. 721.

Secrétariat du Conseil du trésor du Canada (2011). *Rapport annuel sur les langues officielles : 2010-2011*, Ottawa.

Secrétariat du Conseil du trésor du Canada (2015). *Rapport annuel sur les langues officielles : 2014-2015*, Ottawa.

Seymour, M. (2006). « Les minorités nationales et l'identité civique commune », dans P. Georgeault et M. Pagé (dir.), *Le français, langue de la diversité québécoise*, Montréal, Québec Amérique, coll. « Débats », p. 171-190.

Seymour, M. (2008). « Le Canada reconnaît-il l'existence des droits collectifs linguistiques du peuple québécois ? », dans M. Martel et M. Pâquet (dir.), *Légiférer en matière linguistique*, Québec, Presses de l'Université Laval, p. 423-446.

Stevenson, G. (1999). *Community Besieged : the Anglophone Minority and the Politics of Quebec*, Montréal et Kingston, McGill-Queen's University Press.

Stevenson, G. (2003). « Une histoire politique des anglophones québécois », dans A.-G. Gagnon (dir.), *Québec : État et société*, tome 2, Montréal, Québec Amérique, coll. « Débats », p. 369-387.

Solski (Tuteur de) c. Québec (Procureur général), 2005 CSC 14, [2005] 1 R.C.S. 201.

Statistique Canada (1947). *Annuaire du Canada*, Ottawa, Statistique Canada.

Statistique Canada (1993). *Recensement de 1991 : langue maternelle*, n° 93-335F, Ottawa, Statistique Canada.

Statistique Canada (1994). *Recensement de 1991 : langue parlée à la maison et connaissance des langues*, n° 92-336F, Ottawa, Statistique Canada.

Statistique Canada (2002). *Recensement de 2001. Profil des langues au Canada : l'anglais, le français et bien d'autres langues*, n° 96F0030XIF2001005, Ottawa, Statistique Canada.

Statistique Canada (2003). *Portrait des communautés de langue officielle au Canada. Recensement de 2001*, Ottawa, Statistique Canada.

Statistique Canada (2007a). *Le portrait linguistique en évolution. Recensement de 2006*, n° 97-555-XIF, Ottawa, Statistique Canada.

Statistique Canada (2007b). *Immigration au Canada : un portrait de la population née à l'étranger. Recensement de 2006*, n° 97-557-XIF, Ottawa, Statistique Canada.

Statistique Canada (2007c). *Langue – Faits saillants en tableaux. Recensement de 2006*, n° 97-555-XWF2006002, Ottawa, Statistique Canada.

Statistique Canada (2007d). *Immigration et citoyenneté – Faits saillants en tableaux. Recensement de 2006*, n° 97-557-XWF2006002, Ottawa, Statistique Canada.

Statistique Canada (2008). *Langues utilisées au travail – Faits saillants en tableaux, Recensement de 2006*, n° 97-555-XWF2006050, Ottawa, Statistique Canada.

Statistique Canada (2009). *Portrait des communautés de langue officielle au Canada. Recensement de 2006*, n° 92-592-X, Ottawa, Statistique Canada.

Statistique Canada (2011). *Enquête nationale auprès des ménages de 2011*, n° 99-012-X2011026, Ottawa, Statistique Canada.

Statistique Canada (2012a). *Caractéristiques linguistiques des Canadiens. Langue, Recensement de la population de 2011*, n° 98-314-X2011001, Ottawa, Statistique Canada.

Statistique Canada (2012b). *Le français et la francophonie au Canada. Langue, Recensement de la population de 2011*, n° 98-314-X2011003, Ottawa, Statistique Canada.

Statistique Canada (2012c). « Langue maternelle (8), connaissance des langues officielles (5), langue parlée le plus souvent à la maison (8), autre langue parlée régulièrement à la maison (9), groupes d'âge (7) et sexe (3) pour la population à l'exclusion des résidents d'un établissement institutionnel du Canada, provinces, territoires, divisions de recensement et subdivisions de recensement, Recensement de 2011 », *Recensement de la population de 2011*, n° 98-314-XCB2011028, Ottawa, Statistique Canada.

Taylor, C. (2008). « Langue, identité, modernité », dans M. Plourde et P. Georgeault (dir.), *Le français au Québec. 400 ans d'histoire et de vie*, Montréal, Fides, p. 427-433.

Termote, M. (2001). *L'évolution linguistique du Québec et du Canada*, mise à jour de l'étude présentée à la Commission sur l'avenir politique et constitutionnel du Québec – Commission Bélanger-Campeau.

Termote, M. (2011). *Perspectives démolinguistiques du Québec et de la région de Montréal (2006-2056)*, Montréal, Office québécois de la langue française.

Terrien, C. et F. Nolet (2008). « Le gouvernement Charest et les minorités francophones hors Québec : un renouveau ou une confirmation ? », dans L. Cardinal (dir.), *Le fédéralisme asymétrique et les minorités linguistiques et nationales*, Sudbury, Prise de parole, p. 289-321.

Trudeau, P.E. (1967). « La nouvelle trahison des clercs », dans *Le fédéralisme et la société canadienne-française*, Montréal, HMH, p. 159-190.

Trudeau, P.E. (2010). « Statement on multiculturalism », dans P. Russell, F. Rocher, D. Thompson et L. White (dir.), *Essential Readings in Canadian Government and Politics*, Toronto, Edmond Montgomery Publications, p. 133-134.

Woehrling, J. (2005). « L'évolution du cadre juridique et conceptuel de la législation linguistique au Québec », dans A. Stefanescu et P. Georgeault (dir.), *Le français au Québec. Les nouveaux défis*, Montréal, Fides et Conseil supérieur de la langue française, p. 253-356.

Wolf, L. (2008). « Les colons de Nouvelle-France », dans M. Plourde et P. Georgeault (dir.), *Le français au Québec. 400 ans d'histoire et de vie*, Montréal, Fides, p. 67-72.

CHAPITRE 19

LES INÉGALITÉS ET LA REDISTRIBUTION DES REVENUS DANS LA FÉDÉRATION CANADIENNE

Alain Noël

En démocratie, tous les citoyens sont égaux en droit. Chacun a un vote et la possibilité de se faire élire, et les lois sont les mêmes pour tous. Cette égalité juridique demeure bien sûr toujours imparfaite, car dans la réalité, de nombreuses inégalités économiques et sociales persistent. On peut même dire que dans une société capitaliste, les inégalités sont constitutives de l'ordre social. Il y a donc une tension fondamentale entre l'idéal démocratique d'égalité citoyenne et la réalité d'une société marchande traversée par d'importantes inégalités (Fahmy et Venne, 2014). C'est d'ailleurs cette tension qui sous-tend le clivage entre la droite et la gauche, certainement la division la plus universelle dans la vie politique contemporaine. La droite se satisfait de l'égalité juridique et accepte plus facilement les inégalités économiques existantes, alors que la gauche cherche

à réaliser toutes les promesses de la démocratie en favorisant une plus grande égalité réelle entre les citoyens (Noël et Thérien, 2010).

Dans un pays comme le Canada, les inégalités se manifestent de différentes façons. Il y a d'abord les inégalités économiques entre les personnes, qui se mesurent principalement par les disparités de revenus, et qui sont en partie atténuées par des mesures gouvernementales de redistribution, comme l'impôt sur le revenu, les transferts aux familles ou l'assurance-emploi. Quand on parle de la hausse des inégalités dans les années récentes, c'est surtout à ce type d'inégalités que l'on fait référence. Depuis une vingtaine d'années, en effet, les plus riches ont accru leur part du revenu au Canada, et l'écart entre les riches et les pauvres a augmenté. Au Québec, cette tendance à l'accroissement des inégalités existe également, mais elle a été ralentie par des institutions et des politiques plus concertées et interventionnistes (Noël, 2013 ; Zorn, 2017).

Les inégalités, cependant, ne concernent pas simplement des individus ou des ménages indifférenciés. Dans toutes les sociétés, il y a aussi ce que le sociologue Charles Tilly appelait des **inégalités catégorielles**[1], des formes durables d'inégalités entre des regroupements socialement définis de personnes (Tilly, 1998). La plus universelle de ces inégalités catégorielles est très certainement l'inégalité entre les hommes et les femmes, qui demeure importante au Canada, même si nos gouvernements s'y opposent en principe. Historiquement, les inégalités entre les anglophones et les francophones ont aussi été significatives. Elles le sont moins aujourd'hui, mais elles n'ont pas entièrement disparu. Plus importantes, tragiques en fait, sont les inégalités entre les peuples autochtones et les non-Autochtones. Être Autochtone, dans le Canada d'aujourd'hui, c'est bien souvent être pauvre et même très pauvre, et ce, pour une longue durée (Larocque et Noël, 2015). Les inégalités touchant les minorités raciales issues de l'immigration demeurent également préoccupantes (Banting et Thompson, 2016). Enfin, il faut aussi mentionner les inégalités durables qui affectent les personnes en situation de handicap, beaucoup plus susceptibles d'être sans emploi ou à faible revenu (OCDE, 2010). Ces inégalités catégorielles sont socialement construites et elles peuvent donc faire l'objet d'interventions politiques. Mais les racines du problème sont profondes et la situation n'évolue que lentement.

Finalement, dans une fédération qui s'étend à l'échelle d'un sous-continent, on doit aussi parler d'inégalités territoriales. Alors que les inégalités de revenu et les inégalités catégorielles posent le problème de l'équité verticale (l'équité entre ceux qui sont en haut de l'échelle sociale et ceux qui sont en bas), les inégalités territoriales peuvent être comprises en termes d'équité horizontale, l'équité entre ceux qui vivent à un endroit ou à un autre. Ce type d'inégalités, qui provient notamment d'une répartition régionale différenciée des ressources et des occasions d'affaires, pose des problèmes particuliers et fait appel à des solutions différentes (Beramendi, 2012). Aux États-Unis, on mise presque exclusivement sur la mobilité individuelle, qui devrait permettre une allocation optimale des ressources, en amenant, par exemple, les plus pauvres à aller vers les endroits où il y a de l'emploi et de meilleurs revenus ; en Allemagne et en Australie, les gouvernements s'engagent davantage à créer des conditions de vie équivalentes dans les différents États fédérés. Le Canada se situe à mi-chemin, avec une volonté manifeste, mais limitée, de redistribution territoriale.

Ce chapitre passe en revue le traitement politique de ces différents types d'inégalités. Dans un premier temps, il aborde la question centrale des inégalités de revenu, pour souligner l'accroissement des inégalités et le déclin de l'engagement à redistribuer qui ont marqué le Canada depuis le milieu des années 1990. La deuxième section traite du cas particulier du Québec, qui a résisté en partie à cette tendance à la hausse des inégalités grâce à des politiques distinctes instaurées après le référendum de 1995. La troisième section considère les inégalités sectorielles en se penchant notamment sur celles qui concernent les femmes, les peuples autochtones, les minorités raciales et les personnes handicapées. La quatrième section aborde les inégalités territoriales et les mécanismes de redistribution horizontale dans la fédération. Enfin, la conclusion ouvre la perspective en faisant un retour sur le contexte mondial dans lequel s'insèrent les politiques de redistribution.

....

1. Les concepts en caractères gras sont définis dans le glossaire à la fin du chapitre.

1. LA CROISSANCE DES INÉGALITÉS DE REVENU

Dans une étude rendue publique en janvier 2017, Oxfam estimait que huit hommes, incluant Bill Gates, Warren Buffet et Mark Zuckerberg, détiennent à eux seuls plus de richesse que la moitié la plus pauvre de la population mondiale (Oxfam, 2017). L'étude a été critiquée. D'abord, l'évaluation des actifs de la population mondiale est nécessairement un peu approximative. Ensuite, et surtout, cette évaluation tient compte des actifs et non des revenus, ce qui veut dire qu'un diplômé de Harvard avec peu d'avoirs et une dette d'études pourrait se retrouver parmi les démunis, avec la moitié la plus pauvre de la population mondiale. Aussi frappant soit-il, ce constat sur la richesse importe peut-être moins que le fait que l'extrême pauvreté, définie par un revenu quotidien de 1,90 $ (en dollars de 2011 et en parité des pouvoirs d'achat), a reculé dans les dernières décennies (en 1990, 37,1 % de la population mondiale était pauvre selon cette définition ; en 2015, 9,6 % le demeurait [Cruz et *al.*, 2015, p. 2]).

De façon générale, pour parler des inégalités, il est préférable de considérer les revenus plutôt que la richesse, parce que ceux-ci reflètent davantage les ressources dont disposent les personnes pour subvenir à leurs besoins. Dans les démocraties avancées, les enquêtes sur les revenus des ménages offrent aussi de très bonnes estimations à cet égard (Atkinson, 2015, p. 46). Si on commence par les revenus des plus riches, on peut constater que l'avertissement d'Oxfam sur la concentration de la richesse n'est pas dénué de fondement. La part du revenu national gagné par le 1 % le plus riche de la population est en effet très importante, et elle est en croissance depuis la fin des années 1970. La figure 19.1, basée sur les données fiscales compilées par l'équipe du *World Wealth and Income Database*, montre qu'au Canada le centile le plus riche des contribuables récoltait autour de 8,9 % du revenu total en 1975 et environ 13,6 % en 2010 (il s'agit du revenu de marché, soit le revenu avant impôts et transferts). Pendant ce temps, la part du 40 % le plus pauvre des Canadiens diminuait, passant d'environ 15,5 % à environ 12,5 % du revenu total, tandis que celle des 50 % restants, ceux qui ne sont ni riches ni pauvres, baissait légèrement, de 60 à 58 %. Les gains de revenu se concentraient donc sur les 10 % les plus riches (qui incluent le 1 % supérieur) (Corak, 2016, p. 380-81).

Une façon simple de suivre l'évolution des inégalités dans le temps consiste à utiliser l'**indice de Gini**, un indicateur qui mesure l'ensemble de la distribution du revenu dans une

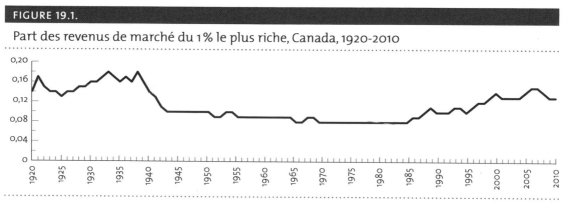

FIGURE 19.1.

Part des revenus de marché du 1 % le plus riche, Canada, 1920-2010

Source : World Wealth and Income Database.

FIGURE 19.2.

Indice Gini des inégalités, revenu de marché et revenu disponible
(après impôt et transferts), Canada, 1976-2014

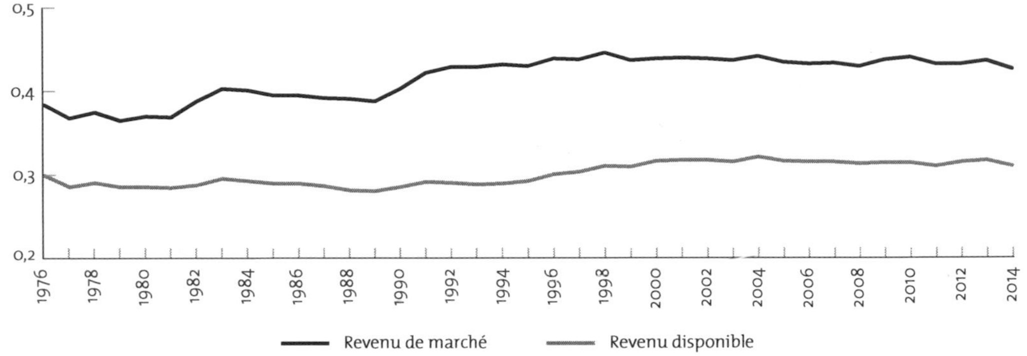

Source : Statistique Canada (CANSIM 206-0033).

société, du plus pauvre au plus riche, et qui varie entre 0 (égalité de revenu parfaite entre tous les citoyens) et 1 (le plus riche gagne tout le revenu). On peut calculer l'indice de Gini pour les revenus de marché, mais aussi pour les revenus après impôts et transferts, qui sont les revenus disponibles réels des personnes. La figure 19.2 présente l'évolution de cet indicateur d'inégalité pour les deux types de revenus pour le Canada de 1976 à 2014.

Les deux tendances présentées dans la figure 19.2 montrent bien l'incidence de l'intervention de l'État. Quelle que soit l'année, le Gini après impôts et transferts est toujours nettement inférieur au Gini pour les revenus de marché. L'évolution du Gini pour les revenus de marché montre par ailleurs une hausse des inégalités, particulièrement marquée au début des années 1980 et pendant les années 1990. Jusqu'aux années 1990, l'intervention de l'État compensait pour cette évolution inégalitaire du marché, pour maintenir une distribution finale à peu près constante, comme le montre le Gini pour le revenu disponible. À partir des années 1990, cependant, les transferts et les impôts ne

suffisaient plus à contrer la hausse des inégalités, et les écarts de revenu disponible se sont accrus.

Si la part des plus riches augmente et que les inégalités sont en hausse, on peut penser que la pauvreté s'aggrave également. Mais ce n'est pas nécessairement le cas, parce que les évolutions au bas de l'échelle ont leur propre logique. Pour mesurer la pauvreté, il faut établir un **seuil de revenu (SFR)** à partir duquel une personne est estimée pauvre. On calcule ensuite la proportion de personnes sous ce seuil afin d'obtenir un taux. Au Canada, trois méthodes servent à réaliser ce calcul. La première, et la plus connue, est la méthode des **seuils de faible revenu (SFR)** de Statistique Canada, qui fait référence aux dépenses de la famille moyenne pour le logement, la nourriture et les vêtements. Utilisée depuis longtemps, cette méthode n'a pas été mise à jour depuis 1992 et elle apparaît aujourd'hui désuète. La seconde méthode est la **mesure du faible revenu (MFR)**, qui prévaut à l'échelle internationale parce qu'elle est simple et rend les comparaisons entre pays possibles. La MFR fixe le seuil de la pauvreté à 50 % du **revenu médian** du pays (et parfois à 60 %, comme dans l'Union

FIGURE 19.3.

Incidence de la pauvreté selon la mesure du faible revenu (MFR),
pour toutes les personnes et pour les moins de 18 ans, Canada, 1976-2014

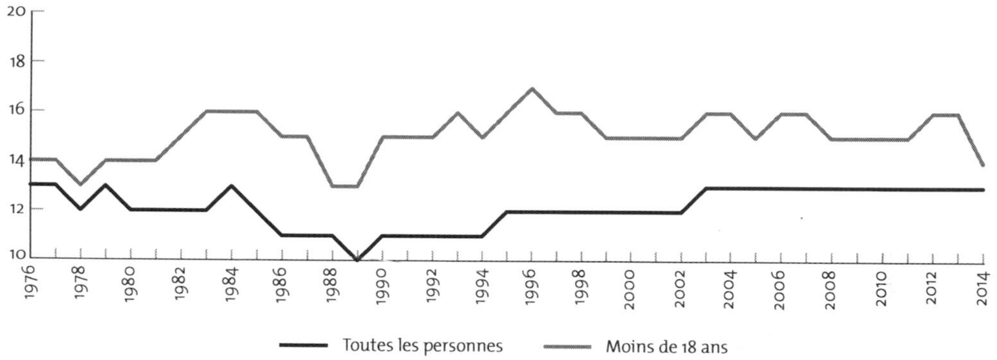

Source : Statistique Canada (CANSIM 206-0041).

européenne)[2]. La troisième approche, la **mesure du panier de consommation (MPC)**, consiste à évaluer le coût local d'un panier de biens nécessaires, ce qui permet d'établir un seuil qui fait référence à la couverture des besoins essentiels dans chaque région du pays (Centre d'étude sur la pauvreté et l'exclusion – CEPE, 2009). Cette méthode comporte un intérêt politique évident, parce qu'elle établit une relation entre le faible revenu et une évaluation concrète de ce qu'il faut pour vivre décemment dans une région donnée. Aux fins de cette discussion, cependant, nous retiendrons la mesure du faible revenu, car la mesure du panier de consommation n'existe que depuis 2002. La figure 19.3 présente les taux de personnes et d'enfants vivant sous le seuil de la pauvreté au Canada, de 1976 à 2014, selon la mesure du faible revenu.

Comme on peut le voir à la figure 19.3, la pauvreté a un peu reculé dans les années 1980, mais elle est en hausse depuis cette époque. En 2014,

13 % des Canadiens vivaient avec moins de la moitié du revenu médian. Chez les enfants, la situation était encore pire, avec un **taux de pauvreté** de 14,7 %.

Avec une part croissante des revenus allant aux plus riches, des inégalités en hausse et un taux de pauvreté qui augmente, la situation canadienne n'apparaît pas réjouissante. Il faut dire que, sur ce plan, le Canada est loin d'être unique. Il y a bien sûr des variations, mais ces évolutions se sont manifestées dans presque toutes les démocraties avancées. Du milieu des années 1990 au milieu de la première décennie 2000, même une croissance économique favorable n'a pas pu prévenir la montée des inégalités. Avec la crise financière de 2008, puis la crise de la dette souveraine dans l'Union européenne, la situation s'est encore détériorée. « Jamais en trente ans », concluait une note de l'Organisation de coopération et de développement économique (OCDE) en décembre 2014, « le fossé entre riches et pauvres n'a été aussi prononcé qu'aujourd'hui dans la plupart des pays de l'OCDE » (OCDE, 2014, p. 4).

Les causes de cette évolution sont multiples et difficiles à hiérarchiser. L'explication, note l'économiste Branko Milanovic, est probablement

----

2. Le revenu médian est le revenu de la personne située au centre de l'ensemble de la distribution. Cette mesure est préférée au revenu moyen, car elle est moins sensible à l'effet des très hauts revenus.

surdéterminée, en ce sens qu'il y a plus de causes plausibles que nécessaire pour expliquer le résultat (Milanovic, 2016, p. 109). Une foule de facteurs concourent à accroître les inégalités : mondialisation, changements technologiques, croissance des services, déréglementation, affaiblissement de la protection sociale, déclin des syndicats, changement dans la composition des ménages (OCDE, 2011 ; Atkinson, 2015, p. 82-109). Ultimement, deux grandes interprétations se dessinent. La première, mise en avant par l'économiste français Thomas Piketty, considère la croissance des inégalités comme inhérente au capitalisme (Piketty, 2013, p. 55-57). Dans cette perspective, les années relativement égalitaires de l'après-guerre constitueraient une exception attribuable à des accidents historiques comme les effets destructeurs de la Grande Dépression et de la Deuxième Guerre mondiale, dont a découlé une mobilisation politique qui mena à l'État-providence. La seconde interprétation, proposée par Milanovic, parle plutôt de cycles de plusieurs décennies, dont les déterminants sont économiques, mais aussi institutionnels et politiques (Milanovic, 2016, p. 94-99). Au-delà des nuances, les deux interprétations se rejoignent sur la tension constitutive entre la dynamique inégalitaire du marché et l'effet puissant, mais irrégulier, des forces politiques et sociales. L'histoire de la distribution des richesses, conclut Piketty, « est toujours une histoire profondément politique » (2013, p. 47).

Il n'en va pas autrement au Canada, où la hausse des inégalités s'explique largement par l'insuffisance des politiques publiques à prévenir ou à corriger des écarts de revenus de marché de plus en plus grands (Banting et Myles, 2013, p. 32 ; Green, Riddell et St-Hilaire, 2016). Entre 1982 et 2010, presque tous les gains dans les revenus de marché ont été accaparés par les 10 % les plus riches ; les 90 % restants n'ont pratiquement pas progressé (Lemieux et Riddell, 2016, p. 110-111). D'où les références politiques de plus en plus nombreuses à la classe moyenne, une catégorie

vague mais critique dans la compétition électorale, parce qu'elle semble englober presque tous les électeurs (Banting et Myles, 2016). Le gouvernement libéral de Justin Trudeau a été élu en octobre 2015 en s'engageant à faire davantage pour « la classe moyenne et ceux qui travaillent fort pour en faire partie ». Le premier budget de ce gouvernement a effectivement marqué un virage, avec notamment des baisses d'impôt pour une partie de la classe moyenne et une amélioration importante des allocations pour enfants. Mais des angles morts importants demeuraient : les baisses d'impôt ne profitaient en effet qu'aux personnes gagnant plus de 45 282 $ par année, ce qui laissait une grande partie de la classe moyenne de côté. Et les allocations familiales ne bénéficiaient évidemment qu'aux ménages ayant des enfants. Pour les personnes seules à revenu modeste, le gouvernement Trudeau n'avait presque rien à offrir (Noël, 2016).

Pour contrer la hausse des inégalités, et idéalement pour réduire celles-ci, des mesures ambitieuses doivent être adoptées afin d'agir à la fois sur l'innovation technologique, l'emploi et la croissance économique, les relations de travail, les politiques salariales, la fiscalité, les transferts aux personnes, l'éducation et les services sociaux (Atkinson, 2015, p. 303-305 ; Green, Riddell et St-Hilaire, 2016). Le défi est grand, mais l'expérience montre que les politiques publiques peuvent faire une différence. C'est d'ailleurs ce que suggère l'évolution des vingt dernières années au Québec.

POINTS CLÉS

> Au Canada, la part des revenus de marché du 1 % le plus riche s'est nettement accrue, passant de 8,9 % du revenu total en 1975 à 13,6 % en 2010.
> Dans l'ensemble, les inégalités ont également augmenté, les impôts et les transferts ne réussissant pas à compenser pour la hausse des écarts dans les revenus de marché.

> La pauvreté progresse également. En 2014, 13 % des Canadiens (et 14,7 % des enfants) vivaient avec moins que la moitié du revenu médian.
> Cette évolution n'est pas unique au Canada, et elle s'explique par un ensemble de facteurs. Elle a très certainement des fondements politiques.

2. LE NOUVEAU MODÈLE QUÉBÉCOIS DE REDISTRIBUTION

Le Québec a longtemps été moins riche que le reste du Canada, et au Québec même, les francophones demeuraient en moyenne plus pauvres que les anglophones. L'histoire de la Révolution tranquille a été largement celle d'une lutte pour éliminer ce double désavantage historique, en ayant recours à des politiques économiques interventionnistes, à des investissements importants en éducation et à des politiques linguistiques visant à affirmer la place du français sur le marché du travail (Levine, 1997). Cette révolution a été largement réussie, annihilant l'écart de revenu entre francophones et anglophones et réduisant considérablement l'écart de niveau de vie entre le Québec et l'Ontario (Fortin, 2011).

L'éthos de toute cette période, le cadre de référence si on veut, s'organisait autour de l'idée d'un rattrapage avec le reste de l'Amérique du Nord. Même si des mesures originales étaient souvent adoptées, le Québec cherchait le plus souvent à s'aligner sur ce qui se faisait de mieux chez ses voisins (Vaillancourt, 2003, p. 162). Au fur et à mesure que les écarts de revenu se sont réduits, la métaphore répandue du rattrapage socioéconomique a perdu de son sens, pour céder la place à une volonté plus affirmée de consolider et de développer un modèle distinct. L'idée d'un modèle québécois basé sur une plus grande intervention de l'État et sur la concertation entre les partenaires sociaux (syndicats, patronat, État) avait émergé dès les débuts de la

Révolution tranquille (Bourque, 2000, p. 62). Mais les paramètres de ce modèle se sont redéfinis dans les années 1980 et 1990, pour ouvrir sur de nouveaux débats quant aux rôles respectifs de l'État et des acteurs sociaux. À cet égard, le référendum de 1995 a marqué une étape importante (Bourque, 2000, p. 192-93).

La campagne référendaire de 1995 a mobilisé toute la société québécoise, et elle s'est soldée par un résultat extrêmement serré, qui laissait la population divisée et sans projet politique évident. « Le Québec », note Lucien Bouchard, en se rappelant l'époque où il est devenu premier ministre, « était divisé [...] Il y avait des plaies à refermer » (Bouchard, 2015, p. 27). Le taux de chômage était élevé et le gouvernement faisait face à un déficit record, conséquence de coupes majeures dans les transferts fédéraux aux provinces (Noël, 2013). Bouchard convoque alors un sommet socioéconomique, pour convenir d'un « nouveau pacte social » axé sur l'atteinte du déficit zéro, des politiques favorables à l'emploi et des réformes sociales. Fait nouveau, ce sommet, tenu en deux étapes à Québec puis à Montréal, regroupe non seulement le patronat et les syndicats, mais également des représentants du monde communautaire. Ces groupes, qui insistaient sur l'égalité et la lutte contre la pauvreté, « ont fait réfléchir des gens », se souvient Bouchard (2015, p. 27).

Au sommet, les participants ont accepté de viser l'équilibre budgétaire, mais ils l'ont fait en obtenant d'importantes réformes, favorables aux femmes, aux jeunes et aux familles. Dans les années qui ont suivi, le Québec a ainsi adopté une politique familiale généreuse, offrant notamment des services de garde de qualité à faible coût, une loi sur l'équité salariale, un régime public d'assurance-médicaments, de nouvelles normes de travail et des politiques pour soutenir l'emploi (Noël, 2013). En quelques années, les résultats sont apparus. Le taux de participation au marché du travail des femmes en âge d'avoir des enfants a augmenté, pour dépasser celui de l'Ontario, le taux de chômage a diminué et la pauvreté a reculé, pour les enfants en particulier. La figure 19.4, qui reprend l'indice Gini des inégalités pour le revenu disponible à l'échelle du Québec et de l'Ontario, montre comment la trajectoire du Québec, qui était parallèle à celle de l'Ontario jusqu'alors, s'est détachée à partir des années 1990. Alors que les inégalités augmentaient en Ontario, elles sont demeurées stables au Québec, surtout après 1995.

La figure 19.5 présente l'évolution de la pauvreté dans les deux provinces, en utilisant la même mesure qu'à la figure 19.3. En 1992, le Québec partait avec un retard considérable, avec

---

FIGURE 19.4.

Indice Gini des inégalités, revenu disponible (après impôt et transferts),
Ontario et Québec, 1976-2014

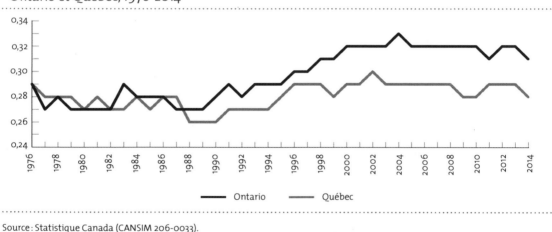

Source : Statistique Canada (CANSIM 206-0033).

FIGURE 19.5.

Incidence de la pauvreté selon la mesure de faible revenu (MFR),
pour toutes les personnes et pour les moins de 18 ans, Ontario et Québec, 1992-2014

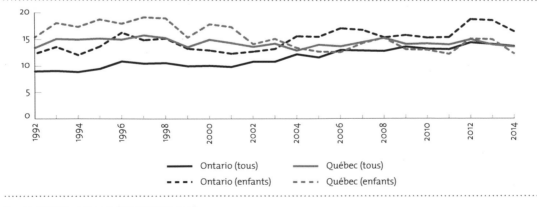

Source : Statistique Canada (CANSIM 206-0041).

un taux de pauvreté de 13,4 % comparativement à 9,0 % pour l'Ontario. Dix-huit ans plus tard, en 2014, le Québec n'avait pas fait beaucoup de progrès, avec un taux de pauvreté de 13,7 %, mais la situation en Ontario s'était nettement détériorée (13,8 %). Pour les moins de 18 ans, cependant, la pauvreté avait nettement diminué au Québec, alors même qu'elle augmentait en Ontario. Le nouveau modèle de redistribution québécois a nettement favorisé les familles.

En considérant les données de la figure 19.5, il est bon de garder à l'esprit que Statistique Canada calcule la mesure de faible revenu en fonction d'un revenu médian canadien, et non provincial. Cette façon de faire introduit une distorsion puisque le revenu médian varie beaucoup d'une province à l'autre. Si on calculait la mesure de faible revenu en fonction du revenu médian provincial, comme on le ferait si le Québec et l'Ontario étaient des pays, le taux de pauvreté serait nettement plus bas au Québec (CEPE, 2014, p. 27).

Les travaux de Nicolas Zorn montrent par ailleurs que, de 1973 à 2008, la part du 1 % le plus riche a augmenté moins rapidement au Québec que dans le reste du Canada, la tendance québécoise étant plus proche de celle des pays d'Europe continentale que de celle des pays anglo-saxons, comme les États-Unis ou le Royaume-Uni (Zorn, 2017). En haut comme en bas de l'échelle des revenus, et sur l'ensemble de la distribution telle que mesurée par le Gini, le nouveau modèle québécois de redistribution a donc eu des effets égalitaires qui ont marqué une différence avec le reste du Canada, devenu plus inégalitaire dans les années 1990 et 2000. Ces effets ont cependant servi davantage à empêcher la montée des inégalités qu'à réduire celles-ci, dans un contexte politico-économique canadien et international défavorable. On peut penser que les politiques d'austérité des dernières années ont commencé à miner ces acquis, mais il est encore tôt pour se prononcer.

POINTS CLÉS

> Le Québec a partiellement échappé à la hausse des inégalités connue par le Canada. La croissance de la part du revenu total du 1 % le plus riche a été plus modérée, les inégalités ont moins augmenté, et la pauvreté est demeurée à peu près stable. Pour les enfants, elle a même diminué.

> Cette différence québécoise s'explique par un ensemble de réformes adoptées après le référendum de 1995, réformes qui conciliaient la recherche de l'équilibre budgétaire à de nouvelles politiques de redistribution favorables, notamment, aux familles.

3. Les inégalités catégorielles

En présentant son nouveau gouvernement, en novembre 2015, Justin Trudeau a expliqué qu'il était normal d'avoir un Conseil des ministres paritaire « parce que nous sommes en 2015 ». De fait, la représentation des femmes sur la scène politique canadienne demeure encore loin de la parité. On peut même dire que depuis quelques années les progrès semblent avoir plafonné (Trimble, Arscott et Tremblay, 2013).

La situation est un peu semblable sur le plan de l'emploi et des revenus. La participation des femmes au marché du travail a augmenté de façon spectaculaire avec les années. Pour les femmes du groupe d'âge le plus actif sur le marché du travail, celles qui ont entre 25 et 54 ans, le taux de participation est passé de 21,6 % en 1950 à 65,2 % en 1983, puis à 82,0 % en 2015 (Moyser, 2017, p. 3). Cependant, même en 2015, le taux d'emploi des femmes demeure inférieur à celui des hommes (qui est à 90,9 %). À elle seule, la difficulté d'obtenir des services de garde à coût raisonnable explique une bonne part de cet écart entre les hommes et les femmes. À

Toronto, par exemple, en 2014 et 2015, les frais de garde mensuels moyens s'élevaient à 1 324 $ et l'écart entre le taux d'emploi des hommes et celui des femmes se situait à 12,6 % (Friendly *et al.*, 2015, p. 129 ; Moyser, 2017, p. 8). À Montréal, avec des frais de garde moyens de 152 $ par mois, le même écart du taux d'emploi tombait à 6,4 %.

Les femmes et les hommes ont par ailleurs tendance à travailler dans des emplois et des secteurs différents, et même dans les secteurs dominés par les femmes, les hommes demeurent plus susceptibles d'occuper les emplois les plus valorisés (Moyser, 2017, p. 26). Les femmes sont sous-représentées notamment dans les postes de direction des entreprises du secteur privé (Moyser, 2017, p. 29). Pour chaque dollar gagné par un homme, une femme gagne en moyenne 0,87 $, cet écart salarial étant principalement attribuable à des inégalités salariales entre des hommes et des femmes qui font le même travail (Moyser, 2017, p. 29). La quête de l'égalité homme-femme est donc loin d'être achevée.

Ces inégalités, évidemment, sont aggravées lorsqu'elles se superposent à d'autres inégalités catégorielles. Au Canada, celles qui touchent les peuples autochtones sont particulièrement sévères. Les inégalités catégorielles ont toujours une dimension politique. Dans le cas des peuples autochtones, les racines politiques du problème sont particulièrement évidentes. Leur situation difficile est en effet directement attribuables aux politiques coloniales du passé, qui visaient expressément à les déposséder, à les contrôler et à les assimiler. La *Loi sur les Indiens* de 1876, par exemple, définissait les Autochtones comme des pupilles de l'État, incapables de gérer leurs propres affaires ou d'agir comme des citoyens libres (Houde et Pillet, dans ce volume). La lutte contre les inégalités affectant les peuples autochtones a donc d'abord pris la forme d'une lutte politique et juridique pour leur reconnaissance politique et leur droit à l'autodétermination (Papillon, 2006, p. 466-70). Ce combat est loin d'être terminé. Mais il a un peu laissé en plan une autre bataille, pour davantage d'égalité dans les conditions de vie. La situation des peuples autochtones demeure en effet déplorable.

Le recensement ne permet pas d'estimer les revenus et le taux de pauvreté pour l'ensemble des peuples autochtones, parce que plusieurs nations vivant sur des réserves refusent d'y participer. Mais parmi les personnes ayant une identité autochtone et vivant hors réserve, le revenu médian après impôt était en 2010 de 20 060 $, comparativement à 28 504 $ pour l'ensemble de la population canadienne (Statistique Canada, 2013a et CANSIM 206-0052). Le taux de pauvreté pour ces personnes autochtones, mesuré d'après la mesure de faible revenu après impôt, était alors de 25,3 %, presque le double du taux pour l'ensemble de la population (qui était de 13,5 % [Statistique Canada, 2013a et CANSIM 206-0041]). Sur les réserves, la situation est sans doute pire. S'ajoutent aussi des conditions de logement déficientes, des inégalités de santé importantes et des parcours scolaires difficiles. En novembre 2005, le gouvernement libéral de Paul Martin avait convenu, par l'Accord de Kelowna avec toutes les provinces et avec les différents représentants des peuples autochtones, de consacrer d'importantes ressources financières à un effort concerté pour réduire cet écart persistant entre les conditions de vie des Autochtones et des non-Autochtones. Mais la victoire des conservateurs de Stephen Harper, en janvier 2006, a mis fin à ce processus, en dépit des efforts de certaines provinces (Larocque et Noël, 2015). Le gouvernement libéral de Justin Trudeau s'est engagé à faire davantage, mais pour l'instant les inégalités entre les peuples autochtones et les autres Canadiens demeurent criantes.

Des inégalités affectent également les minorités raciales issues de l'immigration. Le problème n'a pas la même ampleur que celui qui touche les peuples autochtones, mais il demeure préoccupant. Au Canada, en 2011, 20,6 % de la population étaient nées à l'étranger et 19,1 %

appartenaient à une minorité visible (c'est-à-dire d'origines qui n'étaient ni européenne ni autochtone [Statistique Canada, 2013b]). L'immigration, bien sûr, comporte son lot de difficultés, mais la situation demeure encore problématique pour la seconde génération, qui est en principe bien intégrée. Comme leurs parents, les enfants de l'immigration ont un niveau de scolarité plus élevé que la population dans son ensemble et cela se traduit sur le marché du travail par un taux d'occupation équivalent et des revenus supérieurs (Picot et Hou, 2011). Cet avantage en matière de revenu s'efface toutefois lorsque l'on contrôle statistiquement pour l'éducation et d'autres facteurs, pour laisser un désavantage salarial réel qui pourrait être le fait de la discrimination (Picot et Hou, 2011, p. 36). Les écarts sur ce plan seraient par ailleurs plus marqués à Montréal qu'à Vancouver ou Toronto (Pendakur et Pendakur, 2011). Des études semi-expérimentales menées au Canada montrent d'ailleurs que des curriculum vitæ identiques, mais dotés de noms à consonance asiatique, arabe, africaine ou latino-américaine, sont moins susceptibles d'engendrer des invitations en entrevue (Eid, 2012 ; Banerjee *et al.*, 2017). Les rapports au système judiciaire sont également marqués par des problèmes documentés de discrimination, pour les Autochtones et les Noirs notamment (Barreau du Québec, 2010). Les politiques d'immigration, d'intégration et le multiculturalisme officiel du Canada n'ont donc pas éliminé toutes les difficultés liées à l'intégration (Banting et Thompson, 2016, p. 12). Au Québec, au printemps 2016, une coalition de citoyens a d'ailleurs amorcé un mouvement afin de demander au gouvernement d'ouvrir une enquête sur le racisme systémique (Gervais, 2017).

Finalement, il faut souligner les inégalités sévères touchant les personnes handicapées. En 2006, un Canadien sur sept (14,3 %) déclarait avoir une limitation d'activité causée par un état physique ou mental ou un problème de santé (Gouvernement du Canada, 2014, p. 1). Les personnes handicapées avaient alors un taux de chômage de 50 % supérieur à celui de l'ensemble de la population et des taux de pauvreté nettement plus élevés (OCDE, 2010, p. 15 et 20). En 2009, le pourcentage de Canadiens handicapés âgés de 16 à 64 ans vivant avec moins que le seuil de faible revenu de Statistique Canada (SFR) était de 17,6 %, comparativement à 10,3 % pour les personnes sans handicap (Crawford, 2013, p. 11). Au Canada, les gouvernements n'ont pas vraiment de politique intégrée pour soutenir les revenus des personnes handicapées. Selon la nature et l'origine du handicap, ces personnes peuvent toucher des prestations du régime de pension du Canada (ou de la Régie des rentes du Québec), des indemnisations pour accidents de travail ou accidents d'automobile, des rentes d'assurances privées, de l'assurance-emploi ou de l'aide sociale. Et une personne handicapée sur cinq reste sans emploi ni prestation publique de revenu (OCDE, 2010, p. 22). Depuis vingt ans, des progrès réels ont été faits pour reconnaître les droits des personnes handicapées et assurer leur participation à la société. Mais les déclarations de principes n'ont débouché que très lentement sur des engagements concrets (Conseil des Canadiens avec déficiences, 2008).

Qu'il s'agisse du genre, du rapport entre Autochtones et non-Autochtones, des difficultés d'intégration des immigrants ou des minorités racisées, ou des conséquences d'un handicap, les inégalités catégorielles demeurent importantes au Canada et elles commandent une approche à la fois politique, pour reconnaître les différences et établir des droits, et économiques, afin de réduire les écarts. Il ne faut pas perdre de vue, bien sûr, que ces différentes formes d'inégalités se combinent aux inégalités plus générales de revenus et qu'elles peuvent aussi se recouper pour créer des désavantages intersectoriels. Au Canada s'ajoutent par ailleurs des inégalités territoriales, qui font l'objet d'une attention particulière dans le cadre d'une fédération.

> Les inégalités peuvent également être marquées entre différentes catégories de personnes.
> Les inégalités entre les hommes et les femmes, par exemple, demeurent importantes au Canada, les femmes étant moins présentes que les hommes sur le marché du travail, moins bien payées, et souvent dans des emplois de niveau inférieur.
> L'écart de conditions de vie entre les peuples autochtones et les non-Autochtones demeure également très prononcé, et il n'a pas fait l'objet de politiques déterminées, sauf au moment de l'Accord de Kelowna, en 2005, que le gouvernement de Stephen Harper a laissé tomber dès son arrivée au pouvoir.
> Des inégalités préoccupantes touchent aussi les minorités raciales issues de l'immigration et les personnes en situation de handicap.

4. LES INÉGALITÉS TERRITORIALES

Tous les pays doivent composer avec des disparités régionales liées à la dotation en ressources naturelles, à la démographie, à l'accès aux marchés, à la composition sectorielle de l'économie ainsi qu'à la mobilité du capital et de la main-d'œuvre. Dans les pays unitaires, la réponse politique passe en général par l'instauration de programmes nationaux de redistribution, souvent assortis de mesures visant à favoriser le développement régional. Dans les fédérations, la situation est un peu plus complexe parce que les gouvernements doivent composer avec deux impératifs potentiellement contradictoires : la poursuite de l'égalité pour tous les citoyens, mais aussi le respect de l'autonomie politique des entités fédérées, qui passe souvent par la mise en œuvre de politiques fiscales et sociales distinctes (Beramendi, 2012, p. 3). Les chercheurs

et les observateurs ont longtemps considéré que l'autonomie des entités fédérées et la décentralisation constituaient un frein au développement de l'État-providence et à la redistribution, en limitant les options du gouvernement fédéral. Des études quantitatives et qualitatives suggéraient par exemple un lien entre une structure fédérale et des dépenses sociales moins élevées (Obinger et al., 2005, p. 3-4). Les travaux plus récents suggèrent cependant une réalité plus complexe et contingente, qui remet en question l'interprétation conventionnelle (Obinger et al., 2005, p. 8 ; Beramendi, 2012, p. 7). Parmi les fédérations, certaines, comme les États-Unis, redistribuent peu, alors que d'autres, comme l'Allemagne, s'engagent à offrir des conditions de vie équivalentes à travers le pays. Dans certains cas, comme au Canada, le fédéralisme a peut-être ralenti le développement initial de l'État-providence (Banting, 2005, p. 135). Ailleurs, cependant, comme en Espagne, l'État-providence s'est développé au moment même où émergeait une structure décentralisée favorable à l'autonomie des régions (Beramendi, 2012, p. 9). Il faut donc prendre garde de tirer des conclusions hâtives sur les liens entre le fédéralisme et la redistribution.

Au Canada, des disparités économiques importantes distinguent les provinces. En 2015, comme on peut le voir dans la figure 19.6, le produit intérieur brut par habitant de l'Alberta était, à 78 100 $, pas très loin du double de celui de l'Île-du-Prince-Édouard, à 42 157 $. La plus grande part de ces disparités est associée aux revenus du pétrole, qui rehaussent significativement les gains de l'Alberta, de la Saskatchewan et de Terre-Neuve-et-Labrador. Avant de bénéficier de la rente pétrolière, les deux dernières provinces étaient, de fait, plus pauvres que la moyenne. À l'autre extrême, on trouve les trois provinces maritimes, dont les économies sont plus petites et moins diversifiées. Parmi les quatre provinces restantes, l'Ontario est la plus riche et le Québec est la plus pauvre. Cette différence peut s'expliquer par l'écart historique de richesse entre les deux provinces ainsi que par le vieillissement et le déclin démographique du Québec, qui ralentissent la croissance économique (Fortin, 2017).

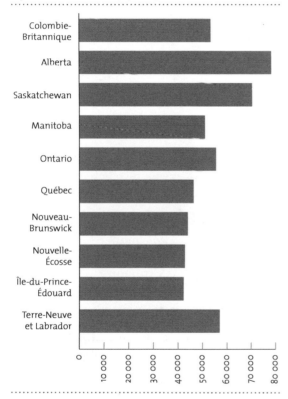

FIGURE 19.6.

Produit intérieur brut aux prix du marché par habitant, 2015 (en $)

Source : Adaptée de Verreault *et al.* (2017, p. 22).

Avec de telles disparités de revenu, les provinces ne peuvent évidemment pas offrir un même niveau de services publics à des taux de taxation comparables. Si, par exemple, le gouvernement du Québec souhaite offrir des politiques familiales plus généreuses que celles de l'Ontario ou de l'Alberta, il doit taxer davantage. C'est d'ailleurs ce qu'il fait (Haddow, 2015,

p. 59-60). Mais il existe aussi des mécanismes de redistribution dans la fédération qui réduisent les écarts entre les provinces.

Le premier de ces mécanismes, et sans doute le plus méconnu, est ce que l'on pourrait appeler la **péréquation implicite**. La **péréquation** désigne les transferts dont l'objectif consiste à redistribuer les revenus dans une fédération. Quand elle est explicite, comme c'est le cas avec le programme fédéral de péréquation créé en 1957, cette redistribution donne lieu à des transferts formels et chiffrés du gouvernement fédéral vers les provinces. Mais on peut aussi parler d'une péréquation implicite, dans la mesure où le fonctionnement même du gouvernement fédéral redistribue déjà les revenus entre les provinces. Prenons, par exemple, l'impôt sur le revenu des particuliers. Les données de la figure 19.6 laissent peu de doutes sur le fait que les revenus des contribuables sont plus élevés en Alberta qu'à l'Île-du-Prince-Édouard. Cela signifie qu'en appliquant les mêmes règles partout, le gouvernement fédéral collecte plus d'impôts sur le revenu des particuliers en Alberta qu'à l'Île-du-Prince-Édouard. La même chose est vraie pour l'impôt sur le revenu des corporations, la taxe sur les produits et services ainsi que les cotisations à l'assurance-emploi ou au Régime de pensions du Canada. À l'inverse, toutes proportions gardées, les citoyens de l'Île-du-Prince-Édouard bénéficient sans doute davantage de prestations d'assurance-emploi et de revenus provenant de la Sécurité de la vieillesse et du Régime de pensions du Canada. En appliquant partout les mêmes règles, le gouvernement fédéral redistribue donc automatiquement des revenus des provinces les plus riches vers les provinces les plus pauvres. Dans une étude récente utilisant des données de 2010, les économistes Trevor Tombe et Jennifer Winter estiment que près des trois quarts de la redistribution au Canada relève de cette péréquation implicite, que l'on ne reconnaît presque jamais (Tombe et Winter, 2016, p. 5-6).

Le second mécanisme, en ordre d'importance, est associé aux transferts que le gouvernement fédéral réalise afin de soutenir les programmes sociaux fournis par les provinces. En 2017-2018, ces transferts s'élevaient à 51 milliards de dollars, soit environ 1 387 $ par habitant. Près des trois quarts de ces sommes étaient consacrées au financement des soins de santé (Ministère des Finances, 2017a). Dans le passé, ces transferts se faisaient à coûts partagés, c'est-à-dire qu'Ottawa partageait une partie des dépenses encourues par les provinces, si celles-ci respectaient certains principes. Avec le temps, cette formule élaborée a cédé la place à des transferts en bloc, offrant plus ou moins un même montant par habitant à chaque province. Ces transferts en bloc ont l'avantage d'être moins conditionnels et plus flexibles, mais ils sont aussi plus aléatoires et dépendants de la conjoncture politique. En 1995, par exemple, le gouvernement fédéral sous les libéraux a sévèrement réduit les transferts aux provinces. Au début des années 2000, Ottawa a convenu de rendre plus prévisible l'évolution de ces transferts, en annonçant à l'avance le rythme de croissance de chaque transfert. En santé, cependant, le taux de croissance retenu par le gouvernement Trudeau est dorénavant inférieur à la hausse attendue des coûts, ce qui fait que la part du gouvernement fédéral dans le financement des soins de santé est appelée à diminuer avec les années. Proche de 50 % du total à l'origine, cette contribution descendra graduellement vers une part bien plus modeste, autour de 20 % (Ministère des Finances, 2017b).

Enfin, la péréquation à proprement parler est un programme fédéral qui améliore délibérément les capacités fiscales des provinces les moins riches. La formule a changé avec les années, mais le principe général consiste à établir une capacité fiscale représentative pour l'ensemble des provinces, afin de déterminer les transferts nécessaires pour que chaque province puisse se rapprocher de cette capacité fiscale et puisse, de

la sorte, offrir des services équivalents au reste de la fédération. Il ne s'agit donc pas d'égaliser les revenus – aucune province ne voit ses revenus baisser –, mais bien de rehausser les revenus des gouvernements les moins riches. La figure 19.7 présente une estimation des transferts par habitant attendus par chaque province en 2017-2018, en précisant le cas échéant la part qui relève de la péréquation. On y retrouve à peu près le négatif de l'image présentée dans la figure 19.6, les provinces riches recevant moins et les provinces pauvres obtenant davantage.

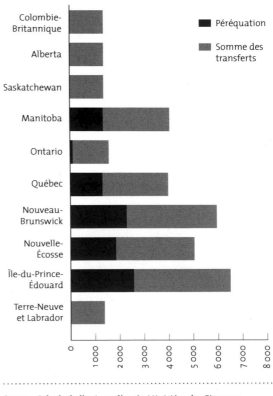

FIGURE 19.7.

Paiements de péréquation et transferts fédéraux par habitant attendus par chaque province en 2017-2018 (en $)

Source : Calculs de l'auteur, d'après Ministère des Finances (2017a).

La redistribution au sein de la fédération canadienne est donc importante, même si elle demeure imparfaite. Elle constitue également l'objet de différends politiques importants et récurrents. Ces conflits opposent principalement les provinces plus riches à celles qui bénéficient davantage des transferts. Ils concernent également le Québec, qui n'est pas la province qui reçoit le plus, mais qui revendique parfois des arrangements particuliers (ou asymétriques) et que plusieurs considèrent comme la province trop favorisée (Lecours et Béland, 2013, p. 102-103). Ces conflits constituent une autre dimension de l'éternel débat politique autour des inégalités et de la redistribution, qui se joue, cette fois, à l'échelle fédérale.

POINTS CLÉS

> Dans une fédération, les inégalités et la redistribution prennent aussi une dimension territoriale. Les gouvernements fédéraux doivent composer avec deux impératifs potentiellement contradictoires : la poursuite de l'égalité pour tous les citoyens et le respect de l'autonomie des entités fédérées.
> Au Canada, des disparités économiques importantes séparent les provinces, notamment celles qui ont du pétrole et du gaz, qui sont plus riches que les autres.
> Le gouvernement fédéral redistribue les revenus de trois façons : par la péréquation implicite, c'est-à-dire l'application de règles uniformes à des territoires différents ; par les transferts sociaux et par le programme de la péréquation.
> Au total, la redistribution à l'intérieur de la fédération s'avère importante, même si elle demeure imparfaite.

CONCLUSION

En 2016, Bombardier a annoncé que les salaires de ses cinq plus hauts dirigeants augmenteraient de 50 %, pour atteindre 32,6 millions de dollars américains. Les résultats financiers de la compagnie pour l'année étaient décevants et elle avait dû procéder au licenciement de plusieurs milliers d'employés – en plus de compter sur l'aide massive des gouvernements –, mais ces dirigeants avaient, semble-t-il, atteint leurs « objectifs individuels précis » (Arsenault, 2017). Cette gourmandise éhontée est assez typique de notre époque. Les inégalités augmentent au Canada et le processus part d'en haut, avec une croissance exponentielle des très hauts revenus, que la simple décence ne suffit pas à freiner. En dépit de réformes importantes, les transferts et les programmes sociaux réussissent moins bien qu'avant à contrer cette hausse des inégalités sur le marché, et la pauvreté a également tendance à augmenter.

L'évolution récente du Québec a été un peu différente de celle du Canada. Les plus riches ont vu leur revenu progresser un peu moins rapidement qu'ailleurs, les inégalités sont demeurées relativement stables et la pauvreté a légèrement diminué, pour les familles notamment. Ces résultats découlent de réformes mises en place à la fin des années 1990 et ils demeurent fragiles. Les politiques d'austérité des dernières années, notamment, pourraient avoir fait du tort. La trajectoire distincte du Québec démontre tout de même qu'il n'y a pas de fatalité en ce qui concerne les inégalités et la redistribution. Les choix politiques et la mobilisation citoyenne peuvent faire une différence.

Les débats politiques déterminent aussi, dans une large mesure, l'évolution des inégalités catégorielles. Au Québec, par exemple, les inégalités de revenu entre anglophones et francophones sont presque devenues choses du passé, alors que ce n'est pas le cas dans la province voisine du Nouveau-Brunswick (Béland *et al.*, 2010). Partout au Canada, les inégalités entre les hommes et les femmes ont également reculé, même si des écarts de revenu significatifs persistent toujours. Il n'en va pas de même, cependant, pour les peuples autochtones, dont les conditions de vie demeurent loin en deçà de celles de la majorité. Le gouvernement Trudeau s'est engagé sur ce plan, mais presque tout reste à faire. Pour les minorités issues de l'immigration, les chances ne semblent pas non plus égales. La question est maintenant à l'ordre du jour, au Québec notamment. Il serait souhaitable qu'autant d'attention soit apportée au sort des personnes handicapées. Trop souvent, elles demeurent, pour reprendre l'expression du politologue Michael Prince (2009), des citoyens oubliés.

Dans une fédération, les inégalités sont également territoriales. Au Canada, les disparités de revenus entre les provinces demeurent importantes et elles constituent des enjeux politiques centraux. Ces inégalités sont corrigées en partie par la fiscalité et les programmes fédéraux, qui effectuent une péréquation implicite, ainsi que par les transferts sociaux et la péréquation. Mais ces interventions n'effacent pas les inégalités, et elles demeurent controversées, se retrouvant souvent au cœur du débat politique.

La mondialisation, le développement de l'économie post-industrielle, la présence accrue des femmes sur le marché du travail, les nouvelles formes familiales, la diversité croissante de nos sociétés et des évolutions régionales contrastées ouvrent des avenues nouvelles, mais elles posent aussi de grands défis politiques et sociaux. La mondialisation, par exemple, constitue un formidable tremplin pour les classes moyennes de plusieurs pays émergents, mais elle contribue aussi à la croissance des inégalités dans les pays riches (Milanovic, 2016). Dans les circonstances, il faut maintenir une perspective large sur les inégalités et la redistribution et se méfier des réponses trop simples. Comme dans le passé, les solutions sont toujours politiques (Atkinson, 2015, p. 307). La redistribution, comme les inégalités, demeure un choix de société.

QUESTIONS

1. Quel bilan peut-on faire de l'évolution des inégalités de revenu au Canada depuis la fin du XXᵉ siècle ? Comment expliquer cette évolution ?

2. Comment le Québec se démarque-t-il par rapport au Canada sur les plans des inégalités de revenu et de la redistribution ? D'après vous, cette différence est-elle susceptible de durer ?

3. Quelles sont les inégalités catégorielles les plus importantes, celles qui devraient faire l'objet d'une attention politique particulière ?

4. Comment la fédération canadienne redistribue-t-elle le revenu entre les provinces ? Le fait-elle de façon satisfaisante ?

5. En considérant toutes les formes d'inégalité, quelles sont celles qui vous apparaissent les plus problématiques ? Et quelles sont celles qui sont les plus difficiles à corriger ?

6. Le chapitre néglige-t-il une forme importante d'inégalité ?

7. L'accent sur la classe moyenne dans les discours politiques est-il sincère ? Permet-il de penser que l'on commence à reconnaître l'importance de contrer la hausse des inégalités ?

LECTURES SUGGÉRÉES

Atkinson, A.B. (2015). *Inequality : What Can Be Done ?*, Cambridge, Harvard University Press.

Banting, K. et J. Myles (dir.) (2013). *Inequality and the Fading of Redistributive Politics*, Vancouver, UBC Press.

Centre d'étude sur la pauvreté et l'exclusion – CEPE (2009). *Prendre la mesure de la pauvreté : proposition d'indicateurs de pauvreté, d'inégalités et d'exclusion sociale afin de mesurer les progrès réalisés au Québec*, Québec, Centre d'étude sur la pauvreté et l'exclusion.

Centre d'étude sur la pauvreté et l'exclusion – CEPE (2017). *La pauvreté, les inégalités et l'exclusion sociale au Québec. État de situation 2016*, Québec, Centre d'étude sur la pauvreté et l'exclusion.

Corak, M. (2016). « "Inequality is the root of social evil," or maybe not ? two stories about inequality and public policy », *Canadian Public Policy*, vol. 42, nº 4, p. 367-414.

Green, D.A., W.C. Riddell et F. St-Hilaire (dir.) (2016). *Income Inequality : The Canadian Story*, Montréal, Institute for Research on Public Policy.

Larocque, F. et A. Noël (2015). « Kelowna's uneven legacy : Aboriginal poverty and multilevel governance in Canada », dans M. Papillon et A. Juneau (dir.), *Canada : The State of the Federation 2013. Aboriginal Multilevel Governance*, Montréal et Kingston, McGill-Queen's University Press, p. 237-258.

Milanovic, B. (2016). *Global Inequality : A New Approach for the Age of Globalization*, Cambridge, Harvard University Press.

Noël, A. et M. Fahmy (dir.) (2014). *Miser sur l'égalité. L'argent, le pouvoir, le bien-être et la liberté*, Montréal, Fides.

Noël, A. et J.-P. Thérien (2010). *La gauche et la droite. Un débat sans frontières*, Montréal, Les Presses de l'Université de Montréal.

Zorn, N. (2017). *Le 1 % le plus riche. L'exception québécoise*, Montréal, Les Presses de l'Université de Montréal.

GLOSSAIRE

INDICE DE GINI : Indicateur qui mesure l'ensemble de la distribution du revenu dans une société, du plus pauvre au plus riche, et qui varie entre 0 (égalité de revenu parfaite entre tous les citoyens) et 1 (le plus riche gagne tout le revenu).

INÉGALITÉS CATÉGORIELLES : Formes durables d'inégalités entre des regroupements socialement définis de personnes.

MESURE DU FAIBLE REVENU (MFR) : Mesure qui établit le seuil de la pauvreté à 50 % (et parfois à 60 %) du revenu médian d'une société. Parce qu'elle est simple et relative, cette mesure permet les comparaisons internationales. Elle constitue la norme sur le plan international.

MESURE DU PANIER DE CONSOMMATION (MPC) : Mesure de faible revenu développée au Canada, qui établit un seuil de faible revenu en référence au coût local d'un panier de biens nécessaires, ce qui permet de lier le seuil retenu à la couverture des besoins essentiels dans chaque région du Canada. Utile, cette mesure n'est disponible que depuis 2002 et elle est uniquement canadienne.

PÉRÉQUATION : Programme instauré en 1957, en vertu duquel le gouvernement fédéral effectue des transferts aux provinces qui ont une capacité fiscale inférieure à la norme, dans le but de leur permettre d'offrir des services publics comparables en levant des impôts comparables.

PÉRÉQUATION IMPLICITE : Redistribution «automatique» effectuée dans une fédération par l'application des mêmes règles fiscales et des mêmes transferts à des régions de revenu inégal. Automatiquement, les provinces plus riches contribuent davantage à l'impôt fédéral et utilisent moins les programmes sociaux ; les plus pauvres contribuent moins et reçoivent plus.

REVENU MÉDIAN : Le revenu de la personne située au centre de la distribution. Cette mesure est moins sensible aux extrêmes que la moyenne. Si, par exemple, on évalue le revenu des personnes présentes dans un bar avant et après l'arrivée de Bill Gates, on trouvera que l'arrivée de Bill Gates fait exploser le revenu moyen des clients, mais affecte à peine leur revenu médian.

SEUIL DE FAIBLE REVENU (SFR) : Mesure de faible revenu créée par Statistique Canada, qui établit un seuil de faible revenu en référence aux dépenses de la famille moyenne pour le logement, la nourriture et les vêtements. Longtemps utilisée au Canada, cette mesure est maintenant considérée comme désuète.

TAUX DE PAUVRETÉ : Pourcentage de personnes dont le revenu après impôt et transferts se situe sous le seuil de faible revenu, défini par le seuil de faible revenu (SFR) de Statistique Canada, la mesure de faible revenu (MFR) ou la mesure du panier de consommation (MPC).

BIBLIOGRAPHIE

Arsenault, J. (2017). «Les salaires des hauts dirigeants de Bombardier bondissent», *Le Devoir*, 30 mars, <http://www.ledevoir.com/economie/actualites-economiques/495136/les-salaires-des-dirigeants-de-bombardier-bondissent>.

Atkinson, A.B. (2015). *Inequality : What Can Be Done ?*, Cambridge, Harvard University Press.

Banerjee, R., J.G. Reitz et P. Oreopoulos (2017). *Do Large Employers Treat Racial Minorities More Fairly ? A New Analysis of Canadian Field Experiment Data*, rapport de recherche, Toronto, Munk School of Global Affairs, University of Toronto.

Banting, K. (2005). «Canada : Nation-building in a federal welfare state», dans H. Obinger, S. Leibfried et F.G. Castles (dir.), *Federalism and the Welfare State : New World and European Experiences*, Cambridge, Cambridge University Press, p. 89-137.

Banting, K. et J. Myles (2013). «Introduction : Inequality and the fading of redistributive politics», dans K. Banting et J. Myles (dir.), *Inequality and the Fading of Redistributive Politics*, Vancouver, UBC Press, p. 1-39.

Banting, K. et J. Myles (2016). «Framing the new inequality : The politics of income redistribution in Canada», dans D.A. Green, W.C. Riddell et F. St-Hilaire (dir.), *Income Inequality : The Canadian Story*, Montréal, Institute for Research on Public Policy, p. 509-540.

Banting, K. et D. Thompson (2016). «The puzzling persistence of racial inequality in Canada», dans J. Hooker et A.B. Tillery (dir.), *The Double Bind : The Politics of Racial & Class Inequalities in the Americas. Report of the Task Force on Racial and Social Class Inequalities in the Americas*, Washington, American Political Science Association, p. 101-22.

Barreau du Québec (2010). *Mémoire en réponse à la consultation sur le profilage racial de la Commission des droits de la personne et des droits de la jeunesse*, Québec, Barreau du Québec.

Béland, N., É. Forgues et M. Beaudin (2010). « Inégalités salariales et bilinguisme au Québec et au Nouveau-Brunswick, 1970 à 2000 », *Recherches sociographiques*, vol. 51, n°s 1-2, p. 75-101.

Beramendi, P. (2012). *The Political Geography of Inequality : Regions and Redistribution*, Cambridge, Cambridge University Press.

Bouchard, L. (2015). « Les fruits d'un sommet, 20 ans après. Propos recueillis par Michel Venne », dans A. Poitras (dir.), *L'État du Québec 2016*, Montréal, Institut du nouveau monde et Del Busso, p. 23-29.

Bourque, G.L. (2000). *Le modèle québécois de développement. De l'émergence au renouvellement*, Sainte-Foy, Presses de l'Université du Québec.

Centre d'étude sur la pauvreté et l'exclusion – CEPE (2009). *Prendre la mesure de la pauvreté : proposition d'indicateurs de pauvreté, d'inégalités et d'exclusion sociale afin de mesurer les progrès réalisés au Québec*, Québec, Centre d'étude sur la pauvreté et l'exclusion.

Centre d'étude sur la pauvreté et l'exclusion – CEPE (2014). *La pauvreté, les inégalités et l'exclusion sociale au Québec. État de situation 2013*, Québec, Centre d'étude sur la pauvreté et l'exclusion.

Conseil des Canadiens avec déficiences (2008). *De la vision à l'action. Un plan national d'action pour bâtir un Canada accessible et inclusif*, Ottawa, Conseil des Canadiens avec déficiences.

Corak, M. (2016). « "Inequality is the root of social evil," or maybe not ? Two stories about inequality and public policy », *Canadian Public Policy*, vol. 42, n° 4, p. 367-414.

Crawford, C. (2013). *Looking Into Poverty : Income Sources of Poor People with Disabilities in Canada*, Toronto, Institute for Research and Development on Inclusion and Society and Council of Canadians with Disabilities.

Cruz, M., J. Foster, B. Quillin et P. Schellekens (2015). « Ending extreme poverty and sharing prosperity : Progress and policies », *Policy Research Note*, Washington, World Bank.

Eid, P. (2012). *Mesurer la discrimination à l'embauche subie par les minorités racisées. Résultats d'un « testing » mené dans le Grand Montréal*, Québec, Commission des droits de la personne et des droits de la jeunesse.

Fahmy, M. et M. Venne (2014). « L'égalité : une exigence démocratique », dans A. Noël et M. Fahmy (dir.), *Miser sur l'égalité. L'argent, le pouvoir, le bien-être et la liberté*, Montréal, Fides, p. 133-45.

Fortin, P. (2011). « La Révolution tranquille et l'économie : où étions-nous, que visions-nous, qu'avons-nous accompli ? », dans G. Berthiaume et C. Corbo (dir.), *La Révolution tranquille en héritage*, Montréal, Boréal, p. 87-134.

Fortin, P. (2017). « Revenu disponible par habitant : la tempête annuelle ! », *L'actualité*, 20 mars.

Friendly, M., B. Grady, L. Macdonald et B. Forer (2015). *Early Childhood Education and Care in Canada 2014*, Toronto, Childcare Resource and Research Unit, December.

Gervais, L.-M. (2017). « Québec pressé de tenir une commission sur le racisme systémique », *Le Devoir*, 9 février.

Gouvernement du Canada (2014). *Convention relative aux droits des personnes handicapées ; premier rapport du Canada*, Ottawa, Ministère du Patrimoine et des Langues officielles.

Green, D.A., W.C. Riddell et F. St-Hilaire (2016). « Income inequality in Canada : Driving forces, outcomes and policy », dans D.A. Green, W.C. Riddell et F. St-Hilaire (dir.), *Income Inequality : The Canadian Story*, Montréal, Institute for Research on Public Policy, p. 1-73.

Haddow, R. (2015). *Comparing Quebec and Ontario : Political Economy and Public Policy at the Turn of the Millennium*, Toronto, University of Toronto Press.

Larocque, F. et A. Noël (2015). « Kelowna's uneven legacy : Aboriginal poverty and multilevel governance in Canada », dans M. Papillon et A. Juneau (dir.), *Canada : The State of the Federation 2013. Aboriginal Multilevel Governance*, Montréal et Kingston, McGill-Queen's University Press, p. 237-258.

Lecours, A. et D. Béland (2013). « The institutional politics of territorial redistribution : Federalism and equalization policy in Australia and Canada », *Revue canadienne de science politique*, vol. 46, n° 1, mars, p. 93-113.

Lemieux, T. et W.C. Riddell (2016). « Who are Canada's top 1 percent ? », dans D.A. Green, W.C. Riddell et F. St-Hilaire (dir.), *Income Inequality : The Canadian Story*, Montréal, Institute for Research on Public Policy, p. 103-155.

Levine, M.V. (1997). *La reconquête de Montréal*, Montréal, VLB.

Milanovic, B. (2016). *Global Inequality : A New Approach for the Age of Globalization*, Cambridge, Harvard University Press.

Ministère des Finances (2017a). *Soutien fédéral aux provinces et aux territoires*, Ottawa, Ministère des Finances, <http://www.fin.gc.ca/fedprov/mtp-fra.asp>.

Ministère des Finances (2017b). *Budget 2017-2018. Le plan économique du Québec*, Québec, Ministère des Finances.

Moyser, M. (2017). « Les femmes et le travail rémunéré », dans Statistique Canada, *Femmes au Canada. Rapport statistique fondé sur le sexe*, 7e éd., Ottawa, Statistique Canada.

Noël, A. (2013). « Quebec's new politics of redistribution », dans K. Banting et J. Myles (dir.), *Inequality and the Fading of Redistributive Politics*, Vancouver, UBC Press, p. 256-282.

Noël, A. (2016). « Les angles morts du budget fédéral », *Options politiques*, 15 avril, <http://policyoptions.irpp. org/fr/magazines/avril-2016/les-angles-morts-du-budget-federal/>.

Noël, A. et J.-P. Thérien (2010). *La gauche et la droite. Un débat sans frontières*, Montréal, Les Presses de l'Université de Montréal.

Obinger, H., F.G. Castles et S. Leibfried (2005). « Introduction : Federalism and the welfare State », dans H. Obinger, S. Leibfried et F.G. Castles (dir.), *Federalism and the Welfare State : New World and European Experiences*, Cambridge, Cambridge University Press, p. 1-48.

OCDE (2010). *Maladie, invalidité et travail : surmonter les obstacles. Canada : des possibilités de collaboration*, Paris, OCDE.

OCDE (2011). *Toujours plus d'inégalités. Pourquoi les écarts de revenu se creusent*, Paris, OCDE.

OCDE (2014). « Focus Inégalités et croissance. Les inégalités de revenu pèsent-elles sur la croissance économique ? », Paris, OCDE.

Oxfam (2017). *Une économie au service des 99 %*, Oxford, Oxfam International.

Papillon, M. (2006). « Vers un fédéralisme postcolonial ? La difficile redéfinition des rapports entre l'État canadien et les peuples autochtones », dans A.-G. Gagnon (dir.), *Le fédéralisme canadien contemporain. Fondements, traditions, institutions*, Montréal, Les Presses de l'Université de Montréal, p. 461-85.

Pendakur, K. et R. Pendakur (2011). « Color by numbers : Minority earnings in Canada, 1995-2005 », *International Migration and Integration*, vol. 12, p. 305-329.

Picot, G. et F. Hou (2011). *À la poursuite de la réussite au Canada et aux Etats-Unis. Les déterminants des résultats sur le marché du travail des enfants d'immigrants*, 11F0019M, no 331, Ottawa, Statistique Canada.

Piketty, T. (2013). *Le capital au XXIe siècle*, Paris, Seuil.

Prince, M.J. (2009). *Absent Citizens : Disability Politics and Policy in Canada*, Toronto, University of Toronto Press.

Statistique Canada (2013a). *Profil de la population autochtone de l'Enquête nationale auprès des ménages, 2011*, no 99-011-X2011007, Ottawa, Statistique Canada.

Statistique Canada (2013b). *Immigration et diversité ethnoculturelle au Canada. Enquête nationale auprès des ménages, 2011*, no 99-011-X2011007, Ottawa, Statistique Canada.

Tilly, C. (1998). *Durable Inequality*, Berkeley, University of California Press.

Tombe, T. et J. Winter (2016). « Fiscal integration with internal trade : Quantifying the effects of equalizing transfers », document de travail, Calgary, Department of Economics, University of Calgary.

Trimble, L., J. Arscott et M. Tremblay (dir.) (2013). *Stalled : The Representation of Women in Canadian Governments*, Vancouver, UBC Press.

Vaillancourt, Y. (2003). « The Quebec model in social policy and its interface with Canada's social union », dans S. Fortin, A. Noël et F. St-Hilaire (dir.), *Forging the Canadian Social Union : SUFA and Beyond*, Montréal, Institute for Research on Public Policy, p. 157-95.

Verreault, B., J.-F. Fortin et P.-L. Gravel (2017). *Tableau statistique canadien*, vol. 15, no 1, Québec, Institut de la statistique du Québec.

Zorn, N. (2017). *Le 1 % le plus riche. L'exception québécoise*, Montréal, Les Presses de l'Université de Montréal.

CHAPITRE 20

LES POLITIQUES MIGRATOIRES

Mireille Paquet

Les politiques migratoires et, plus largement, l'**immigration**[1] sont des sujets d'étude relativement récents pour la science politique (Hollifield, 2008). Cela est surprenant dans la mesure où le contrôle d'un territoire et son corollaire, la **gestion des frontières**, sont des attributs centraux du concept de « souveraineté étatique ». Ce silence est d'autant plus intéressant que l'immigration et les réactions des États aux flux migratoires sont maintenant hautement politisées. L'accueil des réfugiés et la **migration irrégulière** sont, à titre d'exemple, des sujets à propos desquels des clivages politiques et sociaux durables se structurent. Il serait possible de penser que cette politisation – qui transcende les partis politiques ou les mouvements sociaux – est une réaction à des changements quant à l'importance des flux migratoires ou encore à l'identité des gens qui migrent d'un pays à un autre. À cet égard, la contribution des sciences sociales est de resituer historiquement et politiquement ces débats. Si l'immigration internationale actuelle prend des formes particulières, c'est une erreur de penser que les caractéristiques passées de l'immigration n'étaient pas aussi l'objet de mobilisation et d'action publique. À titre d'exemple, le gouvernement et la population du Canada ont pendant longtemps considéré l'immigration d'individus provenant de la Chine comme un danger social, idéologique et sanitaire (Roy, 1990). Alors que la Chine est maintenant le troisième pays d'origine, en importance, des immigrants permanents au Canada (Canada, 2016a), cette immigration ne soulève que peu d'anxiété dans la population, particulièrement si on la compare à l'islamophobie à laquelle font face les migrants identifiés (à tort ou à raison) comme musulmans (Helly, 2011).

Malgré les changements qualitatifs et quantitatifs, l'immigration internationale est un processus constant et continu dont la forme et l'ampleur évoluent en fonction de dynamiques

---

[1]. Les concepts en caractères gras sont définis dans le glossaire à la fin du chapitre.

sociales, politiques, environnementales et économiques. À cette mobilité fondamentale s'ajoute une autre constante, celle de l'anxiété des États quant aux mouvements humains. En effet, l'établissement des frontières et le maintien, plus ou moins efficace, de leur intégrité a représenté et demeure un domaine d'action publique crucial et d'inquiétude politique constant pour les États. Le point de départ de ce chapitre est donc de reconnaître que, de tout temps, les politiques migratoires ont été des outils importants du processus d'édification étatique. Ces **politiques publiques** incarnent les efforts des États pour donner une face extérieure à leurs frontières. Elles symbolisent aussi, à l'intérieur, les modalités d'appartenance et d'accession à la citoyenneté. Plus encore, les politiques migratoires construisent et réifient les catégories et concepts par lesquels l'immigration internationale est comprise, appréhendée et débattue. En effet, des concepts comme l'**immigration illégale** ou l'**immigration économique** ne représentent pas, *a priori*, des réalités objectives. Au contraire, elles témoignent des efforts déployés par les États afin de décoder et d'organiser, à leur avantage, le mouvement des êtres humains.

Ce chapitre présente les outils principaux que la science politique et d'autres sciences sociales ont développés afin d'expliquer les migrations internationales ainsi que les politiques publiques que les États conçoivent et mettent en œuvre en ce qui touche à ces mêmes migrations. L'argument central qui organise ce chapitre est que l'analyse de l'immigration internationale et, plus particulièrement des politiques migratoires, doit reposer sur une conceptualisation claire et limpide de l'objet d'étude. L'analyste doit éviter d'amalgamer différentes dynamiques sociales sous le couvert de l'immigration. Les politiques migratoires ne sont pas équivalentes aux politiques d'**intégration**, aux politiques de la gestion de la diversité ou encore aux politiques de lutte à la discrimination. L'incorporation en une seule catégorie de ces

divers types de politiques publiques – qui sont souvent liées dans la pratique, mais rarement développées en tant qu'ensemble cohérent par les acteurs politiques – rend difficile l'analyse des dynamiques propres aux politiques migratoires et, en particulier, les processus politiques et administratifs souvent dissimulés par les discours politiques. À cet égard, le Canada et le Québec représentent des cas de figure pertinents pour analyser les différentes politiques migratoires et pour comprendre les facteurs qui influencent leur élaboration et leur mise en œuvre. En particulier, ce chapitre présentera comment les politiques migratoires se sont graduellement fédéralisées au Canada depuis les années 1990.

> **POINTS CLÉS**

> L'immigration internationale est un processus constant. Toutefois, ses caractéristiques évoluent au fil du temps et de l'espace.
> L'édification des États souverains et le « contrôle » de l'immigration internationale sont des processus symbiotiques.
> Les catégories mises en place par les États dans le cadre de leurs politiques migratoires ne représentent pas des faits objectifs.
> L'analyse des politiques migratoires doit se fonder sur une conceptualisation précise de l'objet d'étude.

1. COMPRENDRE L'IMMIGRATION ET LES POLITIQUES MIGRATOIRES

En 2015, près de 244 millions de personnes étaient considérées comme des immigrants internationaux (Nations unies, 2016). La proportion d'immigrants internationaux a presque doublé depuis les années 1990 et, en particulier, elle a augmenté de 41 % depuis 2000. Cette augmentation est due à une multitude de facteurs, dont les conflits internationaux, l'insécurité économique et les changements climatiques. Néanmoins, seule une petite portion de la population internationale migre à l'étranger. En 2015, les immigrants internationaux – toutes catégories confondues – représentaient 3,3 % de la population mondiale. Bien que le Canada, le Québec et l'Amérique du Nord se perçoivent comme les destinations les plus convoitées des immigrants, il convient de réaliser qu'une portion considérable des migrations internationales s'effectue à l'échelle régionale, en particulier en Asie, à l'intérieur de l'Europe ainsi qu'au sein de l'Amérique latine. De plus, la **migration interne** représente une forme importante de mouvement à l'échelle mondiale (Rees *et al.*, 2016). En 2015, plus d'un tiers des immigrants internationaux vivent en Europe (76 millions) et en Asie (75 millions). Les principaux pays qui accueillaient des migrants étaient : les États-Unis (47 millions), l'Allemagne (12 millions), la Russie (12 millions), l'Arabie saoudite (10 millions), le Royaume-Uni (9 millions) et les Émirats arabes unis (8 millions) (Nations Unies, 2016). À titre de comparaison, et comme il sera exploré dans les pages qui suivent, le Canada a accueilli près de 7 millions d'immigrants au cours de son histoire.

Il importe de comprendre les facteurs affectant l'immigration internationale et de les lier aux dynamiques à la source des politiques migratoires. Bien que distinctes, les théories expliquant les migrations et celles concernant les politiques migratoires entretiennent néanmoins un dialogue implicite en raison de la tension intrinsèque entre les flux migratoires humains et le désir des États de contrôler symboliquement ou littéralement leur territoire.

Malgré l'amplitude du nombre de migrants en 2015, la faible proportion de la population mondiale qui quitte son pays pour un autre met en évidence le fait que la décision d'émigrer est un événement rare. Les facteurs déclenchant l'intention et la décision de migrer méritent donc d'être compris. Les facteurs de répulsion et d'attraction sont des points de départ importants pour retracer les raisons qui expliquent l'immigration. Les *facteurs de répulsion* sont des éléments qui encouragent ou forcent l'**émigration** au sein des pays d'origine. Ceux-ci incluent les guerres et les conflits, l'insécurité sociale, politique et environnementale, la persécution, la situation économique, y compris le manque d'occasions de mobilité sociale. Les facteurs de répulsion sont avant tout contextuels et peuvent toucher les membres de la population d'un même pays de façons différentes. À ce titre, une contribution importante des recherches sur l'immigration fut de démontrer qu'en général ce ne sont pas les personnes les plus affectées par les facteurs d'expulsion qui sont en mesure d'émigrer (McKenzie et Rapoport, 2007). Les *facteurs d'attraction* permettent d'expliquer la désirabilité et, dans certains cas, le choix de la destination d'immigration. Ceux-ci incluent tout un ensemble d'avantages comparatifs – objectifs ou projetés – en matière économique, politique, culturelle et sociale. Les facteurs d'attraction, il faut le souligner, sont toutefois liés aux occasions d'immigration et aux politiques migratoires des pays d'accueil. Les facteurs d'expulsion et d'attraction ne sont pas une théorie, mais bien une représentation simplifiée des déterminants des processus migratoires.

Au-delà de ces deux concepts, plusieurs théories proposent des modèles expliquant l'immigration internationale. Ces théories se distinguent les unes des autres quant à l'importance qu'elles accordent à l'économie, à l'histoire ou aux relations sociales. Elles se différencient aussi quant à l'échelle d'analyse qu'elles utilisent : de l'individu (micro) au système mondial (macro). Ces différences illustrent le fait qu'il n'existe pas de théorie unifiée des migrations internationales et que ce domaine d'étude est marqué par l'interdisciplinarité (Brettell et Hollifield, 2015). Chacune de ces théories considère quatre familles de dynamiques qui s'entrecroisent dans le phénomène global de l'immigration : 1) les facteurs structurels des sociétés en « développement » qui promeuvent l'émigration ; 2) les structures et dynamiques des sociétés d'accueil qui attirent les immigrants ; 3) les buts, motivations et capacités des acteurs, en particulier les migrants, qui répondent à ces forces ; et 4) les structures sociales et économiques qui sont produites par le processus migratoire et qui lient, à moyen et à long terme, les zones d'émigration et les zones d'immigration (Massey *et al.*, 1993).

L'économie est le moteur central dans plusieurs des théories les plus influentes cherchant à expliquer pourquoi et comment les gens migrent. L'*économie néoclassique* propose un modèle individuel et global du processus migratoire basé sur le principe économique de la relation entre l'offre et la demande (Borjas, 1989). Au niveau global, ce modèle présente les flux migratoires en fonction des besoins de main-d'œuvre du marché de l'emploi à l'échelle mondiale. Sous cet angle, les différences entre pays et régions en ce qui a trait à l'offre et à la demande s'expriment par des différences salariales et par des possibilités d'emploi. Les pays ayant une demande importante offriront donc des salaires plus élevés et des occasions pour les migrants de valoriser leur capital humain, ce qui expliquera le mouvement des humains de pays aux conditions économiques plus précaires vers d'autres pays plus favorisés. Ce modèle n'explique pas les décisions individuelles, mais seulement la présence et la direction de flux migratoires à l'échelle mondiale. À l'échelle individuelle, la théorie néoclassique avance que les décisions migratoires sont prises en fonction d'une évaluation des bénéfices de l'émigration et de ses coûts. Les frais peuvent inclure, de manière non exhaustive, le prix du voyage, de la relocalisation et de l'apprentissage d'une langue. Les coûts sont aussi liés aux politiques migratoires, puisque les visas et demandes d'immigration impliquent des frais importants pour les migrants. L'économie néoclassique affirme que les individus calculent également les bénéfices potentiels liés à l'exploitation de leur capital humain dans une nouvelle destination, que ce soit en matière de salaires ou de mobilité économique. Une décision d'émigrer vers un pays en particulier sera prise lorsque les bénéfices, pour un individu, sont plus importants que les frais. Le modèle de l'économie néoclassique est souvent critiqué parce qu'il ne permet pas d'expliquer les multiples flux migratoires entre des pays où « l'offre et la demande » ne sont pas particulièrement différentes. De plus, à l'échelle individuelle, on reproche à ce modèle de surestimer la capacité des individus à acquérir de l'information et à estimer les véritables coûts associés à l'immigration internationale. Malgré ces limites, ce modèle est hautement influent, et ce, bien au-delà du milieu de la recherche. En effet, en matière de sélection des immigrants, les discours officiels de pays comme le Canada et l'Australie font des références implicites et explicites à ces principes.

D'autres théories sont aussi fondées sur l'économie, tout en incluant des facteurs sociaux et politiques. La *nouvelle économie de l'immigration* avance que les décisions migratoires s'effectuent à l'échelle des ménages et des familles (Stark et Bloom, 1985). Plutôt que de découler d'un calcul individuel, cette théorie explique la migration comme une action qui vise à faire diminuer les risques économiques collectifs. En d'autres mots, l'émigration d'un ou de plusieurs membres d'un ménage agit comme une assurance économique et politique pour le groupe. Une fois installé, l'immigrant international sera en mesure de contribuer économiquement au bien-être du ménage par des transferts de fonds et d'agir comme site de refuge potentiel. Ainsi, pour la nouvelle économie de l'immigration, la migration internationale figure dans l'éventail des stratégies que les ménages peuvent utiliser pour contrer les risques liés aux aléas du marché, au même titre que l'éducation des enfants ou encore la diversification des activités salariées et commerciales.

Sans nier l'existence potentielle de ces stratégies, d'autres théories soutiennent qu'il faut avant tout reconnaître que ces décisions économiques s'effectuent dans un monde affecté par les inégalités et les relations de pouvoir. La *théorie du marché du travail segmenté* soutient que l'immigration internationale est le résultat de la structure différenciée des marchés de l'emploi nationaux, qui varient en fonction de leur richesse et de leur niveau de développement (Piore, 1979). Contrairement à l'économie néoclassique, cette théorie ne présente pas ces différences comme étant le résultat d'aléas du marché. Elle postule plutôt qu'en raison d'institutions liées, entre autres, au capitalisme (par exemple : le système financier, le système d'éducation, la division sexuée du travail) et aussi d'inégalités sociales liées, entre autres, à la racialisation, il existe une demande constante dans les pays riches pour une immigration à la fois qualifiée et non qualifiée (Sassen, 1998). Dans ces pays, la croissance économique et la mobilité sociale reposent sur la spécialisation de certains groupes de la population vers des activités économiques loin du secteur des services et de la reproduction sociale. Cette tendance crée une demande pour des travailleurs qui s'acquitteront de ces tâches, par exemple la garde d'enfants ou encore la production manufacturière. Face à cette demande, l'inégalité dans la distribution des ressources à l'échelle mondiale génère une offre considérable de migrants prêts à s'acquitter de ces tâches à un coup faible.

Les migrations sont aussi expliquées par la *théorie du système monde et de la dépendance*, hautement inspirée du marxisme et du néomarxisme. Cette théorie considère que les flux migratoires sont structurés par les trajectoires d'expansion du capitalisme à l'échelle mondiale ainsi que par le fonctionnement de ce système économique (Abreu, 2012). Des processus tels que la colonisation, l'intégration économique, les investissements étrangers directs et la mondialisation – qui se déclinent tous sous l'égide

du capitalisme – ont pour effet de créer un bassin de personnes qui souhaiteront ou devront émigrer. Pour la théorie du système monde, l'expansion du capitalisme affecte directement les économies locales, en faisant bifurquer des industries vers l'exploitation des matières premières et en industrialisant les modes de production traditionnels, ce qui a souvent comme conséquence d'augmenter le chômage de la population locale et la dépendance aux produits transformés. Les effets sont aussi indirects. Démographiquement, l'émigration change la structure de la main d'œuvre disponible, ce qui tend à la féminiser ou à la masculiniser. Économiquement, l'expansion du capitalisme génère des transferts de capital issu des émigrants vers leur famille, ce qui affecte le marché local et crée souvent de l'inflation. Ces liens économiques sont aussi renforcés par les relations culturelles et idéologiques qui se tissent entre les pays.

D'autres théories mettent l'accent sur les relations humaines pour comprendre l'immigration internationale. Par exemple, la *théorie des réseaux* explique les décisions migratoires comme étant liée en partie à la présence de relations stables créées par des migrations préalables à l'étranger (Laaroussi, 2009). Les membres d'une famille et les groupes religieux ou ethniques vivant à l'étranger représentent ainsi une source d'information sur une destination donnée et sur les processus migratoires. De plus, ces réseaux sont conçus par les émigrants comme une structure qui favorisera l'**intégration** économique, sociale et culturelle dans le pays d'accueil. Pour la théorie des réseaux, ces relations ont comme effet de faire diminuer les coûts et les risques associés à l'immigration internationale. D'autres théories soutiennent que les *institutions* sociales et économiques – plutôt que les réseaux – sont à la base des décisions migratoires et de l'expansion de l'immigration. Ces institutions incluent des organisations non gouvernementales et des institutions d'enseignement, mais aussi des acteurs économiques tels que les firmes et le crime organisé. Ces institutions livrent aux immigrants des services – transport, éducation, défense des droits – qui diminuent les incertitudes liées à l'immigration et donc favorisent la prise de décisions et facilitent l'immigration. Dans la même veine, la *théorie de la causalité cumulative* avance que les institutions et les réseaux sociaux agissent comme des mécanismes qui favorisent le maintien et l'expansion des mouvements d'émigration (Massey, 1990). Leur influence se fait sentir dans des contextes qui sont souvent déjà transformés par des vagues d'émigration précédentes et par des transformations économiques dans le pays d'accueil. Cette théorie se distingue en proposant qu'une culture de la migration s'établit souvent dans des régions d'émigration. En lien avec les trajectoires de vie, le genre et la classe sociale, cette culture agit comme force puissante en créant des motivations individuelles et collectives pour le mouvement international.

Malgré leurs différences, plusieurs des théories présentées plus haut demeurent compatibles les unes avec les autres (Massey *et al.*, 1993). Le survol de ces grandes familles d'explications démontre que le processus migratoire est affecté par une multitude de facteurs qu'une seule théorie ne parvient pas à englober. Toute analyse de la mobilité internationale doit ainsi se baser sur une reconnaissance du fait que la décision d'émigrer et le processus migratoire sont rarement simples. Plus encore, les théories sur la migration nous rappellent que la possibilité de choisir d'émigrer et les décisions quant à l'immigration ne sont pas distribuées de façon égale dans le monde. Des facteurs tels que le genre, l'ethnicité, le capital humain, économique et social ainsi que le degré de développement des sociétés d'accueil et de départ ont des effets plus que considérables sur les humains dans le cadre des migrations internationales.

> **POINTS CLÉS**
>
> > Malgré les inégalités mondiales, seulement une petite proportion de la population humaine entame un processus d'émigration.
> > Il n'existe pas une théorie unifiée de l'immigration internationale.
> > Les grandes familles explicatives de l'immigration internationale sont compatibles les unes avec les autres.
> > L'immigration internationale peut s'expliquer à l'échelle individuelle et à l'échelle collective.

2. LES POLITIQUES MIGRATOIRES

Les politiques publiques sont également des variables qui peuvent affecter la décision et la façon d'émigrer. Les *politiques migratoires* sont des décisions, des règles et des programmes que les États établissent et mettent en œuvre avec l'objectif d'influencer le volume, l'origine, la direction et la composition interne des flux migratoires (Czaika et De Haas, 2013, p. 489). Ces politiques peuvent avoir un objectif explicite lié à l'immigration, en établissant notamment un système de sélection des immigrants économiques à travers une grille de points. Elles peuvent également affecter l'immigration indirectement ou comporter des objectifs implicites liés à l'immigration. À titre d'exemple, le droit du travail affecte les flux migratoires sans pour autant être une politique d'immigration. Son effet sur l'immigration est donc indirect. Souvent liées aux pouvoirs régaliens des États, les politiques migratoires ne sont pas l'apanage des États centraux. Dans les fédérations, les entités fédérées sont souvent en mesure de mettre en place des politiques touchant l'immigration. Les entités supranationales, par exemple l'Union européenne, sont également en mesure de le faire. Finalement, bien qu'étant des politiques publiques, les politiques migratoires sont de plus en plus déléguées à des acteurs privés. À titre d'exemple, les compagnies aériennes et les employeurs sont de plus en plus mobilisés afin de vérifier les documents de voyage, les visas et les permis de travail des individus (Guiraudon, 2002).

Il est important de distinguer trois catégories lorsqu'on analyse les politiques migratoires (Czaika et De Haas, 2013). Les trois catégories qui composent les politiques migratoires sont liées et peuvent être analysées seules ou en bloc. Premièrement, un ensemble de discours sur les politiques migratoires et sur l'immigration cohabitent dans le cadre de la vie politique. Ces *discours sur les politiques migratoires* sont très importants pour comprendre les processus politiques entourant ce thème. Toutefois, ils ne sont pas nécessairement représentatifs des politiques de l'État. De plus, ces discours impliquent habituellement un éventail étendu d'acteurs divers : les élus, le gouvernement, l'opposition officielle, les médias, les groupes d'intérêt, etc. Deuxièmement, des *politiques migratoires officielles* sont produites par les institutions politiques et les administrations publiques. Ces politiques publiques incluent les lois, les règlements, les jugements et les programmes qui, pour le gouvernement, concernent l'immigration. Ces politiques sont importantes parce qu'elles permettent de comprendre la direction d'un État en matière d'immigration, les populations ciblées par son action publique ainsi que les instruments qu'il privilégie pour atteindre ses objectifs. Néanmoins, elles ne renseignent pas réellement sur les façons dont l'État déploie ses efforts sur le terrain. Troisièmement, afin de mieux cerner l'action publique, il faut considérer la *mise en œuvre des politiques migratoires*. Celle-ci est cruciale parce qu'il existe souvent un décalage entre les politiques officielles et les politiques réelles en raison d'un manque de ressources ou encore pour des raisons pratiques. Dans le cas des politiques migratoires, la mise en œuvre est d'autant plus importante que la **discrétion** y est souvent utilisée (Satzewich, 2014).

Ainsi, les politiques migratoires sont finalement hautement affectées par le travail journalier et les décisions multiples des agents douaniers ou encore par celui des employés des ministères de l'Immigration qui rencontrent les migrants.

De façon schématique, on distingue habituellement les politiques migratoires restrictives de celles qui sont libérales ou ouvertes. Ces deux pôles ne signifient pas que des États sont complètement fermés ou absolument perméables aux migrants. Une politique restrictive d'immigration aura comme caractéristique de limiter certains types d'immigrants et de viser à faire diminuer le volume d'entrants, sans pour autant rendre impossible la mobilité. Une politique d'immigration libérale ou ouverte visera à faire augmenter le volume de certains groupes d'immigrants, sans pour autant permettre à l'ensemble de la population mondiale d'entrer sans condition sur son territoire. À cet égard, les États sont très actifs dans la définition de leurs politiques et de leur approche. Pour certains, il importera de se présenter comme ouverts à l'immigration, alors que pour d'autres, il sera important de se montrer fermes en la matière. À titre d'exemple, le Canada est habituellement présenté comme un pays ouvert à l'immigration et aux politiques migratoires libérales (Kymlicka, 2003). Bien que cela ne soit pas faux, cette étiquette ne permet pas de rendre compte des multiples mesures de sélection des immigrants qualifiés qui caractérisent le régime d'immigration canadien. Ces distinctions sont donc utiles, car elles renseignent en partie sur la teneur des politiques et des discours sur l'immigration dans un État donné. Elles doivent toutefois être employées avec discernement et remises en question empiriquement.

Les discours, les politiques officielles et leur mise en œuvre qui affectent l'immigration internationale sont les produits de processus politiques qui se déclinent à l'échelle locale, régionale, nationale et internationale. Bien qu'elle n'ait pas de théorie unifiée en la matière, la science politique est particulièrement bien outillée pour rendre compte de ce qui influence les politiques migratoires. Il existe trois grandes familles théoriques qui contribuent à notre compréhension des réponses étatiques au phénomène migratoire : 1) les explications basées sur les normes internationales ; 2) les explications basées sur les institutions ; et 3) les explications basées sur les forces sociales.

La science politique a identifié les normes et les relations internationales comme première grande famille de facteurs qui affectent les politiques migratoires. Par exemple, pour les approches réaliste et néolibérale institutionnaliste, ces politiques migratoires sont avant tout le résultat de la position des États dans le système international. Les réalistes considèrent que ce sont les conflits entre États qui sont à la base des politiques migratoires, alors que les institutionnalistes mettent plutôt l'accent sur le rôle des institutions internationales et des régimes de coopération dans la mise en place de politiques facilitant la mobilité des humains. Pour d'autres approches, il convient de concevoir les politiques migratoires comme une extension de la politique étrangère des États (Meyers, 2004). À titre d'exemple, la décision d'instaurer un visa pour les visiteurs en provenance de la Hongrie, en 2010, par l'ancien premier ministre Stephen Harper, peut être vue comme un choix découlant avant tout d'impératifs diplomatiques. Un autre courant avance que les normes internationales sont des facteurs qui affectent le contenu et le sens des politiques migratoires. À ce titre, la création d'instruments internationaux qui visent à assurer le respect des droits de la personne ainsi que la diffusion des normes des droits de l'homme restreignent la marge de manœuvre des États qui cherchent à mettre place des politiques migratoires restrictives. Pour ces théories, les États démocratiques et libéraux sont de plus en plus caractérisés par un écart entre des discours restrictifs sur l'immigration et des actions publiques beaucoup plus ouvertes. On observe aussi un décalage entre une opinion publique plus fermée à l'idée de hausser les niveaux d'immigration et le nombre d'immigrants finalement admis annuellement. Ces écarts s'expliqueraient donc par l'internalisation des normes internationales par les acteurs politiques et par l'influence des cours de justice dans la mise en œuvre des politiques migratoires. Dans certains cas, il est aussi possible que les normes internationales affectent plutôt l'opinion publique. Ce fut le cas au Canada, où un contexte normatif international changeant a fortement contribué au remplacement des politiques migratoires restrictives basées sur l'ethnicité par un système de points « objectifs » à la fin des années 1960 (Triadafilopoulos, 2012).

À cet égard, il est évident que les institutions politiques jouent un rôle important dans l'élaboration des politiques migratoires. La façon dont sont divisés les pouvoirs exécutif, législatif et judiciaire, tout comme le type de système politique d'un État, sont ici des facteurs primordiaux. La science politique propose aussi des outils pour rendre compte de l'influence importante sur les politiques migratoires des institutions sociales et culturelles ainsi que des relations de pouvoir. À cet égard, les traditions et l'histoire sont souvent identifiées comme des variables explicatives de premier plan dans l'étude des politiques migratoires.

Certaines théories considèrent que le rôle central de l'immigration dans les processus d'édification étatiques – en particulier dans les anciennes colonies telles que le Canada, les États-Unis et l'Australie – détermine encore les dynamiques politiques liées à l'immigration internationale (Freeman, 2006). Ces explications, basées sur la **dépendance au chemin emprunté** – c'est-à-dire que les décisions passées influencent les décisions futures –, contrastent les « pays d'immigration » par rapport aux « pays d'émigration » ou aux pays sans tradition d'immigration. Les premiers seraient plus réceptifs à l'immigration et capables d'accueillir un nombre considérable de nouveaux arrivants, alors que les seconds résisteraient à l'immigration. Dans la même famille, plusieurs théories expliquent les approches étatiques face à l'immigration en fonction de modèles nationaux d'immigration, d'intégration ou de régimes de citoyenneté (Hollifield, 1997). Peu importe le concept choisi, ces apports présentent les politiques migratoires comme étant un ensemble plus ou moins cohérent de lois, de pratiques et de relations étatiques souvent héritées du passé. Ces théories soutiennent ainsi que chaque État adopte une approche particulière en matière d'immigration, tout en montrant comment plusieurs politiques publiques phares, par exemple le régime public d'assurance maladie au Canada, affectent les choix de destination des immigrants.

Pour d'autres, les institutions ne sont pas que les cadres formels et l'histoire. Elles incluent aussi des relations politiques plus ou moins stables dans le temps. À ce titre, plusieurs théories soutiennent que des *réseaux de politiques*, ou des modes d'interactions politiques structurés, sont déterminants pour les politiques migratoires. Alors que certaines explications considèrent exclusivement le rôle des réseaux formés par les ministères de l'Immigration et les acteurs économiques (Cerna, 2014), d'autres avancent qu'il y a aussi des réseaux à l'œuvre dans le cas des politiques d'accueil des réfugiés et d'intégration (Somerville et Goodman, 2010). Malgré leurs différences, ces théories soutiennent que la majorité des décisions à propos des politiques d'immigration s'effectuent au sein d'un cercle restreint d'acteurs qui ont des connaissances ou des intérêts particuliers en la matière. Les explications basées sur les réseaux permettent tout particulièrement de rendre compte du travail de l'administration publique dans l'élaboration des politiques migratoires.

Les approches basées sur les forces sociales représentent une autre famille d'explications importante des politiques migratoires. En plus d'être des vecteurs potentiels de représentation des intérêts des immigrants, les *partis politiques* sont aussi hautement actifs dans la production de discours sur l'immigration et le développement de nouvelles avenues en matière de politiques migratoires. À cet égard, et malgré des tendances lourdes, il est impossible d'établir une causalité entre le positionnement des partis politiques sur un axe gauche-droite et ses positions en matière de politiques migratoires. En effet, les analyses – qu'elles soient comparées ou non – tendent à souligner que les partis se positionnent en fonction de la teneur des débats dans leur société et en fonction des alliances électorales ou législatives (Tichenor, 2002). En la matière, les partis politiques et les autres acteurs répondent également à une force sociale de poids : *l'opinion publique*. Il convient également de résister à établir une relation causale entre, d'un côté, le contenu et l'orientation des politiques migratoires et, de l'autre, l'opinion publique (Hainmueller et Hopkins, 2014). Néanmoins, les théories actuelles affirment que les sentiments d'une menace économique, culturelle ou linguistique peuvent avoir comme conséquence de pousser les citoyens à soutenir des politiques migratoires plus restrictives. Cette relation est toutefois affectée par des facteurs tels que la présence d'immigrants, le lieu de résidence des citoyens, le racisme ambiant ainsi que l'existence de contacts avec les groupes issus de l'immigration (Bilodeau et Turgeon, 2014). Pour plusieurs, c'est plutôt dans la mobilisation stratégique de l'opinion publique que se trouve la clé pour comprendre les processus politiques à la base des politiques migratoires. Les *entrepreneurs politiques* – des acteurs politiques ou administratifs qui se distinguent par leur désir de faire changer les politiques ou les façons de faire dans un domaine particulier – sont souvent identifiés comme étant à la source des changements dans les politiques migratoires (Paquet, 2015). De même, les *mouvements sociaux*, qu'ils soient en faveur ou non de l'immigration, contribuent souvent à influer sur les politiques migratoires

(Ellermann, 2009). Les entrepreneurs politiques et les mouvements sociaux rendent aussi compte de l'activité politique des immigrants eux-mêmes. En effet, à travers ces derniers, une fois installés dans un nouveau pays, les immigrants et les citoyens issus directement et indirectement de l'immigration peuvent agir afin d'influencer tant le gouvernement que l'opinion publique à propos des politiques migratoires.

L'immigration est un phénomène constant, mais dont les caractéristiques varient dans le temps et dans l'espace. Ces variations ont comme conséquence de rendre difficile l'élaboration d'une seule théorie générale à propos des politiques migratoires. La science politique possède toutefois des outils analytiques pour rendre compte de l'influence des normes internationales, des institutions et des forces sociales sur les politiques migratoires et l'immigration. Ces outils sont compatibles les uns avec les autres. Afin d'en tirer le maximum de profit, il est toutefois important de clarifier l'objet de l'analyse. À cet égard, la distinction entre les discours, les politiques officielles et leur mise en œuvre est importante. La précision de l'échelle d'analyse – internationale, régionale, nationale ou locale – est aussi décisive. De plus, l'analyse des politiques migratoires ne doit pas les amalgamer avec les politiques d'intégration des immigrants et les politiques liées à la diversité. Bien que liés discursivement et parfois en matière de politiques publiques, ces différents domaines d'action publique répondent toutefois à des logiques politiques et sociales très différentes.

POINTS CLÉS

> Dans l'analyse des politiques migratoires, il existe trois objets d'étude : les discours politiques, les politiques officielles et leur mise en œuvre.
> La distinction entre politiques migratoires restrictives et ouvertes est utile, mais doit être utilisée avec discernement.

> Les politiques migratoires peuvent être affectées par les normes internationales, les institutions et les forces sociales.

3. LES POLITIQUES MIGRATOIRES AU CANADA ET AU QUÉBEC

En 2015, le Canada a accueilli près de 271 847 personnes en tant qu'immigrants internationaux. L'État canadien utilise actuellement trois grandes catégories administratives au sein de son programme de sélection des immigrants : les immigrants économiques, les immigrants issus de la réunification familiale ainsi que les réfugiés et les personnes protégées. Depuis la fin de la Seconde Guerre mondiale, les immigrants économiques ont représenté le groupe le plus important des nouveaux arrivants admis annuellement par le Canada. En particulier, à partir de 1967, le Canada a mis officiellement fin à ses politiques de sélection basée sur l'origine nationale et ethnique pour utiliser plutôt un système de sélection « objectif » centré, entre autres, sur des critères économiques. À titre d'exemple, les immigrants sélectionnés à travers les divers programmes d'immigration économique représentaient en 2015 près de 62 % de toute l'immigration permanente au Canada (Canada, 2016a). Ces personnes sont sélectionnées par le gouvernement selon une série de procédures et de critères liés aux besoins de l'économie canadienne et tenant compte du capital humain des candidats. Il est important de souligner que la catégorie administrative des immigrants économiques ne représente pas une réalité objective ; il est possible que plusieurs personnes sélectionnées par cette voie vivent aussi des situations d'insécurité ou de violence qui motivent leur émigration. De même, les personnes sélectionnées dans le cadre de programmes de réunification familiale et de rétablissement humanitaire contribuent elles aussi à l'économie canadienne. La domination de la catégorie économique est indicative de l'orientation générale du Canada en matière d'immigration et est visible dans les discours sur les politiques migratoires au pays.

En tant que colonie fondée sur l'immigration européenne, les analyses comparées identifient souvent le Canada comme un pays d'immigration classique. En effet, l'immigration internationale a contribué aux projets coloniaux, au peuplement du territoire canadien par les Européens et à l'édification de plusieurs provinces. De plus, pour la majeure partie de son histoire, le Canada a orienté ses politiques d'ouverture en matière d'immigration vers l'objectif de l'établissement permanent de nouveaux arrivants. Toutefois, dans les dix dernières années, l'État canadien a commencé à accueillir un nombre de plus en plus important d'immigrants temporaires. Au-delà des personnes ayant un statut de visiteur, les immigrants temporaires incluent les étudiants étrangers ainsi que les travailleurs provisoires. Ces derniers sont détenteurs de permis de travail aux conditions strictes et œuvrent dans les domaines de l'agriculture, de l'aide familiale et dans des secteurs économiques où il a été possible de faire la démonstration d'une pénurie de main-d'œuvre hautement ou faiblement qualifiée. En 2015, 60 138 permis de travail temporaire ont été délivrés par le gouvernement fédéral, alors qu'en 2008, ce nombre s'élevait à 110 619 permis (Canada 2016b, p. 2386). Ces variations sont indicatives de l'influence des cycles économiques sur le programme d'immigration canadien. Le sujet de l'immigration temporaire au Canada est souvent absent des discours sur les politiques migratoires et n'est pas très visible dans les politiques migratoires officielles. De plus, plusieurs recherches démontrent que les personnes vivant au Canada dans le cadre de ce programme font face à des conditions de travail difficiles et sont très souvent victimes d'abus (Depatie-Pelletier et Robillard, 2014). En ce sens,

l'immigration temporaire au Canada est un excellent exemple de l'importance de considérer la mise en œuvre des politiques migratoires.

Le Canada accueille finalement un nombre considérable de réfugiés, si on le compare à d'autres pays dans une situation similaire. En 2015, 15 823 personnes ont obtenu la résidence permanente grâce à un programme de rétablissement ou de protection humanitaire (Canada, 2016a). Ce nombre n'inclut pas les personnes qui sont en attente d'un jugement quant à leur demande d'asile ainsi que celles qui sont en détention administrative pour des raisons liées à l'immigration. En cela, la politique migratoire du Canada est fortement influencée par les normes internationales. Si le Canada se targue de faire bonne figure en matière de politiques migratoires humanitaires, il faut aussi repositionner ce discours politique en fonction des caractéristiques géographiques du pays. Bien qu'un nombre grandissant de personnes traversent les frontières ou tentent d'immigrer au pays en traversant les océans, le Canada demeure difficile à atteindre lorsqu'on le compare à plusieurs pays européens ou même aux États-Unis. En ce sens, la position géographique du Canada contribue négativement aux facteurs d'attraction du pays. La contrepartie de cela est que le gouvernement canadien compte une marge de manœuvre relativement considérable dans sa capacité de choisir à l'étranger les personnes qui bénéficieront du statut de réfugié, en collaboration avec des organisations internationales, comme le Haut Commissariat des Nations unies pour les réfugiés. De même, les anxiétés politiques liées à l'arrivée irrégulière de personnes par bateau ou à pied demeurent minimes au Canada, ce qui se reflète par un nombre comparativement faible de mouvements sociaux, de partis politiques et d'entrepreneurs politiques qui visent à mobiliser la population pour un contrôle accru de l'immigration.

4. L'immigration et le fédéralisme au Canada

Plusieurs caractéristiques institutionnelles ont une incidence sur les politiques migratoires au Canada. On notera, à titre d'exemple, l'indépendance relative de l'administration publique, la capacité d'action des pouvoirs exécutifs et la présence de la *Charte canadienne des droits et libertés* (Kelley et Trebilcock, 2010). Le Canada fait toutefois figure d'exception parce qu'il est un des seuls pays au monde où l'immigration est une compétence officiellement partagée par le gouvernement fédéral et les gouvernements provinciaux. Dans d'autres fédérations, ce pouvoir tend à être l'apanage du gouvernement fédéral et, bien que dans plusieurs États les politiques d'immigration soient de plus en plus décentralisées, il n'en demeure pas moins que le rôle des entités fédérées n'est pas constitutionnalisé. L'article 95 de la *Loi constitutionnelle de 1867* précise que l'immigration est un pouvoir concurrent du gouvernement fédéral et des gouvernements provinciaux. Cet article indique toutefois que les lois provinciales ne doivent pas entrer conflit avec les lois fédérales. Le cas échéant, le gouvernement fédéral aura préséance sur les provinces dans le domaine des politiques migratoires. Le caractère partagé de la compétence en immigration est l'héritage du rôle important que jouaient, avant 1867, les gouvernements coloniaux dans le recrutement des immigrants à des fins de peuplement.

Après la formation d'une union fédérale, l'activité des provinces en immigration a rapidement diminué au profit de l'établissement d'une administration centralisée des politiques migratoires (Hawkins, 1988). Dans plusieurs provinces, après que leurs objectifs principaux de peuplement aient été atteints, l'opinion publique s'est durcie face à la présence d'immigrants, surtout en provenance de régions autres que l'Europe de l'Ouest. Le « modèle canadien » d'immigration de l'après-guerre – un arrangement assez stable caractérisé par la domination de l'immigration économique, le système de points et l'établissement permanent des immigrants – s'est donc principalement constitué à l'échelle fédérale, avec peu d'apports des gouvernements provinciaux. Pourtant, à l'échelle de toutes les provinces, des organisations caritatives et des groupes ethniques se sont mobilisés afin d'accueillir et d'intégrer des gens de partout dans le monde (Vineberg, 2012).

Au Québec, la compétence en immigration est devenue un outil d'édification nationale à partir de la Révolution tranquille. Avant les années 1960, l'élite politique québécoise résistait à l'immigration pour des raisons linguistiques, économiques et idéologiques. En cela, la province s'aligne avec plusieurs autres, qui considéraient le leadership fédéral comme normal, mais aussi avec l'idéal de l'époque d'un interventionnisme gouvernemental limité en matière de politiques d'intégration. Ce sera d'ailleurs en 1968 que l'Assemblée nationale votera la loi créant un ministère de l'Immigration pour la province (Pâquet 2005, p. 181-190).

Deux événements vont donner un souffle à l'action provinciale en immigration et consolider sa trajectoire pour les années suivantes. Premièrement, l'anxiété quant au fait français au Québec et à l'intégration linguistique des immigrants. Deuxièmement, les tensions entre les projets d'édification nationale des gouvernements du Québec et du Canada. À partir des années 1970, le Québec s'est graduellement vu accorder des pouvoirs en matière de sélection et d'intégration des immigrants par des accords bilatéraux successifs. Le premier accord entre le gouvernement fédéral et le Québec, connu sous le nom d'Entente Lang-Cloutier, est signé en 1971. La province gagne alors l'autorisation d'attacher des agents québécois aux missions d'immigration fédérales à l'étranger. Cet accord est remplacé par l'Entente Andras-Bienvenue, signée en 1975. Cette nouvelle itération augmente l'implication québécoise dans la sélection en requérant que tous les immigrants aspirant à venir au Québec soient rencontrés par les représentants de la province. En 1978, on signe l'Entente Cullen-Couture. L'accord présente entre autres la sélection comme une responsabilité conjointe des deux ordres de gouvernement tout en donnant au Québec un véto effectif pour ce qui est des immigrants économiques et des réfugiés. Il permet aussi à la province d'établir les critères de parrainage. À la suite de l'échec du projet d'accord constitutionnel du lac Meech, le Québec signera un dernier accord en immigration intitulé Accord Canada-Québec relatif à l'immigration et à l'admission temporaire des aubains (Accord Gagnon-Tremblay–Mcdougall) en 1991 (Paquet, 2016). Unique au Canada, cet accord entérine une dévolution des pouvoirs de sélection des immigrants vers le Québec, à l'exception des réfugiés déjà en sol canadien. De plus, l'accord reconnaît à la province un pouvoir exclusif en matière d'intégration des immigrants. En conséquence, le gouvernement fédéral s'est retiré de ce domaine d'action public dans la province et effectue annuellement un transfert financier vers le Québec, suivant une formule de calcul ascendante liée au nombre d'immigrants. En ce sens, le Québec est ainsi en grande partie maître de sa destinée migratoire depuis 1991. En 2015, le Québec a ainsi émis 47 849 certificats de sélection (Ministère de l'Immigration, de la Diversité et de l'Inclusion, 2016).

À partir des années 1990, les autres provinces se sont aussi intéressées positivement à l'immigration. Alors que les défis liés à l'intégration linguistique ont été des motivations importantes au Québec, ce sont avant tout les questions économiques et démographiques qui ont motivé les neuf autres provinces à repenser leur passivité en matière de politiques migratoires (Paquet, 2014a et 2014b). En effet, au Canada, les nouveaux arrivants s'installent avant tout dans les grands centres urbains comme Toronto, Montréal et Vancouver. Cette distribution inégale est le résultat de plusieurs facteurs

d'attraction (p. ex. les emplois liés à l'exploitation des sables bitumineux en Alberta) ainsi que de la présence ou de l'absence de réseaux ethniques, linguistiques ou culturels liés à l'immigration. Afin de tenter de devenir des zones d'attraction, plusieurs provinces canadiennes ont signé des accords en immigration avec le gouvernement fédéral à partir de la moitié des années 1990. Issue de ces accords, la principale innovation en matière de politiques migratoires est le Programme des candidats des provinces (PCP). Ce programme permet à tous les gouvernements provinciaux, à l'exception du Québec, de sélectionner directement une portion des immigrants économiques destinés à s'installer sur leur territoire. Les provinces font des usages différents de ces programmes et ont toutes conséquemment mis en place des administrations publiques responsables de l'immigration ainsi que des programmes connexes de politique migratoire. En 2015, les provinces et territoires, excluant le Québec, ont admis 44 534 personnes par l'entremise du PCP (Canada, 2016a).

L'entente de dévolution des pouvoirs en immigration et en intégration vers le Québec ainsi que le PCP témoignent de l'importance croissante que prennent les politiques migratoires dans le cadre du régime fédéral canadien depuis la fin des années 1990. Il est d'ores et déjà possible de dire que les politiques migratoires canadiennes sont fédéralisées (Paquet, 2016) : elles reflètent l'implication substantielle et superposée des deux ordres de gouvernement au Canada, chacun comptant une légitimité institutionnelle. Comme pour plusieurs autres domaines de compétence au Canada, cette légitimité n'est pas pour autant accompagnée de ressources jugées équivalentes entre les ordres de gouvernement. De ce fait, depuis les années 2000, les politiques migratoires figurent dans la liste des domaines d'action publique à propos desquels les provinces souhaiteraient recevoir plus de transferts fiscaux ainsi que plus de marge de manœuvre de la part d'Ottawa.

> L'immigration économique est la principale catégorie du programme d'immigration du Canada.
> Au Canada, l'immigration est une compétence formellement partagée.
> Depuis la fin des années 1990, le programme d'immigration du Canada s'est fédéralisé.
> La majorité des pouvoirs en matière de politique migratoire est dévolue à la province du Québec. Les autres provinces et territoires sont en mesure de sélectionner une portion des immigrants économiques destinés à s'installer sur leur territoire.

CONCLUSION

L'étude des politiques migratoires est un domaine fascinant de la science politique, car elle mêle des dynamiques politiques classiques – comme les relations de pouvoir – avec des questions liées à l'administration et aux politiques publiques. Plus encore et, au-delà du propos de ce chapitre, les politiques migratoires posent des questions normatives qui remettent en question les fondements mêmes des États contemporains. La justification éthique des frontières et des régimes d'exclusion est ici centrale (Proulx, 2013). Dans un monde marqué par les inégalités, au nom de quels principes est-il acceptable de priver une partie de la population mondiale d'un droit à la mobilité géographique, bien souvent synonyme de survie et de mobilité socioéconomique ? Les critères de sélection des immigrants, centraux aux politiques migratoires, peuvent aussi être examinés sous l'angle de l'égalité, de la reconnaissance, de l'antiracisme et de l'anti-islamophobie (Karmis et Junichiro, 2009). L'étude des politiques migratoires permet ainsi de dénaturaliser et de prêter à l'examen nombre de fondations du système international et nombre de catégories omniprésentes dans les débats politiques locaux. À cet égard, le Canada est un terrain d'étude encore fécond pour explorer ces questions, à condition, encore, de bien délimiter l'objet d'analyse.

1. Pourquoi les individus et les groupes émigrent-ils ?

2. En tenant compte de la question du genre, est-ce que les grandes théories sur l'immigration internationale arrivent aux mêmes conclusions ?

3. Identifiez des exemples empiriques de discours sur les politiques migratoires, des exemples empiriques de politiques migratoires officielles et des exemples empiriques de politiques migratoires mises en œuvre.

4. Définissez les politiques migratoires et les politiques d'intégration et faites la distinction entre elles.

5. Expliquez la domination de l'immigration économique dans le programme d'immigration du Canada en mobilisant les théories explicatives liées aux normes internationales.

6. Expliquez la dévolution des pouvoirs en immigration vers le Québec en utilisant les théories explicatives liées aux institutions.

7. Expliquez la croissance de l'immigration temporaire au Canada en faisant usage des théories explicatives liées aux forces sociales.

LECTURES SUGGÉRÉES

Martiniello, M. et P. Simon (2005). «Les enjeux de la catégorisation. Rapports de domination et luttes autour de la représentation dans les sociétés post-migratoires», *Revue européenne des migrations internationales*, vol. 21, nº 2, p. 7-18.

Paquet, M. (2016). *La fédéralisation de l'immigration au Canada*, Montréal, Les Presses de l'Université de Montréal.

Pellerin, H. (2011). «De la migration à la mobilité: changement de paradigme dans la gestion migratoire. Le cas du Canada», *Revue européenne des migrations internationales*, vol. 27, nº 2, p. 57-75.

Piché, V. (2013). «Les théories migratoires contemporaines au prisme des textes fondateurs», *Population*, vol. 68, nº 1, p. 153-178.

GLOSSAIRE

DÉPENDANCE AU CHEMIN EMPRUNTÉ: Concept issu de l'analyse des institutions et de l'économie. Il fait référence aux processus de diminution des options et d'augmentation des coûts associés au changement qui s'enclenche une fois qu'une décision ou qu'une politique publique est mise en œuvre.

DISCRÉTION: Utilisation du jugement dans le cadre de l'application de règles, de lois et de politiques. Les fonctionnaires sont officiellement habilités d'un pouvoir de discrétion pour plusieurs raisons dont: le manque d'information sur les populations ciblées, la recherche d'efficacité ou le manque de ressources. La discrétion est légale et se base sur l'expertise des fonctionnaires.

ÉMIGRATION: Action individuelle ou collective de quitter son lieu de résidence pour s'installer dans un autre lieu. Dans le cadre de l'immigration internationale, il s'agit de quitter un État vers un autre de façon relativement définitive.

GESTION DES FRONTIÈRES: Toutes les actions qui visent à soutenir les entrées et les sorties autorisées ainsi qu'à prévenir et détecter les entrées non autorisées dans un pays.

IMMIGRATION: Action individuelle ou collective de se rendre dans un État autre que son lieu de résidence avec l'objectif de s'y installer.

INTÉGRATION: Processus social, linguistique, économique et politique par lequel les immigrants s'établissent, participent et créent des liens dans leur société d'accueil. L'intégration est l'objet de nombreux débats normatifs et politiques, tout comme un objet d'étude considérable pour la sociologie.

MIGRATION INTERNE: Action individuelle ou collective de quitter son lieu de résidence pour s'installer dans un autre lieu, à l'intérieur des frontières d'un État.

MIGRATION IRRÉGULIÈRE : Il n'y a pas de définition générale et acceptée internationalement de ce qu'est la migration irrégulière. On fait communément référence à une immigration ou une émigration qui s'effectue d'une façon qui transgresse les lois des pays d'origine ou des États de destination. Chaque État est souverain dans l'élaboration de ses lois d'immigration et, par conséquent, est en mesure de définir ce qui est considéré comme une migration régulière ou irrégulière. Il en va de même pour la définition de termes comme *immigration illégale* ou *immigration économique*.

POLITIQUES PUBLIQUES : Action ou inaction d'un État ayant comme objectif de répondre à un ou des problèmes de politique. Les politiques publiques sont l'apanage des autorités publiques. Elles se distinguent – mais peuvent inclure – des lois et des programmes.

Bibliographie

Abreu, A. (2012). « The new economics of labor migration : beware of Neoclassicals bearing gifts », *Forum for social economics*, vol. 41, n° 1, p. 46-67.

Bilodeau, A. et L. Turgeon (2014). « L'immigration : une menace pour la culture québécoise ? Portrait et analyses des perceptions régionales », *Revue canadienne de science politique*, vol. 47, n₀ 2, p. 281-305.

Borjas, G.J. (1989). « Economic theory and international migration », *International Migration Review*, vol. 23, n° 3, p. 457-485.

Brettell, C. et J.F. Hollifield (dir.) (2015). *Migration theory : Talking across Disciplines*, New York, Routledge.

Canada (2016a). *Faits et chiffres 2015. Aperçu de l'immigration : résidents permanents*, Ottawa, Recherche et évaluation, Citoyenneté et Immigration Canada.

Canada (2016b). *Faits et chiffres 2015. Aperçu de l'immigration : résidents termporaires*, Ottawa, Recherche et évaluation, Citoyenneté et Immigration Canada.

Cerna, L. (2014). « Attracting high-skilled immigrants : Policies in comparative perspective », *International Migration*, vol. 52, n° 3, p. 69-84.

Czaika, M. et H. De Haas (2013). « The effectiveness of immigration policies », *Population and Development Review*, vol. 39, n° 3, p. 487-508.

Depatie-Pelletier, E. et M.D. Robillard (2014). « Interdiction de changer d'employeur pour les travailleurs migrants : obstacle majeur à l'exercice des droits humains au Canada », *Revue québécoise de droit international*, vol. 26, n° 2, p. 163-200.

Ellermann, A. (2009). *States Against Migrants : Deportation in Germany and the United States*, New York, Cambridge University Press.

Freeman, G.P. (2006). « National models, policy types, and the politics of immigration in liberal democracies », *West European Politics*, vol. 29, n° 2, p. 227-247.

Guiraudon, V. (2002). « Logiques et pratiques de l'État délégateur : les compagnies de transport dans le contrôle migratoire à distance. Partie 1 et partie 2 », *Cultures & Conflits*, vol. 45, n°s 1-2, p. 63-79.

Hainmueller, J. et D.J. Hopkins (2014). « Public attitudes toward immigration », *Political Science*, vol. 17, n° 1, p. 225.

Hawkins, F. (1988). *Canada and Immigration : Public Policy and Public Concern*, 2ᵉ éd., Kingston et Montréal, McGill-Queen's University Press.

Helly, D. (2011). « Les multiples visages de l'islamophobie au Canada. », *Nouveaux cahiers du socialisme*, vol. 5, n° janvier, p. 99-106.

Hollifield, J.F. (1997). *L'immigration et l'État-nation à la recherche d'un modèle national*, Paris, L'Harmattan.

Hollifield, J.F. (2008). «The politics of international migration. How can we bring the State back in?», dans C.B. Brettell et J.F. Hollifield (dir.), *Migration Theory: Talking across Discipline*, New York, Routledge, p. 183-238.

Karmis, D. et K. Junichiro (2009). «L'instrumentalisme néolibéral et l'hospitalité coloniale: une critique de la politique canadienne de sélection des immigrants», dans D. Karmis et L. Cardinal (dir.), *Les politiques publiques au Canada. Pouvoir, conflits et idéologies*, Québec, Presses de l'Université Laval.

Kelley, N. et M. Trebilcock (2010). *The Making of the Mosaic. A History of Canadian Immigration Policy*, 2e éd., Toronto, University of Toronto Press.

Kymlicka, W. (2003). «Canadian multiculturalism in historical and comparative perspective: Is Canada unique», *Constitutional Forum*, vol. 13, n° 2003 2005, p. 1-8.

Laaroussi, M.V. (2009). *Mobilité, réseaux et résilience: le cas des familles immigrantes et réfugiées au Québec*, Québec, Presses de l'Université du Québec.

Massey, D.S. (1990). «Social structure, household strategies, and the cumulative causation of migration», *Population index*, vol. 56, n° 1, p. 3-26.

Massey, D.S., J. Arango, G. Hugo, A. Kouaouci, A. Pellegrino et J.E. Taylor (1993). «Theories of international migration: a review and appraisal», *Population and Development Review*, vol. 19, n° 3, p. 431-466.

McKenzie, D. et H. Rapoport (2007). «Network effects and the dynamics of migration and inequality: theory and evidence from Mexico», *Journal of Development Economics*, vol. 84, n° 1, p. 1-24.

Meyers, E. (2004). *International Immigration Policy: A Theoretical and Comparative Analysis*, New York, Springer.

Ministère de l'Immigration, de la Diversité et de l'Inclusion (2016). *Rapport annuel de gestion, 2015-2016*, Québec, Ministère de l'Immigration, de la Diversité et de l'Inclusion.

Nations Unies (2016). *International Migration Report 2015*, New York, Department of Economic and Social Affairs, Population Division

Paquet, M. (2014a). «The federalization of immigration and integration in Canada», *Canadian Journal of Political Science*, vol. 47, n° 3, p. 519-548.

Paquet, M. (2014b). «La construction provinciale comme mécanisme: le cas de l'immigration au Manitoba», *Politique et Sociétés*, vol. 33, n° 3, p. 101-130.

Paquet, M. (2015). «Bureaucrats as immigration policymakers: The case of subnational immigration activism in Canada, 1990-2010», *Journal of Ethnic and Migration Studies*, vol. 41, n° 11, p. 1815-1835.

Paquet, M. (2016). *La fédéralisation de l'immigration au Canada*, Montréal, Les Presses de l'Université de Montréal.

Pâquet, M. (2005). *Aux marges de la cité. Étranger, immigrant et État au Québec, 1621-1981*, Montréal, Boréal.

Piore, M.J. (1979). *Birds of Passage: Migrant Labor and Industrial Societies*, Cambridge, Cambridge University Press.

Proulx, H. (2013). «Éthique des politiques d'immigration: arguments déontologiques – entre devoir d'accueil et droit d'exclusion», *Études internationales*, vol. 44, n° 1, p. 43-63.

Rees, P., M. Bell, M. Kupiszewski, D. Kupiszewska, P. Ueffing, A. Bernard, E. Charles-Edwards et J. Stillwell (2016). «The impact of Internal migration on population redistribution: an international comparison», *Population, Space and Place*, <http://onlinelibrary.wiley.com/doi/10.1002/psp.2036/full>.

Roy, P.E. (1990). *A White Man's Province: British Columbia Politicians and Chinese and Japanese Immigrants, 1858-1914*, Vancouver, UBC Press.

Sassen, S. (1998). «America's immigration "problem"», dans S. Sassen (dir.), *Globalization and Its Discontents*, New York, The New Press, p. 31-53.

Satzewich, V. (2014). *Points of Entry. How Canada's Immigration Officers Decide Who Gets In*, Vancouver, UBC press.

Somerville, W. et S.W. Goodman (2010). «The role of network in the development of UK migration policy», *Political Studies*, vol. 58, n° 5, p. 951-970.

Stark, O. et D.E. Bloom (1985). «The new economics of labor migration», *The American Economic Review*, vol. 75, n° 2, p. 173-178.

Tichenor, D.J. (2002). *Dividing Lines: The Politics of Immigration Control in America*, Princeton, Princeton University Press.

Triadafilopoulos, T. (2012). *Becoming Multicultural: Immigration and the Politics of Membership in Canada and Germany*, Vancouver, UBC Press.

Vineberg, R. (2012). *Responding to Immigrants' Settlement Needs: The Canadian Experience*, New York, Springer.

CHAPITRE 21

LA POLITIQUE ÉTRANGÈRE DU CANADA

Intérêts, institutions et identités

Justin Massie et Stéphane Roussel

L'étude de la **politique étrangère**[1] est un domaine généralement associé au champ des relations internationales. Une grande partie des réflexions qu'elle suscite est structurée par les postulats, les hypothèses et les méthodes qui y ont cours[2]. Elle a également ouvert la voie à de nombreuses études comparatives, qui consistent à identifier les similitudes et les différences d'une expérience nationale à l'autre. Les travaux sur les relations internationales du Canada qui s'inscrivent dans une perspective résolument canadienne, c'est-à-dire qui examinent des déterminants de l'ordre de la politique intérieure, s'avèrent relativement rares. La politique étrangère demeure pourtant un objet des études

canadiennes, dans la mesure où elle constitue une projection, par-delà les frontières, de la vie politique, économique, sociale et culturelle du pays, délimitée par des structures d'ordres constitutionnel, institutionnel et identitaire. L'existence d'une politique internationale québécoise découle d'ailleurs de ces dynamiques. De même, la politique étrangère peut être abordée comme une facette de l'administration publique, et être étudiée de la même manière que toute autre politique publique, en ce qu'elle reflète l'agencement des composantes de l'État et les rapports de force politiques entre elles (le Bureau du premier ministre, le Bureau du Conseil privé, les ministères des Affaires étrangères et de la Défense nationale, etc.).

L'objet de ce chapitre est d'offrir un survol des réflexions sur la politique étrangère canadienne, et ce, tant du point de vue de la position de l'État dans le système international que des structures institutionnelles et des dynamiques identitaires.

....

1. Les concepts en caractères gras sont définis dans le glossaire à la fin du chapitre.
2. C'est d'ailleurs dans les manuels de relations internationales que l'on trouve le plus souvent les états de la question en politique étrangère. Voir par exemple Battistella (2012).

Plus précisément, il s'agit d'identifier, pour chacun de ces domaines, les principaux facteurs qui influencent l'orientation, l'élaboration et l'exécution de la politique étrangère du Canada.

1. QU'EST-CE QUE LA POLITIQUE ÉTRANGÈRE ?

À la base du terme *politique étrangère*, il existe un flou définitionnel, lequel s'explique en grande partie par le fait que ce domaine se situe au carrefour de deux champs d'étude distincts : les relations internationales et les politiques publiques intérieures (Putnam, 1988). Le terme désigne effectivement plusieurs ordres de phénomènes politiques, et il n'existe aucune définition consensuelle de ce qu'il signifie. Ainsi, la représentation du Canada au sein de l'Organisation mondiale de la Santé (OMS), ou encore de l'Organisation internationale du Travail (OIT), fait-elle en sorte que les politiques canadiennes en matière de santé ou de travail relèvent de l'ordre de la « politique étrangère » ?

La politique étrangère peut être définie comme « l'instrument par lequel un État tente de façonner son environnement politique international » (Charillon, 2002, p. 13). Elle est donc constituée de l'ensemble des politiques élaborées par l'État pour agir sur la scène internationale, que ce soit pour promouvoir ou pour défendre des valeurs et des intérêts définis de façon très large. Ces politiques peuvent adopter plusieurs formes, qui vont de la décision à prendre en réaction à un événement précis, ou afin d'atteindre un objectif précis, jusqu'à l'élaboration d'un cadre général déterminant les visées et les stratégies à long terme de l'État, en passant par la gestion quotidienne des programmes gouvernementaux à l'extérieur des frontières. La politique étrangère renvoie donc aux actions, aux objectifs et aux décisions de l'État relatifs à ses rapports en dehors de sa juridiction territoriale.

La politique étrangère est ainsi une affaire d'État, au sens où seuls les gouvernements souverains sont réputés en avoir une. L'activité des acteurs politiques non souverains (provinces, villes, régions, groupes politiques) est parfois désignée sous le vocable de « relations internationales » ou « politique internationale ». La même expression est utilisée afin de désigner les activités internationales des États fédérés (dont la province de Québec), mais la souveraineté de ceux-ci dans leurs champs de compétence, lesquels peuvent comporter une dimension internationale, leur octroie des droits et des devoirs d'ordre extrafrontalier (nous y reviendrons plus loin). L'exclusion des entités non pleinement souveraines de ce qui est communément appelé la « politique étrangère » découle en fait d'une dimension particulière de cette sphère d'activité, soit la « haute politique » (*high politics*). Cette dernière s'articule autour des trois grandes préoccupations : l'ordre international, la paix et la guerre. Ces enjeux sont, même dans les fédérations, l'apanage des gouvernements centraux.

La tentation d'éluder le terme *politique étrangère* et de plutôt préférer réunir toutes les activités internationales de l'État sous un même vocable, celui de « politique internationale » ou de « relations extérieures[3] », découle en grande partie du postulat selon lequel l'environnement où elles doivent être exécutées (à l'extérieur des frontières nationales) est fondamentalement différent de celui où elles sont élaborées et où s'appliquent les autres politiques, soit le milieu national. Pourtant, il y a moyen de concevoir les choses autrement. En effet, certains chercheurs, souvent associés au champ de l'administration

....

3. L'utilisation du terme *relations extérieures* au Canada fut particulièrement populaire afin de désigner les rapports internationaux du Canada, puisque nombre d'entre eux consistaient en relations à l'intérieur de l'Empire britannique, donc n'étaient pas nécessairement « étrangers », dans la mesure où beaucoup de Canadiens – près de 30 % en 1965 – étaient d'origine britannique.

publique, préfèrent fonder leur raisonnement sur l'idée selon laquelle les politiques tournées vers le milieu international demeurent malgré tout des politiques publiques comme les autres, c'est-à-dire qu'elles peuvent être étudiées avec les mêmes instruments d'analyse. Dans cette perspective, la politique étrangère est d'abord et avant tout le prolongement des jeux politiques intérieurs, et ce n'est qu'à travers ceux-ci que l'activité internationale de l'État peut être comprise.

Pour notre part, il nous apparaît nécessaire de souligner la complémentarité des milieux intérieurs et extérieurs à l'État comme domaines d'action influençant la politique étrangère. Tant les événements et les rapports de force internationaux que le contexte sociopolitique interne à l'État et les structures institutionnelles qui le composent doivent faire partie de l'analyse de la politique étrangère. Privilégier l'une ou l'autre de ces facettes revient à biaiser l'évaluation et à négliger l'apport respectif de chacune (Rosenau, 1987). Ainsi, puisque la politique étrangère se situe au carrefour des relations internationales et des politiques publiques intérieures, l'analyse de ses orientations, de son élaboration et de son exécution doit s'effectuer sur trois plans : international, gouvernemental et national. Nous examinons tour à tour ces perspectives afin de dégager les grandes lignes de la politique étrangère du Canada.

POINTS CLÉS

> La politique étrangère est constituée d'actions, d'objectifs et de décisions de l'État relatifs à ses rapports extrafrontaliers. Elle inclut les activités de la « haute politique » ainsi que les activités internationales de plusieurs autres ministères.
> L'analyse de la politique étrangère se trouve au carrefour des relations internationales et des politiques publiques intérieures.

2. UNE POLITIQUE DE PUISSANCE

L'approche dite **réaliste** des relations internationales[4], qui teinte encore bien souvent l'étude de la politique étrangère, conçoit le milieu international dans lequel se déploient les politiques de l'État comme fondamentalement différent de celui offert par l'environnement intérieur. Toute étude réaliste de ces politiques doit donc avoir comme point de départ cette distinction et tenir compte des particularités du milieu international. Celui-ci se caractérise tout d'abord par le fait qu'il est, contrairement au milieu interne, dépourvu d'autorité centrale capable d'arbitrer les différends. Il s'agit du postulat de l'*anarchie internationale*, qui signifie que les États doivent compter essentiellement sur leurs propres ressources pour promouvoir leurs intérêts, qu'ils ne peuvent se faire mutuellement confiance, puisqu'ils peuvent impunément renier leur parole et, surtout, parce qu'ils peuvent ultimement recourir à la guerre pour trancher leurs querelles.

L'environnement international est donc une source de contraintes qui oblige les États à adopter certains comportements s'ils veulent survivre et promouvoir leurs intérêts. Parmi ceux-ci s'élève comme primordiale la quête de puissance. Celle-ci regroupe autant les capacités matérielles de l'État (militaires, économiques, technologiques, démographiques, etc.) que ses outils diplomatiques (stratégies, savoir-faire, influences, alliances, etc.) et sa volonté politique de défendre, dans un ordre international anarchique, l'**intérêt national**. La préservation ou l'accroissement de la puissance de l'État favorise ainsi son autonomie politique vis-à-vis de ses pairs et lui assure une plus grande chance de survie comme entité souveraine. Dans un monde où le risque de guerre est constant, la politique

---

4. Pour une revue des différentes approches théoriques en relations internationales mentionnées dans ce texte, voir Battistella (2012) ainsi que Macleod et O'Meara (2010).

étrangère est – et se doit d'être, d'un point de vue réaliste – ultimement guidée par un seul et même objectif : la maximisation de la sécurité de l'État afin d'éviter de disparaître (Waltz, 2001, p. 188). En ce sens, cet environnement détermine largement le contenu général de la politique étrangère, qui est d'abord et avant tout une *politique de puissance*.

L'État est, dans cette perspective, conçu comme un *acteur unitaire*, ce qui signifie que les jeux de politiques intérieures (élections, systèmes partisans, attentes de la population) n'ont qu'une influence secondaire sur le cours de la politique étrangère. Cela découle du fait que, quels que soient les désirs de la population et des dirigeants, ceux-ci doivent faire face à des contraintes qui déterminent l'intérêt national, sur lesquelles ils n'ont que peu de prise et auxquelles il n'y a d'autre choix que de se conformer. Ces contraintes sont d'ordres géographique (ressources, taille du territoire, voisinage), démographique (nombre d'habitants, degré de scolarisation, occupation du territoire), économique (degré de développement, richesse collective, structure du commerce), politique (volonté d'assumer les coûts et les sacrifices d'une politique de puissance, capacité de mobilisation des ressources) et militaire (taille des forces armées, alliances, moyens technologiques). Ces contraintes relèvent en grande partie de la position géostratégique de l'État, c'est-à-dire de son emplacement géographique et de sa puissance relative vis-à-vis des autres États.

Dans ce contexte, l'État est à la fois conçu comme unitaire et rationnel, c'est-à-dire que ses élites gouvernantes sont contraintes d'agir selon un calcul coûts-bénéfices en fonction des intérêts nationaux et des capacités relatives de l'État. Peu importe les traits propres aux dirigeants et au parti politique au pouvoir, on s'attend à ce que l'État identifie toujours l'option optimale en fonction de l'intérêt national.

2.1. L'intérêt national du Canada

Ce type de raisonnement peut s'appliquer à la politique étrangère canadienne, et plusieurs auteurs ont tenté de déterminer la nature de l'intérêt national du pays. La définition la plus couramment citée est celle de John Sutherland (1962), qui définit l'intérêt national canadien à partir des « invariants » que constituent la géographie, la puissance économique et les « alliances naturelles ». La première, fondamentale, fait en sorte que la sécurité du Canada est inséparable de celle des États-Unis. Cela signifie que ces derniers doivent défendre le Canada contre toute agression externe, alors que celui-ci ne peut ignorer les exigences américaines en matière de sécurité continentale. À cette « garantie involontaire de sécurité » dont bénéficie le Canada, et aux obligations d'alignement sur les États-Unis qu'elle induit, s'ajoute la puissance économique du pays. Le Canada ne pouvant prétendre constituer une « grande puissance », il fait partie du second peloton, celui des puissances « moyennes », une position qu'il partage avec des pays comme le Japon et l'Italie. La présence actuelle du Canada au sein du G7 et du G20[5] témoigne de son rang à titre de **puissance moyenne**. Enfin, les « alliances naturelles » du Canada, selon Sutherland, vont au-delà des États-Unis pour couvrir également le Royaume-Uni et la France, soit les deux anciennes métropoles, avec lesquelles le Canada maintient nombre d'affinités politiques, culturelles et institutionnelles.

Bien que le terme *intérêt national* soit relativement peu utilisé par le gouvernement canadien, il est possible de trouver des interprétations de celui-ci dans certains documents, en particulier les *livres blancs* sur la politique étrangère,

....

5. Ces institutions réunissent annuellement les 7 et les 20 pays les plus industrialisés pour débattre des questions de l'heure et coordonner leurs politiques.

ou encore sur la défense[6]. La plupart des auteurs reconnaissent d'ailleurs que le contenu de ces énoncés de politique étrangère a relativement peu changé d'un gouvernement à l'autre depuis 1945 (Hogg, 2004), notamment en raison des « invariants » internationaux qui pèsent sur le Canada et des priorités qui en découlent, comme la recherche de sécurité, d'autonomie et de prospérité. La politique étrangère de Pierre Elliott Trudeau (Fortmann et Larose, 2004) et celle de Stephen Harper (Massie et Roussel, 2013) ont toutefois été interprétées comme étant significativement différentes de celles de leurs prédécesseurs, ce qui pourrait démontrer que les éléments qui constituent la notion d'« intérêt national » ne s'imposent pas de la même façon à tous les dirigeants politiques. Cela signifie que, malgré le caractère objectif des contraintes géostratégiques pesant sur le Canada, les gouvernements conservent une certaine marge de manœuvre dans leur interprétation.

2.2. La puissance relative du Canada

L'évaluation de la puissance du Canada, et donc des ressources dont il dispose pour atteindre ses objectifs et défendre ses intérêts, a fait l'objet de nombreux débats (Nossal, Roussel et Paquin, 2007, p. 107-134). Le terme le plus communément employé pour définir la position du Canada dans la hiérarchie internationale est celui de « puissance moyenne », c'est-à-dire un pays qui n'est ni une grande puissance ni un petit État, qui a des intérêts internationaux importants et qui dispose de certaines ressources lui permettant

d'exercer une influence internationale, mais pas à un degré suffisant pour agir seul (Munton, 1979). La « politique de puissance » du Canada consiste donc avant tout à contribuer, au meilleur de ses ressources, à maintenir un ordre international qui lui soit favorable et à se chercher des partenaires pour compenser ses faiblesses et atteindre ses objectifs. La participation active du Canada à maintes institutions (l'Organisation des Nations Unies – ONU, l'Organisation du traité de l'Atlantique Nord – OTAN, l'Organisation des États américains – OEA, etc.) est donc souvent comprise comme étant la manifestation de la puissance moyenne du Canada, dans la mesure où le siège dont il dispose au sein de ces institutions permet d'influencer les affaires internationales et de nouer des alliances avec des pays aux vues similaires (Sokolsky, 1989).

La notion de « puissance moyenne » est cependant contestée. Plusieurs estiment qu'elle ne traduit pas la véritable position du Canada, qu'il conviendrait plutôt de qualifier de « satellite des États-Unis » tant elle est faible ou, à l'inverse, de « puissance prépondérante » en raison de certains de ses atouts qui lui confèrent un statut important, comme la présence de ressources stratégiques (Dewitt et Kirton, 1983). Ce débat porte en fait moins sur la « véritable » puissance matérielle du Canada que sur le degré variable d'influence qu'il peut exercer sur les affaires internationales. Les premiers estiment que le Canada est largement dépendant des États-Unis, tant d'un point de vue sécuritaire qu'économique, et qu'en conséquence, sa marge de manœuvre est relativement mince (Macleod *et al.*, 2000). Les seconds jugent plutôt que le Canada peut souvent agir de manière unilatérale ou encore assembler des coalitions de partenaires afin d'atteindre ses objectifs internationaux (Kirton, 2012). C'est donc par l'analyse sectorielle de l'influence – et non par la puissance brute – du Canada que l'on peut évaluer son succès relatif à réaliser ses objectifs internationaux et ainsi qualifier son « rang » parmi le concert des nations.

6. Les livres blancs sur la politique étrangère sont publiés épisodiquement, historiquement au rythme de un par gouvernement. Ce fut le cas des gouvernements Trudeau en 1972, Mulroney en 1986, Chrétien en 1995 et Martin en 2005 (le gouvernement Harper n'en ayant jamais produit). En ce qui a trait aux livres blancs sur la défense, ils sont plus fréquents, puisqu'ils ont été publiés en 1947, 1964, 1971, 1987, 1994, 2005, 2007 et 2017.

2.3. La position géostratégique du Canada

Le fait que le Canada soit un pays immense (environ 10 000 000 km²), peu densément peuplé, bordé par trois océans, dont une grande partie du territoire est difficilement accessible, et qu'il partage une frontière de près de 9 000 km avec les États-Unis, signifie qu'il est à la fois impossible de le défendre efficacement, mais aussi qu'il est peu susceptible d'être menacé. Le Canada est, dans les mots de Desmond Morton (1982 et 1987), un pays à la fois « indéfendable et invulnérable ». Malgré son isolement, le gouvernement doit veiller à préserver le contrôle qu'il exerce sur le territoire, en particulier dans les régions plus reculées. Par exemple, le réchauffement climatique et l'accès, en théorie plus facile, aux zones arctiques obligent les dirigeants canadiens à se préoccuper de l'exercice de la souveraineté dans le Nord. En ce qui concerne sa structure économique, elle fait du Canada un « État marchand », dont la prospérité dépend en très grande partie du commerce extérieur. Il doit s'assurer d'avoir accès à des marchés étrangers, de maintenir de bons rapports avec ses partenaires économiques et de pouvoir compter sur un ordre international stable et propice aux échanges. C'est d'ailleurs en grande partie l'impératif de prospérité qui a amené le Canada à conclure un accord de libre-échange avec les États-Unis et à accepter, afin d'assurer le libre commerce transfrontalier, les exigences américaines en matière de sécurité – ce que l'on désigne désormais sous le vocable de « périmètre de sécurité » nord-américain (Fortmann *et al.*, 2003). Puisque les États-Unis sont le principal partenaire du Canada, Denis Stairs (1994, p. 8) va jusqu'à affirmer qu'« il n'y a qu'un seul impératif en politique étrangère canadienne [celui] de maintenir une relation de travail politiquement amicale – et donc économiquement effective – avec les États-Unis ».

Au-delà des préoccupations liées à la sécurité et à la prospérité, deux autres éléments reviennent fréquemment dans la définition de l'intérêt national canadien. Le premier est la promotion de l'identité canadienne, avant tout parce qu'il est de l'intérêt du Canada d'afficher, sur la scène internationale, une personnalité distincte de celle des États-Unis. En effet, le Canada est constamment déchiré entre une volonté d'accommoder et de se distancier de son voisin américain (McDonough, 2013). Les liens entre les deux pays sont si forts, et les traits culturels si semblables vus de l'extérieur, que le Canada risque parfois d'être considéré comme un simple appendice des États-Unis par les autres gouvernements, ce qui réduit son influence et sa capacité d'agir de manière autonome. Le second élément qui revient fréquemment dans la définition de l'intérêt national est celui de l'unité du pays. La perte de repères nationaux par la population, notamment en raison d'une forte identification aux États-Unis, ainsi que l'existence d'un mouvement sécessionniste au Québec, représentent deux menaces à l'existence même du Canada comme entité souveraine. La politique étrangère canadienne doit, au pire, éviter de mettre en péril l'unité nationale ou, au mieux, faire la promotion d'images qui contribuent à consolider, au sein de la population canadienne, le sentiment d'appartenance au Canada.

2.4. Les stratégies internationales

Si les études sur l'intérêt national du Canada se concentrent généralement sur un nombre limité de variables, des débats théoriques peuvent surgir quant au choix, pour les États, des stratégies et des moyens à prendre pour satisfaire cet intérêt, ou encore pour déterminer l'ordre des priorités. Ainsi, la plupart des gouvernements qui se sont succédé à Ottawa depuis 1948 ont estimé que la participation du Canada aux institutions internationales (en particulier l'ONU et l'OTAN) constituait le moyen le plus sûr de promouvoir ses intérêts politiques et sécuritaires. Ces institutions offrent un moyen de stabiliser l'environnement international, de le rendre plus prévisible en établissant des règles de comportement pour les États et, surtout, d'encadrer les grandes puissances en leur imposant des obligations. De ce point de vue, elles représentent un moyen de rééquilibrer une relation forcément asymétrique avec les États-Unis en diluant l'influence de ces derniers dans des groupes comprenant de nombreux États, tout en donnant l'occasion au Canada de jouer un rôle distinct. Sur le plan commercial, cette stratégie incite le Canada à diversifier ses partenaires économiques, de manière à diminuer sa dépendance à l'égard du marché américain. La conclusion d'un accord de libre-échange avec l'Union européenne s'inscrit notamment dans cette perspective.

Une autre stratégie consiste à privilégier les relations bilatérales, et en particulier celle avec les États-Unis, plutôt que de miser sur les relations multilatérales. Sur le plan commercial, cette approche consiste prioritairement à favoriser l'intégration avec le marché américain pour maximiser les bénéfices que peuvent en retirer les entreprises canadiennes, et à ne se tourner vers d'autres marchés que de manière complémentaire (Hart, 2008). Sur le plan sécuritaire, il s'agit de mettre en place un véritable périmètre de sécurité nord-américain, de manière à faciliter le flux de biens et de personnes le long de la frontière canado-américaine. La conclusion de l'Accord de libre-échange nord-américain ainsi que le plan d'action *Par-delà la frontière* du gouvernement Harper s'inscrivent dans cette perspective.

POINTS CLÉS

> L'approche rationaliste du **réalisme** permet d'expliquer les éléments de continuité en politique étrangère canadienne. Ces éléments découlent des invariants qui composent la position géostratégique du Canada.

> Il existe un débat sur la nature de l'intérêt national canadien. Parmi ses principales composantes figurent la sécurité des citoyens et du territoire, l'autonomie politique, la prospérité économique et l'unité nationale.
> La puissance relative du Canada est conçue en fonction de son rang dans la hiérarchie internationale, de même qu'en fonction de son degré d'influence sur la scène internationale.

3. UNE POLITIQUE PUBLIQUE COMME LES AUTRES

Si l'approche réaliste peut s'avérer utile pour comprendre les tendances à long terme et les récurrences dans le comportement international du Canada, elle ne permet cependant pas d'expliquer certaines facettes de la politique étrangère, en particulier certaines décisions précises qui ne semblent pas directement liées à une définition claire de l'intérêt national. Il convient alors de renoncer au postulat de l'acteur unitaire et strictement rationnel et de s'astreindre à une étude approfondie des structures de l'État et de l'influence de la société civile. C'est notamment le cas de l'étude des politiques publiques et de l'approche libérale des relations internationales. L'idée centrale est ici d'appliquer au domaine particulier de la politique étrangère les instruments et les hypothèses formulées pour l'étude des autres sphères de la vie publique. En d'autres mots, et contrairement à l'approche précédente, la politique étrangère n'est pas fondamentalement différente de ces autres politiques élaborées par le gouvernement, ou encore ces différences ne portent pas préjudice à l'analyse.

Le domaine des politiques publiques (ou encore de l'administration publique) s'intéresse à la gestion des politiques gouvernementales, de leur élaboration jusqu'à leur mise en œuvre. Il étudie le processus de prise de décisions, le rôle des différents acteurs qui y participent et les facteurs structurants qui pèsent sur le comportement de ces derniers (Bernier et Lachapelle, 2010, p. 11). L'État n'est plus perçu comme un acteur unitaire, mais plutôt comme la structure au sein de laquelle interagit une vaste gamme d'acteurs et comme le point de chute des demandes provenant des groupes et des individus qui composent la société civile. Dans ce contexte, la notion d'« intérêt national » perd une grande partie de sa valeur, puisqu'il convient plutôt de s'intéresser aux intérêts des différents acteurs qui participent au processus et à la manière dont celui-ci se déroule. La politique étrangère est ici considérée comme l'expression internationale des dynamiques politiques intérieures à l'État. Ces postulats sont compatibles avec l'approche libérale des relations internationales qui, parce qu'elle prend en considération les structures gouvernementales et s'applique à des objets plus vastes que le seul domaine de la politique étrangère, peut contextualiser le processus de prise de décisions en précisant la nature de la contribution et des intérêts de la société civile (Roussel, 2013).

Les analyses qui s'inscrivent dans cette approche s'intéressent plus particulièrement aux individus ou aux groupes qui, à l'intérieur comme à l'extérieur de l'État, contribuent à définir les grandes orientations de la politique étrangère, à exercer une influence au sein du processus décisionnel par lequel la politique étrangère est élaborée, ou encore à s'assurer que l'exécution de la politique adoptée par le gouvernement soit bien mise en œuvre. Cette approche examine donc les préférences des acteurs décisionnels importants tels que le premier ministre, les membres du Cabinet, ou encore les conseillers politiques et militaires. D'autres analyses se sont concentrées plutôt sur les nombreux groupes qui composent l'État, que ce soit les ministères ou les agences, et ont cherché à comprendre leur motivation et leur influence respectives. Certaines études ont ainsi montré les préférences idéologiques néoconservatrices du gouvernement

Harper (Lagassé, Massie et Roussel, 2013) et le style de gestion contrôlant des premiers ministres Chrétien et Harper (Nossal, Roussel et Paquin, 2007, p. 287-317), l'influence significative du général Rick Hillier sur la politique de défense du gouvernement de Paul Martin (Lagassé et Sokolsky, 2009), ou encore le rôle de coordination de la politique étrangère exercé par le Bureau du Conseil privé (Noble, 2007).

Mais les composantes internes de l'État ne sont pas les seuls facteurs qui peuvent influencer la prise de décisions. Plusieurs travaux portent sur la portée des groupes opérant à l'extérieur de l'État qui font pression sur le gouvernement. De nombreux acteurs émanant de la société civile sont ainsi réputés exercer une telle influence. C'est le cas de l'opinion publique, des médias, des experts et des universitaires, des entreprises privées, des organisations non gouvernementales (ONG), des partis politiques ou encore des représentants des diasporas (Nossal, Roussel et Paquin, 2007, p. 169-226 ; Carment et Bercuson, 2008). Enfin, il y a lieu de tenir compte des pressions émanant des autres ordres de gouvernement sur l'État central, comme les régions, les États fédérés, ou encore les municipalités. Cela est particulièrement nécessaire dans le cas du Canada.

3.1. L'autonomie de l'exécutif

L'une des principales caractéristiques du processus décisionnel canadien réside dans la concentration du pouvoir exécutif. En effet, en vertu de la Constitution du Canada, les pouvoirs décisionnels en matière de politique étrangère et en défense sont entre les mains de la Couronne, ce qui signifie, en pratique, que le premier ministre exerce une autorité prépondérante en la matière. Par exemple, il revient exclusivement au premier ministre de prendre des décisions aussi graves que celle qui consiste à intervenir militairement sur la scène internationale. Certes, le premier ministre peut avoir la prudence de consulter le Cabinet ou même le Parlement, mais c'est à lui seul qu'incombe la décision finale. Le rôle du Parlement est donc secondaire (Lagassé, 2016). Il peut approuver, souvent *a posteriori*, les décisions de l'exécutif afin de leur conférer une légitimité démocratique, exiger une reddition de comptes à la Chambre des communes, nécessaire dans un système de gouvernement responsable, ou encore proposer des recommandations au gouvernement par l'entremise des comités parlementaires. Mais, en définitive, seul l'exécutif, qui a hérité en cela des pouvoirs de la Couronne (appelés prérogatives royales), est habilité à élaborer et à exécuter la politique étrangère (il en va autrement de la mise en œuvre, sur laquelle nous reviendrons).

Le premier ministre dispose donc d'une très grande latitude. Elle inclut le pouvoir de commander, de contrôler et d'organiser les forces armées. L'autonomie du premier ministre en matière de politique étrangère découle également de son pouvoir de nommer et de révoquer les ministres ainsi que les hauts fonctionnaires. Ceux-ci doivent se conformer aux positions du premier ministre, faute de quoi ils s'exposent à des représailles pouvant aller jusqu'au congédiement. Par exemple, Jean Chrétien, à qui l'on demandait ce qu'il adviendrait si son ministre du Commerce n'était pas d'accord avec son engagement à l'égard de l'Accord de libre-échange nord-américain (ALENA), répondit que « le lendemain, il y aurait un autre ministre du Commerce » (Chrétien, 2007, p. 99). En outre, les pouvoirs du premier ministre découlent du contrôle direct qu'il exerce sur deux institutions centrales du système politique canadien, soit le Bureau du premier ministre (BPM), composé de conseillers politiques, et le Bureau du Conseil privé (BCP), un groupe de fonctionnaires chargés de la coordination de l'ensemble des ministères et de la préparation des réunions du Cabinet. À travers ces deux institutions, le premier ministre peut garder la mainmise sur l'ensemble des

politiques du gouvernement (Nossal, Roussel et Paquin, 2007, p. 289-291). Enfin, le premier ministre bénéficie d'un accès incomparable aux renseignements et un accès privilégié à ses homologues étrangers, qu'il rencontre régulièrement dans les nombreux sommets des chefs des gouvernements (Nossal, Roussel et Paquin, 2007, p. 319-353). Ainsi, on pourrait dire que la politique étrangère du Canada est largement « ce que le premier ministre pense qu'elle est, ou dit qu'elle est » (Bland, 2007, p. 129).

En conséquence, le système canadien, par la très grande autonomie qu'il accorde au premier ministre en matière de politique étrangère, tend à contredire la vision selon laquelle l'État n'est que la « courroie de transmission » des préférences d'une multitude d'acteurs sociétaux (Moravcsik, 1997). Au contraire, l'**autonomie de l'exécutif** vis-à-vis du pouvoir législatif et de la société civile tend à faire de la politique étrangère canadienne une chasse gardée du premier ministre. Cela est d'autant plus vrai que les affaires internationales ne constituent que très rarement des enjeux électoraux[7]. Le premier ministre ne s'expose donc qu'exceptionnellement à des représailles électorales à la suite d'une décision impopulaire[8].

3.2. Les forces bureaucratiques

Il n'en demeure pas moins que la société civile et les partis politiques tentent d'influencer

....

7. L'Accord de libre-échange avec les États-Unis et, dans une moindre mesure, l'invasion anglo-américaine de l'Irak et la guerre contre le groupe État islamique firent l'objet de débats lors des élections de 1988, 2004 et 2015 respectivement. Il s'agit toutefois d'exceptions à la règle.

8. L'exception pourrait être le cas de John Diefenbaker, dont la défaite électorale de 1963 est en partie due à la controverse suscitée par l'acquisition de missiles sol-air Bomarc-B, qui ne pouvaient être employés qu'avec une charge nucléaire.

l'exécutif dans le sens de leurs préférences. À titre d'exemple, Jean Chrétien relatait ainsi les pressions qu'il subit au moment de décider si le Canada allait ou non prendre part à la guerre anglo-américaine contre l'Irak : «Tout au long de l'automne [2002], on m'a pressé de toute part d'appuyer les Américains jusqu'au bout. Ces pressions me venaient de Washington, du milieu des Affaires, de la presse de droite et même de ces libéraux qui étaient favorables à une action militaire» (Chrétien, 2007, p. 341). En effet, la préservation de l'appui du caucus du parti politique représente l'une des contraintes qui pèsent lourdement sur le processus décisionnel du premier ministre en matière de politique étrangère. C'est grâce à cet appui que le premier ministre peut préserver sa légitimité et son statut de chef de parti, et donc de chef du gouvernement. Les décisions politiques majeures, comme l'est celle d'entrer en guerre, doivent ainsi soit plaire à la base militante du parti politique, soit être bénéfiques électoralement pour le parti. Faute de quoi le premier ministre peut voir son poste de chef de parti contesté.

Les fonctions exercées par le ministre des Affaires étrangères dépendent de la latitude politique que lui laisse le premier ministre et du soutien que ce dernier lui apporte (Nossal, 1994-1995). Son rôle consiste surtout à voir à la gestion quotidienne de la diplomatie et à l'expression du point de vue du gouvernement sur les dossiers courants, mais il joue aussi un rôle important dans les décisions, en particulier lors des réunions du Cabinet. Il en va de même pour le ministre de la Défense, dont l'essentiel des tâches consiste à voir à la bonne gestion des Forces canadiennes. La participation de l'un ou de l'autre au processus décisionnel est donc entièrement à la discrétion du premier ministre. Par exemple, le ministre de la Défense nationale, Peter MacKay, admet ne pas avoir pris part à la décision du premier ministre Harper de mettre fin à la mission de combat des Forces canadiennes à Kandahar en 2011 (Brewster, 2011,

p. 306). Ce fait peut sembler paradoxal, voire peu parlementaire, dans la mesure où, selon le principe de la responsabilité ministérielle, le ministre est responsable, devant le Parlement, des actions de son ministère. Mais la personnalisation de la politique étrangère autour du premier ministre et le désir de ce dernier d'exercer un plein contrôle sur les actions internationales d'envergure font en sorte que c'est le chef de gouvernement à qui revient souvent le poids de la décision en ce domaine. Qui plus est, à la responsabilité individuelle des ministres devant la Chambre des communes s'ajoute la responsabilité collective du Cabinet, lequel est responsable des décisions prises par ses comités et le premier ministre. Ainsi, à titre de chef de gouvernement, le premier ministre assume la responsabilité de toutes les décisions de son gouvernement. Il est donc logique qu'il s'assure d'être celui qui tranche les questions les plus délicates, parmi lesquelles figure sans conteste la décision d'entrer en guerre.

Les fonctionnaires et les militaires sont non seulement appelés à mettre en œuvre les décisions politiques, mais doivent aussi fournir des conseils et, dans le cas de dossiers d'importance moindre, prendre une multitude de petites décisions. À cet égard, les bureaucraties peuvent exercer une influence parfois déterminante sur le processus décisionnel. Les fonctionnaires tendent à privilégier les options qui sont les plus favorables aux intérêts de leur organisation, ce qui entraîne parfois de vives rivalités au sein d'une organisation aussi vaste que celle du gouvernement. Ainsi, la coordination du ministère des Affaires étrangères et de celui de la Défense a toujours constitué un casse-tête dans la mise en œuvre de la politique internationale du Canada, puisque ces deux institutions tendent à entretenir des visions du monde parfois radicalement opposées (Dewitt, 2007). Cela occasionne une compétition entre organisations bureaucratiques qui tentent de maximiser leurs intérêts respectifs les unes face aux autres, incluant la quête de mandats et de ressources plus importants en matière de politique étrangère (Desrosiers et Lagassé, 2009).

3.3. Le fédéralisme et la paradiplomatie québécoise

Le fait que la politique étrangère soit une prérogative du premier ministre fédéral n'empêche pas les provinces canadiennes d'y exercer une certaine influence. La Constitution précise le partage du pouvoir de légiférer entre le gouvernement fédéral et les provinces. Elle confère des pouvoirs au Parlement fédéral (notamment en ce qui a trait à la défense et au commerce), de même qu'aux assemblées législatives provinciales (dont l'éducation et la santé), et prévoit des compétences partagées en d'autres domaines (immigration et environnement, par exemple). Le *Statut de Westminster* (1931), par lequel le Canada obtint sa souveraineté en matière de politique étrangère, garantit au gouvernement central le droit de conclure des traités et de « faire des lois à portée extraterritoriale ». Il demeure cependant entièrement muet sur la question de la mise en œuvre des traités conclus par l'exécutif fédéral. En conséquence, ce sont les tribunaux qui tranchèrent la question, jugeant que rien n'oblige les provinces à appliquer les traités conclus par le gouvernement fédéral lorsqu'ils touchent leurs champs de compétence (Paquin, 2006, p. 31). Autrement dit, le gouvernement fédéral dispose du pouvoir de négocier, de signer et de ratifier des traités internationaux, mais les législatures provinciales ont quant à elles le pouvoir de les mettre en œuvre, c'est-à-dire de prendre les mesures pour incorporer dans le droit interne les traités touchant leurs domaines de compétence.

Le fait que le gouvernement central n'ait pas le monopole des affaires internationales en raison de la nature fédérale de l'État canadien génère des problèmes de deux ordres. D'une part, lorsqu'il signe des ententes avec des gouvernements étrangers sur des objets qui sont du ressort des provinces, le gouvernement fédéral doit s'assurer que celles-ci sont bien disposées à les mettre en œuvre, puisque les parlements provinciaux doivent adopter des lois afin de donner effet aux traités qui relèvent de leurs compétences. Cette obligation confère ainsi, dans les faits, une influence aux gouvernements provinciaux sur l'élaboration et l'exécution de la politique étrangère, puisqu'ils ont la capacité de bloquer la mise en œuvre de certains traités. Dans bien des domaines, comme l'immigration, le commerce ou encore l'environnement, les provinces exercent dès lors des pressions sur le gouvernement fédéral pour qu'il tienne compte de leurs intérêts spécifiques. Avec la mondialisation d'enjeux autrefois de nature strictement interne, les gouvernements provinciaux sont donc amenés à élaborer des politiques et à exercer une influence de plus en plus grande sur la scène internationale. Ils sont activement consultés par Ottawa, ou font même partie de la délégation canadienne tout au long des négociations, comme ce fut le cas pour celles qui ont permis de conclure un accord économique et commercial global entre le Canada et l'Union européenne.

D'autre part, le gouvernement du Québec estime que, dans les domaines que lui confère la Constitution, il a la capacité de conclure lui-même ses propres ententes internationales et de représenter l'État du Québec au sein des institutions dont le mandat touche à ses champs de compétence. Cette position est nommée « doctrine Gérin-Lajoie », du nom du ministre de l'Éducation qui l'a formulée en 1965. En vertu du pouvoir des provinces de mettre en œuvre les traités internationaux qui relèvent de leurs compétences, Paul Gérin-Lajoie évoquait le prolongement international des compétences provinciales, y compris la participation du Québec à l'élaboration et à la négociation de traités, de même qu'à sa représentation internationale afin de faire valoir ses intérêts propres. Cette doctrine a guidé la politique internationale de tous les gouvernements québécois qui lui ont succédé, dont ceux de Jean Charest, de Pauline Marois et de Philippe Couillard.

L'activité internationale menée par un État fédéré comme le Québec en parallèle à celle de l'État central est qualifiée de *paradiplomatie*. La particularité de la paradiplomatie québécoise, par rapport aux activités des autres provinces, est qu'elle n'émane pas seulement d'intérêts commerciaux liés à la mondialisation des échanges et à l'intégration régionale ; elle est aussi le fruit d'une volonté nationaliste cherchant à promouvoir une identité québécoise distincte. C'est pourquoi l'activisme international québécois est couramment conçu comme une forme de **paradiplomatie identitaire**, dont l'objectif central est « le renforcement ou la construction de la nation minoritaire dans le cadre d'un pays multinational », en l'occurrence le Canada (Paquin, 2004, p. 18-19). Elle découle d'une volonté du gouvernement du Québec d'accroître la visibilité et la reconnaissance de la nation à l'étranger en faisant la promotion du caractère distinct des valeurs et des préférences des Québécois.

Naturellement, cette paradiplomatie entre en contradiction avec la vision du gouvernement fédéral et de nombreux Canadiens selon qui le Canada doit s'exprimer d'une seule voix sur la scène internationale (Paquin, 2006). Cette vision a donné lieu à de nombreux conflits entre Ottawa et Québec, pour la plupart réglés par des compromis au terme de longs débats (Nossal, Roussel et Paquin, 2007, p. 562-581). Par exemple, c'est en fonction de cette doctrine que le Québec a souhaité être représenté diplomatiquement au sein de l'Organisation internationale de la Francophonie, par son rôle en matière de promotion de la langue française, et de l'UNESCO, en raison des intérêts du Québec en matière de préservation de la diversité culturelle. Les sièges qu'il a obtenus, par suite des concessions d'Ottawa, lui permettent d'exprimer ses vues et d'interagir avec des partenaires internationaux.

3.4. La société civile

Le modèle des politiques publiques et l'approche libérale insistent enfin sur l'importance de tenir compte de l'apport de la société civile dans la formulation de la politique étrangère. Dans la mesure où l'État est considéré comme le lieu où convergent les demandes et les attentes des différents acteurs constituant la société civile, et où sont arbitrées les revendications contradictoires, les politiques qu'il adopte tendent à refléter les préférences des groupes les plus influents. L'étude de la politique étrangère doit donc passer, en partie, par l'analyse de ces demandes et attentes.

La liste des acteurs constituants la société civile est potentiellement infinie et constamment renouvelée, puisqu'elle peut comprendre tous les groupes d'intérêt qui se constituent formellement ou informellement autour de questions données, qu'ils soient de nature économique, sociale, idéologique, religieuse ou autre. Ces groupes sont, dans l'esprit du libéralisme, la courroie de transmission qui permet aux citoyens d'exercer une influence sur le gouvernement. Ainsi, l'examen des positions du Canada lors des négociations menant à la conclusion d'un accord de libre-échange pourrait révéler que celui-ci a été influencé par des groupes aussi divers que des associations représentant un secteur d'activité économique, des syndicats ou des mouvements sociaux. De même, les consultations publiques directes auprès des citoyens lors de l'élaboration d'un énoncé de politique internationale, ou encore la participation de témoins experts et de groupes d'intérêt aux travaux des comités parlementaires de la Chambre des communes et du Sénat offrent une voie à la société civile pour tenter d'influer sur le contenu même de la politique étrangère canadienne (Schmitz, 2006).

L'étude de la politique étrangère accorde également une grande importance à la portée des représentations faites par les diasporas ethnoculturelles, c'est-à-dire des citoyens issus de l'immigration qui préservent un attachement identitaire envers leur pays d'origine (Carment et Bercuson, 2008). Ainsi, on dira que l'attitude du Canada à l'égard du conflit israélo-palestinien, des désastres naturels en Haïti, ou encore de la situation politique en Ukraine est en partie déterminée par la présence et les représentations des communautés liées à ces régions.

La position du gouvernement à l'égard d'un enjeu peut aussi être motivée par le groupe aux contours assez flous que forme l'« opinion publique », dont les attitudes se mesurent à l'évolution des sondages, voire par des manifestations et des débats publics, comme ce fut le cas à la veille de l'invasion de l'Irak par la coalition dirigée par les États-Unis, à laquelle bon nombre de citoyens craignaient de voir se joindre le Canada (Massie et Roussel, 2005). Dans le cas de la guerre d'Afghanistan, la mobilisation de l'opposition québécoise fut beaucoup plus lente, bien moins influente et parfois même contradictoire (Massie, Boucher et Roussel, 2010).

Du point de vue des dirigeants politiques, l'examen de l'attitude de l'opinion publique peut être l'occasion de mêler à la décision des calculs électoralistes, ou encore de faire d'un enjeu de politique étrangère un thème central de campagne électorale. Ainsi, à au moins quatre reprises (1891, 1911, 1935 et 1988), des campagnes ont permis de trancher un débat sur la pertinence de conclure un accord commercial avec les États-Unis (Nossal, Roussel et Paquin, 2007, p. 223-225). De même, l'élaboration de la politique étrangère peut être dictée par des stratégies visant à récolter des gains électoraux. Le gouvernement conservateur dirigé par Stephen Harper est ainsi souvent dépeint comme ayant cherché à courtiser l'électorat de la communauté juive au Canada par ses prises de position fermement pro-israéliennes (Boily, 2014).

POINTS CLÉS

> L'approche libérale de la politique étrangère remet en question le postulat réaliste selon lequel l'État constitue un acteur unitaire et rationnel pour privilégier l'étude des dynamiques politiques internes à l'État.

> Le premier ministre dispose de pouvoirs considérables en matière de politique étrangère. Sa très grande autonomie décisionnelle est néanmoins contrainte par des impératifs partisans et bureaucratiques.

> La nature fédérale du régime politique canadien octroie aux provinces certains pouvoirs en matière de politique étrangère. La paradiplomatie identitaire québécoise vise à prolonger, à l'extérieur des frontières canadiennes, les compétences de la province, de même qu'à promouvoir et consolider l'identité internationale du Québec.

4. UNE POLITIQUE IDENTITAIRE

Au-delà de la politique étrangère comme politique de puissance et comme politique publique s'ajoute une série de facteurs structurants de nature identitaire. Ces derniers entraînent cependant le chercheur vers une autre approche théorique, laquelle met en exergue l'influence des idées collectivement partagées sur la politique étrangère. L'hypothèse centrale du **constructivisme** est que les identités composant l'État et les interactions entre les acteurs en fonction de ces identités (ce que l'on nomme l'intersubjectivité) déterminent les intérêts, les rôles et les actions de l'État (Balzacq, 2013). En d'autres mots, pour comprendre le comportement d'un acteur étatique, il faut d'abord déterminer comment il se perçoit, perçoit les autres et les autres le perçoivent. Les idées utilisées pour reconstituer l'identité de l'acteur font dès lors l'objet d'une analyse sociologique, en ce qu'il s'agit d'identifier les « significations collectivement partagées », telles que la culture, l'identité, l'idéologie, l'interprétation de l'histoire, les valeurs et les normes.

En politique étrangère, le constructivisme commande d'abord d'identifier les significations collectivement partagées au sein d'un acteur étatique. L'étude de l'effet des significations partagées concerne l'État (l'identité étatique), la société (l'identité nationale), mais aussi les groupes qui le composent (les identités subnationales) et qui participent à la prise de décisions, ou encore des groupes supranationaux (les identités internationales). Il est ainsi possible de dire que toute identité est porteuse d'un certain nombre de rôles, et que l'acteur s'y conforme, car c'est ce que, socialement, on attend de lui (Abdelal *et al.*, 2006). Les travaux des constructivistes ont ainsi cherché à répondre à plusieurs questions de politique étrangère, incluant : Qui sont les amis et qui sont les ennemis ? En quelles circonstances est-ce légitime de recourir à la force ? Quels sont les rôles et les comportements considérés comme acceptables ou inacceptables ?

4.1. Les identités canadiennes et la culture stratégique

Comment le gouvernement et les Canadiens se perçoivent-ils par rapport au reste du monde, et quels sont les rôles qui y sont associés ? Les variables pouvant être utilisées à des fins analytiques sont ici très nombreuses : le Canada est un État démocratique libéral, occidental, nord-américain, nordique ou arctique, multiculturel, bilingue, plurinational, altruiste, empreint de justice sociale, qui a évolué de manière pacifique, et bien d'autres (Haglund, 2009). Toutes ces identités sont susceptibles de

commander l'adoption de certaines préférences ou de certains rôles en politique étrangère. Par exemple, en tant qu'État démocratique libéral, il est « naturel » pour le gouvernement d'encourager l'adoption et le renforcement des normes conformes au libéralisme (telles que le respect des droits de la personne ou la tenue d'élections démocratiques) tant chez les autres États qu'à l'échelle du système international. De même, il est possible de dire que les Canadiens ont longtemps appuyé la participation aux opérations de maintien de la paix parce que celles-ci renforçaient leur perception selon laquelle leur pays se démarque par son rejet de la violence comme instrument politique légitime (Massie et Roussel, 2008).

L'un des exemples classiques d'une identité structurant le comportement international du Canada (ou, à tout le moins, les attentes à son égard) est celui du concept de « puissance moyenne ». Dans une perspective constructiviste, la puissance moyenne du Canada n'est plus une qualification objective fondée sur l'observation des attributs de puissance, mais plutôt une composante de l'identité canadienne qui suppose l'adoption de certains rôles. Ainsi, le Canada est une puissance moyenne d'abord parce que les Canadiens se reconnaissent dans cette notion et dans les rôles qui y sont historiquement associés, que ce soit celui de médiateur, de promoteur de l'aide au développement, de membre actif au sein des institutions internationales (en particulier l'ONU) et de champion du maintien de la paix. Cette politique est généralement identifiée sous le nom d'**internationalisme libéral** (Roussel et Robichaud, 2004).

Cette référence à la puissance moyenne comme expression de l'identité canadienne renvoie à la notion d'« idée dominante », qui désigne un ensemble d'idées stables et cohérentes qu'entretient un groupe à l'égard de la place de leur pays dans le monde, de ses priorités et des stratégies pour maximiser ses intérêts. Elle rejoint ainsi le concept de **culture stratégique**, soit un ensemble d'idées cette fois appliquées aux questions spécifiques relatives à l'usage de la force et aux fonctions assumées par les institutions militaires (Roussel et Morin, 2007). Dans cette perspective, l'internationalisme libéral ne représente qu'une idée dominante parmi plusieurs autres qui se sont succédé au cours de l'histoire du Canada. L'on distingue ainsi l'internationalisme de l'atlantisme et du **néocontinentalisme**, chacune prescrivant des comportements distincts au gouvernement canadien (Massie, 2009).

Certains estiment que les identités ethnoculturelles du Canada, en particulier les deux principales cultures nationales, anglophone et francophone, influent considérablement sur la politique étrangère canadienne. Elles consisteraient en une forme d'atlantisme biculturel, au sens où la présence de ces deux identités nationales au Canada entraînerait une volonté de nouer des relations particulières et privilégiées avec les États-Unis, le Royaume-Uni et la France. La préservation de l'unité transatlantique entre ces États, notamment au sein d'institutions multilatérales, constituerait dès lors le principal objectif diplomatico-stratégique du Canada (Massie, 2013). Cette unité transatlantique conférerait également une légitimité interne à la politique étrangère du Canada, dans la mesure où le maintien de bonnes relations avec ces trois pays serait garant de l'unité nationale, en raison du double attachement identitaire du Canada auprès de l'**anglosphère** et de la **francosphère**. Enfin, compte tenu de l'appartenance du Canada à la collectivité «atlantique», celui-ci serait prédisposé à faire la guerre aux côtés de ses alliés «naturels». De fait, le Canada n'a jamais fait la guerre depuis 1945 sans que ses trois alliés se soient préalablement entendus sur les mérites et la pertinence de recourir à la force militaire. Certains ont ainsi avancé que si la France avait appuyé l'intervention militaire anglo-américaine contre l'Irak en mars 2003, le Canada aurait pris part à cette guerre (Haglund, 2005).

En outre, la politique étrangère du gouvernement conservateur de Stephen Harper donne à penser qu'une nouvelle approche, que nous avons qualifiée ailleurs de néocontinentaliste, tend à émerger et à faire concurrence à l'internationalisme et à l'atlantisme (Massie et Roussel, 2013). Le Canada serait plus prompt, selon cette perspective, à recourir à la force militaire sur la scène internationale, privilégierait les coalitions d'États démocratiques dirigées par les États-Unis et adopterait une diplomatie, non pas de compromis, mais de «principe». C'est en vertu de cette diplomatie de «principe» que le premier ministre Harper a boycotté de nombreuses rencontres de chefs de gouvernement, comme l'ouverture de l'Assemblée générale de l'ONU et le Sommet du Commonwealth, afin de dénoncer les violations des droits humains et des principes démocratiques. Le retour au pouvoir des libéraux dirigés par Justin Trudeau, en 2015, qui tiennent un discours résolument internationaliste, signifie la marginalisation des idées néocontinentalistes au profit d'un retour à l'internationalisme.

4.2. L'unité nationale et la distinction internationale

Au-delà des effets de l'identité sur le comportement international de l'État, la perspective identitaire suggère d'autres pistes de recherche en politique étrangère canadienne. Celle-ci peut notamment être considérée comme un moyen de renforcer l'identité nationale et internationale du Canada. D'une part, la classe politique peut prendre certaines initiatives de politique étrangère dans le but, ou avec pour conséquence, de renforcer le sentiment d'unité et d'appartenance au sein de la population autour d'enjeux et d'images qui interpellent la définition de ce qu'est un Canadien. Par exemple, on peut interpréter l'intérêt du gouvernement canadien pour les questions liées à la souveraineté dans l'Arctique depuis 2004, non seulement comme une réaction face au phénomène de réchauffement climatique, mais aussi comme la promotion d'une cause qui unit la grande majorité des Canadiens (Roussel, 2010).

De même, l'internationalisme libéral jouit d'une telle adhésion populaire que certains comportements associés à celui-ci sont valorisés même par le mouvement souverainiste québécois. À bien des égards, la politique étrangère et de défense du Québec ressembleraient à celles du Canada, en mettant l'accent sur les institutions internationales et le maintien de la paix. Cette ressemblance témoigne que, à plusieurs égards, la culture stratégique québécoise partage de nombreux référents identitaires avec ceux qui guident la culture stratégique canadienne, du moins celles qui sont d'orientation internationaliste et atlantiste (Roussel et Théorêt, 2004). Lorsqu'un gouvernement fédéral s'en éloigne, il s'expose nécessairement à une rétroaction négative de la part de segments importants de la population canadienne, voire au fractionnement de l'unité nationale par la mobilisation du mouvement nationaliste ou souverainiste québécois.

D'autre part, la politique étrangère peut servir à soutenir l'identité internationale du Canada en conférant une image distincte du pays. Il s'agit d'une fonction importante, puisque l'un des problèmes récurrents du Canada depuis la Deuxième Guerre mondiale est de se démarquer des États-Unis, tant aux yeux des dirigeants étrangers que de la population. La société canadienne semble partager tant de traits communs avec sa voisine du Sud que, pour un observateur de l'extérieur de l'Amérique du Nord, les deux tendent à se confondre. Certaines initiatives de politique étrangère peuvent donc avoir comme motivation, entre autres choses, de projeter sur la scène internationale une image de marque distinctement canadienne. Par exemple, au cours des années 1990, la politique de **sécurité humaine** adoptée par le gouvernement de Jean Chrétien remplissait cette fonction. Ainsi, l'établissement de la Convention d'Ottawa sur les mines antipersonnel, la mise sur pied de la Cour pénale internationale et la consolidation de la norme de « responsabilité de protéger » furent toutes mises de l'avant dans le cadre de la politique de sécurité humaine et eurent notamment pour effet de distinguer la politique étrangère canadienne de celle des États-Unis en faisant la promotion de l'identité « postmoderne » du Canada (Roussel et Robichaud, 2004).

La préservation de l'unité nationale et d'une identité internationale forte est d'autant plus nécessaire pour le gouvernement fédéral qu'il doit composer avec une société particulièrement fragmentée au plan identitaire. Parmi les traits marquants du Canada figurent en effet le fait qu'il s'agit d'un État où coexistent plusieurs cultures nationales (anglophone, francophone, autochtones) et que cet immense pays peu peuplé se divise en régions (Maritimes, Québec, Ontario, Prairies, Colombie-Britannique et Nord canadien) parfois fort différentes. Ces deux éléments constituent les principaux clivages au sein de la société canadienne, auxquels s'ajoute une division idéologique gauche-droite qui s'affirme de plus en plus. Ces aspects engendrent le fait que cette société peut être subdivisée en autant de groupes qui n'entretiennent pas nécessairement les mêmes idées politiques, y compris en matière de politique étrangère.

Le clivage entre anglophones et francophones est certainement le plus ancien. Au début du XXe siècle, il teintait déjà les débats sur l'attitude que le Canada devait adopter face aux demandes d'assistance militaire énoncées par Londres (Guerre des Boers, création d'une marine canadienne, participation à la Grande Guerre) et culmina avec la crise de la conscription de 1917-1918. Depuis, il est largement reconnu que les communautés nationales francophone et anglophone entretiennent des idées parfois fort différentes en matière de relations internationales, en particulier sur les questions de défense, à l'égard desquelles les francophones adopteraient des positions plus anti-impérialistes et antimilitaristes (Massie et Boucher, 2013). L'hypothèse sous-jacente ici est que la langue et l'histoire, qui sont des vecteurs de la culture et de l'identité des peuples, jouent un rôle fondamental dans la formation de l'opinion face à certains enjeux. Cela expliquerait en partie pourquoi les Albertains, presque autant que les Québécois, entretiennent des attitudes distinctes de celles des autres Canadiens à l'égard des affaires internationales (Massie, 2008).

POINTS CLÉS

> L'identité nationale façonne la politique étrangère canadienne, notamment en définissant qui sont les « amis » et les « ennemis » du Canada, ou encore en précisant les conditions dans lesquelles l'usage de la force est légitime.
> L'internationalisme libéral représente la culture stratégique « dominante » au Canada, mais il coexiste avec d'autres rivaux, dont l'atlantisme et le néocontinentalisme.
> La fragmentation identitaire du Canada, en raison de son caractère plurinational et de l'existence de nombreux régionalismes, entraîne certains clivages attitudinaux en matière de politique étrangère et des tensions politiques, notamment entre le gouvernement fédéral et celui du Québec, de même que le maintien de relations privilégiées avec les États-Unis, le Royaume-Uni et la France.

CONCLUSION

La politique étrangère se situe au carrefour des relations internationales et des politiques publiques intérieures. En conséquence, son étude doit nécessairement prendre en considération l'influence de facteurs des deux niveaux d'analyse. Parmi les facteurs structurants la politique étrangère du Canada, nous avons mis en

exergue la position géostratégique du pays en Amérique du Nord, comme voisin de la superpuissance américaine et bénéficiaire privilégié de la garantie involontaire de sécurité américaine, ainsi que le rang de puissance « moyenne » du Canada au sein de la hiérarchie internationale, conférant à Ottawa une capacité d'influer sur le cours des affaires internationales par l'entremise d'alliances avec des États aux vues similaires. Nous avons également montré la pluralité des intérêts nationaux du Canada, dont la quête de prospérité qui passe par la conclusion d'accords de libre-échange pour l'État marchand qu'est le Canada, de même que l'unité nationale, primordiale compte tenu de la présence d'un mouvement sécessionniste québécois. Nous avons souligné l'autonomie considérable dont jouit le premier ministre par rapport aux pressions des parlementaires, des bureaucrates et de la société civile, ainsi que l'influence déterminante du caractère plurinational du Canada, notamment par une prédisposition « naturelle » à nouer des rapports privilégiés avec les États-Unis, le Royaume-Uni et la France, de même que par l'existence d'une paradiplomatie québécoise, laquelle alimente le mouvement souverainiste québécois et rend d'autant plus nécessaire, pour le gouvernement fédéral, d'adopter une politique étrangère qui parvienne à consolider l'unité nationale et la distinction internationale du Canada.

Ces facteurs peuvent tous contribuer à l'étude de la politique étrangère du Canada. Toutefois, parce qu'ils sont fondés sur des postulats différents, ils font appel à des logiques parfois incompatibles. Ainsi, la conception de l'État comme un acteur unitaire employé par les réalistes contredit l'importance accordée au modèle des politiques publiques, qui nécessite un examen des dynamiques internes de l'État. Cette difficulté, commune à l'ensemble du champ des relations internationales, voire à presque toutes les sciences sociales, doit être reçue comme un appel à la prudence. Si la tentation de vouloir dépeindre toutes les dimensions de la réalité hante souvent l'esprit de l'observateur et du chercheur, il ne faut pas perdre de vue que ces facteurs font appel à des logiques différentes, et donc qu'ils expliquent des phénomènes certes tous reliés à la politique étrangère, mais de natures différentes.

QUESTIONS

1. Pourquoi est-il difficile de définir ce que constitue la politique étrangère ?

2. Quelles sont les principales approches théoriques pour comprendre la politique étrangère ?

3. Quels sont les principaux facteurs structurants de la politique étrangère canadienne ?

4. Est-ce que la politique étrangère canadienne peut être considérée comme une politique publique comme les autres ?

5. Pourquoi le Canada est-il couramment considéré comme une puissance moyenne ?

6. Quels sont les éléments qui sont généralement considérés comme étant les principaux intérêts nationaux du Canada et comment influent-ils sur la politique étrangère du pays ?

7. Pourquoi le premier ministre bénéficie-t-il d'une très grande autonomie décisionnelle en matière de politique étrangère ?

8. Qu'est-ce que la paradiplomatie identitaire du Québec ?

9. Quelles sont les principales cultures stratégiques canadiennes ?

10. Quelles sont les conséquences du caractère plurinational du Canada sur la politique étrangère du pays ?

LECTURES SUGGÉRÉES

Macleod, A. et D. O'Meara (dir.) (2010). *Théories des relations internationales*, Montréal, Athéna.

Massie, J. (2013). *Francosphère. L'importance de la France dans la culture stratégique du Canada*, Montréal, Presses de l'Université du Québec.

Morin, J.-F. (2013). *La politique étrangère. Théories, méthodes et références*, Paris, Armand Colin.

Nossal, K.R., S. Roussel et S. Paquin (2007). *Politique internationale et défense au Canada et au Québec*, Montréal, Les Presses de l'Université de Montréal.

Roussel, S. (dir.) (2007). *Culture stratégique et politique de défense. L'expérience canadienne*, Montréal, Athéna.

GLOSSAIRE

ANGLOSPHÈRE : Entité civilisationnelle et transnationale ayant en commun la langue anglaise, une population majoritairement composée de descendants de colons britanniques, une culture politique libérale, ainsi qu'une prédisposition à recourir à la force militaire de manière concertée. On considère généralement qu'elle est composée du Royaume-Uni, des États-Unis, du Canada, de l'Australie et de la Nouvelle-Zélande.

AUTONOMIE DE L'EXÉCUTIF : Indépendance dont jouit le pouvoir exécutif, c'est-à-dire au Canada le premier ministre et le Cabinet, en matière de politique étrangère, par rapport au pouvoir législatif et à la société civile.

CONSTRUCTIVISME : Théorie sociologique employée en relations internationales. Le constructivisme est fondé sur le postulat selon lequel les intérêts et le comportement des acteurs sont le produit de leur identité et des interactions avec les autres acteurs (intersubjectivité). Les «idées partagées» (culture, normes, valeurs, etc.) occupent donc une place aussi importante, sinon plus, que la réalité matérielle dans l'explication, car elles contribuent largement à déterminer la manière dont les acteurs interprètent cette réalité.

CULTURE STRATÉGIQUE : Ensemble de significations collectivement partagées relatives aux questions de l'usage de la force militaire et aux fonctions assumées par les institutions militaires. Elle repose sur une certaine conception de l'État, donc d'une identité étatique.

FRANCOSPHÈRE : Entité civilisationnelle et transnationale ayant en commun la langue française, une histoire commune et des liens culturels, politiques et ethniques avec la France.

INTÉRÊT NATIONAL : Intérêts supérieurs de l'État qui définissent les objectifs primordiaux de la politique étrangère et confèrent une légitimité aux actions de l'État sur la scène internationale, lesquels peuvent ne pas correspondre aux préférences de certaines factions de la société. Au Canada, ces intérêts sont souvent de l'ordre de la sécurité nationale, de l'unité nationale, de la prospérité, de la souveraineté et du maintien de bonnes relations avec certains alliés.

INTERNATIONALISME LIBÉRAL : Approche qui, en politique étrangère canadienne, est fondée sur l'idée que le Canada est une «puissance moyenne» dont l'intérêt est de maintenir la paix et la stabilité du système international, et que cet objectif peut être atteint par des mécanismes qui favorisent la coopération, la prospérité et la résolution pacifique des conflits. Ces mécanismes peuvent comprendre les institutions multilatérales, le droit international, les opérations de maintien de la paix et l'assistance aux sociétés en difficulté.

NÉOCONTINENTALISME : Conçue ici comme une approche alternative à l'internationalisme libéral, cette approche est fondée sur l'idée que la promotion des intérêts du Canada passe par un alignement sur les États-Unis, principal partenaire et seul État capable d'assurer la stabilité internationale. Il se caractérise également par une forme de clarté morale (capacité de discerner le «bien» du «mal»), une plus grande tolérance vis-à-vis de l'usage de la force et une méfiance à l'égard des institutions internationales, jugées inefficaces et souvent détournées de leurs buts originaux.

PARADIPLOMATIE IDENTITAIRE : Activité internationale menée en parallèle par un État fédéré comme le Québec, et parfois de manière divergente à celle de l'État central. La para-diplomatie identitaire québécoise vise à prolonger, à l'extérieur des frontières cana-diennes, les compétences de la province, de même qu'à promouvoir et consolider l'identité internationale du Québec.

POLITIQUE ÉTRANGÈRE : Actions, objectifs et décisions de l'État relativement à ses rapports extrafrontaliers. Elle inclut les activités tradi-tionnelles de la « haute politique » (c'est-à-dire de l'ordre de la paix et de la guerre), ainsi que les activités internationales de plusieurs autres ministères, qualifiées, quant à elles, de politique internationale.

PUISSANCE MOYENNE : Qualificatif de la puis-sance d'un État « secondaire », c'est-à-dire ni une grande puissance ni une « petite » puis-sance. Au Canada, le terme signifie plus que le rang du pays au sein du concert des nations. Il postule un certain comportement interna-tional légitime, axé notamment sur le main-tien de la paix, la médiation et le recours aux institutions multilatérales.

RÉALISME : Théorie des relations internationales inspirée des réflexions d'auteurs tels que Nicolas Machiavel et Thomas Hobbes et qui est fondée sur les postulats selon lesquels les États sont des entités unitaires (ils agissent comme un individu), rationnelles et opérant dans un environnement dépourvu d'autorité capable d'arbitrer leurs conflits. Les réalistes estiment que les États doivent mener un politique prudente et égoïste en fonction de leurs attributs de puissance et de leur intérêt national.

SÉCURITÉ HUMAINE : Conception de la sécurité axée sur les individus. Elle signifie tant le droit des citoyens de vivre dans un envi-ronnement sécuritaire (c'est-à-dire libre de violence physique, économique, politique, religieuse et sociale) que la responsabilité de la communauté internationale de veiller au respect de ces droits par les États. Une politique de sécurité humaine fut privilégiée notamment par le ministre des Affaires étrangères Lloyd Axworthy (1996-2000).

BIBLIOGRAPHIE

Abdelal, R., Y.M. Herrera, A.I. Johnston et R. McDermott (2006). « Identity as a variable », *Perspectives on Politics*, vol. 4, n° 4, p. 695-711.

Balzacq, T. (2013). « Les constructivismes. Pour un construc-tivisme critique », dans D. Battistella (dir.), *Relations internationales. Bilan et perspectives*, Paris, Ellipses, p. 113-129.

Battistella, D. (2012). *Théories des relations internationales*, Paris, Presses de Sciences Po.

Bernier L. et G. Lachapelle (2010). « L'étude des politiques gouvernementales », dans S. Paquin, L. Bernier et G. Lachapelle (dir.), *L'analyse des politiques publiques*, Montréal, Les Presses de l'Université de Montréal, p. 11-35.

Bland, D. (2007). « Tout ce qu'un militaire doit savoir sur l'élaboration de la politique de défense au Canada », dans S. Roussel (dir.), *Culture stratégique et politique de défense. L'expérience canadienne*, Montréal, Athéna, p. 129-142.

Boily, F. (2014). « Les conservateurs canadiens, la question d'Israël et l'antisémitisme », *Études internationales*, vol. 45, n° 4, p. 579-600.

Brewster, M. (2011). *The Savage War : The Untold Battles of Afghanistan*, Mississauga, John Wiley and Sons.

Carment, D. et D. Bercuson (dir.) (2008). *The World in Canada : Diasporas, Demography, and Domestic Policy*, Montréal et Kingston, McGill-Queen's University Press.

Charillon, F. (dir.) (2002). *Politique étrangère. Nouveaux regards*, Paris, Presses de Sciences Po.

Chrétien, J. (2007). *Passion politique*, Montréal, Boréal.

Desrosiers, M.-È. et P. Lagassé (2009). « Canada and the bureaucratic politics of state fragility », *Diplomacy and Statecraft*, vol. 20, n° 4, p. 1-19.

Dewitt, D.B. (2007). « Défense nationale contre Affaires étrangères. Le choc des cultures dans la politique de sécurité internationale du Canada », dans S. Roussel (dir.), *Culture stratégique et politique de défense. L'expérience canadienne*, Montréal, Athéna, p. 143-157.

Dewitt, D.B. et J. Kirton (1983). *Canada as a Principal Power: A Study of Foreign Policy and International Relations*, Toronto, John Wiley and Sons.

Fortmann, M. et M. Larose (2004). « An emerging counterculture ? Pierre Elliott Trudeau, Canadian intellectuals and the revision of liberal defence policy concerning NATO (1968-1969) », *International Journal*, vol. 69, n° 3, p. 537-556.

Fortmann, M., A. Macleod et S. Roussel (dir.) (2003). *Vers des périmètres de sécurité ? La gestion des espaces continentaux en Amérique du Nord et en Europe*, Montréal, Athéna.

Haglund, D.G. (2005). « Canada and the sempiternal NATO question », *McGill International Review*, vol. 5, n° 2, p. 15-23.

Haglund, D.G. (2009). « And the beat goes on : "Identity" and Canadian foreign policy », dans R. Bothwell et J. Daudelin (dir.), *Canada Among Nations, 2008 : 100 Years of Canadian Foreign Policy*, Montréal et Kingston, McGill-Queen's University Press, p. 343-367.

Hart, M. (2008). *From Pride to Influence : Towards a New Canadian Foreign Policy*, Vancouver, UBC Press.

Hogg, W. (2004). « Plus ça change : Continuity, change and culture in foreign policy white papers », *International Journal*, vol. 59, n° 3, p. 521-536.

Holloway, S.K. (2006). *Canadian Foreign Policy. Defining the National Interest*, Peterborough, Broadview Press.

Kirton, J. (2012). « Vulnerable America, capable Canada : Convergent leadership for an interconnected world », *Canadian Foreign Policy Journal*, vol. 18, n° 1, p. 133-144.

Lagassé, P. (2016). « La Couronne et le pouvoir du premier ministre », *Revue parlementaire canadienne*, vol. 39, n° 2, p. 17-23.

Lagassé, P., J. Massie et S. Roussel (2014). « Le néoconservatisme en politiques étrangère et de défense canadiennes », dans J. Castro Rea et F. Boily (dir.), *Le fédéralisme selon Harper : la place du Québec dans le Canada conservateur*, Québec, Presses de l'Université Laval.

Lagassé, P. et P. Robinson (2008). « Reviving realism in the Canadian defence debate », *Martello Papers*, n° 34, Kingston, Queen's Centre for International Relations.

Lagassé, P. et J.J. Sokolsky (2009). « A larger "footprint" in Ottawa : General Hillier and Canada's shifting civil-military relationship, 2005–2008 », *Canadian Foreign Policy Journal*, vol. 15, n° 2, p. 16-40.

Macleod, A. et D. O'Meara (dir.) (2010). *Théories des relations internationales*, Montréal, Athéna.

Macleod, A., S. Roussel et A.V. Mens (2000). « Hobson's choice ? Does Canada have any options in its defence relations with the United States ? », *International Journal*, vol. 15, n° 3, p. 341-354.

Massie, J. (2008). « Regional strategic subcultures ? Canadians and the use of force in Afghanistan and Iraq », *La politique étrangère du Canada*, vol. 14, n° 2, p. 19-48.

Massie, J. (2009). « Making sense of Canada's "irrational" international security policy : A tale of three strategic cultures », *International Journal*, vol. 63, n° 4, p. 625-635.

Massie, J. (2013). *Francosphère : l'importance de la France dans la culture stratégique du Canada*, Québec, Presses de l'Université du Québec.

Massie, J. et J.-C. Boucher (2013). « Militaristes et anti-impérialistes : les Québécois face à la sécurité internationale », *Études internationales*, vol. 44, n° 3, p. 359-385.

Massie, J., J.-C. Boucher et S. Roussel (2010). « Hijacking a policy ? Assessing Quebec's "undue" influence on Canada's Afghan policy », *American Review of Canadian Studies*, vol. 40, n° 2, p. 259-275.

Massie, J. et S. Roussel (2005). « Le dilemme canadien face à la guerre en Irak, ou l'art d'étirer l'élastique sans le rompre », dans A. MacLeod et D. Morin (dir.), *Diplomaties en guerre. Sept États face à la crise irakienne*, Montréal, Athéna, p. 69-87.

Massie, J. et S. Roussel (2008). « Au service de l'unité : le rôle des mythes en politique étrangère canadienne », *La politique étrangère canadienne*, vol. 14, n° 2, p. 67-93.

Massie, J. et S. Roussel (2013). « The twilight of internationalism ? Neocontinentalism as an emerging dominant idea in Canadian foreign policy », dans H.A. Smith et C. Turenne Sjolander (dir.), *Canada in the World : Internationalism in Canadian Foreign Policy*, Don Mills, Oxford University Press, p. 36-52.

McDonough, D. (2013). « Getting it just right : Strategic culture, cybernetics, and Canada's goldilocks grand strategy », *Comparative Strategy*, vol. 32, nº 3, p. 224-244.

Moravcsik, A. (1997). « Taking preferences seriously : A Liberal theory of international politics », *International Organization*, vol. 51, nº 4, p. 513-553.

Morton, D. (1982). « The military problems of an unmilitary power », *Revue internationale d'histoire militaire*, vol. 54, p. 1-30.

Morton, D. (1987). « Defending the indefensible : Some historical perspective on Canadian defence », *International Journal*, vol. 42, nº 4, p. 627-644.

Munton, D.J. (1979). « Les puissances secondaires et l'influence des attributs relationnels : le cas du Canada et de sa politique extérieure », *Études internationales*, vol. 10, nº 3, p. 471-501.

Noble, J.J. (2007). « PMO/PCO/DFAIT : Serving the Prime Minister's foreign policy agenda », dans J. Daudelin et D. Schwanen (dir.), *Canada Among Nations 2007 : What Room for Manoeuvre ?*, Montréal et Kingston, McGill-Queen's University Press.

Nossal, K.R. (1994-1995). « The PM and the SSEA in Canada's foreign policy : Dividing the territory, 1968-1994 », *International Journal*, vol. 50, nº 1, p. 189-208.

Nossal, K.R., S. Roussel et S. Paquin (2007). *Politique internationale et défense au Canada et au Québec*, Montréal, Les Presses de l'Université de Montréal.

Paquin, S. (2004). *Paradiplomatie et relations internationales : théorie des stratégies internationales des régions face à la mondialisation*, Bruxelles, Peter Lang.

Paquin, S. (2006). « Le fédéralisme et les relations internationales au Canada : l'inévitable construction d'une diplomatie à paliers multiples ? », dans S. Paquin (dir.), *Les relations internationales du Québec depuis la doctrine Gérin-Lajoie (1965-2005) : le prolongement externe des compétences*, Québec, Presses de l'Université Laval, p. 23-47.

Putnam, R.D. (1988). « Diplomacy and domestic politics : The logic of two-level games », *International Organization*, vol. 42, nº 3, p. 427-460.

Rioux, J.-S. (2005). *Two Solitudes : Quebeckers' Attitudes Regarding Canadian Security and Defence Policy*, Calgary, Canadian Defence and Foreign Affairs Institute.

Rosenau, J.N. (1987). « Introduction : New directions and recurrent questions in the comparative study of foreign policy », dans C.F. Hermann, C.W. Kegley et J. Rosenau (dir.), *New Directions in the Study of Foreign Policy*, Boston, Allen and Unwin, p. 1-10.

Roussel, S. (2010). « La protection de l'Arctique : les Canadiens et les Québécois, même combat ? », dans R. Bernier (dir.), *L'espace canadien : mythes et réalités. Une perspective québécoise*, Québec, Presses de l'Université du Québec, p. 429-445.

Roussel, S. (2013). « Le libéralisme. Projet théorique et doctrine normative », dans D. Battistella (dir.), *Relations internationales. Bilan et perspectives*, Paris, Ellipses, p. 93-111.

Roussel, S. et D. Morin (2007). « Les multiples incarnations de la culture stratégique et les débats qu'elles suscitent », dans S. Roussel (dir.), *Culture stratégique et politique de défense. L'expérience canadienne*, Montréal, Athéna, p. 17-42.

Roussel, S. et C. Robichaud (2004). « L'État postmoderne par excellence ? Internationalisme et promotion de l'identité internationale du Canada », *Études internationales*, vol. 35, nº 1, p. 149-170.

Roussel, S. et C.-A. Théorêt (2004). « A "distinct strategy" ? The use of Canadian strategic culture by the sovereigntist movement in Québec, 1968-1996 », *International Journal*, vol. 59, nº 3, p. 557-577.

Schmitz, G.J. (2006). « Les livres blancs sur la politique étrangère et le rôle du Parlement du Canada. Un paradoxe qui n'est cependant pas sans potentiel », *Études internationales*, vol. 37, nº 1, p. 91-120.

Sokolsky, J.J. (1989). « A seat at the table : Canada and its alliances », *Armed Forces and Society*, vol. 16, nº 1, p. 11-35.

Stairs, D. (1994). « Choosing multilateralism : Canada's experience after World War II and Canada in the new international environment », *CANCAPS Papier*, nº 4.

Sutherland, R.J. (1962). « Canada's long term strategic situation », *International Journal*, vol. 17, nº 3, p. 199-233.

Waltz, K.N. (2001 [1959]). *Man, the State, and War : A Theoretical Analysis*, New York, Columbia University Press.

NOTICES BIOGRAPHIQUES

MAUDE BENOIT

Maude Benoit est professeure au Département de science politique de l'Université du Québec à Montréal. Ses travaux portent sur l'évolution du rôle de l'État et les réformes de l'action publique dans différents secteurs, en particulier les politiques agroenvironnementales et les politiques de maintien à domicile des personnes âgées.

HUBERT CAUCHON

Hubert Cauchon est avocat constitutionnaliste au Secrétariat aux affaires intergouvernementales canadiennes. Auparavant, il a exercé pendant neuf ans les fonctions de greffier à la table et greffier à la procédure à l'Assemblée nationale du Québec. Il est également doctorant en droit à la Faculté de droit de l'Université Laval.

MARC CHEVRIER

Marc Chevrier est professeur au Département de science politique à l'Université du Québec à Montréal et membre du Centre de recherche interdisciplinaire sur la diversité et la démocratie (CRIDAQ). Il a publié d'importants ouvrages, dont *La République québécoise : hommages à une idée suspecte* (Boréal, prix Richard-Arès 2012) et *Le temps de l'homme fini* (Boréal, 2005). Ses travaux ont été publiés dans plusieurs revues, dont *Argument*, *Liberté*, *Agora*.

YVES COUTURE

Yves Couture est professeur de pensée politique au Département de science politique de l'Université du Québec à Montréal depuis 2005. Il travaille principalement sur les théories classiques, modernes et actuelles de la démocratie. Ses plus récentes publications et ses projets actuels portent sur Hegel, Nietzsche et Deleuze. Il a toujours continué par ailleurs à suivre de près l'évolution de la pensée politique au Québec et au Canada anglais depuis la publication d'un ouvrage, en 1993, sur le nationalisme québécois moderne.

ALAIN DIECKHOFF

Alain Dieckhoff est directeur de recherche au Centre national de la recherche scientifique et directeur du Centre d'études internationales (CERI) à Sciences Po Paris (<http://www.sciencespo.fr/ceri/cerispire-user/7200/1282>). Ses travaux portent principalement sur l'État d'Israël et les nationalismes contemporains dans une perspective comparée. Il a publié notamment *Le conflit israélo-palestinien* (Armand Colin, 2017), *La nation dans tous ses États. Les identités nationales en mouvement* (Flammarion, 2012) et *L'État d'Israël* (Fayard, 2008).

XAVIER DIONNE

Xavier Dionne est détenteur d'une maîtrise en science politique de l'Université du Québec à Montréal. Son mémoire portait sur le nationalisme québécois dans le cadre des débats contemporains sur le régime de citoyenneté québécois. Il est actuellement inscrit au doctorat en science politique à l'Université d'Ottawa et s'intéresse à la pensée politique au Québec depuis 1995.

PASCALE DUFOUR

Pascale Dufour est professeure titulaire de science politique à l'Université de Montréal et directrice de la revue *Politique et Sociétés*. Ses travaux portent principalement sur l'action collective et la représentation politique en perspective comparée. Elle a notamment publié *Trois espaces de protestation. France, Canada, Québec* (Les Presses de l'Université de Montréal, 2013) ; *Street Politics in the Age of Austerity. From the Indignados to Occupy* (avec Marcos Ancelovici et Héloïse Nez ; Amsterdam University Press, 2016) ; *Ambitions libérales et écueils politiques* (avec Gérard Boismenu et Denis Saint-Martin ; Athéna, 2004).

PHILIPPE DUGUAY

Philippe Duguay est candidat au doctorat en science politique à l'Université du Québec à Montréal et membre étudiant au Centre pour l'étude de la citoyenneté démocratique (CECD). Ses recherches traitent de l'effet des technologies de l'information et de la communication sur les attitudes et les comportements politiques des citoyens. Il s'intéresse particulièrement aux espaces délibératifs en ligne.

FRANCIS DUPUIS-DÉRI

Francis Dupuis-Déri est professeur titulaire au Département de science politique de l'Université du Québec à Montréal où il enseigne depuis 2006. Il est l'auteur d'importants ouvrages, dont *La peur du peuple : agoraphobie et agoraphilie politiques* de même que *Démocratie. Histoire politique d'un mot aux États-Unis et en France*, publiés chez Lux respectivement en 2016 et en 2013. Il a dirigé et codirigé plusieurs ouvrages collectifs sur les mouvements sociaux, dont *Le mouvement masculiniste au Québec. L'antiféminisme démasqué* (Remue-ménage, 2015 [2e éd.]) ; *Un printemps rouge et noir. Regards croisés sur la grève étudiante de 2012* (Écosociété, 2014) ; *À qui la rue ? Répression policière et mouvements sociaux* (Écosociété, 2013).

ALAIN-G. GAGNON

Alain-G. Gagnon est titulaire de la Chaire de recherche du Canada en études québécoises et canadiennes depuis 2003 à l'Université du Québec à Montréal. Il dirige les activités du Groupe de recherche sur les sociétés plurinationales depuis sa création en 1994. De 2003 à 2016, il a dirigé le Centre de recherche interdisciplinaire sur la diversité et la démocratie (CRIDAQ). Il est le président de l'Académie des sciences sociales de la Société royale du Canada. Il est l'auteur de *L'âge des incertitudes : essais sur le fédéralisme et la diversité nationale* (Presses de l'Université Laval) et corédacteur à University of Toronto Press respectivement de *Canadian Politics* (7e éd.) (avec James Bickerton) et de *Canadian Parties in Transition* (4e éd.) (avec Brian Tanguay).

PETER GRAEFE

Peter Graefe est professeur agrégé au Département de science politique de l'Université McMaster. Ses travaux portent sur les politiques publiques québécoises et ontariennes, ainsi que sur les relations intergouvernementales en politique sociale. Il a codirigé *Overpromising and Underperforming : Understanding and Evaluating New Intergovernmental Accountability Regimes* (University of Toronto Press, 2013) et il a publié de nombreux articles scientifiques.

ALLISON HARELL

Allison Harell est titulaire de la Chaire de recherche UQAM en psychologie politique de la solidarité sociale et codirectrice du Laboratoire de communication politique et d'opinion publique à l'Université du Québec à Montréal. Elle a collaboré aux Études électorales canadiennes de 2011 et 2015, et elle s'intéresse principalement à l'opinion publique et aux enjeux de la diversité. Elle a publié, entre autres, dans les périodiques suivants : *Revue canadienne de science politique, Political Psychology, Public Opinion Quarterly, European Journal of Political Research, Political Studies* et *Politics and Gender.*

NICOLAS HOUDE

Nicolas Houde, géographe de formation, est professeur au Département de science politique de l'Université du Québec à Montréal. Chercheur associé à la Chaire de recherche du Canada en études québécoises et canadiennes, ses travaux portent sur la négociation d'ententes politiques entre les Premières Nations du Canada et l'État. Ses publications ont notamment porté sur les négociations territoriales entre la nation atikamekw et l'État canadien.

GUY LAFOREST

Guy Laforest est directeur général de l'École nationale d'administration publique (ENAP), président de la Fédération des sciences humaines du Canada et membre du Centre de recherche interdisciplinaire sur la diversité et la démocratie (CRIDAQ). En enseignement et en recherche, ses travaux portent sur la pensée politique, l'histoire intellectuelle du Québec et du Canada, les politiques constitutionnelles au Canada, les théories du fédéralisme et du nationalisme, l'analyse comparée des sociétés plurinationales. Il a publié notamment *Un Québec exilé dans la fédération. Essai d'histoire intellectuelle et de pensée politique* (Québec Amérique, 2014).

XAVIER LAFRANCE

Xavier Lafrance est professeur au Département de science politique de l'Université du Québec à Montréal et ses principaux travaux portent sur les rapports entre partis politiques et mouvements sociaux. Il a notamment participé aux ouvrages *A World to Win : Contemporary Social Movements and Counter-Hegemony* (ARP Books, 2016) et *From the Streets to the State : Changing the World By Taking Power* (SUNY Press, à paraître en 2017).

LOUIS-PHILIPPE LAMPRON

Louis-Philippe Lampron est professeur à la Faculté de droit de l'Université Laval depuis 2007. Chercheur au sein du Centre de recherche interdisciplinaire sur la diversité et la démocratie (CRIDAQ) et co-porte-parole du Groupe d'étude en droits et libertés de la Faculté de droit de l'Université Laval (GEDEL), ses intérêts de recherche portent sur la protection des droits et libertés fondamentaux. Il s'est intéressé aux enjeux juridiques de la gestion du pluralisme culturel et religieux, sujet à propos duquel il a publié plusieurs articles ainsi qu'une monographie : *La hiérarchie des droits – convictions religieuses et droits fondamentaux au Canada* (Peter Lang, 2011).

JUSTIN MASSIE

Justin Massie est professeur de science politique à l'Université du Québec à Montréal, directeur de recherche au Centre interuniversitaire de recherche sur les relations internationales du Canada et du Québec (CIRRICQ) et membre du Centre de recherche interdisciplinaire sur la diversité et la démocratie (CRIDAQ). Ses travaux portent sur les interventions militaires multinationales, la culture stratégique, la société québécoise et la guerre, ainsi que sur l'idéologie en politique étrangère. Il a publié notamment *Francosphère : l'importance de la France dans la culture stratégique du Canada* (Presses de l'Université du Québec, 2013).

ALAIN NOËL

Alain Noël est professeur titulaire au Département de science politique de l'Université de Montréal et membre du Centre de recherche interdisciplinaire sur la diversité et la démocratie (CRIDAQ). Ses recherches portent sur les politiques sociales et sur le fédéralisme en perspective comparée et, plus largement, sur la politique au Canada et au Québec. Il a publié, notamment, *La gauche et la droite : un débat sans frontières*, en collaboration avec Jean-Philippe Thérien (Les Presses de l'Université de Montréal, 2010).

GENEVIÈVE PAGÉ

Geneviève Pagé est professeure au Département de science politique à l'Université du Québec à Montréal. Ses champs d'expertise incluent les théories féministes, les théories politiques et les mouvements sociaux. Ses recherches portent sur la création, la transformation, la traduction et l'appropriation d'éléments théoriques entre les groupes féministes de la base et les espaces universitaires.

MIREILLE PAQUET

Mireille Paquet est professeure adjointe au Département de science politique de l'Université Concordia, codirectrice du Centre pour l'évaluation des politiques d'immigration (CEPI) et membre du Centre de recherche interdisciplinaire sur la diversité et la démocratie (CRIDAQ). Ses travaux en matière d'immigration portent sur les politiques publiques, le fédéralisme et l'administration publique. Elle a notamment publié *La fédéralisation de l'immigration au Canada* (Les Presses de l'Université de Montréal, 2016) ainsi que de nombreux articles scientifiques.

BENJAMIN PILLET

Benjamin Pillet est doctorant au Département de science politique de l'Université du Québec à Montréal et membre du Collectif de recherche interdisciplinaire sur la contestation (CRIC). Ses travaux portent sur les redéveloppements théoriques critiques du colonialisme de peuplement en Amérique du Nord depuis les années 1990, et tout particulièrement sur la ré-émergence du concept de « décolonisation ». Il est notamment coauteur avec Francis Dupuis-Déri d'un ouvrage à paraître en 2017 chez Lux sur les solidarités autochtones-allochtones.

STÉPHANE ROUSSEL

Stéphane Roussel est professeur titulaire à l'École nationale d'administration publique (ENAP) et directeur du Centre interuniversitaire de recherche sur les relations internationales du Canada et du Québec (CIRRICQ). Ses travaux portent principalement sur la politique de sécurité canadienne, notamment en ce qui a trait à l'Arctique et aux relations avec les États-Unis, ainsi qu'à l'incidence de l'idéologie et de la culture stratégique sur la politique étrangère. Il a aussi acquis une expertise en histoire militaire et en théories des relations internationales.

DAVID SANSCHAGRIN

David Sanschagrin est un doctorant associé aux travaux du Centre de recherche interdisciplinaire sur la diversité et la démocratie (CRIDAQ), basé à l'Université du Québec à Montréal, où il fait ses études de troisième cycle en études canadiennes. Ses champs de recherche sont la sociologie juridique, la sociologie politique et l'histoire des idées politiques. Son premier livre *Les juges contre le peuple ? La conscience politique de l'Ouest et la contre-révolution des droits au Canada* a été publié aux Presses de l'Université Laval en 2015. Il enseigne présentement au Département de science politique de l'Université Simon Fraser.

DONALD J. SAVOIE

Donald J. Savoie est titulaire de la Chaire de recherche du Canada en administration publique et gouvernance (niveau 1) à l'Université de Moncton. Il a publié plus de 40 livres qui ont fait l'objet de comptes rendus dans des journaux et des revues arbitrées de renommées nationale et internationale. Il a reçu plusieurs prix, dont le prix Donner 2016, le prix Killam 2015 en sciences sociales, l'Ordre du Nouveau-Brunswick (2011), le prix de recherche de la Fondation Pierre Elliott Trudeau (2004), la Médaille Vanier (1999), puis a été nommé officier de l'Ordre du Canada (1993) et élu membre de la Société royale du Canada (1992). Son livre *The Politics of Public Spending in Canada* a reçu le premier prix Smiley (1992).

JEAN-CHARLES ST-LOUIS

Jean-Charles St-Louis détient un doctorat en science politique de l'Université du Québec à Montréal. Il est présentement chercheur post-doctoral au Département de sociologie de l'Université de Montréal. Sa thèse explore les conventions dominantes et les principaux lieux communs des discussions récentes sur le pluralisme au Québec. Il a récemment codirigé, avec Alain-G. Gagnon, l'ouvrage collectif *Les conditions du dialogue au Québec. Laïcité, réciprocité, pluralisme* (Québec Amérique, 2016).

politeia
collection

Directeur de collection
Alain-G. Gagnon

Dans la même collection

Retour sur les États généraux du Canada français
Continuités et ruptures d'un projet national
Sous la direction de Jean-François Laniel et Joseph Yvon Thériault
2017, ISBN 978-2-7605-4381-2, 428 pages

La sociologie historique
Traditions, trajectoires et débats
Frédérick Guillaume Dufour
2015, ISBN 978-2-7605-4348-5, 476 pages

La politique québécoise et canadienne
Une approche pluraliste
Sous la direction d'Alain-G. Gagnon
Avec la participation de David Sanschagrin
2014, ISBN 978-2-7605-4008-8, 726 pages

Le nouvel ordre constitutionnel canadien
Du rapatriement de 1982 à nos jours
Sous la direction de François Rocher et Benoît Pelletier
2013, ISBN 978-2-7605-3760-6, 352 pages

MIXTE
Papier issu de
sources responsables
FSC® C100212

Achevé d'imprimer
sur les presses de l'imprimerie Gauvin,
Gatineau, Québec, Canada